MON JOURNAL DU CONCILE

I

DU MÊME AUTEUR
dans la même série

Journal de la guerre 1914-1918, annoté et commenté par Stéphane Audoin-Rouzeau et Dominique Congar, Cerf, 1997.

Journal d'un théologien (1946-1956), présenté et annoté par Étienne Fouilloux, avec la collaboration de Dominique Congar, André Duval et Bernard Montagnes, Cerf, 2000.

On trouvera, à la fin du tome II, une liste des livres du P. Congar cités dans le Journal du Concile.

YVES CONGAR

MON JOURNAL DU CONCILE

I

présenté et annoté par
ÉRIC MAHIEU

Avant-propos de DOMINIQUE CONGAR
Préface de BERNARD DUPUY, o.p.

LES ÉDITIONS DU CERF
www.editionsducerf.fr
PARIS

2002

En couverture :

Depuis que j'ai noté les dernières choses, il s'est passé de grands événements, mais je n'ai rien écrit ici. Il y a eu l'agonie et la mort de Jean XXIII. L'Église et même le monde ont fait ici une expérience extraordinaire. Car tout à coup s'est révélé l'immense écho qu'a suscité le fait de cet homme humble et bon. Il s'est révélé qu'il a changé profondément la carte religieuse et même humaine du monde : simplement en étant ce qu'il a été. Il n'a pas procédé par grands exposés d'idées, mais par des gestes et un certain style de sa personne. Il n'a pas parlé au nom du système, de sa légitimité, de son autorité, mais simplement au nom des intuitions et du mouvement d'un cœur qui, d'un côté, obéissait à Dieu et, d'un autre, aimait les hommes, ou plutôt faisait les deux choses du même mouvement. En sorte qu'une fois de plus s'est vérifiée la loi divine : Dieu seul est grand ; la vraie grandeur est d'être docile à le servir en lui-même et en son plan d'amour. Il exalte les humbles. Bienheureux les doux, ils posséderont la terre. Bienheureux les faiseurs de paix, ils seront appelés fils de Dieu. Tout le monde a eu le sentiment, en Jean XXIII, de perdre un père, un ami personnel, quelqu'un qui pensait à lui et l'aimait.

On trouvera ce texte au 10 juillet 1963, p. 383-384.

(29, boulevard La Tour-Maubourg
75340 Paris Cedex 07)

ISBN 2-204-06535-8

AVANT-PROPOS

par Dominique CONGAR

Avec la parution de *Mon journal du Concile* s'achève l'édition des trois principaux journaux d'Yves Congar décédé le 22 juin 1995 aux Invalides à Paris.

Qu'il me soit permis de proposer cet avant-propos un peu familial, ce que n'aurait probablement pas réprouvé le dominicain tellement attaché à sa famille et à ses Ardennes natales.

Le premier journal fut le *Journal de la guerre 1914-1918* (Cerf, 1997), le deuxième, le *Journal d'un théologien, 1946-1956* (Cerf, 2000). Voici maintenant le troisième, *Mon journal du Concile.*

Avant tout je voudrais remercier en mon nom et pour la famille Congar les Éditions du Cerf qui ont mené à bien la difficile entreprise d'édition de ce journal. Mes remerciements vont aussi à tous ceux et celles qui ont apporté leur concours à cette publication.

Yves Congar n'avait pas montré les cahiers de son journal d'enfance – guerre 1914-1918 – à qui que ce soit, mais il en parlait souvent. On a découvert à travers ce journal tenu pendant cinq années à Sedan un garçon très doué et précoce, sensible et ouvert – déjà – aux événements mondiaux. On relira avec intérêt la présentation de Jean-Pierre Jossua (30 juin 1997) ainsi que l'analyse et les notes de Stéphane Audoin-Rouzeau.

Le deuxième journal couvre la période postérieure à la captivité d'Yves Congar – entre 1946 et 1956. Il n'y a rien à ajouter à l'excellente « Présentation générale » rédigée par Étienne Fouilloux. Tout est dit et bien dit. On rencontrait dans ce livre un Congar aux prises avec les difficultés venant de l'autorité ecclésiale. Certains ont trouvé ce document exceptionnel.

Yves Congar avait expressément souhaité que son journal soit publié après l'an 2000. Le lecteur va donc découvrir ce que le théologien, l'expert, fidèle à sa technique du journal personnel, écrivait au jour le jour pendant ce grand événement. Et ce en dépit d'une extrême fatigue et d'une maladie de plus en plus envahissante.

Si l'enfant Yves Congar se singularisait dès 1914 par un style alerte où tous les détails étaient notés d'une manière vivante et précise, on verra dans le *Journal du Concile* que le théologien n'avait pas sa langue dans sa poche, ni perdu sa capacité d'observation.

En sursautant peut-être à des réflexions ou des notes personnelles un peu crues, le lecteur devra se rappeler ce qu'écrivait l'enfant de 14-18 et le théologien de 46-56 qui n'étaient pas toujours tendres.

Dans le *Journal du Concile* les notes concernant la famille sont peu nombreuses, mais elles existent. Une fois de plus la mère bien aimée, Tere, est mentionnée. Avec ses frères plus âgés et avec les gamins, compagnons de jeux du Fond-de-Givonne (Sedan, Ardennes) Yves Congar parlait la langue des garnements du coin avec l'accent ardennais. Et puis la vie militaire et la très dure captivité ont renforcé cette propension à recourir à une langue directe.

Lorsqu'il se met à rédiger les premières lignes de son *Journal du Concile*, Congar est un homme qui ne s'est pas encore parfaitement remis des années qui ont vu sa vie d'enseignant, de théologien et d'écrivain entravée. En 1962, le dominicain est encore un homme meurtri qui ne dispose plus complètement de sa force physique même si les capacités intellectuelles sont totalement intactes.

Le *Journal d'un théologien (1946-1956)* se terminait par la nomination d'Yves Congar comme consulteur de la Commission Théologique préparatoire au Concile.

Voici donc ce *Journal du Concile* dont Yves Congar avait relu avec attention le texte, qu'il avait fait dactylographier, et qui est conservé précieusement dans les archives de la province dominicaine de France.

Par respect au texte de l'auteur, j'ai souhaité qu'il ne soit fait ni coupures ni suppressions, même si certaines expressions sont un peu « acides », mais à cela l'oncle nous avait habitués depuis longtemps !

PRÉFACE

par Bernard DUPUY*

Il n'était pas encore cardinal – et ne le deviendra que quelques jours avant sa mort. D'autres, qui l'étaient depuis longtemps, étaient dans l'Église aux postes de commande. Lui n'avait aucun titre, ni pouvoir. Il n'était rien quand il fut soudain nommé expert de ce Concile qui était encore à l'état d'espérance, à peine défini, sinon en ceci qu'il devrait procéder à l'*aggiornamento* de l'Église.

Le P. Congar était encore suspect, surveillé et craint à Rome, avec trois ouvrages discutés, différés, consignés dans les tiroirs d'ecclésiastiques, qui lui cherchaient en vain des noises[1]. Il avait été envoyé par ses supérieurs « en exil à Jérusalem » (quelle contradiction !), à Cambridge, à Strasbourg. Il a relaté ailleurs ce temps d'épreuves, où Rome n'était plus dans Rome et où l'Église, de l'intérieur, souffrait violence.

---

* Bernard DUPUY, né à Paris en 1925. Avait succédé au P. Congar au Saulchoir dans la chaire de théologie fondamentale en 1960. Chargé de sessions et de conférences à l'Institut œcuménique de Bossey dès 1961, il fut au concile Vatican II expert au service des évêques français pour les questions œcuméniques. Avant le Concile, il avait rassemblé à l'invitation du P. CONGAR l'ouvrage collectif *L'Épiscopat et l'Église universelle*, Cerf, 1962, collection « Unam Sanctam » n° 39, 834 pages (cf. sur ce recueil, Yves CONGAR, *Sainte Église*, Cerf, 1963, pp. 688-696). Après le Concile, il publiera dans la même collection *La Révélation divine*, 2 volumes, Cerf, 1968, 696 pages. Il deviendra en 1967 directeur d'Istina.

1. *Vraie et fausse Réforme dans l'Église*, *Jalons pour une théologie du laïcat*, et la nouvelle édition, revue et complétée, de *Chrétiens désunis*. Cf. Yves CONGAR, *Journal d'un théologien 1946-1956*. Édité et présenté par Étienne FOUILLOUX, Cerf, 2001, pp. 181-190, 194-198, 402-404.

Le plus souvent isolé, Yves Congar avait été conduit au cours des ans à méditer sur les imprévus de la vie religieuse, de l'histoire et sur les aspects divers de la vie de l'Église. Il avait connu deux guerres. Prisonnier, il avait passé cinq années en régime de détention spéciale pour officiers à Colditz et à Lübeck. Ayant travaillé sans relâche, il avait toujours beaucoup écrit, médité et publié.

Les notes de ce Journal, étonnantes, captivantes, jetées comme une bouteille à la mer, couchées sur le papier à tout instant au gré des rencontres dans les allées latérales de Saint-Pierre transformées en salle des pas perdus pour évêques ou sur les trottoirs de la Ville éternelle, ont été griffonnées par Yves Congar sans apprêt ni souci littéraire, retenues par lui pour l'avenir, tout en sachant qu'il n'aurait jamais le temps de les relire et en décidant de ne jamais les retoucher. Il avait souhaité qu'elles fussent gardées dans les archives jusqu'en l'année 2000. Recueillies par d'autres, elles sont un document extraordinairement vivant et direct sur les événements vécus, sur les différents acteurs du Concile Vatican II et sur les personnes, rencontrées et décrites, telles qu'en elles-mêmes, ni épargnées ni sanctifiées, mais saisies dans le feu de l'action.

Le P. Congar n'a pas laissé sur les assises de ce Concile des études savantes et tournant au vinaigre comme celles d'un Paolo Sarpi à Trente, ou amères et agressives comme les *Lettres romaines* d'Ignaz von Döllinger lors de Vatican I[1]. On pourrait mieux comparer son attitude et sa situation à celles de Newman en 1869[2], mais ce dernier ne fut invité à Rome ni par Pie IX ni par le cardinal Manning. Congar fut convié par Jean XXIII et sa nomination, remarquée dans

---

1. Sur l'œuvre du servite vénitien Fra Paolo Sarpi (1552-1623) et son *Histoire du Concile de Trente* (3 volumes, traduction par P. F. LE COURAYER, Amsterdam, 1736 avec une préface de ce dernier), voir l'étude de David WOOTON, *Between Renaissance and Enlightenment*, Cambridge, 1983, cf. *Istina* 41, 1996, pp. 54-66. Sur la position d'Ignaz von Döllinger à l'égard du Concile Vatican I, on peut lire les lettres de John Henry NEWMAN à Alfred Plummer recueillies et traduites en français dans le vol. VII des *Textes newmaniens, Lettre au Duc de Norfolk*, Desclée de Brouwer, 1970 (voir ci-dessous, n. 2), pp. 469-479.

2. Cf. John Henry NEWMAN, *Lettre au Duc de Norfolk* et *Correspondance relative à l'infaillibilité*. Introduction, traduction de l'anglais et notes par B. DUPUY. Coll. « Textes newmaniens », vol. VII, Desclée de Brouwer, 1970, 536 pages.

l'opinion, apparut aussitôt comme la réparation d'une erreur, voire d'une injustice. Tous ceux qui ont vécu dans la proximité du P. Congar entre 1962 et 1965 se souviennent de l'incroyable activité qu'il déploya – en dépit d'une maladie éprouvante mystérieuse et inquiétante – au service du Concile.

Le concile de Jean XXIII

Nommé le 20 juillet 1960 consulteur à la Commission théologique préparatoire, ainsi que le jésuite Henri de Lubac lui aussi longtemps soupçonné, Yves Congar n'eut d'abord aucune idée précise du rôle qu'il allait être appelé à jouer à Rome. Ayant reçu sa lettre d'invitation presque par hasard, alors qu'il était pour quelques jours de repos dans sa famille à Sedan, il apprit la nouvelle avec quelque réserve et même un certain scepticisme. Au Saulchoir où il vint quelques jours après pour partager avec ses frères ses réflexions sur l'annonce du Concile, qui faisait le tour de la presse, il put observer l'enthousiame des étudiants pour l'initiative du pape, qui s'annonçait comme une éclaircie imprévue dans la vie de l'Église et dans l'histoire du monde. Rares parmi ses interlocuteurs religieux étaient ceux qui faisaient preuve d'inquiétude : « Que peut sortir d'un concile ? disait l'un d'eux, se situant déjà à contre-courant. L'histoire nous l'apprend : en général beaucoup de maux et parfois un peu de bien... » Telle n'était pas ce jour-là l'humeur d'Yves Congar, dès qu'il eut connaissance de l'intention exprimée par le pape de convoquer ce concile afin de contribuer à la recomposition de l'unité des chrétiens. Lui, qui avait lutté pendant des années en faveur de l'organisation de rencontres conduites à un niveau limité avec les orthodoxes et les protestants, pouvait s'estimer aussi comblé que stupéfait, et il exprima sa réaction : « Proposer cela, ce ne peut être qu'inconscience – et donc quelle catastrophe ! – ou œuvre du Saint-Esprit : dans ce cas tout est possible ! Je crois que c'est le Saint-Esprit ! » Un an plus tard, rendant compte de la première session il dira : « Maintenant, je ne le crois plus, je le sais[1]. »

1. Témoignage direct.

Ainsi, l'œuvre du P. Congar, que certains esprits étroits s'étaient depuis plusieurs années appliqués à entraver en haut lieu, trouvait soudain un aboutissement. Mais les documents préparés et déposés sur la table de la Commission théologique préparatoire du concile ne laissaient encore rien présager de ce qui allait suivre. Les textes prévus, rédigés sur la base des encycliques de Léon XIII et de Pie XII, restaient rivés à des problèmes techniques résiduels ou à des modifications de doctrine mineures. L'œuvre à venir restait à accomplir et les grands thèmes du concile que le P. Congar cherchera à introduire (l'écoute de la parole de Dieu, la collégialité, l'unité des chrétiens) ne s'annonçaient pas encore. En dépit des paroles lumineuses de Jean XXIII, il pouvait s'inquiéter et s'affliger du climat étriqué régnant dans la curie romaine.

Le P. Congar a comparé le moment de Vatican II dans l'histoire à cet exercice en commun qu'on avait appelé dans les années précédentes en France la « révision de vie », transposant à l'assemblée conciliaire cette expression forgée dans le contexte de l'Action catholique et de l'œcuménisme. Il s'agissait de faire en sorte, disait-il, « que l'Église soit l'Église », et même, oserait-on dire, « que Dieu soit Dieu ». Les attitudes majeures exigées devraient être le partage et la franchise. Il y a toujours eu de vrais chrétiens et la nécessité d'une opposition entre chrétiens est nécessaire pour faire apparaître la vérité, ce qui suppose que l'on tienne ses adversaires sans hésiter pour de vrais chrétiens. Mais ceux qui veulent agir conformément à l'Évangile doivent sans cesse, disait-il, remodeler leur propre vie, leurs paroles et toute leur personnalité selon l'esprit de l'Évangile. Il n'y a pas de comportements chrétiens dictés et établis au préalable, surtout en matière publique et politique. Il n'y a pas de doctrine sociale catholique ni de modèle chrétien unique enseignés d'avance. Il faut toujours devenir plus chrétien. Il faut le devenir avec l'aide d'autrui, à partir de la vie, des événements, des circonstances comme le révèlent les exigences ou les appels individuels. Le concile Vatican I avait envisagé de développer cet aspect concret et vivant de la vie de l'Église, mais il ne l'a pas fait. Il est demeuré au niveau des principes. Il fallait une reconstitution du tissu chrétien. Ainsi le Concile devait-il être comme la nécessaire « révision de vie » de l'Église entière pour qu'elle reprenne sa mission initiale et ses engagements permanents dans la trame de ce monde, avec l'expérience du temps.

Dès le premier instant, avant même de se voir reconnu et admis, Yves Congar – il était trop humble et réservé par nature pour se mettre en avant – se chercha des appuis et compta sur ses amis. À côté du P. de Lubac qui lui était acquis mais qu'il ne rencontrait qu'épisodiquement, il noua des liens multiples. Il fit des découvertes, rares mais enthousiasmantes. « Mon espoir, répétait-il dans les premiers jours quand il fut arrivé à Rome, est dans le cardinal Bea : il y a en lui la force de la parole de l'Écriture. »

Ce jugement surprit d'abord parce que le P. Augustin Bea était surtout connu comme un homme de curie, jadis confesseur de Pie XII. Mais il fut bien vite confirmé. Jean XXIII lui avait confié la remarquable requête, bien des fois relatée, de Jules Isaac demandant que les juifs ne soient pas oubliés, après avoir été si souvent ignorés, sinon méprisés au cours de toute l'histoire de l'Église. Jules Isaac, atteint par la Shoa, – le mot n'existait pas encore et les termes appropriés se cherchaient à Rome –, meurtri dans sa famille directe, apportait avec lui la plainte de son peuple et le vœu du mouvement, encore restreint mais si représentatif, de l'Amitié judéo-chrétienne, qui avait cette préoccupation à cœur. Jean XXIII en fit part personnellement au P. Bea, non pas lors d'une rencontre occasionnelle, mais aussitôt même, dès avant l'ouverture de la première session.

Bien que toujours à l'affût des nouvelles importantes, Congar ne fut pourtant pas tout de suite informé de cette démarche. L'œuvre de l'Esprit suivait des cheminements secrets. Tout ne communiquait pas de haut en bas comme dans les bureaux d'une armée dans cette phase initiale du Concile. Mais le P. Bea, expert qualifié entre tous, avançait, ouvrait des avenues nouvelles sans se formaliser des préoccupations de la Commission théologique, à laquelle Congar se trouvait rattaché. Il s'enquit tout simplement auprès des juifs présents à Rome, déjà venus pour observer le tour pris par cette immense et inédite assemblée. Il voulut examiner s'il était envisageable et opportun d'inviter des observateurs juifs au Concile.

La visite de Jules Isaac avait eu lieu en juin 1960. Dès l'automne, se souvenant que le président du Congrès juif mondial avait jadis été sollicité par les jésuites pour rencontrer Pie XII, mais qu'il en avait été empêché par la Secrétairerie d'État, Bea reprit langue avec lui. Il rencontra Nahum Goldmann en novembre de la même année. Il semble que la démarche effectuée auprès des juifs ait ainsi précédé celle en direction des diverses confessions chrétiennes. La lettre du P. Congar au pape sur ce sujet est en effet du 12 juillet 1961[1]. Il ne fut pas encore question non plus de l'invitation adressée aux observateurs orthodoxes et protestants lors de la session de la Conférence catholique pour les questions œcuméniques tenue à Strasbourg en août 1961. Mais Bea considérait déjà ces gestes décisifs comme devant ouvrir une nouvelle ère dans l'histoire de l'Église.

Ainsi quand il proposa aux juifs un envoi d'observateurs, cette idée tout à fait nouvelle pour eux, qui leur fit craindre de voir l'Église annexer les juifs au train de l'unité des chrétiens, leur souleva beaucoup de questions et leur causa beaucoup de soucis. Mais le cardinal Bea ne s'en tint pas là. Sentant la difficulté, il proposa aux organisations juives de composer un *Memorandum*, qui servirait de référence en vue d'un dialogue. Nahum Goldmann consulta le rabbin Joseph Dov Soloveitchik, de Boston, qui était une très haute autorité de la diaspora juive, originaire de Lituanie[2]. Celui-ci fut d'avis que le monde juif ne devait pas envoyer d'observateurs au Concile, qui était une affaire de l'Église. Mais le *Memorandum* lui parut une heureuse idée. Il y fut favorable, à condition que ce texte fût formulé par les organisations juives « séculières », pour bien marquer que les juifs ne pouvaient pas entrer dans un dialogue religieux avec une autre religion. Par ailleurs, l'œcuménisme ne semblait pas aux juifs pouvoir demeurer la finalité principale du Concile. Il n'y avait donc pas de raison de s'immiscer dans ses projets. Sa finalité ultime ne pouvait pas être l'unité religieuse. Celle, proposée par Jean XXIII, était l'*aggiornamento* de l'Église dans le monde actuel, et ceci les intéressait beaucoup plus. Le cardinal Bea, informé par Nahum Goldmann de cette analyse, fut très étonné de cette clairvoyance. Par ailleurs, une présence de délégués juifs au Concile aurait divisé la communauté juive, l'orthodoxie n'y étant certainement pas prête. Cela aurait abandonné la conduite de l'événement aux éléments libéraux et suscité des divisions internes au monde juif, que l'on ne voulait pas provoquer. Ce jugement se trouva bientôt vérifié par l'envoi inattendu au Concile d'un observateur israélien, le Dr Chaim

1. Voir ci-dessous le texte du Journal, en note, à cette date.

2. À la fin du Concile, Mgr Willebrands ira consulter directement le rabbin Soloveitchik, président du Synagogue Council of America.

Vardi[1]. Mais le projet de *Memorandum* fut agréé de part et d'autre. Le texte de ce dernier fut remis au cardinal Bea en février 1962[2], qui le transmit à la commission qui préparait alors la première version d'un texte sur le judaïsme à soumettre au Concile. Ces tout premiers échanges permirent l'ouverture de conversations confiantes et fécondes, qui durèrent pendant toute la durée du Concile et qui n'ont jamais été rompues ensuite. Le P. Congar suivit avec attention ces pourparlers, dont il a peu parlé parce qu'il est peu intervenu sur cette question, se contentant d'affirmer que l'œuvre du P. Bea en ce domaine devait être prise très au sérieux et aboutir.

La mise en route des grands projets

Dès l'ouverture de la première session, le 11 octobre 1962, lors de la cérémonie inaugurale sur la place Saint-Pierre, où une foule immense se serrait pour observer les 3 000 représentants venus du monde entier, le P. Congar se dit frappé par ce rassemblement qui l'arrachait à sa réflexion studieuse. Grâce à Telstar, pour la première fois, le monde chrétien a pu assister à un événement qui le concernait directement. Il a pu se considérer dans son origine, non par l'entremise de clercs, de chantres, de professionnels ou de délégués. De près ou de loin, il fallait *que tout le peuple soit là*, soit présent. Il fallait démontrer qu'il était en attente, qu'il était vraiment uni et concerné. « Au-delà de cette donnée des choses, écrit-il l'après-midi même, je perçois combien l'Église catholique est orientale. La Réforme ne l'est aucunement à son berceau. Elle peut gagner des membres en Orient, elle n'a en aucune façon ni à aucun degré été orientale depuis ses débuts, en ses formes natives et formatrices. » Mais il voit aussi le poids à porter de l'époque où l'Église avait un pouvoir temporel, où les papes et les évêques étaient des seigneurs, qui avaient une cour et prétendaient à une pompe semblable à celle des Césars. « Cela, écrit-il, l'Église romaine ne l'a jamais répudié. La sortie de l'ère

---

1. Sur cette affaire, voir le récit de G. M. RIEGNER, *Ne jamais désespérer*, Paris, 1998, pp. 367-370.

2. Le texte de ce *Memorandum*, rédigé par Maurice PERLZWEIG, a été publié pour l'essentiel en français par G. M. RIEGNER, *Ne jamais désespérer*, pp. 360-361.

constantinienne n'a jamais été décidée. Le pauvre Pie IX, qui n'a rien compris au mouvement de l'histoire, qui a enfoncé le catholicisme français dans une stérile attitude d'opposition, de conservatisme, d'esprit de Restauration avait été appelé par Dieu à entendre la leçon des événements, à sortir l'Église de la misérable logique de la Donation de Constantin, et à la convertir à un évangélisme qui lui eût permis d'être moins *du* monde et plus au monde. Il a fait juste le contraire. Homme catastrophique, qui ne savait ni ce qu'était l'*ecclesia* ni ce qu'était la tradition, il a orienté l'Église à être toujours *du* monde et pas encore *au* monde qui, cependant, avait besoin d'elle. Et Pie IX règne encore. Boniface VIII règne encore : on l'a surimposé à Simon-Pierre, l'humble pêcheur d'hommes ! » Cette analyse était tout un programme.

Mais les observateurs reçus par le pape le 13 octobre font l'un après l'autre leur apparition : « J'avais les larmes au bord des yeux quand j'ai rencontré les observateurs pour la première fois, ici ! Bien sûr, il faudra que leur présence soit efficace : tout est à faire. Bien sûr, ils connaîtront des moments d'ennui, de vide, d'agacement. Mais l'essentiel est acquis : *ils sont là*. Le statut qui leur a été fait est large et loyal. Ils assistent, exactement comme les experts, aux Congrégations générales, où les évêques expriment leurs réactions, et s'ils sont invités ou autorisés par le président, à telle ou telle séance de travail des commissions. Ils n'ont pas le droit de prendre la parole, mais ils peuvent remettre des observations par écrit. Ils peuvent librement renseigner leurs communautés mandataires. Ce cadre juridique porte déjà un esprit. Mais le rôle effectif des observateurs délégués, ou des invités, sera ce qu'ils le feront... Qui peut supputer l'influence que des conversations privées, franches et loyales, pourront avoir jusque sur l'orientation de certains débats[1] ? »

Le 2 décembre, il pouvait déjà confirmer ses espérances. « La présence des 39 observateurs des communions chrétiennes non catholiques romaines est un des éléments majeurs de la conjoncture conciliaire[2]. La question qu'on pose généralement à leur sujet est désespérément banale : sont-ils contents ? Eux-mêmes répondent

1. Cf. Yves CONGAR, *Le Concile au jour le jour*, Cerf, 1963, pp. 36-37.
2. Voir la liste des observateurs présents à la première session de Vatican II, *ibid.*, pp. 139-141.

sans la moindre réticence : oui. L'accueil, mieux, la confiance qui leur ont été faits seront à eux seuls plus efficaces que cent traités apologétiques pour dissoudre le complexe de méfiance qui pèse souvent plus que les raisons...[1] »

L'annonce de l'intervention du cardinal Liénart et du cardinal Frings ordonnant que l'élection des commissions conciliaires soit reportée, afin que celles-ci puissent être mieux préparées, changea la configuration du Concile. Le P. Congar releva aussitôt, le 18 octobre, la portée significative de la demande de Liénart : « Le geste du cardinal Liénart était d'une grande importance : il décidera largement le déroulement ultérieur du Concile. C'était le premier acte conciliaire : non au sens banal d'acte fait dans le cadre du Concile, non dans le sens inacceptable et banni d'un conciliarisme quelconque, mais dans le sens d'un acte d'assemblée délibérant et décidant librement. Il marquait la volonté générale des évêques d'examiner, de traiter et de décider eux-mêmes, en écartant l'ombre même du préfabriqué et du discrètement guidé. Tel est d'ailleurs, à n'en pas douter, l'esprit du Saint-Père qui, absent de corps, est présent d'âme et de cœur à toutes les démarches[2]. »

À partir de ce moment et de quelques signes pleins d'espoir, le ton change soudain dans le *Journal du Concile*. Le 20 octobre, on annonce que le Secrétariat pour l'Unité est élevé au rang de commission. L'unité des chrétiens devient un objectif décisif et officiel. Congar cherche des soutiens pour le retour à la communion sous les deux espèces. Cette forme de conciliarité du porte à porte qui supplante peu à peu la raison théologique surprend mais a déjà des adeptes. L'atmosphère du Concile agit. Toutes sortes de questions entrent dans l'ordre du jour. « Je me rends compte moi-même ici de l'immense influence du milieu. Un homme est profondément conditionné par son milieu. Mes réactions, par exemple, ne sont pas exactement ou de tous points, aujourd'hui, ce qu'elles étaient durant les premiers travaux de la Commission théologique. Certes, elles sont identiques en leur fond, surtout quant à leurs déterminations strictement intellectuelles. J'ai fait (trop timidement), verbalement ou par écrit, la plupart des remarques ou des critiques qu'on articule au-

1. *Ibid.*, p. 73.
2. *Ibid.*, pp. 32-33.

jourd'hui. Mais mes réactions étaient pour une part conditionnées par le milieu d'alors. Je réalise de façon quasi physique ce qu'apporte ce grand rassemblement comme tel. C'est un argument de plus contre l'idée de "concile par écrit" mise en avant auparavant lors des consultations demandées par les papes. Je réalise aussi, une fois de plus, ce qu'a de machiavélique et de déprimant la discipline du secret, obtenue et sanctionnée par un serment, que Rome impose à tous ceux qui travaillent avec elle[1]. »

Entre-temps, le schéma sur l'unité de l'Église, élaboré par la commission orientale, est présenté. Le même jour, le schéma sur l'Église est introduit, qui connaîtra un sort analogue à celui qu'avait subi dès le début le texte sur la Révélation. Le 8 décembre 1962, on arrive déjà à la clôture de la session. Le 18, rentré à Strasbourg, le P. Congar en fait le bilan. « Même si le Concile ne devait aboutir à aucun texte précis, un résultat d'une incalculable portée est dès maintenant obtenu. Quelque chose d'irréversible s'est produit et affirmé dans l'Église. L'épiscopat s'est trouvé. Il s'est vu. Il a pris conscience de lui-même. Dès lors, les formules se trouveront. Elles viendront d'elles-mêmes, si on leur laisse le champ libre. Nous avons dit déjà, l'ayant éprouvé comme tant d'autres, très fortement, quelle donnée originale et irremplaçable représentait le fait de l'assemblée comme telle[2]. »

L'intersession fut marquée par un fait d'une immense portée, la mort du pape Jean XXIII. « Cela a été extraordinaire. Par centaines et de partout les faits s'ajoutaient aux faits, montrant à quelle profondeur l'humanité avait été touchée. » Jean XXIII a été un pape œcuménique d'une façon qui a bouleversé tout le monde quand on s'est apercu, au moment de le perdre, à quelle profondeur et avec quelle ampleur cela a été perçu. En particulier, il a été le moyen de la rencontre des catholiques et de l'Église non romaine : « Pour la première fois de l'histoire, ont dit les pasteurs Charles Westphal et Georges Casalis, les protestants pleurent un pape. Son successeur sera-t-il de son esprit ? » Commentant le 4 octobre 1963 le discours de Paul VI pour la réouverture du Concile, Yves Congar ne cache

1. *Ibid.*, p. 46.
2. *Ibid.*, p. 100.

plus son optimisme : « Nul ne peut plus douter que l'évolution engagée par Jean XXIII et le Concile ne soit désormais irréversible. »

La deuxième session s'ouvre le 29 septembre avec la discussion du *De Ecclesia.* « Il est évident, note-t-il, que la lumière de l'Orient, que le sens des choses gardé dans l'admirable tradition orientale, font gravement défaut aux textes proposés : ce manque, déploré par le petit nombre d'hommes qui sont capables de le ressentir, donne assez bien la mesure du besoin que nous aurions de l'Orient pour corriger ce qu'il y a chez nous d'excessivement cartésien, juridique, analytique. Mais qui peut, d'un coup, faire parler l'Orient là où il est absent depuis des siècles ? »

Les controverses majeures

Tandis que l'assemblée poursuit ses assises, à la troisième session, le 15 novembre 1964, le P. Congar explique les difficultés qu'a rencontrées la rédaction du schéma sur l'Église dans le monde : Quel genre littéraire adopter ? À qui s'adresser ? On a pris le parti de s'adresser aux chrétiens, tout en visant à travers eux l'ensemble des hommes, mais cette option supposerait un texte plus biblique, plus théologique que celui des premières rédactions. De nombreux débats et votes se situent entre le 4 novembre, où l'on vote sur la fonction pastorale des évêques, et le 21 novembre où la session se clôt sur la promulgation du *De Ecclesia*, et du *De Œcumenismo.*

Entre-temps sont survenus d'assez graves incidents : la *Nota praevia* sur la collégialité, une révision à la dernière minute du texte sur l'œcuménisme, et le renvoi à la prochaine session du schéma sur la liberté religieuse. Les imprévus ont ému les Pères fatigués et mal informés des décisions prises, mais aussi les observateurs et l'opinion publique entière. Le P. Congar explique ces incidents et donne son sentiment : quoi qu'il en soit des manœuvres qui ont pu y contribuer, les faits, selon lui, doivent être objectivement et sereinement jugés. « La *Nota praevia* ne fait qu'exprimer la conception que la Commission théologique se fait de son texte et elle a voulu simplement écarter des craintes injustifiées. » Le P. Congar avait manifesté plusieurs fois le regret que les rapporteurs des commissions ne puissent venir à la tribune, comme à Vatican I, expliquer le texte et les intentions de ses rédacteurs. Les corrections du *De Œcumenismo* ne sont venues si tard que parce que le texte avait été présenté à la dernière minute.

La précision finale apportée par la *Nota praevia* à la constitution sur l'Église[1] était une reprise de la demande du cardinal Achille Liénart exprimée le 1er décembre 1962 et qui a donné le ton à tout le débat conciliaire sur ce sujet. Les théologiens allemands et chiliens sont allés dans le même sens, évoquant « une certaine union dans l'Esprit saint qui non seulement agit chez les catholiques par ses dons et ses grâces mais qui est aussi à l'œuvre chez d'autres de sorte que tous les disciples du Christ sont incorporés dans l'Église de la manière voulue par le Christ ». La perspective n'est pas juridique mais christologique. Elle avait conduit à remplacer la formulation première, de 1962, « Seule l'Église catholique est à bon droit Église » (où déjà le terme *romaine* avait été évité), par la formule « la véritable Église *subsiste dans* (*subsiste dans* et non pas *est*, comme l'avait écrit *Mystici corporis Christi*) l'Église catholique ». Certains y avaient vu une mise au point, voire une critique de la pensée de Pie XII. Or la tradition occidentale a toujours affirmé que l'Église déborde les limites de la seule Église en communion avec le siège de Rome. Mais elle n'en a jamais fait la théorie. Elle a toujours considéré les Églises orientales comme d'authentiques Églises, même, comme l'Église syriaque occidentale ou l'Église assyro-chaldéenne, quand celles-ci s'étaient trouvées séparées d'elle. Le passage du *est* au *subsistit in* s'avéra ainsi porteur d'une grande expérience œcuménique et d'une valeur christologique.

La nécessité d'apporter une justification au terme *subsistit in* introduit le 18 juin 1964 revint toutefois en discussion en novembre 1964 lorsque certains Pères du Concile firent appel au pape Paul VI du texte déjà voté. Ce retour en arrière provoqua une intense émotion, qui se répercuta chez les observateurs non catholiques. Heureuse controverse : elle a permis de démontrer que la tradition de l'Église pouvait être plus forte que les vœux des canonistes. Elle fut l'occasion de rappeler que l'Église a toujours tenu les Églises orientales pour des Églises authentiques, même quand elles étaient coupées

1. *Lumen gentium*, n° 7.

de Byzance ou de Rome par des canons conciliaires, même quand elles furent dites « dissidentes » et n'étaient plus en communion avec l'Église entière[1]. Le 5 mai 1987, dans une intervention à Atlanta, le cardinal Willebrands dut encore rappeler cette donnée fondamentale[2]. Le Concile s'est efforcé de montrer que l'épiscopat, comme tel, c'est-à-dire comme corps ou collège, fait partie de la constitution divine de l'Église, et que le pape ne peut changer cela. Il peut seulement limiter l'exercice du pouvoir des évêques, comme il l'a fait par exemple en leur soustrayant des religieux par l'exemption. On peut, aussi, accepter comme cadre de réflexion l'idée d'une juridiction des évêques *reçue* du Pape, mais, même dans cette hypothèse, la structure de l'Église n'en devient pas monarchique pour autant.

On a aussi pu affirmer que l'Église n'est pleinement elle-même que dans la célébration de l'eucharistie. Mais cette célébration est nécessairement locale. Cette considération théologique n'autorise pas une vision de l'Église, actuellement répandue parmi les Orthodoxes et qui, liant l'Église à l'eucharistie, en ferait une réalité exclusivement locale (P. Afanasieff, P. Evdokimov). Une telle ecclésiologie risque d'oublier la représentation de la royauté souveraine *universelle* du Christ sur l'Église universelle, par laquelle tous les chrétiens sont unis et que l'histoire a de plus en plus rendue manifeste contre les excès venant des replis nationaux et des phylétismes.

Aussi l'histoire de l'Église a-t-elle conduit, en méditant sur les paroles du Christ, à l'affirmation que la plénitude de pouvoir du pape est telle qu'aucune règle *de droit* ne peut limiter son exercice. Mais le pape ne peut intervenir directement dans les diocèses, limiter l'exercice de l'autorité d'un évêque, au point que celle-ci puisse être pratiquement suspendue. Aussi n'y a-t-il pas, a fait remarquer Karl Rahner, de limite *juridiquement définie* au pouvoir du pape. Ce n'est pas au plan de précisions juridiques qu'il faut chercher un principe d'équilibre préalablement établi entre épiscopat et primauté ; c'est seulement dans le principe surnaturel de toute l'action de l'Église, le Saint-Esprit, sous la mouvance duquel tout se déroule. Ce principe

1. Comme cela fut rappelé par le Concile de Florence. Voir la note de G. HOFMANN, dans *Gregorianum* 20 (1939), pp. 257-263.

2. Texte dans la *Documentation catholique*, 3 janvier 1988, n° 1953, pp. 35-39.

premier est sans appel. On se rappellera saint Bernard écrivant son fameux *De Consideratione* au pape Eugène III et s'élevant contre l'abus croissant des interférences romaines dans le champ d'exercice normal de l'autorité des évêques. L'idée d'une solidarité des évêques, formant un seul *collège* ou corps pour l'évangélisation du monde, allait s'imposer et sans cesse revenir au Concile.

Revenant sur l'histoire passée de l'Église, Vatican II ne pouvait éviter de se référer au Ier concile du Vatican. Il a souvent été dit que ce concile, dominé par la question de l'autorité pontificale, n'avait pas parlé de l'autorité des évêques. Ce n'est pas entièrement vrai. Il reste que, chaque fois que les Pères de 1870 avaient demandé qu'on marquât l'autorité des évêques, la « députation de la Foi », c'est-à-dire les rédacteurs et rapporteurs des textes proposés, avait déclaré que tels étaient bien sa pensée et le sens de ses textes. Mais rien ne fut modifié par le concile pour confirmer un sens qu'ils déclaraient expressément être le leur. De sorte que le texte final du concile Vatican I demeure orienté presque exclusivement vers l'affirmation du pouvoir du pape, comme s'il n'y avait que lui, et donne l'impression qu'il faut recourir aux explications données dans les séances plénières de ce concile pour en apprécier exactement le sens et le contenu.

Il semblerait qu'en un premier temps, le développement de l'Église ait appelé un renforcement du pouvoir pontifical, accompagné de centralisation. Le rationalisme moderne, l'expansion mondiale des puissances chrétiennes, l'implantation des missions dans un contexte d'impérialisme occidental et de colonisation, appelaient sans doute une telle prise de conscience. On peut se demander cependant si, en un second moment, celui que nous vivons aujourd'hui, le monde moderne ne demande pas autre chose. Un centre unique ne peut embrasser et diriger tous les mouvements que suscite un monde extraordinairement actif et qui va se développant, cherchant, posant des problèmes dont le rythme et la densité défient toute mesure d'ensemble. Trop de peuples se sont éveillés et ont pris une conscience nouvelle. Il y a eu un Bandoeng du Tiers-monde. Pour reprendre une comparaison sans cesse avancée par la presse, ne faudrait-il pas, dans l'Église, quelque chose qui corresponde à de tels faits ? Nul peuple, nul État ne peut plus demeurer isolé. Il faut que chacun s'intéresse au sort de tous. Mais les causes ne sont pas les mêmes. Des changements historiques sont multiples et partout, il faut, semble-t-il, aujourd'hui, pour parvenir à l'unité des nations et des peuples, même dans le domaine spirituel, des structures intermédiaires à côté d'une instance universelle. Il existe, au plan profane, une Organisation des Nations Unies. Le Conseil Œcuménique des Églises tient souvent des assises partielles dans le monde. Les évêques catholiques avaient eu de même, à Manille, en décembre 1958, une conférence commune. L'Afrique noire, le monde arabe, ont des problèmes et des intérêts communs, dont ils doivent chercher la solution en tant que groupes géographiques et culturels. Peut-être verronsnous ainsi bientôt une conférence des évêques noirs, une assemblée ou un organe permanent de l'épiscopat européen ? Peut-être le Concile mettra-t-il en place de tels organismes, en lesquels trouveraient à se rencontrer, à la fois le principe sociologique de subsidiarité, si souvent proclamé par Pie XII, et le principe théologique, aussi ancien que l'Église, de la collégialité. Ces facteurs divers expliquent l'importance bientôt reconnue à l'œcuménisme du Concile.

Les points névralgiques et les derniers moments du Concile

Grâce au Journal du P. Congar, on peut mieux comprendre ces enjeux nouveaux dans la vie de l'Église, mais aussi l'émotion suscitée le 19 novembre 1964, à la veille de la clôture de la troisième session, par la demande personnelle du pape d'introduire des modifications au schéma sur l'œcuménisme. Quarante *modi* d'origines diverses, proposés simplement par le Secrétariat pour l'Unité, avaient été adressés au pape qui les avait normalement transmis, et les membres du Secrétariat, réunis à cet effet par le cardinal Bea et Mgr Willebrands, en avaient retenu 19 sur 40, qu'ils avaient ratifiés. Ce procédé assez normal parut une manœuvre de dernière heure visant à faire différer le vote sur la liberté religieuse. D'autre part, le document sur les missions venait d'être retiré. Cela donna une impression de débâcle soudaine, de conflit avec le pape et d'insurrection. Les observateurs, surpris et visés directement, étaient consternés. Le P. Congar remarque pour sa part que les *modi du pape*, puisqu'on les a appelés ainsi, lui avaient paru minimes. On ne s'en souvient pas aujourd'hui : pour les retrouver il faut se reporter aux *Acta*. Une formule modifiée sur la Sainte Cène protestante avait beaucoup inquiété les Réformés, mais elle laissait intacte la reconnaissance de la célébration protestante en tant que mémorial de la mort et de la résurrection du Christ.

Un seul *modus*, celui sur la lecture de l'Écriture Sainte dans les Églises de la Réforme et présenté *in extremis* a pu paraître une grave critique de celle-ci apportée en dernière heure. Le texte antérieur, déjà approuvé par les Pères du Concile, disant : « Sous la motion du Saint-Esprit, ils (les protestants) trouvent dans l'Écriture Sainte Dieu comme celui qui leur parle dans le Christ » parut maladroit. L'allusion à la « théopneustie » (inspiration directe du Saint-Esprit) et l'emploi dans le texte modifié de la formule « comme si *(quasi)* le Christ leur parlait dans l'Écriture » semblaient de toute évidence insinuer que le Christ ne saurait inspirer toute interprétation tirée immédiatement de l'Écriture sainte. L'amélioration proposée parut en retrait sur le texte antérieur. Au lieu de parler d'une *« motion divine »* spéciale du Saint-Esprit à l'instant de la lecture, le nouveau texte reconnaissait, disait-il, l'action de la grâce du Saint-Esprit dans le fait que les protestants *cherchent* (et non : trouvent) Dieu dans l'Écriture. Un Père avait déjà demandé cette modification, que la Commission a écartée en affirmant que les Réformés trouvent effectivement Dieu, « ce que ne nie pas la nouvelle formule ». Le contenu de la modification parut sauf, mais le fait qu'elle ait été obtenue par une demande spéciale du pape provoqua l'inquiétude des observateurs et de leurs amis. Les quarante modifications avaient été « proposées comme des suggestions bienveillantes exprimées avec autorité » et la plupart avaient été rejetées. Le procédé n'avait donc été ni menaçant ni violent. Mais cette question de vocabulaire plus que de fond provoqua un incident. Il paraît difficile de supposer qu'elle engageait une reprise structurale de l'intention œcuménique du Concile et contenait un retour implicite à la théologie du « retour à Rome ». On évoqua cependant sur le moment la menace d'un changement probable des votes ; il n'y eut en fait qu'un nombre très faible de demandes d'amendements.

C'est au cours des derniers jours de cette troisième session que fut enfin votée, en 1965, la *Déclaration sur les juifs*, devenue *Nostra Aetate*, n° 4. Nul n'a songé à désavouer ni les intentions ni les affirmations de l'important texte qui avait été voté le 20 novembre 1964, ce texte d'une seule venue, fort et explicite, d'un style admirable, qui avait condamné le « déicide ». Le texte proposé cette fois ne revenait pas sur le propos essentiel de 1964, mais il était devenu plus lourd, plus compliqué. Il portait les cicatrices d'une longue et pénible discussion qui avait été marquée par des interrogations politiques étrangères à son objet et intempestives. Il condamnait toujours le « déicide » mais en quelque sorte à mi-voix pour ne blesser personne : on devinait maintenant combien les exigences de la vérité la plus directe peuvent receler de données contradictoires et exiger de prudence. Le texte de 1964 avait la force d'un cri de tous les chrétiens venant demander pardon aux juifs pour leur avoir fait tant de mal au cours des siècles ; publié peu de temps après la Shoa, il jugeait l'histoire ; nombre de juifs l'avaient bien entendu. Celui de 1965 ne disait pas autre chose mais il avait retouché des paroles sorties du cœur : il n'était plus sûr qu'il puisse être encore entendu du peuple juif de la même façon. De grandes voix venant des représentants officiels de ce peuple avaient entre-temps pris la parole pour le dire.

Quant à l'emploi du terme « déicide » lui-même, qui fut encore une fois au cœur du débat, c'est-à-dire du terme qui, en face de la mort en Croix de Jésus, a fini par en faire basculer les responsabilités spirituelles, historiques voire juridiques sur les juifs, et sur eux seuls, en allégeant d'autant la responsabilité des non-juifs, il avait été dès l'origine, comme l'avait bien fait sentir la première version du document, le point de départ d'une grave confusion. Il avait entretenu un transfert entre la réalité spirituelle de la Croix et les circonstances historico-juridiques du temps de la Passion, non sans mélanger les notions de responsabilité et de solidarité collectives, de sorte qu'on avait fini par englober dans une culpabilité qui s'apparente à un deuxième péché originel tous les juifs du temps de Jésus, y compris ceux d'Alexandrie ou de Babylone, tous les juifs nés depuis le premier siècle à l'exception de ceux qui ont accepté la foi chrétienne. Les Pères du Concile, après de longs débats pour répondre à l'opposition acharnée de très rares opposants, ont pris conscience de ces transferts indus accumulés au cours des ans et restèrent fermes. La cause était donc entendue sauf dans certaines Églises orientales témoignant encore des polémiques séculaires qui ont marqué jadis leur tradition ou craignant la montée d'une politique arabe faisant pression sur elles.

Dire que les juifs ne sont pas « déicides » ne signifie nullement, qu'on veuille « laver du sang de la Croix » ceux-là qui en furent responsables, ni qu'on excepte les juifs de la culpabilité qui signifie que tout homme peut dire : « ce sont mes péchés qui ont crucifié le Seigneur ». Mais le terme « déicide » sous-entendait jadis que les assassins du Christ ont sciemment voulu « tuer le Fils de Dieu », et d'autre part que cet acte fut l'acte des juifs, seuls « déicides » de l'espèce humaine.

Le propos du Concile est clair : il a voulu rejeter à tout jamais cette vision pseudo-théologique, qui avait été forgée par quelques esprits forts de l'Église, puis répétée, utilisée par des prédicateurs au moment des croisades et par des publicistes de l'époque moderne, et il a voulu déclarer qu'une telle théorie n'a jamais fait partie de l'enseignement officiel des conciles ni des papes. On ne voulait pas, après le rejet de ce terme par le Concile, qu'on pût laisser entendre que l'Église ait jamais pu enseigner ce mythe et qu'il ait pu jamais soit sortir du dogme, soit l'avoir engendré.

Le texte de 1964 avait fort clairement formulé l'ordre désormais adressé aux clercs comme aux fidèles : « Que jamais le peuple juif ne soit présenté comme une race *réprouvée* ou *maudite* ou *coupable de déicide.* » Le texte final de 1965, pour n'enseigner rien de différent, n'est malheureusement pas aussi net : « S'il est vrai que l'Église est le nouveau peuple de Dieu, les juifs ne doivent pas, pour autant, être présentés comme réprouvés par Dieu ou maudits, comme si cela découlait de la sainte Écriture. » Ce texte ultime n'en est pas moins important et il stigmatise heureusement les abus et les erreurs de l'exégèse, mais il brille davantage par son habileté que par sa vigueur théologique. Il fixe le regard sur l'exégèse occidentale pour ne pas évoquer le reste du monde, comme s'il voulait expliquer aux Arabes que l'antisémitisme ne s'est pas développé de leur fait, qu'il n'est apparu que dans les pays chrétiens et n'est né que des discussions sur la Passion. On pensait aussi avoir apporté une véritable amélioration en « réprouvant » au lieu de « condamner » (le mot ne serait-il plus convenable à notre époque tolérante ?) les persécutions « quelles qu'elles soient » et en « déplorant » les haines, les persécutions et toutes les manifestations d'« antisémitisme ». Ce mot forgé à Hambourg par le publiciste Wilhelm Marr en 1873 a alors fait son entrée dans un texte conciliaire avec ses ambiguïtés. A-t-on gagné une extension des perspectives ? On devrait se demander plutôt si on a ouvert les voies de la repentance. Certains voulurent obtenir alors le retrait d'un document susceptible de conduire à des controverses nouvelles. C'eût été un désastre. Le P. Congar milita fermement pour son maintien, quoi qu'il en soit.

Quant au schéma de déclaration sur la liberté religieuse enfin présenté, plusieurs Pères objectèrent qu'on n'avait plus le temps convenable pour l'aborder et pour réfléchir à ses conséquences. Il parut au Conseil de présidence qu'une question qui concerne la marche du Concile ne pouvait pas être décidée par un vote et qu'on ne procéderait pas à un tel vote dans cette session du Concile. L'émotion provoquée par cette décision fut extraordinaire ; il est difficile de se la représenter si l'on n'en a pas été témoin. Le P. Congar dans son Journal en rend bien le climat, en notant des propos d'humeur qui évoquent les débats parfois houleux de notre Assemblée nationale. L'immense majorité des évêques a jugé que, sur un point aussi grave, l'on traitait le Concile avec une désinvolture inadmissible. Il fut enfin demandé d'accorder qu'un vote sur la liberté religieuse ait lieu afin de ne pas décevoir l'attente du monde. De nombreux Pères, douloureusement affectés à l'idée que l'on pourrait différer ce vote d'orientation, adressèrent une lettre au pape. Après avoir, lui aussi, vécu intensément les divers aspects de cette controverse, le P. Congar souhaitait vivement l'ouverture de ce débat dès la présente session. Aucune explication n'ayant été donnée, on pouvait s'étonner que certains aient pu en appeler au règlement pour demander le retard du vote. Par une anomalie vraiment inouïe, aucun vote n'avait eu lieu sur ce texte cinq fois amendé !

Par ailleurs, le texte sur la liberté religieuse n'était plus simplement un chapitre mais il était devenu un schéma indépendant. Le tribunal administratif jugea nécessaire d'appliquer à la lettre le règlement, alors qu'une autre interprétation avait été retenue pour le texte sur les religions non chrétiennes.

Le texte sur la liberté religieuse souffrait de trois défauts graves. D'abord, il se contentait de constater l'aspiration universelle à la liberté religieuse et de l'assumer, sans la justifier théologiquement. En second lieu, il soulignait maladroitement la continuité entre les formulations du dix-neuvième siècle et la formulation d'aujourd'hui. En troisième lieu, il essayait de fonder un droit spécial du catholicisme à la liberté religieuse en vertu de la vérité qu'il doit défendre, ce qui est spécieux et devient inintelligible et offensant pour les non-catholiques. On peut dire que cette fin de session fut, sur le moment, ressentie comme une catastrophe.

Le pape alors parla. Il annonça que la doctrine devait être clarifiée car elle devait avoir des conséquences et qu'il fallait traduire celles-ci en mesures canoniques, qu'il n'est pas possible de déterminer d'avance. Elle exigerait tout d'abord une réforme de la curie. Ensuite une réforme des mentalités. Enfin, on avait dans la préparation de *Gaudium et Spes*[1] beaucoup parlé de l'Église des pauvres : mais plus que de gestes plus ou moins spectaculaires, ce dont l'Église a surtout besoin aujourd'hui serait une abolition de l'esprit de carrière, pour faire place à l'esprit de service en vue du bien commun de l'Église. De ces requêtes diverses, devait naître, après le Concile, l'institution du synode épiscopal qui aurait pour fin d'élargir jusqu'aux limites du monde les objectifs du Concile.

Un changement d'herméneutique ?

Le 7 décembre 1965, arrive enfin l'heure de la promulgation des documents du Concile. Le P. Congar écrit : « Je sors lentement et difficilement, tenant à peine debout. De très nombreux évêques me félicitent, me remercient. C'est pour une bonne part votre œuvre, disent-ils. » Mais, à voir les choses objectivement, je me suis efforcé de bien faire (?) ce qui m'était demandé. J'ai pris très peu – trop peu je crois – d'initiatives. Dieu m'a comblé. Il m'a donné à profusion, infiniment au-delà de mérites rigoureusement inexistants. Au

1. Lors de la présentation de *Gaudium et Spes*, le P. Congar avait rencontré l'évêque de Cracovie, Mgr Wojtyła, qui lui parla du Concile. « Il ne faudrait pas, disait ce dernier, soulever nous-mêmes toutes les questions pour y répondre ensuite. Le monde moderne donne lui-même ses réponses aux questions du monde présent, qui viennent invalider nos réponses. Ainsi la réponse marxiste que nous considérions à peine est très concrète, non académique, et elle est suivie par les deux cinquièmes de l'humanité au sein de laquelle nous sommes appelés à travailler. Wojtyła, écrit le P. Congar, a fait une très grande impression » (2 février 1965).

Concile même j'ai été mêlé à beaucoup de travaux, au-delà d'une influence générale de présence et de parole[1].

Au terme de cette lecture des débats conciliaires, qui fut celle du P. Yves Congar au jour le jour, on est conduit à s'interroger sur l'esprit qui l'anima. La tenue d'un concile avec ses conflits, ses oppositions internes, ses intuitions nouvelles, ses mots nouveaux apparus à notre époque fut l'occasion de saisir une herméneutique vivante à l'œuvre. Le Journal du P. Congar est à cet égard un extraordinaire document, qui se déploie sur la base de textes anciens et échappe aux contingences de l'immédiat.

Le livre du P. Congar, rédigé dans les jours mêmes du Concile avait eu précisément pour objet de présenter sur le vif le passage d'une philosophie de la tradition à une autre[2]. Il peut paraître comme présentant le conflit de deux formes d'esprit ou de deux mentalités, mais il reflète plus encore le moment où deux façons de penser la vérité se sont affrontées : l'une, ancienne, comme pensée d'une révélation donnée, acquise, transmise, où toute déviance de la règle se

---

1. Le P. Congar a ajouté ici une note très utile pour ceux qui aujourd'hui se penchent sur son rôle dans la genèse des textes conciliaires : « Sont de moi :

Lumen gentium : la première rédaction de plusieurs numéros du chapitre Ier et les numéros 9, 13, 16, 17, plus quelques passages particuliers.

De Revelatione : j'ai travaillé dans le chapitre II, et le n° 21 vient d'une première rédaction de moi.

De Oecumenismo : j'y ai travaillé ; le Proemium et la conclusion sont à peu près de moi.

Déclaration sur les religions non chrétiennes : j'y ai travaillé ; l'introduction et la conclusion sont à peu près de moi.

Schéma XIII - Gaudium et Spes : j'y ai travaillé aux chapitres Ier et IV.

De Missionibus : le chapitre Ier est de moi de A à Z, avec emprunts à Ratzinger pour le n° 8.

De Libertate religiosa : coopération à tout, plus particulièrement aux n^os^ de la partie théologique et au Proemium qui est de ma main.

De Presbyteris : c'est une rédaction aux trois quarts Lécuyer/Onclin/Congar. J'ai refait le Proemium, les n°s 2-3 ; j'ai fait la première rédaction des n°s 4-6, la révision des n°s 7-9, 12-14, et celle de la conclusion dont j'ai rédigé le second alinéa.

En sorte que, ce matin, ce qui a été lu venait très largement de moi. *Servi inutiles sumus.* »

2. Cf. Yves CONGAR, *La Tradition et les traditions*, Fayard, 1963, 367 pages.

présente comme hérésie ou erreur ; l'autre, plus récente, où la vérité se cherche et poursuit son errance avant de parvenir à son expression adéquate. Les œuvres à partir desquelles il est possible de saisir la vérité dans son devenir rendent signifiantes les époques de l'histoire du monde et de l'Église. Elles ouvrent des horizons nouveaux afin de repousser les frontières de notre vision du monde comme celles de la compréhension d'autrui.

Vatican II s'offre comme témoin du passage d'une philosophie à une autre. On pourrait lire le *Journal du Concile* comme un miroir livrant le cheminement solitaire d'un théologien qui observe ce changement. Le passage d'une philosophie latente à une philosophie explicite se fait dans le dialogue, comme les *Conversations avec Eckermann* ont voulu en être un exemple. Le *Journal du Concile* du P. Congar ressemble à un soliloque. Il est un soliloque avec Dieu, comme les *Confessions* de saint Augustin à partir de la rhétorique cicéronienne dont elles se détachent, mais il est aussi, comme celles-ci, un constant dialogue avec le monde.

Ainsi l'événement du Concile, situé dans son temps, intéresse-t-il tous ceux qui sont attentifs à ce moment de l'histoire et s'interrogent sur les « signes des temps ». Mais ce vocable de signes des temps, apparu en plein concile comme une sortie de l'univers clos de Hegel, face à l'inconnu des temps modernes, dit leur ambiguïté en même temps qu'il affirme leur sens. Il reprend l'annonce de l'Apocalypse : à la fois l'éclipse de toute prétention messianique de l'histoire (Marx) en notre temps et le sens caché de l'humanité dans laquelle ce Concile s'est inscrit (Chenu). Les années qui viennent diront en quel sens ce message a été entendu.

INTRODUCTION

par Éric MAHIEU

L'itinéraire d'Yves Congar jusqu'au Concile

Yves Congar[1] naît en 1904 à Sedan où se déroule son enfance, marquée par la Première Guerre mondiale[2]. Il entre en 1921 au Séminaire universitaire des Carmes à l'Institut Catholique de Paris. Après trois années de philosophie et un an de service militaire, il opte pour la vie dominicaine et entre au noviciat de la province de France en 1925. Ayant reçu en religion le nom de Marie-Joseph, il effectue ensuite ses études de théologie de 1926 à 1931 au couvent d'études du Saulchoir, situé alors à Kain-la-Tombe en Belgique, suite

---

1. Pour une biographie plus développée, cf. Étienne FOUILLOUX, « Frère Yves, cardinal Congar, dominicain. Itinéraire d'un théologien », dans la *Revue des Sciences Philosophiques et Théologiques*, 1995, p. 379-404 et Jean-Pierre JOSSUA qui présente la vie et l'œuvre du P. Congar jusqu'au Concile inclusivement dans *Le Père Congar : la théologie au service du peuple de Dieu*, Cerf, 1967. Étienne Fouilloux a édité et présenté de précieux fragments de journaux ou de mémoires écrits avant le Concile : cf. Yves CONGAR, *Journal d'un théologien (1946-1956)*, Cerf, 2000. Le P. Congar est revenu sur son engagement œcuménique dans « Appels et cheminements, 1929-1963 », préface à Yves M.-J. CONGAR, *Chrétiens en dialogue. Contributions catholiques à l'Œcuménisme*, coll. « Unam Sanctam » 50, Cerf, 1964, p. IX-LXIV, reprise et complétée dix ans plus tard dans *Une passion : l'unité. Réflexions et souvenirs 1929-1973*, coll. « Foi Vivante » 156, Cerf, 1974 ; il est revenu encore sur son itinéraire dans *Une vie pour la vérité. Jean Puyo interroge le Père Congar*, Cerf, Le Centurion, 1975.

2. Cf. Yves CONGAR, *Journal de la guerre 1914-1918*, annoté et commenté par l'historien Stéphane Audoin-Rouzeau et par Dominique Congar (neveu de l'auteur), Cerf, 1997.

aux expulsions des religieux français au début du siècle. C'est là qu'il rencontre, parmi ses professeurs, le P. Marie-Dominique Chenu, o.p., de peu son aîné, qui aura sur lui une grande influence par sa méthode théologique[1] et notamment par son attention « à l'actualité du passé pour le présent et à sa réinterrogation par le présent »[2]. Dès 1928, il oriente son travail vers l'ecclésiologie et choisit comme sujet de thèse de lectorat en théologie l'unité de l'Église. Se préparant à son ordination sacerdotale qui a lieu en juillet 1930, il médite le chapitre 17 de l'Évangile de Jean et ressent un appel à œuvrer pour l'unité de tous ceux qui croient en Jésus-Christ. Plus tard, il écrira : « J'ai dit que j'avais alors *reconnu* une vocation œcuménique qui était, du même mouvement, vocation ecclésiologique, mais le germe en avait été déposé en moi depuis plusieurs années, sans doute même depuis mon enfance[3]. »

À partir de 1932, il enseigne l'ecclésiologie au Saulchoir tout en prenant part aux recherches œcuméniques à travers de nombreuses rencontres. Ces premiers engagements théologiques se trouvent stimulés par l'enquête sur les causes de l'incroyance, menée par ses confrères de *La Vie intellectuelle* et à laquelle il donne une conclusion dans le numéro du 25 juillet 1935. Revenant sur cette enquête, il écrira : « Pour autant (...) que nous avons une responsabilité dans l'incroyance, il m'apparaissait que celle-ci venait de ce que l'Église montrait aux hommes un visage qui trahissait, plus qu'il ne l'exprimait, sa nature vraie, conforme à l'Évangile et à sa propre tradition profonde. La vraie réponse, la conclusion positive, consistait à renouveler notre présentation et pour cela, d'abord, notre propre vision de l'Église en allant au-delà des présentations et de la vision juridique alors et depuis longtemps prédominantes[4]. » C'est dans cet esprit qu'il lance, en 1937, aux Éditions du Cerf, la collection ecclésiologique « Unam Sanctam » : « La collection se proposait de restaurer et de remettre dans le commerce des idées un certain nombre de thèmes et de valeurs ecclésiologiques profondément traditionnels,

---

1. Cf. Marie-Dominique CHENU, *Une école de théologie : le Saulchoir*, Cerf, 1985.
2. Jean-Pierre JOSSUA, *op. cit.*, p. 19.
3. « Appels et cheminements, 1929-1963 », *op. cit.*, p. XI.
4. *Ibid.*, p. XXXIII.

mais qui avaient été, depuis la formation d'un traité spécial de l'Église, plus ou moins oubliés ou recouverts par d'autres thèmes de moindre profondeur et de moindre valeur de Tradition[1]. » Il publie comme premier volume de cette collection son premier grand ouvrage théologique, *Chrétiens désunis. Principes d'un « œcuménisme » catholique*. De manière novatrice, il n'envisage plus la réunion des Églises comme un simple retour au bercail des chrétiens non catholiques, mais comme la possibilité d'un développement qualitatif de catholicité, les autres Églises ayant su, parfois mieux que la sienne, préserver ou développer certaines valeurs. Cette position hardie occasionnera déjà quelques suspicions à l'égard du jeune théologien. Mobilisé en 1939, prisonnier de guerre de 1940 à 1945, Y. Congar perd ainsi plusieurs années de travail intellectuel, mais poursuit dans les camps son activité inlassable de prédicateur, n'hésitant pas à y pourfendre publiquement le nazisme.

Après la Libération, le P. Congar reprend son enseignement au Saulchoir, réinstallé en France à Étiolles près de Paris. Le catholicisme français connaît alors une vitalité intense, marquée par les recherches bibliques, patristiques et liturgiques, et par des initiatives communautaires et apostoliques variées. Le P. Congar publie en 1950 *Vraie et fausse réforme dans l'Église*[2], qui fournit des bases ecclésiologiques à ce bouillonnement réformiste, puis en 1953 *Jalons pour une théologie du laïcat*[3], qui revalorise la mission des laïcs dans l'Église catholique. Mais entre-temps, les suspicions romaines ont commencé à peser sur l'activité du théologien et vont freiner, voire même geler ses projets d'édition ou de réédition. Comme il l'écrira plus tard : « Pour ce qui est de moi, je n'ai connu, de ce côté, à partir du début de 1947 jusqu'à la fin de 1956, qu'une suite ininterrompue de dénonciations, d'avertissements, de mesures restrictives ou discriminatoires, d'interventions méfiantes[4]. » S'il participe, en 1952, à la création de la Conférence catholique pour les questions œcuméniques, lancée et animée par I. Willebrands, son activité œcuménique va se faire dès lors plus discrète. Il se consacre à la recherche

---

1. *Ibid.*, p. XXXIII-XXXIV.
2. Coll. « Unam Sanctam » 20, Cerf.
3. Coll. « Unam Sanctam » 23, Cerf.
4. *Ibid.*, p. XLVI.

ecclésiologique, avec un intérêt de plus en plus marqué pour l'histoire des doctrines[1]. Mais la méfiance romaine envers la fermentation théologique et pastorale française conduit en février 1954 le Père général des dominicains à des mesures draconiennes : démission des trois provinciaux de France et mise à l'écart de l'enseignement des P. Chenu, Boisselot, Féret et Congar. À sa demande, le P. Congar est envoyé pour plusieurs mois à Jérusalem. Convoqué en novembre à Rome par le Saint-Office, où il reste bloqué quelques mois par des tracasseries inutiles[2], il est envoyé en février 1956 à Cambridge. Ce n'est qu'à la fin de cette année que son exil prend fin et qu'il est assigné au couvent de Strasbourg, dont l'évêque, Mgr Weber, lui est favorable. Dès lors, ses difficultés avec les autorités romaines s'estompent. Il reste certes privé de toute charge d'enseignement, mais il peut reprendre son travail d'édition et de recherche, de prédication et de conférences. Le 28 octobre 1958, Giuseppe Roncalli est élu pape et prend le nom de Jean XXIII. À son ami Christophe-Jean Dumont, o.p., directeur du Centre Istina, Y. Congar écrit le 12 janvier 1959 : « Jean XXIII ? Il faudrait une si totale conversion de Rome ! Conversion à ne pas prétendre tout régenter : ce qui, sous Pie XII, a pris des dimensions inégalées jusque-là et a abouti à un paternalisme et à un crétinisme sans fond[3]. » Mais voilà que le nouveau pape annonce, le 25 janvier, la convocation d'un Concile œcuménique ! Trois jours plus tard, le P. Congar écrit à son ami Bernard Dupuy, o.p. : « Évidemment, il y a du nouveau. C'est très sérieux[4]. » De cet événement imprévisible, il nous a laissé un témoignage inestimable.

---

1. Ces recherches historiques, en cours au moment du Concile, aboutiront notamment à *L'Église de saint Augustin à l'époque moderne*, Cerf, 1970 ; l'édition allemande de cet ouvrage fait partie du *Handbuch der Dogmengeschichte* et sera publiée la même année aux Éditions Herder, Fribourg-en-Brisgau.

2. Congar ne sera cependant jamais soumis à une condamnation formelle, ni même à un procès en bonne et due forme de la part du Saint-Office.

3. Archives du Centre Istina.

4. Archives du Centre Isina.

La rédaction du *Journal* conciliaire

Le P. Congar écrit, en 1963, qu'il n'a tenu de journal que « parfois, en des occasions de deux sortes : quand il m'a été donné de faire une expérience nouvelle, d'entrer en contact avec un monde nouveau ; quand j'ai été mêlé à des événements d'importance historique (guerre, crise de 1954, Concile) »[1]. Mais c'est, au total, une multitude de journaux ou de fragments de journaux qu'Yves Congar rédigera tout au long de sa vie[2]. Dès son jeune âge, sa mère l'avait incité à mettre par écrit les événements : « 1914 ! J'avais dix ans. On pensait que la guerre ne durerait que quelques mois. Dès la fin de juillet, ma mère nous dit, à mes frères et à ma sœur : Faites votre Journal[3]. » De tous les journaux qu'il a laissés, le plus imposant de tous par sa taille est ce *Journal* conciliaire. Il ne s'agit pas d'un journal intime ou spirituel. Comme il l'écrit au lendemain du décès de sa mère : « Je tiens ce journal comme un témoignage. Je n'y mêle pas l'expression de mes sentiments intimes » (26 novembre 1963). Cela ne l'empêche pas, à ce moment-là ou à d'autres, de faire retour sur sa vocation et sa vie ou d'évoquer l'« histoire mystique du Concile » (26 novembre 1963) faite de la prière et de la souffrance des uns et des autres. Cependant les impressions personnelles ou les jugements qui émaillent le *Journal* sont avant tout ceux du théologien engagé dans une aventure dont il veut garder trace avec le pressentiment que cela servira un jour d'une manière ou d'une autre. C'est ainsi qu'il note : « j'écris, sinon pour l'Histoire !! du moins pour que mon témoignage soit fixé » (14 mars 1964).

Le P. Congar pouvait-il se douter de l'énorme intérêt que présenterait ce *Journal* pour les futurs historiens de Vatican II[4] ? Certes il n'est pas le seul parmi les experts ou les Pères conciliaires à avoir

1. « Appels et cheminements, 1929-1963 », *op. cit.*, p. X.

2. Sur ces journaux, cf. l'article d'Étienne FOUILLOUX : « Congar, témoin de l'Église de son temps », dans André VAUCHEZ (dir.), *Cardinal Yves Congar*, p. 71-91 ; le relevé proposé est cependant encore incomplet, spécialement pour la période postconciliaire ; le P. Congar a notamment tenu un journal lors de ses voyages aux États-Unis et en Pologne en 1966, à la suite de contacts et d'invitations datant du Concile.

3. « Enfance sedanaise (1904-1919) », *Le Pays sedanais*, p. 27.

4. En témoignent les références fréquentes dans les cinq volumes de la pre-

tenu un journal[1]. Cependant, tenu quasiment au jour le jour durant les sessions conciliaires, mais aussi entre les sessions, notamment lors des travaux en commission, il permet de suivre pas à pas le travail d'un consulteur de la Commission théologique préparatoire, puis d'un expert du Concile qui participa de façon régulière à la Commission doctrinale et à plusieurs autres Commissions conciliaires et qui assista à de nombreuses Congrégations générales des Pères conciliaires dans la basilique Saint-Pierre. Écrit sans apprêts et de manière très libre, bien souvent au terme de journées harassantes, son style n'est guère élégant, et son auteur, probablement dans un souci de fidélité historique, n'a pas souhaité le remanier, mais il présente ainsi l'avantage de nous restituer à chaud les impressions et les réactions du théologien. On pourra estimer que le P. Congar est parfois féroce ou sans pitié dans ses jugements, mais il faut reconnaître qu'il sait rendre justice quand ils le méritent à ceux qui ne sont pas de son bord théologique. Qu'il ait interdit, dans son avant-propos, toute utilisation publique du *Journal* avant l'an 2000 est d'ailleurs une marque de respect envers tous les protagonistes de ce Concile.

La participation du P. Congar aux étapes du Concile

La préparation du Concile (du 25 janvier 1959 au 11 octobre 1962)

C'est au moment de sa nomination comme consulteur de la Commission théologique préparatoire, en juillet 1960, que le P. Congar commence la rédaction de son *Journal* conciliaire. Il revient alors sur

---

mière somme historique sur le Concile, dirigée par Giuseppe ALBERIGO, *Storia del Concilio Vaticano II*, Peeters-il Mulino, Leuven-Bologne, 1995-2001 ; trois volumes sont déjà traduits en français : *Histoire du Concile Vatican II*, Cerf-Peeters, 1997-2000.

1. Cf., à ce sujet, l'étude d'Alberto MELLONI, « Les journaux privés dans l'histoire de Vatican II », en guise d'introduction au journal fragmentaire de Marie-Dominique CHENU, *Notes quotidiennes au Concile*, Cerf, 1995 ; depuis lors a été publié l'intéressant journal de Mgr Charue, vice-président de la Commission doctrinale dans laquelle il joua un rôle majeur, *Carnets conciliaires de l'évêque de Namur A.-M. Charue*, Cahiers de la Revue Théologique de Louvain 32, Louvain-la-Neuve, 2000.

la période écoulée depuis le 25 janvier 1959, jour où Jean XXIII a annoncé la convocation d'un Concile œcuménique. L'objectif à long terme d'une réunion des chrétiens séparés, proposée par le nouveau pape, et la perspective concomitante d'un renouvellement ecclésiologique et d'une ouverture pastorale et missionnaire de l'Église l'ont tout d'abord rempli d'espérance ; mais la résistance des milieux conservateurs de la Curie romaine cherchant à contrôler la préparation du Concile l'a par la suite inquiété. Il craint donc, comme son ami le P. Henri de Lubac, s.j., nommé consulteur de la même Commission, de n'être qu'un otage, sans réelle marge d'action et lié par le secret conciliaire auquel ils devront s'engager. Cette Commission est nettement dominée par des théologiens des universités romaines plus soucieux de défendre les doctrines pontificales des derniers papes que de prendre en compte le renouveau théologique en cours. Elle comprend cependant quelques théologiens plus ouverts tels Gérard Philips, Philippe Delhaye, René Laurentin ou Joseph Lécuyer. Le P. Congar décide finalement de s'engager loyalement dans le travail de cette Commission en espérant y être utile.

Il n'a d'ailleurs pas attendu cette nomination pour contribuer à la préparation du Concile. Convaincu qu'une opinion publique doit se manifester et jouer son rôle dans l'Église, il cherche à la sensibiliser au travers d'articles et de conférences. Il poursuit son travail au sein des réseaux de théologiens catholiques engagés dans le mouvement œcuménique[1]. Il relance la préparation d'un volume sur l'épiscopat projeté depuis plusieurs années dans la collection « Unam Sanctam » qu'il a créée et qu'il dirige. L'évêque de Strasbourg, Mgr Weber, le met à contribution pour préparer sa réponse à la consultation antépréparatoire. En revanche, la faculté de théologie catholique de Strasbourg, consultée elle aussi par Rome, ne fait pas appel à son concours.

---

1. Congar participe aux Journées œcuméniques du monastère de Chevetogne en 1959 (cf. Yves M.-J. CONGAR, « Conclusion », dans *Le Concile et les conciles. Contribution à l'histoire de la vie conciliaire de l'Église*, Paris, Cerf-Chevetogne, 1960, p. 285-334) et en 1960 (elles portent alors sur l'Église locale et l'Église universelle) ; au sein de la Conférence catholique pour les questions œcuméniques, il propose de rédiger une Note sur la question de l'unité des chrétiens ; celle-ci sera largement diffusée auprès des instances romaines et des futurs Pères conciliaires.

Suite à sa nomination, le cardinal Ottaviani, préfet du Saint-Office et président de la Commission théologique préparatoire, demande au P. Congar de lui indiquer les questions qu'il aimerait travailler. Ce dernier lui répond le 15 août 1960 en mentionnant la Tradition, la théologie du laïcat et, de manière générale, l'ecclésiologie. Puis, en septembre, il envoie à tous les membres et consulteurs de la Commission un rapport sur sa manière d'envisager les schémas préparatoires en projet.

C'est en novembre 1960 que les Commissions préparatoires inaugurent officiellement leurs travaux à Rome. Le P. Congar s'y rend, mais il va rapidement s'apercevoir que sa marge de manœuvre est très limitée. Le secrétaire de la Commission, le P. Sebastian Tromp, s.j., qui a été l'un des experts théologiques de Pie XII, dirige le travail avec beaucoup de fermeté. Affecté à la sous-commission *De Ecclesia*, le P. Congar y bénéficie pourtant de l'accueil bienveillant de son confrère le P. Gagnebet, o.p. Mais il doit constater que les textes qu'on lui demande de rédiger[1] et les remarques qu'il propose sur les schémas ont peu d'impact face à la prépondérance des milieux conservateurs. Simple consulteur, il n'est pas convié à toutes les réunions de la Commission dans lesquelles on ne lui donne d'ailleurs que rarement la parole.

En août 1961, il reçoit les schémas préparatoires dans leur état provisoire, et leur lecture le déçoit fortement ; au lieu d'une vision d'ensemble, il y trouve un compartimentage des questions ; au lieu d'un retour aux sources, un florilège de déclarations des derniers papes ; ces schémas sont fermés au questionnement œcuménique ; les positions mariologiques y sont maximalistes. Seul le texte de Gérard Philips sur le laïcat lui donne satisfaction.

La Commission théologique préparatoire fonctionne en fait sans aucune collaboration avec les autres Commissions préparatoires, ni avec le Secrétariat pour l'unité des chrétiens, organe créé par Jean XXIII pour travailler durant le Concile au rapprochement avec les chrétiens séparés. Le cardinal Ottaviani et le P. Tromp estiment que seule la Commission théologique a compétence pour les ques-

1. Congar rédige quatre *vota* pour la Commission théologique préparatoire : sur les laïcs, sur la question des membres de l'Église, sur l'épiscopat et sur l'œcuménisme.

tions doctrinales, les autres Commissions ayant un rôle de mise en œuvre pratique. Il n'y a ainsi aucune interaction entre les questions doctrinales et les préoccupations pastorales.

Des signes encourageants vont néanmoins apparaître progressivement. La Commission centrale préparatoire, composée notamment d'évêques jouant un rôle important dans leurs pays respectifs, demande aux différentes Commissions préparatoires une approche plus pastorale et envoie à la refonte certains schémas[1]. Le climat de la Commission théologique elle-même évolue dans un sens plus ouvert.

Début août 1962, à deux mois de l'ouverture du Concile, le P. Congar n'a encore aucune précision sur son rôle éventuel dans les Commissions conciliaires. Il propose ses services à Mgr Weber qui le choisit comme expert privé au Concile et le consulte sur les schémas préparatoires qu'il vient de recevoir. C'est seulement le 28 septembre que son nom figure dans la première vague de nominations d'experts officiels du Concile que publie *L'Osservatore Romano*[2]. Il pourra ainsi assister à toutes les Congrégations générales dans la basilique Saint-Pierre et participer, sur invitation d'un de leurs membres, aux travaux des Commissions conciliaires.

La première session (du 11 octobre au 8 décembre 1962)

Le 9 octobre 1962, le P. Congar embarque avec les évêques français dans l'avion qui les emmène à Rome pour la première session. Il défend auprès d'eux le projet d'un message initial des Pères conciliaires au monde, idée de son maître et ami M.-D. Chenu, o.p. Il fait aussi campagne pour la révision des schémas doctrinaux, alors que ses confrères théologiens d'outre-Rhin, plus radicaux, prônent plutôt leur rejet complet.

Le report des élections aux Commissions conciliaires, obtenu par les cardinaux Liénart et Frings le 13 octobre, est considéré par le P. Congar comme le premier acte conciliaire ; il écrit le même jour :

1. Il en a des échos directs par les cardinaux Liénart et Richaud, et par Mgr Hurley.

2. Curieusement, Congar ne mentionne pas cet événement pourtant si déterminant pour la suite ; il mentionne simplement au passage qu'il est allé chercher sa carte d'expert le lendemain de son arrivée à Rome.

« Ce que je pressentais s'annonce : le concile lui-même pourrait être assez différent de sa préparation » ; et il ajoute le lendemain qu'à travers la préparation de ces élections, la collégialité prend son essor. La mise au point du message au monde par l'assemblée conciliaire le 20 octobre, même si le texte s'éloigne sensiblement de celui préparé avec Chenu, manifeste une Église qui désire se rénover et rejoindre le monde dans un esprit de dialogue et de service.

Le premier des textes examinés par les Pères conciliaires est le schéma sur la liturgie qui avalise largement les acquisitions du mouvement liturgique. Le débat permet à l'assemblée conciliaire de se roder et de mettre au jour ses polarités. Avec plus ou moins de succès, le P. Congar cherche à obtenir une intervention d'un Père conciliaire sur des questions importantes pour lui au plan ecclésiologique : l'accès des laïcs à la communion sous les deux espèces, les fondements de la participation des laïcs à la liturgie.

Mais parallèlement, avec, principalement, des théologiens allemands, belges, néerlandais et français il prépare le débat sur les schémas doctrinaux élaborés par la Commission théologique préparatoire. Quelques évêques donnent l'impulsion : Mgr Volk, évêque de Mayence, ancien professeur de théologie, Mgr Elchinger, évêque coadjuteur de Strasbourg à qui le cardinal Liénart a demandé d'être l'agent de liaison entre les épiscopats allemand et français, le cardinal Suenens, archevêque de Malines-Bruxelles. Plusieurs théologiens préparent chacun une esquisse d'un audacieux projet de préambule aux schémas doctrinaux. Un de ces textes, préparé pour l'essentiel par Karl Rahner et distribué précipitamment aux Pères, n'aboutira pas : il reflète trop la théologie personnelle de son rédacteur. Quant à l'esquisse du P. Congar, elle est laissée de côté.

Finalement le travail de ces théologiens se tourne, de manière plus réaliste, vers la préparation de textes alternatifs qui pourraient remplacer le schéma sur les sources de la Révélation *(De fontibus)* et celui sur l'Église. Dès le 18 octobre, le P. Congar accepte de travailler au sein d'une équipe internationale animée par Gérard Philips à l'élaboration d'un nouveau schéma sur l'Église demandé par le cardinal Suenens. Le 10 novembre, il s'engage à la demande de J. Daniélou dans une refonte du *De fontibus* et se trouve ainsi introduit dans les « ateliers de travail » que vont désormais organiser les évêques français avec leurs experts tout au long des sessions. Ces deux schémas focalisent la préoccupation de nombreux évêques et le P. Congar se retrouve bientôt sollicité par divers groupes d'évêques pour des échanges et des conférences à leur sujet. Ces rencontres manifestent la forte attente d'un schéma sur l'Église qui complète le Concile Vatican I sur la question de l'épiscopat.

C'est avec le débat sur le *De fontibus* entamé le 14 novembre que vont se dessiner assez clairement une majorité et une minorité conciliaires autour de la question des rapports entre Écriture et Tradition : aux défenseurs de l'attitude controversiste antiprotestante s'opposent les partisans d'un renouveau et d'une ouverture théologique. Le P. Congar préconise la mise au point d'un texte acceptable par tous et rédige en ce sens un projet d'intervention qui sera repris par Mgr Zoa *in aula*. Le vote du 20 novembre rejetant le schéma sans atteindre cependant la majorité des deux tiers conduit à un blocage institutionnel que lève Jean XXIII en instaurant dès le lendemain une Commission mixte chargée de réécrire un schéma sur la Révélation. Le P. Congar, qui travaille alors sur la question de la Tradition[1], regrettera de n'y être pas appelé.

Quant au schéma *De Ecclesia*, il n'est distribué aux Pères que le 23 novembre, alors que le débat doit s'ouvrir le 1er décembre. Le 28 novembre, le P. Congar se voit chargé par les évêques français d'organiser des équipes de travail. Le débat lui-même, de courte durée, manifeste l'insatisfaction de l'assemblée et la nécessité d'une profonde révision du schéma. On s'achemine en fait vers la préparation de l'intersession avec les interventions des cardinaux Montini et Suenens proposant chacun un véritable programme d'action conciliaire centré sur le thème de l'Église et avec la création, annoncée le 6 décembre, d'une Commission de coordination chargée de veiller au travail des Commissions conciliaires jusqu'à la prochaine session.

La session s'achève le 8 décembre. Le P. Congar y a eu bien souvent l'impression de perdre son temps. Il est vrai qu'il n'a été jusque-là sollicité pour aucune Commission conciliaire et que les évêques français, encore peu organisés, ont tardé à faire appel à ses compétences. Cependant différents épiscopats ont demandé à le ren-

---

1. Il publie, en effet, durant les années conciliaires, les deux tomes de *La Tradition et les traditions*, Fayard, 1960 et 1963, ainsi que *La Tradition et la vie de l'Église*, Fayard, 1963.

contrer et le Secrétariat pour l'unité l'a invité lors de ses réunions avec les Observateurs non catholiques. Il a, de plus, été mêlé aux premiers pas du groupe informel d'évêques et de théologiens « Jésus, l'Église et les pauvres », qui agira tout au long du Concile dans le sens d'une conversion évangélique de l'Église et d'une prise en compte du monde des pauvres. Mais surtout le P. Congar est convaincu que cette période de rodage était nécessaire au Concile et, en définitive, il reconnaît qu'il s'est créé un esprit du Concile et que la présence des Observateurs a une portée considérable.

Première intersession (du 8 décembre 1962 au 29 septembre 1963)

Les premiers échos que le P. Congar reçoit de la Commission de coordination l'amènent à penser que le Concile s'est réellement dégagé de l'emprise de la Curie romaine. C'est dans ce climat nouveau que le P. Congar participe volontiers aux travaux de reprise du *De Ecclesia.* Il apporte son concours à la dernière mise au point du schéma Philips patronné par le cardinal Suenens, mais rencontre aussi les experts allemands qui préparent une autre proposition. Il envoie ses premières contributions aux *Études et documents*, dossiers que le secrétariat de l'épiscopat français va diffuser dorénavant durant le Concile. Ces dossiers destinés d'abord aux évêques français rencontreront un large écho au-delà de l'hexagone.

Lorsque la Commission doctrinale entame la révision du *De Ecclesia* à Rome, plusieurs s'étonnent de son absence et on l'appelle à rejoindre la sous-commission qui en est chargée. Il sera désormais un expert quasi permanent de la Commission doctrinale. Le schéma Philips est pris comme base de travail et son auteur devient vite le véritable animateur de cette révision. Séduit par l'efficacité et la bonne entente des experts belges, le P. Congar s'installe au Collège belge qui va d'ailleurs devenir un des hauts lieux stratégiques du Concile. Le 13 mars il y fête l'heureuse issue du *De Ecclesia* avec ceux qu'il considère maintenant comme des amis : Gérard Philips, mais aussi les Belges Charles Moeller et Gustave Thils. Après des siècles de centralisation romaine qui ont atteint leur point culminant sous le pontificat de Pie XII, le P. Congar se réjouit de voir la collégialité épiscopale trouver place dans un schéma conciliaire.

De retour à Rome en mai pour les derniers chapitres du *De Ec-*

clesia, le P. Congar est aussi pour la première fois sollicité par Mgr Garrone, alors seul évêque français de la Commission doctrinale, pour travailler au « schéma XVII » sur l'Église dans le monde. Ce dernier a été programmé en janvier par la Commission de coordination qui l'a confié à une Commission mixte issue de la Commission doctrinale et de la Commission pour l'apostolat des laïcs. Mgr Garrone lui demande son aide pour le chapitre d'anthropologie et le P. Congar plaide alors pour une véritable anthropologie chrétienne, concevant l'homme de manière biblique à l'image de Dieu et non selon des schèmes scolastiques. Lors de l'examen des autres chapitres abordant des questions sectorielles qui l'intéressent aussi (mariage et famille, guerre et paix, culture), il regrette que le travail, un peu bâclé, ne soit pas fondé sur une documentation sérieuse. L'incertitude pesant sur la succession de Jean XXIII, décédé le 3 juin, est levée le 21 juin avec l'élection du cardinal Montini qui prend le nom de Paul VI et annonce la reprise du Concile. La Commission de coordination se réunit donc à nouveau en juillet. Le cardinal Suenens y propose avec succès d'insérer un chapitre sur le Peuple de Dieu entre le premier chapitre du *De Ecclesia* sur le mystère de l'Église et le chapitre sur la hiérarchie. Le recteur du Collège belge, Mgr Prignon, qui est à l'origine de cette proposition, avouera plus tard au P. Congar que sa théologie n'y fut pas sans influence[1]. Le P. Congar est d'ailleurs invité à Malines au sein de la petite équipe chargée par le cardinal de mettre au point ce nouveau chapitre ; celle-ci a aussi mission de reprendre le fondement théologique du schéma XVII et élabore pour cela un texte de nature ecclésiologique ; le P. Congar insistera néanmoins sur l'importance de garder le chapitre d'anthropologie rédigé en mai.

Au cours de cette année 1963, le P. Congar se voit enfin pleinement réhabilité. Paul VI, qui le consulte peu après son élection par l'intermédiaire de son théologien personnel Carlo Colombo, fait état à plusieurs reprises de l'estime qu'il a pour son œuvre. Dès le 13 mars, Aniceto Fernandez, Maître général des dominicains, l'a convoqué pour lui dire pour la première fois « des choses gentilles ». Il accède plus tard à la demande du chapitre de la province de France sou-

1. Dans une lettre à Congar le 27 septembre 1973 (Archives Congar).

haitant que le P. Congar puisse passer l'épreuve *ad gradus* et devenir ainsi maître en théologie dans l'Ordre dominicain. L'épreuve est soutenue le 14 septembre et le P. Congar sera fêté au Saulchoir le 8 décembre puis dans son couvent de Strasbourg le 16 décembre[1]. Il notera pourtant encore l'année suivante : « Personnellement, je ne suis jamais, je ne suis pas encore sorti des appréhensions de l'homme suspecté, sanctionné, jugé, discriminé » (12 mars 1964).

Deuxième session (du 29 septembre au 4 décembre 1963)

La deuxième session s'ouvre par un grand débat sur le nouveau schéma *De Ecclesia*. À la Commission doctrinale comme auprès des évêques qu'il rencontre, le P. Congar milite pour le nouveau chapitre proposé sur le Peuple de Dieu, souhaitant que l'Église y soit présentée dans le cadre de l'histoire du salut et, notamment, dans son rapport au peuple d'Israël.

Mais c'est le chapitre suivant sur la hiérarchie, portant essentiellement sur l'épiscopat et son articulation au primat du pape, qui suscite l'affrontement le plus vif au sein de l'assemblée conciliaire. À travers conférences, notes et interventions préparées pour les évêques, le P. Congar s'engage en faveur du nouveau schéma qui, s'il n'est pas parfait, a le mérite d'introduire la responsabilité collégiale des évêques. Ses amis du Collège belge qui sont en liaison permanente avec le cardinal Suenens lui donnent écho des conflits qui secouent les organes de direction du Concile quant à l'éventualité d'un vote d'orientation demandé aux Pères conciliaires. Celui-ci a finalement lieu le 30 octobre et permet à l'assemblée de se prononcer clairement en faveur de la collégialité épiscopale et de la restauration du diaconat permanent. Le matin même de ce vote, le P. Congar est cependant surpris de voir que bien des évêques n'en ont pas encore saisi l'enjeu doctrinal.

La question de l'intégration du schéma marial dans le *De Ecclesia*, tranchée de justesse dans le sens positif, provoque aussi un débat passionné. Notre ecclésiologue appelle de ses vœux une mariologie

---

1. Cette réhabilitation va permettre à Congar de publier son autobiographie œcuménique : cf. « Appels et cheminements, 1929-1963 », *op. cit.*

équilibrée et souhaite en conséquence que la Vierge Marie soit située à l'intérieur de l'Église et non au-dessus d'elle.

Un certain nombre de Pères désire que le ministère des prêtres soit davantage développé dans le chapitre sur la hiérarchie. Partageant ce point de vue, le P. Congar prépare avec d'autres experts un texte en ce sens pour un groupe d'évêques français. Mais c'est finalement un texte proposé par des évêques allemands qui sera pris comme base à la Commission doctrinale.

Enfin, comme le sort du schéma *De Revelatione* est resté en suspens, les évêques français demandent que l'on traite de la Tradition vivante dans le *De Ecclesia*. Le P. Congar se voit ainsi chargé avec ses amis et confrères dominicains les PP. Féret et Liégé de préparer un texte d'amendement. La reprise du *De Revelatione*, demandée par le pape à la fin de la session, en sonnera le glas.

Le P. Congar assiste naturellement avec émotion au débat sur le nouveau schéma *De Oecumenismo*. Il constate que, si de nombreux Pères entrent bien dans la perspective du mouvement œcuménique, d'autres n'y voient qu'une simple stratégie pour favoriser le retour des chrétiens séparés de Rome. Ce n'est qu'au mois de février suivant que le P. Congar sera associé au travail de révision de ce schéma par le Secrétariat pour l'unité.

À la suite des élections complémentaires aux Commissions, qui vont permettre une meilleure représentation de la majorité conciliaire, Mgr Philips est élu secrétaire-adjoint de la Commission doctrinale. C'est une reconnaissance officielle pour celui qui a mis en chantier dès le mois d'octobre la révision du nouveau *De Ecclesia* et qui occupe *de facto* le rôle du P. Tromp assez affaibli. Le P. Congar se retrouve dans la sous-commission chargée de mettre au point le nouveau chapitre sur le Peuple de Dieu sous la houlette de Mgr Garrone.

Deuxième intersession (du 4 décembre 1963 au 14 septembre 1964)

Au cours de cette période, la Commission doctrinale poursuit la révision du *De Ecclesia* à partir du débat d'octobre 1963. Si la mise au point du chapitre II sur le Peuple de Dieu se déroule sans encombre, il n'en est pas de même du chapitre III sur la hiérarchie. En mars, la session de la Commission permet d'aboutir à un accord que le P. Congar juge satisfaisant. Mais l'équilibre ainsi atteint est bien fragile et se voit remis en question par les pressions exercées auprès d'un pape scrupuleux et soucieux d'arriver à une adhésion unanime. Afin de donner satisfaction à l'aile la plus conservatrice, Paul VI envoie donc en juin à la Commission doctrinale une liste de suggestions concernant ce chapitre. Le P. Congar réagit alors, de concert avec ses amis belges, pour limiter l'ajout d'expressions exaltant à l'excès le primat du pape. Alerté par le P. Pierre Duprey, du Secrétariat pour l'unité des chrétiens, il se montre d'autre part très sensible aux obstacles que peuvent créer certains passages des chapitres II et III dans le rapprochement avec les Églises orthodoxes. Cette préoccupation le conduit à préparer, durant l'été, avec les PP. Dupuy et Féret, une liste de *modi* pour le *De Ecclesia* qu'ils diffuseront largement à l'aube de la troisième session.

Le P. Congar contribue de plus à la rédaction du futur chapitre VII de *Lumen gentium*, avec le désir qu'il ne se limite pas à la vocation eschatologique de l'Église, mais situe celle-ci dans le cadre de la vocation eschatologique de l'humanité et du cosmos.

Enfin, dans la douloureuse mise au point du chapitre VIII sur la Vierge Marie, il s'oppose à ceux qui appuient certains développements mariologiques qui, d'après lui, mettent en péril l'unique médiation du Christ.

Le P. Congar se trouve aussi associé à la reprise plus apaisée du *De Revelatione* par la Commission doctrinale. Sa contribution personnelle se situe essentiellement dans une description plus concrète de la Tradition vivante, au-delà de la controverse antiprotestante sur les contenus respectifs de l'Écriture et de la Tradition.

Quant au schéma XVII, devenu depuis janvier le schéma XIII, il est repris sur de nouvelles bases après le rejet du texte rédigé en septembre à Malines. Un groupe d'experts réuni à Zurich en février met au point un nouveau texte. Ce « texte de Zurich » est soumis à partir de mars à la Commission mixte. Sans être aussi radical que K. Rahner et J. Ratzinger, le P. Congar estime comme ses amis G. Philips et C. Moeller que ce nouveau schéma manque de fondements doctrinaux suffisants et qu'il est trop naïvement optimiste face à l'ambiguïté du monde présent.

Durant cette intersession, le P. Congar se voit associé pour la première fois, de manière d'ailleurs officieuse, aux travaux du Secrétariat pour l'unité. Il participe ainsi à la révision du *De Oecumenismo* en février, ainsi qu'à celle du texte sur les Juifs. Il estime que l'Église ne peut garder le silence sur le peuple juif vingt ans après Auschwitz. En avril, il est appelé par Mgr Willebrands à préparer avec C. Moeller un nouveau texte sur les Juifs et les non-chrétiens. Alors que la version précédente, appuyée sur ce point par la quasi-unanimité du Secrétariat pour l'unité, condamnait l'appellation de peuple « déicide » appliquée au peuple juif, la crainte de représailles contre les chrétiens dans certains pays arabes conduit Mgr Willebrands à leur demander un texte émoussé qui n'en fasse plus mention. Le P. Congar accède à cette demande. Il sera dès lors mêlé aux péripéties de ce texte. Favorable à la condamnation de cette idée de peuple « déicide » qui permettrait un franc rejet de tout antisémitisme chrétien, il sera néanmoins soucieux d'une approche des rapports judéo-chrétiens conforme aux données du Nouveau Testament, telles que les envisage son confrère l'exégète Pierre Benoit, et veillera aussi à ce que la future déclaration sur les religions non chrétiennes reconnaisse clairement le Christ comme étant la plénitude de la vérité salutaire.

Troisième session (du 14 septembre au 21 novembre 1964)

Cette session voit l'aboutissement des schémas *De Oecumenismo* et *De Ecclesia.* C'est ce dernier qui mobilise plus particulièrement le P. Congar. Heureux de voir la Commission doctrinale prendre en compte les *modi* qu'il a rédigés au sujet des prêtres, il est en revanche déçu du peu d'intérêt que porte G. Philips aux *modi* qu'il a proposés pour préserver les chances du dialogue avec les orthodoxes. Il apprendra peu à peu que Philips, cherchant à assurer un vote unanime du schéma, a dû se concentrer sur le front des anticollégiaux les plus radicaux et négocier les concessions nécessaires à leur ralliement, notamment la *Nota explicativa praevia* relative au chapitre III du schéma. Congar invite cependant les Pères à approuver la version finale du schéma, contrairement à certains experts plus radicaux.

Le P. Congar collabore également à la révision du *De Revelatione* et à celle du schéma sur les religions non chrétiennes. L'auteur des *Jalons pour une théologie du laïcat* propose sans succès ses services pour le schéma sur l'apostolat des laïcs. En revanche, il va se retrouver engagé dans la refonte de deux autres textes qui laissent insatisfaits les Pères conciliaires, l'un sur les prêtres, l'autre sur les missions. Ceux-ci, fortement contractés, ont été réduits à un ensemble de propositions, suivant en cela les consignes données en janvier par la Commission de coordination en vue d'une conclusion plus rapide du Concile. C'est sur le plan de leurs fondements théologiques que le P. Congar va apporter sa contribution à ces deux schémas, dans le sillage du *De Ecclesia.* Il avouera, vers la fin du Concile, sa joie d'avoir pu servir ainsi deux causes lui tenant très à cœur : le ministère des prêtres et l'activité missionnaire.

Le schéma sur les prêtres est très vite promis à la refonte complète et le P. Congar propose dès le 15 octobre ses services à Mgr Marty, membre de la Commission du clergé. Il se retrouve alors dans la nouvelle équipe d'experts chargée de la rédaction avec notamment les Français Joseph Lécuyer, Henri Denis et Gustave Martelet, mais aussi des Espagnols de l'Opus Dei comme Julian Herranz et Alvaro del Portillo. Le P. Congar propose au départ de situer le ministère des prêtres dans le cadre d'une théologie biblique du sacerdoce, mais il se résout à un projet moins ambitieux et plus aisément acceptable par les Pères. Le groupe des experts réussit à achever son texte et à le distribuer avant la fin de la session.

Quant à la Commission des missions, devançant les réactions défavorables, elle propose avec succès à l'assemblée conciliaire l'élaboration d'un véritable schéma sur les missions. Mgr Riobé, membre de la Commission, parvient, malgré les résistances de son président le cardinal Agagianian, à faire entrer le P. Congar dans la sous-commission chargée d'une nouvelle rédaction afin qu'il collabore à sa partie théologique.

Troisième intersession (du 21 novembre 1964 au 14 septembre 1965)

Dès son retour à Strasbourg, le P. Congar s'attaque à la rédaction du chapitre doctrinal qu'il doit préparer pour le schéma sur les missions. Il le fait en concertation avec les missiologues Xavier Seumois et Joseph Glazik. En janvier, la sous-commission, réunie au bord du lac Nemi, met au point un nouveau texte. Le P. Congar qui conçoit l'activité missionnaire comme coextensive à toute la vie ecclésiale se heurte à une conception plus étroite, défendue par la Congrégation de la Propagande et certains instituts missionnaires, qui restreint cette activité à des territoires délimités. Il est ainsi conduit à élaborer un texte de compromis qui situe les missions au sens strictement territorial dans le cadre plus large de l'action évangélisatrice de l'Église.

Le schéma XIII, fortement critiqué au cours de la troisième session, est repris à frais nouveaux par une nouvelle équipe sous la houlette de Pierre Haubtmann. Le P. Congar est convié en février à la session organisée à Ariccia pour mettre au point cette nouvelle rédaction. Il y collabore à la première partie qui propose des fondements doctrinaux, notamment cette anthropologie chrétienne demandée par les Pères conciliaires, mais aussi un chapitre sur la mission de l'Église dans le monde que l'on décide d'ajouter. Face aux menaces conjointes de l'aile conservatrice refusant l'ouverture au monde moderne et de certains experts allemands qui trouvent sa base théologique trop faible, le P. Congar s'attachera dorénavant à défendre l'existence du schéma tout en œuvrant à son amélioration, notamment par le biais d'interventions proposées à quelques Pères conciliaires.

Le P. Congar retrouve aussi les experts du Secrétariat pour l'unité. Non seulement il poursuit sa collaboration à la mise au point du schéma sur les religions non chrétiennes, mais il entre de plus dans le travail de révision de la déclaration sur la liberté religieuse. Celle-ci, se réjouit-il, tournera le dos à l'attitude intransigeante et négative de Pie IX et du *Syllabus* et rendra possible un dialogue véritable avec les différents courants du monde contemporain. Mais les partisans de ce droit à la liberté religieuse sont divisés sur la question des fondements que doit proposer la déclaration. Faut-il privilégier une approche partant de la Révélation chrétienne ou plutôt une argumentation philosophique et rationnelle ? En février, le P. Congar, qui penche pour la première solution, fait adopter un préambule sur l'éducation à la liberté dans l'histoire du salut. Il accepte cependant en mai qu'on y renonce afin de parvenir à un consensus plus large.

Enfin, le P. Congar est associé en mars-avril à la révision du schéma sur les prêtres, à partir des remarques envoyées sur le schéma distribué à la fin de la troisième session.

Quatrième session (du 14 septembre au 8 décembre 1965)

Le P. Congar se retrouve souvent écartelé au cours de cette dernière session entre les nombreuses Commissions au sein desquelles il est maintenant engagé. Il y œuvre dans le sens de la conciliation, lorsque les schémas sont menacés. C'est ainsi le cas du schéma sur la Révélation dans lequel la minorité voudrait réintroduire la mention d'un contenu de vérités révélées plus large dans la Tradition que dans l'Écriture. Des *modi* sont proposés en ce sens, notamment par le pape qui souhaite rallier cette minorité et obtenir un vote unanime. Le P. Congar cherche à favoriser un compromis qui maintienne la possibilité d'adhérer à la doctrine de la suffisance matérielle de l'Écriture, largement admise au Moyen Âge. C'est aussi le cas du décret sur la liberté religieuse. Le P. Congar y travaille aux paragraphes qui traitent des fondements de cette liberté dans la Révélation. Mais surtout il collabore activement à la mise au point d'un nouveau préambule qui affirme d'entrée de jeu la mission d'évangélisation et le devoir qu'a tout homme de chercher la vérité religieuse. Ce préambule pourra ainsi rallier tous ceux qui craignent, comme Congar lui-même, que le décret ne favorise l'indifférentisme.

Le P. Congar est aussi très accaparé par la révision des schémas sur les missions et sur les prêtres. Il veut s'acquitter scrupuleusement du fastidieux travail de lecture et de synthèse des remarques des Pères conciliaires afin que cette révision corresponde réellement à leurs demandes. Cela ne l'empêche pas, par ailleurs, de se faire auprès d'eux l'avocat de ses propres convictions. Ainsi dans le schéma sur les missions, il travaille à la prise en compte de la dimension œcuménique. De même, dans le schéma sur les prêtres, il fait passer sa conception, inspirée de Rm 15,16, d'un « sacerdoce de l'Évangile » apostolique et pastoral et non uniquement cultuel.

Cette session voit aussi l'aboutissement du schéma XIII. Le P. Congar, associé à la révision du chapitre d'anthropologie, regrette par la suite de ne plus être sollicité par l'équipe de rédaction qui met la dernière main au texte, alors qu'il aurait notamment aimé travailler sur la question de l'attitude de l'Église face à l'athéisme.

Mais la dernière session amène les théologiens à réfléchir sur leur rôle après le Concile. Le 30 novembre, Hans Küng réunit plusieurs d'entre eux et une collaboration organique entre évêques et théologiens est alors vivement souhaitée. Le P. Congar, qui sera plus tard nommé à la Commission théologique internationale, est associé dès 1965 à la mise en œuvre du Concile, et notamment à celle du décret

Unitatis Redintegratio. En mai, il participe, au sein du Secrétariat pour l'unité, à la mise en chantier d'un Directoire œcuménique. En août, il participe à la première rencontre officielle entre catholiques et luthériens depuis le siècle de la Réforme, prélude à la création d'une Commission internationale catholique-luthérienne en 1967. En novembre, il participe à la réunion du groupe de travail mixte entre l'Église catholique et le Conseil œcuménique des Églises puis aux travaux du Comité académique chargé de préparer la fondation du futur Institut œcuménique de recherches théologiques qui s'établira à Tantur près de Jérusalem.

Après la quatrième session
(du 8 décembre 1965 au 30 septembre 1966)

Il est significatif que le *Journal* ne s'interrompe pas à la fin du Concile, mais plutôt le 30 septembre 1966, lorsque s'achève à Rome le congrès international de théologie sur Vatican II. Il permet ainsi de voir, à travers les engagements du P. Congar, la poursuite si importante à ses yeux de cette collaboration plus confiante entamée au Concile entre pasteurs et théologiens. Outre ce congrès, il participe également à la Commission postconciliaire des missions et au nouveau Secrétariat pour les non-croyants. Cette collaboration se trouvera favorisée par la nomination à certains postes importants de la Curie romaine de grands acteurs du Concile, tels Mgr Garrone[1] et C. Moeller[2]. Cependant les difficultés rencontrées à Rome par Y. Congar et G. Baraúna pour l'édition de certains ouvrages augurent des tensions qui ne manqueront pas de surgir dans la mise en application du Concile.

Le P. Congar et sa mission d'expert

Le P. Congar est arrivé au Concile dans une attitude de disponi-

1. Il est nommé propréfet de la Congrégation des séminaires et des universités.
2. Il est est nommé sous-secrétaire de la Congrégation pour la doctrine de la foi.

bilité qu'il décrit ainsi : « j'ai (vaille que vaille) suivi ce que je croyais être la volonté et l'appel de Dieu. C'est lui qui a tout mené, tout préparé. Au concile même, je ne prends pas d'autre règle que de lui faire tout conduire. Une éthique toute théologale, jusque dans les petits détails matériels. Pour règle pragmatique, j'ai pris celle-ci : ne rien faire que sollicité par les évêques. C'est eux qui sont le concile. Cependant, si une initiative portait la marque d'un appel de Dieu, je m'y ouvrirais » (31 octobre 1962). Telle sera effectivement son attitude tout au long du Concile. Il tient d'une part à respecter pleinement la mission propre des Pères conciliaires. On le voit ainsi dépouiller et classer scrupuleusement leurs remarques sur les schémas et en tenir compte dans leur révision en commission. Mais, par ailleurs, il n'hésite pas à proposer les résultats de ses propres recherches théologiques en d'innombrables conférences et à faire campagne pour telle ou telle initiative. Au début du Concile, il milite pour un message au monde et pour une révision des schémas doctrinaux ; plus tard il milite pour que le chapitre sur le Peuple de Dieu soit écrit selon l'histoire du salut dans laquelle il situe le rôle du peuple juif, pour que le schéma XIII soit abordé par les Pères à partir d'un bilan de l'état du monde, ou encore pour que le Concile élabore une nouvelle Profession de Foi.

Le P. Congar participe ainsi à cette collaboration intense qui s'établit entre pasteurs et théologiens. Alors que de grands théologiens comme Scheeben, Döllinger ou Newman n'ont pas été invités au Concile Vatican I, les Pères de Vatican II vont faire largement appel aux théologiens qui retrouvent une réelle liberté de parole[1] et qui, pour un grand nombre d'entre eux, « exercent un véritable magistère » (21 octobre 1962)[2]. Le P. Congar pourra écrire que « ce concile aura été largement celui des théologiens » (5 octobre 1965).

Mais le rapport entre évêques et théologiens ne doit pas faire

---

1. Cette liberté retrouvée permettra au projet de la revue théologique internationale de se concrétiser avec la création de *Concilium* à laquelle Congar est associé dès 1963.

2. Cf. Karl Heinz NEUFELD, « Au service du Concile, Évêques et théologiens au deuxième Concile du Vatican », dans René LATOURELLE, *Vatican II, Bilan et perspectives, vingt-cinq ans après (1962-1987)*, tome 1, Montréal, Bellarmin/Paris, Cerf, 1988, p. 95-124.

oublier ce troisième partenaire qu'est le Peuple de Dieu. Durant le Concile, il se manifeste par la présence des auditeurs laïcs mais aussi, plus largement, à travers l'opinion publique. Le P. Congar, qui accorde de l'importance au *sensus fidelium*, n'hésite pas à éclairer l'opinion publique ecclésiale par ses articles.

Comme expert, le P. Congar fait d'abord l'expérience du « fait conciliaire », ce rassemblement qui comporte une part d'imprévisible et nécessite une maturation plus ou moins lente. Il y voit une « réalité anthropologique profonde » qui doit modérer les impatiences. Impatient et las, il l'est pourtant bien souvent en assistant aux Congrégations générales qui se résument à une suite d'interventions au lieu d'un véritable débat. Il regrette que les experts qui ont rédigé puis amendé les schémas ne puissent venir les présenter. Mais finalement, bien que les choses n'aient guère été pensées à l'avance, le P. Congar constate avec émerveillement que se dégage progressivement un esprit du Concile et que les schémas conciliaires trouvent peu à peu leur cohérence propre.

Cela ne va pas, cependant, sans passer par des affrontements douloureux. S'il se dégage une majorité et une minorité conciliaires, leur composition peut cependant varier plus ou moins fortement selon les questions abordées. Le P. Congar comprend bien que Paul VI veuille obtenir un large consensus des Pères et que cela suppose des compromis. C'est dans cet esprit qu'il travaille lui-même au sein des Commissions et auprès des Pères, acceptant que ses propres idées ne puissent triompher pleinement et se distançant ainsi de certains experts plus intransigeants. Par ailleurs, celui qui a connu la mise à l'écart et la suspicion pratique une sorte d'œcuménisme intra-ecclésial avec ceux qui pourraient se sentir à leur tour mis au ban de la communion ecclésiale à l'issue du Concile, même s'il regrette chez certains un esprit purement négatif et chez d'autres des procédés malhonnêtes dans le travail conciliaire.

Les différents modes d'action du P. Congar au Concile

Le *Journal* du P. Congar témoigne de la diversité des modes d'action d'un expert du Concile, que ce soit au sein des Commissions, auprès des Pères, des Observateurs non catholiques ou encore dans les publications théologiques et la presse. Il met aussi en évidence l'importance des réseaux plus ou moins informels, des conversations de table ou de couloir et des contacts personnels.

Parmi ces contacts, il y a en premier lieu ceux que le P. Congar entretient avec les autres experts. Dans la Commission théologique préparatoire, dominée par les théologiens romains, le P. Congar n'y compte que quelques confrères véritablement ouverts à un renouvellement. En revanche, il retrouve au Secrétariat pour l'unité des chrétiens plusieurs amis parfois très proches avec lesquels il a travaillé dans le domaine œcuménique, notamment au sein de la Conférence catholique pour les questions œcuméniques, et qui le tiennent au courant des contacts avec les frères séparés. Même s'il ne collabore que de manière officieuse avec le Secrétariat durant le Concile, les rapports qu'il entretient avec ses membres sont pour lui essentiels.

Durant la première session, Y. Congar, déjà affaibli par sa maladie, se sent bien isolé à l'Angélique où il loge ; il n'est pas encore associé aux travaux de la Commission doctrinale qui, d'ailleurs, ne se réunit guère. Pourtant il se trouve très vite intégré à ce cercle des théologiens de l'Europe du Nord-Ouest où se côtoient principalement des Allemands, des Belges, des Hollandais et des Français et qui dominera nettement l'activité théologique du Concile.

S'il admire les compétences de K. Rahner, s'il apprécie la collaboration de J. Ratzinger, il ne partage pas le radicalisme réformateur des experts allemands et se montre davantage disposé au compromis. À l'opposé de H. Küng qui, lui, se maintient hors de toute Commission pour rester libre de ses critiques, Y. Congar s'engage loyalement dans l'amélioration patiente des schémas, bien qu'il perçoive leurs limites. En cela, il est plus proche des experts belges avec lesquels il s'entend particulièrement bien ; il apprécie leur pragmatisme et leur réalisme qui les conduit à viser le possible et non l'idéal, selon une méthode tactique qu'il définira ainsi : « s'entendre d'avance, savoir très précisément ce qu'on veut éviter, ce qu'on veut faire passer ; préparer une ligne de repli ; gagner des gens à son point de vue et neutraliser les autres » (22 avril 1964). C'est notamment avec eux qu'il prépare de nombreuses séances de la Commission doctrinale ou de ses diverses sous-commissions. Durant ces séances, ses interventions sont, comme il le reconnaît lui-même, « plutôt discrètes et rares » (2 juin 1964). Cela s'explique par un tempérament réservé et par le peu de sollicitations venant des évêques français de cette Commission. Il jugera pourtant de manière très positive le travail de cette Commission qui aura, d'après lui, permis un réel affrontement théologique entre les différentes tendances du Concile. C'est d'ailleurs ce modèle de la Commission doctrinale qu'il gardera en mémoire lorsqu'il sera progressivement intégré au travail d'autres Commissions ou du Secrétariat pour l'unité.

Mais en amont et en aval du travail en commission, le P. Congar s'active auprès des Pères conciliaires pour préparer les débats *in aula*. S'il est venu au Concile comme expert privé de Mgr Weber, évêque de Strasbourg, ce dernier, assez âgé, le sollicite très peu. En revanche son jeune coadjuteur, Mgr Elchinger, très au fait du renouveau théologique et pastoral, chargé du lien entre les épiscopats allemand et français, entraîne rapidement le P. Congar dans les réunions de « stratégie conciliaire » qu'il organise entre évêques et théologiens de l'Europe du Nord-Ouest. Pourtant l'épiscopat français ne se montre guère empressé à faire appel aux compétences du théologien. Le P. Congar se l'explique par les suspicions romaines encore récentes, ainsi que par les réserves que suscite une santé très affaiblie. Il regrette, de plus, que cet épiscopat se montre assez peu combatif au niveau théologique et que ses interventions, au style souvent homilétique, en restent à de grandes synthèses pastorales manquant d'acuité doctrinale. Il ne faudrait pas, cependant, minimiser l'influence réelle du théologien auprès des évêques français. S'il est assez peu mis à contribution dans les « ateliers de travail » qu'ils mettent sur pied à Rome, ses conférences ont un impact réel ainsi que ses contributions à la série des *Études et documents* que diffuse le Secrétariat de l'épiscopat et dont le rayonnement dépasse les frontières.

Le rayonnement du P. Congar ne se limite d'ailleurs évidemment pas aux évêques français. Si on lui demande rarement de préparer des interventions pour l'assemblée conciliaire ou des amendements pour la révision des schémas, s'il a assez peu de contacts suivis avec tel ou tel évêque, le *Journal* mentionne un nombre impressionnant de conférences ou de causeries données à divers groupes d'évêques sur les grandes questions ecclésiologiques et œcuméniques qui le mobilisent. De plus, même s'il le trouve finalement peu efficace, le P. Congar participe régulièrement au groupe informel « Jésus, l'Église et les pauvres ».

Pour le P. Congar, la présence au Concile des Observateurs non catholiques et des hôtes du Secrétariat pour l'unité est un événement extraordinaire et permet au Concile de dépasser une simple amélioration de ce qu'il nomme le « système » et d'ouvrir une ère de dialogue avec ceux qu'il appelle les « Autres » (autres chrétiens, mais plus largement représentants d'autres mondes spirituels). Celui qui a été, dans le monde catholique, un des pionniers de la rencontre œcuménique, retrouve ainsi de vieilles connaissances dans l'*aula* conciliaire et ses alentours. Il est notamment invité à plusieurs reprises aux séances de travail que le Secrétariat pour l'unité organise chaque semaine pour les Observateurs et les hôtes avec des experts du Concile.

Enfin l'influence du P. Congar joue aussi à travers ses diverses publications : livres, interviews et articles. Les chroniques qu'il donne dans les *Informations Catholiques Internationales* ou d'autres périodiques et qui sont ensuite publiées après chaque session[1] permettent de saisir clairement les enjeux profonds de l'aventure conciliaire. Quant aux travaux théologiques que le P. Congar publie avant et pendant le Concile, ils exercent une influence très profonde dont il reçoit maints témoignages durant les sessions conciliaires. Il constate ainsi que le volume collectif *L'Épiscopat et l'Église universelle*, projeté dès avant l'annonce d'un Concile et publié en 1962 avant la première session dans la collection *Unam Sanctam*, a un impact « décisif » (22 novembre 1963), ce qui l'encourage à préparer un ouvrage du même type sur la question de la pauvreté[2]. Parmi les nombreuses publications du P. Congar durant la période conciliaire, il faut mentionner particulièrement l'influence de ses travaux sur la Tradition, publiés en 1960 et 1963.

Le P. Congar et sa vision du Concile

La finalité réformatrice et œcuménique du Concile

1. Cf. les quatre volumes : *Le Concile au jour le jour*, Cerf, 1963 ; *Le Concile au jour le jour. Deuxième session*, Cerf, 1964 ; *Le Concile au jour le jour. Troisième session*, Cerf, 1965 ; *Le Concile au jour le jour. Quatrième session*, Cerf, 1966.
2. Cf. *Église et pauvreté*, coll. « Unam Sanctam » 57, Cerf, 1965.

Si certains cercles de la Curie voient dans le Concile une occasion de condamner ce qu'ils estiment dangereux dans les productions théologiques, le P. Congar, pour sa part, considère qu'il n'y a pas péril en la demeure et que l'Église est avant tout mise en question par le monde « qui lui demande de le rejoindre pour lui parler valablement de Jésus-Christ[1] ». Dès 1959, lors d'une rencontre à Chevetogne, il lui semble qu'« aujourd'hui les questions sont essentiellement celles qui viennent à l'Église *du monde* et *des Autres*. Ce sont les questions missionnaires, œcuméniques et pastorales[2] ». Durant la première session, il note dans ses chroniques : « Il semble certain que le Concile sera principalement apostolique et pastoral. L'énoncé théologique même devrait y prendre cette tonalité. S'il est des points de doctrine à aborder ou élaborer de façon nouvelle, c'est ceux qui intéressent le rapport évangélique et pastoral avec les autres[3]. » Ainsi le Concile sera à la fois doctrinal et pastoral et le rapport entre les deux aspects sera essentiel. Comme il l'écrira plus tard : « Le pastoral n'est pas moins doctrinal, mais il l'est d'une manière qui ne se contente pas de conceptualiser, définir, déduire et anathématiser : il veut exprimer la vérité salutaire d'une manière qui rejoigne les hommes d'aujourd'hui, assume leurs difficultés, réponde à leurs questions[4]. » Là-dessus, le P. Congar se heurte vite à des hommes comme le cardinal Ottaviani ou le P. Tromp pour lesquels la pastorale est, comme l'œcuménisme, une affaire purement pratique, réservée à d'autres organismes.

En explorant l'histoire des doctrines ecclésiologiques au cours des années précédant le Concile, le P. Congar a justement constaté combien les rapports de l'Église *ad extra* ont influé sur son évolution intérieure et notamment sur son ecclésiologie. La Réforme grégorienne, en réaction aux prétentions séculières, les réactions défensives provoquées par les remises en question de la Réforme protestante puis des courants de pensée moderne ont conduit à une concentra-

1. Yves M.-J. Congar, *Le Concile au jour le jour*, *op. cit.*, p. 11.
2. « Conclusion », dans *Le Concile et les conciles*, *op. cit.*, p. 329.
3. Yves M.-J. Congar, *Le Concile au jour le jour*, *op. cit.*, p. 15.
4. *Le Concile de Vatican II, Son Église peuple de Dieu et corps du Christ*, coll. « Théologie historique » 71, Beauchesne, 1984, p. 64.

tion progressive du pouvoir ecclésiastique dans le papauté[1] et, dans le même mouvement, ont réduit le traité sur l'Église à une approche étroitement juridique. Au sortir de la chrétienté, la situation nouvelle de l'Église dans un monde qui échappe maintenant à sa tutelle la conduit non seulement à un *aggiornamento*, comme l'y appelle Jean XXIII, mais à une véritable réforme ecclésiale, comme le dira plus tard Paul VI. Il ne s'agira pas simplement d'améliorer ou d'assouplir ce que le P. Congar appelle le « système », c'est-à-dire l'organisation institutionnelle et son discours, mais d'effectuer une véritable rénovation afin de mettre l'Église en état de mission et de dialogue avec ce monde moderne. Cette rénovation passe par un ressourcement en profondeur dans l'Écriture et la Tradition. Dès son livre *Vraie et fausse Réforme dans l'Église*, il avait repris pour caractériser ce que pourrait être une réforme ecclésiale, les mots de Charles Péguy : « un appel d'une tradition moins parfaite à une tradition plus parfaite, un appel d'une tradition moins profonde à une tradition plus profonde, un reculement de tradition, un dépassement en profondeur ; une recherche à des sources plus profondes ; au sens littéral du mot, une ressource[2] ». Pour avancer dans cette direction, la présence des représentants d'autres Églises et de catholiques orientaux joue pour lui un rôle capital.

C'est ici que la dynamique du Concile rejoint de manière étonnante la vocation à la fois œcuménique et ecclésiologique que le P. Congar a reconnu être la sienne dès 1930, à partir de la méditation de Jn 17. Le P. Congar voit en effet dès le départ la réunion des chrétiens comme la télé-finalité du Concile. À partir de Jean XXIII, l'Église catholique s'insère pleinement dans le mouvement œcuménique. Dès lors l'œcuménisme ne doit pas être une discipline particulière, mais « une dimension de tout ce qui se fait dans l'Église[3] ». Dès l'ouverture du Concile, le P. Congar note avec réalisme : « Il serait chimérique d'attendre des décisions d'union ; il ne l'est pas d'espérer l'instauration de relations dialoguantes qui pourraient pré-

1. Il note dans son *Journal*, en juillet 1960, que « depuis 1950, c'était parfait ».

2. Avertissement des *Cahiers de la Quinzaine*, 1er mars 1904.

3. Yves M.-J. CONGAR, *Le Concile au jour le jour. Deuxième session*, *op. cit.*, p. 105.

parer des rapprochements décisifs sur certains points[1]. » En fait, l'ouverture œcuménique passera avant tout par la réintégration de valeurs qui se sont estompées dans l'Église catholique et que les autres Églises ont su mieux développer ; d'où le rôle décisif d'un bon *De Revelatione* et d'un bon *De Ecclesia* ; d'où aussi la reconnaissance réelle de la tradition orientale dans l'Église catholique (25 octobre 1963), tradition qui a su davantage préserver et développer certaines valeurs que la tradition latine[2].

Pour une Église ressourcée

Au début de son *Journal*, le P. Congar estime que le Concile arrive un peu trop tôt : seuls les évêques les plus jeunes ont pu entrer dans ce retour aux sources bibliques, patristiques, liturgiques, qui est nécessaire à une véritable réforme de l'Église. Dans ses chroniques, il distingue les « ressourcés » et les « non-ressourcés[3] » et se prononce pour un catholicisme ressourcé, « qui est, du même mouvement, un catholicisme recentré sur le Christ, et qui est également biblique, liturgique, pascal, communautaire, œcuménique et missionnaire[4] ».

Dans ce mouvement théologique du Concile, la mise à l'écoute de la Parole de Dieu est essentielle. Le P. Congar constate que dans les textes de la Commission théologique préparatoire, « la SOURCE n'est pas la Parole de Dieu : c'est l'Église elle-même, et même l'Église réduite au pape, ce qui est TRÈS grave » (24 août 1961). Il ajoute que : « Tout le travail a été mené comme si les encycliques étaient LA source nécessaire et suffisante. C'est une NOVITAS, au sens technique qu'a ce mot en théologie » *(ibid.)*.

Au cours de la deuxième session, il note encore : « Depuis des années, je vois qu'à aucun moment on ne se met, d'une façon neuve et fraîche, devant la Parole de Dieu. Il n'y a pas eu *vraiment* ressourcement [...] Les exégètes n'ont joué presque aucun rôle dans le travail ; on a écarté ceux de Jérusalem et de l'Institut Biblique »

1. Yves M.-J. CONGAR, *Le Concile au jour le jour*, *op. cit.*, p. 14.
2. Cf. notamment ses rencontres avec les évêques melkites les 27 octobre 1962 et 10 octobre 1963.
3. *Le Concile au jour le jour*, *op. cit.*, p. 45.
4. *Le Concile au jour le jour. Deuxième session*, *op. cit.*, p. 111.

(12 octobre 1963). Cette source qu'est la Parole de Dieu nous est livrée à travers l'Écriture et la Tradition, à l'écoute desquelles le pape, les évêques et l'Église dans son ensemble doivent se disposer, d'où l'extrême importance, pour le P. Congar, du *De Revelatione* : « un texte qui doit donner leur base de rénovation à la théologie et à la prédication, ainsi que sa base de dialogue à l'œcuménisme, pendant plusieurs décennies[1] ».

Le retour à l'Écriture va de pair, chez le P. Congar, avec la grande place qu'il accorde à la catégorie d'histoire du salut. C'est à l'occasion d'une rencontre de Paul VI avec les Observateurs, que le P. Congar relève l'importance de développer un enseignement particulier lui correspondant, reprenant l'idée de Paul VI : « il serait de grande conséquence qu'il existât, dans tout centre universitaire catholique, une chaire de théologie de l'histoire du salut, où soit étudiée l'économie divine dans l'histoire du Peuple de Dieu[2] ».

Mais plus radicalement encore, on peut dire que le retour à la Parole de Dieu livrée à travers l'histoire du salut appelle un approfondissement de la théologie trinitaire, le mouvement du Fils et de l'Esprit dans le monde puisant lui-même son dynamisme dans la vie trinitaire *ad intra*. L'Église est, à sa racine même, *Ecclesia de Trinitate*, elle est Peuple de Dieu, Corps du Christ et Temple de l'Esprit. Le P. Congar estimera plus tard que Vatican II n'a fait qu'engager un approfondissement de l'ecclésiologie basé sur « une *théo*-logie trinitaire[3] ».

Vers une ecclésiologie renouvelée

Ce recentrage sur la Parole, sur l'histoire du salut et, plus profondément, sur le mystère trinitaire est à la base d'une vision nouvelle de l'Église qui se dessine progressivement au cours du Concile. Elle se caractérise par le passage d'une vision essentiellement juridique à une vision sacramentelle qui place ce qu'il appelle l'ontologie chrétienne, l'ontologie de grâce avant les structures ministérielles. C'est

1. *Le Concile au jour le jour. Quatrième session, op. cit.*, p. 20.
2. *Le Concile au jour le jour. Deuxième session, op. cit.*, p. 103-104.
3. *Le Concile de Vatican II, Son Église peuple de Dieu et corps du Christ, op. cit.*, p. 82.

l'existence chrétienne, la qualité de disciple qui est première, fondée sur les sacrements d'initiation. Le P. Congar regrette que se soit construite « une ecclésiologie qui n'inclut pas d'anthropologie[1] » (CJJ II, p. 108) et il est d'accord avec ses amis orthodoxes A. Schmemann et N. Nissiotis pour estimer que « la meilleure ecclésiologie serait, dans le *De populo Dei*, un développement sur l'homme chrétien » (17 octobre 1963). Ainsi à propos du chapitre consacré aux laïcs, souhaite-t-il, en vertu de la primauté rendue « à l'ontologie chrétienne ou à la réalité spirituelle de l'homme chrétien sur les structures de service et de commandement », que l'on ne se contente pas de « décrire la condition des laïcs dans l'Église, mais qu'on nous donne un chapitre dense et plein de sève biblique, sur ce qu'est un homme *chrétien* ![2] ».

Cela explique l'importance qu'accorde le P. Congar à certains résultats du Concile. Il insiste en particulier sur le caractère décisif, pour une rénovation de toute l'ecclésiologie, de la collocation d'un chapitre sur le Peuple de Dieu avant celui sur la hiérarchie dans la Constitution *Lumen gentium*. Mais il salue aussi l'explicitation de la notion de Tradition vivante, portée par ce Peuple chrétien, l'esquisse d'une anthropologie chrétienne dans *Gaudium et spes*, ou encore l'intégration du chapitre marial dans le schéma sur l'Église.

Quant aux structures ministérielles, elles sont avant tout au service de cette existence chrétienne et elles sont envisagées également selon leur fondement sacramentel : ainsi en est-il, notamment, de l'épiscopat et du diaconat permanent restauré.

Cette ontologie chrétienne est très profondément une ontologie de communion, selon le modèle trinitaire. Dans l'audience que lui accorde Paul VI, le 8 juin 1964, le P. Congar s'enhardit à lui dire que ses gestes œcuméniques « appellent (...) une ecclésiologie qui n'est pas encore élaborée : ecclésiologie de Communion, où l'Église apparaisse comme Communion d'Églises ». C'est d'ailleurs dans cette ontologie de communion que pourra s'enraciner une théologie de la collégialité épiscopale[3].

Dans ce retour au caractère premier de l'ontologie chrétienne et

---

1. *Le Concile au jour le jour. Deuxième session, op. cit.*, p. 108.
2. *Ibid.*
3. Congar écrit : « La collégialité (...) intéresse l'être profond de l'épiscopat

de l'existence chrétienne, la dimension eschatologique, remise en lumière par l'exégèse biblique, ne peut être sous-estimée. Située entre l'Incarnation et la Parousie, l'Église retrouve sa juste place au sein de l'humanité et du cosmos : elle n'est pas le Royaume de Dieu achevé, mais le « sacrement du salut ». Cette dernière expression, reprise par le Concile, exprime bien, d'après le P. Congar, la mission de l'Église, Peuple de Dieu inséré dans l'histoire des hommes. L'Église ne doit plus se situer comme une citadelle, obsédée par la lutte contre les forces adverses. Elle est appelée à nouer un véritable dialogue avec le monde contemporain, un dialogue que le P. Congar n'imagine pas naïvement sans affrontements ni contestations mutuelles, mais dans lequel les deux partenaires s'enrichissent l'un l'autre, l'Église ayant mission d'annoncer l'Évangile et de servir le monde selon cet Évangile, le monde amenant l'Église à réinterroger l'Évangile, à se purifier sans cesse et à développer sa catholicité en accueillant de nouvelles valeurs. Cette Église « servante et pauvre », consciente de ses faiblesses et des carences au long de l'histoire, doit se montrer solidaire du monde dans son pèlerinage vers le Royaume.

Une étape sur le chemin de l'Église

Ce renouvellement de l'ecclésiologie qu'appelle de ses vœux le P. Congar ne se réalise, durant le Concile, que de manière progressive et partielle. Il est tout d'abord marqué par l'affrontement entre majorité et minorité conciliaires. Mais le P. Congar n'en a pas une vision manichéenne. Il estime que l'action des experts de la minorité, pour la plupart des hommes de la Curie et du Saint-Office, a conduit la majorité conciliaire à préciser sa pensée[1]. Il souhaite, de même, que l'on explique clairement aux Pères les options proposées dans les schémas conciliaires[2] : que ce soit pour la collégialité, pour la place

---

et de l'Église, elle traduit sa nature où il y a un mystère de communion. De plus en plus, au sujet de la collégialité, on invoque le modèle des Trois Personnes divines qui sont un... Il y a encore beaucoup de choses à approfondir et à élaborer dans la théologie de la collégialité. » (« La mission dans la théologie de l'Église », dans *Repenser la Mission. Rapports et compte-rendu de la XXXVe semaine de Missiologie de Louvain*, Desclée de Brouwer, 1965, p. 61.)

1. Cf. *Une vie pour la vérité*, *op. cit.*, p. 141.

2. Le P. CONGAR regrette que le rapporteur d'un texte ne puisse, comme

que doit occuper le *De Beata Maria* ou pour la question du peuple « déicide ». Dans le même esprit, il pense préférable de prendre le temps d'éclaircir la question de la liberté religieuse et non de faire voter un texte dans la précipitation. Il estime même que l'on doit chercher à s'approcher de l'unanimité[1] et il n'hésite pas à rencontrer un adversaire de la collégialité comme R. Dulac, de la *Pensée catholique*, cherchant à lui montrer que les affirmations de Vatican I ne sont pas mises en péril (18 septembre 1964). Pour lui, la *Nota praevia explicativa* devrait jouer « le rôle qu'a joué le discours de Zinelli à Vatican I » (16 novembre 1964). En définitive, le P. Congar, en cela pleinement traditionnel, estime qu'un Concile n'a pas pour objectif la victoire d'une école théologique. Au terme de la dernière session, il écrit : « Le Concile a été cependant très soucieux de ne point chercher la victoire d'une école théologique particulière sur une autre. Sur plusieurs points importants, ses formules ne diriment pas les débats entre écoles théologiques. Nous-mêmes, qui avons travaillé dans plusieurs commissions, pouvons témoigner du soin qu'on y a mis. Nous voulons également dire que, souvent, l'opposition de la minorité a fourni une contribution, au total, heureuse et positive. Certes, elle a été parfois irritante. Elle a obligé à creuser plus profond, à nuancer ou préciser davantage, à faire droit à d'autres aspects[2]. »

La dynamique conciliaire relativise d'ailleurs une vision statique de la majorité et de la minorité : dès la première session, le P. Congar observe les évolutions d'épiscopats entiers « sous l'action, non tant

---

c'était le cas à Vatican I, défendre son texte après l'avoir présenté (*Le Concile au jour le jour*, *op. cit.*, p. 81) ; il suggère même que « Peut-être les débats se concentreraient-ils mieux si la commission intéressée y intervenait au début et au moins une ou deux fois en cours de discussion, pour déclarer nettement le sens ou l'intention du texte qu'elle propose, et empêcher ainsi qu'on ne s'égare inutilement » (*Le Concile au jour le jour. Deuxième session*, *op. cit.*, p. 118).

1. Cf. *Le Concile au jour le jour. Deuxième session*, *op. cit.*, p. 141 ; durant la quatrième session il écrit : « Vatican II a été incomparablement plus patient et plus généreux pour sa minorité que Vatican I ne l'avait été pour la sienne » (*Le Concile au jour le jour. Quatrième session*, *op. cit.*, p. 23) ; plus tard, lorsque Mgr Marcel Lefebvre mettra en question le Concile, Congar rappellera qu'on y a cherché, à la demande de Paul VI, l'unanimité la plus large possible (Yves CONGAR, *La Crise dans l'Église et Mgr Lefebvre*, Cerf, 1976, p. 17).

2. *Le Concile au jour le jour. Quatrième session*, *op. cit.*, p. 124.

peut-être, des arguments proposés, que du climat général et du contact avec d'autres épiscopats, venus d'autres continents et d'autres horizons[1] ». Se comparant à Hans Küng, il a conscience d'avoir un sentiment très vif « des délais nécessaires et de la force d'une patience active » (12 octobre 1963). Estimant lors de la première session qu'il faudra bien deux ou trois ans pour que la maturation de l'assemblée conciliaire aboutisse réellement, tant au niveau d'une conscience pastorale collégiale que d'un approfondissement théologique[2], il regrettera plus tard que le cardinal Döpfner, auteur d'un plan draconien permettant d'achever rapidement les travaux conciliaires, ne voie pas que « le principal du concile n'est pas de voter des textes mais d'établir un esprit et une conscience nouvelle, et QUE CELA DEMANDE DU TEMPS » (1er février 1964).

Le P. Congar n'a de toute manière jamais pensé que Vatican II pourrait consacrer entièrement le renouveau théologique alors en cours. Certains événements lui paraissent même, à la fin du Concile, inimaginables cinq ans auparavant, telle la célébration œcuménique à Saint-Paul-hors-les-Murs le 4 décembre 1965. Il notera dix ans plus tard que le Concile « est resté en de nombreuses questions à mi-chemin. Il a commencé une œuvre qui n'est pas achevée, qu'il s'agisse de la collégialité, du rôle des laïcs, des missions et même de l'œcuménisme[3] ». Dès 1966, concluant deux volumes de commentaires de *Lumen gentium*, il écrit, reprenant l'image du germe si importante pour lui : « Les études contenues dans le présent recueil permettront de donner leur fécondité à tant de germes dispersés dans les soixante-neuf numéros de la Constitution *Lumen gentium*[4]. »

Enfin l'expérience du Concile de Trente a montré au P. Congar que les décisions mêmes d'un concile demandent du temps avant de prendre corps dans la réalité ecclésiale[5]. À côté des recherches théologiques ultérieures, l'après-concile sera le temps de la mise en œuvre des décisions conciliaires. Le P. Congar se montre attentif à la traduction institutionnelle de l'ecclésiologie du Concile, et notamment

1. *Le Concile au jour le jour, op. cit.*, p. 46.
2. *Ibid.*, p. 68.
3. *Une vie pour la vérité, op. cit.*, p. 131 ; cf. aussi p. 149.
4. *L'Église de Vatican II*, coll. « Unam Sanctam » 51 c, Cerf, 1966, p. 1369.
5. Cf. *Le Concile au jour le jour. Deuxième session, op. cit.*, p. 125.

de la collégialité. Mais il ne s'agira pas d'une simple mise en pratique : ce qu'il pense de l'avenir de la collégialité peut être étendu à d'autres domaines comme le rétablissement du diaconat permanent[1] ou l'engagement dans le mouvement œcuménique : « Le Concile s'est contenté de l'affirmer. Bientôt, on mettra en place des structures collégiales concrètes. Il s'opérera un va-et-vient entre la pratique, la réflexion théologique, les recherches historiques[2]. » À ce sujet, le P. Congar note qu'il voit « depuis longtemps qu'un des problèmes majeurs de l'après-concile sera de garder la coopération organique – qui seule a permis et fait le concile – entre évêques et théologiens » (5 février 1966). Il participera intensément à cette réception du Concile, notamment par les commentaires des documents conciliaires qui seront publiés sous sa houlette dans la collection « Unam Sanctam »[3].

Le Concile et l'œuvre du théologien

Si l'influence de l'œuvre du théologien sur le Concile est indéniable, elle reste cependant difficile à évaluer. On pourrait être tenté de se focaliser sur ce que lui doit la rédaction finale des documents conciliaires. Le P. Congar précise en effet, à la fin de son *Journal* (7 décembre 1965), les paragraphes dont il a assuré la première rédaction. Ce sont généralement des passages donnant des fondements doctrinaux et rejoignant ses thèmes de prédilection : la Tradition, le Peuple de Dieu, l'œcuménisme, les prêtres et le sacerdoce, l'anthropologie chrétienne, la nature missionnaire de l'Église, les relations entre l'Église et le monde, le salut des non-chrétiens. Certes, ces passages portent nécessairement, de manière plus ou moins forte, l'empreinte du rédacteur, de son vocabulaire, voire de sa théologie, et son jeune confrère le P. Liégé est même capable de la reconnaître :

1. Sur le diaconat, cf. Yves M.-J. CONGAR, « Le diaconat dans la théologie des ministères », dans *Le diacre dans l'Église et le monde d'aujourd'hui*, coll. « Unam Sanctam » 59, Cerf, 1966, p. 121-141.

2. *L'Église de Vatican II*, coll. « Unam Sanctam » 51 c, *op. cit.*, p. 1371.

3. Treize des seize textes conciliaires seront ainsi commentés dans cette collection entre 1966 et 1970.

« J'ai beaucoup apprécié vos apports aux schémas sur les missions et sur les Prêtres, facilement reconnaissables[1]. » Mais, d'une part, le P. Congar agit en tant qu'expert, et il est appelé, dans cette rédaction, à tenir compte des *desiderata* des Pères plutôt qu'à exprimer une pensée personnelle, et, d'autre part, ces textes sont par la suite plus ou moins fortement amendés.

En fait, l'influence du P. Congar déborde les textes qu'il rédige. Il ne collabore pas à la rédaction des textes portant sur les laïcs, ni à celle du schéma sur l'apostolat des laïcs, alors qu'il a été l'un des artisans d'une théologie du laïcat. De même, il intervient très peu dans la rédaction du schéma sur l'œcuménisme ou dans celle des textes ayant trait à la collégialité épiscopale. Comme nous l'avons noté plus haut, les modalités d'action du P. Congar au Concile sont multiples et débordent la rédaction ou même l'amendement des textes. Par toute son activité, il accompagne théologiquement le mouvement même du Concile avec une étonnante adéquation entre sa propre vocation, à la fois ecclésiologique et œcuménique, et les intentions de Jean XXIII qui a voulu ce Concile et « lui a donné ces deux finalités, entre lesquelles il mettait un lien : la rénovation interne de l'Église catholique, le service de la cause de l'unité chrétienne[2] ». Les thèmes du Concile rejoignent bien souvent ceux que le P. Congar a travaillés[3] et le Concile est pour lui l'occasion d'en proposer largement les résultats auprès des Pères conciliaires. Comme il l'écrira en 1973 : « Les grandes causes que j'avais essayé de servir ont abouti au Concile : renouveau de l'ecclésiologie, Tradition, réformisme, œcuménisme, laïcat, mission, ministères...[4] »

La contribution du P. Congar au Concile se situe donc avant tout

1. Lettre de Pierre-André Liégé, o.p., à Yves Congar, 18 octobre 1965 (Archives Congar).

2. Yves M.-J. CONGAR, *Concile œcuménique Vatican II : L'Église, l'œcuménisme, les Églises orientales*, Paris, Le Centurion, 1965, p. 165.

3. Dès le 12 janvier 1963, le P. Liégé, o.p., lui avait écrit : « Je me suis réjoui, au cours de l'année écoulée, de voir le Concile s'appuyer, de fait, sur chacun des secteurs théologiques que vous avez cherché à renouveler et auxquels vous nous avez familiarisés : Parole de Dieu, Tradition, collégialité, sacerdoce, mission, etc. Ça doit être pour vous la source d'une certitude : vous avez travaillé les bons filons et préparé les renouvellements » (Archives Congar).

4. Cf. *Une passion : l'unité, Réflexions et souvenirs 1929-1973*, *op. cit.*, p. 90.

dans son œuvre théologique. Tout au long du Concile, il reçoit de nombreux témoignages de son influence venant de toutes les régions du monde. Il n'est donc pas étonnant que nombre d'évêques viennent le féliciter le 21 novembre 1962 lorsque le schéma sur les deux sources de la Révélation est envoyé à la refonte, alors qu'il est resté si discret durant ces premières semaines du Concile. Mais comme il l'écrit à un confrère strasbourgeois durant cette session : « Pour moi, je suis là puisque c'est mon devoir, mais j'estime que mon travail habituel est, non seulement plus intéressant, mais plus important. Car le concile n'est qu'un résultat dans la vie de l'Église. On a avancé là où le travail a été fait. Les points où l'on n'avance pas, ou trop peu, sont ceux sur lesquels le travail n'était pas assez avancé. Conclusion : le décisif, c'est le travail. On en serait encore au Syllabus si l'on n'avait pas travaillé[1] ! »

Il est indubitable que les travaux publiés par le P. Congar sur la Tradition vivante jouent un rôle au Concile ; mais ses œuvres plus anciennes ont ouvert des voies nouvelles : *Chrétiens désunis* pour ouvrir l'Église catholique au mouvement œcuménique, *Vraie et fausse réforme dans l'Église* pour donner des fondements aux courants réformateurs qui la traversent, *Jalons pour une théologie du laïcat* pour revaloriser la mission des laïcs en les situant dans un Peuple de Dieu tout entier sacerdotal, royal et prophétique. En revanche, sa théologie des ministères, malgré un certain nombre d'articles, appelle une recherche nettement plus poussée. Le P. Congar le reconnaît tout au long du Concile à propos de la collégialité épiscopale, un dossier central. Dès juillet 1960, il évoque « un certain nombre de travaux à faire, soit ici, soit là. Je pense à des travaux sur la juridiction des évêques, sur la collégialité épiscopale, sur le droit des Églises orientales, etc. ». Le 3 décembre 1963, vers la fin de la deuxième session, il s'accorde à dire avec ses amis G. Dossetti et G. Alberigo que : « le plus important, le plus décisif, c'est le travail fait à la base. Les choses ont bien marché là où un tel travail existe : sur la liturgie par exemple. Il faudra donc travailler. Sur cette question de l'épiscopat, on manque de travaux ». Bien conscient de ce problème, que les adversaires de la collégialité tentent d'exploiter pour faire capoter le chapitre III

1. Lettre du 12 novembre 1962 (Archives Congar).

de *Lumen gentium*, le P. Congar se bat, du début à la fin du Concile, pour que l'on ne tranche pas précipitamment les questions encore débattues par les théologiens. Quant au ministère presbytéral, que certains estimeront être le parent pauvre des ministères au Concile, Congar cherche à le sortir d'une vision étroitement cultuelle, mais il devra reconnaître peu après le Concile que « *Presbyterorum Ordinis* est plein de bonnes choses, mais a été bousculé par la radicalité des questions posées depuis : il est d'avant la crise du ministère et le resurgissement des ministères[1] ». Durant le Concile, le P. Congar s'intéresse aussi au rétablissement du ministère diaconal pour lequel il a milité et il participe au Congrès sur le diaconat à Rome en octobre 1965[2]. Il voit ce ministère dans le cadre plus large d'un renouveau des ministères que le Concile ne fait qu'esquisser. Ce n'est pourtant qu'en 1971, avec *Ministères et communion ecclésiale*, que le P. Congar proposera de véritables bases à cette théologie des ministères qu'il verra intimement liée à une ecclésiologie de communion, elle aussi amorcée par le Concile. Car, en effet, les grandes intuitions et redécouvertes consacrées par le Concile, qu'il a lui-même bien souvent pressenties et annoncées, appellent un approfondissement et même une reprise à la base de ces questions sur les ministères. Comme il le notera : « Le Concile a laissé aux historiens et aux théologiens la tâche de développer une théologie de l'Église, "nous" des chrétiens, communion de disciples structurée sur une base sacramentelle dont le droit précise les conditions, une théologie des Églises locales ou particulières, une théologie des ministères, de la place des femmes dans toute la vie ecclésiale, une théologie du statut exact du pouvoir primatial de l'évêque de Rome en référence à la communion des Églises et à la collégialité[3]... » Mais le Concile soulève aussi de nouvelles questions concernant la mission de l'Église dans le monde : Évangile et libérations humaines, théologie des re-

---

1. *Le Concile de Vatican II, Son Église peuple de Dieu et corps du Christ, op. cit.*, p. 104.

2. Les travaux en sont publiés dans : Paul WINNINGER et Yves CONGAR (dir.), *Le Diacre dans l'Église et le monde d'aujourd'hui*, coll. « Unam Sanctam » 59, Cerf, 1966.

3. *Le Concile de Vatican II, Son Église peuple de Dieu et corps du Christ, op. cit.*, p. 81-82.

ligions non chrétiennes, nouvelle approche de l'activité missionnaire, etc.

Le Concile est donc, autant qu'un aboutissement ou une consécration, le catalyseur ou le point de départ de recherches nouvelles pour le théologien. Il note d'ailleurs, au terme de la troisième session, conscient de la déception des autres Églises : « Je me demande quoi faire. Je sais que, quoi que je me dise, il ne sortira de moi qu'une conclusion : il faut travailler. Notre échec marque la limite où notre travail a atteint. Mais, surchargé, littéralement écrasé, vivant sans cesse très au-delà de mes forces, je me demande quoi faire de mieux, sur quoi faire porter un effort par priorité. Je suis encombré d'une foule de choses. Sans quoi je pense que l'Histoire de l'Ecclésiologie devrait avoir l'urgence n° 1. Elle seule permettra de débloquer certaines questions en montrant d'où vient telle ou telle position » (22 novembre 1964). À côté de ces recherches historiques, auxquelles il continuera, par la suite, d'accorder beaucoup de temps et d'intérêt[1], un travail de reconstruction plus systématique s'avérera nécessaire à partir des grandes intuitions ecclésiologiques remises en valeur par le Concile. Si le P. Congar y apportera sa contribution[2], il jouera avant tout un rôle d'éclaireur, signalant les terrains nouveaux à explorer, mais laissant généralement à une autre génération le soin d'élaborer de nouveaux modèles. Comme il l'avait dit lors d'un hommage rendu à son œuvre en décembre 1963, évoquant la figure de saint Jean-Baptiste, ami de l'époux messianique, « chacun a sa vocation et pour chacun, c'est celle-là qui est la plus belle[3] ».

---

1. Elles aboutiront, notamment, à *L'Église de saint Augustin à l'époque moderne, op. cit.*, livre en chantier depuis 1954.

2. Cf. en particulier Yves CONGAR, *Ministères et communion ecclésiale*, Cerf, 1971.

3. Cf. Jean-Pierre JOSSUA, *Le Père Congar : la théologie au service du peuple de Dieu, op. cit.*, p. 49.

ligions non chrétiennes, nouvelle approche de l'activité missionnaire, etc.

Le Concile est [illegible]

[illegible]

1. Elles aboutiront [illegible] *Tertio millennio adveniente* [illegible] livre en chantier depuis 1994.

2. Cf. en particulier Y. Congar, *Ma* [illegible]

1974.

3. Cf. Jean-Pierre [illegible] *du Père Congar* [illegible] p. 89.

NOTE SUR L'ÉDITION

Le texte manuscrit de *Mon journal du concile* comprend neuf cahiers dans lesquels sont insérés un certain nombre de documents. Peu après le Concile, le P. Congar l'a fait dactylographier en trois exemplaires par Delphine Guillou, sa secrétaire d'alors. Deux exemplaires ont été déposés avec le manuscrit aux archives de la province dominicaine de France à la bibliothèque du Saulchoir. Le troisième exemplaire a été remis à la bibliothèque de la faculté de théologie de Leuven (Belgique). Le P. Congar a relu, corrigé et signé la version dactylographiée de son Journal et c'est elle que nous avons prise pour base de cette édition. Nous avons toutefois comparé le texte manuscrit et le texte dactylographié afin de repérer les mots ou passages qui auraient pu être oubliés ou omis à la dactylographie. Ceux-ci, peu nombreux, ont été intégrés dans le texte de cette édition entre doubles crochets. (Les passages entre crochets sont du fait du P. Congar lui-même.) Les crochets en italiques indiquent un blanc du manuscrit. Le P. Congar en relisant le dactylogramme a fait, outre quelques corrections d'orthographe, quelques rajouts manuscrits : ceux-ci sont signalés par un astérisque et donnés en note. Nous n'avons pas signalé les simples corrections de coquilles. Quant aux documents annexes, de type très divers (du carton d'invitation au brouillon de conférence, du texte confié pour lecture par un évêque à de la correspondance) nous avons résumé en note ceux qui présentent un intérêt historique direct en rapport avec le Concile.

Nous avons respecté au plus près la mise en page et le découpage en paragraphes. Nous avons laissé tels quels le style et la ponctuation souvent chaotiques du *Journal*. Par ailleurs, le P. Congar utilisait beaucoup le soulignement. Afin de permettre une lecture fluide, nous avons transcrit en petites capitales les mots ou phrases soulignés une fois, en petites capitales italiques ceux qui le sont deux fois et en petites capitales italiques soulignées les mots soulignés trois fois ou plus. Nous avons donné tels que rapportés par le P. Congar les résultats des votes de l'assemblée conciliaire (on peut les comparer à ceux donnés dans les Actes officiels). En revanche, nous avons vérifié et, au besoin, rectifié l'orthographe des noms des personnes, des lieux, des livres ou journaux cités. Nous avons toutefois laissé en l'état quelques noms de personnes lorsque leur identification était douteuse ou lorsqu'ils différaient phonétiquement du nom exact. Dans ces rares cas, le nom correct ou probable figure en note. Pour une meilleure lisibilité, nous avons légèrement décalé le résumé des interventions *in aula*. On trouvera en note les références de ces interventions dans les *Acta Synodalia*, les Actes officiels du Concile.

Les personnages ont été quasiment tous identifiés, grâce, notamment, à la consultation des archives du P. Congar. Lors de leur première mention dans le *Journal*, nous donnons une courte notice de présentation, en nous limitant habituellement aux fonctions qu'ils occupent aux divers moments où ils apparaissent dans le *Journal*. Il nous a semblé utile de mentionner, pour un certain nombre d'entre eux, les responsabilités importantes qu'ils ont exercées par la suite, soit sur le plan international (organismes romains, épiscopat catholique, universités catholiques, Conseil œcuménique des Églises), soit dans l'univers ecclésial français ; nous l'indiquons, avec l'expression « plus tard ».

Nous avons mis en note la traduction des mots ou passages en latin ou en d'autres langues. Les quelques barbarismes figurant dans le latin du P. Congar ont été corrigés. Les expressions et les mots les plus fréquents sont traduits uniquement à la première occurrence et un lexique en redonne la traduction (cf. les Annexes, à la fin du tome II).

On trouvera également à la fin du second volume un glossaire des principaux termes techniques utilisés dans le *Journal*, des tables sur les différents noms utilisés par le P. Congar pour désigner les schémas et les commissions conciliaires, et un plan de Rome situant les principaux lieux de résidence et de travail fréquentés par le P. Congar. Afin que le lecteur puisse suivre plus aisément son activité conciliaire, nous avons repris et complété les « Points de repère » qu'il avait lui-même publiés dans ses quatre volumes de chroniques du Concile (*Le Concile au jour le jour,* Cerf, 1963 à 1966) et nous y avons joint des tables chronologiques sur sa participation à la rédaction des différents schémas.

Nous tenons à remercier le P. Éric de Clermont-Tonnerre, qui, en tant que prieur provincial de la province de France, a donné l'autorisation de publier ce *Journal*, le P. André Duval, o.p., qui, comme archiviste de la province dominicaine de France nous a si cordialement reçu et donné accès aux archives du P. Congar, et le P. Nicolas-Jean Sed, directeur général des Éditions du Cerf. Nos remerciements vont aussi à tous ceux qui ont également apporté leur concours à la réalisation de cette édition, en particulier le frère Saulius Rumšas, o.p., le P. Hervé Legrand, o.p. ; Andrée Thomas des Éditions du Cerf ; Sœur Borromée, o.p., Sœur Marie-Clotilde, o.c.b.c., Hubert Le Bourdellès et Yves-Marie Hilaire ; et, naturellement, Dominique Congar, neveu du P. Congar, pour les renseignements qu'il a pu nous fournir sur sa famille et pour son suivi attentif de notre travail.

Éric MAHIEU

SIGLES

AC	Action catholique
ACO	Action catholique ouvrière
AD	*Acta et documenta concilio oecumenico Vaticano apparando*
AS	*Acta synodalia sacrosancti concilii oecumenici Vaticani II*
AT	Ancien Testament
CCIF	Centre catholique des intellectuels français
CCQO	Conférence catholique pour les questions œcuméniques
CELAM	Conférence épiscopale des évêques d'Amérique Latine
CM	Corps mystique
COE/COEE	Conseil œcuménique des Églises
DO-C	Centre hollandais de documentation du Concile
HG	*Humani Generis* (encyclique)
ICI	*Informations catholiques internationales*
NT	Nouveau Testament
OR	*Osservatore Romano*
PL	*Patrologia Latina*
TC	*Témoignage chrétien*

Pour la meilleure intelligibilité de ce journal, je précise les points suivants :

À la première et à la seconde session, j'ai habité à l'Angelicum[1]. J'y avais très peu de contacts avec des Pères conciliaires étant isolé de tout et y menant la vie d'une communauté régulière.

À la troisième et quatrième session, j'ai logé au Séminaire français[2] où se trouvaient une quarantaine d'évêques, où avaient lieu un certain nombre de réunions d'« atelier[3] », et qui était plus au centre de Rome. De plus, tandis qu'à l'Angelicum je n'ai jamais eu la moindre occasion de voiture (je prenais à l'aller et retour de S. Pierre le car de ramassage des évêques), au Séminaire français j'ai eu assez souvent des occasions de voiture et de l'aide.

Pour les séances de commission, dès que j'ai pu, j'ai logé au Collège Belge[4], qui était le centre du travail pour la commission théologique. Pendant les sessions conciliaires, les rares cellules étaient occupées par des évêques belges et je ne pouvais pas y rester.

Quand dans ce journal il est dit « à Saint-Pierre », cela signifie les Congrégations générales ; quand il est dit « au Vatican », cela signifie les réunions de la commission théologique ou parfois de la commission mixte du schéma XIII (théologie et apostolat des laïcs) : ces réunions avaient lieu dans la salle dite des Congrégations. Quand il est dit « Sainte-Marthe », cela signifie l'hôtellerie des pèlerins au

---

1. L'Angelicum (appelé aussi l'Angélique), qui regroupe les facultés ecclésiastiques tenues par les dominicains à Rome, est érigé en Université pontificale en 1963.

2. Le Séminaire français de Rome, tenu par les spiritains, assure la formation de futurs prêtres diocésains destinés principalement aux diocèses français.

3. Groupes de travail mis en place par les évêques français à Rome durant le Concile.

4. Séminaire assurant la formation de futurs prêtres diocésains pour la Belgique.

Vatican où les différentes commissions conciliaires avaient presque toutes leur secrétariat. Les réunions se tenaient tantôt dans une espèce de corridor, tantôt dans la grande salle du bas, tantôt dans un parloir et parfois dans d'autres locaux plus ou moins adaptés et plutôt moins que plus. Quand il est dit « au Secrétariat », cela signifie le Secrétariat pour l'unité des chrétiens qui a été d'abord 64 via dei Corridori, puis à la quatrième session, dans des locaux plus grands 1, via dell'Erba.

Les noms des Pères conciliaires parlant *in aula* ont été pris à l'audition et ne sont peut-être pas toujours exacts. Cependant, la plupart du temps, l'orthographe a été vérifiée par Mlle Guillou[1] sur les *elenchi* officiels.

Cet exemplaire-ci a été vérifié par moi*.

Strasbourg, le 6 juillet 1967.
f. Yves MJ Congar**

---

* Le dactylogramme 2 ne porte pas cette phrase. Sur le dactylogramme 1, le P. Congar a ajouté de sa main : En raison des personnes mises en cause dans ce journal, j'en interdis l'utilisation publique avant l'an 2000. Sur le dactylogramme 2, il a écrit : J'interdis l'utilisation PUBLIQUE de ce journal avant l'an 2000.

Sur la page de garde de l'exemplaire 1, un feuillet manuscrit est collé sur lequel est écrit : Ceci est une transcription de mon Journal personnel du Concile. Revue par moi. Je désire que cet exemplaire soit déposé aux Archives de la Province. Comme je l'ai indiqué en tête, aucune utilisation avant 2000.

24.2.68 f. Y. Congar

** La signature est autographe.

1. Delphine Guillou deviendra, vers la fin du Concile et pour plusieurs années, la secrétaire de Congar ; c'est à elle qu'il confiera le soin de dactylographier son journal manuscrit.

MON JOURNAL DU CONCILE

« Je marche pour que l'Église avance[1] ! »

Ce journal ne peut commencer, en cette fin de juillet 1960 – moment où je connais ma désignation comme Consulteur de la Commission théologique[2] – que par une rétrospective. J'aurai sans doute à consigner ici, dans la suite, des impressions successives. Mais je ne pars pas aujourd'hui *tabula rasa.* Voici un an et demi que le concile est annoncé et j'ai évidemment eu l'occasion de me former un certain nombre d'idées. Il est bon de les fixer avant que, peut-être, elles ne soient contredites et remplacées par d'autres. J'ai d'ailleurs déjà formulé certaines réactions publiquement. Très peu par lettres – je n'aime pas cela – mais bien dans des conférences ou des articles :

Informations catholiques internationales 15 fév. 59[3] ;

les deux études que j'ai données au vol. *Le Concile et les conciles*[4] ;

---

1. Dans *Une vie pour la vérité,* Paris, Le Centurion, 1975, p. 154, Congar indique qu'il a repris et modifié le mot de Sainte Thérèse de l'Enfant-Jésus qui, par obéissance à son infirmière, s'obligeait à marcher dans le jardin du Carmel au prix d'une grande fatigue : « je marche pour un missionnaire » ; il a dû le trouver en lisant l'*Histoire d'une âme* au chapitre douzième (p. 177 dans l'édition de 1953 publiée par l'Office Central de Lisieux).

2. Il s'agit de la Commission théologique préparatoire ; parmi les Commissions préparatoires nommées par le Pape pour préparer les schémas conciliaires, elle est chargée des schémas doctrinaux ; *L'Osservatore Romano* du 16 juillet publie une première liste, complétée ultérieurement, de ses membres et consulteurs.

3. « Les Conciles dans la vie de l'Église », *Informations catholiques internationales,* n° 80, 15 février 1960, p. 17-26.

4. Yves CONGAR, « La Primauté des quatre premiers conciles œcuméniques. Origine, destin, sens et portée d'un thème traditionnel » et « Conclusion », dans *Le Concile et les Conciles. Contribution à l'histoire de la vie conciliaire de l'Église,* Chevetogne-Cerf, 1960, p. 75-123 et 285-334.

article de *Lumière et Vie*, janv. 60[1], repris dans *Trierer Theologische Zeitschrift*[2] et, sous des formes un peu différentes, dans une dizaine de conférences ;

article de *Témoignage Chrétien* du 16 juin 60[3] (relevé par la *Herder Korrespondenz*[4]).

Nous sommes un certain nombre à avoir vu tout de suite dans le concile une possibilité pour la cause, non seulement, de l'unionisme[5], mais de l'ecclésiologie. Nous y avons perçu une occasion, qu'il fallait exploiter au maximum, d'accélérer la récupération des valeurs Épiscopat et *Ecclesia*[6], en ecclésiologie, et de faire un progrès substantiel au point de vue œcuménique. Personnellement, je me suis appliqué à activer l'opinion pour qu'elle attende et demande beaucoup. Je n'ai cessé de dire partout : il ne passera peut-être que 5 % de ce que nous aurons demandé. Raison de plus pour majorer nos demandes. Il faut que la pression de l'opinion publique des chrétiens force le concile à exister vraiment et à faire quelque chose.

Au point de vue théologique, et surtout unionique, il apparaissait que le concile venait vingt ans trop tôt. En effet, il y avait trop peu d'années que cela bougeait. Déjà bien des idées avaient changé. Mais, dans vingt ans, on eût eu un épiscopat fait d'hommes ayant grandi dans des idées bibliquement et traditionnellement ressourcées, dans une conscience missionnaire et pastorale réaliste. On n'en était pas là. Pourtant, bien des idées avaient déjà fait leur chemin et l'annonce même du concile, avec sa téléfinalité unionique, dans le climat plus humain et plus chrétien du pontificat de Jean XXIII[7],

---

1. Il s'agit en réalité du numéro daté de novembre-décembre 1959 : voir Yves CONGAR, « Le Concile, l'Église et... "les autres" », *Lumière et Vie*, n° 45, p. 69-92.

2. Yves CONGAR, « Konzil und Ökumene », *Trierer Theologische Zeitschrift*, année 69, cahier 3, 1960, p. 129-147.

3. Yves CONGAR, « Réponses », *Témoignage chrétien*, 16 juin 1960.

4. *Herder-Korrespondenz*, juillet 1960, p. 485, où l'on trouve, en réalité, un résumé de l'article de la *Trierer Theologische Zeitschrift*.

5. Ce mot était en usage, avant le dernier concile, pour désigner l'activité des catholiques en faveur de l'unité des chrétiens : Vatican II préférera le terme d'œcuménisme et en spécifiera le contenu dans le décret *Unitatis Redintegratio*.

6. Église. Lorsque Congar emploie ce mot latin, il vise l'Église en tant que communauté chrétienne intégrale.

7. Angelo G. Roncalli avait été élu pape le 28 octobre 1958. Il avait été no-

pouvait accélérer certains processus. Bien des évêques, sans doute, qui y avaient été fermés jusque-là, s'ouvriraient à quelque idée œcuménique, puisque Rome y était favorable. Il pourrait passer de « bonnes idées » en deux ans plus qu'en vingt ans de travail tout juste toléré : sauf qu'il ne passerait aujourd'hui dans la faveur du Pouvoir, que ce qu'on avait élaboré et semé dans les larmes.

L'annonce du concile avait suscité un immense intérêt et beaucoup d'espoir. Il semblait qu'après le régime étouffant de Pie XII[1], on ouvrait enfin les fenêtres ; on respirait. L'Église allait avoir sa chance. On s'ouvrait au dialogue.

Petit à petit, ces espoirs ont été recouverts comme d'une fine couche de cendres. Il y a eu un long silence, une sorte de black out, à peine interrompu par l'une ou l'autre déclaration sympathique du pape. Mais ces déclarations elles-mêmes étaient assez vagues, et il semblait bien qu'elles avaient régressé par rapport à l'annonce première. On l'a noté de plus d'un côté. Le pape lui-même a bien déclaré publiquement qu'il n'avait pas changé. Mais, dans une conversation avec le P. Liégé[2], il avait bien reconnu que sa première idée avait été une vraie conversation avec les Autres[3].

On avait l'impression – que confirmaient des gens venant de Rome et rapportant les derniers potins de cette pauvre Cour –, qu'à Rome, toute une équipe s'appliquait à saboter le projet du pape. On disait même que le pape s'en rendait parfaitement compte et en avait fait la confidence (ce qui ne laisse pas de me surprendre et de me voir sceptique : un pape ne fait pas de confidences comme cela).

Personnellement, j'ai très vite, et de façon réitérée, été déçu : car si le pape Jean XXIII avait des paroles et des gestes extrêmement

---

tamment nonce à Paris de 1944 à 1953, puis patriarche de Venise. Il décédera le 3 juin 1963. Il sera béatifié en l'an 2000 par le pape Jean-Paul II.

1. Pie XII (Eugenio Pacelli) avait été pape de 1939 à sa mort en octobre 1958.

2. Pierre-André Liégé, o.p., de la province de France, est professeur de théologie fondamentale et de théologie pastorale à l'Institut Catholique de Paris et aux facultés dominicaines du Saulchoir ; il sera l'expert privé de Mgr Elchinger et de Mgr Schmitt au Concile ; il deviendra plus tard doyen de la faculté de théologie de l'Institut Catholique de Paris.

3. Congar désigne ainsi les chrétiens non catholiques.

sympathiques, ses décisions, son gouvernement, démentaient pour une bonne part ce qui avait éveillé de l'espoir. Son style humain était sympathique, chrétien. Tout ce qui se rattachait directement à sa personne nous sortait de l'effroyable satrapisme de Pie XII. Mais, d'autre part, le pape avait gardé presque tout l'ancien personnel de son prédécesseur : pas le brain trust S.J., d'ailleurs si remarquablement efficace ; pas la sœur Pasqualina[1] ; pas un ou deux prélats. Mais tout le reste. Ses hommes de confiance étaient les cardinaux Tardini[2] et Ottaviani[3]. Il avait rappelé Mgr Parente[4] à Rome et l'avait mis à un poste important du « Saint »-Office : Pa-

---

1. Pasqualina Lehnert, religieuse bavaroise, entrée au service du futur pape Pie XII au temps de sa nonciature à Munich.

2. À peine élu, Jean XXIII nomme secrétaire d'État Domenico Tardini, pro-secrétaire d'État de Pie XII. Il décédera en juillet 1961.

3. Alfredo Ottaviani reste à la tête du Saint-Office dont il est nommé secrétaire en octobre 1959. Il présidera la Commission théologique préparatoire puis, durant le Concile, la Commission doctrinale. Il deviendra en décembre 1965 pro-préfet de la nouvelle Congrégation pour la doctrine de la foi qui prendra la suite du Saint-Office.

4. Archevêque de Pérouse depuis 1955, Pietro Parente revient comme assesseur au Saint-Office en 1959. Il sera nommé membre de la Commission doctrinale à la fin de la première session du Concile. Le déroulement de Vatican II permettra à Congar de mieux le découvrir et de constater sa capacité de réflexion doctrinale qui l'amènera par exemple à prendre publiquement position en faveur de la collégialité dans l'*Avvenire d'Italia* du 21 janvier 1965. Contredisant son jugement antérieur, assez injurieux, il lui rendra un hommage public en contribuant par un essai conséquent aux Mélanges Parente : « La consécration épiscopale et la succession apostolique constituent-elles chef d'une Église locale ou membre du collège ? », Rome 1967, p. 29-40, essai repris dans *Ministères et communion ecclésiale*, Cerf, 1971, p. 123-140.

rente, l'homme de la condamnation du P. Chenu[1], le fasciste, le monophysite.

J'ai vu Mlle Christine Mohrmann[2] revenant d'un séjour de six semaines à Rome, en avril et mai 59[3]. Elle va à Rome ainsi souvent, peut-être chaque année. Elle y a des entrées et des antennes. Sa finesse féminine et humaniste perçoit bien des choses. Je lui ai fait part de mes sentiments, de mon étonnement, de mes appréhensions. Elle m'a répondu avec un optimisme qui m'a semblé tout à fait excessif. Selon elle, le pape savait très bien ce qu'il voulait et où il allait. Il avait parfaitement conscience d'être entouré d'hommes ayant une tout autre conception des choses, voire une conception contraire. Il neutraliserait ces hommes, mais progressivement. Il ne voulait rien brusquer, mais agir doucement. Etc. J'ai trouvé ces appréciations bien peu confirmées par les faits.

Il m'a semblé que toute l'ancienne équipe était restée en place. Que recouvrait la démission du cardinal Tisserant[4], survenue à l'automne 59 ? J'ai interrogé plusieurs personnes à ce sujet et n'ai rien

1. Marie-Dominique Chenu, o.p., de la province de France ; régent des études de sa province, il avait, en 1937, diffusé sous forme de brochure un texte intitulé *Une école de théologie. Le Saulchoir*, qui proposait une approche renouvelée de la théologie ; ce texte avait été mis à l'Index en 1942 et c'est Parente qui avait rédigé l'article justifiant cette décision dans *L'Osservatore Romano*. Durant le Concile, Chenu sera l'expert privé d'un de ses anciens élèves au Saulchoir, Claude Rolland, Missionnaire de la Salette, évêque d'Antsirabé (Madagascar). Cf. Marie-Dominique CHENU, *Notes quotidiennes au Concile. Journal de Vatican II, 1962-1963*. Édition critique et introduction par Alberto Melloni, Cerf, 1995.

2. Philologue, professeur à l'Université catholique de Nimègue, connue particulièrement pour ses quatre volumes d'*Études sur le latin des chrétiens*, Rome, 1958, 1961, 1965, 1977.

3. Les Archives Congar contiennent des notes d'un entretien qui eut lieu le 22 avril 1959 avec Christine Mohrmann qui revenait d'un séjour à Rome ; Congar en retient notamment ceci : « Le pape NE VEUT PAS continuer son prédécesseur. Mais il ne veut pas procéder par révolution ; c'est pourquoi il ne change pas brusquement les gens en place. De plus, il veut observer de façon à ne pas nommer des gens qui, réellement, combattraient sa politique [...] Son projet de concile est résolument contré et saboté par le personnel en place du régime précédent. Le pape semble le savoir. Il est très observateur et se rend bien compte de ce qui se passe. »

4. Spécialiste des langues sémitiques anciennes et connaisseur de l'Orient

recueilli de certain ; plutôt des interprétations diverses, sinon même divergentes. Peu importe. Je n'ai jamais attendu grand-chose de ce côté. Mais on avait nettement l'impression qu'à Rome la Curie, la vieille garde de la Curie, s'était rendu compte d'un péril et s'efforçait de le conjurer tout en jouant le jeu du nouveau pontificat, puisque NOUVEAU pontificat il y avait. Le péril était que certains fils de gouvernement leur échappent.

Je commence à connaître assez bien l'histoire de l'ecclésiologie. Voilà plus de quinze siècles que Rome travaille à prendre – oui : prendre ; accaparer – tous les fils de direction et de contrôle. Elle y est arrivée. On peut dire que, depuis 1950, c'était parfait. Or voici qu'un pape menaçait de livrer un certain nombre de positions. L'Église allait avoir la parole. Certains parlaient de rendre aux évêques plus d'indépendance. Tandis que la petite équipe cooptée des théologiens romains imposait ses idées à tout le reste, voici qu'on allait donner à ce reste sa chance indépendante. Il me semblait que tout se passait comme si, se rendant parfaitement compte du péril, la Curie de Pie XII, restée en place, plierait juste ce qu'il fallait, mais ne romprait pas et s'appliquerait à limiter au minimum inévitable les dégâts faits au système.

Cette impression, très nette en moi à partir de Pâques 59, a été confirmée par la conversation que j'ai eue avec le pasteur Roger Schutz[1], le 20 juin 1960. Schutz me rapportait, avec beaucoup de discrétion d'ailleurs, l'audience qu'il avait eue avec Jean XXIII le soir même ou le lendemain de son sacre, grâce au cardinal Gerlier[2]. Le pape lui avait dit des choses assez invraisemblables, voire même, me disait Schutz, assez formellement hérétiques. Par ex. : l'Église catholique n'a pas toute la vérité ; il faudra chercher ensemble... Je

---

chrétien, le cardinal Eugène Tisserant quitte alors le poste de secrétaire de la Congrégation de l'Église orientale qu'il occupait depuis 1937. Il reste bibliothécaire et archiviste du Vatican. Il sera doyen du Conseil de Présidence du Concile.

1. Le pasteur Roger Schutz est cofondateur et prieur de la communauté œcuménique de Taizé ; il sera, durant le Concile, un des hôtes du Secrétariat pour l'unité des chrétiens. Congar fait un séjour à Taizé les 19 et 20 juin 1959 (récit dans les Archives Congar).

2. Pierre Gerlier, archevêque de Lyon depuis 1937 ; il décédera en janvier 1965. Dans le récit des Archives, Congar ne parle de l'entremise de Gerlier que comme une forte présomption.

pense que les personnages importants de la Curie se sont très vite rendu compte qu'avec Jean XXIII et son projet de concile, on pouvait courir la plus étrange aventure, qu'il fallait établir des garde-fous, reprendre le plus possible le contrôle, et limiter les dégâts.

Divers indices, la logique interne des réactions de la Curie que je croyais observer, m'ont fait très vite penser ceci, que je veux consigner ici en ce mois de juillet 1960, pour en garder un témoignage daté, quoi qu'il arrive : que la suite confirme ou infirme mon sentiment. J'ai craint, il m'a semblé, que la Curie limiterait à son minimum le concile proprement dit. Le concile, c'est une réunion effective des évêques, dans laquelle ils discutent librement, et finalement décident. Mon appréhension était qu'on réduise cette réunion effective à un stade final et que le travail se fasse par des textes, élaborés par des commissions contrôlées par Rome, sinon de composition romaine et sur lesquels on demanderait par écrit la réaction des évêques. De ces réactions, dans la mesure où elles existeraient, on tiendrait ou on ne tiendrait pas compte dans un texte final qui ne pourrait manquer de recueillir une très large adhésion au cours de l'assemblée effective, qui durerait peu de semaines.

Cette procédure, si elle est réellement mise en œuvre, peut se justifier à certains égards. Il est certain qu'une discussion de A à Z est devenue presque impossible. Il faut que le travail soit déjà très avancé quand les évêques viendront en concile. Mais quel péril ! Le risque est grand d'une sorte de concile préfabriqué à Rome ou sous direction romaine. Un grand nombre d'évêques sont incapables d'avoir une vue d'ensemble des questions, surtout de leurs aspects idéologiques et théologiques. Ils sont au ras des préoccupations pastorales immédiates. De plus, ils ont tellement perdu l'habitude d'étudier et de décider par eux-mêmes ! Ils sont tellement accoutumés à recevoir les décisions toutes faites de Rome, si ce n'est même à voir condamné et supprimé ce qu'ils avaient, eux, estimé bon (cf. affaire des prêtres-ouvriers[1], du Catéchisme[2]). Je crains qu'un grand nombre d'entre eux, recevant un papier, le lisent à

1. En 1954, Rome interrompt l'expérience des prêtres-ouvriers.

2. Le chanoine Joseph Colomb, principal inspirateur du mouvement catéchétique français, est révoqué en 1957 de son poste de directeur du Centre national de l'enseignement religieux et ses ouvrages sont censurés.

peine, ne trouvent à y reprendre que quelques détails de rédaction, et que les textes se fassent ainsi...

Or ce serait une trahison du concile. La théologie distingue soigneusement entre l'épiscopat dispersé et l'épiscopat assemblé. Seul celui-ci forme un concile. L'idée et le mot de « sorte de concile par écrit », qu'on a employés à propos de la consultation, à demi réelle seulement, faite de l'épiscopat avant les définitions de 1854 et de 1950, sont une trahison de ce qu'est réellement un concile. Car précisément, il n'y a pas concile dans cette procédure. Il n'y a concile que dans la réunion effective des évêques, comportant libre discussion et décision. Psychologiquement, moralement, anthropologiquement, d'ailleurs, l'épiscopat réuni est tout autre chose que les évêques dispersés. Réunis, les évêques prennent conscience de leur épiscopat et de son droit ; quelques hommes qui parlent, qui réagissent, trouvent un écho, forment un groupe ayant sa densité et qui fait bloc. Dispersés, ils n'existent guère ; ils peuvent tout au plus exprimer des réactions isolées, non concertées, et qui seront reçues et dépouillées par une commission romaine ou contrôlée par Rome, qui en fera ce qu'elle voudra. Dans l'ignorance où ils seront de la réaction des autres, les évêques ne s'apercevront même pas du fait qu'on les a feintés.

Cette dispersion, cette atomisation de l'épiscopat, fruit parfait du « *Divide ut imperes*[1] », comment y obvier ?

En avril ou mai 60, si j'ai bon souvenir, mais peut-être avant, j'ai vu ici Schmidthüs[2]. Il m'a parlé d'un projet qui m'a paru intéressant en lui-même, mais pratiquement irréalisable. Il s'agissait de constituer une sorte de secrétariat central d'information bien orientée des évêques et de coordination des efforts ou des travaux qui, comme les miens, mais aussi plusieurs autres, allaient dans un certain sens. La Maison Herder[3] ou la *Herder Korrespondenz* finançaient la fonction et mettaient à sa disposition un local et un secrétaire... (Schmidthüs en avait proposé la chose...) On cherchait

1. Divise pour régner.
2. Karlheinz Schmidthüs, rédacteur en chef de la *Herder Korrespondenz.*
3. Maison d'édition catholique de Fribourg-en-Brisgau (Allemagne).

QUI pourrait remplir cette tâche. J'ai parlé du P. Baum[1], de Küng[2], ou d'un Hollandais. Mais cela en est, je crois, resté là. Je ne vois d'ailleurs pas comment on aurait pu procéder. En fait, une certaine entente existe entre les quelques rares travailleurs individuels : entente virtuelle, implicite, mais réelle, et qu'il faut peu de chose pour actualiser. Je crois d'ailleurs très peu au travail dirigé. Je crois aux PERSONNES, à l'initiative personnelle. Mais il est exact que, si la chose avait été possible, on eût trouvé un grand profit à s'entendre sur un certain nombre de travaux à faire faire, soit ici, soit là. Je pense à des travaux sur la juridiction des évêques, sur la collégialité épiscopale, sur le droit des Églises orientales, etc. Une entente entre les centres existant (mais leur existence est peu consistante !), tels que le Möhler-Institut[3], la Conférence catholique pour les questions

1. Gregory Baum, o.s.a., a soutenu sa thèse de doctorat en théologie à Fribourg en 1956 ; elle est publiée en 1958 : cf. *That they may be one. A Study of papal Doctrine (Leo XIII-Pius XII)*, Londres, 1958 ; Congar va la faire traduire dans la collection « Unam Sanctam » qu'il dirige : *L'Unité chrétienne d'après la doctrine des Papes de Léon XIII à Pie XII*, Éd. du Cerf, 1961 ; Baum va bientôt enseigner la théologie au St. Michael's College (Toronto), dans lequel il fondera, en 1963, un Centre d'études œcuméniques ; il est nommé consulteur du Secrétariat pour l'unité en 1960, puis expert du Concile au cours de la première session.

2. Hans Küng, prêtre et théologien suisse, est assistant à l'Université de Münster, puis, à partir de 1960, professeur à l'Université de Tübingen où il devient, en 1963, directeur de l'Institut pour la recherche œcuménique ; il est nommé expert du Concile durant la première session.

3. Centre de recherches œcuméniques fondé en 1957 à Paderborn par le cardinal Lorenz Jäger et tourné vers le monde protestant.

œcuméniques[1], Istina[2], Chevetogne[3] (Ligugé)[4], etc., serait tout de même possible et souhaitable. On pourra peut-être raccrocher la question.

En avril 1959 (le 4), j'ai fait, sur sa demande, un projet de réponse de Mgr Weber[5] à la demande adressée à tous les évêques[6] : de quoi devrait-on traiter au concile. Mgr Weber a tenu compte assez largement de mon papier[7]. Il avait demandé aussi au P. Durrwell[8], CSSR, et il nous a réunis tous les deux à un déjeuner. J'ai aussi fourni un papier à Mgr Elchinger[9], pour sa réponse à lui. Il était convenu qu'il insistait sur la notion biblique de Foi, si décisive. Voir dossier spécial de cette question.

---

1. Groupe de travail entre œcuménistes catholiques créé à l'initiative de deux prêtres néerlandais, Jan Willebrands et Frans Thijssen, au début des années 50 ; Congar en fut dès le départ un élément très actif ; un bon nombre des membres du futur Secrétariat pour l'unité des chrétiens en sera issu.

2. Centre de recherches œcuméniques fondé par les dominicains de la province de France à Lille en 1923, transféré à Boulogne-sur-Seine en 1946. Le Père Christophe-Jean Dumont, o.p., membre actif de la Conférence catholique pour les questions œcuméniques (cf. note précédente), ami proche de Congar, en est le supérieur. Le centre publie depuis 1954 la revue *Istina* qui, en s'élargissant à l'ensemble de l'œcuménisme, prend la relève de *Russie et chrétienté*, fondée en 1934.

3. Abbaye bénédictine belge fondée par Dom Lambert Beauduin d'abord à Amay-sur-Meuse : elle a pour vocation le rapprochement avec les chrétiens orientaux ; elle publie notamment la revue *Irénikon* depuis 1926.

4. Abbaye bénédictine française fondée par saint Martin ; elle avait été choisie en 1959 par les abbés bénédictins comme centre œcuménique pour la France.

5. Jean-Julien Weber, sulpicien, évêque de Strasbourg depuis 1945. Il avait accueilli Congar dans son diocèse en 1956.

6. Il s'agit de la consultation antépréparatoire de tous les évêques catholiques, mais plus largement, de tous les futurs Pères du Concile. Une circulaire leur avait été adressée le 18 juin 1959.

7. Yves CONGAR, Rapport sur ce qui semble souhaitable d'envisager dans le Concile, 4-6 août 1959 (Archives Congar). Ce document est probablement le projet dont parle Congar. Il comporte deux parties : les questions pastorales et la conjoncture œcuménique.

8. Le rédemptoriste François-Xavier Durrwell ; son enseignement d'Écriture sainte au scolasticat des Pères rédemptoristes est interrompu par son élection à la charge de provincial de la province de Strasbourg qu'il exerce de 1952 à 1962.

9. Léon-Arthur Elchinger, évêque coadjuteur de Strasbourg. Il succédera à Mgr J.-J. Weber, après la démission de ce dernier en décembre 1966.

La Faculté de Théologie catholique[1] avait été aussi consultée[2]. Elle n'était pas pressée de répondre. J'ai essayé de savoir, auprès du Doyen Nédoncelle[3], dans quel sens elle comptait répondre. Il m'a dit que la Faculté attendait le Colloque d'Ecclésiologie au XIXe s.[4] qu'elle organisait pour fin novembre 59 (et dans l'organisation duquel j'ai joué un rôle), et qu'elle s'inspirerait de ses conclusions.

Je n'en ai pas entendu parler depuis lors et j'ignore ce que la Faculté a dit, ayant été à l'écart de ses travaux.

En juin 60 (*Croix* du 8.6.), on a connu le premier fruit du dépouillement de la consultation des évêques. Dix commissions préparatoires étaient instituées, plus deux secrétariats[5] et une commission centrale[6]. Mais, à l'exception du secrétariat pour l'union des chrétiens, qui était une création nouvelle, libre de précédent, les commissions recevaient pour présidents le cardinal chef du dicastère[7] romain correspondant.

Cette nouvelle me donna un cafard terrible. Je le voyais : la machine était impitoyable. Le système que Rome avait monté patiemment, prenait dans ses bras de fer le petit enfant du concile qui venait de naître et qui voulait vivre. Le système ne le laisserait remuer, parler, respirer même, entre ses bras d'acier, que dans la mesure où il voudrait. Tout resterait sous le contrôle et à la discrétion de la Curie. Le concile était dominé, maîtrisé, émasculé, à peine né et avant même d'avoir vécu.

---

1. De Strasbourg.

2. Le 18 juillet 1960, une seconde circulaire lançait une consultation des Universités.

3. Maurice Nédoncelle, professeur de théologie fondamentale à la faculté de théologie catholique de l'Université de Strasbourg, est, depuis 1956, le doyen de cette faculté.

4. Ce colloque eut lieu du 26 au 28 novembre 1959 sur le thème « L'ecclésiologie au XIXe siècle » et les actes en furent publiés en 1960 dans la *Revue des Sciences Religieuses* et comme numéro 34 de la collection « Unam Sanctam » dirigée par Congar.

5. Le Secrétariat pour l'unité des chrétiens et le Secrétariat pour la presse et les moyens de communication.

6. La Commission centrale préparatoire, chargée de coordonner l'activité des différentes Commissions et de revoir leur travail.

7. Autre nom pour les différentes congrégations romaines qui sont au service du pape.

J'ai rédigé, dans *TC* du 16 juin, les deux lettres et la réponse sur cette question[1]. J'aurais pu faire un seul article, sous un pseudonyme. J'y répugnais. Je n'ai jamais écrit sous un pseudonyme, sauf deux fois, dans *Sept*[2], sur la situation des catholiques dans le Reich hitlérien. Je voulais dire la vérité, mais pouvais retourner en Allemagne... D'autre part, je pensais ne pas avoir le droit d'hypothéquer ou de gâcher la chance que j'avais d'être demandé et employé dans un poste quelconque des préparations du concile. Je savais que le P. Général[3] avait donné mon nom[4]. À ce moment, je n'avais aucun indice positif qu'il serait retenu, mais je me croyais obligé de tenir compte de cette hypothèse.

C'est pourquoi j'ai pris la solution moyenne, peu glorieuse, de rédiger deux lettres posant franchement la question, et une réponse qui, en modérant quelque peu la critique, ne l'éliminait pas et, en somme, en admettait le fond. Il fallait tout de même alerter un peu, et surtout éclairer, orienter, l'opinion. L'expérience et l'histoire m'ont appris qu'il faut TOUJOURS protester quand on a pour cela un motif de conscience ou de conviction. On s'attire sans doute quelque désagrément, mais il en reste toujours quelque chose.

J'ai pris mes huit jours habituels de vacances à Sedan[5], après la

---

1. Congar a déjà mentionné plus haut cet article écrit dans *Témoignage chrétien* (cf. p. 4, n. 3).

2. Sous le pseudonyme d'Ober, il écrit : « Anxiété des catholiques allemands », *Sept*, 8 septembre 1934, p. 7, et 15 septembre 1934, p. 6-7.

3. Le Maître de l'Ordre des Dominicains est alors Michaël Browne. D'origine irlandaise, il est ancien professeur à l'Angélique et ancien maître du Sacré Palais. Il est Maître général de 1955 jusqu'en mars 1962, date où il est créé cardinal. Membre du Saint-Office, il est nommé à la Commission doctrinale où il occupe le poste de vice-président dès la fin de la première session.

4. Dès le 17 février 1959, le P. Jérôme Hamer, o.p., de la Province de Belgique, informe le P. Congar que le Maître général de l'ordre dominicain, rencontré à Rome, a l'intention de les proposer tous deux pour les Commissions préparatoires au Concile (Archives Congar).

5. Où habitait sa mère. Yves Congar est originaire de Sedan. Sa famille y réside dans la propriété du Fond-de-Gironne.

Semaine Sociale[1] et la session d'Équipes enseignantes[2]. C'est à Sedan que j'ai reçu un jour un mot de félicitations de l'abbé Poupard[3] (je m'étais intéressé à sa Thèse sur Bautain[4]), puis, le lendemain, un du P. Dumont[5]. Je ne savais rien. Je me procurai *La Croix* et vis que j'étais désigné comme consulteur de la commission théologique.

Peu de jours après je reçus le document officiel, via Ste Sabine[6] et Strasbourg. J'ai répondu de Sedan, le 25-7, au cardinal Tardini, par qui ce document était signé[7].

J'ai hésité un moment.

En effet, ce que j'apprenais confirmait assez largement mes craintes et m'a replongé à nouveau dans un véritable cafard. Cette Commission théologique m'apparaissait trop nettement orientée dans le sens conservateur. Il y avait deux choses bien différentes : les membres composant la commission, et les Consulteurs. Les premiers feraient le travail. Les seconds n'auraient quelque chose à dire que

1. Les Semaines Sociales de France rassemblent chaque année depuis 1904 de nombreux catholiques engagés dans le domaine social. Le P. Congar participe à cette Semaine Sociale de 1960 et y donne une conférence le 15 juillet : cf. Yves M.-J. CONGAR, « Perspectives chrétiennes sur la vie personnelle et la vie collective », dans *Socialisation et personne humaine – Semaines sociales de France – 47e Session*, Lyon, Chronique sociale de France, 1961, p. 195-221.

2. Les Équipes enseignantes rassemblent des instituteurs catholiques de l'enseignement public. Le P. Congar participe à la fin d'une session qui se tint à Fontcouverte-Toussuire, en Savoie, du 5 au 18 juillet.

3. Paul Poupard, du diocèse d'Angers, est attaché depuis 1959 à la Secrétairerie d'État ; il y deviendra responsable de la section française en 1966 ; il sera par la suite recteur de l'Institut Catholique de Paris ; élu évêque en 1979, il deviendra plus tard cardinal et président du Secrétariat pour les non-croyants, puis président du Conseil pontifical pour la culture.

4. P. Poupard avait soutenu sa thèse de doctorat en théologie en février 1959 à l'Université catholique de l'Ouest ; cf. Paul POUPARD, *Un essai de philosophie chrétienne au XIXe siècle. L'abbé Louis Bautain*, Tournai, Desclée, 1961.

5. Christophe-Jean Dumont, o.p., de la province de France, directeur du Centre Istina et ami de Congar ; il est nommé consulteur du Secrétariat pour l'unité en 1960 et expert du Concile en 1962 ; lorsque Congar parle du P. Dumont, il s'agit de lui, et non de son homonyme Pierre Dumont, o.s.b.

6. Maison généralice de l'Ordre dominicain à Rome.

7. La lettre du cardinal Tardini est datée du 12 juillet 1960.

s'ils étaient consultés. Le seraient-ils ? Le P. Allo[1] m'a dit, peu avant la guerre : on m'a nommé consulteur de la Commission biblique, mais on ne m'a jamais consulté...

Or : l'évêque français de la commission était Mgr Dubois, archevêque de Besançon[2]. Je ne l'ai jamais rencontré, mais j'en ai beaucoup entendu parler. Il ne nous aime pas. Sollicité de renouveler les pouvoirs de confesser pour les Pères de Dijon et de Strasbourg dans son diocèse, il a répondu que non seulement il ne les concédait pas aux nouveaux Pères, mais qu'il les retirait ou ne les renouvelait pas à ceux qui les avaient eus... Il a, dans son clergé, la réputation d'être un brave homme, mais timide et, à cause de cela, se donnant des airs d'autorité. Je sais un archiprêtré de son diocèse, où l'on a pris ses discours de confirmation au magnétophone, et où on passe la bande quand on veut se détendre... Sa théologie ? Je sais qu'il a publié un petit livre ultra-mariologique[3] : Mgr Weber m'en a parlé ; il trouvait Mgr Dubois majorant...

Parmi les théologiens membres, il y a bien Mgr Cerfaux[4], Mgr G. Philips[5], Mgr M. Schmaus[6]. Mais aussi Fenton[7], ultra-pa-

1. C'est en réalité en 1941 qu'Ernest Allo, o.p., professeur d'exégèse à Fribourg jusqu'en 1938, date à laquelle il s'était retiré au Saulchoir, avait été nommé consulteur de la Commission biblique pontificale.

2. Marcel-M. Dubois, ordonné évêque en 1948, devient archevêque de Besançon en 1954.

3. Marcel-Marie DUBOIS, *Petite somme mariale*, Paris, Bonne Presse, 1957 ; un second tome paraîtra en 1961.

4. L'exégète Lucien Cerfaux, du diocèse de Tournai, a tenu longtemps la chaire d'exégèse du Nouveau Testament à l'Université de Louvain ; il sera nommé expert du Concile en 1962.

5. Gérard Philips, du diocèse de Liège, est professeur de théologie dogmatique à l'Université de Louvain et membre du Sénat belge ; nommé expert du Concile en 1962, il est élu secrétaire adjoint de la Commission doctrinale en décembre 1963.

6. Michael Schmaus, du diocèse de Munich, est professeur de théologie dogmatique à l'Université de Munich jusqu'à sa retraite en 1965 ; il sera nommé expert du Concile en 1962.

7. Joseph Fenton est professeur de théologie à l'Université catholique de Washington jusqu'en 1963, puis curé d'une paroisse ; il sera nommé expert du Concile en 1962.

piste et passablement intégriste ; Mgr Journet[1], d'une autre classe, c'est sûr, très limité dans ses informations et ses confiances... ; Balić[2], qui ne pense qu'à superexalter Marie pour faire avancer la « cause » de Scot[3] ; Michel[4]... ; Rosaire Gagnebet[5]...

C'est tout de même très orienté.

Parmi les consulteurs, quelques noms sympathiques : Jouassard[6], Häring[7], Lécuyer[8], Backes[9], Delhaye[10]. Mais aussi Labourdette[11],

---

1. Charles Journet est professeur au Grand Séminaire de Fribourg en Suisse et directeur de la revue *Nova et Vetera* qu'il a fondée avec Mgr Charrière ; il sera créé cardinal en février 1965.

2. Le Croate Charles Balić, o.f.m., théologien, professeur de théologie dogmatique et mariale à l'Antonianum et, à partir de 1961, au Latran, est aussi consulteur de la Congrégation du Saint-Office et président-fondateur de l'Académie pontificale mariale internationale ; il sera nommé expert du Concile en 1962.

3. La cause de béatification de Duns Scot, qui aboutira en 1991.

4. Albert Michel, prêtre du diocèse de Saint-Dié, qui a enseigné la théologie dogmatique aux Facultés catholiques de Lille et s'est fortement engagé dans le combat antimoderniste, est maintenant curé d'une paroisse, tout en restant rédacteur à *L'Ami du Clergé.*

5. Rosaire Gagnebet, o.p., de la province de Toulouse, qui enseigne la théologie à l'Angélique, est qualificateur, puis, en 1964, consulteur de la Congrégation du Saint-Office ; il sera nommé expert du Concile en 1962.

6. Georges Jouassard, du diocèse de Lyon, est doyen de la faculté de théologie aux Facultés catholiques de Lyon.

7. Le rédemptoriste allemand Bernhard Häring est un des grands théologiens moralistes de l'après-guerre ; il enseigne au studendat des rédemptoristes de Bavière, mais aussi à Rome, à l'Académie alphonsienne et au Latran ; il sera nommé expert du Concile en 1962.

8. Le spiritain Joseph Lécuyer est directeur au Séminaire français de Rome et enseigne au Latran ; il sera nommé expert du Concile en 1962 ; il succédera, en 1968, à Marcel Lefebvre à la tête de la Congrégation des Pères du Saint-Esprit.

9. Ignaz Backes est professeur de dogmatique à la faculté de théologie de Trèves.

10. Philippe Delhaye, prêtre du diocèse de Namur, est alors professeur de théologie morale à la faculté de théologie de Lille ; il sera expert du Concile à partir de la deuxième session ; il sera plus tard doyen de la Faculté de théologie de Louvain-la-Neuve et secrétaire de la Commission théologique internationale.

11. Michel Labourdette, o.p., de la province de Toulouse, enseigne la théologie morale au *studium* dominicain de Toulouse ; il sera nommé expert du Concile en 1962.

Salaverri[1], Witte[2], Laurentin[3] – dont le nom me fait craindre qu'on ne projette des doctrines mariales.

Il y avait Lubac[4] et moi. Incontestablement, cela nous dédouanait dans l'opinion catholique, au moins dans les sphères officielles – car les couches vivantes et actives réelles n'ont jamais suivi l'indication répétée de discrédit venue de Rome. Les sphères officielles l'avaient suivie davantage. Ce point est réel, et je ne veux pas en diminuer la portée. Mais après ? Nous sommes des *hapax*[5] dans un texte dont le contexte me semble si orienté dans le sens conservateur ! Nous avoir nommés consulteurs, c'est aussi un moyen de nous écarter du travail effectif, que feront les membres de la Commission. Je me vois pratiquement mis hors du coup... Je vois les choses se préciser dans un sens nettement romain. C'est Rome qui nomme, et, si elle se donne bonne conscience ou bonne réputation d'avoir ouvert largement l'éventail, les précautions sont prises, efficacement prises, pour que ce soit sans danger. Lubac et moi n'avons-nous pas été mis là POUR LA MONTRE ?

Sans cesse, dans l'Église, il y a l'étalage – attirant – et il y a le magasin. L'étalage annonce Lubac, mais le magasin contient Gagnebet.

C'est pourquoi j'ai repris un vrai cafard.

C'est pourquoi j'ai hésité un moment à accepter. Ne valait-il pas

---

1. Joaquín Salaverri, s.j., est professeur de théologie à l'Université pontificale de Comillas (Espagne) ; il sera nommé expert du Concile en 1962.

2. Le Néerlandais Jan Witte, s.j., occupe la chaire de théologie œcuménique à la Grégorienne ; il sera nommé expert du Concile en 1962.

3. Le mariologue René Laurentin, prêtre du diocèse d'Angers, est professeur de théologie à l'Université catholique d'Angers ; il sera nommé expert au Concile au cours de la première session et suivra le Concile pour *Le Figaro* à partir de juin 1963 ; il a publié quatre volumes de chroniques du Concile : *Bilan de la première session, Bilan de la deuxième session, Bilan de la troisième session* et *Bilan du Concile*, Paris, Éd. du Seuil, 1963 à 1966.

4. Henri de Lubac, s.j., un des théologiens majeurs du XXe siècle, a enseigné au scolasticat jésuite de Lyon-Fourvière et aux Facultés catholiques de Lyon ; comme Congar dont il est l'ami, il a connu l'épreuve du discrédit puisqu'il a été écarté de l'enseignement de 1950 à 1958 par l'autorité romaine ; il sera nommé expert du Concile en 1962.

5. En exégèse, mots n'ayant qu'une seule occurrence dans la Bible.

mieux rester LIBRE pour un service difficile, contrecarré, solitaire, que me laisser lier au système, fût-ce par un fil ténu ?

Le réalisme – qui n'est pas « habileté », mais « vérité » et intelligence – me conseillait d'accepter et d'essayer au maximum d'être utile : si toutefois on m'utilisait... Quitte à demander à reprendre ma liberté si je croyais qu'on faisait – et que, de fait, j'y collaborais – un travail représentant la négation de ce que je crois vrai. Je n'ai jamais voulu collaborer avec l'*Unitas* du P. Boyer[1], parce que c'est AUTRE CHOSE que l'œcuménisme. Si on voulait me faire faire quelque chose qui serait la contradiction de l'œcuménisme, je devrais me retirer. Pour le moment, on ne me demande rien de tel.

Autre chose encore me laisse mal à l'aise : toutes ces choses romaines exigent le secret. On me demande le secret, sauf avec les membres de la commission. Or ce secret m'apparaît bien, à certains égards, utile, car l'indiscrétion de la presse ou de l'opinion, est catastrophique. Mais aussi un moyen d'atomiser et de neutraliser toute opposition. Il nous réduit pratiquement à l'état d'hommes n'ayant de relations que directement avec Rome, mais pas entre eux : c'est la destruction pratique de la catholicité horizontale, au profit de la seule verticale. Et aussi, à supposer que nous soyons consultés et que nous ayons réagi : nos réactions, demeurées secrètes, sont reçues à Rome, qui peut les passer sous silence et n'en tenir aucun compte impunément.

Par contre, les membres de la Commission, qui travailleront réunis à Rome, au moins par moments, pourront y parler entre eux. En sorte qu'on institue un monde non romain dispersé, atomisé, mis au secret, et un organe romain groupé et libre de s'exprimer.

Rentré à Strasbourg, je n'ai pas tardé à y recevoir, en réponse à l'acceptation que j'avais envoyée de Sedan au cardinal Tardini[2], un second papier officiel signé, cette fois, du cardinal Ottaviani, m'in-

---

1. Charles Boyer, s.j., est professeur de théologie à la Grégorienne jusqu'en 1962 ; il est le fondateur du Centre *Unitas* et de la revue de même nom, créée en 1946, organes officieux de l'unionisme romain sous Pie XII, prônant un retour des frères séparés dans le bercail de l'Église catholique : il est nommé membre du Secrétariat pour l'unité en 1960, puis expert du Concile en 1962.

2. La lettre de Congar est datée du 25 juillet 1960 (Archives Congar).

diquant les conditions de travail éventuel des consulteurs, me demandant sur quoi je pensais pouvoir apporter la collaboration la plus qualifiée, enfin m'invitant à adresser remarques, suggestions, etc.

J'y ai répondu le 15 août[1].

Je me suis posé une question. J'aurais pas mal de choses à dire, de remarques à faire, de critiques ou d'avertissements à formuler. Vais-je faire cela, ou vais-je me taire ?

Je réfléchis. Je prie. Finalement je me décide à annoncer au card. Ottaviani une réponse, à venir bientôt. Je vais la préparer. Je préciserai ou critiquerai mes conclusions ou mes intentions en parlant, en septembre prochain, avec différents amis que je rencontrerai à Milan[2] ou à Chevetogne[3]. Je tâche de contacter le P. de Lubac à Lyon, en revenant de Pradines[4] le 5/9.

Après tout, je n'ai rien à perdre, et je dois faire mon devoir. Il faut toujours dire ce qu'on sait ou croit vrai. Je serai donc franc, et tâcherai d'être évangélique.

La grâce du Seigneur fera le reste – et cela même !

Je veux m'offrir loyalement à servir de mon mieux dans le cadre du concile ouvert par Jean XXIII sous l'impulsion du St-Esprit. Je resterai sans flatterie ni compromission, mais je veux entrer loyalement et humblement dans cette très grande chose. Je prie tous les jours pour m'offrir en ce sens, pour que Dieu ne laisse pas les hommes de mensonge et de volonté de puissance l'emporter ; pour qu'il garde notre pape Jean et le fortifie.

Si j'ai tenu à consigner ici mes réactions critiques et mes craintes, ce n'est pas par négativité ni pour me draper dans une justice que je n'ai pas, en accusant les autres. C'est pour servir la vérité. Je veux servir la vérité. C'est sincèrement et humblement que je tâcherai

---

1. Dans sa réponse (Archives Congar), Congar parle de ses travaux sur la Tradition, sur l'ecclésiologie et sur le laïcat.

2. La Conférence catholique pour les questions œcuméniques se réunit à Gazzada près de Milan en septembre 1960.

3. L'abbaye bénédictine de Chevetogne, fondée en vue du rapprochement entre les chrétiens d'Occident et d'Orient, organisait chaque année un colloque œcuménique.

4. Abbaye bénédictine où la sœur de Congar et une de ses nièces étaient moniales.

de le faire dans cette voie qui vient de m'être ouverte et que je n'ai rien fait pour m'ouvrir.

6 septembre 60. – Sur mon chemin de retour de Pradines, je me suis arrêté à Lyon pour voir le P. de Lubac. Il m'attendait à la gare : penché en avant, se tenant le dos, souffrant, vieilli – sauf les yeux, toujours étonnamment vifs, limpides, interrogateurs. Il a mal à tout un côté et me dit ne pouvoir plus rien faire. Il n'est même pas sûr d'achever son *Exégèse au moyen âge*[1].

C'est pourquoi aussi, pour le concile, il ne fera rien, sauf quelques interventions par une simple lettre. Mais il voudrait que ces lettres aillent dans le même sens que ce que je pourrais dire. C'est pourquoi il me demande de le tenir au courant de ce que je pourrais faire, et il m'interroge sur mes réactions présentes, sur mes intentions.

Nous sommes très d'accord sur l'orientation qui semble avoir présidé à la composition de la Commission théologique. Le P. de Lubac insiste beaucoup sur le poids propre aux professeurs ROMAINS comme tels. Ils tendent toujours à vouloir faire dogmatiser leurs thèses personnelles, sinon même à s'assurer une victoire sur un confrère ou sur des objections de leurs élèves, en faisant passer leurs idées dans un texte officiel. Cas du P. Hürth[2] (Congrès d'Assise[3]). Le P. de Lubac craint l'esprit systématique et entêté du P. Dhanis[4]. Nous parlons aussi de plusieurs autres membres ou consulteurs.

Le P. de Lubac pense qu'on a ajouté nos noms pour marquer que les « affaires françaises[5] » sont finies. On lui a fait remarquer

---

1. Henri DE LUBAC, *Exégèse médiévale. Les quatre sens de l'Écriture*, Aubier, 1959-1964 ; le troisième volume avait déjà reçu le *Nihil obstat* et paraîtra en 1961, mais le quatrième et dernier volume ne paraîtra qu'en 1964.

2. Le moraliste allemand Franz X. Hürth, s.j., qui a été un des conseillers de Pie XII et qui enseigne à la Grégorienne, est membre de la Commission théologique préparatoire et sera nommé expert du Concile en 1962 ; il décédera en mai 1963.

3. Congrès international de pastorale liturgique d'Assise (septembre 1956).

4. Le jésuite belge Édouard Dhanis est professeur de théologie à la Grégorienne où il est préfet des études, puis recteur ; membre de la Commission théologique préparatoire, il sera nommé expert du Concile en 1962 et consulteur de la Congrégation du Saint-Office en 1963.

5. H. de Lubac désigne ici les différentes crises survenues dans les années 50

que les membres de la Commission sont 27 ; les consulteurs 27 + 2...

Il m'encourage beaucoup à tâcher de voir personnellement des membres de la Commission, et à rédiger un papier pour Rome. On nous ouvre une porte, il faut en profiter. C'est bien ce à quoi je me suis décidé. Mais le P. de Lubac me paraît optimiste quand il pense qu'on ne sera pas fâché, à Rome, d'avoir du travail FAIT et que, si nous envoyons quelque chose d'élaboré et d'utilisable, cela aura son effet tôt ou tard. Cependant lui-même ne se sent, ni les forces, ni la préparation nécessaire, pour faire cela utilement.

Il me dit qu'à son égard, tout n'est pas liquidé. On a laissé passer son *Exégèse* parce que cela compte comme histoire ; mais ses textes THÉOLOGIQUES sont tous arrêtés, ou l'ont été. Il est encore soumis à une censure S.J. romaine.

Nous parlons du P. Chenu, de Gilson et Bergson, de mon travail, de la candidature R. Jolivet[1] à l'Académie. Le P. de Lubac estime cela ridicule et pénible. Les prêtres ne se rendent pas compte... Il y a aussi une candidature chanoine Renaud[2]... Il y en a une Mgr Blanchet[3], très poussée par le cardinal Feltin[4] et plusieurs évêques. Il paraît qu'elle passerait mais que, étant donné la situation scolaire, l'Académie la contrebalancerait par l'élection d'un bon !

Nous parlons aussi de Laurentin (Y aura-t-il au concile une tentative mariologique ? Le P. Balić, dit le P. de Lubac, ne rêve que de cela. Il voudrait faire définir que Marie est *socia*[5] du Christ...) – de Mgr Jouassard, des Instituts catholiques. Le P. de Lubac estime que

---

entre Rome et l'Église de France sur les plans doctrinal et pastoral, crises auxquelles Congar et lui-même furent mêlés.

1. Régis Jolivet, doyen de la faculté de philosophie aux Facultés catholiques de Lyon.

2. Ferdinand Renaud, alors curé de la paroisse Saint-Charles-de-Monceau, à Paris.

3. Émile Blanchet, archevêque titulaire, est recteur de l'Institut Catholique de Paris ; membre de la Commission préparatoire des études et des séminaires, il sera élu membre de la Commission des séminaires, des études et de l'éducation catholique lors de la première session du Concile.

4. Maurice Feltin, archevêque de Paris.

5. Associée ; ce titre ne manifeste guère mieux que celui de *coredemptrix* (corédemptrice) le caractère subordonné de la coopération de Marie au salut.

Lyon est en perte de vitesse : les évêques soutiennent trop peu le travail intellectuel, n'ayant eux-mêmes guère de vues générales sur la situation du monde. Pour lui, Mgr Jouassard est un exemple de ce qu'il voit fréquemment faire chez les catholiques. On laisse de côté les vraies questions et on juxtapose à un conformisme d'idées assez arriéré, des compétences techniques bonnes sur des points périphériques d'érudition...

17 et 18 septembre. – J'ai 48 heures à peu près libres. Je les consacre à une première rédaction du rapport que je veux envoyer à la Commission théologique et pour lequel j'ai décidé de dire ce que je crois, en conscience, devoir dire. J'accompagne ce travail de prière. Je le reprendrai, l'achèverai et le « taperai » en rentrant de la Conférence de Milan, où j'aurai contact avec un certain nombre de personnes, sinon même de personnages[1].

26. X. 60. – François Bussini[2] me dit que Mgr Dubois, archevêque de Besançon, membre épiscopal de la Commission théologique, a dit au Grand Séminaire de Besançon : j'ose dire que, d'une certaine manière, Jésus PRIE Marie.

Il est l'auteur d'un livre sur Marie, dont Mgr Weber m'a dit qu'il le trouvait exagérateur.

Dans son diocèse, on rigole de lui. Au Grand Séminaire, à Belfort, les prêtres ont pris au magnétophone ses discours de confirmation ; ils passent la bande quand ils veulent se distraire.

D'autre part, un autre membre de la Commission théologique,

---

1. Congar le tapera le 24 septembre 1960 et l'expédiera le 3 octobre 1960. À la rencontre de Gazzada, près de Milan, participeront notamment les cardinaux Augustin Bea et Giovanni Battista Montini.

2. François Bussini est alors séminariste du diocèse de Besançon au Séminaire international de Strasbourg ; il sera plus tard enseignant à la faculté de théologie catholique de Strasbourg, puis évêque auxiliaire de Grenoble, et enfin évêque d'Amiens.

le P. Domenico Bertetto[1], a écrit, dans *Meditazioni su « San Giovanni Bosco[2] »* : p. 90 : *il papa è Dio sulla terra*

Gesu ha posto il papa

a) *al di sopra dei Profeti perchè questi annunziavano Cristo, mentre il Papa è voce di Gesù ;*

b) *al di sopra del Precursore, perchè Giovanni Battista diceva : « Non sono degno di sciogliergli il calzari », mentre il Papa deve dire « Dio parla per mezzo nostro ».*

c) *al di sopra degli Angeli – al quale degli Angeli disse : « Siedi alla mia destra ? » A san Pietro e agli apostoli, invece ha detto : « Voi sederate a giudicare le dodici tribu d'Israele » ?*

d) *Gesù ha collocato il Papa al livello stesso di Dio. Egli, infatti ha detto a Pietro e ai suoi successori : « Chi ascolta voi, ascolta me ; chi disprezza voi, disprezza me ; e chi disprezza me disprezza Colui che mi ha mandato[3]. »*

L'Arbresle – 29.10 – 2.11.60[4]. – Le P. Le Guillou[5] me donne quelques échos du voyage du P. Dumont à Rome. Il a été reçu

---

1. Domenico Bertetto, s.d.b., professeur de théologie à l'Athénée pontifical salésien, est consulteur de la Commission théologique préparatoire.

2. Son titre exact est : *San Giovanni Bosco – Meditazioni per la novena, le commemorazioni mensili e la formazione salesiana*, 1955.

3. Le pape est Dieu sur la terre. Jésus a placé le pape a) au-dessus des Prophètes parce que ceux-ci annonçaient le Christ tandis que le pape est la voix de Jésus ; b) au-dessus du Précurseur, parce que Jean-Baptiste disait : « Je ne suis pas digne de dénouer ses sandales », tandis que le pape doit dire : « Dieu parle par notre entremise » ; c) au-dessus des anges – à quel ange a-t-il dit : « Siège à ma droite » ? À saint Pierre et aux apôtres, il a dit : « Vous siégerez pour juger les douze tribus d'Israël » ; d) Jésus a situé le pape au niveau même de Dieu. En fait, il a dit à Pierre et à ses successeurs : « Qui vous écoute m'écoute ; qui vous rejette me rejette ; et qui me rejette rejette celui qui m'a envoyé. »

4. Il s'agit d'une session interprovinciale d'enseignants des provinces dominicaines de langue française sur le thème : Théologie fondamentale et traité de l'Église. L'Arbresle est alors le couvent d'études de la province de Lyon.

5. Marie-Joseph Le Guillou, o.p., de la province de France, fait partie du Centre d'études Istina et enseigne la théologie orientale aux Facultés dominicaines du Saulchoir ; il sera au Concile l'expert privé de Mgr Rougé, évêque de Nîmes ; il sera plus tard le premier directeur de l'Institut supérieur d'études œcuméniques (ISEO) de l'Institut Catholique de Paris.

personnellement par le Pape, qui s'est déclaré d'accord sur tout ce qu'a dit le P. Dumont concernant les rapports avec les Orthodoxes.

Le cardinal Bea[1] veut se faire attribuer le domaine de ces relations[2].

Le P. Gerlaud[3], qui était à Rome ces derniers temps, me dit avoir vu quelqu'un de la Secrétairerie d'État, qui lui a demandé : Qu'a-t-on pensé en France de la désignation des PP. de Lubac et Congar comme consulteurs ? Le P. Gerlaud a répondu : on a pensé qu'elle venait personnellement du pape. – À quoi le Mgr a répliqué : On pense bien.

On échange d'autres menus propos. Certains commentent des désignations qui semblent un peu étranges. Il paraît que celle de Mgr Calewaert[4] à la Commission liturgique est le fruit d'un quiproquo. On a cru que c'était le liturgiste, aujourd'hui défunt[5]...

Le Père Christophe Dumont a reçu, à Istina, les papiers destinés au Père Pierre Dumont[6], supérieur du Collège grec[7].

Menus incidents de rodage.

Voyage à Rome, 13-17 novembre 60. – Rédigé sur le moment, à Rome.

Train à Strasbourg dans la nuit du 12 au 13 novembre ; départ 0 h 35 dimanche 13. XI. L'Italie dans le brouillard ; plus exactement, dans les nuages. Arrivée à Rome à 16 h 30. En arrivant devant S. Louis des Français[8], je tombe sur Mgr Baron[9], accompagné

---

1. Augustin Bea, s.j., bibliste de formation, avait été recteur de l'Institut biblique pontifical et confesseur de Pie XII ; Jean XXIII venait de le créer cardinal et l'avait nommé président du Secrétariat pour l'unité des chrétiens.

2. Domaine traditionnellement attribué à la Congrégation orientale.

3. Marie-Joseph Gerlaud, o.p., de la province de Lyon, est professeur de théologie morale aux Facultés catholiques d'Angers.

4. Karel J. Calewaert, évêque de Gand, membre de la Commission préparatoire de la liturgie.

5. Camille Callewaert, décédé en 1943.

6. Pierre Dumont, o.s.b., est un moine de Chevetogne.

7. Le Collège grec pontifical, situé à Rome.

8. Église nationale des Français et résidence de prêtres étudiant ou travaillant à Rome.

9. André Baron, du diocèse de Bourges, est recteur de Saint-Louis-des-Fran-

de Mgr Blanchet, Mgr Mazerat[1], Mgr Jenny[2], Chanoine Boulard[3], M. Chavasse[4]. Ils se rendent, me disent-ils, à l'ambassade[5], où a lieu une réception en notre honneur : ce sera une occasion de voir tous les membres français des Commissions. Mais je suis extrêmement fatigué*. Je désirerais célébrer. C'est en principe impossible, car on n'autorise la messe le soir, à Rome, que s'il y a un minimum de 50 pèlerins. En fait, je reste, je célèbre. Ensuite je vais à Ste Sabine saluer le P. Général[6].

Il vient de rentrer, mais est fatigué et je ne le vois pas. Moi, je tiens à peine debout. Les derniers jours à Strasbourg ont été accablants. Je n'en peux plus.

Le soir, dîner à S. Louis.

Premiers potins. Les prétentions des Facultés du Latran, que le pape vient récemment d'ériger en université. À la séance de rentrée,

---

çais jusqu'en 1962 ; il est nommé en 1960 consulteur de la Commission préparatoire des religieux.

* Je me revois traînant ma valise depuis la station de bus de St André in valle jusque S. Louis. Ce n'est pas loin, mais je n'en pouvais plus. J'avais peine à avancer. Je suis convaincu que mon mal neurologique à caractère hémiplégique était déjà sous roche. Il l'était même déjà au mois d'avril lors de mes conférences à Barcelone : je traînais la jambe pour monter et, le soir, je n'en pouvais plus. Les premières manifestations remontent à 1950.

1. Henri Mazerat, évêque de Fréjus et Toulon, est membre de la Commission préparatoire pour la discipline du clergé et du peuple chrétien ; il deviendra évêque d'Angers en décembre 1961 ; dès la première session du Concile, il fera partie de la Commission de la discipline du clergé et du peuple chrétien.

2. Henri Jenny, évêque auxiliaire de Cambrai, membre de la Commission préparatoire de la liturgie. Lors du Concile, il sera membre de la Commission de liturgie.

3. Fernand Boulard, du diocèse de Versailles, est un expert mondialement connu en sociologie religieuse et enseigne à l'Institut Catholique de Paris ; membre de la Commission préparatoire des évêques et du gouvernement des diocèses, il sera nommé expert du Concile durant la première session.

4. Antoine Chavasse, prêtre du diocèse de Chambéry, est professeur à la faculté de théologie catholique de l'Université de Strasbourg ; membre de la Commission préparatoire de la liturgie, il sera nommé expert du Concile en 1962.

5. L'ambassade de France près le Saint-Siège.

6. Michaël Browne, o.p.

Mgr Piolanti[1] a déclaré : de même que l'église S. Jean du Latran est la première de toutes les églises, de même l'université du Latran doit être la première des universités.

Mais ça ne se décrète pas. Pas plus qu'on ne peut nommer un poète par décret consulaire.

Très grande importance du P. Gagnebet, très en cour auprès du cardinal Ottaviani, qui lui-même est décisif.

Les professeurs du Latran, Piolanti et Garofalo[2], voudraient s'attribuer une sorte de magistère d'orthodoxie, juger de tout. Piolanti a dit de moi (dit Mgr Baron) : c'est le théologien le plus savant, mais il y a trois hérésies par page.

Mgr Journet ne viendra pas : je suis sourd, dit-il...

L'abbé R. Laurentin passe me voir. Il est ici depuis trois jours et a déjà été partout, vu tout le monde. Il me dit avoir parcouru les *Postulata* des évêques[3], imprimés en volume et qu'on peut lire au siège de chaque Commission. Il paraît qu'une énorme majorité demande des développements doctrinaux mariologiques. Le cardinal Richaud[4] a demandé la dogmatisation de la Médiation et de la Corédemption... Mais la tendance de la Commission ne serait pas trop en ce sens. On ne pourra cependant pas éviter de faire quelque chose. Le mieux – et ce serait la tendance du P. Tromp[5] – serait de faire une déclaration synthétique liant Marie au Christ et à l'Église.

---

1. Antonio Piolanti, du diocèse de Rome, est recteur du Latran et consulteur de la Congrégation du Saint-Office ; membre de la Commission théologique préparatoire, il sera nommé expert du Concile en 1962.

2. Salvatore Garofalo, prêtre du diocèse de Naples, exégète, professeur au Latran puis recteur de l'Urbanienne ; membre de la Commission théologique préparatoire, il sera nommé expert du Concile en 1962.

3. Réponses à la consultation antépréparatoire. On les trouve en *AD* I/II : *Consilia et vota Episcoporum ac Praelatorum.* Les sept premiers tomes contiennent les réponses des évêques.

4. Paul M. Richaud, archevêque de Bordeaux. Il est membre de la Commission centrale préparatoire. Durant le Concile, il sera membre de la Commission technique et d'organisation.

5. Le Néerlandais Sebastian Tromp, s.j., est professeur de théologie à la Grégorienne et consulteur de la Congrégation du Saint-Office ; secrétaire de la Commission théologique préparatoire, il sera ensuite secrétaire de la Commission doctrinale du Concile.

D'après Laurentin, mon Rapport n'a pas suscité la mauvaise impression qu'il craignait, car, dit-il, il avait le tort 1°) d'être en français ; 2°) d'être trop peu diplomatique ; 3°) de dire en finale des choses qu'il eût mieux valu mettre ailleurs et ouater.

Dîner après lequel je vois un peu Mgr Blanchet : plein de santé, très décidé. Il ne faut pas, dit-il, laisser étouffer un certain nombre de choses. Tous les évêques ont demandé une modification des méthodes de travail de la Curie. Le rôle des consulteurs et des membres est de relancer les questions, *importune opportune*[1].

Je suis mort de fatigue.

Lundi 14. – Messe, après laquelle j'en sers une. Dès le matin, très fatigué. Je vais au Secrétariat pour l'unité des chrétiens. C'est l'appartement laissé par l'ancien curé du Panthéon, et qui a deux salles de bain. Il y a juste cinq bureaux et de quoi faire une modeste bibliothèque, mais encore pas un seul dossier, ni une seule collection de revues. C'est très très modeste. Arrighi[2] est toujours très enthousiaste du travail à faire et de ce que déjà il a fait ou fait. Je vois Mgr Willebrands[3], qui m'explique en particulier comment s'est organisée la visite de Mgr Fisher[4], archevêque de Cantorbéry et ce qui peut en faire le fond. Mgr Fisher aimera sans doute qu'il en sorte une attitude compréhensive de la part de la hiérarchie catholique en Angleterre. Mais il faudra veiller à ce que cette visite ne

1. « À temps et à contretemps » (2 Tm 4, 2).

2. Jean-François Arrighi, du diocèse d'Ajaccio, travaille à la Congrégation pour l'Église orientale ; il est *minutante* au Secrétariat pour l'unité où il sera nommé en 1963 sous-secrétaire pour les relations avec les protestants ; il sera expert du Concile à partir de la deuxième session.

3. Jan Willebrands, du diocèse d'Harlem (Pays-Bas), a été professeur de philosophie au Grand Séminaire de Warmond, dont il est devenu le directeur en 1945 ; fondateur et animateur de la Conférence catholique pour les questions œcuméniques (CCQO), il est nommé en 1960 secrétaire du Secrétariat pour l'unité des chrétiens ; il deviendra évêque en 1964 ; il sera plus tard président du Secrétariat pour l'unité, devenu par la suite Conseil pontifical pour la promotion de l'unité des chrétiens, cardinal et archevêque d'Utrecht.

4. Geoffrey F. Fisher est archevêque anglican de Cantorbéry depuis 1945 ; il a été l'un des présidents du COE de 1948 à 1954.

suscite pas chez celle-ci des réactions qui soient, au contraire, très négatives.

De là je vais au « Saint-Office ». Souvenirs. Je vois le P. Leclercq[1], un Oblat très sympathique, qui est secrétaire du P. Tromp. Comme je lui dis que le problème, pour moi, est d'être UTILE, il me répond : il n'y a pour cela qu'à prendre des initiatives comme vous en avez pris. Je rencontre Mgr Backes. Je commence la lecture des *Postulata* des évêques. Bêtement, c'est-à-dire par le commencement. *Anglia*[2]. Je prends quelques notes. C'est TRÈS intéressant. Horizon doctrinal presque nul, mais questions pratiques. Plusieurs évêques anglais disent formellement : Pas de nouveaux dogmes mariologiques (ainsi Leeds[3], Liverpool[4], Westminster[5]) ; par contre l'archevêque d'Armagh[6], Irlande, demande qu'on fasse de Marie le centre de la dévotion au point de vue psychologique et pratique, le Christ le restant seulement « *de jure*[7] ». (Finalement non. J'ai mal lu, et ne suis pas le seul à avoir compris le texte ainsi. C'est qu'il est mal rédigé. L'archevêque s'élevait au contraire contre l'attitude consistant – étant sauve la qualité centrale du Christ *de jure*, à donner la place centrale *de facto*[8] à Marie.) Le P. Tromp, dans son exemplaire, a mis un point d'exclamation en marge.

Le P. Tromp arrive. Il est cordial avec moi. Il veut qu'on soit à S. Pierre pour l'audience à 10 h ! une heure d'avance. On y va donc. Quelle affaire ! Partout des gendarmes pontificaux ou des gardes

---

1. Michel Leclercq, o.m.i., est *scrittore* à la section de la censure des livres de la Congrégation du Saint-Office et *minutante* à la Commission théologique préparatoire.

2. Angleterre. Voir *AD* I/II, 1, 1-57.

3. George P. Dwyer, évêque de Leeds, membre de la Commission préparatoire des évêques et du gouvernement des diocèses. Il continue son travail dans la Commission des évêques et du gouvernement des diocèses dès la première session.

4. John C. Heenan, archevêque de Liverpool et membre du Secrétariat pour l'unité ; il deviendra archevêque de Westminster en 1963 et cardinal en 1965.

5. Le cardinal William Godfrey est archevêque de Westminster.

6. Le cardinal John d'Alton est alors archevêque d'Armagh (Irlande) et membre de la Commission centrale préparatoire. Voir *AD* I/II, 1, 1-57.

7. De droit.

8. De fait.

suisses en grand uniforme. Le service est d'ailleurs impeccable. Mais quel décorum, quel déploiement d'apparat ! On nous met dans une tribune, où je vais m'asseoir à côté du P. de Lubac. Tout le fond de S. Pierre a été aménagé avec des tribunes, des fauteuils. Un service fantastique de gars en tenues cramoisies ; des gardes suisses en casque, tenant leur hallebarde avec une fière allure. Tous les collèges de Rome ont été mobilisés et il y a certainement bien 10 000 assistants. Pourquoi ? Quel temps perdu ! Petit à petit, tout se remplit. Des costumes de toutes sortes, beaucoup de visages jeunes de prêtres des collèges ; quelques (rares) gueules effroyables à la Dreyer[1]. Une quarantaine de cardinaux prennent place sur des fauteuils ; derrière eux, dans des tribunes, évêques et archevêques.

Vers 11 h 10 on entonne le *Credo* et le pape entre à pied. C'est un beau moment. Mais la Sixtine chante ensuite un « *Tu es Petrus* » théâtral : du médiocre opéra. Les 10 000, les 40 cardinaux, les 250 ou 300 évêques, ne disent rien. Un seul aura la parole. Quant au peuple chrétien il n'est là ni de droit ni de fait. Je sens le porte-à-faux de l'ecclésiologie sous-jacente. C'est le décorum fastueux d'un pouvoir monarchique.

Le pape lit un texte en italien que je ne comprends pas entièrement mais qui me semble très banal. Il y est question des frères séparés. On souhaite qu'ils envoient des rapports (si je comprends bien). Cependant, le concile reste une affaire de l'Église catholique et c'est après lui qu'on se tournera vers les frères séparés pour entamer un dialogue.

Hélas ! Après avoir donné sa bénédiction (seul, toujours seul aux 10 000, aux 300, aux 40...), le pape monte sur le trône et part en *sedia*[2] ; stupides applaudissements. Le pape fait un geste qui semble dire : hélas ! je n'y puis rien...

À la sortie je vois le P. Général, le P. de Lubac, le P. Gagnebet,

1. Carl Dreyer, cinéaste danois.
2. La *sedia gestatoria* : siège à porteurs utilisé par les papes.

le groupe des liturgistes (Gy[1], Jounel[2], Martimort[3], Chavasse), D. Rousseau[4], le P. Hamer[5], le P. Witte, Dubois-Dumée[6] (enfin un chrétien !), Mgr Charrière[7], Mgr de Provenchères[8].

Je rentre et me perds un peu en traversant des quartiers populaires et populeux : rues étroitissimes sans trottoir, linge pendant aux fenêtres, échoppes d'artisan, banderoles invitant à voter communiste... Et je me dis que ce que je viens de voir, ce que nous avons « fait » à S. Pierre, n'a AUCUN rapport avec CE monde-LÀ. Cela ne coïncide pas par un millimètre carré. Tout de même !

Il y a un appareil d'« Église » qui fonctionne par lui-même, sans aucun contact avec les hommes.

Je suis mort de fatigue et ai peine à remonter les escaliers.

---

1. Pierre-Marie Gy, o.p., de la province de France, professeur aux Facultés dominicaines du Saulchoir, est sous-directeur de l'Institut Supérieur de Liturgie de l'Institut Catholique de Paris, et en deviendra le directeur en 1964 ; il est consulteur de la Commission préparatoire de la liturgie.

2. Pierre Jounel, prêtre du diocèse de Nantes, est professeur à l'Institut Supérieur de Liturgie de l'Institut Catholique de Paris ; il est consulteur de la Commission préparatoire de la liturgie.

3. Aimé-Georges Martimort, professeur d'histoire de la liturgie à la faculté de théologie de Toulouse, est codirecteur du Centre de pastorale liturgique jusqu'en 1964 ; il est consulteur de la Commission préparatoire de la liturgie, puis expert du Concile en 1962.

4. Dom Olivier Rousseau, o.s.b., moine de Chevetogne, est directeur de la revue *Irénikon* et travaille dans les domaines de la liturgie, de l'œcuménisme et de la vie monastique.

5. Jérôme Hamer, o.p., de la province de Belgique, est recteur des Facultés dominicaines du Saulchoir jusqu'en 1962, puis assistant du maître général pour les provinces de langue française et secrétaire général des études de l'Ordre dominicain ; il est consulteur du Secrétariat pour l'unité dont il sera nommé, en 1966, secrétaire adjoint ; il est nommé expert du Concile en 1962 ; il sera plus tard secrétaire de la Congrégation pour la doctrine de la foi, puis pro-préfet de la Congrégation pour les Religieux et les Instituts séculiers et sera créé cardinal.

6. Jean-Pierre Dubois-Dumée est directeur adjoint des *Informations catholiques internationales* et de *La Vie catholique illustrée.*

7. François Charrière, évêque de Fribourg (Suisse), membre du Secrétariat pour l'unité des chrétiens.

8. Charles de Provenchères, archevêque d'Aix-en-Provence, membre de la Commission préparatoire pour la discipline du clergé et du peuple chrétien, membre de la Commission des Églises orientales à partir de la deuxième session.

Déjeuner avec quatre cardinaux (Tisserant, Liénart[1], Marella[2], Valeri[3]) et les évêques français présents. Je vois particulièrement Mgr Marty[4], d'une cordialité méridionale toute simple et chaleureuse ; Mgr Mercier[5], que je n'ai pas revu depuis 1921 ; Mgr Veuillot[6], Mgr de Bazelaire[7] ; Mgr Guerry[8], qui est très cordial et parle volontiers ; un instant Mgr Garrone[9] ; un instant les évêques d'Afrique du Nord (Alger, Carthage, Oran, Constantine[10]), un bon mo-

---

1. Achille Liénart, évêque de Lille, président de l'Assemblée des Cardinaux et Archevêques de France. Membre de la Commission centrale préparatoire, il fera partie, durant le Concile, de la Commission de coordination et du Conseil de présidence.

2. Paolo Marella, ancien nonce apostolique à Paris (de 1953 à février 1960). Il sera président de la Commission préparatoire puis de la Commission conciliaire des évêques et du gouvernement des diocèses.

3. Valerio Valeri, préfet de la Congrégation des religieux, a été nonce apostolique à Paris de 1936 jusqu'en décembre 1944.

4. François Marty, archevêque de Reims, consulteur de la Commission préparatoire des études et des séminaires. Dès la première session, il est élu membre de la Commission de la discipline du clergé et du peuple chrétien.

5. Georges Mercier, évêque de Laghouat (Algérie), originaire du diocèse de Reims et ancien élève du petit séminaire de Reims par lequel était aussi passé Congar de 1919 à 1921.

6. Pierre Veuillot, originaire de Paris, est évêque d'Angers ; il sera nommé coadjuteur de l'archevêque de Paris en 1961. Lors de la première session, il sera élu membre de la Commission des évêques et du gouvernement des diocèses.

7. Louis M. F. de Bazelaire de Ruppierre, archevêque de Chambéry, membre de la Commission préparatoire des études et des séminaires.

8. Émile Guerry, archevêque de Cambrai, membre de la Commission préparatoire des évêques et du gouvernement des diocèses. Il poursuit son travail dans la Commission des évêques et du gouvernement des diocèses dont il fait partie dès la première session.

9. Gabriel-M. Garrone, archevêque de Toulouse, membre de la Commission doctrinale dès la première session ; au début de l'année 1966, il sera nommé pro-préfet de la Congrégation des séminaires et des universités.

10. Respectivement Léon-Étienne Duval (qui sera créé cardinal en février 1965), Maurice Perrin, Bertrand Lacaste et Paul P. Pinier.

ment Mgr Martin[1], qui me dit que l'œcuménisme est pour lui une révélation et un enrichissement inouï.

Les évêques sont tout confiants et simples.

Mais qu'il est difficile de prendre des rendez-vous utiles. Le P. Général m'a renvoyé à mercredi, Gagnebet à plus tard ; je téléphone deux fois en vain au P. Paul Philippe[2]. J'ai le sentiment de perdre mon temps.

Je passe voir le P. Lécuyer au Séminaire français ; je vais à l'Angélique pour commander des livres et travailler un peu. J'ai peine à mettre un pied devant l'autre tant je suis fatigué, épuisé.

Mardi 15. XI. – Il y a réunion de la Commission théologique au « Saint-Office », à 9 heures. La grande salle de réunion étant occupée, notre réunion se tient dans le salon d'audience du cardinal Ottaviani. Salle très chauffée, lustre allumé, rideaux tirés. Allure anthropologique des participants : mélange d'honnêtes vieux religieux, de prélats assez jeunes, de têtes assez rébarbatives. Le cardinal a une espèce de menton redondant qui tient du goître.

On fait d'abord prêter serment aux membres qui ne l'ont pas prêté. Je ne prononce pas le mot *« juro*[3] *»* dans la formule, mais je le souscris dans la feuille imprimée et toute préparée à notre nom qu'on nous distribue. Dieu me pardonne !

Discours en latin du cardinal Ottaviani.

La commission s'est divisée en sous-commissions : la première avait pour objet *« quid faciendum quoad ordinationem materiae*[4] *»*, et les quatre autres les quatre *schemata* prévus[5].

---

1. Joseph-M. Martin, archevêque de Rouen, membre du Secrétariat pour l'unité des chrétiens ; il sera créé cardinal en février 1965. Lorsque Congar parle, dans son Journal, de Martin ou Mgr Martin, il s'agit généralement, sauf indication contraire, de Joseph-M. Martin, archevêque de Rouen.

2. Paul Philippe, o.p., de la province de France, est secrétaire de la Congrégation des Religieux ; il deviendra évêque en 1962 et sera élu membre de la Commission des religieux lors de la première session ; il sera plus tard nommé préfet de la Congrégation pour les Églises orientales et créé cardinal.

3. « Je jure. »

4. « Ce qui doit être fait quant à la disposition de la matière. »

5. Ce sont le *De fontibus revelationis*, le *De Ecclesia*, le *De ordine morali et sociali*, et le *De depositio fidei*.

On nous fera connaître ce que les membres de la commission ont dit, et nous pourrons exprimer notre avis, mais il ne s'agit pas d'écrire un traité. Il faudra se limiter aux points précis et nécessaires.

Discours latin du P. Tromp.

Avant les vacances, une sorte de commission préparatoire d'une dizaine de membres a précisé « *de quo agendum*[1] », non a priori, mais a posteriori, d'après les *vota*[2] des évêques, congrégations, universités, etc., et les indications du pape.

Le 27 octobre et sq. la commission a eu deux fois trois séances de travail. On a discuté assez vivement sur l'*ordo materiae*[3]. Le P. Tromp a été partisan de deux *schemata*[4] ; 1) *de Ecclesia*[5] ; 2) *de Ecclesia quatenus curat ad sanitatem de fide et moribus*[6].

(Je remarque en moi-même qu'il y a une unité enveloppant des deux :

le plan de Dieu

le rapport d'alliance offerte aux hommes.)

On reprendra cela en janvier, mais « *auditis omnibus consultoribus*[7] » : ceux-ci devront dire leur avis « *lingua latina*[8] » et de façon brève et substantielle.

Il s'agit de *rebus non definitis*[9] = libres. Aussi y a-t-il bien des manières de les proposer, mais il faudra se tenir à UNE et faire le sacrifice d'idées personnelles.

Il y aura des sous-commissions, dont la composition est arrêtée comme suit, bien qu'elle ne soit pas définitive : (le président est souligné[10])

---

1. « Comment planifier ce qu'il faut traiter. »
2. Souhaits (ce sont les *postulata* : cf. plus haut p. 27, n. 3).
3. Ordre des matières.
4. Schémas.
5. Sur l'Église.
6. Sur l'Église quant au soin qu'elle prend de la foi et des mœurs.
7. « Après avoir entendu tous les consulteurs. »
8. « En langue latine. »
9. De choses non définies.
10. En italiques ici.

– *De Ecclesia*[1] : Mgr Dubois..., Piolanti, Fenton, Philips, Colombo[2], Schauf[3], Lécuyer, *Gagnebet*...
– *De fontibus*[4] : Schröffer[5], Hermaniuk[6], *Garofalo*, Cerfaux, van den Eynde[7].
– *De deposito fidei*[8] : ... Carpino[9], *Ciappi*[10], Ramirez[11], Dhanis... Kerrigan[12].

---

1. De l'Église.
2. Carlo Colombo, du diocèse de Milan, professeur de dogmatique au Séminaire de Milan, est membre de la Commission théologique préparatoire ; il sera nommé expert du Concile en 1962 ; expert privé du cardinal Montini au cours de la première session, ce dernier devenu pape en fera un évêque titulaire en mars 1964 ; il sera plus tard président de la faculté de théologie de l'Italie septentrionale et évêque auxiliaire de Milan.
3. Heribert Schauf, prêtre du diocèse d'Aix-la-Chapelle, est professeur de droit canonique au Séminaire diocésain ; consulteur de la Commission théologique préparatoire, il sera nommé expert du Concile en 1962.
4. Des sources.
5. Joseph Schröffer, évêque d'Eichstätt (Allemagne), membre de la Commission théologique préparatoire, puis membre de la Commission doctrinale en 1962.
6. Maxim Hermaniuk, archevêque des Ukrainiens-catholiques de Winnipeg (Canada), membre de la Commission théologique préparatoire, élu membre du Secrétariat pour l'unité des chrétiens durant la deuxième session.
7. Le franciscain belge Damien van den Eynde est recteur de l'Antonianum ; membre de la Commission théologique préparatoire, il est nommé expert du Concile en 1962.
8. Du dépôt de la foi.
9. Francesco Carpino, archevêque titulaire, assesseur de la congrégation consistoriale.
10. Luigi Ciappi, o.p., de la province romaine, est Maître du Sacré-Palais et consulteur de la Congrégation du Saint-Office ; membre de la Commission théologique préparatoire, il sera nommé expert du Concile en 1962 ; il sera plus tard créé cardinal.
11. Santiago Ramirez Dulanto, o.p., de la province d'Espagne, professeur de théologie à l'Université pontificale de Salamanque, est régent des études dans sa province et président de la faculté dominicaine de théologie de Salamanque ; membre de la Commission théologique préparatoire, il sera nommé expert du Concile en 1962.
12. Alexander Kerrigan, o.f.m., exégète, consulteur de la Commission biblique pontificale, enseigne à l'Antonianum ; consulteur de la Commission théologique préparatoire, il est nommé expert du Concile en 1962.

– *De re morali individuali*[1] : ... P. *Philippe*, Hürth, Gillon[2].
– *De re morali sociali*[3] : *nondum est facta commissio*[4].

On nous précise la loi du secret : envers tout le monde, y compris les membres des autres commissions, sauf s'il y a une réunion OFFICIELLE commune. On peut proposer qu'il y en ait. Liberté avec les membres et consulteurs de notre commission. On peut utiliser secrétaires et dactylos à condition de leur imposer le secret.

On peut consulter les *Acta antepraeparatoria*[5] au Saint-Office, mais ils ne doivent pas quitter Rome. Seul est en vente publique le premier volume (Actes du pape).

Le cardinal Ottaviani reprend la parole : nous pouvons poser des questions, mais seulement pour demander des explications. Nous pouvons rédiger un *votum*[6] à plusieurs.

Personne ne demande la parole. La réunion est finie. Le cardinal Ottaviani dit : *Agimus tibi gratias*
Fidelium animae... in pace[7].

Ce sont les derniers mots qui sont prononcés.

Je vois alors quelques membres. Malheureusement, le temps qu'on en contacte deux ou trois, les autres sont partis... Je vois le P. Kerrigan ; le P. van den Eynde, très cordial, à qui je remets ma *Tradition*[8] ; de même à Mgr Garofalo, qui en est très flatté ; le P. Häring et le P. Lio[9], que je remonte sur la nécessité de faire une solennelle condamnation de la guerre et de la bombe atomique ;

---

1. Des questions de morale individuelle.
2. Le théologien Louis-Bertrand Gillon, o.p., de la province de Toulouse est recteur de l'Angélique jusque 1961, puis doyen de la faculté de théologie à partir de 1963 ; il est membre de la Commission théologique préparatoire, puis expert du Concile.
3. Des questions de morale sociale.
4. La commission n'est pas encore constituée.
5. Actes antépréparatoires ; ils sont publiés, ainsi que les actes préparatoires, sous le titre *Acta et Documenta concilio œcumenico Vaticano II apparando* ; la première série *(Series I)*, qui contient les Actes antépréparatoires, est publiée en 1960 et 1961 ; les Actes du pape en constituent le premier volume : *AD* 1/1.
6. Texte proposé en vue d'un schéma.
7. Nous te rendons grâce. Que les âmes des fidèles... en paix.
8. Il s'agit du premier tome du travail de Congar sur la Tradition : *La Tradition et les traditions. Essai historique*, Paris, Fayard, 1960.
9. Ermenegildo Lio, o.f.m., professeur de théologie morale à l'Antonianum,

Mgr Cerfaux ; le P. Lécuyer et le P. Leclercq, assez longuement puis le P. Paul Philippe, également assez longuement. Avec ces trois, je parle à cœur ouvert et à fond. Je critique ce que j'ai vu du travail préparatoire et du projet de schéma = de la scolastique ; une reprise de toutes les condamnations portées depuis vingt-cinq ans. Ce n'est pas ce qu'il faut : il faut une large déclaration de la foi de l'Église, dynamique et kérygmatique, partant du Dessein de Dieu.

J'attends (assez longuement) le cardinal Ottaviani, pour le voir (pour la première fois). Hélas, l'entretien est assez tendu : les yeux dans les yeux, genoux contre genoux... Le cardinal me dit tout de suite que mon rapport a suscité des critiques : pourquoi est-ce que je ne reste pas « dans la ligne ». Je suis intelligent, savant ; dans mon livre *(Réforme*[1]*)* il y a de très belles pages, mais d'autres qui en sont la contradiction. Pourquoi est-ce qu'on relève toujours les faiblesses de l'Église ? On ébranle ainsi la confiance dans la hiérarchie et le magistère.

On parle comme si tout était bien chez les autres et tout mal chez nous.

Je demande si j'ai fait ainsi ?

Le cardinal me répond qu'il parle en général. Je dis que je ne suis pas du tout pour ébranler la confiance dans la hiérarchie, mais que l'Église devrait moins penser à elle-même ; si elle se donnait à fond au service de l'Évangile, toute son autorité lui viendrait toute seule. Le cardinal : mais les congrégations, les évêques, les curés, les professeurs de séminaires, ne font que servir...

Je dis que je remarque et déplore une sorte de coupure entre la théologie qu'on exprime, et le peuple chrétien. J'évoque mon expérience d'hier : quoi de commun entre notre (magnifique) cérémonie et les braves gens des petites rues insalubres que j'ai traversées ? L'Église est POUR LES HOMMES...

Lui : c'est une question de pastorale. Il y a une commission pour la pastorale, qui doit chercher les adaptations. Nous, nous devons proposer la Foi. Et le cardinal attaque ceux qui cherchent une adap-

---

travaille à la Congrégation du Saint-Office comme défenseur du lien, puis comme consulteur ; consulteur de la Commission théologique préparatoire, il sera nommé expert du Concile en 1962.

1. *Vraie et fausse réforme dans l'Église*, coll. « Unam Sanctam » 20, Cerf, 1950.

tation de la religion. Ils refont l'erreur de l'Action Française : Politique d'abord. Ils proposent aux hommes simplement des moyens de vie humaine meilleure...

Le cardinal parle catéchisme, mais je ne vois pas bien ce qu'il veut dire et vise.

Je sors de cet entretien assez atterré. Il y a un quiproquo total. Ou deux *Denkformen*[1] qui ne se rencontrent pas. Le cardinal semble s'être fait une synthèse cohérente, sans faille, d'erreurs dont il semble me croire complice, et qu'il pourfend comme dans un rêve éveillé. Il tue la tarasque[2].

Je vois le P. Paul Philippe un moment. On parle de son épiscopat, imminent[3]. Il me dit que l'Angélique est en perte de vitesse et que le P. Général[4] n'a absolument pas l'activité d'initiative et de promotion qu'il faudrait. Le Général des OFM[5] et des Carmes[6] est autre chose, me dit-il.

Après un tour aux jardins du Vatican et à la librairie, je vais déjeuner à S. Jérôme[7], qui m'avait si bien accueilli lors de mon séjour de disgrâce. J'y vois Mgr Suhr[8], de Copenhague. D. Le-

1. Manières de penser.

2. À propos des ennuis que Congar, de Lubac et d'autres eurent à souffrir durant la seconde moitié du pontificat de Pie XII, Congar précisera plus tard : « J'avais constitué un dossier de défense que j'avais intitulé *La tarasque !* La tarasque est un animal très dangereux... mais imaginaire ! À mes yeux les dangers que Rome voyait un peu partout n'étaient pas réels » (*Une vie pour la vérité*, Paris, Le Centurion, 1975, p. 99).

3. Paul Philippe sera ordonné évêque en septembre 1962.

4. Michaël Browne, Maître général des Dominicains.

5. Le Ministre général des Frères Mineurs (o.f.m.) est alors Agostino Sépinski, futur membre de la Commission des religieux (dès 1962).

6. Il doit s'agir du Préposé général des Carmes déchaux, Anastasio del S.S. Rosario.

7. Abbaye bénédictine instituée en 1933 par le pape Pie XI pour la révision de la Vulgate.

8. Iohannes Th. Suhr, bénédictin, évêque de Copenhague, membre de la Commission centrale préparatoire.

clercq[1] me dit que Mgr Felici[2] a dit à un OSB que le concile ne devrait durer que quelques semaines comme réunion des évêques ; qu'il faudrait faire le plus possible par écrit.

J'essaye d'aller lire les *Vota*[3] des évêques au Secrétariat pour l'unité. Le concierge me reçoit mal et me dit que ce ne sera pas ouvert avant demain. Je n'aurai pas eu 40 minutes en tout pour prendre connaissance de ces documents extrêmement intéressants. C'est beaucoup trop peu. Il faudrait quatre jours à 10 ou 12 heures de travail par jour.

Je vais à la Grégorienne[4] voir le P. Hürth, pour lui chanter l'antienne de la condamnation de la guerre. Il pense que tout le monde est d'accord en général, mais qu'on ne voudra jamais ni condamner la légitime défense par les armes, ni faire une condamnation de l'arme atomique telle qu'elle gênerait les peuples libres et nullement l'URSS. Le P. Tromp m'a donné exactement le même son de cloche, en plus vif : il n'a que soixante-douze ans ; le P. Hürth est un vieillard qui entretient dans sa chambre une température tropicale... Le P. Hürth me récite un cours sur les fondements de l'ordre moral. C'est sa grande préoccupation. C'est CELA qu'il vise dans le schéma du concile. D'après le P. Hürth, si le P. Tromp n'a pas indiqué de sous-commission *de re morali sociali*, c'est parce que le pape prépare une encyclique pour l'anniversaire de *Rerum Novarum*[5]. Il va donc falloir attendre mai 61 !

Je vois ensuite le P. Dhanis, et nous parlons de beaucoup de choses. Puis je repasse au Biblicum[6] voir le P. de Lubac et lui rendre compte de mes impressions.

Ensuite à l'Angélique voir le P. Gagnebet. Tout ouvert et aimable. Voilà près de 2 ans qu'il étudie le concile du Vatican, et son étude a servi pour déterminer quelques points pour lesquels le

---

1. Dom Jean Leclercq, o.s.b., de l'abbaye Saint-Maurice à Clervaux (Luxembourg), est un spécialiste de l'histoire et de la spiritualité monastiques au Moyen Âge.

2. Pericle Felici, archevêque titulaire, est secrétaire général de la Commission centrale préparatoire, et sera ensuite secrétaire général du Concile.

3. Il s'agit toujours des réponses à la consultation antépréparatoire.

4. L'Université pontificale grégorienne est tenue par les jésuites.

5. Encyclique sociale de Léon XIII, publiée le 15 mai 1891.

6. L'Institut biblique pontifical, dirigé par la Compagnie de Jésus.

concile de 1869 faisait jurisprudence : par exemple que les présidents de dicastères romains soient présidents des commissions ; que les secrétaires de congrégations ne fassent pas partie de la commission correspondante...

Il me dit que les consulteurs ont été choisis dans les listes dressées par les nonces. Nous parlons de divers points. Puis du P. Thomas Philippe[1], qu'il m'engage à aller voir, car il est à Ste Sabine.

Je vois ensuite le P. Gillon un bref instant. Un peu caustique, comme toujours. Il me dit que ce sont les évêques allemands qui ont demandé qu'on fasse une grande synthèse doctrinale englobant les affirmations sur Dieu.

Mercredi 16 novembre. – Je vais voir le P. Gregory Baum au Secrétariat Bea[2]. Puis le P. Tromp au « Saint-Office ». Il est extrêmement cordial et presque copain, voire amical. Très préoccupé de la crise de l'autorité, qu'il rattache en grande partie à la Résistance de guerre. Il a raison. Je lui chante mon antienne contre la guerre et la bombe. Il a, en plus passionné, la même réaction que le P. Hürth. S'il n'a pas indiqué de *sub-commissio de re morali sociali*[3] c'est parce que le pape a lui-même désigné une commission pour préparer une encyclique et qu'il faut en attendre les résultats, peut-être même assumer CETTE commission comme sous-commission de la nôtre.

Il faudra rédiger DÈS LE DÉPART en latin, sous peine de quoi on n'arrive pas à donner leur sens précis aux mots. Il me raconte, sous le secret, l'histoire de l'encyclique *Quadragesimo*[4], que trois auteurs

1. Thomas Philippe, o.p., de la province de France, a été régent des études au Saulchoir après la mise à l'Index de Chenu en 1942 ; responsable de l'Eau Vive, Centre international de formation spirituelle et doctrinale fondé en 1948 à proximité du Saulchoir, il en a été démis en 1952 et sanctionné canoniquement par le Saint-Office en 1954, mesure levée dix ans plus tard ; à partir de 1963, il s'engage auprès des personnes handicapées aux côtés de Jean Vanier, ancien de l'Eau Vive, qui fondera les communautés de l'Arche.

2. Secrétariat pour l'unité des chrétiens, présidé par le cardinal Bea, s.j.

3. Sous-commission des questions de morale sociale.

4. *Quadragesimo anno*, de Pie XI, publiée en 1931.

différents ont rédigée dans des langues différentes[1]. De plus, ils n'étaient pas d'accord en tout, et chacun tenait à sa position. Le traducteur, Mgr Parenti[2] a vécu un vrai purgatoire à faire une rédaction unique.

Il me parle de Fenton : celui-ci est très nerveux et a violemment accusé Tromp de l'avoir blessé. Tromp me dit n'avoir pas poussé, parce que Fenton serait capable d'avoir une attaque. Moi, de mon côté, ayant été à côté de lui à la cérémonie de S. Pierre, ai remarqué qu'il éclatait de rire comme un gosse, de grosse façon... Je dis à Tromp qu'aux USA Fenton n'a aucun crédit. Je le sais, me dit-il. Moi, je sais qu'il est là comme ami personnel du cardinal Ottaviani. Le P. Tromp a sur sa table le numéro de la *RSPT* contenant l'article du P. Hamer sur Bolgeni[3]. Cela va être un point de discussion...

Je suggère au P. Tromp qu'il faudrait, sur les divers chapitres que nous avons à rédiger, avoir des rapports du Secrétariat Bea. Il trouve cela inutile. Pour lui, on n'aura à interroger ce secrétariat que pour le paragraphe concernant les rapports avec les chrétiens séparés, et, point plus délicat, avec « les communautés séparées ». Toujours la même structure atomisante et séparante. Ils distribuent tout en chapitres SÉPARÉS et ne voient pas que la pastorale d'un côté, l'œcuménisme de l'autre, doivent être présents comme question et préoccupation, donc aussi comme information, à tous les moments de l'étude et de l'exposé de doctrine.

De même le P. Tromp écarte tout à fait mon idée qu'il importe dès maintenant de fixer un ordre d'exposé, que je souhaiterais être un ordre dynamique et d'annonce du salut. Pour lui, il faut préciser techniquement des THÈSES ; ensuite, on verra dans quel ordre les présenter. Alors que pour moi, l'unité de l'Église, Écriture et Tradition, laïcat, etc., sont conçus autrement selon l'ordre d'ensemble dans lequel on en traite.

---

1. L'encyclique avait été rédigée avec le concours d'experts germanophones et francophones.

2. Probablement Pietro Parente.

3. Jérôme HAMER, « Note sur la collégialité épiscopale », *Revue des Sciences Philosophiques et Théologiques*, 1960, p. 40-50 ; il s'agit du théologien Giovanni V. Bolgeni, s.j. (1733-1811).

De même encore, pour le P. Tromp, l'AC[1] et le laïcat sont presque uniquement des questions PRATIQUES relevant d'une commission non doctrinale instituée *ad hoc.*

Pas d'accord.

Le P. Tromp me dit encore quelques autres choses. Par exemple : les absurdités qui s'écrivent. Une revue allemande de formation des laïcs a écrit qu'on ne pouvait plus dire que notre Église est la seule Église du Christ...

Strasbourg. 17. XI. Soir. – Du « St-Office » je prends un taxi pour être à l'heure à Ste Sabine, où je devrais voir le P. Général à 10 h 30. Je le vois à 11 h. Il va très bien. Depuis un mois il n'a plus aucune impression d'angoisse au cœur. Il a en effet une mine toute reposée. Il me dit que c'est LUI, non le « S. Office » qui m'avait envoyé à Cambridge[2], pensant que j'y serais bien, puisqu'il y avait une bonne bibliothèque et que je m'intéressais aux Anglicans »...

Il me demande si je ferai paraître mon livre sur « la primauté du S. Siège[3] », et, comme je suis très dubitatif, sinon négatif, il me demande pourquoi ? Il me vante l'ouvrage de Scott sur *The Eastern Churches*[4]... Il ne pense vraiment qu'à cela...

Il me dit avoir commencé de jeter un coup d'œil sur *Le concile et les conciles*[5]. Mais il ne peut admettre qu'avec Dom O. Rousseau on parle de « durcissement[6] ». Cela supposerait, dit-il que le dogme était d'abord « soft », puis est devenu dur...

Je vois assez longuement le pauvre P. Th. Philippe, que je n'ai pas vu depuis 1953 peut-être ? Le pauvre Père. Il est très sourd. Il

---

1. Action Catholique.

2. En 1956, Congar passa près d'un an à Cambridge sans aucun ministère, écarté de l'enseignement théologique suite aux suspicions romaines.

3. Le 9 décembre 1955, dans son entretien avec le Maître général de l'ordre de l'époque, Congar avait parlé de son étude sur la primauté de Pierre dans le Nouveau Testament, rédigée à Jérusalem en 1954.

4. S. Herbert SCOTT, *The Eastern Churches and the Papacy*, Londres, 1928.

5. *Le Concile et les conciles. Contribution à l'histoire de la vie conciliaire de l'Église*, Éd. de Chevetogne et du Cerf, 1960 ; ce sont les actes d'un colloque œcuménique tenu à Chevetogne.

6. Voir Olivier ROUSSEAU, « Introduction », p. IX-XIX ; il écrit notamment : « Toute définition dogmatique comporte en soi quelque durcissement » (p. X).

m'expose ses réflexions. Il a exagéré atrocement ses défauts. Il monologue en ponctuant ce qu'il dit de : « quoi ? » « vous voyez ce que je veux dire ? », « vous êtes d'accord ? » Il y a, dans ce qu'il dit, des perceptions aiguës et intéressantes, mais prises dans une construction à lui, ramenées à des « principes » à la fois rigoureux et flous. Il est assez difficile à suivre, assez pénible et fatigant aussi.

Mais je le plains bien sincèrement. C'est atroce, le traitement qu'on lui a fait subir. Il parle de son « épreuve » comme d'une grâce...

Après quoi je vais mettre le P. Hamer au courant de quelques-unes de mes impressions.

L'après-midi, conversation avec Chavasse. Quel bon sens et quel esprit lucide, solide !

Avec Mgr Baron. Il me parle un peu du climat. Il n'est plus à la commission des laïcs, mais à celle des Religieux. Il me dit que l'Opus Dei, qui se répand fantastiquement, répand aussi son idée selon laquelle seuls les membres des Instituts séculiers sont de vrais laïcs !!!!

Il me fait grand éloge du cardinal Marella, qui a bien compris et défendu les choses françaises.

Il me dit que si Maritain[1] venait à mourir, la condamnation de *Humanisme intégral*[2] pourrait arriver. Certains évêques sud-américains ont demandé que le concile la prononce... D'après lui, le fond est ceci : on reproche à Maritain d'avoir soutenu que l'action de l'Église repose sur la sainteté des hommes chrétiens. Il faudrait s'en remettre au système et au Pouvoir pour avoir de la religion. (À Rome même, on s'inquiéterait surtout de la reprise des thèses Maritain EN ITALIE : par ex. la revue *Adesso*, de Milan). Même le cardinal Tardini pense ainsi. Il est très pasteur dans l'œuvre de charité dont il s'occupe ; mais, autrement, il pense que de bonnes élections régleraient les questions.

– Toujours la même lamentable coupure entre le pastoral et l'ec-

1. Le philosophe catholique Jacques Maritain, un des maîtres du néo-thomisme au XXe siècle ; né en 1882, il s'est retiré chez les Petits Frères de Charles de Foucauld après le décès de son épouse Raïssa, survenu en 1960.

2. *Humanisme intégral*, Paris, 1936.

clésiologie. La question de fond est toujours : « *Quid sit Ecclesia*[1] ? » Est-ce l'appareil, l'autorité, ou est-ce la communauté fidèle avec des hommes chrétiens ou s'efforçant de l'être ?

Le cardinal Montini[2], par contre, était de la ligne Maritain.

Ensuite je vois un prêtre basque qui me demande un sujet de thèse ecclésiologique et œcuménique. Je lui dis : Réforme et renouveau, Sainteté et imperfection de l'Église, à la lumière de la relation Église-Royaume et de la perspective eschatologique.

J'achève la soirée à l'Angélique, où je lis des revues qu'on n'a pas ici.

Train à 20 h 40. Je suis à ma table de travail à Strasbourg (où il pleut fort) à 16 heures ce jeudi 17. Je trouve 39 lettres et 7 paquets de livres... !

Le 2 janvier 61. – Dîné et parlé avec l'abbé Caffarel[3], consulteur de la Commission des laïcs. Il voulait me soumettre un texte qu'il a préparé, et un certain nombre de questions, à incidences ecclésiologiques.

Le 23.1.61. – Vu (au presbytère de St Sulpice[4], où je lui avais donné rendez-vous) Mgr Larraín[5], évêque de Talca (Chili), sur le chemin de Rome, également de la Commission des laïcs. Lui aussi voulait avoir mon avis sur un certain nombre de points, en particulier la définition du laïc, de la Mission, de l'Action catholique. Il veut demander qu'avant d'aller plus loin sa commission s'assure d'être d'accord avec la commission théologique sur les notions théologiques qu'elle doit mettre en œuvre. Je le pousse beaucoup à faire

---

1. « Qu'est-ce que l'Église ? »

2. Ancien substitut de la secrétairerie d'État, Giovanni Battista Montini est archevêque de Milan ; il succédera à Jean XXIII en juin 1963 sous le nom de Paul VI.

3. Henri Caffarel, fondateur des Équipes Notre-Dame.

4. Paroisse Saint-Sulpice à Paris.

5. Manuel Larraín Errázuriz, évêque de Talca, membre de la Commission préparatoire de l'apostolat des laïcs, puis membre de la Commission pour l'apostolat des laïcs élu à la première session du Concile. Il est l'artisan de la création en 1955 du CELAM (Conférence épiscopale des évêques d'Amérique Latine) dont il sera le président de 1963 jusqu'à sa mort accidentelle en 1966.

cela et à réclamer une plus grande mise en commun. Il me lit (malheureusement trop vite et avec une accentuation qui m'empêche de saisir le contour exact des mots) un texte latin qu'on leur a donné et qui me paraît être canonico-scolastique. J'insiste sur l'aspect apostolique et pastoral.

Cet évêque du Chili est 100 % dans nos idées ou dans les bonnes idées, comme aurait dit Dom Beauduin[1]. Il me dit avoir lu *Chrétiens désunis*[2] dès sa parution et, depuis, à peu près tous mes livres. Il me dit qu'au Chili je suis très connu et qu'on se réfère à moi, qu'on me suit. Du reste, comme remarquait un Nonce ou un Visiteur apostolique, ou l'évêque espagnol, « au Chili, on parle espagnol, mais on pense français ». Les laïcs y désirent beaucoup prendre leurs responsabilités d'Église. Nous parlons de l'invraisemblable rapport du card. Caggiano[3] au 1er congrès de l'Apostolat des laïcs. Mgr Larraín me dit que Caggiano était un élève de Civardi[4] et que tous deux conçoivent l'A.C. comme une sorte de réplique du fascisme : des organisations disciplinées et spectaculaires. Il a lui-même entendu, soit l'un ou l'autre de ces prélats, soit un autre, dire que la première chose pour l'A.C., était d'avoir un drapeau et de le sortir, avec fanfare. Il me dit que, hélas, l'Argentine est très sous l'influence italienne et assez intégriste. C'est là qu'il y a les Anti-Maritain, qui veulent à tout prix faire condamner Maritain, même par le concile.

---

1. Dom Lambert Beauduin (1873-1960) ; d'abord prêtre du diocèse de Liège, puis bénédictin du Mont-César à Louvain ; en vue de la rencontre entre l'Occident et l'Orient chrétiens, il avait ensuite fondé le monastère d'Amay-Chevetogne, et créé la revue *Irénikon* ; pionnier du renouveau liturgique, il avait également participé à la fondation du CPL (Centre de Pastorale Liturgique) à Paris.

2. Yves CONGAR, *Chrétiens désunis. Principes d'un « œcuménisme » catholique*, coll. « Unam Sanctam » 1, Cerf, 1937.

3. Le cardinal Antonio Caggiano, archevêque de Buenos Aires, avait donné un rapport sur les Fondements doctrinaux de l'apostolat des laïcs. Il est publié dans : COMITÉ PERMANENT DES CONGRÈS INTERNATIONAUX POUR L'APOSTOLAT DES LAÏCS (éd.), *Actes du 1er congrès mondial pour l'apostolat des laïcs*, 1952, premier volume, p. 196-229.

4. Luigi Civardi était, au moment du Congrès, assistant ecclésiastique national des associations chrétiennes des travailleurs italiens ; il devient évêque titulaire en 1962 ; il deviendra membre de la Commission pour l'apostolat des laïcs lors de la première session.

Je parle à Mgr Larraín de la propagande protestante en Amérique du Sud et spécialement au Chili. Je lui demande si ce qui domine est l'apostolat ou la propagande : celle-ci sans doute. Il me répond que c'est nettement l'apostolat, et que c'est authentique. Ils prêchent le kérygme, me dit-il : Jésus sauveur, la repentance et le don à lui.

Cette bonne heure de conversation est extraordinaire. Nous coïncidons sur tous les points : sur le laïcat, sur les personnes, sur l'idéal et le besoin d'ouverture...

Le jeudi 26.1.61. – Sur le chemin de mon retour de Ligugé à Strasbourg, je dîne au CCIF[1] : l'abbé Biard[2] m'a invité, parce qu'il doit y avoir le Nonce[3] et Mgr Gouet[4], secrétaire de l'Épiscopat.

Celui-ci (qui arrive en retard) est originaire du Mans. C'est un homme très « secrétaire », c'est-à-dire un peu secret, qui ne livre rien et entoure son silence d'une gaine d'amabilité.

Le Nonce, Mgr Bertoli est un tout autre homme. Avec lui aussi, je coïncide. Il est intelligent, il blague, il traite les hommes en hommes, voire en frères. Il s'intéresse à l'aspect sacerdotal et pastoral des choses. On le croirait français tant ses approches sont françaises. Il est décidément œcuménique bien que ses postes de Constantinople et de Beyrouth n'aient été pour lui que des lieux de passage rapide.

Il faudra que je le revoie en tête-à-tête.

21.2.61. – J'apprends par une lettre du P. de Lubac qu'il s'est tenu une réunion de la Commission théologique. Je n'en savais rien. Deux hypothèses sont possibles. Ou bien, à Rome, on considérait dès novembre cette réunion comme fixée et nous y étions

1. Centre Catholique des Intellectuels Français.

2. Pierre Biard, prêtre du diocèse de Paris, est alors assistant ecclésiastique du CCIF.

3. Paolo Bertoli est nonce apostolique à Paris depuis avril 1960 après avoir été successivement délégué apostolique en Turquie, nonce apostolique en Colombie puis au Liban ; il deviendra plus tard cardinal et préfet de la Congrégation pour la cause des saints.

4. Julien Gouet, du diocèse du Mans, est directeur du Secrétariat général de l'épiscopat français ; il sera plus tard évêque auxiliaire de Paris.

invités en principe. Mais je n'ai pas le souvenir qu'on nous ait rien dit de PRÉCIS. Ou bien on n'a pas voulu m'inviter. Il se pourrait alors qu'on n'ait invité, des consulteurs, que ceux auxquels on avait demandé un *votum* qu'on devait discuter dans cette réunion[1]. Mais il se pourrait aussi qu'on ait omis intentionnellement de m'inviter, alors qu'on a parlé de l'Église et que le P. Gagnebet m'avait dit que j'étais rattaché à la sous-commission de l'Église.

Cela me donne le cafard. Il m'apparaît clairement que je ne pourrai faire entendre ma voix. Je crains qu'on ne prépare de l'assez mauvais, de n'y rien pouvoir et de laisser mon nom lié à des thèses que je ne partage pas.

Que faut-il faire ?

En tout cas, Mgr Dubois veut avoir une petite réunion chez lui avec Lubac, moi, peut-être Laurentin et Bride[2]. Je verrai à ce moment-là.

3-4 mars 1961. – Je rentre de conférencer à Bruxelles et Louvain. J'ai pu voir Mgr Philips de 35 à 40 minutes entre ma conférence et le moment où il fallait repartir pour Bruxelles. Je lui ai demandé ce qui s'est passé à la réunion récente de la Commission. Voici ce qu'il me raconte.

Il y a un schéma *De Ecclesia*[3], rédigé par Mgr Lattanzi[4], professeur de théologie fondamentale à l'Université du Latran. Il a fait trois rédactions successives, qui ont toutes été remises aux membres. Mais ceux-ci n'ont reçu ces papiers que le dimanche, veille du jour (le 13 fév., je crois) où se tenait la session. En sorte que les membres et consulteurs n'ont pas pu lire tous les (nombreux) papiers qu'on leur a ainsi remis. Philips me dit que ce schéma est peu satisfaisant. Aussi lui, Philips, a proposé qu'on adopte l'idée de « peuple de

1. C'est en tout cas la raison que lui donneront plus tard Gagnebet et Tromp.

2. André Bride, du diocèse de Saint-Claude, doyen de la faculté de droit canonique aux Facultés catholiques de Lyon, est consulteur de la Commission théologique préparatoire.

3. De l'Église ; il s'agit, plus précisément, du premier chapitre de ce schéma : *De Ecclesiae militantis natura* (De la nature de l'Église militante).

4. Ugo Lattanzi, doyen de la faculté de théologie du Latran, consulteur de la Commission théologique préparatoire ; il sera nommé expert du Concile en 1962.

Dieu », qui aurait l'avantage de manifester le lien historique entre Israël, le Christ, l'Église.

Mais, me dit-il, le P. Tromp lui a dit que, pour lui, cette idée historique ne représentait rien d'intéressant.

Tromp a été écarté de la rédaction de ce schéma, sous l'influence de Fenton, agissant auprès d'Ottaviani.

Je trouve tout cela misérable et cela me remplit d'une tristesse sans bornes.

Il y a eu discussion sur les membres de l'Église et la situation des chrétiens non catholiques. On a passé en revue les façons d'exprimer leur situation : *voto, ordinati ad*[1]... Le P. Tromp reprendrait volontiers la distinction entre *Communio sanctorum*[2] et *communio sacramentorum*[3]. Philips me dit l'appuyer : non tant qu'il estime cette distinction parfaite, mais pour garder la question ouverte. Les dissidents appartiendraient éventuellement à la *communio sanctorum.* Je crois, moi, qu'on ne peut s'en sortir sans faire appel à l'eschatologie, au salut eschatologique.

Mgr Journet est intervenu avec force pour dire qu'on ne peut appeler les protestants actuels « hérétiques ». Il est intervenu à un autre moment, dans la discussion sur le point de savoir si l'on parlera d'Église ROMAINE. Pour Journet, c'est un nom d'humilité, comme « Nazaréen » pour le Christ... !!! Quel irréalisme !

On a aussi discuté sur la question de la démonstrabilité de l'existence de Dieu. Le texte a été préparé par le P. Ciappi. Il paraît que c'est un chapitre de philosophie d'il y a cinquante ans, avec citation de Zigliara[4]. Une majorité s'est déclarée pour l'affirmation de la possibilité d'une DÉMONSTRATION rationnelle proprement dite. Car, disent-ils, nous avons professé cela des dizaines de fois en prêtant le serment antimoderniste[5]. Philips est intervenu pour dire, en invoquant Max Scheler, qu'il peut exister une appréhension INTELLEC-

1. De désir, ordonnés à.
2. Communion des saints.
3. Communion des sacrements.
4. Tommaso Zigliara, o.p. (1833-1893), auteur de plusieurs ouvrages de philosophie néo-thomiste, créé cardinal par Léon XIII.
5. Serment imposé par Pie X aux prêtres pour lutter contre le modernisme, toujours en vigueur au moment du Concile.

TUELLE de l'existence de Dieu qui ne soit pas une démonstration logique.

Il a proposé aussi qu'on parle d'abord de la vérité, et qu'on en parle BIBLIQUEMENT. Il voudrait qu'on montre la vérité ayant son fondement absolu en « Dieu », se communiquant au Christ et dans le Christ, puis de celui-ci à l'Église, appui et colonne de la vérité. Mais le P. Gillon, qui était à côté de Philips, lui a dit que, selon lui, la Bible envisage la vérité comme celle du jugement vrai, donc de façon philosophique...

La Commission a fixé sa prochaine session au 18 sept. ; ensuite, au 20 novembre.

Philips me dit qu'on lui a demandé un *« votum » De laicis*[1], comme chapitre particulier du schéma *De Ecclesia.* Il ignore – je le lui apprends – que le P. Tromp m'en a demandé un il y a deux mois[2].

Qu'est-ce que tout cela veut dire ? Tromp procédait-il *motu proprio* ? Pensait-il, à ce moment, rédiger le schéma *De Ecclesia* ? Ce que j'ai fait est comme non existant.

Il semble qu'une clique obscurantiste (Fenton – Ottaviani ; le Latran) veuille accaparer le travail éventuel.

Je suis très oppressé, écrasé même, par tout cela. Mais quoi faire ?

En rentrant de Bruxelles à Strasbourg (3 mars), je vois un moment le P. de La Potterie[3], qui va à Rome, où il enseigne un semestre. Il me donne de nouveaux échos de l'entreprise intégriste menée par Piolanti et le Latran. En particulier, il me raconte par le menu l'histoire des attaques du Latran, dans *Divinitas*[4], contre 1°) l'*Introduction à l'Écriture Sainte*, préfacée par Mgr Weber[5] ; 2°)

1. Des laïcs.

2. Tromp avait demandé ce *votum* à Congar le 26 novembre 1960 et Congar lui avait envoyé un texte le 10 décembre suivant.

3. Le jésuite belge Ignace de La Potterie est exégète et enseigne à l'Institut biblique pontifical.

4. Voir A. ROMEO, « L'Enciclica "Divino afflante spiritu" e le "Opiniones Novae" », *Divinitas*, décembre 1960.

5. A. ROBERT et A. FEUILLET (dir.), *Introduction à la Bible*, Tournai, Desclée & Cie, 1957-1959 ; le tome I, déféré au Saint-Office, reparut en 1959 dans une nouvelle édition qui ne comportait que quelques retouches, mais sans aucune modification de fond ; le tome II parut sans encombres en 1959.

l'Institut biblique de Rome. C'est le même Mgr Romeo[1], qui mène l'attaque. L'Institut biblique a demandé à Piolanti une rectification dans *Divinitas*. Sur le refus de Piolanti, l'Institut biblique a fait l'article collectif de réponse dans *Verbum Domini*[2].

Le pape a fait savoir à l'Institut biblique qu'il désapprouvait cette campagne. Mais il laisse en place les hommes. Il finira par voir toutes ses intentions trahies.

Que tout cela est misérable !

Un homme sur quatre est Chinois ; un sur trois est en régime communiste ; un chrétien sur deux est non catholique...

Je reçois ce 4 mars un coup de téléphone de Mgr Elchinger. Il me dit, pour l'attaque Romeo, que Mgr Weber avait, comme il m'avait dit vouloir le faire, écrit au card. Bea. Il a reçu de celui-ci une réponse lui disant : l'affaire est sérieuse. Inutile d'écrire au card. Tisserant, qui est dans le coup. Il faut écrire directement au pape. Ce que Mgr Weber est en train de faire.

DANS *LA CROIX* DU 7 MARS, INTERVIEW DU CARD. KÖNIG[3]. IL DIT AVEC AUTORITÉ ET COURAGE DES VÉRITÉS.

12.3.61. – Il y a quinze jours ou trois semaines, j'avais vu le P. Bouyer[4], qui était rentré de Rome et d'Italie depuis peu. Il m'avait donné quelques informations d'abord concernant *Divinitas* et l'article de Romeo. Puis concernant la Commission des Études, dont il est consulteur. Il y a, à cette Commission, un *votum* de la Congrégation des Séminaires et Universités qui demande en particulier 1°) de supprimer la mixité dans les universités catholiques ; 2°) de rapporter toutes les concessions de langue vulgaire qui ont été faites en matière d'enseignement.

---

1. Le bibliste Antonino Romeo, du diocèse de Reggio di Calabria, travaille à la Congrégation des séminaires et des universités.

2. « Pontificium Institutum Biblicum et recens libellus R.mi D.ni A. Romeo », *Verbum Domini*, 1961, p. 3-17.

3. Le cardinal Franz König est archevêque de Vienne. Il sera membre de la Commission doctrinale dès la première session du Concile.

4. Le théologien Louis Bouyer, de famille protestante, a été pasteur avant d'entrer dans l'Église catholique ; devenu prêtre de l'Oratoire, il enseigne à la faculté de théologie de l'Institut Catholique de Paris ; il est consulteur de la Commission préparatoire des études et des séminaires.

Une fois de plus, dans quel monde vivent-ils ? Dans aucun, sinon dans le leur, qui est tout de fictions et de volonté d'autorité.

Or vendredi soir [[10]], j'ai reçu une lettre de Tollu[1] m'annonçant que, par lettre du 15 février au Supérieur Général de St-Sulpice, Pizzardo[2] avait interdit la publication d'un Manuel destiné à l'usage des séminaires qui serait rédigé en langue vulgaire. Cf. mon dossier sur la question : Manuel Dogme St-Sulpice[3].

Je vais voir Mgr Weber, le 11 mars, pour parler confidentiellement de cela et de l'offensive intégriste Latran-Romeo, etc. Il est au courant de la question du Manuel et me dit même qu'il y a plus que ce que Tollu m'a communiqué. 1°) il est dit que la Congrégation interdit la publication de ce manuel pour d'autres raisons aussi ; 2°) que même si on publiait, non comme manuel, mais comme livre auxiliaire (allusion à l'Introduction biblique), on encourrait des difficultés.

Je suis absolument révolté par ce misérable abus de pouvoir. AU NOM DE QUOI Pizzardo, qui est un imbécile et apprécié comme tel par tout le monde, profère-t-il ces menaces ? Il n'est fort que parce qu'on obtempère à tous les coups. Les évêques français, qui sont, eux, de droit divin, devraient ne tenir aucun compte de mesures de

1. François Tollu, p.s.s., supérieur du Séminaire des Carmes (Séminaire de l'Institut Catholique de Paris) ; il s'agit probablement de la lettre circulaire de Tollu et C. Bouchaud datée du 8 mars 1961 et adressée à tous les collaborateurs du projet de manuel ; elle disait ceci : « Une lettre de S. Ém. le Cardinal Pizzardo adressée le 15 février au Supérieur Général de Saint-Sulpice interdit la publication d'un Manuel destiné à l'usage des séminaires qui serait rédigé en langue vulgaire. Des démarches sont faites auprès de la Sacrée Congrégation des Séminaires par des autorités ecclésiastiques de France afin d'obtenir la révision de la décision qui nous atteint » ; Tollu ajoutait de sa plume à Congar que le cardinal Feltin avait l'intention d'intervenir auprès du pape.

2. Le cardinal Giuseppe Pizzardo est préfet de la Congrégation des séminaires et des universités et président de la Commission préparatoire des études et des séminaires ; il sera ensuite président de la Commission conciliaire des séminaires, des études et de l'éducation catholique.

3. Un compromis sera établi, stipulant que les thèses défendues dans les différents volumes de ce manuel seraient traduites en latin. Congar inaugurera la collection intitulée « Le Mystère chrétien » par *La Foi et la Théologie*, Tournai, Desclée, 1962, rédigé dès 1958-1959.

ce genre. La vérité ni la théologie n'appartiennent à Pizzardo, ni à une Congrégation romaine des séminaires et universités.

Je dis tout cela à Mgr Weber, mais il ne semble pas disposé du tout à reprendre une liberté qu'on nous a purement et simplement volée. Pourtant, une fois de plus, il me parle contre l'intégrisme et me raconte l'affaire Brassac[1]. On avait dit à Brassac que tout était très bien et qu'avant quinze jours il aurait une approbation de son excellent manuel. Mais ce que les journaux lui apportaient, c'était une mise à l'Index. Et dans des conditions odieuses, me dit Mgr Weber : on devait lire, devant tous les élèves rassemblés, une condamnation dans laquelle il était dit que le Manuel était pénétré d'un bout à l'autre et en toutes ses parties d'esprit moderniste, il n'était même pas susceptible d'être corrigé !!!

Mgr Weber me lit la lettre que le card. Bea lui a répondue au sujet des attaques Romeo. Il y est dit seulement du card. Tisserant que celui-ci est au courant. Mgr Weber me lit aussi sa lettre au pape, très ferme, évoquant le temps de la Sapinière[2] (sans le nom), annonçant que, venant à Rome fin mai, il l'entretiendra de cela. Et en effet, il veut le faire.

Je réponds à Tollu assez brutalement[3]. Je pense vraiment que les

---

1. Auguste Brassac, qui avait réalisé plusieurs mises à jour du *Manuel biblique* de Louis Bacuez et Fulcran Vigouroux, vit l'une d'elles mise à l'Index en 1923 par le Saint-Office ; voir Bernard MONTAGNES, o.p., *Le Père Lagrange*, Paris, Cerf, 1995.

2. Réseau intégriste du début du siècle.

3. Congar répond effectivement à Tollu ce 12 mars 1961 (Archives Congar) : « Je pense que cela rentre dans un ensemble plus vaste : celui d'une réaction, au sens le plus spécifique et quasi politique du mot : réaction de gens qui veulent se cramponner à certaines structures d'influence, dont ils occupent les postes clefs. Le latin est une de ces structures : on le maintiendra tant qu'on pourra. Comme me le disait Mgr Weber hier : il permet de ne pas penser. Il y a, présentement, dans le climat humainement et chrétiennement si sympathique du pontificat de Jean XXIII, une camarilla réactionnaire et bêtement étroite, qui se manifeste de plus d'une manière et tente de garder les fenêtres fermées. » Puis il évoque, en contrepoint, les défis de l'évangélisation et conclut sur l'attitude à adopter : « Je trouve cependant que les évêques français pourraient ne tenir aucun compte de certaines menaces. Eux sont de droit divin... Et au nom de quoi élève-t-on ces menaces ? Quel titre a-t-on pour cela ? C'est tout de même une question qu'on pourrait poser. Une liberté volée se reprend sans transgression. »

évêques français devraient passer outre et ne tenir aucun compte des menaces séniles d'un imbécile. Mais jamais ils n'auront entre eux l'unanimité de sentiments qui leur donnerait l'audace de faire cela.

Sur l'invitation de Mgr Dubois, archevêque de Besançon, j'ai été à Besançon les 27-28 mars. Mgr Dubois voulait réunir quelques membres de la Commission théologique, pour « faire un tour d'horizon ». Il avait invité le P. de Lubac (qui avait insisté auprès de moi pour que j'y aille), Mgr Bride, l'abbé Laurentin et moi. Malheureusement, le P. de Lubac, malade, au lit, n'a pu venir.

Au point de vue accueil et cordialité, cela a été charmant. Mais on ne peut pas dire qu'il y ait eu un contenu substantiel. Mgr Dubois n'a pas grande idée théologique. Pourquoi est-il l'évêque français de cette commission ? C'est la question que tout le monde pose, y compris dans l'épiscopat, sans y apporter de réponse... Est-ce la protection de Mgr Grente[1] ? Il ne nous a pas dit grand-chose et, même au plan de l'information, j'en ai moins appris en une journée qu'en 25 minutes auprès de Mgr Philips. Le soir du lundi 27, c'était fini, et Laurentin est reparti, ne voulant pas interrompre un travail personnel en cours... Je suis resté à Besançon, hôte de Mgr, toute la journée du mardi, pour dépouiller les volumes de *Vota*, qu'il a en quasi-totalité. J'ai beaucoup travaillé et ne regrette pas ma peine, encore que je n'aie pas pu finir. J'ai noté l'endroit où j'en suis resté et tâcherai de continuer à l'Ascension.

Mgr Bride, doyen de la Faculté de droit canon de Lyon, est un homme charmant, très informé et très efficace en droit canon, mais qui est d'un positivisme juridique effroyable. Pour lui, le pape est le vicaire du Christ, en ce sens qu'il a vraiment, derrière le Christ, les pouvoirs du Christ lui-même, par ex. sur les sacrements. Je n'ai rencontré aucun homme qui aille aussi loin en ce sens, sauf chez les canonistes de Grégoire VII, du XIIIe et début XIVe siècle. Je le contredis calmement, mais résolument.

Les 6-9 avril, Colloque de Christologie à Éveux[2]. J'y vois le P. K.

---

1. Prêtre du diocèse du Mans, Marcel-M. Dubois avait été le disciple et l'ami du cardinal Georges Grente, son évêque, décédé en 1959.

2. À l'Arbresle, alors couvent d'études de la Province de Lyon. Les travaux

Rahner[1]. Il a contre lui le card. Ottaviani, qui résumait récemment sa position sur la Messe, en ces termes : pour Rahner, une messe pieuse est préférable à cent messes non pieuses... Il y a donc barrage contre lui. Mais le card. König et deux ou trois autres évêques ont insisté pour qu'on le nomme à une commission du concile. On vient de le nommer Consulteur à celle des Sacrements... Il voit là une dérision.

Mgr Marty, archevêque de Reims, a assisté à tout le colloque. L'évêque résidant de Saint-Étienne[2] à une partie. Le cardinal Gerlier et Mgr Villot[3] ont assisté à mon exposé. Je parle avec Mgr Marty. Il me raconte que, quand il est allé à Rome comme membre de la Commission des Études, le cardinal Pizzardo s'est mis à genoux devant lui et lui a demandé sa bénédiction ! Mgr Marty, se refusant à bénir un cardinal, a fait le même geste de son côté. Ils se sont trouvés tous deux face à face, à genoux, assez ridiculement, me dit-il. Il me dit – ce qui est plus sérieux – qu'il y a, dans la Commission, une unanimité de tous les autres contre les membres de la Commission qui sont de la Congrégation des Séminaires et Universités. C'est, d'après ce que j'entends dire partout, ce qui se passe dans à peu près toutes les commissions.

Mgr Marty dit : il en restera quelque chose. Les évêques ont pris goût à se voir, à parler ensemble. On a beaucoup perdu, depuis des décades, à ne pas se voir. On devrait avoir des rencontres régulières. Et Mgr Marty pense que nous entrons dans une ère conciliaire.

Après Éveux, je suis allé à un Colloque franco-britannique sur

---

de ce colloque ont été édités : H. BOUËSSÉ et J.-J. LATOUR (éd.), *Problèmes actuels de christologie. Travaux du symposium de l'Arbresle 1961*, Bruges, 1965.

1. Karl Rahner, s.j. est un des théologiens majeurs du XXe siècle ; il enseigne à Innsbruck, puis à partir de 1964, à Munich ; consulteur de la Commission préparatoire de la discipline des sacrements, il sera nommé expert du Concile en 1962.

2. Marius Maziers, évêque auxiliaire de Lyon.

3. Jean Villot, archevêque coadjuteur de Lyon ; à la mort du cardinal Gerlier, en janvier 1965, il lui succédera comme archevêque de Lyon et sera créé cardinal le mois suivant ; il sera sous-secrétaire du Concile durant les trois premières sessions ; il sera plus tard préfet de la Congrégation pour le clergé, puis secrétaire d'État du pape Paul VI. L'*Avant-propos* de H. Bouëssé précise qu'il amena le cardinal Gerlier pour la leçon du P. Congar (p. 10).

l'Autorité, à l'abbaye du Bec[1]. Là, Mgr Martin est venu une journée, son auxiliaire aussi[2]. De plus, Mgr Roberts[3] a participé à tout. Il me raconte (et il raconte à d'autres...) qu'il a eu des ennuis pour son *Black Popes*[4] et la traduction française. Si je comprends bien, il aurait eu un procès devant le « St-Office ». On lui a demandé de supprimer, dans une réédition éventuelle, deux chapitres historiques dans lesquels il dit qu'il y a eu des abus, des malfaçons, et de mauvais papes : bref, supprimer tout ce qui pourrait porter atteinte au « prestige de l'Église » ou à l'honneur du Saint-Siège.

Toujours la même chose, le même trucage, portant sur les mêmes points.

Mgr Roberts a réagi, il a vu le pape, lui a écrit. Du reste, on ne lui a pas demandé d'enlever les pages de critique à l'exercice ACTUEL de l'autorité : et c'est à celles-là que lui-même tient le plus...

12.7.1961. – Je vois Mgr Willebrands. Le climat romain ne semble pas être très intéressant. Il le voit dominé par deux grandes préoccupations, psychologiquement parlant :

1°) « Ne pas se pencher au-dehors » : *Pericoloso di sporgersi ! Nicht hinauslehnen !*

2°) Volonté de *tenderezza*, de gentillesse. Ne pas faire de peine ; c'est pourquoi on dit OUI un peu à tout le monde, sans prendre un parti franc, et on arrange ensuite les choses, soit par les compromis, soit par une neutralisation mutuelle.

J'écris au Saint Père, via le Nonce (cf. hic : doubles[5]).

---

1. L'abbaye bénédictine du Bec-Hellouin en Normandie ; Congar en donnera publication dans : *Problèmes de l'Autorité*, coll. « Unam Sanctam » 38, Cerf, 1962.

2. Joseph-M. Martin, archevêque de Rouen, et André Pailler, son auxiliaire, qui deviendra son coadjuteur en mai 1964.

3. Thomas Roberts, jésuite, ancien archevêque de Bombay.

4. Thomas ROBERTS, *Black Popes. Authority : its Use and Abuse*, Londres, 1954 ; traduction française : Thomas ROBERTS, *Réflexions sur l'exercice de l'autorité*, Cerf, 1956.

5. Dans sa lettre au pape, datée du 12 juillet, Congar écrit :

« Très Saint Père,

Un de vos fils vient vous dire son angoisse et sa peine.

Appelé, par une vocation intérieure, au travail œcuménique, en 1929, je suis Consulteur de la Commission Théologique du futur Concile. Votre Sainteté a

24.8.61. – Conférence catholique pour les questions œcuméniques[1].

Le P. Dumont me dit que, quand le Secrétariat pour l'unité a demandé une commission mixte avec la commission théologique, on a répondu qu'il n'y avait de commission mixte qu'entre commissions et que, si la commission théologique avait une réunion avec le Secrétariat, la commission garderait son entière liberté de jugement : c'est ELLE qui déciderait. Tandis que, quand il y a vraiment commission mixte, la décision est une décision de cette commission mixte elle-même.

Ainsi quand, en novembre dernier, le mot de « commission »

---

répété souvent que le Concile est une affaire interne de l'Église Catholique, mais qu'il devrait viser à disposer et faire progresser toutes choses d'une façon qui serve finalement la cause de l'unité chrétienne.

Votre Sainteté sait quel intérêt ardent et quels immenses espoirs le concile a suscités dans le cœur des hommes, à travers le monde entier. Cet intérêt, ces espoirs, tiennent surtout à la perspective unionique ainsi ouverte.

Pour que ce but lointain du Concile soit assuré, il faudrait qu'il soit présent à tout le travail préparatoire du Concile et au Concile lui-même : que tout soit fait en tenant compte de cette intention et des exigences qu'elle implique.

Or ce que je vois du travail de ma Commission, ce que je peux savoir ou entendre dire du travail des autres, à l'exception du Secrétariat pour l'Unité, me fait penser qu'il n'en est rien. Tout, ou presque tout, se fait comme si le Concile n'avait pas cette téléfinalité. Le Secrétariat pour l'unité travaille très bien, mais sans que son travail entre dans celui des Commissions. Quand enfin il communiquera à celles-ci un certain nombre de rapports, il sera trop tard : le travail sera déjà fait et on ne le recommencera pas. D'ailleurs, souvent, les hommes qui travaillent pour le concile n'ont, ni l'esprit œcuménique, ni la formation ou l'information qui feraient d'eux des travailleurs œcuméniques, et qui exigent 1°) une vocation ; 2°) de longues années de travail.

Très Saint Père, si les espoirs éveillés dans les cœurs étaient déçus ! Si la chance exceptionnelle du Concile était perdue ! Voilà mon angoisse, ma peine.

Je prie chaque jour pour Votre Sainteté, pour le Concile, pour les membres de la Curie Romaine et des Commissions. Et pour toutes les intentions catholiques.

C'est dans ces sentiments, et dans la charité du Christ, que je suis, de Votre Sainteté, le très humble et très obéissant serviteur.

Fr. Yves Marie Joseph CONGAR,
des Frères-Prêcheurs. »

1. Elle a lieu à Strasbourg sur le thème « Le renouveau dans l'Église ».

m'ayant échappé pour parler du Secrétariat Bea, le P. Tromp m'a fait remarquer que ce n'était pas une commission, mais un secrétariat. Et l'on savait déjà parce qu'on y était décidé, parce qu'on l'avait voulu ainsi, que le secrétariat pour l'unité n'interviendrait pas vraiment dans le travail préparatoire.

Plus je vais, plus je trouve que le défaut n° 1 de l'organisation romaine est le cloisonnement. Chaque chose a son lieu spécial. C'est bien lorsqu'il s'agit d'administration, et de savoir de quel bureau relève une question. C'est un bon principe d'administration. Ce n'est, ni un principe de travail pour une intelligence qui veut atteindre le réel, ni un principe pastoral.

Ces derniers jours, j'ai lu de très près les textes finaux de la Commission théologique. Il y a de bonnes choses. Le chap. *De Laicis* rejoint assez exactement mes idées et mon propre papier. Il a été rédigé par Mgr Philips. Cependant, l'ensemble présente, à mes yeux, trois énormes défauts :

1°) C'est très scolastique, et même très scolaire. C'est beaucoup plus une série de chapitres d'un bon manuel. Certains chapitres sont purement philosophiques : en particulier *De ordine sociali*[1], dont le rédacteur doit être un italien.

2°) C'est un résumé des documents pontificaux depuis un siècle : une sorte de *syllabus* de ces documents, y inclus les DISCOURS de Pie XII. Cela a l'inconvénient d'accentuer la dénonciation des erreurs que ces documents ont successivement dénoncées. Parfois d'erreurs anciennes. On tue une fois de plus un modernisme mort... On ferraille contre l'Étreinte réservée[2]... Mais surtout, la SOURCE n'est pas la Parole de Dieu : c'est l'Église elle-même, et même l'Église réduite au pape, ce qui est TRÈS grave.

3°) Il n'y a RIEN d'œcuménique. La seule allusion œcuménique se trouve dans le chapitre sur la Vierge Marie, pour dire que la Mère de Dieu est réunissante, est un élément d'union entre les

1. De l'ordre social.

2. En 1952, le Saint-Office avait réprouvé cette méthode de régulation des naissances, défendue notamment par le docteur Paul Chanson, avec l'appui d'Henri Féret, o.p., ami proche de Congar. Voir le chapitre 6 du livre de Martine SEVEGRAND, *Les Enfants du bon Dieu. Les catholiques français et la procréation au XXe siècle*, Paris, Albin Michel, 1995.

chrétiens. Ce qui ne représente qu'une vérité lointaine, théorique, sinon une fiction, et, au point de vue concret immédiat, une contre-vérité. Je pense que, si je faisais cette remarque à des Romains, ils me répondraient qu'il y aura un chapitre sur l'œcuménisme. Et en effet, il y en aura un, rédigé par le P. Witte, mais que je n'ai pas encore reçu. Une fois de plus, on revient au compartimentage : l'œcuménisme n'a pas à intervenir dans le travail théologique – par exemple sur Écriture et Tradition – : c'est un bureau spécial, il a son spécialiste...

Don Colombo me dit, ce même jour, que cela vient du cardinal Ottaviani ; que, sous la décision de celui-ci, la commission théologique n'a accepté, jusqu'ici, de discuter avec personne, pas même avec des Commissions proprement dites telle que la Commission liturgique. Mais, ajoute-t-il, il n'est pas sûr que cette attitude sera maintenue dans l'avenir. La question sera finalement décidée par le Pape.

Le P. Tromp aurait laissé entendre qu'après le travail des Commissions, quand les textes seraient définitivement fixés, il y aurait un moment de contact entre les Commissions.

Au fond, le card. Ottaviani a vraiment conçu les choses comme prolongement du S. Office, « Suprême Congrégation ».

Les projets de « Constitutions » que j'ai reçus sont évidemment des travaux sérieux. Je leur vois cependant trois très graves défauts. J'ai hésité à rédiger une critique d'ensemble dans le sens de ce que je note ici. Je ne l'ai finalement pas fait parce que le travail qu'on me demandait a ses règles. Il comporte des observations précises sur chaque document, que les Services répartiront en effet sur les différentes sous-commissions. À QUI adresser des remarques générales qui seraient finalement le procès de la Curie et de ses exécutants ?

Mes trois critiques ne sont pas sans relation l'une avec l'autre :

1°) C'est très scolastique. On croirait avoir dans les mains un extrait d'un bon manuel de théologie, ou parfois de philosophie. Car c'est aussi très philosophique. Le *De Ordine sociali* est un cours de droit naturel ou de sociologie rationnelle. Il y a peu de spécifique chrétien là-dedans.

2°) Il n'y a aucune perspective, aucun souci œcuménique. La seule mention en ce sens est celle que fait le P. Balić à la fin de son chapitre sur la Vierge Marie. Et c'est pour dire que Marie unira les chrétiens. Alors que son chapitre, relativement modéré, sera un nouvel élément d'éloignement, non seulement des protestants, mais des Orthodoxes. Tout se passe comme si le concile n'avait pas pour téléfinalité de favoriser la réunion des chrétiens.

3°) C'est très peu biblique (sauf le *De laicis* et quelques morceaux du *De ordine Morali*[1]). L'Écriture ne vient guère qu'en citation ornementale, par mode d'une certaine solennité du style et par conformité à un genre littéraire. On n'a pas CHERCHÉ ses déterminations comme à la source de toute détermination prétendant à être normative. Les déterminations sont acquises, et elles le sont dans les encycliques, discours et *effata*[2] divers des papes, de Pie IX à Pie XII. LA source, c'est l'Église. Je vois là l'aboutissement tragique du mouvement dont j'ai dessiné l'histoire dans ma *Tradition.* Il y a actuellement une véritable dualité dans le comportement romain. D'un côté, les papes proclament que la source et la règle de tout est l'Écriture et la Tradition, et qu'ils ne font, eux, que la garder et l'interpréter. Mais, d'un autre côté, ils agissent, et ils veulent qu'on agisse – et ils font tout, avec une puissance implacable, pour qu'on agisse – comme si eux-mêmes étaient la source.

Le P. Colombo m'a dit : pour le P. Tromp, une encyclique est au-dessus d'un texte clair de l'Écriture.

Tout le travail a été mené comme si les encycliques étaient LA source nécessaire et suffisante.

C'est une *novitas*[3], au sens technique qu'a ce mot en théologie.

Quoi faire ? J'ai critiqué de mon mieux des points précis. Comment exprimer une critique de fond et d'ensemble ? Je crois que j'y serai amené de vive voix à Rome, si l'on répond à mes critiques, en particulier en mariologie, en invoquant les paroles pontificales. C'est extrêmement grave.

Séjour à Rome de sept. 1961. Je ne veux pas emporter ce cahier

---

1. De l'ordre moral.
2. Ce mot araméen (Mc 7, 34) désigne ici ironiquement les interventions intempestives des papes.
3. Nouveauté.

en voyage. J'en emporte un autre, dont j'enlève les feuillets au retour et les insère dans ce cahier.

De même nov. 61. Appelé par le P. Gagnebet pour la discussion de la sous-commission sur l'œcuménisme (sur quoi j'ai fait un *Votum* au début d'octobre[1]), j'emporte l'autre cahier.

Dimanche 17 sept. 1961. – Décollage à 7 h 30 ou 7 h 40. On ne fait que survoler des montagnes : Vosges, Jura, Alpes. On passe au coin Ouest du lac de Genève et à la verticale de Grenoble.

Escale d'une heure à Nice. Quel soleil ! Caravelle.

Aérodrome de Rome à 12 h 50. Mais que l'aérodrome est ridiculement loin de la ville ! Je suis à l'Angélique à 13 h 30.

Conversation avec le P. Witte, qui me dit que je devrais venir m'installer à Rome pour l'épauler devant le concile dans les questions d'œcuménisme. Il me raconte différentes discussions.

Visite au P. de Lubac, au P. St. Lyonnet[2].

Vu aussi PP. Gillon, Labourdette, Gagnebet, et le Nouveau Recteur de l'Angélique, P. Sigmond[3].

Lundi 18. – Session à 9 h 30 à la Chancellerie. On se salue, on se retrouve, on se présente. Pas tout le monde, car cela fait beaucoup : près de soixante personnes. Dans la salle, salle de palais romain à haute travure, les membres sont assis autour d'une table qui forme un rectangle très allongé. Les consulteurs sont assis derrière eux sur de simples fauteuils dont le bras droit se termine comme une petite table très pratique. Il est convenu que les membres par-

---

1. Ce *votum*, achevé le 18 octobre, fut imprimé le 27 octobre par la Commission théologique préparatoire.

2. Stanislas Lyonnet, s.j., professeur d'exégèse du Nouveau Testament, est doyen de la faculté biblique de l'Institut biblique pontifical ; il sera suspendu de son enseignement de 1962 à 1964.

3. Raymond Sigmond, o.p., de la province de Hongrie, sociologue, est le président de l'Institut des sciences sociales de l'Angélique dont il est en outre le recteur jusqu'en 1964 ; il est consulteur de la Commission théologique préparatoire, puis expert du Concile en 1962 ; il sera nommé membre de la Commission pour l'étude des problèmes de la population, de la famille et de la natalité en 1965, puis consulteur du Secrétariat pour les non-croyants en 1966.

lent comme ils veulent et votent ou décident seuls. Les consulteurs ne parlent que s'ils sont interrogés. Aucun n'a parlé ce matin. Par contre, on a tenu compte de leurs remarques écrites.

Après un discours d'ouverture du card. Ottaviani et un rapport du P. Tromp, on aborde le texte de la nouvelle profession de foi[1]. Pour chaque phrase, le rapporteur – *in casu*[2] le P. Tromp – lit la phrase, indique les principales remarques faites, dit brièvement pourquoi et comment on en a, ou on n'en a pas tenu compte. Le P. Tromp fait cela avec une grande maîtrise, en un latin clair, précis et compréhensible. Interviennent principalement l'évêque d'Eichstätt[3], le P. Ciappi, le P. Dhanis (qui semble très écouté). Le card. Ottaviani exerce un pur rôle de président, donnant la parole, clôturant les débats particuliers, passant au point suivant.

Aucun consulteur n'intervient. Je vois différents évêques, en particulier celui d'Eichstätt, et Don Colombo, pour les inciter à demander un changement du texte actuel, qui ne mentionne que Pierre et ses successeurs comme pasteurs à qui le Christ a confié l'Église. Je rédige moi-même une note en ce sens que je remets au P. Ciappi, président de la sous-commission *De Deposito fidei*, de qui relève la Profession de foi. Le lendemain, l'évêque d'Eichstätt me montre le papier qu'il a fait et qui réclame, plus largement, une formulation moins JURIDIQUE de ce qui exprime la foi en l'Église. Don Colombo me dit qu'il a fait quelque chose dans le sens que je lui ai demandé : son texte, plus bref que le mien, a chance de passer et serait une vraie amélioration.

L'après-midi je me repose (sieste, prière) et je travaille. Je suis très fatigué. Je peux à peine marcher et monter un escalier. Je n'ai plus aucune force et mes bras retombent, mous.

Mardi 19.9. – Session plénière à 9 h 30. *De fontibus Revelationis.*[4] Le rapporteur est Mgr Garofalo, président de la sous-commission. Comme tous les Italiens, il parle un latin volubile, très accen-

---

1. Le pape avait demandé que la Commission théologique préparatoire élabore une nouvelle profession de foi en vue du Concile.

2. En l'occurrence.

3. Joseph Schröffer, évêque d'Eichstätt (Allemagne).

4. Des sources de la Révélation.

tué, difficile à suivre. Une discussion très vive s'engage à la suite d'une intervention du P. Tromp faisant état d'un texte de Pie XII, dans un discours à la Grégorienne, qui dit que *« Ecclesia ipsa sibi est FONS*[1] » ; le P. Tromp voudrait identifier Tradition et Magistère, ou plutôt Tradition et prédication du Magistère. Heureusement, un membre, dont j'apprends ensuite que c'est Mgr Piolanti, le contredit vigoureusement (en latin d'Italien) ; puis le P. Balić. Le P. Gagnebet a fait prier le Cardinal d'interroger des consulteurs, pour me donner l'occasion de parler (il me fait signe). On fait donc parler successivement le P. Salaverri (latin aisé, rapide ; il fait un cours très long, que je comprends mal, mais qui a l'avantage d'assoupir l'excitation très vive soulevée par la discussion), puis moi, puis Mgr Lattanzi.

Je dis que, pour un texte de Pie XI, il y en a 30 ou 40 du Ier Concile du Vatican et des Papes depuis Pie IX qui distinguent entre la tradition comme dépôt ou norme objective, et le magistère, qui est un ministère assisté de conservation et d'explication. Du reste, notre texte lui-même parle *de « Fontibus »* de cette façon.

Le Cardinal dit que la question sera reprise par la sous-commission. Après, je vais voir Mgr Piolanti, qui me tient un discours en italien ultra-volubile, dont je comprends qu'à ses yeux il y a là une thèse DE LA GRÉGORIENNE, énoncée par Pie XII À LA GRÉGORIENNE = un truc de jésuite au sens légendaire du mot. Bref, de la politique ecclésiastique.

Après-midi. Le P. Gagnebet a organisé une réunion de la sous-commission *De Ecclesia* à l'Angélique, pour avancer la discussion de la constitution *De Ecclesia* et pour donner une meilleure chance aux consulteurs. Réunion non officielle. On discute le chapitre *De laicis*. Rédacteur et rapporteur : Mgr Philips. Je fais la connaissance de Mgr Griffiths[2], auxiliaire du card. Spellman[3], qui me demande à deux reprises d'insister sur la liturgie.

---

1. L'Église est à elle-même sa propre source.

2. James H. Griffiths, évêque auxiliaire de New York, membre de la Commission théologique préparatoire, puis membre de la Commission doctrinale. Il décédera en février 1964.

3. Cardinal Francis Spellman, archevêque de New York. Il fera partie du Conseil de présidence du Concile et de la Commission de coordination.

20.9.61. – Séance plénière : on termine le *De fontibus Revelationis.* Avant l'ouverture, je vois Mgr Garofalo. Je m'aperçois qu'il n'a pas compris le sens de ma demande de garder la catégorie « Évangile [1]» du concile de Trente. Je le lui explique. Le P. Salaverri intervient et propose une double application de l'idée de *« Fons »* : 1°) *Fons-principium*[2] ; 2°) *Fons in quo hauritur*[3]. Au premier sens, seul le Christ et l'Évangile prêché ; au second sens, *depositum scriptum et depositum non scriptum*[4].

Mgr Garofalo nous demande de rédiger un bref paragraphe qu'il introduira dans le texte soumis à la Commission centrale : car, dit-il, il y a des amis...

Si cela se faisait, je serais content d'avoir gagné ce point. J'ai fait ce texte et l'ai remis ; ultérieurement, j'ai renvoyé Mgr Garofalo à l'excellent *votum* de l'Institut biblique : *Acta et Doc...* IV. Fac. et Univ. Pars I, R. 1961, p. 125-26[5].

Assez grosse discussion sur exégètes et théologiens. Le Cardinal demande aux consulteurs de rédiger un texte sur ce point.

Après-midi, à l'Angélique, réunion de la sous-commission *De Ecclesia.* On ne discute que le chapitre 2, *De Episcopatu*[6]. Je ne me doutais pas qu'il soulèverait tant de remarques de détail. Mgr Bride y montre une fois encore son positivisme intégral de canoniste.

21.9.61. – Le matin, on commence l'examen de la constitution *De ordine morali.* Rapporteur : le P. Tromp, faute du P. Hürth, moitié en ruine. C'est un texte vigoureux, qui répond bien aux erreurs actuelles. Je l'ai approuvé, tout en regrettant que la note spécifique chrétienne ne soit pas assez marquée. Mais il eût fallu tout refaire et composer autrement.

D'une façon générale, j'ai considéré les textes qu'on nous sou-

---

1. Congar rappellera le 27 avril 1962, dans une lettre à Carlo Colombo, que le Concile de Trente ne parle que d'une seule source, l'Évangile, nous parvenant selon deux modes complémentaires, l'Écriture et la Tradition.
2. Source-origine.
3. Source dans laquelle on puise.
4. Dépôt écrit et dépôt non écrit.
5. *AD* 1/IV, 1/2, 123-136.
6. De l'épiscopat.

mettait comme acquis et substantiellement inchangeables. Voilà pourquoi je me suis contenté de faire des remarques sur le texte tel qu'il était. Le chanoine Delhaye, qui est à côté de moi, est fort mécontent. Il me dit qu'à la sous-commission *De Re morali*[1], le P. Gillon a été odieux ; qu'on n'a pas pris en considération ses remarques, pas même lu son *votum* (ce que Mgr Philips m'a confirmé). Aussi Delhaye, au lieu d'intervenir alors même que le cardinal y invite les consulteurs, se retire sous sa tente et grogne à part lui.

Après-midi, chez les PP. Franciscains, au Centre de l'Académie mariale, séance consacrée au chapitre *De Beata Maria Virgine*[2]. Et d'abord à des questions générales et préliminaires. Le P. Balić a, hélas, la parole. Il fait, avec volubilité, un boniment. Je me penche vers mon voisin, Mgr Philips, et lui demande : Est-ce qu'il vend des bretelles ou des chaussettes ? Le P. Balić est pure passion. Il ne supporte pas la contradiction ; souvent, il ne laisse pas même l'autre parler. À un moment, la discussion monte à un diapason ultra-aigu, entre le P. Balić et le P. Salaverri. Après s'être contenu, celui-ci éclate. Il crie pour se faire entendre malgré les cris de Balić. Salaverri veut affirmer qu'une constitution conciliaire est au-dessus d'une encyclique papale.

Deux questions préalables et générales sont envisagées :

1°) Laissera-t-on le chapitre dans la constitution *De Ecclesia*, ou bien le mettra-t-on dans la constitution *De Deposito fidei pure custodiendo*[3] ? Chacun donne son avis. La plupart sont favorables à la collocation actuelle, mais il faudrait alors que le rapport de Marie à l'Église soit mieux élaboré.

2°) Faut-il, en considération des Dissidents, adoucir certaines expressions et même rester en deçà ! des énoncés pontificaux. Le P. García[4], animateur des Semaines mariales espagnoles, s'élève avec

1. Des questions de morale.
2. De la Bienheureuse Vierge Marie.
3. Du dépôt de la foi à garder dans sa pureté.
4. Narciso García Garcés, clarétin, est le fondateur de la Société mariologique espagnole et le créateur de la revue *Ephemerides Mariologicae* ; consulteur de la commission théologique préparatoire, il est consulteur de l'épiscopat espagnol au Concile.

véhémence contre tout adoucissement. Le P. Philippe de la Trinité[1] aussi, bien qu'avec douceur. Je me prononce dans le sens suivant :

a) La seule question qui se pose est de savoir ce que Dieu attend de nous et de l'Église. Il attend de l'Église qu'elle soit fidèle. Fidèle au Dépôt, qui est d'abord la Sainte Écriture. De nos jours, où un nombre croissant de fidèles se nourrit aux sources bibliques –, où, en bien des pays (je parle du Brésil), les catholiques ne peuvent éviter les questions posées par les protestants, il faut éviter les exagérations imaginatives et pieuses, et s'appuyer sur l'Écriture.

b) L'Église doit déclarer sa foi. Qu'elle le fasse franchement, sans diminution, par mode de profession de foi, et EN EXPLIQUANT les raisons de sa foi, comment elle en est venue là et doit y rester pour être fidèle. Qu'elle dise : Moi, l'Église, j'étais au Calvaire, j'étais au Cénacle, j'étais au Concile d'Éphèse... Je suis venue, à travers les siècles, à comprendre ceci et cela. L'œcuménisme est aussi une volonté de Dieu sur son Église, au XXe siècle. Et en tenir compte rentre dans la fidélité de l'Église.

L'abbé Laurentin parle avec force et courage dans le sens de faire le maximum pour 1°) affirmer D'ABORD ce qui est commun, ce qui, en tout cas, nous est commun avec les Orthodoxes. 2°) ensuite développer. Et le faire le plus possible en termes bibliques et traditionnels, en évitant ce qui n'a pas de sérieuses et antiques racines dans la tradition.

Le P. Balić, avec bonhomie, presque mêlée de pitreries, reproche à Laurentin, qu'il a fait nommer à la Commission (le P. Gagnebet me dit qu'il a tout fait pour y introduire le plus de mariologues possible), de sacrifier à l'œcuménisme – auquel, de toute évidence, lui Balić ne croit pas.

Il semble qu'on fera une déclaration non minimisante, mais très irénique et expliquant *« modo pacato[2] »* (Mgr Philips) la foi de l'Église et ses raisons.

Un troisième point est abordé, qui fait se déchaîner une fois de

---

1. Jean Rambaud, en religion Philippe de la Trinité, o.c.d., enseigne à la faculté de théologie des Carmes déchaux à Rome ; il est le président de cette faculté jusqu'en 1963 ; il est consulteur de la Commission théologique préparatoire.

2. « De manière apaisée. »

plus le P. Balić : la question de la MORT de la Vierge. Le concile voudrait déclarer le fait de cette mort. Comme les immortalistes[1] ont beaucoup invoqué Pie XII, le P. Balić nous dit, sous secret du St Office, que Pie XII était personnellement convaincu de la mort. Il nous raconte pas mal de choses sur la rédaction de la Constitution *Munificentissimus*[2]. Mais je n'arrive pas à m'intéresser à cette cuisine, dont se délecte notre camelot dalmate.

22.9. – Je tâche de travailler un peu, car il faut préparer les discussions, lire les observations... De plus, on me demande mon avis sur différents textes :

Laurentin sur un texte de rechange *De BVM*[3],

Don Colombo sur son chapitre *De Magisterio*[4],

Le P. Gagnebet sur le projet de chapitre *De œcumenismo*[5], rédigé par le P. Witte. Il me demande de rédiger un *votum* sur la question.

Ma santé est très inquiétante. Je peux à peine marcher ; les deux ou trois premiers doigts de la main droite, opposés au pouce, sont presque morts ou paralysés. Je n'ai aucune force !

Ce matin, suite du *De ordine morali.* Je vois Mgr Janssen[6] (de Louvain), le chanoine Delhaye, le P. de Lubac. Ils sont assez découragés et aigris. On n'a tenu et on ne tient aucun compte de leur avis. Tout se passe entre Romains. « Nous ne sommes que des otages. » Et la rédaction de la Constitution *De ordine morali* ne les satisfait absolument pas.

Le soir, à l'Antonianum (salle des Promotions), discussion du texte même du chapitre *De B. Maria V.* Je vis là le drame qui accompagne toute ma vie : la nécessité de lutter, au nom de l'Évangile et de la foi apostolique, contre un développement, une prolifération méditerranéenne et irlandaise, d'une mariologie qui ne procède pas

1. Ceux qui croient que la Vierge Marie n'a pas connu la mort avant sa glorification.

2. Il s'agit de la Constitution apostolique *Munificentissimus Deus* qui proclamait le dogme de l'Assomption de Marie.

3. *De Beata Virgine Maria.*

4. Du Magistère.

5. De l'œcuménisme.

6. Arthur Janssen, du diocèse de Malines-Bruxelles, moraliste enseignant à Louvain, est consulteur de la Commission théologique préparatoire.

de la Révélation, mais a l'appui des textes pontificaux. Plusieurs fois, on me répond : la règle de foi n'est pas l'Écriture, mais le magistère vivant ; que faites-vous des énoncés pontificaux ? Je comprends mieux ce qu'a été la réaction de Luther, car c'est *cela* aussi qu'on lui a répondu. Lui a envoyé par-dessus bord tout texte et toute autorité ecclésiastiques, pour en rester à l'Écriture seule.

La discussion est d'abord assez dure. Heureusement, Laurentin est courageux, mesuré et informé. Il mène la bataille anti-maximaliste. Nous nous disons l'un à l'autre qu'il ne faut pas TROP s'opposer, car on risquerait d'attirer pire que ce qu'on veut éviter. Deux faits sont en effet incontestables, auxquels nous ne pouvons rien : 1°) l'existence des textes pontificaux et des courants mariologiques ; 2°) l'existence de plus de 450 demandes d'évêques dans les *vota*. Ce qu'on peut faire est favoriser un texte relativement discret, en faisant modifier quelques tournures dont les maximalistes feraient leur profit pour pousser encore plus loin.

Au total, les choses ne se passent pas trop mal. D'un côté, j'admets beaucoup de positif marial. D'un autre côté, le P. Gagnebet, le P. Balić et les autres y mettent de la patience et de l'objectivité. Certes, mon désaccord ou mes difficultés de fond demeurent. Mais je ne crois pas pouvoir aller plus loin dans l'opposition, et nous avons obtenu quelques aménagements notables.

23.9.61. – Matin, chapitre *De Matrimonio*[1]. Nombreuses et courageuses interventions du P. Häring. Le rédacteur du texte, P. Lio, le défend abondamment et avec véhémence. Le P. Tromp est aussi assez intraitable. Pourtant, la discussion obtient quelque chose, et au moins une promesse d'amendement, sur deux points très importants : 1°) l'étreinte réservée, qu'on renvoie, sous une forme générale, au texte du St Office[2]. – 2°) les fins du mariage. Le P. Lio défend comme un dogme précieux l'idée de *proles*[3] fin première, principale, seule spécifique. Le P. Hürth vient même à son aide en disant que c'est LE *Finis operis*[4], *LA* fin voulue par Dieu

1. Du mariage.
2. Le Saint-Office avait publié un *Monitum* le 30 juin 1952.
3. Descendance.
4. Le but de l'action.

dans l'institution du mariage, bien que l'aide, la vie commune, soient souvent premières dans l'ordre du *finis operantis*[1]. Cela me semble insuffisant, même du point de vue de l'institution divine.

Mgr Janssen, Louvain, intervient avec beaucoup de courage et de persévérance. ET IL OBTIENT QUELQUE CHOSE. Je le félicite et le remercie.

Il se dégage, de toute cette semaine, une leçon quant à la psychologie des assemblées : cela vaudra sans doute pour le concile : 1°) Quand on tient bon dans l'objection ou la critique, on finit toujours par obtenir quelque chose ; 2°) quand il y a discussion et opposition, celui qui, calmement, propose une formule de transaction, a grande chance d'être entendu. C'est assez souvent le cas de Mgr Philips.

Les consulteurs se plaignent d'être traités en quantité négligeable. Normalement, ils ne vont pas aux séances de leur sous-commission, sauf quand ils y sont formellement invités. On me raconte que Mgr Janssen est allé tranquillement à celle *De re morali.* Le P. Tromp lui a fait remarquer qu'il n'avait rien à faire là. Mais il était là. Il y est resté. Il est intervenu. On a protesté contre son intervention, mais il a tranquillement continué...

Je remets à Don Colombo 3 pages d'observations sur son chapitre *De Magisterio.*

Après-midi : Discussion du chapitre *De Episcopis*[2], avec son rédacteur, Schauf. Je tâche de parler pour les Orientaux, absents. On me dit qu'il y a une commission orientale... Toujours le même compartimentage – et qu'elle a admis que les pouvoirs des patriarches, qui sont d'ailleurs de droit ecclésiastique, leur sont concédés par le pape...

Visite de Mlle Yvonne Batard[3], du groupe du P. Féret[4]. Elle veut

---

1. Le but immédiat visé par celui qui agit.

2. Des évêques.

3. Spécialiste de littérature comparée.

4. Henri-Marie Féret, o.p., de la province de France ; engagé dans le renouveau liturgique et dans le ressourcement biblique de la théologie, il avait été écarté comme Chenu et Congar de l'enseignement au Saulchoir sous la pression des suspicions romaines. Il avait fondé en 1941 le « Groupe évangélique » formé de laïcs désireux d'approfondir leur foi. Prieur du couvent de Dijon jusqu'en

mettre un taxi à notre disposition demain, pour l'excursion d'environ 120 km : nous payerons ce qui dépasserait la mise initiale.

On me dit que Mgr Journet est reparti. Il n'entend presque rien et ne peut ni suivre, ni intervenir. D'ailleurs, quand il intervient, me dit-on, c'est pour répéter ses thèses sans jamais entrer dans la question ou la problématique telle que la posent les autres. Quel dommage ! Car il aurait pu apporter un ton THÉOlogique et spirituel qui manque cruellement. Tout est formulé de façon très juridique. C'est évident encore chez Schauf, créature de Tromp. L'aspect liturgique et mystique de l'épiscopat lui échappe totalement, ou plutôt ne l'intéresse pas.

Quant au P. Tromp, il joue un rôle décisif : il domine la Commission, aux deux sens du mot « dominer ». D'un côté, par la valeur intellectuelle, la force, la netteté, la vigueur de sa vision des choses et de ses affirmations. Il a le don de réduire la question à ses éléments essentiels au point de vue de la clarté, et de les affirmer avec force. D'un autre côté, il a un tempérament fasciste. Visiblement, pour lui, moins il y a parlement, mieux cela est. Il agit en dictateur, crie fort, tape du poing sur la table, foudroie ceux qui s'opposent à lui. Pourtant, il laisse objecter et il arrive, si l'opposant tient après l'éclatement des premières foudres, qu'il lui cède et se rallie.

Heureusement, le P. Tromp n'est pas venu à nos réunions privées. On n'aurait pas pu dire ce qu'on a dit. Le P. Gagnebet a agi avec fraternité et humilité, en faisant ces réunions, et en les faisant comme il les a faites. Il veut vraiment que chacun ait la chance de dire ce qu'il veut dire.

Dimanche, 24.9.61. – Partons à 10 h avec le P. Labourdette et Laurentin. D'abord Anagni. C'est une petite ville très populeuse, sur un piton, au milieu d'un paysage large et grandiose, à fond de montagnes. La rue étroite qui monte est grouillante de monde. Elle me rappelle l'atmosphère de l'Orient. Souvent, aujourd'hui, j'ai évoqué des souvenirs de Terre Sainte. La cathédrale, sur le côté de laquelle (Place Innocent III) trône une statue de Boniface VIII, est un bâtiment de style monastique dépouillé et noble. Rien de com-

---

1964, il sera, durant le Concile, l'expert privé de Mgr Flusin, évêque de Saint-Claude.

mun avec la Rome baroque de S. Pierre. Comme il est presque midi, une messe va commencer devant une nef presque vide. Contraste de cette demi-mort avec la rue redondante de vie. Nous sommes obligés d'attendre pour visiter. On en profite pour trouver, difficilement, du pain et quelques fruits.

À une heure, c'est vide.

Nef du XIe-XIIe siècle, sévère et noble. Crypte à peintures extraordinairement intéressantes. Je comprends que Mlle Batard ait trouvé là la matière d'études d'iconographie et d'histoire de l'art. Une seconde crypte est évidemment un ancien temple païen et ressemble beaucoup au Mythreum qu'il y a sous S. Clément. Là encore, peintures qu'il faudrait étudier en détail, avec la technique de la chose.

De nouveau le paysage grandiose cerclé de montagnes à silhouettes étranges. Je revois Boniface VIII, je reconstitue le coup de main de Nogaret.

Les gamins mendient ; des chasseurs ont déposé au milieu de la place un renardeau qu'ils viennent de tuer...

Subiaco. Montagnes, vallées et cols. La vallée de la grotte de S. Benoît est assez étroite et profonde (la grotte est à 650 ou 660 m), boisée abondamment de beaux arbres très verts au tronc vigoureux et tourmenté. Il règne là un silence dont je savoure goulûment la plénitude. C'est extrêmement beau. C'est d'ici qu'est partie l'éducation religieuse et morale de l'Occident. Je prie à mes intentions bénédictines. J'envoie à Pradines des plumes de trois corbeaux que les Pères entretiennent dans une volière.

Retour par une longue vallée assez belle, que le jeune Benoît a dû, lui, remonter, quittant Rome pour la solitude.

Tivoli. Villa d'Este. Foule humaine bruyante et bête, dont on avale l'odeur de sueur.

On retrouve la grande ville agitée et stupide.

Vive le silence !

Laurentin m'a raconté bien des choses de ses remarques et interventions. Celles qu'il a faites pour le *De ordine morali* ont, croit-il, indisposé le P. Tromp. Il a réagi sur un point qui m'a stupidement échappé. Je le regrette, car j'aurais réagi aussi. Il s'agit d'une présentation de la propriété dans le sens exclusif ou prédominant de la propriété individuelle. Laurentin a disposé, pour réagir, de la thèse de Gilles Couvreur[1], qui avait été patronnée chaleureusement, à la Grégorienne, par le P. Jarlot[2]. Or Laurentin a vu ce Père. Bien que n'étant en rien de la Commission, c'est ce Père qui a rédigé, sur la demande du P. Tromp, le paragraphe sur la propriété. Et il avoue à Laurentin que, pensant comme Gilles Couvreur et comme Laurentin lui-même – j'ajoute : comme la Tradition –, il a cependant rédigé son texte en faveur de la seule propriété individuelle, parce qu'on le lui demandait !

Le mépris de la tradition, ce trucage de la vérité, sont nauséabonds et méprisables. Mais la vérité prévaudra.

Tous ces Romains ne tiennent aucun compte de la Tradition. Ils ne voient que les *effata* papaux. Là est le grand combat à continuer. La vérité prévaudra.

J'ai beaucoup étudié l'histoire des idées ecclésiologiques et des accroissements de l'autorité papale. Je suis très frappé de voir un processus similaire à celui qui a joué là, s'appliquer de nos jours en mariologie. Ce sont les mêmes procédés, c'est le même processus. Dans les deux cas, une énorme excroissance construite sur deux ou trois textes dont il n'est pas sûr que le sens originel soit celui qu'on leur donne, et où la tradition ancienne n'avait pas vu tout cela, si même, parfois, elle n'avait pas entendu le contraire. On répète à satiété, ici « *Tu es Petrus*[3] », là « *gratia plena*[4] », « *stabat*[5] », « *conteret caput tuum*[6] », etc. Dans les deux cas, on utilise sans cesse, inlassablement, patiemment, à longueur de siècles, de petites avances qui, sur le moment, paraissent peu de chose. On n'est pas à l'aise, peut-être même n'est-on pas d'accord ; mais on ne fera pas schisme pour cela, on ne poussera pas même la simple résistance pour si peu.

---

1. Gilles COUVREUR, *Les pauvres ont-ils des droits ? Recherches sur le vol en cas d'extrême nécessité depuis la Concordia de Gratien (1140) jusqu'à Guillaume d'Auxerre († 1231)*, Paris-Rome, 1961. Gilles Couvreur, prêtre de la Mission de France, était alors enseignant au séminaire de la Mission de France à Pontigny.

2. Georges Jarlot, s.j., professeur de doctrine sociale à la Grégorienne, membre de la Commission préparatoire de l'apostolat des laïcs, avait préfacé de manière élogieuse la thèse de Gilles Couvreur.

3. « Tu es Pierre » (Mt 16, 18).

4. « Pleine de grâce » (Lc 1, 28 : l'Ange Gabriel à Marie).

5. « Se tenait debout » (Jn 19, 25 : Marie au pied de la croix).

6. « Celle-ci te meurtrira à la tête » (Gn 3, 15).

Dans les deux cas, on n'a qu'UNE idée : majorer, porter à son maximum, soit un pouvoir, soit une gloire. Dans les deux cas, on ne pense qu'à cela et on profite de tout pour cela. On *UTILISE TOUT*. Dans les deux cas, on vous dit, on vous montre qu'ayant admis ceci, vous ne pouvez refuser cela ; qu'ayant été jusqu'à trois, vous ne pouvez pas ne point aller jusqu'à dix... Dans les deux cas, on ne lâche aucune acquisition, on ne fait jamais qu'ajouter.

À 21 h 30 arrivée d'une partie des Provinciaux et *socii*[1] qui viennent du chapitre général de Bologne[2] pour une audience du Pape. Le P. Kopf[3] est à Ste Sabine et son *socius*[4] est déjà reparti.

Lundi 25.9. – Je vois un moment le Provincial du Brésil[5], qui désire me parler. Il me dit 1°) sa déception cruelle du chapitre général. Cela a été extrêmement banal et court. Le P. Browne est lui-même tel. Il devrait démissionner. 2°) son inquiétude sur le Brésil. La jeunesse est à gauche. On regarde vers Fidel Castro. Les Américains sont détestés. Il faudrait des hommes. Le gouvernement veut fonder une Faculté de Théologie à Brasilia : est-ce que j'accepterais d'y venir ? Au moins venir donner des séries de cours ?

Je réponds qu'hélas je suis trop vieux, très fatigué. Et trop engagé en cent choses. Il faudrait des plus jeunes. Et aussi j'appréhende qu'on me mette d'avance une étiquette, qu'on interprète ce que je dirais dans un certain sens...

À la Commission, on aborde assez prestement le *De deposito fidei*[6]. C'est le P. Ciappi assisté du P. Dhanis. Il manque pas mal de monde (on est 37 en tout), et la salle est étouffante. Je vois une grande lassitude chez les consulteurs ; on ne fait rien, on ne tient aucun compte de nos remarques ; tout s'est fait entre gens de Rome.

Quand j'ai lu les textes et rédigé mes remarques, il y a un mois, j'ai pensé que ces textes étaient définitifs et qu'il ne pouvait être

1. Compagnons ; dans les chapitres généraux, chaque provincial est accompagné d'un *socius* (compagnon) délégué par sa province.
2. Chapitre général de l'ordre dominicain.
3. Joseph Kopf, o.p., est le provincial de France.
4. Pierre-Léopold Grégoire, o.p., de la province de France.
5. Mateus Rocha, o.p.
6. Du dépôt de la foi.

question que de remarques de détail. Il m'était apparu déjà que, tels quels et dans leur ensemble, ils devraient être écrits AUTREMENT. Cela m'apparaît plus nettement aujourd'hui. Tout est pris 1°) au plan naturel : droit naturel, raison, Dieu démontré rationnellement ; 2°) de façon juridique ; 3°) chaque fois qu'il s'agit de la vie des hommes et d'un brin d'initiative, de façon négative, par mode de concession faite à contrecœur et réduite au minimum.

Le Dieu dont il s'agit ici, celui de la connaissance duquel nous traitons, est presque exclusivement le Dieu dont la raison démontre l'existence. On a exclu tout ce qui sonnerait chrétien et évangélique. Le P. de Lubac intervient une fois en ce sens. On l'écoute, on lui demande de proposer un texte.

C'est bien. Mais c'est l'ensemble qu'il faudrait reprendre !

Laurentin a fait nombre de remarques dans le même sens au sujet de la morale. On en a le plus possible accentué l'aspect de loi et exclu les affirmations les plus chrétiennes.

Je déjeune avec le chanoine Delhaye. Il est extrêmement déçu et aigri. Il pense faire un éclat, démissionner. Il me dit que, rentré en France, il dira le plus possible comment les choses se passent, le cas qu'on a fait de nous, de lui. Il me raconte qu'à la sous-commission *De ordine morali*[1], le P. Tromp a systématiquement éliminé ce qui est chrétien et parle charité. Selon lui, la morale est une affaire principalement de commandements et D'INTERDICTIONS. Le P. Hürth a déclaré que N.S. n'avait parlé de la charité que « *per transennam*[2] », en réponse à une question occasionnelle d'un Pharisien... Pour Delhaye, tout est mené par le St. Office, qui veut arriver à une espèce de *syllabus* des condamnations modernes.

Delhaye me fait une critique de Laurentin et de la façon dont celui-ci a procédé dans sa petite réunion de Paris à laquelle il m'avait invité. Laurentin, dit Delhaye, a profité des remarques de tous les autres pour rédiger ses propres remarques. C'est peut-être vrai. Mais peu importe par qui une chose a été trouvée et dite. L'essentiel est qu'elle soit dite.

D'autre part, Laurentin a été courageux ; un peu naïf parfois, dans ses remarques. Il s'est mouillé.

---

1. De l'ordre moral.
2. En passant.

Avant de venir ici, j'avais, moi aussi, pensé à démissionner, pour poser un geste qui alerterait l'opinion et les évêques. J'en ai parlé au P. de Lubac, qui me l'a formellement déconseillé. Je suis très d'accord sur le fond avec Delhaye : Rome ne s'intéresse qu'à son autorité, pas à l'Évangile. Mais cela m'ennuierait d'attacher mon wagon au tracteur de Delhaye. Il y a, dans ses réactions, un facteur personnel et passionné vraiment gênant. J'ai l'impression que nous ne sommes pas tout à fait au même diapason.

L'après-midi, je suis libre, puisque le P. Gagnebet m'a dit expressément de ne pas venir aux réunions formelles de la sous-commission. (Mais le P. Labourdette est invité à celles de sa sous-commission).

Je fais du courrier et je vois un moment le P. Trémel[1], *socius* de Lyon au chapitre général. Il me dit que ce chapitre a été lamentable et que le P. Browne est « une baderne » ; avec le P. Gomez[2] et les *socii*, cela, fait, me dit-il, cinq badernes. C'est le vide, le néant. Il me dit que le chapitre a rejeté une *ratio Studiorum*[3] rédigée par Ste Sabine[4] et dont la Congrégation des Religieux elle-même s'est déclarée insatisfaite. Il a eu le sentiment que les Provinces de notre ligne sont une infime minorité dans un monde italien, hispanique, américain, très différent. Le P. Léonard[5] me dit, plus discrètement, la même chose.

Ayant du temps, je lis les *vota* des Universités. Ou plutôt je commence : rien que les Facultés ROMAINES occupent deux énormes volumes. Les *vota* de la Grégorienne : Bien. Ceux de l'Institut Biblique : Très Bien.

La Propagande[6] et surtout le Latran n'ont pas fait des *vota*, mais d'énormes dissertations. Qui lira cela ?

C'est moi qui ai découpé l'exemplaire du P. Gagnebet.

---

1. Yves-Bernard Trémel, o.p., exégète, de la province de Lyon.

2. Esteban Gómez, o.p., de la province d'Espagne, *socius* du Maître général pour l'Espagne ; le Maître général est, en effet, assisté de plusieurs *socii* dans sa fonction.

3. Programme des études.

4. C'est-à-dire par la Curie généralice qui réside à Sainte-Sabine.

5. Augustin Léonard, o.p., de la province de Belgique-Sud, participe au Chapitre en tant que *socius* de cette province.

6. Congrégation de la Propagande.

Mardi 26.9. – Je poursuis la lecture des *vota*. Celui de l'Angélique est écrasant de pauvreté, de négativité, de pauvre particularisme.

Sacra Doctrina[1] !

Le *Votum* des Salésiens est autrement sérieux et réel. Mais c'est un vrai volume : quarante-huit *vota* expliqués et motivés, concernant toute la vie ecclésiale...

Mercredi 27.9. – Le matin, je fais mon exposé à la Semaine biblique[2] en l'honneur de S. Paul. Belle assistance assez répondante. Des amis : R.P. Gribomont[3], J. Dupont[4] ; des hommes notables : Mgr Jenny, Mgr Pellegrino[5], Coppens[6], les PP. Levie[7], Raes[8], Prümm[9], s.j. Ce dernier me dit critiquer le P. Gaechter[10], qui exagère...

J'arrive très en retard à la Commission. On est encore en pleine

1. Doctrine sacrée.

2. Les actes en furent publiés par l'Institut biblique pontifical : voir *Studiorum paulinorum congressus internationalis catholicus 1961*, Rome, 1963 ; Congar y fait un exposé sur « Saint Paul et l'autorité de l'Église Romaine d'après la tradition ».

3. Jean Gribomont, o.s.b., moine de l'abbaye de Clervaux (Luxembourg), envoyé ensuite à l'abbaye Saint-Jérôme à Rome, directeur de l'édition critique de la Vulgate.

4. Jacques Dupont, o.s.b., de l'Abbaye Saint-André de Bruges dans laquelle il enseigne l'Écriture Sainte.

5. Michele Pellegrino, spécialiste des Pères de l'Église et notamment de saint Augustin, enseignant à l'Université de Turin ; il sera nommé archevêque de Turin en septembre 1965.

6. Josef Coppens, prêtre du diocèse de Gand, exégète, professeur à l'Université de Louvain.

7. Jean Levie, s.j., spécialiste du Nouveau Testament, professeur au Collège théologique des jésuites à Eegenhoven-Louvain (Belgique).

8. Le jésuite belge Alphonse Raes, professeur de liturgie orientale, est président de l'Institut pontifical oriental puis devient, en 1962, préfet de la Bibliothèque apostolique vaticane ; nommé expert du Concile en 1962, il devient membre du Secrétariat pour l'unité en 1963.

9. Karl Prümm, s.j., professeur d'exégèse à l'Institut biblique pontifical.

10. Paul Gaechter, s.j., professeur d'exégèse à Innsbruck ; dans sa communication au Congrès, Congar fait référence dans une note à : P. GAECHTER, *Petrus und seine Zeit. Neutestamentliche Studien*, Innsbruck-Vienne-Munich, 1958.

discussion du « *In quo omnes peccaverunt*[1] ». Le P. de Lubac me dit que cela dure depuis une demi-heure. Ensuite, discussion assez tendue sur un chapitre condamnant le polygénisme. Le P. Labourdette en quelques mots, Mgr Philips en se défendant longuement et pied à pied, voudraient qu'on n'ajoute rien aux mots d'*H.G.*[2]. Mais la Commission veut aller plus loin. Le P. Tromp demande : Pensez-vous que la condamnation du polygénisme telle qu'elle est formulée (c'est-à-dire disant plus qu'*H.G.*) soit CONTENUE dans les affirmations bibliques et dans le texte du concile de Trente concernant le Péché Originel ? – Silence gêné ; ce silence se termine en grande majorité de Oui.

Cependant, la gêne est si sensible que je ne crois pas qu'on en restera là. J'en dis un mot au P. Trapè[3], rédacteur, et je ferai, demain, une intervention – sauf si la chose, absolument jugée et conclue, n'est remise en discussion d'aucune manière.

Le soir, dîner chez Mgr Arrighi. Il y a Mgr Gouet, secrétaire de l'Épiscopat. On parle en particulier de la Petite Église[4], et le P. Gagnebet m'apprend que le St Siège a fait un effort vers elle : le Pape a écrit personnellement une très belle lettre ; on a désigné un évêque[5], ancien missionnaire en Chine, avec juridiction personnelle. Il serait admis, s'ils reviennent à l'Église catholique, que pendant deux générations ils seraient soumis à un évêque particulier ayant juridiction personnelle. Mgr Gouet, qui ne semble pas avoir été au courant de ces tractations, promet de faire quelque chose. Il paraît que ce qui avait été conclu sous Pie XII en 1950 a échoué du fait du groupe de Lyon. C'est ce groupe qu'il faut gagner ; autrement, ce qui serait fait dans les Deux-Sèvres serait comme nul.

---

1. « En qui tous ont péché » (Rm 5, 12) ; mais le verset présente des difficultés de traduction et d'interprétation.

2. Encyclique *Humani Generis* publiée par le pape Pie XII en 1950.

3. Agostino Trapè, o.s.a., spécialiste de saint Augustin, enseigne au Latran ; membre de la Commission théologique préparatoire, il sera nommé expert du Concile en 1962.

4. Église née du refus du Concordat de 1801 entre Pie VII et Bonaparte.

5. Alexandre Derouineau, m.e.p., ancien évêque de Kunming (Chine) avait été envoyé par Pie XII en mission dans le Poitou après son expulsion de Chine Populaire.

28 sept. 61. – Je remets ce matin au P. Ciappi un texte sur le Monogénisme. Je reparle de la question avec le P. Labourdette qui est entièrement de mon avis. Il tient du P. Dhanis ceci : 1°) c'est le P. Tromp qui veut qu'on aille plus loin que Pie XII ; 2°) au moment d'*H.G.*, le P. Bea avait fait une démarche pressante auprès de Pie XII, dans le même sens. Mais Pie XII avait résisté et s'en était volontairement tenu à la formule à laquelle nous voudrions encore qu'on se tînt.

On ne réaborde pas la question du Monogénisme. Je remets ma note. Par contre grande discussion sur le sort des enfants morts sans baptême.

Je me heurte, à 12 h 30, à une porte fermée au Musée des Thermes de Dioclétien.

La prochaine session serait en février ou en mars 62... !!!!

Je lis les *vota* des évêques d'Afrique. Mgr Marcel Lefebvre[1], archevêque de Dakar (*Acta et Doc.* Sn. I *(anteprep.)* vol. II, pars V. R. 1960, p. 48[2]) : « Contre les erreurs du P. Congar dans son livre *Essai d'une théologie pour le laïcat*[3] : Définir la valeur du Saint Sacrifice de la Messe, l'extension de ses grâces même aux païens et infidèles. Préciser la place du laïcat dans l'Église et donner des notions précises sur l'Action Catholique. Déjà les dernières encycliques ont heureusement apporté des éclaircissements, mais il est très opportun de détruire définitivement des notions erronées qui ont causé un dommage considérable. »

Demande qu'on définisse ou affirme que la T.S.V. Marie est médiatrice de toutes les grâces...

Après-midi, visite au P. de Lubac, à la Grégorienne. Il est très ennuyé, très écrasé. Il est certain que le P. Dhanis a introduit, dans le *De deposito*[4], un n° 22 contre lui, de Lubac. Le P. de Lubac y retrouve en effet EXACTEMENT ce que le P. Dhanis lui a imputé dans

---

1. Le spiritain Marcel Lefebvre est membre de la Commission centrale préparatoire. Transféré, en janvier 1962, au siège épiscopal de Tulle, il est élu, en juin 1962, Supérieur général des Pères du Saint-Esprit.

2. *AD* I/II, 5, 48.

3. Il s'agit plus précisément des *Jalons pour une théologie du laïcat*, coll. « Unam Sanctam » 23, Cerf, 1953.

4. Du dépôt.

les ennuis que le P. de L. a eux depuis 1950. Le P. Dhanis a connu le P. Janssens[1], Général actuel de la Compagnie, qui l'a fait venir à Rome et en fait un peu son théologien. C'est Dhanis qui, côté S.J. romain, a mené les affaires du P. de Lubac. Celui-ci est convaincu que le P. Dhanis profite du concile et du rôle assez considérable qu'il y joue, pour justifier ses attaques contre de Lubac et Teilhard de Chardin, et que, quand il aura son texte, il dira : ils sont condamnés par ces paragraphes.

Le P. de Lubac a vu le P. Dhanis et lui a demandé qui il visait par ceux *« qui sentiunt*[2]*... »* Dhanis a refusé de lui répondre et, comme Lubac insistait, Dhanis lui a dit : J'ai mes raisons.

Le P. de Lubac est décidé à écrire une lettre au P. Tromp pour demander des explications claires et lever l'équivoque. S'il n'obtient pas satisfaction, ou si on lui dit qu'il est en effet visé, il donnerait sa démission au Pape. Il pense que la menace de cette démission fera peur aux Romains, que cela gênerait.

Je dis au P. de Lubac qu'après mon retour à Strasbourg, je rédigerai et enverrai quelques remarques sur ce n° 22[3]. Quoi faire d'autre ? Il n'y a rien à faire. C'est une question d'esprit. On sent les choses d'une manière ou d'une autre. Les Romains ne participent pas au courant de la pensée vivante ; ils ne le connaissent guère. Rien de ce qui a été écrit d'intéressant sur des questions comme la morale sexuelle, le mariage, le péché originel, n'a été pris en considération. On en est resté à un point de vue de Denzinger[4] : un des livres les plus malfaisants malgré sa grande utilité.

Après 17 h, je participe à la réception donnée à la Grégorienne aux rapporteurs de la Semaine paulinienne. Le P. Häring, qui est là, me dit une fois de plus son insatisfaction et son inquiétude profonde au sujet de notre travail. Il trouve tout trop juridique, pas

1. Jean-Baptiste Janssens, préposé général de la Compagnie de Jésus.

2. « Qui pensent que... »

3. Ce qu'il fera le 12 octobre 1961 (Archives Congar).

4. Célèbre recueil de documents magistériels (essentiellement des Conciles et des Papes) portant traditionnellement le nom de son premier éditeur ; cf. CONGAR, « Du bon usage de Denzinger », *L'Ami du Clergé*, 23 mai 1963, p. 321-329, article repris par CONGAR dans *Situation et tâches présentes de la théologie*, Cerf, 1967, p. 111-133.

kérygmatique ni pastoral, très éloigné de et très inférieur à ce qui se dit, s'écrit, dans nos pays. Il voudrait jeter un cri d'alarme car, selon lui, on fait fausse route. Ce n'est pas CELA que l'Église attend, ni DE CELA qu'elle a besoin. Quoi faire ? Je lui dis que je m'associerais à une lettre adressée au Saint Père. Car je ne vois pas qu'elle ait chance d'émouvoir notre président ou notre secrétaire de Commission.

Le P. Häring parle au nom d'une large expérience pastorale, catéchétique. Il prend les choses très tragiquement. Mais je suis de son sentiment pour le fond. Seulement ma terrible faiblesse physique fait que je n'ai pas la force de m'indigner et de réagir. Sauf la démarche que j'ai faite auprès du St-Père en juillet dernier.

Je ne puis pas voir qui je veux à cette réception : on me tombe dessus et chacun m'entreprend sur sa marotte, on me demande mon avis sur ceci ou cela. Je vois Feuillet[1], un professeur venu de Pologne, un Monseigneur de l'Ambrosienne, et surtout Mgr Oesterreicher[2], qui voudrait que je participe à un congrès restreint de biblistes et de théologiens sur Israël.

Vendredi 29.9. St Michel. – Je fais un texte sur les enfants morts sans baptême. Mais je ne dispose pas de machine pour le taper. Brouillon ici[3].

---

1. Parmi les participants au Congrès paulinien, il y avait, en effet, André Feuillet, p.s.s., professeur d'Écriture Sainte à la faculté de théologie de l'Institut Catholique de Paris.

2. D'origine juive, John Oesterreicher, du diocèse de Vienne (Autriche), a fondé et dirige l'Institut d'études judéo-chrétiennes à l'Université de Seton Hall (États-Unis) ; consulteur du Secrétariat pour l'unité, il fait partie de la sous-commission chargée d'élaborer un texte sur les rapports entre l'Église et le peuple juif ; or les questions théologiques posées par ce texte commencent à apparaître ; au Congrès paulinien, il fait d'ailleurs une communication sur le faux pas et la chute d'Israël en Rm 9-11.

3. Congar, qui notera plus tard sur ce brouillon que la question était alors traitée « d'une façon fort raide et négative », pense qu'il ne faut pas garder de chapitre spécial sur cette question, mais un simple paragraphe dans le chapitre sur le péché originel ; ce chapitre devrait être proposé sous un angle christologique et sotériologique, comme le fait saint Paul dans sa lettre aux Romains ; il faudrait y affirmer fortement ce qui est révélé dans la Parole de Dieu, mais se garder d'aller au-delà de ce qui est indubitablement certain.

Novembre 1961. – Départ de Strasbourg samedi soir 18.XI.61, à 23 h 23. Dimanche 19 : Messe à N.D. des Champs[1]. Je revois le bon P. Lamothe[2], dont je me suis occupé jadis.

Baptême de Sabine Congar[3] au Mans.

Le soir, à 21 h, à Istina. Je vois le P. Dumont (puis le P. Hamer) qui me raconte ses contacts à Rhodes[4]. Istina est maintenant une maison très en flèche et en évidence. Quel chemin fait depuis trente ans. Quelle œuvre admirable le P. Dumont a réussie !

Lundi 20 nov. 61. – Départ Orly 10 h 35. Très vite on est au-dessus d'une immense étendue blanche, régulière et cotonneuse. Pendant un long temps, on survole les Alpes, du N.-O. au S.-E. En dessous de nous, des montagnes enneigées ; des vallées remplies de nuages comme une oreille de coton. Au-dessus de nous, le ciel bleu.

À Rome, il fait 17° ! Bus, puis taxi à partir de S. Pierre. La Domus Mariae, où siège la sous-commission, est un très grand bâtiment, tout neuf, au milieu d'un immense quartier neuf, où tous les grands bâtiments sont ecclésiastiques. De ma fenêtre, je vois l'abbaye de S. Jérôme.

À 16 h 15, séance de travail : fin du *De laicis* (Mgr Philips) et début du *De Ecclesia et Statu*[5] (P. Gagnebet). Texte reprenant les thèses du Traité de Droit public du card. Ottaviani. L'État est traité comme étant une *potestas regalis*[6] chargée de procurer la béatitude des citoyens, et obligée de rendre un culte public au vrai Dieu... Quel rapport avec les réalités ? On arrive tout de même à faire modifier quelques formules, mais que diront les évêques, quand ils auront ce texte dans les mains ?

Sont présents : PP. Tromp, Gagnebet, Witte, Balić, Mgr Co-

---

* Novembre 1961 a été ajouté à la dactylographie.

1. Paroisse parisienne.

2. Franck Lamothe, alors à Notre-Dame-des-Champs. Il avait d'abord été ordonné prêtre dans l'Église orthodoxe, et Congar l'avait aidé lorsque, reçu dans l'Église catholique, il avait demandé à y être reconnu comme prêtre.

3. Petite-nièce du Père Congar.

4. La première Conférence panorthodoxe de Rhodes a lieu en septembre 1961.

5. De l'Église et de l'État.

6. Pouvoir royal.

lombo, Mgr Philips (malade), P. Lécuyer, P. Betti[1], un franciscain auteur d'une étude sur la Constitution *Pastor aeternus*[2] et qui, pour cette raison, a été récemment ajouté à la commission. Mgr Journet n'est pas venu. Le Père Laberge[3] fait fonction de secrétaire.

Mardi 21.XI. – Le matin, on achève l'examen du texte du P. Gagnebet *De Ecclesia et Statu.* Discussion sur la tolérance.

Le soir, on commence celui du P. Witte sur l'œcuménisme. Texte beaucoup trop long.

Le P. Balić fait une offensive violente contre l'ensemble du texte et, pendant tout un temps, le climat créé par son intervention pèse sur la discussion. D'autant que le P. Tromp est aussi très négatif. Il ramène tout à sa thèse unique : *Ecclesia catholica est sola Ecclesia ; est Corpus Christi mysticum*[4].

La discussion est suspendue sur la question de ce que sont intrinsèquement les communautés dissidentes comme telles.

Dans les intervalles et au repas, conversation avec le P. Witte, Mgr Philips, Schauf (je lui parle de Küng). Schauf, qui est resté ici depuis septembre et qui ne quitte pas le P. Tromp, joue évidemment un assez grand rôle. Il a la tournure d'esprit de ce genre de travail : précision scolastique, mentalité assez juridique.

Avec le P. Gagnebet, on parle un peu du concile lui-même : composition des sous-commissions (celles préparatoires prolongées en commissions conciliaires consultatives), etc.

Mercredi 22.XI. – Suite de la Constitution *De oecumenismo.* Une telle constitution DOGMATIQUE ne peut être que décevante au point de vue œcuménique. En effet, d'un côté, elle ne peut qu'énoncer des principes généraux, toujours valables, alors que l'œcuménisme est un fait, un mouvement, tout entier suspendu à une vo-

---

1. Umberto Betti, o.f.m., est professeur de théologie fondamentale à l'Antonianum ; consulteur de la Commission théologique préparatoire, il est nommé expert du Concile en 1963 ; il sera plus tard recteur du Latran.

2. Umberto BETTI, *La costituzione dommatica « Pastor Aeternus » del concilio Vaticano I*, Rome, 1961.

3. Léon Laberge, o.m.i., *scrittore* à la Commission théologique préparatoire.

4. L'Église catholique est la seule Église ; elle est le Corps mystique.

lonté de Dieu reconnue comme telle en ce temps-ci ; d'un autre côté, au plan des principes dogmatiques, on ne peut guère trouver que des affirmations assez raides de l'unicité de l'Église, et des mises en garde contre l'indifférentisme, contre la *communicatio in sacris*[1], contre le faux irénisme... Je demande que la Constitution exprime elle-même ses propres limites et qu'elle renvoie expressément à des indications pastorales et pratiques plus positives, qui seraient données, soit par le Secrétariat, soit par la Congrégation Orientale. On me répond que 1°) cela ressortira de soi quand CETTE constitution sera publiée dans tout L'ENSEMBLE des documents ; 2°) c'est au moment de la publication d'ensemble qu'on pourra éventuellement noter quelque chose dans mon sens.

Notre groupe est très dominé par le P. Tromp, en raison de son prestige, de sa science, de la clarté de ce qu'il dit, servie par une très grande connaissance du latin, en raison de sa faculté d'affirmation et de son habitude d'être écouté. Pratiquement, il domine tout. Avec lui, inséparable de lui, il y a Mgr Schauf, qui a un esprit juridique prononcé, mais qui a aussi un don de clarté et d'affirmation. Je me sens personnellement dominé par des gens de ce genre, qui sont PARFAITEMENT à l'aise dans ce genre de travail. Ils sont nés pour faire et commenter du Denzinger. Or ni l'un ni l'autre n'a l'esprit œcuménique. L'un et l'autre ne connaissent qu'un monde de pensée et d'affirmations, formé par les applications les plus conséquentes de leur principe de base : l'Église catholique est le Corps Mystique du Christ et elle est seule Église et Corps Mystique. On est complètement désarmé, transporté que l'on est sur un terrain où l'œcuménisme ne peut pas plus vivre qu'une plante transportée sur une dalle de ciment. Par exemple, pour combattre l'idée que les Églises orthodoxes sont vraiment des Églises locales, telle que je l'appuie par la considération de l'existence en elles du sacerdoce, donc du pouvoir sacramentel, le P. Tromp dit : un apostat peut aussi validement consacrer l'eucharistie... Pour lui, les Églises orthodoxes ne sont qu'un fait social d'apostasie. Cela n'a AUCUN RAPPORT avec la réalité historique et concrète.

Et Tromp et Schauf raisonnent ainsi d'un bout à l'autre. La

1. Participation à une célébration sacramentelle commune avec des chrétiens non catholiques.

plante œcuménique ne peut trouver ni humus ni air dans ces cadres de pensée.

Finalement, Tromp admet ou dit quand même des choses, parce que ses fonctions au « St-Office » lui en ont fait connaître. Un vrai canoniste ne peut pas être entièrement étroit.

Ce sont les P. Lécuyer, Mgr Philips et Mgr Colombo qui, avec finesse, douceur, obtiennent la meilleure audience pour les bonnes idées ou qui, sans en avoir l'air, assouplissent les formules jusqu'à les rendre inoffensives. On leur doit beaucoup.

En fin de soirée, on commence la constitution *De Beata Maria Virgine*, très modifiée par rapport au texte de septembre. Évidemment, bien des choses m'y déplaisent. Plusieurs fois, sous des formules très générales, qui ont un air anodin, on insinue, ou l'on pourrait insinuer, les pires thèses de corédemption objective. Je trouve, en général, l'idée de « Mère du Corps Mystique » très ambiguë. Cependant, il faut avouer : 1°) que ce nouveau texte contient plusieurs affirmations très fortes de l'unicité de rédemption et de médiation du Christ ; 2°) qu'il y est dit le MINIMUM possible concrètement, étant donné que tant d'évêques ont demandé même LA DÉFINITION de la corédemption, de Marie Médiatrice, Marie Reine, etc. !!! Le texte du P. Balić ne contient guère que des généralités et il est orienté surtout vers la dévotion envers la Vierge Marie. On peut même douter que les évêques en soient satisfaits.

Jeudi 23.XI.61. – On termine la Constitution de *BMV*.

Don Colombo demande si l'on ne pourrait pas avoir une commission mixte avec le secrétariat sur la question de l'Œcuménisme. Le P. Tromp, qui s'est tout de suite renfrogné comme un chien mécontent, refuse catégoriquement. Raisons : 1°) il faudrait faire encore d'autres commissions mixtes, on n'en finirait pas ; 2°) Nous seuls avons une compétence doctrinale, les autres commissions ou secrétariats sont purement disciplinaires et on n'a rien à recevoir d'eux.

Je remarque qu'il est tout de même bien regrettable qu'on n'ait pas travaillé ensemble. Quand le Secrétariat donnera des textes (il paraît qu'il en prépare un sur Marie chez les protestants), il sera trop tard ; cela ne servira de rien.

J'ai vu et dit cela il y a dix-huit mois déjà ! Je l'ai écrit au Saint-Père...

Le P. Tromp se renfrogne facilement. Mes interventions, pourtant bien (trop) timides semblent lui déplaire. Il a une façon de hausser les épaules et de manifester sa réprobation, sinon même son mépris, qui ne facilite pas l'expression de ce qu'on veut dire. On le dit quand même, bien sûr.

Il me dit que le texte de Don Colombo *De Magisterio* est mauvais, pas clair, pas nerveux ; il ressemble à un cours scolaire plus qu'à une constitution. Tromp me dit : Colombo est incapable de faire autre chose.

On n'a d'ailleurs pas le temps de voir ce texte de Don Colombo, et le P. Gagnebet demande qu'on lui envoie, dans les huit jours, des observations par écrit.

À 13 h 15, grand déjeuner avec le card. Ottaviani. La Maison a bien fait les choses – et, du reste, cette maison, bâtie par l'A.C. féminine italienne (non, sans doute, sans aide substantielle du S. Siège), est remarquablement réussie : quatre cents chambres ou lits, des salles de réunion, salles à manger, salle de conférence, etc. Je ne vois pas que la France, pays « riche », puisse se payer cela !

Redescendons à Rome à 16 h. Je pose mes valises à l'Angélique et vais immédiatement à St Clément[1], où le P. Général doit se trouver. Ma jambe droite n'a jamais été aussi mal. En dessous du mollet elle est comme morte et n'agit qu'en prenant position par son propre poids. D'autre part, aucune nouvelle du P. Maillard[2], qui devait prendre un rendez-vous pour moi demain vendredi après-midi à Paris avec un bon médecin. Sans quoi, j'aurais rejoint Paris ce soir même et pris le train de nuit pour Strasbourg ou pour St-Avold.

Le P. Général a déjà quitté St Clément. Je vais donc à Ste Sabine. Je mets vingt-cinq minutes à en monter la côte, et il m'arrive de pleurer. Que faire ? Je vois le P. Général quelques minutes. Il a rajeuni et semble être dans une forme excellente. Je vais le voir pour la question de feu vert du St Office à ma collaboration à des Mé-

1. Couvent dominicain de Rome.

2. Philippe Maillard, o.p., de la province de France, prieur du couvent de Strasbourg où réside Congar.

langes Visser't Hooft[1]. Cela est en route depuis deux mois ; le P. Leclercq (St-Office) m'avait dit : voyez votre P. Général, il doit avoir une réponse pour vous. Or le P. Général n'a entendu parler de rien.

Mais il profite de ma visite pour me dire – en son nom purement personnel, dit-il... – qu'il n'a pas été content de mon article paru dans *Signes du temps*[2] sur le livre de Hernegger[3] : livre très dangereux, ajoute-t-il.

Cet article est de juin 60. Le P. Général a de la mémoire. Je ne l'ai jamais vu que pour les choses désagréables. Entourées d'ailleurs, dans le cas, de beaucoup de gentillesse.

Je reviens à l'Angélique presque sur les mains. J'y vois le P. de La Brosse[4], arrivé il y a trois semaines.

Accueil TRÈS fraternel du Prieur[5] et du Sous-prieur (P. Perreault[6], canadien, psychologue).

Retour vendredi 24 : avion (assez mauvais temps) ; déjeuner au Cerf[7] ; consultation du Dr Bricaire[8] ; « Européen » [[archi]]bondé, debout jusqu'à Bar-le-Duc. (Dr Bricaire, 16 rue Assomption).

---

1. Finalement, Congar pourra apporter sa contribution : « Ecumenical experience and conversion : a personal testimony », dans Robert C. MACKIE et Charles C. WEST, *The Sufficiency of God. Essays on the Ecumenical Hope in Honour of W. A. Visser't Hooft, Doctor of Divinity, First General Secretary of the World Council of Churches*, Londres, 1963 ; le protestant hollandais Willem Visser't Hooft est le secrétaire général du COE depuis ses origines.

2. Yves CONGAR, « Pour que l'Église soit l'Église ! », *Signes du temps*, juin 1960.

3. Rudolf HERNEGGER, *Volkskirche oder Kirche der Glaübigen ? (Ideologie und Glaube. Eine christliche Ideologienkritik, 1)*, Nuremberg, 1959.

4. Olivier de La Brosse, o.p., de la province de France, séjourne durant deux ans à l'Angélique, où il prépare sa thèse de lecteur en théologie, présentée en juin 1962, et sa thèse de docteur en théologie, que Congar fera publier : *Le Pape et le Concile. La comparaison de leurs pouvoirs à la veille de la Réforme*, coll. « Unam Sanctam » 58, Cerf, 1965.

5. Raymond Sigmond (voir plus haut).

6. Aimon-Marie Perreault, o.p., de la province du Canada, psychologue, professeur à la faculté de philosophie de l'Angélique.

7. Les Éditions du Cerf à Paris, fondées et dirigées par les confrères dominicains de Congar.

8. Henri Bricaire, médecin spécialisé en endocrinologie.

28.2.62. – Quitté Strasbourg à 7 h 20, *via* Orly. Arrivée à Rome-Termini à 13 h 30. À Orly, je trouve le P. Bouyer. Qui eût dit, en 1932, quand je l'ai connu à la Faculté de théologie protestante[1], que nous nous rendrions un jour ENSEMBLE comme consulteurs d'un concile ?

Après brève sieste, ma jambe GAUCHE (la « bonne » !) est toute morte. Est-ce d'avoir porté un paquet lourd (huit kg) de la main gauche ?

Accueil extrêmement cordial et fraternel partout : à l'Angélique et à la Grégorienne, où je vais travailler à la Bibliothèque.

Le P. Gagnebet me dit que le chapitre *De missionibus*[2], que j'avais trouvé très insuffisant et même mauvais, est de lui. Il a eu dans l'esprit, me dit-il, tout ce que j'ai dit dans mes remarques. Mais on lui a dit, à la sous-commission : tout cela est dit dans le chapitre *De Ecclesiae natura* ; il faut, non le répéter, mais ajouter le droit. – Je ne suis pas d'accord. 1°) ce n'est pas vraiment dit ; 2°) cela eût été en effet très bien de parler des missions dans le chapitre même de l'Église. Le mieux serait d'y développer seulement plus expressément ce point et d'y ajouter simplement quelques lignes sur l'aspect du DROIT.

Quant à ce chapitre *De Ecclesiae natura*[3], le P. Gagnebet me dit qu'il est de Lattanzi, et qu'il y a eu conflit aigu entre Lattanzi représentant le Latran, et Tromp, qui est de la Grégorienne. Cela devrait être une affaire DU LATRAN ! Misérables !

Dimanche 4.3.62. – Six grosses et lourdes séances de travail, dans la Salle du « Saint-Office » où se réunissent les Cardinaux. Le climat est bien différent de ce qu'il était il y a un an. Les consulteurs parlent comme les autres, c'est une discussion libre et fructueuse. L'expérience est absolument nette : les remarques de ceux qui ne sont pas là ne sont presque jamais prises en considération, sauf quand elles sont, ou très brèves et précises (un changement minime de mots) ou très importantes et bien expliquées. Par contre, en

---

1. Celle de Paris ; Congar y avait suivi quelques cours et Bouyer, alors protestant, s'y préparait à devenir pasteur.

2. Des missions.

3. De la nature de l'Église.

intervenant directement, on arrive souvent, et sans grande difficulté, à faire passer son idée. Je le fais sur plusieurs points.

Grand déjeuner au Collège canadien : cinquante-quatre étudiants, tous prêtres. Climat à la fois assez festif (non proprement solennel) et sans apprêt : chacun se sert de ce qu'il y a sur la table sans penser spécialement aux autres. Assez peu de curiosité active.

Dimanche soir 4 : Je vais chez les Oblats de Marie Immaculée. Immense maison, et on va en construire encore une. Tout cela achevé, marbré, propre. Je pense au Saulchoir, non fini et non finissable, à notre pauvreté.

Hommes très sympathiques. Je vois les PP. Perbal[1] et Seumois[2]. Je fais une conférence par mode de réponse aux treize « petites » questions que m'ont posées leurs étudiants. J'ai toujours, quand je parle, la drôle impression de vibration et de sonorité nouvelle que j'ai eue à Sainte-Odile mardi dernier, après la séance de chiropraxie.

Après le dîner, conversation-conférence avec les Pères (non plus les scolastiques), sur l'œcuménisme et surtout l'Orient.

Lundi 5.3. – Le P. Gagnebet me dit qu'on renonce à faire un texte *De ordine morali SOCIALI*[3] : il y a opposition irréductible entre le P. Gundlach[4] et Mgr Pavan[5]. Mais les évêques voudront un tel texte ! On n'a qu'à nommer une autre Commission...

9 h 30 : Session plénière de la Commission dans la Salle des

---

1. Albert Perbal, o.m.i., a été longtemps professeur de missiologie à l'Institut des sciences missionnaires de l'Urbanienne ; il est consulteur de la Congrégation de la Propagande.

2. André Seumois, o.m.i., est professeur de missiologie à l'Urbanienne et consulteur de la Congrégation de la Propagande ; consulteur de la Commission préparatoire pour les missions, il sera nommé expert du Concile en 1962.

3. De l'ordre moral social.

4. Le jésuite allemand Gustav Gundlach, qui avait été l'homme de confiance de Pie XII en matière sociale ; il enseigne l'éthique sociale à la Grégorienne ; consulteur de la Commission théologique préparatoire, il décédera en juin 1963.

5. Pietro Pavan, du diocèse de Trévise, spécialiste de l'enseignement social de l'Église, est professeur au Latran ; membre de la Commission théologique préparatoire et de la Commission préparatoire de l'apostolat des laïcs, il est nommé expert du Concile en 1962 ; il deviendra plus tard recteur du Latran en 1969, puis cardinal en 1985.

Congrégations au Vatican. Partout des gendarmes, des huissiers. Très belle salle, toute rénovée, avec de belles tapisseries. Le cardinal Ottaviani nous dit d'abord très en bref la réaction de la Commission centrale sur nos textes. Elle a apporté quelques changements à la Profession de foi, elle y a mis, au sujet du Christ, ces mots « *unicus mediator*[1] » ; on ne sait pas encore si cette profession de foi sera prononcée avant ou après le concile. Dans la Constitution *De Deposito*, que la Commission centrale a trouvée « *nimis defensiva*[2] », on a demandé quelques changements sur l'historicité des Évangiles. La Commission centrale s'est étonnée que, dans la Constitution *De re morali*[3], on ne parle, comme vertu, que de chasteté.

Enfin elle a trouvé à tous nos textes un caractère trop professoral *(« nimis cathedraticum*[4] *»)*. Il faudrait quelque chose de plus pastoral, de plus scripturaire aussi. Enfin, le latin laisse parfois à désirer.

Après quoi le P. Tromp donne un compte rendu des activités de la Commission depuis la session générale. Il donne le chiffre des pages de remarques faites par la commission centrale et des réponses faites par une commission restreinte à ces remarques. La Commission centrale a demandé aussi une qualification plus précise des propositions de nos textes, et qu'on n'introduise, dans ces Constitutions dogmatiques que des choses *absolute certae*[5].

En fait, presque toutes sont des cours de théologie et mélangent les considérations non dogmatiques à ce qui est vraiment dogmatique. Quelle baisse de niveau, si on les compare aux chapitres du Concile de Trente ! En somme, la Commission centrale anticipe sur ce que j'espère que sera la réaction des évêques : elle veut quelque chose qui réponde mieux à ce dont le peuple chrétien a besoin. Mais cette Commission théologique a travaillé entièrement dans le climat du « Saint-Office » et avec, pour consigne, de faire une sorte de Somme de l'enseignement pontifical depuis Pie IX, les références étant entièrement aux encycliques et discours pontificaux. Le terrible c'est qu'on n'y peut rien ou, si l'on y peut un tout petit

1. « Unique médiateur. »
2. « Trop défensive. »
3. Des questions de morale.
4. « Trop magistral. »
5. Absolument certaines.

quelque chose, ce ne peut être qu'une ajoute ou une correction de détail ; mais c'est TOUT, et *a principio*[1], qui eût dû être conçu autrement.

Le P. de Lubac me dit que la Commission centrale transmet ses remarques à une petite commission prise dans la nôtre, qui fait un peu ce qu'elle veut et fait entériner ses réponses ou modifications par un groupe de cinq cardinaux.

Le P. Balić expose son *De Beata Maria Virgine.* Quel talent et quelle rouerie il a ! Il fait ce qu'il veut, usant de toutes les cordes, avec un bagout et une habileté inouïs.

Discussion à perte de vue sur *mediatrix*[2]. Balić nous dit que Pie XII supprimait *Coredemptrix*[3] sur tous les documents qui portaient ce titre, et le remplaçait par « *Socia Christi Redemptoris*[4] ».

Le soir, le P. Balić achève rapidement et le P. Gagnebet commence son *de Ecclesia et Statu, deque Tolerantia*[5] ; il mène son affaire grand train, pour la finir ce soir même. Encore un texte que j'aurais rédigé tout autrement. Je ne reste pas à toute la séance. Mgr Philips et le P. de Lubac me disent ensuite qu'il y a eu discussion serrée, que le cardinal Ottaviani, les PP. Dhanis et Balić auraient voulu un texte plus dur, mais qu'on a tout de même atténué ou élargi plusieurs expressions.

Je quitte la séance à 17 h 35 car j'ai une audience du cardinal Bea à 18 h. Il habite au Collège Brésilien. Il me reçoit de façon toute directe et amicale : il est content, dit-il, de faire personnellement ma connaissance. Je me retrouve dans un monde ouvert et respirable. Il touche successivement ces points :

– une édition au Cerf de ses articles et discours. Oui en principe ;

– la question de ma collaboration à Mélanges Visser't Hooft et à un volume protestant allemand de Berlin ;

1. Au commencement.
2. Médiatrice.
3. Corédemptrice.
4. « Associée au Christ rédempteur. »
5. De l'Église et de l'État, et de la tolérance.

– la publication des textes de la session de Chevetogne sur l'infaillibilité[1] ;

– les réactions de la Commission centrale. Le Cardinal me dit que ce sont les textes de la commission théologique les moins satisfaisants ; qu'ils n'ont rien de biblique ; que le texte sur Écriture et Tradition est court et insuffisant.

Je lui fais part de mon inquiétude : ce concile, qui doit être un pas dans le sens de l'unité, n'est absolument pas animé par cette idée ; elle intervient à peine dans notre Commission, ou tout juste pour éviter parfois tel ou tel mot. Cette commission est d'ailleurs purement latine et le point de vue oriental n'y est JAMAIS représenté. Je lui dis que j'ai écrit au Pape. Celui-ci, me dit le Cardinal, s'est fort étonné d'apprendre qu'il n'y avait jamais eu de commission mixte entre le Secrétariat et la Commission théologique.

Le cardinal me dit aussi qu'au début, quand il préparait le statut du Secrétariat, il avait écrit « la Commission ». C'est le pape qui lui dit de garder le titre de secrétariat, pour être plus libre. De même, me dit-il, le pape a fait savoir à qui de droit que, pour toutes les questions œcuméniques, c'est le secrétariat du cardinal Bea qui est compétent. Après le concile, me dit-il, il faudra que les attributions du Secrétariat soient bien définies et que dépende de lui tout ce qui concerne les relations avec les frères séparés.

Je demande au cardinal comment il a connu l'œcuménisme : car on ne savait pas qu'il fût au courant et, quand il a été nommé à ce poste, on a presque été étonné de le trouver tel... Il me dit qu'il a, toute sa vie, été en contact avec des protestants. En Bade, son pays natal, au collège ; ensuite, pour les études bibliques. En 1935, il a été invité, comme Président de l'Institut biblique pontifical, à un congrès biblique à Göttingen. Il a demandé à Pie XI qui a dit d'y aller. Finalement, il a même présidé la dernière séance du Congrès. Ensuite, il est resté en contact avec des exégètes protestants et, quand ceux-ci venaient à Rome, il en recevait. Mais, en somme, il n'avait pas d'autres préparations que celles-là. Et il avoue qu'il ne connaissait rien à l'Orient, au début, sinon par des voyages en Terre Sainte

1. *L'Infaillibilité de l'Église. Journées œcuméniques de Chevetogne 25-29 septembre 1961*, Éditions de Chevetogne, 1963.

(où il avait lié contact avec le P. Lagrange[1], pour surmonter le demi-froid entre l'École biblique et l'Institut).

Dans le tram, au retour, je trouve Mgr Philips et le P. de Lubac ; ils me disent comment a marché la discussion.

Mardi (gras) 6.3.62. – Le P. Balić va de collègue à collègue parmi tous les membres de la sous-commission pour leur chanter son antienne de l'ajoute d'un paragraphe sur la médiation mariale.

Fin rapide de la Constitution du P. Gagnebet sur l'Église et l'État.

Constitution *De Magisterio* (Colombo). Piolanti – qui ne fait que chercher les occasions de pousser ses pointes dans le sens le plus étroitement romain, et qui rigole à toute occasion des allusions qu'il voit à l'actualité anecdotique – voudrait que les évêques assemblés en concile dépendent du pape *fontaliter*[2]. C'est aussi la position du P. Gagnebet, mais celui-ci déclare nettement qu'il ne veut pas l'introduire dans la constitution. Par contre, Mgr Hermaniuk propose, avec force et calme, une vue des choses dont il pense très justement qu'elle tendrait la main à certains Orthodoxes. Je vois Mgr Hermaniuk après, je lui dis que je voudrais rédiger quelque chose dans le sens qu'il désire. Il me dit qu'il viendra à la sous-commission, bien que n'en faisant pas partie.

À midi (ou plutôt 14 h !!!) déjeuner à St-Louis des Français avec l'ambassadeur du Sénégal auprès du Quirinal[3], et M. Alioun Diop[4]. Je parle beaucoup avec chacun d'eux. Je me trouve en présence d'hommes de grande culture. Et de culture française. Il est clair que l'Afrique aura beaucoup à dire dans l'avenir. Ce n'est pas pour demain, mais cela sera.

Après la séance du soir, le P. Leclercq, me reparle des commissions d'experts qui fonctionneront pendant le concile. Il me dit qu'il travaille pour que j'en fasse partie, car, dit-il, on aura besoin

1. Marie-Joseph Lagrange, o.p., fondateur de l'École biblique et archéologique française de Jérusalem.

2. Comme de leur source.

3. L'ambassadeur du Sénégal en Italie est alors le colonel Claude Mademba Sy.

4. Cet intellectuel sénégalais, musulman d'origine converti au catholicisme, avait fondé la revue *Présence africaine* en 1947.

de théologiens qui donnent des textes de rechange, comme Kleutgen[1] a fait pour le 1er concile du Vatican.

Mercredi 7 mars 62. – Le Père Général a demandé à me voir. L'heure a été changée par téléphone, c'est ce matin à 8 h 30 que je le vois. J'avais dit d'avance au P. Labourdette : ce doit être pour quelque chose de désagréable, car je ne l'ai jamais vu qu'ainsi. Je ne m'étais pas trompé. Il me dit qu'il veut me « reparler de CE livre... ». Je ne vois pas de quoi il s'agit. Finalement de ceci : il est chargé par le « Saint-Office » (dont il ne prononce pas le nom ; il dit : Ce qu'il y a de plus haut) de me passer un savon pour l'articulet de *Signes du Temps* sur Hernegger. Il dit avoir lu ce livre (???) et le trouve très faux.

Pauvre homme, totalement prisonnier du système, sans le moindre soupçon de ce que peut être une interrogation. On m'a dit de bonne source que son cardinalat[2] – dont je ne lui parle pas – est venu des évêques de la Commission centrale, QUI VEULENT AVOIR UN THÉOLOGIEN PARMI EUX[3]... !!!

On reçoit les cendres à la Chapelle Pauline, dans le Vatican. J'y fais mon oraison en attendant. Mais je n'ai pas pu, en entrant, ne pas noter le climat spirituel du lieu. C'est de Paul IV. Au-dessus de l'autel, tout en haut, il y a un TOUT PETIT médaillon représentant l'Agneau. En dessous, l'inscription *« Ego sum via, veritas et vita[4] »*. Ainsi en règle avec le Christ, on lui fait présider à un ordre qui ne se soucie pas davantage de l'Évangile. Dans les coins, des statues de beaux corps de jeunes hommes qui montrent bien leurs jambes. L'atmosphère est faite d'un mélange de rigueur et de sensualité latente.

Séance *De laicis.* Admirable tempérament de Mgr Philips, servi par un usage parfait du latin. Il a une bonne grâce, une aménité

1. Joseph Kleutgen, s.j., théologien allemand ; à Vatican I, il participa à la refonte de la future Constitution *Dei Filius* et se vit confier la refonte du schéma *De Ecclesia Christi* qui ne put cependant être discuté par les Pères.

2. Michaël Browne est créé cardinal au consistoire du 19 mars 1962 et consacré évêque le 19 avril suivant.

3. Browne est déjà membre de la Commission centrale préparatoire.

4. « Je suis le chemin, la vérité et la vie » (Jn 14, 6).

profonde, procédant d'un respect intérieur des autres et de la vérité. Si tout était à son image, comme tout irait bien ! – Sorties de Balić, qui trouve qu'on donne beaucoup trop aux laïcs et en prophétise, d'une voix menaçante, de futures catastrophes.

De statibus perfectionis sans histoire[1].

Ennui avec l'avion ; la correspondance Nice-Strasbourg ne sera pas assurée dimanche (l'avion vient d'Oran). Je dois aller à Air France envisager les solutions possibles. Je choisis de supprimer mon retour en avion et de prendre un train samedi soir.

Séance menée grand train *De Matrimonio* : une constitution-fleuve, où tout est précisé des devoirs des gens mariés !!

Je suis, ces jours-ci, souvent à côté du P. Gundlach. Il n'est pas content de tous ces textes. Mais on me dit qu'il n'est jamais content. J'avoue que pour ma part, je suis un peu indifférent à ce qu'il peut y avoir d'excès paternalistes dans ces textes : car je suis tellement convaincu qu'ils ne changeront rien et que la vie se fait son chemin malgré tout ! Du reste, il y a une immense quantité de principes excellents et avec lesquels je suis tout à fait d'accord.

Jeudi 8 mars 62. *S. Thomas (reportée).* – Je « tape », avant de partir, un papier sur la collégialité : non un TEXTE tout fait, mais un *votum* destiné à poser la question et à empêcher qu'elle soit prétéritée. IL FAUDRA reprendre cette question à tête reposée. Mais cela supposerait une NOUVELLE rédaction DE L'ENSEMBLE de la Constitution *De Magisterio*. Mais le fera-t-on ? Cela ne pourrait se faire que dans une autre session – car celle-ci est déjà surchargée.

La journée est consacrée à la sous-commission *De Ecclesia*, au « Saint-Office ». Le matin, après un moment sur l'opinion publique dans l'Église (où Mgr Philips est excellent : il fait maintenir que l'opinion publique, de soi, est toujours bonne et que même dans ses excès ou errements il y a QUELQUE CHOSE de bon), *De Ecclesiae natura* par Mgr Lattanzi. Ce texte a toute une histoire. Dès le début (nov. 60) Lattanzi s'est montré impossible, verbeux, confus. Le P. Gagnebet eût voulu l'éliminer de ce rôle de rédacteur de ce chapitre, mais Lattanzi est allé voir le pape, il a fait valoir que l'honneur

1. Des états de perfection.

du Latran était en jeu. Cela a été une question de boutique. Il fallait que le Latran fasse un texte dogmatique... Mais, me dit le P. Gagnebet, on a perdu ainsi trois mois. Finalement, le P. Tromp a fait un texte dont Lattanzi a gardé le schéma et les idées, mais en rendant le tout dans son latin et son pathos.

Son exposé est impossible. D'abord, c'est un niagara de paroles, dévidées à toute vitesse. On comprend à peine. De plus il a beaucoup changé, ajouté, supprimé, en sorte qu'on a affaire à un nouveau texte et qu'il est impossible de savoir où on en est. Quand le latin ne lui suffit pas, Lattanzi passe au grec. C'est un chaos. Très pénible et fatigant. Enfin, il ne comprend pas les questions. Le P. Tromp non plus, qui est sourd. Ainsi je repose en vain la question du sens de σῶμα, *corpus*[1]. Le P. Tromp croit satisfaire à tout avec le sens sociologique et SURTOUT BIOLOGIQUE. Il ne connaît pas les études exégétiques récentes. Aussi j'alerte les exégètes, Mgr Cerfaux et le P. Kerrigan.

Déjeuner à grand branlebas à l'Angélique : deux cardinaux, le P. Général, le P. Philippe, les supérieurs qui envoient des élèves à l'Angélique, et quelques membres de notre Commission (Tromp, Philips, Fenton).

Après quoi je vais changer de l'argent et prendre mon billet de train.

L'après-midi, *De oecumenismo.* Le P. Witte est malade, c'est le P. Lécuyer qui, courageusement et sportivement, a accepté de proposer ce texte difficile. Fenton, dès le début, fait une opposition absolue. Il ne cherche pas une seconde à envisager la question, encore moins à entrer dans le point de vue des autres ; il prend occasion de tout MOT dans lequel il pense que pourrait se glisser quelque chose qui soit favorable à quelque ouverture, pour foncer dessus comme un taureau sur le chiffon rouge. Son attitude est absolument INFANTILE. Il s'est fait une forteresse d'un point UNIQUE auquel il ramène tout, sans d'ailleurs bien comprendre la théologie *De Ecclesia* dans son ensemble : l'Église est visible ; l'Église est l'Église catholique-romaine ; il n'y a de salut qu'en elle, prise dans le sens confessionnel le plus étroit. Au bout d'un certain nombre

1. Corps.

de charges du taureau, qui écume et tremble d'excitation nerveuse (je suis à côté de lui), le P. Tromp déclare : Nous discutons SUR UN TEXTE pour l'améliorer. Si on rejette le texte lui-même et l'objet dont il traite, notre séance n'a pas de raison d'être. Il fait voter sur ceci : améliorer le texte ou le rejeter totalement. FENTON seul est pour le rejet. Il a une grande prise de bec avec Tromp sur la position de Bellarmin[1], car, selon Fenton, le concile condamnerait Bellarmin, et ce serait le plus grand scandale de toute l'histoire de l'Église.

Dans tout ce débat, je n'interviens pas, car l'œcuménisme est défendu (et bien) par le P. Tromp et Mgr Dubois, sans compter les PP. Lécuyer et Salaverri. Dans la suite, Tromp se tait ou même s'absente, et j'interviens plusieurs fois. Au bout d'un certain temps, Fenton est si odieux, si bêtement négatif, si agressif, si hors de tout sens, que Mgr Philips se lève et dit, avec émotion, force et calme : Dans ces conditions, il est impossible de travailler, et je me retire. Car (s'adressant à Fenton) vous accusez tout le monde d'hérésie. Le travail n'est possible que si on respecte les autres et leurs raisons.

Fenton se tait un moment, puis recommence. Il est hors de ses sens et de tout contrôle raisonnable.

On ne finit qu'à 19 h 35. Ou plutôt, on se sépare sans finir. Tout le monde est fatigué, on piétine, on n'a plus le minimum de fraîcheur nécessaire pour appliquer son attention et trouver des solutions. On décide de refaire une réunion de la sous-commission demain après-midi.

Le soir, dîner avec Laurentin.

Vendredi 9 mars. – Conversation avec le P. Hamer sur le Secrétariat pour l'unité des chrétiens. Séance sur *De Familia*[2]. Grande discussion sur la surpopulation. À la fin, un évêque passioniste* de 86 ans[3] déclare qu'il a été scandalisé de l'esprit charnel de beaucoup

---

* Peruzzo, évêque d'Agrigente.

1. Saint Robert Bellarmin (1542-1621), s.j., théologien majeur de la Contre-Réforme.

2. De la famille.

3. Giovanni Battista Peruzzo, archevêque-évêque d'Agrigente (Italie), membre de la Commission théologique préparatoire. Au Concile, il est membre de la Commission doctrinale.

de membres ; il lit le texte « *Ne solliciti sitis*[1] ». Mais, au cours de la discussion, il a professé une sorte de libéralisme assez facile : s'il y a trop d'hommes, ils meurent ; ainsi il n'y en aura jamais trop.

C'est *FACILE* d'invoquer l'Évangile et de laisser les problèmes insolubles aux autres. Cet archevêque d'Agrigente – l'enfant d'Agrigente a 86 ans[2] ! – a été ajouté récemment. Ses quelques interventions sont toujours dans le sens le plus pieux, le plus intégriste, le moins ouvert, le plus « *vom katholischen her*[3] ». Le choix des membres est vraiment significatif... !

Déjeuner chez Mgr Arrighi avec Bouyer, Peri[4], Mgr Colombo. Mais partout où je vais, j'arrive mort et sans force dès que j'ai marché un peu.

Le soir, au « Saint-Office », en sous-commission, constitution sur la prédication de l'évêque et examen de la proposition de Mgr Hermaniuk. Immense joie pour moi : elle est admise.

Le soir, dîner et conférence sur l'œcuménisme au Collège canadien.

Samedi 10 mars. Mon dernier jour ici. – Chapitre *De natura Ecclesiae.* Il s'avère une fois de plus que le P. Tromp n'admet aucun intérêt pour une autre exégèse que la sienne, quant aux textes de S. Paul concernant le Corps du Christ. De plus, il reproche au texte Lattanzi de ne guère se référer qu'à la Sainte Écriture : IL FAUT, dit-il, mettre dans les notes des références aux textes du Magistère. D'un bout à l'autre, cette exigence a pesé sur le travail et les rédactions de la Commission. C'est très grave. La source de la connaissance, pour eux, n'est pas la Sainte Écriture et la Tradition sous la direction du Magistère : elle est le Magistère lui-même.

Comme hier en sous-commission, grande discussion sur la façon d'exprimer l'obligation, pour les évêques, de prêcher aux « infidèles ». Notre constitution *De officio praedicandi*[5] concerne *SEULEMENT*

1. « Ne vous préoccupez pas. »

2. Allusion à l'ouvrage d'André-Jean Festugière, o.p., de la province de France, *L'Enfant d'Agrigente*, Cerf, 1941.

3. « Du point de vue catholique. »

4. Vittorio Peri, *scrittore* à la Bibliothèque apostolique vaticane, spécialiste de l'Orient chrétien.

5. De l'office de la prédication.

les *« gentes*[1] » ; elle a le grand intérêt de distinguer entre la Mission aux païens et la Mission aux déjà (imparfaitement) évangélisés.

Grand déjeuner à la Domus Mariae ; au centre de la table, le cardinal Ottaviani (qui m'a manifesté plusieurs fois une froideur marquée ; le P. Tromp, lui, pas du tout...), Mgr Parente, Mgr Felici, Mgr Scicca[2] (secrétaire de la Congrégation des Études).

À 16 h, séance pour les ajoutes sur la Médiation faites par le P. Balić à son texte de *B. M. Virgine*. Pas trop mal.

À la fin, le P. Hürth lit un papier d'après lequel Pie XII et Jean XXIII ont, malgré l'opposition de Mgr (card.) Larraona[3], dit que non seulement les Instituts séculiers, mais même les vœux privés, établissent dans le même état de perfection que les vœux publics. Le Souverain Pontife, dit-il, a CRÉÉ ainsi une doctrine en assimilant entièrement les vœux, même privés, aux vœux solennels. C'est la négation du principe même des « ÉTATS » de perfection, qui impliquent la solennité (publicité). La chose nous sera soumise.

On se sépare donc sans avoir achevé. Il reste, non seulement les questions sociales, sur lesquelles l'accord n'a pu se faire, mais l'œcuménisme, la proposition de Mgr Hermaniuk et encore un ou deux petits points. Pour l'œcuménisme, Fenton est arrivé à ce résultat qu'on n'a pas conclu et qu'on ne peut en proposer le chapitre dans la Constitution *De Ecclesia*.

On nous dit que la sous-commission TELLE QU'ELLE PEUT SE RÉUNIR À ROME, jugera du texte. Ou que, peut-être, on discuterait de ces choses pendant la première session du concile, en octobre.

Voyage de retour en train. Tout le parcours depuis Côme avec de braves Italiens qui vont chercher du travail en Allemagne et en Hollande. Qu'ils sont sympathiques ! Ils mangent, en pain (gros et grand pain « de ménage »), saucisson, fromage, bananes, de quoi m'alimenter entièrement pendant deux jours. Ils sont gais, rient de tout. Ils ont une philosophie réelle. Ils me montrent les photos de

---

1. « Peuples » ; il s'agit ici des peuples non encore évangélisés.

2. Ce nom n'apparaît pas dans l'*Annuario Pontificio* de 1962 ; le secrétaire de la Congrégation des séminaires et des universités est alors Dino Staffa.

3. Le cardinal Arcadio Larraona, membre de la Commission centrale préparatoire ; devenu préfet de la Congrégation des rites, il sera président de la Commission préparatoire de la liturgie, puis président de la Commission de liturgie.

leur femme et de leurs gosses. Il faut qu'on partage. Et leur vue de la politique : « la Russie veut cela, l'Amérique veut ceci ; tout cela, c'est de la merde. »

Quelle plongée dans l'humanité vraie, pas compliquée. Que nos affaires romaines et cléricales sont loin !

Vers le ***5 ou 6 août 1962***, j'ai écrit à Mgr Weber que, n'ayant aucune précision sur l'existence éventuelle de Commissions conciliaires, je me proposais à être son homme, puisqu'il m'avait dit dès le début qu'il m'emmènerait comme son théologien.

J'ai reçu alors de lui, en réponse, une carte qui m'a étonné et peiné et que, pour cette raison, j'ai déchirée. Il n'était pas sûr, disait-il, d'avoir besoin de quiconque. Il m'a semblé que, si gentil soit-il à mon égard, et si chétive que soit ma personne, il ne voyait pas le réel intérêt qu'il y avait à ce que JE sois à Rome pendant le concile.

Peu de jours après, j'ai reçu de lui une nouvelle carte. Il venait juste (17 août) de recevoir le premier volume de *schemata*[1]. Certaines choses étaient de ma compétence. Il décidait donc de m'emmener, m'offrait même une possibilité d'hébergement à Saint-Sulpice[2], et indiquait mon nom à Mgr Gouet, secrétaire de l'épiscopat.

Il m'a semblé que Mgr Weber avait cru que son théologien devrait être pris en charge économiquement par lui et qu'il avait, en premier mouvement, voulu éviter ces frais.

Quand je suis rentré à Strasbourg le 30 août, j'ai trouvé une indication de téléphone de Mgr Weber, qui voulait me voir au plus tôt. J'ai été le voir dès le lendemain matin et ai déjeuné avec lui. Il m'a passé le volume de *schemata*, reçu par lui le 17/8 et sur lequel il doit envoyer ses réactions à Rome pour la mi-septembre. (C'est un peu rapide !!). Il m'a indiqué les réactions, puis m'a passé le volume avec ses réactions et celles (excellentes) du P. Durrwell, à qui il l'a d'abord communiqué.

Malgré l'énorme courrier en retard que je trouve, malgré diffé-

---

1. *Schemata Constitutionum et Decretorum de quibus disceptabitur in Concilii sessionibus. Series prima*, 13 juillet 1962 (Archives Congar).

2. La procure de Saint-Sulpice à Rome.

rentes urgences, malgré ma *Tradition*[1], interrompue une fois de plus et catastrophiquement, il faut que je me remette au travail fastidieux de relire ces textes et de refaire des observations que j'ai déjà faites.

Nos schémas théologiques sont restés à peu près les mêmes ; cependant, sur les points les plus discutés, il y a eu des améliorations, ou bien on est revenu à un texte moins agressif. Ainsi sur la place de la charité dans la vie morale, sur les limbes, sur le polygénisme. Cependant, ils restent des textes trop « romains », trop en réaction, trop « Saint-Office » : Mgr Weber l'a senti, et le P. Durrwell plus fortement encore.

Le texte sur la liturgie est bon ; il est beaucoup plus au niveau du ressourcement actuel.

Le texte sur l'unité est de qui ? Je verrais volontiers la main de Vodopivec[2]. Il est dans l'esprit de Jean XXIII. Sans aborder de front les principes théologiques, il pose, dans un climat d'amour et d'irénisme, des affirmations qui vont loin et pourraient développer des conséquences théologiques de grande portée. Mais il est orienté exclusivement vers les orthodoxes. Il se développe totalement en dehors de la perspective œcuménique, et comme si le Conseil œcuménique n'existait pas ; comme si les Orthodoxes n'en faisaient pas partie. Il sera ressenti par le Conseil œcuménique comme une manœuvre pour obtenir une union avec les Orthodoxes, en dehors de toute approche du Conseil et des protestants : donc contre eux. J'écris à ce sujet à Mgr Willebrands[3] : car ce point est très grave.

Le ***16 ou le 17 septembre*** j'ai reçu du P. Chenu un projet de

1. Il doit s'agir de *La Tradition et les traditions. Essai théologique*, Paris, Fayard, 1963 ; mais Congar prépare aussi *La Tradition et la vie de l'Église*, Paris, Fayard, 1963.

2. Janez Vodopivec, professeur au Latran, est consulteur du Secrétariat pour l'unité.

3. Lettre du 4 septembre 1962 (Archives Congar) ; le 8 septembre 1962, Willebrands répond à la lettre de Congar (Archives Congar) et l'informe que si le texte émane bien de la Congrégation pour l'Église orientale, il n'est pas de Vodopivec, qui n'en fait pas partie ; il s'accorde à reconnaître que le texte ignore le mouvement œcuménique, dont les orthodoxes font partie, et lui fait part de son intention de parler à Bea de ce document.

déclaration initiale[1]. Il m'a paru de suite que cette initiative était INSPIRÉE, que c'était *CELA* qu'IL FALLAIT faire ! Encore que je trouve le texte du P. Chenu un peu trop sociologique, humain. Certes c'est un message adressé aux hommes. Mais j'eusse aimé qu'on y affirmât davantage le fait de Jésus-Christ et l'offre de l'Alliance. Aussi j'ai voulu seconder efficacement le P. Chenu. J'ai envoyé son projet, avec un mot de moi, aux cardinaux Liénart, Alfrink[2], König, Döpfner[3], Montini ; puis Frings[4] et Suenens[5] ; à l'archevêque de Reims[6], de Durban (Hurley)[7] ; à Mgr Charue[8], Mgr Weber, Mgr Ghattas (évêque copte de Thèbes[9]) ; à Mgr Volk[10].

J'ai reçu de plusieurs d'entre eux, surtout des cardinaux Liénart, Alfrink et Döpfner, une réponse très favorable. J'ai communiqué les réponses au P. Chenu. Celle du cardinal Liénart indiquait qu'il serait bon de préparer UN TEXTE, le P. Chenu en a fait un en français, que j'ai corrigé et complété quant au paragraphe touchant l'œcuménisme, qui était un peu trop court dans son projet initial.

J'ai tapé ce texte et l'ai communiqué à Küng, pour qu'il en fasse une traduction allemande.

---

1. Sur l'histoire de ce texte, voir André DUVAL, « Le message au monde », *Vatican II commence... Approches francophones*, Leuven, 1993, p. 105-118.

2. Le cardinal Bernard J. Alfrink, archevêque d'Utrecht, futur membre du Conseil de présidence du Concile.

3. Le cardinal Julius Döpfner, archevêque de Munich et Freising, futur membre de la Commission de coordination et futur modérateur au Concile.

4. Le cardinal Joseph Frings, archevêque de Cologne, futur membre du Conseil de présidence du Concile.

5. Le cardinal Léon-J. Suenens, archevêque de Malines-Bruxelles, futur membre de la Commission de coordination et futur modérateur au Concile.

6. François Marty.

7. Denis E. Hurley, archevêque de Durban (Afrique du Sud), futur membre de la Commission des séminaires, des études et de l'éducation catholique.

8. André Charue, évêque de Namur. Lors de la première session, il sera élu membre de la Commission doctrinale dont il deviendra second vice-président à la fin de la deuxième session.

9. Isaac Ghattas, évêque copte-catholique de Louqsor (l'antique Thèbes).

10. Théologien et membre du Secrétariat pour l'unité, Hermann Volk devient évêque de Mayence au printemps 1962. Il sera élu membre de la Commission doctrinale lors de la première session du Concile.

Küng m'a téléphoné le 27 septembre au matin, en demandant à me voir. Il est venu pour cela de Tübingen le même jour. Lui, d'accord avec plusieurs théologiens allemands, en particulier Möller[1], de Tübingen, estime les quatre *schemata* dogmatiques mauvais : il faut non les amender, mais les rejeter. Amendés, ils resteront substantiellement ce qu'ils sont. Or ils formulent une théologie d'école, celle des écoles romaines. Pour le public, et même pratiquement pour les clercs moyens, leurs constitutions passeront pour des définitions de foi. Ce sera un durcissement de plus dans un sens qui n'offre pas de vraies possibilités de dialogue avec la pensée de nos contemporains.

Pour se donner de meilleures chances de refus, dit Küng, il faut éviter que ces *schemata* dogmatiques ne soient proposés LES PREMIERS : car ils risqueraient d'être abordés dans de mauvaises conditions, de façon hâtive. Donc, il faudrait obtenir que le concile commence par les schémas plus pratiques.

Nous envisageons les possibilités d'action en ce sens. Il me semble que nous pouvons seulement nous adresser AUX ÉVÊQUES. Ensemble, avec Küng, nous rédigeons un texte en ce sens, dont il m'envoie la version latine deux jours après. On fera signer ce texte par un certain nombre de théologiens connus.

J'attire cependant l'attention de Küng sur le danger et l'inconvénient qu'il y aurait à donner l'apparence d'un para-concile de théologiens, qui voudrait influencer le vrai concile des évêques. Küng aurait voulu tenir à Rome une réunion de théologiens. Je lui ai formellement déconseillé de le faire, disant que, pour ma part, je n'y participerais pas, ou que j'exigerais au minimum que des théologiens de tendance intégriste y assistent également. Sans quoi, nous susciterions l'impression : 1°) que des théologiens veulent dicter au concile sa ligne. Cela rappellerait fâcheusement Döllinger[2] ; 2°) qu'on trame un complot. Or toute action suscite une réaction. Notre action attirerait un durcissement de l'ensemble immobiliste et scolasticard, qui représente peut-être la majorité numérique. Il

1. Joseph Möller, professeur à la faculté de théologie catholique de Tübingen.

2. Johann Josef Ignaz von Döllinger (1793-1890) ; ce célèbre théologien et historien de l'Université de Munich, opposant irréductible à la proclamation du dogme de l'infaillibilité pontificale, fut finalement excommunié.

faut toujours penser à la réaction qu'on risque de déclencher en agissant.

Voir ici ce que j'ai reçu de Küng le 29.9[1].

1er octobre 62. – Je reçois le texte LATIN du P. Chenu ; je l'envoie aussitôt aux cardinaux Liénart, Suenens, Döpfner et Alfrink, qui m'ont répondu le plus favorablement sur le projet.

2 octobre. – Je vois Mgr Weber et lui porte les deux textes (latin et français) du P. Chenu. Il me dit avoir adressé directement une demande de démarche dans le sens du P. Chenu, conjointement avec Mgr Elchinger, au cardinal Cicognani[2].

IL FAUT que quelque chose se fasse en ce sens !

3 octobre. – Visite de Mgr Elchinger. Il m'avait demandé, par téléphone, de lui indiquer des noms d'évêques pour qui voter, dans les 10 commissions épiscopales de 24 membres (dont 16 élus par les évêques eux-mêmes). J'ai préparé une liste et je lui indique : pour la France, NNSS Marty, Guerry, Guyot[3], Villot, Blanchet, Le Cordier[4], Fauvel[5], lui-même.

En dehors de France NNSS

Heenan, Liverpool
Hurley, Durban
Ghattas, évêque copte de Thèbes (Égypte)
Larraín, évêque de Talca (Chili)
Maury[6], délégué apostolique de Dakar

---

1. Celui-ci informe Congar qu'il a pris contact avec K. Rahner ; ils ont traduit en latin la lettre rédigée à Strasbourg ; ils estiment préférable d'en parler aux cardinaux Döpfner et König avant de recueillir les signatures de théologiens.

2. Le cardinal Amleto Cicognani, secrétaire de la Congrégation pour l'Église orientale de 1960 à 1961, a été nommé secrétaire d'État à la mort de Tardini ; il sera président de la Commission de coordination et de la Commission conciliaire des Églises orientales.

3. Louis Guyot, évêque de Coutances.

4. Jacques Le Cordier, évêque auxiliaire de Paris. Il sera nommé, au début de 1965, sous-secrétaire du Concile.

5. André Fauvel, évêque de Quimper.

6. Jean-Baptiste Maury, délégué apostolique à Dakar pour l'Afrique de l'Ouest.

Schoemaker[1], vic. apostolique de Purwokerto (Indonésie)
Van Bekkum[2], vic. apostolique de Ruteng (Indonésie)
Volk, Mayence
Hermaniuk (CSSR ; Ruthènes, Canada)
Jaeger[3], Paderborn
Charue, Namur
Suhr, Copenhague

J'ajoute que, se sont exprimés, dans leur *Votum* antépréparatoire, dans le sens des droits des évêques :

Von Streng[4], Bâle et Lugano
N.J. Arnau[5], auxiliaire de Barcelone
A.H. Ibáñez[6], évêque de Jaca, Espagne
Leopoldo Garay[7], Madrid
+ (Van Roey[8]), Guerry, card. O'Hara[9] (Philadelphie)

et, pour une internationalisation de la Curie romaine :

N.J. Geise[10], préfet apostolique de Sukabumi, Indonésie, le cardinal Alfrink, qui, même, proposait que la Curie devienne un simple organe D'EXÉCUTION, la décision relevant d'un synode

1. Willem Schoemaker est en réalité évêque de Purwokerto, siège épiscopal depuis janvier 1961.

2. Willem van Bekkum, évêque de Ruteng (Indonésie), membre de la Commission préparatoire de la liturgie, puis membre de la Commission conciliaire de liturgie.

3. Lorenz Jaeger, archevêque de Paderborn (Allemagne), membre du Secrétariat pour l'unité, cardinal en février 1965.

4. Franz von Streng, évêque de Bâle et Lugano, membre de la Commission préparatoire de la discipline des sacrements.

5. Narciso Jubany Arnau, évêque auxiliaire de Barcelone, consulteur de la Commission préparatoire des évêques et du gouvernement des diocèses. Lors du Concile, il sera membre de la Commission des évêques et du gouvernement des diocèses.

6. Angel Hidalgo Ibáñez, évêque de Jaca (Espagne).

7. Leopoldo Eijo y Garay, évêque de Madrid.

8. Le cardinal Josef van Roey, archevêque de Malines, était décédé en août 1961.

9. Le cardinal John F. O'Hara, archevêque de Philadelphie, décédé le 28 août 1960.

10. Le franciscain Paternus N. J. Geise, devenu en 1961 évêque de Bogor (Indonésie).

permanent composé à l'instar de la Commission centrale et se réunissant une fois par an.

Évêques de langue anglaise contre un surcroît de mariologie :

Archevêque d'Armagh[1]

évêque de Leeds[2]

cardinal Godfrey, Westminster (mais pas très œcuméniste. Quand le cardinal Bea est allé à Londres, [[il y a quelques mois,]] il est parti à sa maison de campagne et n'a reçu le cardinal Bea, ni à Londres, ni à la campagne).

9 octobre 62. – Avion des évêques : envol à 16 h 45 à Orly. Grand tralala, salon, etc. Je vois un certain nombre d'évêques et leur chante deux antiennes :

1°) le message aux hommes

2°) la révision des *schemata* doctrinaux.

Mgr Marty, Mgr Guerry, Mgr l'auxiliaire d'Angoulême[3], à côté de qui je fais le voyage, sont très favorables au Message.

10 octobre. – Le matin, à 9 h, avec le P. Camelot[4], on va au secrétariat, pour apporter deux photos en vue d'obtenir la carte d'experts. Tant là que de l'autre côté, où se trouvent les locaux des journalistes, et où les évêques se pressent par centaines pour retirer leurs papiers, on trouve beaucoup d'impréparation. Derrière les papiers à belles en-têtes, il n'y a pas grand-chose. Je vois là quelques journalistes, en particulier Pélissier[5], de *La Croix*, et Mayor[6], des *ICI*. Ils disent qu'il y a ici sept cents journalistes qui sont furieux, parce qu'on leur a préparé des locaux épatants, avec des appareils très perfectionnés, mais qu'on ne leur dit RIEN. Ils ont élu une sorte

---

1. Le cardinal John d'Alton.
2. Georges P. Dwyer.
3. René Kérautret, évêque coadjuteur d'Angoulême.
4. Pierre-Thomas Camelot, o.p., de la province de France, enseigne la patristique et l'histoire des doctrines aux Facultés du Saulchoir ; il est expert du Concile.
5. Jean Pélissier est le chef du service religieux à *La Croix*.
6. Francis Mayor, journaliste aux *Informations catholiques internationales*, chargé de suivre le Concile.

de Comité pour agir et veulent, si cette situation dure, faire un esclandre.

Nous passons au Secrétariat pour l'unité, y voyons le P. Stransky[1], Mgr Arrighi, Mgr Willebrands. Ils sont occupés par la visite de divers observateurs[2] ou pasteurs venus comme journalistes. Arrighi me dit qu'à cette date, quelques heures avant la séance d'ouverture, on ne sait pas encore où on mettra les observateurs dans Saint-Pierre. Rien n'est prévu pour eux...

Déjeuner à Sainte-Sabine. Vu le P. Hamer, le P. Général[3]. Couvent charmant, mais ce déjeuner m'a paru très triste.

Je reçois une visite de Laurentin qui me paraît être devenu impossible : très mouche du coche, arrangeant des trucs, sautant sur tout ce qu'il peut utiliser, tout ce dont il peut faire son profit. Si je ne le connaissais pas, je dirais : intrigant.

11 octobre. – Je rentre de la cérémonie inaugurale. Partis à 7 h avec le P. Camelot. Entrés par la Porte de Bronze et le grand escalier, nous nous égarons, devant la chapelle Pauline, dans les lieux réservés aux évêques (vu Mgr Guerry, qui épouse tout à fait l'idée de Message aux hommes) ; nous en faisons éjecter par un énorme gendarme à bonnet à poils, qui a tout de l'ogre de guignol : on ne saurait inventer un type aussi parfait de croquemitaine. Errons à la recherche du lieu où nous serons admis. Il y a là le P. Salaverri, Mgr Schmaus, Mgr Fenton et d'autres prélats américains qui parlent très fort, Mgr Colombo, le P. Tascón[4], etc. Finalement, dans

1. Le pauliste américain Thomas F. Stransky est *scrittore-archivista* puis, à partir de 1963, *minutante* au Secrétariat pour l'unité.

2. Les Observateurs non catholiques sont délégués par leurs Églises respectives pour les représenter au Concile ; ils sont pris en charge par le Secrétariat pour l'unité des chrétiens.

3. C'est maintenant Aniceto Fernandez, espagnol d'origine, élu le 22 juillet 1962 au Chapitre général à Toulouse. Maître en théologie et professeur à l'Angélique, il a été vicaire général de l'Ordre, puis provincial de la province espagnole ; il sera nommé membre de la Commission doctrinale par le pape lors de la première session ; sauf de rares exceptions, c'est de lui qu'il est question lorsque Congar parle d'un Fernandez.

4. Tomás Tascón, o.p., de la province des Philippines, secrétaire général de l'Ordre dominicain, est expert du Concile.

une tribune, à condition de céder les premiers rangs, tout à l'heure, à des Pères conciliaires (ce seront les Supérieurs de Congrégations). Je tâche de saisir le *genius loci*[1]. S. Pierre a été fait POUR CELA. C'est un enchantement de couleurs, où dominent l'or et le rouge. La nef est entièrement occupée par 2 500 sièges en gradins : devant l'autel de la confession, sur cette confession même, le trône du pape : *Petrus ipse*[2]. Côté droit, la statue de S. Pierre est habillée en Boniface VIII ; tout près, comme un tonneau, l'ambon pour les orateurs. Les places les plus proches, tendues de rouge, pour les cardinaux ; les autres, garnies de vert, pour les archevêques et les évêques, s'alignent indéfiniment. Les tribunes sont garnies de velours rouge et de tapisseries. Tout cela rutile, brille et chante sous les projecteurs. C'est d'une solennité un peu froide. Génie décoratif un peu théâtral du baroque. Entre les tribunes, les statues géantes des fondateurs d'Ordres, dans leur niche. Je n'identifie que S. Ignace[3], qui terrasse l'impiété. Je voudrais que ces statues parlent ! Que diraient-elles ? J'imagine leur discours d'hommes de Dieu, dévorés par le feu de l'Évangile.

À 8 h 35, on entend au micro le bruit lointain d'une marche à moitié militaire. Puis on chante le *Credo*. Je suis venu ici *POUR PRIER* : prier AVEC, prier DANS. J'ai de fait beaucoup prié. Cependant, pour tuer le temps, une chorale entonne successivement tout et n'importe quoi. Les chants les plus connus : *Credo*, *Magnificat*, *Adoro Te*, *Salve Regina*, *Veni Sancte Spiritus*, *Inviolata*, *Benedictus*... On chante d'abord un peu avec, mais on se lasse.

Les plus curieux se sont poussés en avant et montent sur les chaises. On est envahi par de jeunes clercs de toutes les couleurs. Je me refuse à céder à cette indiscrétion sans retenue ni tenue, de sorte que je suis relégué au fond de la tribune et que je n'ai même pas vu le pape. Petit à petit, mais très lentement, les évêques entrent, chapés et mitrés, par le fond de leurs tribunes. Ils semblent morts de fatigue et accablés de chaleur. Ils enlèvent leur mitre et s'épongent. Les supérieurs de Congrégations arrivent et prennent leur place aux premiers rangs de la tribune. Têtes d'ecclésiastiques toutes

1. Génie du lieu.
2. Pierre lui-même.
3. Ignace de Loyola.

chenues, visiblement sculptées par la régularité des exercices de piété et les comportements de prudence et d'édification. Quelques-uns tremblotent et semblent près de s'écrouler. D'autres sont vigoureux.

Mon Dieu, qui m'avez mené là par des voies que je n'ai pas choisies, je m'offre à vous pour être, si vous le voulez, l'instrument de votre Évangile en cet événement de la vie de l'Église, que j'aime, mais voudrais moins « Renaissance » ! moins constantinienne...

On entend les applaudissements sur la place Saint-Pierre. Le pape doit approcher. Il entre sans doute. Je ne vois rien, derrière six ou sept rangées de soutanes montées sur des chaises. Par moments, dans la basilique, des applaudissements, mais ni cris ni paroles.

Chant du *Veni Creator*, alterné avec la Sixtine, qui n'est qu'un corps d'opéra. DELENDA[1]. Le pape, d'une voix ferme, chante les versets et les oraisons.

La Messe commence, chantée exclusivement par la Sixtine : quelques morceaux de grégorien (?) et de la polyphonie. Le mouvement liturgique n'a pas pénétré jusqu'à la Curie romaine. Cette immense assemblée ne dit rien, ne chante rien.

On dit que le peuple juif est le peuple de l'ouïe, les Grecs celui de l'œil. Il n'y en a ici que pour l'œil et l'oreille musicale : aucune liturgie de la Parole. Aucune parole spirituelle. Je sais que tout à l'heure on installera sur un trône, pour présider au concile, une Bible. MAIS PARLERA-T-ELLE ? L'écoutera-t-on ? Y aura-t-il un moment pour la Parole de Dieu ?

Après l'épître, je quitte la tribune. D'ailleurs, je n'en puis plus. Et puis, je suis écrasé par cet appareil seigneurial et Renaissance. Je m'arrête un moment sous notre tribune : directement derrière les évêques, en haut de leurs gradins, on voit l'ensemble de l'immense assemblée blanche des chapes et des mitres, dans laquelle les évêques orientaux tranchent avec leurs costumes et leurs coiffures bigarrés. Je suis, au bout de cinq à dix minutes, éjecté par un gendarme en bonnet à poils.

J'essaie de sortir de la basilique. Ce n'est pas facile. Dans les bas-côtés vides et les bouts du transept, tout un peuple de jeunes

1. À supprimer.

clercs circule, cherchant à se faufiler à un endroit où on VERRA. On ne cherche qu'à *VOIR*.

Je pars par le Vatican. Sur la place Saint-Pierre, sous les colonnades, grouillement de gens. La radio retransmet la suite de la messe. De la place et de la rue j'entends ainsi la Préface, le *Sanctus*, le *Pater* et l'*Agnus*. Retour à l'Angélique, éreinté, par le bus. Passée la demi-heure pendant laquelle ma main ne saurait pas manier une plume, je rédige ces notes. J'ai malheureusement trop peu vu l'admirable sénat des évêques siégeant. Je ne les ai vus que les cinq ou dix minutes pendant lesquelles j'ai pu me tenir dans l'embrasure de la porte donnant au fond et en haut des gradins des évêques. Toute l'Église était là, personnifiée dans ses pasteurs. Mais je regrette qu'on ait gardé un style de célébration si étranger à la vérité des choses. Qu'eût-ce été si ces 2 500 voix avaient, ensemble, chanté au moins le *Credo*, sinon même toute la Messe, au lieu de ces roucoulades élégantes de professionnels gagés ? Je rentre avec un immensément accru désir 1°) d'être évangélique, de tendre à être un *homo plene evangelicus*[1] ; 2°) de *TRAVAILLER*. CELA agit, CELA reste. Cela préparera, pour le prochain concile, un état de choses où ce qui manque encore aujourd'hui ira de soi.

Après-midi. Le P. de la Brosse, qui a vu tout à la TV (jusqu'à 12 h 30) me dit que c'était très beau, très bien pris, transmis et expliqué. Et dire qu'avec Telstar, le monde entier a pu voir tout, au moment même où les choses se passaient... ! (Non : seulement l'Europe en direct).

Je réfléchis encore à la cérémonie de ce matin. Il y a deux choses, dans sa pompe : en plus du fait, non seulement fatal, mais normal et bon, qu'il faut de l'ordre, de la solennité, de la beauté ; qu'il est impossible de faire une inauguration avec près de 3 000 participants, sans arriver à un déploiement, à un certain décorum. Celui-là était entièrement beau et noble. Au-delà de cette donnée des choses, je vois combien l'Église est orientale. La Réforme ne l'est aucunement à son berceau. Elle peut gagner des membres en Orient, elle n'a en aucune façon et à aucun degré été orientale en ses créateurs, en ses débuts, en ses formes natives et formatrices. Ensuite, je vois

---

1. Homme pleinement évangélique.

le poids, non dénoncé, de l'époque où l'Église était seigneurisante, où elle avait un pouvoir temporel, où les papes et les évêques étaient des seigneurs, qui avaient une cour, protégeaient les artistes, prétendaient à une pompe égale à celle des Césars. Cela, l'Église ne l'a jamais répudié à Rome. La sortie de l'ère constantinienne n'a jamais été son programme. Le pauvre Pie IX, qui n'a rien compris au mouvement de l'histoire, qui a enfoncé le catholicisme français dans une stérile attitude d'opposition, de conservatisme, d'esprit de Restauration..., a été appelé par Dieu à entendre la leçon des événements, ces maîtres qu'il nous donne de sa main, et à sortir l'Église de la misérable logique de la « Donation de Constantin », de la convertir à un évangélisme qui lui eût permis d'être moins DU monde et plus AU monde. Il a fait juste le contraire. Homme catastrophique, qui ne savait ni ce qu'était l'ECCLESIA ni ce qu'était la Tradition : il a orienté l'Église à être toujours DU monde et pas encore AU monde qui, cependant, avait besoin d'elle.

Et Pie IX règne encore. Boniface VIII règne encore : on l'a surimposé à Simon-Pierre, l'humble pêcheur d'hommes !

À l'issue de la cérémonie de ce matin, on a distribué aux évêques une pochette contenant : des feuilles pour élire seize des leurs dans chacune des dix commissions ; un livret contenant la liste intégrale et à jour de l'épiscopat catholique ; la liste, par commission, et en format semblable au carnet de vote, des évêques qui faisaient partie des commissions préparatoires. C'est une invite à les élire... Il est d'ailleurs souhaitable qu'il existe une certaine continuité entre le travail du concile et celui des commissions préparatoires. Mais il est souhaitable aussi qu'on fasse maintenant autre chose et mieux que ce qui a été préparé : quelque chose de pastoral, de moins scolastique. Presque tous les évêques que j'ai vus ou dont l'avis m'a été rapporté, trouvent les quatre *schemata* dogmatiques beaucoup trop scolaires et philosophiques. Un concile, disent-ils, n'a pas à raisonner, à parler du principe de raison suffisante, etc.

Au fond, la scolastique est entrée dans le gouvernement de la Curie romaine. Les commissions préparatoires traduisent cet état de choses, tant parce qu'elles ont voulu faire une somme des discours et *effata* pontificaux, que parce qu'elles étaient formées en majorité (en tout cas presque tous les rédacteurs de *schemata*) de professeurs des collèges romains. Mais la scolastique n'est guère

dans le gouvernement pastoral des diocèses : et c'est lui qui a la parole maintenant.

Vendredi 12 octobre 62. – Moscou envoie deux observateurs. Deux évêques : un résidant à Genève et l'autre à Jérusalem[1]. Cela va sans doute décider les autres Églises orthodoxes à en faire autant.

Ce matin, je me suis traîné jusqu'à la Procure de Saint-Sulpice, pour voir Mgr Weber et Mgr Marty, « mes » évêques[2]. Malheureusement, ils étaient sortis, comme tous les autres évêques « avec une serviette comme des écoliers ». Ils ont certainement la réunion de choix des membres des Commissions. J'ai bien regretté de ne trouver personne, je suis rentré presque sur les mains. Heureusement, en fin de matinée, j'ai reçu la visite du secrétaire du cardinal Feltin[3] et du secrétaire du cardinal Gerlier[4]. J'ai pu leur dire une des choses que je voulais recommander aux évêques : le contact avec les observateurs. Ils me disent combien leurs évêques ont réagi critiquement sur les *schemata* reçus. J'en rajoute[5].

À 14 h, à la RAI (radio italienne), enregistrement d'un « dialo-

1. En réalité deux prêtres ; le premier, l'archiprêtre Vitalij Borovoj est professeur de théologie ; chargé de préparer l'entrée de son Église au COE en 1961, il en est le représentant à Genève ; il sera Observateur délégué du Patriarcat de Moscou durant tout le Concile ; le second, l'archimandrite Vladimir Kotliarov, est vice-supérieur de la Mission religieuse russe de Jérusalem.

2. Congar est originaire du diocèse de Reims dont Marty est l'évêque.

3. Jean Diot, p.s.s.

4. Henri Denis, prêtre du diocèse de Lyon, est professeur au Séminaire Saint-Irénée à Lyon ; il devient en 1964 vicaire épiscopal de son diocèse, chargé de la formation permanente et de la pastorale des sacrements ; emmené au Concile par le cardinal Gerlier pour y être son secrétaire, il est nommé expert du Concile à la fin de la première session.

5. Sur cet entretien, voir Henri DENIS, *Église, qu'as-tu fait de ton concile ?*, Paris, Le Centurion, 1985, p. 25 : « Visite à l'Angelicum, où nous rencontrons le Père Congar, aussi serein qu'il est déjà fatigué par sa maladie. Bonne conversation où se révèle une sage prudence. Il ne faut pas indisposer les Romains en attaquant de front. On aura besoin d'hommes de la *via media.* Pour lui, trois points sont essentiels pour l'instant : 1. Que sont devenues les remarques envoyées par les évêques sur les schémas ? 2. Quels sont les contacts des évêques français avec les « étrangers » ? 3. Quel est le souci des évêques vis-à-vis des observateurs ? Il faudra les inviter et dialoguer avec eux. »

gue » à trois, sur le concile, pour la Radio française de vendredi prochain : avec Laurentin et Dubois-Dumée.

Peu avant 17 h, visite de Mgr Young[1], évêque d'Australie, jeune, mélange de direct et de solennité. Il s'est nourri de Congar depuis vingt ans. Il me dit son terrible désappointement devant les *schemata*, sa déception de la cérémonie de Saint-Pierre : presque son scandale. Nous prêchons aux fidèles la participation, et voilà l'exemple qu'on leur donne ! Il me demande de lui indiquer des noms d'évêques pour le vote de demain en vue des commissions. Nous causons. Nous nous reverrons.

Taxi pour aller à la réception de l'ambassade : je n'avais pas encore reçu la carte d'invitation et on m'a dit que c'était à 17 h. De sorte que j'arrive très en avance. Je vais chez le P. Delos[2], tuer le temps. Je suis content d'avoir l'occasion de rencontrer un grand nombre d'évêques. (Le protocole veut, dans ces réceptions, qu'à peine arrivés, les cardinaux soient conduits dans un salon à part, où ils ont leur buffet particulier. AINSI, ON LES ISOLE, ILS NE SONT EN DIALOGUE QU'ENTRE EUX. Ce n'est que par une sorte d'effraction qu'on parvient jusqu'à eux.) Tous sont fort insatisfaits de la cérémonie d'hier. Tous sont mécontents des *schemata* doctrinaux. Tous me disent qu'ils sont heureux de me voir là et qu'ils comptent sur moi. Je réponds à tous que je ne demande qu'à travailler, mais ne pourrai le faire que si les évêques me donnent du travail. Il y a là Cullmann[3], H. Roux[4], Thurian[5] et Schutz. Je les embrasse tous sur les deux

---

1. Guilford C. Young, né en 1916, archevêque de Hobart (Australie).

2. Thomas Delos, o.p., de la province de France, est conseiller canonique de l'Ambassade de France près le Saint-Siège et professeur de droit public à l'Angélique.

3. Le théologien protestant Oscar Cullmann est professeur à la Sorbonne et à l'Université de Bâle ; il est l'hôte du Secrétariat pour l'unité.

4. Hébert Roux, pasteur de l'Église Réformée de France, est Observateur délégué de l'Alliance Presbytérienne Mondiale aux deux premières sessions, puis Observateur délégué de la Fédération Protestante de France durant la dernière session.

5. Max Thurian, pasteur réformé et théologien, est sous-prieur de la communauté de Taizé ; il est l'hôte du Secrétariat pour l'unité durant le Concile ; il poursuivra plus tard son engagement dans le mouvement œcuménique et entrera finalement dans l'Église catholique dans laquelle il sera ordonné prêtre en 1986.

joues. Les deux premiers sont assez atterrés des *schemata* : « c'est comme si on n'avait rien fait depuis cinquante ans », « c'est un recul même sur le concile de Trente... » Cullmann dit aussi, à propos de la cérémonie de jeudi : « C'est cela, votre mouvement liturgique ? » Hélas ! Il n'a pas franchi la Porte de Bronze ! Tous quatre me disent combien ils sont heureux de me savoir là, et nous nous promettons de nous revoir.

Je présente Roux et Cullmann à quelques évêques. À un bon nombre je chante mon antienne : il faudra voir les observateurs, les inciter, causer avec eux. Il faudra y revenir. Mais que Dieu me rende des jambes !!!

J'apprends par Mgr Jenny que les évêques français n'ont voté que pour les Français dans les commissions. Malheureusement, les hommes polyvalents ont été élus pour plusieurs commissions, de sorte que leur nom n'est pas sorti finalement : ainsi de Mgr Marty, Mgr Blanchet. C'est bien dommage.

Je vois le cardinal Liénart pour la question du Message au Monde. Il m'a dit que, la chose étant hors programme, doit être soumise au cardinal Cicognani, mais que celui-ci (à qui il semble en avoir parlé) est disposé à l'agréer. Le cardinal me dit qu'il faudrait voir le cardinal Lefebvre[1] et Mgr Garrone. Ce dernier n'est pas venu à la réception, mais je vois le cardinal Lefebvre, que je n'avais jamais rencontré. Il est très sympathique, semble franc et direct. Nous convenons qu'il faudrait un texte un peu plus court et où Jésus-Christ soit mieux affirmé comme sauvant les hommes de leur misère. Mais il semble acquis à l'idée de faire quelque chose en ce sens.

Vu le P. M. Villain[2], le P. de Lubac, P. Daniélou[3], Jean Guit-

---

1. Joseph Lefebvre, archevêque de Bourges.

2. Le mariste Maurice Villain, après avoir été professeur au Séminaire des Missions d'Océanie près de Lyon, s'est consacré totalement à l'action œcuménique, notamment à travers l'animation du « Groupe des Dombes » ; expert privé d'un évêque mariste océanien, il suit également le Concile pour la revue *Rythmes du monde.*

3. Jean Daniélou, s.j., patrologue et spécialiste des origines chrétiennes, avait contribué au renouveau patristique, notamment en fondant, avec Henri de Lubac, la collection « Sources chrétiennes » ; doyen de la faculté de théologie de

ton[1], l'équipe de *TC*, G. Suffert[2], un grand nombre d'évêques. Fait connaissance de Mgr Flusin[3] et d'autres.

Comme il faut prier ! Je crois à la prière. J'ESPÈRE.

Samedi 13 octobre 62. – À Saint-Pierre à 9 h, dans la tribune. Cette fois, les évêques sont en *manteletta* violette, mais ceux des Ordres religieux ont leur couleur propre : blanc, noir, gris, et les évêques de rite oriental ont leur costume particulier.

Messe du Saint-Esprit, basse et dialoguée. Mais la réponse des 2 500 poitrines est précipitée et tumultueuse. On peut à peine suivre.

Le secrétaire[4] monte à l'ambon et annonce que les évêques sont invités à remplir les seize cases, par seize noms des leurs, pour chacune des dix Commissions. Beaucoup se mettent à écrire ces noms. Mais, après un silence, le cardinal Liénart[5] (au *presidium*[6], immédiatement à droite du premier président, cardinal Tisserant), se lève et lit un papier : il demande qu'on renvoie cette élection à lundi ou mardi, pour que les évêques aient le temps de se connaître de nation à nation. Cela assurera plus de cordialité, plus de liberté et de confiance, et surtout de meilleures désignations pour ces commissions qui sont très importantes. Il suggère même un mode de procéder : puisque des Conférences épiscopales existent en quarante-deux pays, que ces conférences présentent chacune un certain nombre de noms, en indiquant le chiffre de diocèses qu'elles

---

l'Institut Catholique de Paris, il est expert du Concile et expert privé de Mgr Veuillot ; Paul VI le créera cardinal en 1969.

1. Le philosophe Jean Guitton est professeur à la Sorbonne et membre de l'Académie française ; c'est un ancien camarade de captivité de Congar ; ami du cardinal Montini, lié au mouvement œcuménique, il sera admis, en novembre 1962, à siéger parmi les Observateurs non catholiques ; à partir de la deuxième session, il siégera parmi les auditeurs laïcs.

2. Georges Suffert, ancien rédacteur en chef de *Témoignage chrétien*, suit le Concile pour *France Observateur*.

3. Claude Flusin, évêque de Saint-Claude.

4. Pericle Felici, secrétaire général du Concile. *AS* I/I, 207.

5. *AS* I/I, 207-208.

6. La présidence (le Conseil de présidence, composé de dix cardinaux, est chargé de présider les séances du Concile).

regroupent. (Le papier lu par le cardinal Liénart le premier jour de la première session, avait été rédigé par Mgr Garrone, qui avait eu cette initiative. Le cardinal Liénart n'a fait que le lire.)

Cette double proposition est vivement applaudie. Peu après, le cardinal Frings[1] se lève pour dire qu'il appuie cette proposition au nom des cardinaux allemands et autrichiens.

Le secrétaire du concile, après un bref moment, annonce qu'il se rallie à cette proposition et que les élections auront lieu mardi prochain.

Ce petit point était important. D'abord, tous les points de procédure sont importants : ils engagent le travail d'un groupe. Dans le cas, l'importance majeure tient à ce QU'IL S'AGIT DU PREMIER ACTE *CONCILIAIRE* : refus de la possibilité même d'un préfabriqué. On avait remis aux évêques, en même format que les bulletins d'élection, la liste des évêques membres des commissions PONTIFICALES préparatoires : Il est probable que beaucoup auraient sensiblement recopié cette liste. On aurait donc eu affaire aux mêmes hommes qui ont rédigé ces textes dont les évêques sont mal contents. La proposition du cardinal Liénart correspond à l'importance des commissions où l'on arrêtera les textes ; elle marque la volonté des évêques de traiter librement des choses, sans accepter du tout préparé par la Curie et ses gens ; elle signifie que les évêques entendent parler et discuter. Enfin, le cardinal Liénart a suggéré une procédure qui donne réalité et importance aux corps intermédiaires. Entre le chef suprême (et sa Curie) et l'émiettement des évêques, il existe des collèges intermédiaires. Un des résultats du concile devra être de leur donner plus de pouvoir et d'autonomie. Dès le premier jour, on en manifeste l'importance.

Ce que je pressentais s'annonce : le concile lui-même pourrait bien être assez différent de sa préparation.

Dimanche 14 octobre. – J'apprends que le « Saint-Office » (Parente) a communiqué une liste d'évêques à élire à la commission théologique. Il l'a communiquée aux évêques italiens, espagnols et

1. *AS* I/I, 208.

de langue anglaise (irlandais) ; peut-être à d'autres, mais pas aux Français, Allemands, Hollandais...

Si c'est exact, cela annoncerait le fatal conflit entre la Curie et l'*ecclesia.* Deux Églises dans le cadre de l'unique !

Visite de Jean Guitton, qui s'est fait envoyer au titre, à la fois, du *Figaro* et de l'Académie. Académicien, il est bien reçu et honoré ! Il a ses entrées auprès du cardinal Montini. Il me dit que la béatification de Pie IX est vraiment envisagée sérieusement : le pape la voudrait, pour relier Vatican II à Vatican I.

Plus je vais, plus je trouve Pie IX petit et catastrophique. Il est le premier responsable de la mauvaise orientation qui a pesé pendant soixante ans sur le catholicisme français. Alors qu'il était invité par les événements à quitter l'affreux mensonge de la « Donation de Constantin[1] » et à venir enfin à une attitude évangélique, il n'a rien perçu de cet appel et a enfoncé l'Église dans la revendication du pouvoir temporel.

Or cette allure temporelle pèse encore de tout son poids sur l'Église d'aujourd'hui. Cet appareil lourd et coûteux, prestigieux et infatué de lui-même, prisonnier de son propre mythe de grandeur seigneuriale ; tout cela qui est la part non chrétienne de l'Église romaine et qui conditionne, ou plutôt empêche, l'ouverture à une tâche pleinement évangélique et prophétique : tout cela vient du mensonge de la Donation de Constantin. Je le vois à l'évidence ces jours-ci. Il n'y a rien à faire de décisif tant que l'Église romaine ne sera pas sortie *TOTALEMENT* de ses prétentions seigneuriales et temporelles. Il faudra que *TOUT CELA* soit DÉTRUIT : ET CELA LE SERA !

Certes, il faut de l'ordre, il faut que les supériorités s'expriment extérieurement par des marques de dignité. Mais il faut que cela soit simplement limité à la fonction. Celles qui existent à Rome sont directement empruntées à un monde de PUISSANCE TEMPORELLE qui n'est même pas celui de l'époque contemporaine, mais celui de l'Empire byzantin, celui des princes fastueux de la Renaissance, celui de l'époque de la Restauration et de la Sainte Alliance. Il faudrait tourner intégralement le dos à tout cela et réinventer autre

---

1. Selon laquelle l'empereur Constantin, baptisé par le pape Sylvestre, lui aurait cédé la ville de Rome et un certain nombre de territoires ; elle est critiquée et dénoncée par les érudits depuis le XVe siècle.

chose, d'un style moderne et évangélique à la fois, communautaire aussi et non satrapique.

Je lis le petit discours tenu par le pape aux Observateurs qu'il a reçus. Certains trouvent ce discours très insuffisant. Ce n'est pas mon avis. Il ne dit rien au plan théologique ou historique, c'est vrai. Mais cela n'a pas d'importance. Il est cordial, tout simple, chrétien. Et puis, quel qu'il soit, le fait monumental est qu'il y ait eu un discours, qu'il y ait eu des observateurs, que le pape les ait reçus, qu'il y ait un concile. De tels faits ont leur poids propre, et qui suffit. Qui l'eût cru, que tout cela aurait lieu avant que je n'aie soixante ans ?

Lundi 15 octobre. – À 16 h. Je passe à l'Institut biblique et vois le P. Lyonnet. Il me confirme l'existence d'une liste d'évêques pour la Commission théologique, faite par le Saint-Office ET PORTANT SON CACHET. Il me dit que Mgr Spadafora[1] a fait un tirage à part spécial, en brochure, de ses articles contre l'Institut Biblique, et l'a distribuée largement : à une réunion qu'ils ont eue hier, chaque évêque italien l'a trouvée à sa place. Il me montre la brochure et promet de m'en donner une. Je pense que cela tournera à la confusion des imbéciles.

Je vais à la réception organisée par le Secrétariat en l'honneur des observateurs et invités. Conversation avec le P. Pierre Duprey[2]. Le projet Alfrink d'une sorte de *synodos endêmousa*[3] composé des chefs de collèges épiscopaux, et réduisant la Curie à un rôle exécutif,

1. Francesco Spadafora, du diocèse de Cosenza, professeur d'exégèse à la faculté de théologie du Latran ; il avait été membre de la Commission préparatoire des études et des séminaires.

2. Pierre Duprey, p.b., professeur de théologie dogmatique et d'histoire des dogmes au Séminaire Sainte-Anne à Jérusalem jusque 1963. Congar l'avait rencontré pour la première fois lors d'une tournée œcuménique en Orient en 1954, et avait repéré ses qualités. Très engagé dans les contacts œcuméniques, il participe à la première session du Concile en qualité de théologien interprète auprès des Observateurs orthodoxes. Il sera nommé en 1963 sous-secrétaire de la toute nouvelle section du Secrétariat pour l'unité chargée des relations avec les Églises orientales ; il deviendra plus tard secrétaire du Conseil pontifical pour l'unité des chrétiens et évêque titulaire.

3. « Synode permanent » : dans l'Église byzantine, il s'agit du conseil formé

devrait permettre que, ces chefs de collèges étant tous cardinaux, les patriarches Orientaux soient *ipso facto* cardinaux.

Discours du cardinal Bea (en français, texte ici) ; réponse assez longue, en allemand par Schlink[1] et en anglais (Canon Pawley[2]). On va de l'un à l'autre. Conversations avec Schlink, les deux russes de Moscou, les Russes non ralliés à Moscou[3] (qui se sont assis à l'écart et devant qui les serveurs amènent des assiettes de gâteaux), Roux, le chanoine Maan[4] (vieux-catholique). Bishop Moorman[5], Skydsgaard[6], Lukas Vischer[7], Bishop Corson[8] (méthodiste), etc. ; Mgr Davis[9], Mgr Volk, Mgr Heenan, Mgr De Smedt[10], etc.

---

des évêques présents auprès du Patriarche et consulté régulièrement par ce dernier ; le projet d'Alfrink, assez différent, s'inspire de l'expérience de la Commission centrale préparatoire.

1. Edmund Schlink, professeur de théologie systématique et directeur de l'Institut de recherches œcuméniques qu'il avait fondé à l'Université d'Heidelberg, participe aux travaux du département Foi et Constitution du COE ; Observateur délégué de l'Église évangélique d'Allemagne.

2. Le chanoine Bernard Pawley, de la cathédrale d'Ely (Angleterre), est Observateur délégué de la Communion anglicane ; arrivé à Rome dès avant l'ouverture du Concile, il représente les archevêques de Cantorbéry et d'York au cours des trois premières sessions.

3. Les Observateurs délégués de l'Église russe hors frontières sont Mgr Antoine (Bartasevic), évêque de Genève, et l'archiprêtre Igor Troyanoff, recteur des Églises orthodoxes russes de Lausanne et Vevey.

4. Le chanoine Peter J. Maan, Observateur délégué de l'Église vieille-catholique, est professeur d'Écriture Sainte au séminaire d'Amersfoort (Pays-Bas) et devient, en 1964, recteur de la cathédrale vieille-catholique d'Utrecht.

5. John Moorman, évêque de Ripon (Angleterre), est Observateur délégué de la Communion Anglicane.

6. Le pasteur Kristen E. Skydsgaard, professeur de théologie systématique et directeur de l'Institut œcuménique à l'Université de Copenhague (Danemark), est Observateur délégué de la Fédération luthérienne mondiale.

7. Lukas Vischer, pasteur de l'Église Réformée de Suisse, est secrétaire du département Foi et Constitution du COE ; il est Observateur délégué du COE.

8. Fred P. Corson, évêque méthodiste, président du Conseil Mondial des Méthodistes dont il est un des Observateurs délégués.

9. Henry F. Davis, du diocèse de Birmingham (Angleterre), est professeur de théologie à l'Université de cette ville et membre de la CCQO ; il est expert du Concile et consulteur du Secrétariat pour l'unité.

10. Émile De Smedt, évêque de Bruges, membre du Secrétariat pour l'unité. Il en deviendra plus tard un des vice-présidents.

L'ÉVÉNEMENT est là. « Ils » sont à Rome, reçus par un cardinal et par un organisme voué au dialogue ; et *Chrétiens désunis*[1] est paru il y a vingt-cinq ans.

Je peux à peine me traîner pour rentrer et me demande si je pourrai rester jusqu'à la fin du concile. Il fait, depuis notre arrivée, un temps orageux très pénible.

Mgr Martin me dit que les rencontres entre épiscopats structurés s'annoncent très intéressantes. L'épiscopat français va faire une sorte de permanence, ou des réunions régulières, à jour fixe, pour les favoriser et les faire le plus large possible. UN DES RÉSULTATS DU CONCILE POURRAIT BIEN ÊTRE LA NAISSANCE D'UNE COLLÉGIALITÉ ÉPISCOPALE MONDIALE, ARTICULÉE ET STRUCTURÉE.

Mardi 16 octobre. – Séance générale pour les élections aux commissions. On distribue aux évêques un fascicule imprimé contenant les propositions faites par les différentes conférences épiscopales. C'est énorme et cela reste très dispersé.

On annonce la nomination de quatre sous-secrétaires généraux, un Allemand[2], un Néerlandais[3], un Américain[4] et un Français (Mgr Villot)[5]. Bien.

Après une proposition du cardinal Ottaviani (se contenter d'une majorité relative, en additionnant sur chaque tête toutes les voix qu'elle aurait réunies et en l'affectant à la commission pour laquelle on aurait obtenu le plus grand nombre de voix), critique de cette proposition par le cardinal Roberti[6] (question juridique) et par le

---

1. Yves CONGAR, *Chrétiens désunis. Principes d'un « œcuménisme » catholique*, coll. « Unam Sanctam » 1, Cerf, 1937.

2. Wilhelm Kempf, évêque de Limbourg (Allemagne). *AS* I/I, 213.

3. Il s'agit en réalité de Casimiro Morcillo González, archevêque de Saragosse (Espagne) ; il deviendra, en mars 1964, archevêque de Madrid. *AS* I/I, 213.

4. John J. Krol, archevêque de Philadelphie. *AS* I/I, 213.

5. *AS* I/I, 213.

6. Cardinal Francesco Roberti, préfet du Tribunal suprême de la Signature apostolique, futur membre de la Commission de coordination.

cardinal Ruffini[1] : on ne peut pas, dit-il, changer le règlement sans l'approbation du pape. Le *praesidium*[2] en juge ainsi.

Les évêques sont invités à faire leur liste et à la remettre, soit de suite, soit avant 18 h, au secrétariat. Dispersion. Énorme perte de temps ! Partis avant 8 h, on rentre à 11 h 15... Travail.

Un journal français, *France-Soir*, titre : « Les évêques français en rébellion. » Quelle idiotie. Quelle malhonnêteté !!!

17 octobre. – Mayor, des *Informations Catholiques Internationales*, me dit que ce titre ridicule est de la rédaction parisienne, non du représentant du Journal à Rome[3], qui est sérieux. Il ajoute très justement : ils ne se permettraient jamais cela dans un compte rendu d'une séance de l'ONU ; mais, parce que c'est la religion, on se permet n'importe quoi.

Mayor me dit aussi 1°) que le directeur de la *Civiltà*[4] est très bien : c'est un ami ; 2°) que le pape lit très attentivement la *Civiltà*. (Aussi je lui passe mon article[5] paru dans *L'Ami du Clergé* sur le volume *Épiscopat*[6], pour qu'on l'y traduise...)

18 octobre. – Je reçois différentes visites, ce matin, entre autres celle de Mgr Philips. Le cardinal Suenens lui a demandé de reprendre (compléter et amender), avec le P. Rahner et tel ou tel autre, l'ensemble des textes sur l'Église. Je me demande si le travail n'est pas prématuré, puisque ces textes ne doivent venir en discussion qu'à la seconde session. Je me demande aussi, si, préalablement à cela, il ne faudrait pas poser la question d'un plan et d'un mouvement d'ensemble assumant la totalité des *schemata* doctrinaux, dans

---

1. Le cardinal Ernesto Ruffini, archevêque de Palerme, membre du Conseil de présidence du Concile.

2. Présidence (c'est-à-dire le Conseil de présidence ; cf. plus haut p. 113, n. 6).

3. Jean Neuvecelle.

4. Roberto Tucci, s.j., directeur de la *Civiltà cattolica*, est expert du Concile ; il sera plus tard l'organisateur des voyages pontificaux et sera créé cardinal en 2001.

5. « L'Épiscopat et l'Église universelle », *L'Ami du Clergé*, 9 août 1962, p. 508-511.

6. *L'Épiscopat et l'Église universelle*, coll. « Unam Sanctam » 39, Cerf, 1962.

l'esprit d'une synthèse d'allure kérygmatique. Mais je réponds très formellement que je suis prêt à travailler à une telle reprise, avec Rahner, Lécuyer, Lubac.

Mgr Philips verrait la suite des chapitres *De Ecclesia* ainsi :

1) L'Église Peuple de Dieu, Mystère, Corps mystique
   (introduire le pouvoir des évêques dans le schéma Lattanzi[1], où il ne figure pas)
   Je voudrais moi, qu'on insère dès ce premier chapitre l'idée de l'Église missionnaire : une unité sans cesse en dilatation.
2) *De membris*[2]. Nécessité de l'Église
   Aménager le schéma Tromp.
3) Les évêques. Les présenter comme successeurs du collège des apôtres, selon le schéma :

PIERRE	=	PAPE
Autres apôtres		évêques

Ce chapitre comporterait les paragraphes suivants :

– évêques successeurs des apôtres
– épiscopat sacrement
– pouvoirs des évêques résidentiels
enseignement : leur infaillibilité { réunis en concile / dispersés
introduire ici des morceaux du chapitre *De Magisterio* et une explication du *ex sese*[3]
– gouvernement (reprendre texte Pie IX, 1875[4]) pouvoir cultuel

1. Il s'agit du chapitre I du schéma sur l'Église ; cf. plus haut p. 47, n. 3.

2. Des membres.

3. L'expression *ex sese* (« par elles-mêmes ») avait été utilisée par le Concile Vatican I pour préciser que les définitions irréformables promulguées par le pape le sont par elles-mêmes et sans nécessité juridique d'un consentement postérieur de l'Église.

4. Il s'agit de la lettre du pape Pie IX aux évêques allemands du 2 mars 1875, lettre approuvant la réaction de ces évêques face aux propos de Bismarck affirmant que le Concile du Vatican avait réduit les évêques à de simples instruments. Cf. Olivier ROUSSEAU, « La vraie valeur de l'épiscopat dans l'Église d'après d'importants documents de 1875 », *Irénikon*, 1956, p. 121-150. Cet article fut repris

– rapport avec la primauté
– responsabilité collégiale des évêques
4) Les laïcs
5) La perfection évangélique (proposée à *TOUS* les chrétiens). Les religieux
6) Œcuménisme

Seulement après ces chapitres, qui concernent l'être chrétien, le dedans du christianisme, les chapitres préparés sur Église et État, Tolérance, etc.

Je reparle à Mgr Philips du Message au Monde, dont il me dit que le cardinal Suenens lui a parlé.

Déjeuner à l'Institut Biblique, avec Mgr Weber et un archevêque japonais. Les Pères sont tout de même inquiets de ce que le concile pourrait dire en matière d'Écriture : d'une part, mauvaise qualité et étroitesse ou raideur du schéma sur la Tradition et sur l'Écriture d'autre part, attaque renouvelée du Latran.

Dans l'après-midi, bonne visite du P. Chenu, qui voit beaucoup de monde : journalistes, évêques africains, etc.

Vendredi 19 octobre. – Visite de Dom O. Rousseau. Il est très répandu, très mêlé, voit beaucoup de monde, va de l'un à l'autre porter la bonne parole. Il a raison. Je me reproche d'être casanier. Peut-être aurais-je dû, au lieu d'habiter à l'Angélique, prendre logis au milieu des évêques, à Saint-Louis des Français, ou au Séminaire français, ou à la Procure de Saint-Sulpice. Ici, je suis très isolé. Je ne vois guère que ceux qui viennent me voir. C'est un couvent très régulier. Surtout, je suis très gêné par mes jambes. Marchant très difficilement et au prix d'un véritable épuisement, je réserve mes sorties pour ce qu'IL FAUT faire, pour les choses officielles. Un grand nombre d'évêques, d'observateurs, de théologiens ou de prêtres, m'ont dit : il faudra venir nous parler, il faudra faire des réunions, il faudra venir déjeuner... J'ai dit OUI à TOUS. Ces invitations n'ont pas été suivies d'effet.

Je fais bien la part d'une agitation assez vaine, même si elle n'est

dans *L'Épiscopat et l'Église universelle*, coll. « Unam Sanctam » 39, Cerf, 1962, p. 709-736.

pas inutile, puisqu'elle contribue à créer une opinion, à orienter des esprits. Je ne veux pas donner dans ce genre ; je ne le puis pas, d'ailleurs, et j'ai autre chose à faire. Mais je me reproche de trop peu me mêler aux gens, de trop peu intervenir. Peut-être est-ce que je manque à mon devoir, précisé par l'occasion unique. Peut-être suis-je très en deçà de ce que je devrais faire ? Quoi faire ? J'ai dit à Mgr Weber que j'étais prêt à aller loger au milieu des évêques, près d'eux. Jusqu'ici, on ne m'a rien demandé. J'ai dit à tous les évêques que j'ai rencontrés, que j'étais à leur disposition pour tout travail qu'ils me demanderaient. J'attends.

Je travaille de mon mieux à ma *Tradition*, assez souvent dérangé tout de même. Jusqu'ici, je crois que c'est mon devoir. Je suis prêt à remplacer cette occupation par d'autres dès que j'y verrai mon devoir.

À 16 h à la Maison Mater Dei, 10 via delle Mure Aurelie, réunion de quelques évêques allemands et quelques évêques français, quelques théologiens allemands et quelques théologiens français, organisée par Mgr Volk. Sont présents : Mgr Volk, Mgr Reuss[1], Mgr Bengsch[2] (Berlin), Mgr Elchinger, Mgr Weber, Mgr Schmitt[3], Mgr Garrone, Mgr Guerry, Mgr Ancel[4]. PP. Rahner, Lubac, Daniélou, Grillmeier[5], Semmelroth[6], Rondet[7], Labourdette, Congar,

1. Joseph Reuss, évêque auxiliaire de Mayence.

2. Alfred Bengsch, archevêque de Berlin.

3. Paul-J. Schmitt, évêque de Metz.

4. Alfred Ancel, évêque auxiliaire de Lyon, supérieur général du Prado ; il sera élu membre de la Commission doctrinale lors de la deuxième session du Concile.

5. Alois Grillmeier, s.j., professeur de dogmatique et doyen de la faculté de théologie du scolasticat jésuite de Sankt-Georgen à Francfort ; il sera expert du Concile à partir de la deuxième session ; il sera créé cardinal en 1994.

6. Otto Semmelroth, s.j., professeur de dogmatique au scolasticat jésuite de Sankt-Georgen à Francfort, expert du Concile à partir de la troisième session.

7. Henri Rondet, s.j. ; écarté de l'enseignement de la théologie en 1951, il y revient en 1960 aux Facultés catholiques de Lyon ; expert privé des évêques du Tchad.

Chenu, Schillebeeckx[1], Feiner[2], Ratzinger[3], Mgr Philips, Fransen[4], Küng.

Objet : discuter et arrêter une tactique relativement aux schémas théologiques. En une discussion de près de trois heures, il y a évidemment toutes sortes de nuances. Mgr Volk ouvre en lisant une sorte de projet de déclaration présentant la situation du chrétien dans le monde d'aujourd'hui et une vue de l'histoire du salut, centrée sur le Christ, avec sa valeur anthropologique, sociale, cosmologique.

En gros, les Allemands seraient d'avis : 1°) de rejeter *simpliciter*[5] les schémas dogmatiques proposés (mais il ne s'agit jamais que des quatre actuellement distribués : pas de ceux *De Ecclesia*) ; 2°) de rédiger un *proemium*[6] de contenu et d'allure kérygmatiques, assez dans le style de ce qu'a projeté Mgr Volk ; 3°) de le présenter par l'intermédiaire de la Commission des affaires extraordinaires[7].

Les Français (Garrone, Guerry, Ancel) seraient plutôt d'avis : 1°) par l'intervention très vigoureuse d'évêques des principaux pays de faire constater par l'assemblée que les schémas ne répondent pas du tout au but pastoral du concile défini par le pape encore dans son discours d'ouverture, qui doit être comme la charte du concile ; 2°) à la suite de cela, qu'on fasse admettre une reprise des schémas existants, dans une perspective kérygmatique et pastorale. Il sera bon d'avoir alors un texte à proposer.

---

1. Edward Schillebeeckx, o.p., de la province de Flandre, professeur de dogmatique à l'Université de Nimègue, est expert privé des évêques néerlandais.

2. Johannes Feiner, prêtre du diocèse de Coire (Suisse), y enseigne la théologie au séminaire diocésain jusqu'en 1965 ; participant de la CCQO, il est consulteur du Secrétariat pour l'unité ; il sera coéditeur de la dogmatique intitulée *Mysterium Salutis.*

3. Joseph Ratzinger, professeur de théologie fondamentale à Bonn, puis à Münster en 1963 ; expert privé du cardinal Frings ; il sera expert du Concile à partir de la deuxième session ; il deviendra plus tard archevêque de Munich et cardinal, puis préfet de la Congrégation pour la doctrine de la foi.

4. Probablement Piet Fransen, s.j., professeur de théologie à la faculté de théologie des jésuites à Louvain-Heverlee.

5. Tout simplement.

6. Préambule.

7. Il s'agit du Secrétariat pour les affaires extraordinaires, institué par le pape comme organe de médiation.

Pour ma part, je pense que c'est bien quelque chose du genre de ce 2° qu'il faut : assumant DANS UN MOUVEMENT D'ENSEMBLE la substance valable des schémas *De Ecclesia* : ceux sur la Tradition et l'Écriture pourront être laissés de côté, et celui sur la satisfaction du Christ devant être entièrement repris dans une perspective pascale. Vraiment, mon sentiment du premier jour touchait au plus décisif : ce qui manque à Rome, c'est la synthèse, la vision ; c'est le sens du mystère chrétien. Tout y est atomisé en interventions juridiques particulières. Le seul principe de synthèse, c'est leur pouvoir.

Incidemment j'apprends (la source : cardinaux Döpfner et Frings) qu'à plusieurs reprises, à la Commission centrale, le cardinal Ottaviani avait fait cautionner des schémas que les évêques discutaient, en disant : le P. Congar et le P. de Lubac les ont approuvés.

Le P. Daniélou a préparé aussi un canevas très analogue à celui de Mgr Volk. Il le lit. Finalement, on décide qu'il est important d'avoir à proposer un *proemium* de type *Heilsgeschichtlich-kerygmatisch*[1].

Un petit groupe restreint le rédigera : K. Rahner, Daniélou, Ratzinger, Congar. Au dernier moment, Rahner invite Labourdette.

Ma jambe gauche est, à partir du milieu du mollet, comme morte. J'ai grand peine à revenir.

Samedi 20 octobre. Grande congrégation générale[2]. – Bonne nouvelle, d'abord. Le P. Dumont m'apprend que le Secrétariat pour l'unité est élevé à la qualité de Commission[3]. Il tiendra, comme tel, des réunions régulières de travail. Cela me paraît extrêmement important. Jusqu'ici, les textes du secrétariat n'ont pas été pris en considération. Ils le seront désormais. Si le concile a à traiter de questions touchant l'unité chrétienne, ces questions seront renvoyées pour étude en commission, non à la Commission *de fide et*

1. Selon l'histoire du salut et le kérygme.

2. On appelle Congrégations générales les séances de travail des Pères du Concile (elles sont numérotées).

3. Le pape l'a décidé le 19 octobre et la décision est annoncée *in aula* le 22 octobre.

moribus[1], où il est à craindre que ne règne la tyrannie du P. Tromp, mais au secrétariat devenu Commission ; ou bien aux deux. En tout cas, c'en est fini du monopole Tromp *et aliorum*[2].

On nous dit que le pape avalise les élections faites à une majorité relative : pas tout à fait selon le système proposé par le cardinal Ottaviani, qui prenait les cent soixante évêques qui avaient obtenu le plus de voix ou *quoquo modo*[3], et les attribuait à la commission dans laquelle ils avaient obtenu le plus de voix, mais simplement en considérant comme élus les seize évêques ayant obtenu le plus de voix dans chacune des commissions. On donne les noms des évêques des sept premières commissions[4] ; ceux des trois autres commissions seront donnés lundi. J'en note un bon nombre à l'audition, mais ne les transcris pas ici, puisque l'OR[5] de ce soir les donne. C'est assez bon. On indique aussi de suite le nom des huit prélats[6] que le pape a désignés pour compléter la Commission de Liturgie. Il y a des noms d'hommes de la Curie et d'hommes fort conservateurs.

Après cela, le secrétaire annonce qu'il va lire un « *Nuntium ad universos homines mittendum*[7] ». J'entends ce texte, au projet duquel j'ai été mêlé activement. Je recopie ici, telles quelles, les quelques remarques que je griffonne sur-le-champ : c'est plus dogmatique que le projet Chenu ; du moins, on a fait précéder la partie sociale par une sorte de kérygmatique chrétienne ; c'est plus ecclésiasticisé ; plus biblicisé. C'est trop long. L'intérêt aux hommes est un peu exprimé en termes de sollicitude. Il y a une insistance heureuse sur la rénovation de l'Église et de la vie chrétienne, pour qu'elles soient plus conformes au Christ.

Après lecture, on distribue le texte (cf. *hic*) et on annonce un

---

1. De la foi et des mœurs (il s'agit ici de la Commission doctrinale).
2. Et les autres.
3. D'une manière ou d'une autre.
4. *AS* I/I, 225-229.
5. *L'Osservatore Romano*.
6. *AS* I/I, 213.
7. « Message à tous les hommes », *AS* I/I, 230-232 ; *La Documentation Catholique*, 1962, col. 1407-1410.

quart d'heure de réflexion et de prière (ce sera davantage en fait). Après quoi ceux qui voudront prendre la parole le feront.

Parlent alors (brièvement, clairement. Mais on ne comprend pas toujours bien les noms de l'orateur, qu'annonce le cardinal Liénart, président) :

Card. Bacci[1] : propose *adhuc*[2] au lieu de *semper*[3], à la fin.

Card. Wyszyński[4] : voudrait qu'on s'adresse particulièrement AUX FAMILLES.

Card. G. Ferretto[5] : voudrait qu'il y ait quelque chose pour ceux qui souffrent persécution.

Mgr ?... *episc. Pratensis*[6] : même chose.

Card. Cicognani[7] : propose un changement dans le dernier paragraphe pour qu'on ne paraisse pas condamner le progrès.

Card. Léger[8] : prononce des mots affectueux pour le pape et charge le cardinal Secrétaire d'État de les lui transmettre.

Ferrero di Cavallerleone[9] demande que Marie soit nommée : la première annonce *(nuntium)* du salut pour les hommes a été faite à elle et propose une ajoute en ce sens au bas de la page 3.

Heenan[10] (n'a rien compris au sens de ce Message) dit : ce n'est pas le moment. Le concile n'a encore rien à dire ; qu'il attende d'avoir quelque chose à dire. Si l'on donne ce texte,

1. Le cardinal Antonio Bacci, de la Curie, *AS* I/I, 234.

2. Encore.

3. Toujours.

4. Stefan Wyszyński, archevêque de Gniezno et Varsovie, membre du Conseil de présidence du Concile, *AS* I/I, 235.

5. Giuseppe Ferretto, évêque de Sabina et Poggio Mirteto (Italie), *AS* I/I, 235.

6. Pietro Fiordelli, évêque de Prato (Italie), *AS*, I/I, 235.

7. Amleto Cicognani, *AS* I/I, 235.

8. Paul-Émile Léger, sulpicien, archevêque de Montréal ; il sera membre de la Commission doctrinale, *AS* I/I, 236.

9. L'archevêque Carlo A. Ferrero di Cavallerleone est prélat du Grand Maître de l'Ordre souverain de Malte, *AS* I/I, 236.

10. *AS* I/I, 237.

les journaux n'en diront rien (sic !). – De plus, qu'on ajoute quelque chose de consolant pour les persécutés.

Mgr Compagnone[1] (Anagni) :

1°) bas de la page 2 : mettre les verbes à l'indicatif, comme ailleurs ;

2°) à la fin : attention à ne pas condamner le progrès. Au lieu de *minas*[2], dire : *ex malo usu*[3].

Hurley[4] : le paragraphe qui commence par « *hac de causa*[5] » est à supprimer. Car ce message s'adresse à des non-catholiques, et même à des non-chrétiens. Se rappeler que quand le pape a reçu les observateurs, il n'a pas voulu s'asseoir sur son trône.

Peruzzo[6], d'Agrigente (celui, qui, à la commission théologique préparatoire, disait allégrement : s'il y a trop d'hommes, ils mourront, et il n'y en aura plus trop... !) : qu'on parle de *Maria Sanctissima*[7]. Qu'on ajoute à la fin une mention de son intercession.

Costantini[8] : cela a un peu l'allure d'une exhortation AUX ÉVÊQUES !

Parente[9] : le thème doctrinal est passé sous silence... ! l'exprimer !

Lefebvre[10] (Supérieur des Pères du Saint-Esprit) : ce texte « *respicit bona humana, civitatem terrenam, non satis coelestia*[11] ».

van Cauwelaert[12] : parler davantage de l'union des Églises.

---

1. Enrico Compagnone, évêque d'Anagni (Italie), *AS* I/I, 237.
2. Menaces.
3. Par un mauvais usage.
4. *AS* I/I, 238.
5. Pour cette raison.
6. *AS* I/I, 238.
7. Marie très sainte.
8. Vittorio M. Costantini, évêque de Sessa Aurunca (Italie), *AS* I/I, 239.
9. *AS* I/I, 239-240.
10. Marcel Lefebvre, *AS* I/I, 240.
11. « Se penche sur les biens humains, la cité terrestre, pas assez sur les choses célestes. »
12. Jean van Cauwelaert, évêque d'Inongo (Congo), qui sera membre de la Commission de la discipline des sacrements, *AS* I/I, 241.

Hermaniuk[1] : développer la doctrine catholique sur la justice sociale. Parler de l'Église du silence.

Alba Palacios[2] (Mexique) : on n'a pas assez parlé des frères séparés. Au début, ajouter : « *cujus caput* VISIBILE *est*[3] »... page 2 *post med.*[4] : changer la tournure car le concile ne peut pas procurer ces biens humains, et il n'a pas à le faire.

Malula[5] (un Noir, Léopoldville) : avoir une attention spéciale pour les chrétiens qui sont déjà dans l'Église et qui sont *testes Christi*[6]. Indiquer la responsabilité des chrétiens dans l'œuvre de la réconciliation du monde.

Episcopus Csanadiensis[7] (Hongrie) : qu'il n'y ait aucune mention de « persécution ». Les choses semblent s'améliorer.

Episc. Ambatensis[8] : l'approuver TEL QUEL, en ne faisant que quelques corrections stylistiques.

Mgr Maalouf[9], Baalbek : en français : laisser temps de réflexion. Attendre que les remarques soient remises par écrit au secrétariat.

Pereira da Costa[10] ; question doctrine ? Ce n'est pas le but ni le genre. On mentionne la vérité. Cela suffit pour ce genre de document.

D'Agostino[11] : très bonne idée. Qu'il soit fait mention de nos prêtres.

Ancel[12] : lieu où mettre la mention de la Vierge Marie ? À la

1. *AS* I/I, 241.

2. José de Jesus Alba Palacios, évêque de Tehuantepec (Mexique), *AS* I/I, 241-242.

3. « Dont la tête est visible. »

4. Après la première moitié.

5. Joseph Malula, évêque auxiliaire de Léopoldville ; il deviendra archevêque de Léopoldville en juillet 1964 ; *AS* I/I, 242.

6. Témoins du Christ.

7. Endre Hamvas, évêque de Csanád (Hongrie), *AS* I/I, 242-243.

8. Bernardino Echeverria Ruiz, évêque d'Ambato (Équateur), *AS* I/I, 243.

9. Joseph Maalouf, évêque melkite de Baalbek (Liban), *AS* I/I, 243-244.

10. Manuel Pereira da Costa, évêque de Campina Grande (Brésil), *AS* I/I, 244.

11. Biagio D'Agostino, évêque de Vallo della Lucania (Italie), *AS* I/I, 244.

12. *AS* I/I, 244-245.

page 2 ; après « *apostolorum successores*[1] », et sous la forme : « *unanimiter cum Maria Matre Jesu orantes*[2] ».
(J'ai appris ensuite que ceci était de Martimort qui, sentant qu'on n'éviterait pas une mention de la Vierge Marie, est passé en douce de l'autre côté de la nef pour donner cela à Mgr Ancel.)

Schröffer[3] : qui parle dans ce document ? Le concile semble s'y contre-distinguer du pape. Si ce sont seulement les Pères, on pourrait corriger page 3, « *cum S. Pontifice*[4] ».
(Ce point était important. À la fin de la congrégation, Mgr Felici précisera en passant, sans insister, que c'est un texte DES PÈRES, non du concile comme tel.)
Page 2, avant « *caritas Christi*[5] » : ne pas donner l'impression que le progrès technique serait procuré directement par le concile.

Carraro[6] (Vérone) : C'est très bien. Désire qu'on soit plus explicite sur : 1°) sommes assemblés *in primis in servitium veritatis*[7] (le concile est l'organe du magistère extraordinaire), 2°) page 2 : rénovation spirituelle : *purificatio et renovatio morum*[8].

Kandela[9], *arch. Sileucia* : page 3 ligne 12 : ajouter au Pontife romain, une mention des Églises d'Orient et d'Occident.

Mgr Zoghby[10] (Égypte). S'adresse ainsi : « *Beatitudines, Eminentissimi*[11]... » page 3 ligne 12 : qu'on mentionne « *et omnium*

1. « Successeurs des apôtres. »
2. « Priant unanimement avec Marie mère de Jésus. »
3. *AS* I/I, 245.
4. « Avec le Souverain Pontife. »
5. « Charité du Christ. »
6. Giuseppe Carraro, évêque de Vérone (Italie), *AS* I/I, 245-246.
7. D'abord au service de la vérité.
8. Purification et rénovation des mœurs.
9. Jules G. Kandela, archevêque auxiliaire du patriarche d'Antioche des Syriens, *AS* I/I, 246.
10. L'archevêque melkite Elias Zoghby, vicaire patriarcal pour l'Égypte, *AS* I/I, 246.
11. « Béatitudes, Éminences... »

episcoporum voce[1] », en englobant d'ailleurs ainsi la voix des évêques non catholiques.

Morrow[2] (?) Krishnagar (?) : Il s'agit d'un « *salutationis nuntium*[3] ». À la fin du concile, on parlera doctrine !!!
Il s'agit d'une adresse AUX HOMMES, non aux chrétiens. Donc, ne pas mettre mention de la Vierge Marie.
Être plus bref sur les deux premières pages et passer de suite à la page 3.

Maximos IV[4] : en français : il s'agit d'un message. Cela doit être bref. Mais celui-ci est à admettre TEL QUEL. Que le *praesidium*[5] mette un terme à cette « joute ». Prononce ensuite quelques phrases très chaleureuses pour le pape, qui a mis dans l'Église catholique un esprit nouveau (est applaudi).

Episcopus Monopolitanus[6] : « *Nuntius est nuntius et non professio fidei sive constitutio*[7]. » Donc, le texte tel quel, « *paucis verbis mutatis*[8] ».

Mgr Venezia[9] : mettre un mot de gratitude pour tous ceux qui ont fait quelque chose pour le concile : les malades, LES ENFANTS... (!)

Rabban[10] (chaldéen) : titre : mettre : *Ad omnes christianos*[11], car on y dit beaucoup trop de choses que les non-chrétiens n'admettent ni ne comprennent.

Guano[12] (Livourne) : ce message doit avoir une grande diffusion

---

1. « Et par la voix de tous les évêques. »
2. Louis La Ravoire Morrow, évêque de Krishnagar (Inde), *AS* I/I, 247.
3. « Message de salutation. »
4. Maximos IV Saigh, patriarche melkite d'Antioche, membre de la Commission des Églises orientales, cardinal en février 1965, *AS* I/I, 247.
5. Présidence (c'est-à-dire le Conseil de présidence).
6. Carlo Ferrari, évêque de Monopoli (Italie), *AS*, I/I, 248.
7. « Un message est un message, et non une profession de foi ou une constitution. »
8. « En changeant quelques mots. »
9. Pasquale Venezia, évêque d'Ariano (Italie), *AS* I/I, 248.
10. Raphael Rabban, né à Mossoul, archevêque chaldéen de Kerkūk (Irak), *AS* I/I, 248.
11. À tous les chrétiens.
12. Emilio Guano, évêque de Livourne, membre de la Commission pour

et être facile à lire et à comprendre. Il est trop long et trop complexe, et il est formulé comme un message AUX CHRÉTIENS.

Béjot[1] (Reims) : page 1 : dire « *verum propositum Dei vivi*[2] », au lieu de « *integram et puram veritatem*[3] ».

Trindade, *Eborensis*[4] : doit être sobre, bref, profond, précis. *Denuo redigatur*[5] !

Arrieta[6] *(Pluviensis)* : ne pas parler de l'Église du silence. Cela leur nuirait plutôt. On ne peut pas tout dire. Que le texte soit approuvé tel qu'il est « *cum paucis emendationibus*[7] » plutôt stylistiques.

C'est fini. Mgr Felici demande qu'on vote par assis et levés sur le texte tel qu'il est, sauf deux petits changements qu'il indique (et on traduit en français, en espagnol, en anglais, en allemand et en arabe) :

addition de « *unanimiter cum Maria Matre Jesu orantes*[8] »

au dernier paragraphe : voir mon exemplaire.

On fait le décompte des levés. Très peu restent assis : peut-être pas vingt en tout. Le texte est donc adopté[9].

On quitte Saint-Pierre à 13 h. Car des évêques. On met un quart d'heure rien qu'à sortir de la Place Saint-Pierre, car il y a bien une cinquantaine de cars d'évêques à sortir en même temps. On est à l'Angélique à 13 h 50.

---

l'apostolat des laïcs nommé par le pape à la fin de la première session, *AS* I/I, 249.

1. Georges Béjot, évêque auxiliaire de Reims, *AS* I/I, 249.
2. « Dessein véritable du Dieu vivant. »
3. « Vérité pure et intégrale. »
4. Manuel Trindade Salgueiro, archevêque d'Evora (Portugal), *AS* I/I, 249-250.
5. Qu'il soit rédigé à nouveau.
6. Roman Arrieta Villalobos, évêque de Tilarán (Costa Rica), *AS* I/I, 250.
7. « Avec peu de modifications. »
8. « Priant d'une seule âme avec Marie mère de Jésus. »
9. *AS* I/I, 254-256.

À 14 h, visite du pasteur Rilliet[1], journaliste pour la *Tribune de Genève*. Je pars à 15 h, incité à visiter S.B. Maximos IV à 15 h 45 ; mais c'est très loin ! Après un tram, qui me trompe, je prends un taxi.

Je suis heureux de voir ce vieux Patriarche[2], si vif d'esprit, si décidé et qui tient des positions décisives.

Il voudrait qu'on aborde sans tarder, au concile, le chapitre des Évêques parce que c'est pour lui la clef d'une ecclésiologie équilibrée et un présupposé à un bon traitement des problèmes de l'union. Il me dit qu'il a adressé une lettre à Pie XII quand on a parlé de béatifier Pie IX. Il y racontait en particulier comment, à la fin du premier concile du Vatican, quand le patriarche Grégoire Youssef[3] était venu, dans la suite des autres évêques, baiser les pieds du pape, Pie IX lui avait mis le pied sur la nuque en disant : cette tête dure ! – parce que le patriarche était resté jusqu'au bout opposé à la définition de l'infaillibilité. Le patriarche s'était relevé, avait quitté la salle sans rien dire. Pendant plus de vingt ans il n'était pas revenu à Rome et n'avait eu avec Rome que des rapports strictement administratifs et nécessaires. C'est Léon XIII qui l'avait recherché et réconcilié. L'encyclique *Orientalium dignitas*[4] avait ce contexte précis.

Vers 16 h 30, le patriarche m'emmène à la réunion hebdomadaire des évêques melchites. Il m'y asseoit à sa gauche. J'y retrouve Mgr Hakim[5], Mgr Edelby[6], l'archevêque de Beyrouth[7] (qui est sous-secrétaire au concile : c'est lui qui traduit les avis en arabe). Environ vingt-cinq évêques sont là, sur des fauteuils, faisant un

1. Le pasteur Jean Rilliet, qui collabore à la *Tribune de Genève*, suivra les deux premières sessions pour ce journal.

2. Il est né en 1878.

3. Le patriarche melkite d'alors.

4. Il s'agit en réalité d'une Lettre apostolique de Léon XIII publiée en 1894.

5. Georges Hakim, évêque melkite de Saint-Jean-d'Acre (Israël). Il succédera, en 1967, à Maximos IV sous le nom de Maximos V.

6. Neophytos Edelby, évêque et conseiller patriarcal d'Antioche des Melkites. Lors de la première session, il est élu membre de la Commission des Églises orientales. Son journal du Concile a été publié en italien : Neophytos EDELBY, *Il Vaticano II nel diario di un vescovo arabo*, Milan, 1996.

7. Philippe Nabaa, archevêque melkite de Beyrouth.

grand rectangle dont le patriarche occupe un des petits côtés. Je retrouve ici cette atmosphère de familiarité paternelle qui m'a frappé en Orient dans les relations avec les évêques. Ces évêques (qui parlent tous français, même souvent entre eux) m'interrogent sur les courants du concile, ce qu'il faut faire, ce qu'il faut penser des schémas. De leur côté, ils me disent, que, pour eux, il existe une seule Église en Orient, qui est l'Église de leur pays d'Orient. Il y a eu brouille, rien de plus. On ne peut considérer les Orthodoxes comme en dehors de l'Église, comme n'étant pas l'Église. Le P. Oreste Kéramé[1], qui est au fond de la salle et ne dit rien m'expliquera après – car j'objecte que la papauté est maintenant un dogme – qu'on ne peut imputer aux Orthodoxes une faute commise à l'égard d'une doctrine qu'ils n'étaient pas là pour accepter et qui ne leur a pas été présentée d'une manière assez authentique. Cette intrusion d'éléments historiques et psychologiques dans une question dogmatique et canonique est évidemment on ne peut plus étrangère aux Romains. Je ne puis dire que, à mes yeux, les considérations du P. Kéramé fassent le poids. Ces évêques, en tout cas, insistent sur la nécessité d'avoir un schéma particulier *de unione*[2] pour les Orientaux. C'est ecclésiologiquement nécessaire. Le problème ne se pose pas pour eux comme pour les protestants. Pour eux il faudrait supprimer toute interdiction purement canonique de *communicatio in sacris* en ne gardant que ce qu'impose la loi divine, à savoir l'adhésion à une autre foi. Aussi ces évêques melchites souhaiteraient un schéma général *De Oecumenismo*[3] suivi d'un schéma particulier visant l'Orient. Avant cela, un abordage, dès cette session, de l'épiscopat. Ils signent une pétition en ce sens.

C'est de beaucoup Mgr Edelby qui émerge dans cette assemblée : jeune, fort, vif, aigu, il est certainement très capable. Il a la trempe d'un meneur.

Dimanche 21 octobre. Grosse journée. – À 10 h chez Mgr Volk, au Janicule, réunion avec Rahner, Ratzinger, Semmel-

1. L'archimandrite Oreste Kéramé est l'expert privé et le référendaire du patriarche Maximos au Concile.

2. De l'union.

3. De l'œcuménisme.

roth, Daniélou et Labourdette. J'ai préparé un schéma de *« proemium »*, que je propose. On discute pour savoir lequel on adoptera : celui de Mgr Volk, celui du P. Daniélou ou le mien. Finalement, on prend le mien et on me charge de le rédiger en une quinzaine de pages d'ici dimanche prochain. De leur côté, les PP. Ratzinger et Rahner rédigent à nouveau les sujets *(Die Thematik*[1]*)* des quatre schémas doctrinaux, de la part du cardinal König ; le P. Daniélou le fait, de son côté, pour le compte de Mgr Veuillot.

À 12 h 30, le P. Chalencon[2], des PP. de la Salette, vient me chercher avec le P. Chenu, pour déjeuner chez eux. Dans la conversation, le P. Chenu note la peine qu'il éprouve à ce qu'il n'y ait pas d'Oriental parmi les membres élus de la commission théologique. Je sais d'autre part que les Maronites sont froissés de n'avoir aucun des leurs dans les commissions et que les Melchites ont tous les postes. J'avais moi-même dit, à plusieurs reprises, à la Commission préparatoire, qu'il faudrait entendre le point de vue de l'Orient. On n'avait rien fait, et la présence de Mgr Hermaniuk n'avait pas suffi à remplir ce vide. Il me semble qu'il faut utiliser la dernière chance qu'on ait : que le Pape mette un Oriental (un Maronite ?) parmi les huit théologiens qu'il nommera pour compléter la Commission *de fide et moribus.* Notre décision est arrêtée : faire intervenir un cardinal auprès du Pape. Nous pensons au cardinal Suenens, qui a déclaré, dans une interview, s'être préoccupé, à la Commission centrale, du point de vue des Orientaux. Nous allons de suite, en voiture, au Collège belge. Le cardinal s'est retiré pour trois ou quatre jours, *somewhere*[3] in Rome. Alors, vois Mgr De Smedt, évêque de Bruges, qui est du secrétariat. Je me fais annoncer. Il fait la sieste, il sort de table. Il vient cependant. Accueil excellent. Il est d'avis qu'il faut toucher le cardinal Bea, et il nous autorise à nous présenter en son nom. On y va ! On dépose le P. Chenu en route ; il a un rendez-vous. Nous avons de la chance : arrivés au Collège Brésilien, où réside le cardinal, on nous dit qu'il va des-

1. La thématique.

2. Jean Chalencon, sixième conseiller et secrétaire général des Missionnaires de la Salette ; M.-D. Chenu réside chez les Pères Missionnaires de la Salette, congrégation qui envoyait alors ses étudiants se former au Saulchoir.

3. Quelque part.

cendre car il va partir. De fait, sa voiture l'attend. Il arrive au bout de vingt minutes. En deux minutes, j'expose l'objet de ma visite. Je fais valoir (cela semble toucher particulièrement) que les Orientaux seraient très sensibles au fait que LE PAPE aurait désigné l'un d'entre eux. Chance : le cardinal se rend ce soir à une réception du cardinal Agagianian[1], où sera aussi le cardinal Cicognani. Il promet d'exposer la question aux deux.

Au moment où je sortais, je suis reconnu par des séminaristes brésiliens, qui m'ont vu à la TV italienne. Ils m'entourent avec affection. Je leur demande où sont leurs évêques : ils sont tout près d'ici, à la Domus Mariae. J'y vais. De fait, 98 évêques habitent là, dont 75 Brésiliens. En peu de temps, je vois une dizaine d'évêques, puis arrive Mgr Helder[2], secrétaire du CELAM. C'est extraordinaire : aujourd'hui même, à midi, ils ont parlé de moi et ont dit qu'il faudrait me faire venir. Après avoir bavardé un bon moment, nous allons dans une salle, où se réunissent avec nous une douzaine de jeunes évêques. Ils m'interrogent. Mgr Helder mène : un homme non seulement très ouvert, mais plein d'idées, D'IMAGINATION et d'enthousiasme. Il a ce qui manque à Rome : la « vision ».

Les évêques brésiliens, et une grande partie de l'épiscopat d'Amérique du Sud avec eux, veulent rejeter les schémas doctrinaux. Ils voudraient qu'après le *De liturgia* on aborde le *De episcopis*[3]. Si on ne le fait pas maintenant, disent-ils, on ne le fera pas. Si on le renvoie à la session d'avril 63, beaucoup d'évêques ne viendront pas à cette session. Or ce schéma est nécessaire pour équilibrer

---

1. L'Arménien Grégoire P. Agagianian, préfet de la Congrégation de la Propagande. Président de la Commission des missions, il fera partie de la Commission de coordination et sera l'un des quatre modérateurs du Concile.

2. Helder Pessôa Câmara, évêque auxiliaire de Rio de Janeiro. Il est en réalité le premier vice-président du CELAM (Conférence des évêques d'Amérique latine). Il sera élu membre de la Commission pour l'apostolat des laïcs lors de la deuxième session du Concile. Il deviendra archevêque d'Olinda et Recife en mars 1964.

3. De l'épiscopat ; à partir d'ici, l'expression désigne généralement soit l'ensemble des trois chapitres qui traitent des évêques dans le *De Ecclesia*, soit le chapitre unique souhaité par beaucoup et qui trouve une première ébauche dans un chapitre du schéma préparé par Philips avec l'aide de Congar et d'autres.

Vatican I. Il est de plus appelé par les schémas sur la liturgie et sur l'œcuménisme.

Ils me demandent si je pourrais préparer un schéma un peu ample et satisfaisant. Je dis que oui, avec les PP. Lécuyer, Rahner, Ratzinger et Colombo.

Mais je vois que je me mets sur les épaules des tâches écrasantes. D'autant que les évêques brésiliens désirent m'entendre en conférences. Mgr Helder me demande de préparer aussi une bibliographie de bons livres (français, anglais, allemands) sur les questions les plus importantes de l'Église actuelle : assez simples et faciles, pour des évêques qui ne peuvent ni acheter ni lire de trop gros livres. Questions de théologie, sociologie, philosophie, psychologie, etc.

Il me faudrait un secrétaire !

J'essaie de joindre le P. Lécuyer. Je ne sais où le trouver et n'y arrive pas. Je rentre à 18 heures.

Veni Sancte Spiritus[1] *! Ad robur*[2] *!*

Je note ici encore que Mgr Helder m'a raconté les trois entrevues qu'il a eues personnellement avec le Pape. Il proposait à celui-ci des choses qui fussent des gestes significatifs : il l'invitait de la part du Président de la République du Brésil, à venir inaugurer Brasilia ; il lui proposait l'idée d'un Bandoeng catholique, etc. Chaque fois le pape a dit : oui, je voudrais, MAIS JE SUIS PRISONNIER. Il a aussi une fois dit au pape : N'est-ce pas, Très Saint-Père, que le communisme n'est pas le pire ennemi ? Et le pape lui a répondu : Oui, vous avez raison.

Je suis aussi frappé, depuis plusieurs jours, du rôle que jouent les théologiens. Au premier concile du Vatican, ils n'ont guère joué de rôle. Ceux qui auraient pu le faire n'ont pas été invités ou ne sont pas venus : Döllinger, Newman[3] (même Scheeben[4] !). Cela s'est passé, au point de vue des théologiens, entre gens de Rome, ou presque. Il est vrai que bien des évêques faisaient eux-mêmes leur

1. Viens Esprit Saint !
2. À l'aide !
3. Le cardinal John Henry Newman (1801-1890), célèbre théologien anglais.
4. Matthias-Josef Scheeben (1835-1888), théologien néo-scolastique allemand.

théologie. Cette fois, les évêques sont beaucoup plus pasteurs. Ils sont moins théologiens. D'autre part, il existe dans l'Église un large groupe de théologiens vivants et qui ne se cantonnent pas dans les chapitres tout faits de la théologie d'école, mais s'efforcent de penser et d'éclairer les faits de la vie de l'Église. Ces théologiens sont assez nombreux. Ils sont très loin d'être tous à Rome, mais rien qu'ici je vois : Chenu, Colson[1], Chavasse*, Ratzinger, Rahner, Semmelroth, Lubac, Rondet, Daniélou, Schillebeeckx, etc., etc. Ces théologiens exercent un véritable magistère. Ce que Pie IX avait voulu éviter, au risque de braquer Döllinger, c'est là ! D'ailleurs, Pie IX est vaincu sur toute la ligne, lui qui n'a rien voulu comprendre à la vérité de l'histoire :

la Démocratie chrétienne étale sur les murs sa devise : *Libertas*[2].

L'appel aux hommes, de samedi dernier, comparé au *Syllabus*[3] et à la dernière proposition de celui-ci ;

le pouvoir temporel (dont il reste cependant trop de vestiges) ;

la conciliarité réaffirmée.

Lundi 22 octobre. – Coup de téléphone du Secrétaire du Cardinal Bea[4] pour me dire que la démarche a été faite ; qu'elle avait d'ailleurs déjà été faite d'autre part et que les Maronites étaient eux-mêmes intervenus directement.

Le P. Schmidt me dit aussi : la prochaine fois, téléphoner *d'abord* au cardinal (on n'arrête pas un cardinal sur son chemin comme cela, sans prévenir !!!).

---

* Chavasse ?? n'est plus venu.

1. Jean Colson, prêtre du diocèse de Saint-Dié, professeur d'histoire des origines du christianisme à l'Université catholique d'Angers, et directeur du service études-charité au Secours catholique à Paris ; il est expert privé de l'évêque de Saint-Dié.

2. Liberté.

3. Accompagnant l'encyclique *Quanta cura* publiée par le pape Pie IX en 1864, le *Syllabus errorum*, appelé ordinairement *Syllabus*, est un catalogue de quatre-vingts erreurs considérées comme mettant en péril le catholicisme dans la société moderne.

4. Stjepan Schmidt, s.j.

Congrégation générale :

On donne d'abord les élus des trois commissions restantes[1].

On donne ensuite lecture de la décision du pape prolongeant le secrétariat pendant le concile et l'équiparant pratiquement à une commission. Puis, on aborde le schéma *De liturgia*[2]. D'abord une présentation du schéma, très claire. Puis on commence les remarques sur le schéma *in genere*[3] : il y en a vingt-cinq :

Cardinal Frings[4] : ce schéma est comme le testament de Pie XII. Il le loue. Il demande :
que le schéma soit réimprimé AVEC LES DÉCLARATIONS FAITES À LA COMMISSION CENTRALE,
que les déclarations sur la langue vulgaire soient insérées, que soit supprimée la note de la page 155, qui ne figurait pas dans le texte approuvé par la commission centrale, que pour l'usage de la langue vulgaire on remette le texte primitif, qui attribuait la question aux conférences épiscopales de chaque pays.
Musique en langue vulgaire : que les évêques veillent à exercer les fidèles dans le chant grégorien pour qu'on puisse louer Dieu *una voce*[5] en cas de réunion de fidèles de plusieurs pays.

Cardinal Ruffini[6] : « *parcite mihi si canam extra chorum*[7] ». Contre la restriction du Schéma à la liturgie romaine ; qu'elle soit pour tous les rites. Si certains rites ont besoin de mesures particulières, que celles-ci soient prises par les instances spéciales *ad hoc.*

Cardinal Lercaro[8] (assez ennuyeux) : louange pour clarté, orien-

---

1. *AS* I/I, 259-261.
2. *AS* I/I, 262-303.
3. Dans son ensemble.
4. *AS* I/I, 309-310.
5. D'une seule voix.
6. *AS* I/I, 310-311.
7. « Pardonnez-moi si je chante hors du chœur. »
8. Giacomo Lercaro, archevêque de Bologne, membre de la Commission de liturgie, que Paul VI nommera, en 1963, à la Commission de coordination et parmi les quatre modérateurs du Concile, *AS* I/I, 311-313.

tation pastorale, fondement théologique ; sagesse progressive.

Cardinal Montini[1] : approbation. Ni innovations anarchiques ni immutabilité. Est pour une commission, après le concile, avec des évêques pasteurs.

– latin pour parties sacramentelles, proprement sacerdotales.

– langue vulgaire pour parties didactiques et prière des fidèles (cite 1 Cor. : répondre Amen) : QUE LES FIDÈLES COMPRENNENT !!

et viser à la simplicité, la brièveté ; éviter les répétitions.

Cardinal Spellman[2] (pas très clair) : pas trop de changements ! Bienfaits de l'uniformité. Question langue : pour l'eucharistie : le latin ; pour les autres sacrements et cérémonies, larges parties vernaculaires.

Cardinal Döpfner[3] : louange du Schéma.

Qu'on donne les déclarations préparées par la commission préparatoire.

Supprimer la note de la p. 155, non soumise à la commission centrale.

Ne pas se contenter de principes généraux.

Qu'on institue une commission pour préparer en quelques années de nouveaux livres liturgiques.

Langue : penser que la liturgie est souvent la seule source de vie des fidèles. Qu'elle soit claire ! Souhaite la langue vulgaire même pour le célébrant, là où l'appelle le bien des fidèles.

Qu'on rétablisse le texte de la commission donnant aux Conférences épiscopales l'élaboration des dispositions pour la langue vulgaire.

Cardinal japonais[4] : pour adaptation aux peuples d'Extrême-Orient. Que les conférences épiscopales aient plus de facilités, de facultés.

---

1. *AS* I/I, 313-315.
2. *AS* I/I, 316-319.
3. *AS* I/I, 319-321.
4. Peter Tatsuo Doi, archevêque de Tokyo, *AS* I/I, 323.

Cardinal du Chili[1] : louange générale.

Supprimer dans la première phrase ce qui minimise le magistère extraordinaire. Primat de la charité. Contre le formalisme.

Pour une doctrine biblique et patristique du sacerdoce des fidèles.

Donner autorité aux conférences épiscopales pour la question de la langue vulgaire. Les mots ne sont pas faits pour cacher, mais pour exprimer !

Patriarche chaldéen[2] : que soit appliquée aux Églises orientales une grande part de ce schéma.

Vagnozzi[3], délégué apostolique à Washington (!!!) : ce schéma est verbeux, « ascétique ». Sa théologie est vague, parfois inexacte. Exemple : il dit que la liturgie est *culmen et fons*[4] de la vie chrétienne : or Dieu seul est cela.

Il faudrait le soumettre à la commission *de fide*[5].

Le concile n'a qu'à reprendre l'encyclique *Mediator*[6] !

Hurley[7] : renonce à la parole : ce qu'il voulait dire a été très bien dit par les autres, excepté par le précédent.

Évêque japonais[8] : on a exprimé tous les éloges nécessaires ; aussi se tait.

Del Rosario[9] : 1. Quelle est la différence entre constitutions, décrets et canons ?

2. Quelles dispositions canoniques seront abrogées par cette constitution ? Préciser ! Que DEVRA-t-on observer ?

---

1. Raul Silva Henríquez, archevêque de Santiago, président de la Conférence des évêques du Chili et vice-président de la Commission pour l'apostolat des laïcs, *AS* I/I, 323-325.
2. Paul II Cheikho, patriarche de Babylone des Chaldéens (Irak), *AS* I/I, 325.
3. Egidio Vagnozzi, archevêque titulaire, délégué apostolique aux États-Unis, *AS* I/I, 325-326.
4. Sommet et source.
5. De la foi (il s'agit de la Commission doctrinale).
6. L'encyclique *Mediator Dei* sur la liturgie, publiée par Pie XII en 1947.
7. *AS* I/I, 327.
8. En réalité, il s'agit de Guildford C. Young, archevêque de Hobart (Australie), que Congar avait rencontré le 12 octobre, *AS* I/I, 328.
9. Luis del Rosario, évêque de Zamboanga (Philippines), *AS* I/I, 328-329.

Évêque du Liban[1] : *unum tantum dicam*[2] : on n'a pas bien distingué entre « rite » au sens purement cérémonial et « rite » au sens compréhensif de coutumes d'une communauté. Il faudra préciser dans le *proemium.*

Dante[3] : *Non placet*[4] :

1) Le concile ne doit donner que des principes généraux.

2) L'approbation des changements doit être réservée au Saint-Siège.

POUR LA LANGUE LATINE. La langue vulgaire réservée à la prédication.

Contre la concélébration, surtout pour les messes privées.

Garder l'office, les heures, l'obligation de la récitation en latin.

Dénonce certaines omissions.

García[5] (très lent) : que le schéma soit plus bref.

Qu'on retire les reliques douteuses. Il cite, entre autres, la verge d'Aaron, le lait de la Vierge. « *Reverenter sepeliantur*[6]. »

Évêque de Limbourg[7] : Deux désirs généraux : considérer les conditions de la vie sociale moderne ; assumer les tendances œcuméniques légitimes.

Cardinal Rugambwa[8], du Tanganyika : cela répond à l'attente des peuples. Pour les adaptations par conférences épiscopales avec approbation du pape.

Un évêque OFM[9] : il parle de TOUS les schémas et les trouve excellents. Ne pas perdre du temps à DISCUTER de choses qui

---

1. Giovanni B. Scapinelli di Léguigno, assesseur de la Congrégation pour l'Église orientale, *AS* I/I, 329-330.

2. Je ne dirai qu'une chose.

3. L'archevêque Enrico Dante, secrétaire de la Congrégation des rites, *AS* I/I, 330-331.

4. Je n'approuve pas.

5. Fidel García Martinez, évêque titulaire espagnol, *AS* I/I, 332.

6. « Qu'ils soient enterrés dignement. »

7. Wilhelm Kempf, évêque de Limbourg (Allemagne), *AS* I/I, 332-333.

8. Le cardinal Laurean Rugambwa, évêque de Bukoba (Tanzanie), membre de la Commission des missions, *AS* I/I, 333-334.

9. Carlos E. Saboia Bandeira de Méllo, évêque de Palmas (Brésil), *AS* I/I, 334-335.

expriment la doctrine catholique commune et qui sont parfaites. Les recevoir telles quelles et s'appliquer aux choses pastorales, concrètes.

Ungarelli[1] : Pourquoi ne pas traiter des rites orientaux ?

Contre uniformité du latin qui va contre l'*unum sint*[2] : les protestants ont la langue vulgaire et reviendraient mieux s'il n'y avait pas l'obstacle du latin.

POUR DE NOUVELLES LITURGIES, et pas seulement le latin !

À bloc pour les langues populaires. Les *gentes*[3] ne sont obligés ou tenus à admettre que la foi, non la culture occidentale !

Le latin nuit aux missions. Qu'on le réserve aux seuls vrais occidentaux. Cela faciliterait aussi le recrutement des prêtres.

Le président dit : *Satis*[4] ! L'orateur a-t-il atteint ses dix minutes ?

Celles-ci ne sont pas absolument impératives, cependant...

X[5] ? : trouve le schéma excellent.

Cela finit à midi.

L'après-midi, je me mets, par devoir, à la rédaction du *proemium*. Cela ne va pas. Certes, je suis interrompu (visite du P. Cottier[6], théologien de Mgr de Provenchères ; jeune couple français en voyage de noces qui ne sait pas où loger), mais je ne suis pas en train. Entre 14 h et 17 h 30, je n'écris que six ou sept lignes !!! Quel pensum !

Mardi 23 octobre. – Je n'ai pas dormi. Je rumine tout cela. Je réalise l'erreur que j'ai faite en venant à l'Angélique, où je n'ai pas

---

1. Alfonso M. Ungarelli, prélat *nullius* de Pinheiro (Brésil), membre de la Commission des missions élu à la fin de la première session, *AS* I/I, 336-338.
2. Qu'ils soient un.
3. Peuples.
4. Assez !
5. Juan Hervás y Benet, prélat *nullius* de Ciudad Real (Espagne), *AS* I/I, 339.
6. Georges Cottier, o.p., de la province de Suisse, prieur du Centre Saint-Thomas à Genève, secrétaire de rédaction de la revue *Nova et Vetera* fondée et dirigée par Journet ; il sera expert du Concile à la quatrième session ; il sera plus tard théologien de la Maison pontificale.

de contact avec les évêques et suis dans un milieu assez lourd, sympathique d'ailleurs, étranger au concile ; où les repas sont sans échanges, alors que c'est un moment où normalement, « on parle » (de tout cela). Mgr Elchinger m'a bien proposé une chambre près de lui ; mais 1°) ils ne sont là que quatre évêques français ; 2°) je suis lié à des communications assez bonnes, ce que j'ai à l'Angélique.

À l'Angélique aussi, je ne puis pratiquement inviter les Observateurs : c'est une communauté trop lourde, trop solennelle, trop peu homogène dans le sens français. On n'y invite que des ecclésiastiques, selon des règles et un coutumier assez rigides. Je me reproche de n'avoir eu aucun contact avec les Observateurs, en dehors des rencontres officielles. Quoi faire ?

Le matin, je ne vais pas à la Congrégation générale, pour travailler au *proemium* que je dois présenter dimanche. On me dit que la thèse ouverte (langue populaire) appuyée par Maximos IV[1], cardinal Feltin[2], cardinal Léger[3], s'est heurtée à la thèse fermée : cardinal Ruffini[4], cardinal McIntyre[5] (très violent et très fermé), cardinal Ottaviani[6] (qui demande que le schéma soit soumis à de VRAIS théologiens.

Après-midi de 15 h à 17 h, Mgr Elchinger. Je lui demande d'intervenir dans le schéma *De Liturgia*, pour demander qu'on exprime mieux que le fondement de la participation des laïcs à la liturgie est leur sacerdoce. On fait un bref schéma en ce sens.

Je parle aussi à Mgr Elchinger d'un projet que je voudrais mettre au point. On attend certainement du concile quelque chose dans le sens de la simplification et de la pauvreté. Je le souhaite aussi. Mais il est très difficile de préciser concrètement quelque chose de raisonnable. Il faudrait se réunir avec quelques évêques et théologiens (je propose une liste à Mgr Elchinger) pour mettre quelque chose au point. Pour ma part, l'important me paraît être, non l'anec-

---

1. *AS* I/I, 377-379.
2. *AS* I/I, 367-369.
3. *AS* I/I, 371-373.
4. *AS* I/I, 364-367.
5. James McIntyre, archevêque de Los Angeles, vice-président de la Commission des évêques et du gouvernement des diocèses, *AS* I/I, 369-371.
6. *AS* I/I, 349-350.

dotique, mais l'aspect ecclésiologique. Cela touche trois points : a) dénoncer, rejeter le SEIGNEURIAL, le *dominium*[1], ce qui est du temporel et de la prétention de prestige temporel ; b) instaurer des possibilités de contact réel avec les hommes, telles que les prêtres et les membres de la hiérarchie ne soient pas coupés d'eux ; c) être et apparaître mieux comme Église des pauvres.

Il compte intervenir en faveur du double bréviaire, bréviaire en langue maternelle ; je lui demande de s'inscrire pour parler sur la communion sous les deux espèces. Je vais aller voir Mgr Charue pour tâcher de le décider à le faire, mais, si je ne le trouve pas ou s'il refusait, quelqu'un serait inscrit. J'avais pensé à Mgr Weber, mais il paraît qu'il lit mal un texte.

De 17 à 18 h, visite de M.[2] *[ ]*, écrivain brésilien dirigeant de l'opinion catholique, et de M. Murilo Mendes, poète brésilien connu, qui a une chaire de portugais à l'université de Rome.

Je vais alors voir Mgr Charue et ai la chance de l'avoir au moment où il allait quitter le Collège Belge. Je lui expose mon désir. Il me laisse lui préparer un schéma, mais il est hésitant, car les évêques belges ne sont pas favorables à la communion sous les deux espèces.

De là, en raison de la proximité des lieux, je vais voir Mgr Weber. Je suis rejoint dans l'antichambre par le P. Gy, qui est venu de la part de Mgr Martin[3] et des liturgistes demander à Mgr Weber de parler sur cet article de la communion sous les deux espèces.

Curieuse coïncidence !

Le P. Gy est chargé par les membres français de la commission liturgique de sonder et de tâcher d'influencer favorablement les évêques anglo-saxons. Il est plus que jamais dans son rôle de négociateur. Il me dit que l'atmosphère du concile agit : des épiscopats (USA par exemple ou Sud-Afrique) ont changé beaucoup déjà en quinze jours.

De fait, je me rends compte moi-même ici de l'immense influence du milieu. Un homme est profondément conditionné par son milieu. Mes réactions, par exemple, ne sont pas exactement ou de tous points, aujourd'hui, ce qu'elles étaient durant les travaux

1. La domination.
2. Alceu Amoroso Lima (selon Oscar Beozzo).
3. Joseph-M. Martin est président de la Commission française de liturgie.

de la commission théologique. Certes, elles sont identiques en leur fond, surtout quant à leurs déterminations strictement intellectuelles. J'ai fait (trop timidement), verbalement ou par écrit, la plupart des remarques ou des critiques qu'on articule aujourd'hui. Mais mes réactions étaient pour une part conditionnées par le milieu d'alors. Elles sont aujourd'hui libres de se développer et de s'exprimer, dans un tout autre milieu. Il y a plus : elles REÇOIVENT de ce milieu et des libres et larges échanges dont le concile est le lieu normal, non seulement confortation, mais des apports enrichissants. Je réalise de façon quasi physique ce qu'apporte le grand rassemblement comme tel. C'est un argument de plus contre l'idée de « concile par écrit » mise en avant à propos des consultations touchant l'Immaculée Conception et l'Assomption. Je réalise aussi, une fois de plus, ce qu'a de machiavélique et de déprimant la discipline du secret, obtenue et sanctionnée par un serment, que Rome impose à tous ceux qui travaillent avec elle. Cela empêche chacun des participants de reprendre contact avec son milieu naturel. Ne pouvant parler qu'avec les membres sélectionnés du petit groupe mis sous le même sceau du serment, il est coupé de tout autre « milieu », isolé, muré dans son problème, en contact seulement, et de façon bien formaliste, avec ceux que lie le même serment. Cela agit de façon catastrophique dans le sens de groupes coupés de la vie réelle, cloisonnés, jaloux, sinon même méfiants. C'est contraire à la nature de l'homme et de l'intelligence, qui est DIALOGUANTE. Au concile, l'Église est mise, au moins de façon interne, en état de dialogue. Elle se sent vivre du fait du contact enrichissant des autres et d'un milieu voué à la libre discussion, marqué du sceau de la mise en question et de la liberté.

24 octobre 1962. – Situation gravement menaçante autour de Cuba. La guerre atomique POURRAIT éclater d'un jour à l'autre. *Da pacem*[1] !

Congrégation générale : Messe de rite oriental. C'est aussi, pour l'Orient, une façon de parler au concile. Une fois de plus, il parle par sa liturgie.

---

1. Donne la paix.

Brèves indications en latin ; quelques prières sont traduites au micro EN FRANÇAIS. Le français est la langue véhiculaire de l'Orient catholique.

Un évêque vient de mourir juste dans le vestibule de Saint-Pierre : en entrant dans la basilique pour la session. C'est le cinquième depuis l'ouverture du concile !

Présidence du cardinal de Tolède[1], qu'on comprend très mal.

On ne commence la discussion, ou plutôt la suite des discours, qu'à 10 h 15, les évêques fatigués déjà par tant de levés et assis.

Cardinal Tisserant[2] : Cyrille et Méthode[3]. Autres faits historiques et CONTEMPORAINS : on a, jusque sous Pie XII, traduit le Missel en langue nationale (Dalmate). L'Histoire dit : aucune objection à la traduction en langue vulgaire.

Cardinal Gracias[4] (Indes) : TRÈS BELLE et assez longue intervention. Le mieux est l'ennemi du bien. *Festinare lente*[5] ; mais pas immobilisme. Dans les Indes, quatorze langues officielles, mais dont chacune a l'étendue d'un pays d'Occident.
Que les conférences épiscopales aient la faculté d'expérimenter, le jugement étant réservé au Saint-Siège. Mais qu'on en obtienne une réponse rapide ! Il faudra préciser cela. Le schéma n'est pas clair sur ce point.
Propose des adaptations élargissantes.
Un mot sur la concélébration, dont on vient d'avoir un bel exemple.
Un mot sur la simplicité des vêtements.

Je note que, dans toute cette séance et, d'après ce qu'on me dit, hier déjà, les considérations touchant la langue vulgaire se sont maintenues au plan pragmatique. PAS DE THÉOLOGIE À LA BASE DE LA QUESTION. En général, les mouvements liturgiques ne se sont pas

1. Enrique Pla y Deniel, archevêque de Tolède.
2. *AS* I/I, 399-400.
3. Au IXe siècle, les saints Cyrille et Méthode, appuyés par le pape, traduisirent l'Écriture et les textes liturgiques pour les peuples slaves.
4. Valerian Gracias, archevêque de Bombay, *AS* I/I, 400-404.
5. Se hâter lentement.

assez donné la base ECCLÉSIOLOGIQUE qu'ils devraient avoir. Dans le cas, la question théologique fondamentale, qui n'a pas été abordée : quel est le sujet de l'action liturgique ! – C'est le Corps mystique, organique, dont la *plebs sancta*[1] fait partie.

Cardinal Bea[2] : *De coadunandis schematibus tractantibus de eadem re*[3] *!* par des commissions mixtes.
De novis ritibus[4]. Ne pas préjuger de l'avenir, ne fermer aucune porte. Les choses sont en mouvement. Il y a aussi le mouvement œcuménique et peut-être la chose aura aussi son influence dans la question liturgique.
Ne pas décider MAINTENANT.

Cardinal Bacci[5], avec une diction précieuse. Un vrai Diafoirus.
1°) Dans la messe, pas de langues nationales. Rosmini[6] a été censuré.
2°) Danger d'entendre certains textes en langue vulgaire (histoire de Suzanne).
3°) Solution : catéchèse, homélie. Les traductions de Missels et un *« annuntiator quidam probatus*[7] *»* lisant les textes.
4°) Ce qu'on préconise peut amener des conflits et difficultés : cas de pays plurilangues : Canada, Suisse, Belgique. L'unité !
5°) Dans l'administration des sacrements où la relation s'établit entre le prêtre et UN fidèle ou un PETIT GROUPE de fidèles, langue nationale.
Statuatur modo unitario pro universa Ecclesia ab Apostolica sede[8]. – Pas d'intervention des conférences épiscopales.

---

1. Le peuple saint.
2. *AS* I/I, 407-408.
3. Il faut rassembler les schémas traitant de la même chose !
4. Sur les nouveaux rites.
5. *AS* I/I, 408-410.
6. Antonio Rosmini (1797-1855), prêtre italien, théologien et philosophe, avait prôné un *aggiornamento* de l'Église.
7. Lecteur expérimenté.
8. Qu'on statue de manière unifiée pour l'Église universelle à partir du Siège apostolique.

Cardinal Meyer[1] (Chicago) : le cardinal Gracias a bien dit. Ajoute deux remarques :
trouver une *via media*[2]. Le schéma le fait.
Que p. 170 n° 24 soit mieux rédigé. On donne trop en donnant le *moderamen*[3] à la commission nationale. Chaque évêque doit demeurer juge dans son diocèse.
(Mgr McGrath[4] m'a dit ce soir que le cardinal Meyer a pris la parole parce que, a-t-il dit, il était honteux que son pays ait été représenté hier par le cardinal McIntyre.)

Van Lierde[5] : Le paragraphe 1 *de Liturgiae natura*[6] : pas satisfaisant. Parle un peu de tout, y compris des sacristains.
Perspective unionique. Que les chrétiens s'efforcent ENSEMBLE d'introduire les mêmes fêtes dans la vie civile. Par exemple, le Vendredi Saint des protestants, le jeudi du *Corpus Christi* des catholiques.

Archevêque de Dublin[7] : Les gens ne comprennent rien aux rites anciens. Les évêques d'Irlande proposent d'ajouter au paragraphe 27 que cela ne préjuge rien contre le chapelet, etc.

Évêque de Smyrne[8] : paragraphe 24 : il est pour *pro ampliatione majore facultatum jam concessarum*[9] et grand usage des langues nationales, en rapport avec l'évolution du monde. Licence aux évêques (et pas seulement aux conférences épiscopales). Cite beaucoup d'exemples des liturgies orientales, où même les paroles de la consécration...

1. Albert G. Meyer, archevêque de Chicago, *AS*, I/I, 411-412.
2. Voie médiane.
3. Direction.
4. Marcos McGrath, évêque auxiliaire de Panama, membre de la Commission doctrinale élu lors de la première session ; il deviendra évêque de Santiago Veraguas (Panama) en 1964.
5. Le Belge Pierre Canisius van Lierde, archevêque titulaire, Sacriste de Sa Sainteté et Vicaire général pour la Cité du Vatican, *AS* I/I, 412-413.
6. Sur la nature de la liturgie.
7. John C. McQuaid, archevêque de Dublin, *AS* I/I, 414.
8. Joseph Descuffi, archevêque d'Izmir (l'antique Smyrne) (Turquie), *AS* I/I, 414-416.
9. Qu'on élargisse encore plus les facultés déjà concédées.

(?)[1] (un Espagnol !) très long. Dissertation sur l'humanité du Christ cause INSTRUMENTALE du salut (avec citation de S. Thomas) : préciser en ce sens ce qui est dit.
Distinguer magistère (pour lequel langue vulgaire) différent du ministère.

(Souvent, surtout chez ceux qui sont conservateurs, on a invoqué la distinction entre les parties DIDACTIQUES de la liturgie, pour lesquelles on admettrait la langue vulgaire, et les parties sacramentelles ou sacerdotales. Toujours le même vice de SÉPARER, d'ériger l'abstraction en catégorie réelle.) Blondel avait vu juste (cf. son *Monophorisme*[2]).

Archevêque de Madagascar[3], parlant au nom des trois cents évêques d'Afrique et Madagascar : Pour une commission liturgique très internationale, reflétant TOUTES les cultures.

Un évêque polonais[4], évêque en Rhodésie du Nord : sur l'art. III du chap. I : préciser les différents modes de présence du Christ qui sont évoqués. Reprendre les expressions de *Mediator*. Art. 24 : merci à Tisserant et Bea. *Ne porta claudatur*[5].
On a dit : le latin est LA langue de l'Église ? Mais ce n'est pas la seule : « *Ne pondus argumenti unitatis exaggeretur*[6] ! » Les raisons d'unité sont du niveau des esprits et des cœurs et dépassent de beaucoup la question de langue : *Ut facultas daretur conferentiis episcopalibus*[7].

---

1. En réalité brésilien, Alexandre Gonçalves do Amaral, archevêque de Uberaba (Brésil), *AS* I/I, 417-419.
2. Maurice BLONDEL, *Catholicisme social et monophorisme*, Paris, Bloud & Gay, 1910.
3. Gilbert Ramanantoanina, archevêque de Fianarantsoa, membre du Secrétariat pour l'unité à partir de la deuxième session du Concile, *AS* I/I, 419-420.
4. Adam Kozłowiecki, s.j., archevêque de Lusaka (Rhodésie du Nord), *AS* I/I, 421-423.
5. Que la porte ne soit pas fermée !
6. Que le poids de l'argument d'unité ne soit pas exagéré !
7. Que faculté soit donnée aux conférences épiscopales.

Pas de position PRIVILÉGIÉE du latin. Cite Actes 15 : *Nihil ultra imponere quam haec necessaria*[1].

On dit : La *Sedes Apostolica*[2] décide... En fait, ce sont des bureaux : « *Ego sum fortasse successor Bartholomei*[3]... »

Mgr Zanini[4] renonce à la parole.

Parente[5] : va utiliser n'importe quel argument pour discréditer le schéma. Il dit : *Laborat verbositate et levitate*[6] ; il y a des choses parfois incohérentes ; son style est peu digne d'un concile.

Remarques sur certains énoncés qui ne seraient pas théologiquement corrects.

Éloge du Saint-Office (il se donne comme des martyrs !) qui a *plura concessisse*[7].

Le Saint-Siège avance prudemment et ce qu'il fait suffit.

Mgr Staffa[8] : charge à fond contre la langue vulgaire. Logiquement, il faudrait la langue vulgaire même pour le canon et la consécration...

Ce qu'on propose serait sans utilité pour la foi. Nous diviserions, au moment où le monde s'unifie... GARDER L'UNITÉ ! *Ne quid detrahatur juris Romani Pontificis*[9]. Lui SEUL peut...

Demande qu'un vote soit fait sur ceci : que le schéma soit renvoyé à une commission mixte de théologie, liturgie et discipline des sacrements.

Archevêque de Colombo[10] (Ceylan)... trop long. Se fait couper.

---

1. Ne rien imposer au-delà du nécessaire.
2. Le Siège apostolique.
3. « Moi je suis peut-être successeur de Barthélemy... »
4. Lino Zanini, nonce apostolique en disponibilité. Cette renonciation n'est pas mentionnée dans les *Acta*.
5. *AS* I/I, 423-426.
6. Il pèche par verbosité et légèreté.
7. Beaucoup a déjà été concédé.
8. Dino Staffa, évêque titulaire et secrétaire de la Congrégation des séminaires et des universités ; lors de la première session il est nommé par le pape membre de la Commission des séminaires, des études et de l'éducation catholique dont il sera l'un des vice-présidents, *AS* I/I, 428-429.
9. Que rien ne soit retranché du droit du Pontife romain.
10. Thomas B. Cooray, membre de la Commission de la discipline du clergé

La congrégation finit à 12 h 30. À la sortie je vois Hébert Roux. Je vais à la Procure Saint-Sulpice et au Collège belge remettre le texte que j'ai préparé sur la communion sous les deux espèces. Effort énorme de marche !

Je vais à une réunion des évêques français, à 18 h 30, à Saint-Louis. À noter :

Le pape veut que le point de vue pastoral domine

il désire qu'on parte des schémas proposés

il demande qu'il n'y ait jamais un mot touchant à la politique, *dicit*[1] cardinal Feltin.

Mgr Villot, qui a une autre classe, dit : rien n'est prévu comme vote préalable pour recevoir ou ne pas recevoir un schéma.

Mgr Jenny donne écho du travail de la Commission liturgique. Les évêques ne se connaissent pas ; le cardinal Larraona semble assez confus ; il n'y a pas de méthode de travail. Il a posé la question de savoir si on peut (doit) tenir compte des observations faites par écrit par les évêques avant le 15 septembre. Le cardinal a répondu : ce ne sont pas des actes conciliaires... Alors, faudrait-il que les évêques redisent verbalement en Congrégation générale ce qu'ils ont écrit ? Non ! – Alors, *quid*[2] ?

Le P. Daniélou fait un exposé sur les questions qui se posent concernant l'épiscopat. Très superficiel et banal. Le P. Daniélou s'agite beaucoup. Il se fait un peu, ou on le fait, conseiller de l'épiscopat.

Après lui, le P. Lécuyer expose le contenu des schémas préparés, sur la question de l'épiscopat. Et il y ajoute ses remarques ou propositions. Excellent.

Je rentre à 18 h 30 pour recevoir Mgr Philips. Il a préparé, sur demande des évêques belges, un texte *De episcopis*[3] reprenant les textes déjà préparés, mais dans une autre perspective. Je fais taper son texte pour qu'il nous serve de base dans la réunion de demain.

À 19 h 30 je reçois Mgr McGrath, évêque auxiliaire de Panama.

---

et du peuple chrétien nommé lors de la première session, créé cardinal en février 1965, *AS* I/I, 430-432.

1. Dit.
2. Quoi.
3. Des évêques.

Il me rappelle que nous nous sommes connus à Saint-Sébastien et nous sommes baignés ensemble. Je me rappelle en effet très bien : en 51 ou 52. Il fait partie de la Commission théologique. Or il est très bien. Il me consulte sur différentes questions : il voudrait en particulier parler contre l'idée, lancée par Ottaviani, Parente, Staffa, de soumettre ce schéma liturgique à la commission théologique. Toutes les commissions sont faites d'évêques qui sont également docteurs. En réalité, il y a une tactique d'Ottaviani et du Saint-Office. Mgr McGrath me dit qu'Ottaviani a réuni ses théologiens, en particulier Fenton, qui a écrit cinquante pages contre l'expression d'« Église invisible » employée dans le schéma *De liturgia.*

Il me dit que l'épiscopat de l'Amérique du Sud (près de six cents évêques) est en train de changer en très bien depuis dix à vingt ans. C'est le Chili qui a la tête de l'Amérique espagnole : il a un clergé CULTIVÉ. Il me raconte un peu comment et par quels hommes cela est arrivé (P. Weigel[1], Mgr Larraín, etc.). Ces évêques sont très soucieux d'un bon *De episcopis.*

Je le mets un peu au courant de ce qui se prépare, se pense, se cherche, dans les milieux que je connais, et je l'invite à notre réunion de demain sur l'épiscopat. On sera un peu nombreux, mais tant pis. Il est essentiel qu'il y ait communication entre les différents groupes.

Jeudi 25 octobre. – De 15 h à 16 h 45, réunion ici avec Rahner, Semmelroth, Ratzinger, Lécuyer, Colombo, Mgr Philips, Mgr McGrath. On lit et on discute la rédaction Philips *De episcopis,* qui s'étend même, au moins comme plan, à l'ensemble des schémas *De Ecclesia.*

Visite de Laurentin. Différents téléphones, encore à 22 h !!

Vendredi 26. – Je ne vais pas à la Congrégation, pour travailler à mon laborieux *« proemium ».*

Il paraît que cela a continué pour ou contre le latin. Excellentes

1. L'Américain Gustave Weigel, s.j., professeur de théologie au collège jésuite de Woodstock (Maryland), avait été enseignant et doyen de la faculté de théologie de Santiago (Chili) ; consulteur du Secrétariat pour l'unité ; il décède en janvier 1964.

interventions de l'évêque de Bois-le-Duc[1] au nom des évêques hollandais, de Mgr Ancel[2], pathétique : « *adjuro vos*[3] »...

Par contre, Mgr Calewaert[4], évêque de Gand (mis par erreur dans la commission liturgique préparatoire, à cause du nom qu'il a en commun avec le défunt liturgiste), a fait une déclaration en faveur du latin. Évidemment, en Belgique, l'emploi de la langue populaire poserait des questions MOMENTANÉMENT difficiles. Mais la question dépasse les circonstances du flamanguisme...

À 17 h, conférence aux évêques, au Séminaire français, sur la Tradition. Les évêques sont gentils d'une manière touchante. Je dîne, après, à la table du cardinal Roques[5] et du cardinal Lefebvre. Conversation très insignifiante. Laurentin est là. Le P. Gy va de l'un à l'autre, entre, sort, téléphone. Il joue le jeu, c'est bien. Mais il vaut mieux que ce jeu.

Samedi 27. – Je ne vais pas non plus à la Congrégation générale : je n'ai que la matinée pour travailler à ce *proemium*-pensum, qui est mon devoir présent. Du reste, cela a continué et piétiné, à ce qu'on me rapporte. Toujours le latin. Le P. Général[6] a parlé pour le latin à l'usage des clercs, ouverture à la langue maternelle pour les laïcs. Mgr Calewaert[7] a parlé neuf minutes pour le latin, puis a ajouté une phrase par laquelle il disait admettre le schéma. On a cru qu'il représentait la position des évêques belges, que la question linguistique met en difficulté. Il n'en est rien. La vérité est qu'il n'a donné que la première partie de son exposé, qui parlait du latin, non la seconde, qui parlait de la langue populaire. Pris de court, il n'a fait qu'ajouter sa phrase de conclusion à sa première

1. Willem Bekkers, *AS* I/I, 441-443.
2. *AS* I/I, 449-450.
3. Je vous adjure.
4. *AS* I/I, 474-476.
5. Clément Roques, archevêque de Rennes.
6. Aniceto Fernandez, o.p., *AS* I/I, 509.
7. D'après les *Acta* (I/I, 493-556) et *La Documentation Catholique* 1962, col. 1478-1480, Karel Calewaert n'intervient pas dans la huitième Congrégation générale du 27 octobre 1962. S'agit-il de son intervention de la veille ? Cf. *AS* I/I, 474-476.

partie. Les évêques belges sont fort mécontents de la façon dont cela s'est passé. (*Dixit* Mgr Philips.)

Ceux qui sont pour le latin semblent croire que les autres veulent la suppression de tout latin, même pour les clercs. Il est vrai que la brèche faite au latin s'élargira fatalement : dès maintenant bien des jeunes prêtres, y compris chez nous, ne savent pas assez de latin pour suivre leur office convenablement, et ils ne semblent pas avoir conscience de la grave obligation professionnelle qui leur incombe d'apprendre ce latin...

À 13 h 15, interview (non prise au magnétophone) par Mlle Echegoyez qui travaille à la fois pour la BBC, pour Research de la Bedoyère[1] et pour un journal (progressiste ???) d'Uruguay.

À 16 h 30, conférence aux Melchites, sur la Tradition. Ils sont autrement éveillés à la question que les évêques français, et plusieurs me posent des questions très pénétrantes, enrichissantes pour moi aussi, assez étrangères, d'ailleurs, à une problématique analytique de type scolaire et scolastique ; assez peu « utilisables ». Donc, authentiquement orientales. Cela me réjouit.

À 18 h, conférence aux Salétains[2] (sur Foi adulte), suivie d'un salut (chapelet) de trente-cinq minutes, et dîner avec eux et le P. Chenu.

Dimanche 28 octobre. – En France, le référendum sur l'élection du Président de la République. J'ai tout fait pour voter ; j'ai écrit, dès le 17 ou 18 octobre à la Mairie de Strasbourg. Je n'ai reçu les papiers nécessaires que vendredi 26 à midi et demi. Je suis allé à la poste dès 13 h 30 : ils m'ont dit que, même par avion, cela n'avait pas chance d'arriver le samedi, comme la règle le demande. J'ai dû renoncer à voter. J'avais mis un Non dans mon enveloppe. J'avais voté Non à la Constitution de 1958, faite exclusivement et sur mesures pour un homme, et qui ne donnait à la France aucune structure politique :

Entre l'Homme-guide et un peuple qui ne pense qu'à regarder

---

1. Le laïc anglais Michael de la Bédoyère est le fondateur et le directeur de la *Search Newsletter*, revue catholique anglaise d'orientation progressiste et œcuménique.

2. Missionnaires de la Salette.

la télé et à se mettre les tripes au soleil, il n'y avait aucune structure de vie politique. L'usage que de Gaulle[1] a fait du pouvoir, excellent en plusieurs de ses résultats, n'a fait qu'accentuer ce vide politique. Il nous demande d'avaliser un nouvel accroissement de ce que je n'ai pas admis. Je ne puis. De plus, j'attribue de la valeur à la violation de la Constitution dont trop, même de bons esprits, prennent leur parti en disant : il faut mettre les réalités au-dessus de la lettre. C'est très grave. Si on modifie la Constitution comme on modèle une cire, il n'y a plus de charte fondamentale. Le recours direct au peuple n'apporte qu'une justification mensongère, car on oriente la foule à volonté et le prestige personnel de de Gaulle tient lieu de raison. Or cela est, de soi, malsain. De plus, QUI pourra, ensuite, sortir vainqueur sans sortir sali et blessé, d'une élection au suffrage universel direct, en l'absence de partis organisés ? Je vois d'ici la merde avec laquelle les adversaires d'un candidat imprimeront contre lui les pires abjections. Les mœurs publiques françaises sont trop basses pour opérer avec succès de tels choix. Le pays sera divisé, blasé, sur cela même dont on voudrait constituer l'armature résistante et pure de son régime. C'est l'ouverture donnée aux possibilités d'aventure. Les hommes les plus extrêmes en profiteraient.

Bien sûr, c'est grave, très grave, de poser un acte qui entraînera le départ de de Gaulle : car il est la garantie de la réussite de la politique de décolonisation, suivie d'association, dont il a été l'auteur. Mais c'est grave aussi de se lier à un homme (maintenant âgé et du reste si menacé) au lieu de miser sur la structure du pays et le jeu de sa volonté politique. Avec le système de référendum, il n'y a, malgré les apparences, qu'un SUJET politique : l'Élu, le Guide. Le reste n'est que bénéficiaire et spectateur applaudissant : pas vraiment sujet délibérant et décidant.

À 11 h, visite de Mgr Philips : il me dit que le texte *De Ecclesia* (= *De episcopis*) corrigé par nous jeudi dernier a été proposé au Secrétariat Bea, qui n'y a fait que de petites corrections de détail. Mgr Suenens se charge de le faire aboutir ensuite. Je me demande un peu comment ? Mgr Philips me dit que le Secrétariat est d'avis, pour le chapitre *De membris* que bloquera l'entêtement du

1. Charles de Gaulle.

P. Tromp, de ne pas parler de MEMBRES et de se contenter de faire une description entièrement positive, en ordre dégradé, des façons de participer à la vie de l'Église : en plénitude et selon tous les éléments chez les catholiques saints, de façon incomplète chez les catholiques pécheurs, etc. Mgr Philips me dit que le cardinal Suenens est très isolé parmi les évêques belges pour ses idées sur l'apostolat des laïcs : il veut confier la direction de l'Action catholique féminine, AUX RELIGIEUSES[1]. SIC !!!!!!!!!!!!!!!

Déjeuner à Sainte-Sabine, où le P. Général a réuni tous les experts OP officiels ou privés. Le P. Schillebeeckx me dit que ce qui a fait retirer la traduction italienne de la lettre de l'Épiscopat néerlandais dont il est l'auteur[2], a été : 1) la notion de révélation ; 2) la façon de parler des laïcs. Le cardinal Alfrink n'a appris la mesure du « Saint-Office » que par la voie de la Presse.

Le P. Gy me dit tenir de Mgr Griffiths que 60 % des évêques USA voteront le schéma *De liturgia*. Il a vu un évêque irlandais qui se rallie au schéma puisque l'usage de la langue populaire est laissé au jugement de l'Ordinaire. Mais il n'avait pas compris cela.

À 17 h, au Janicule, chez Mgr Volk, réunion de notre petit groupe. Je présente la rédaction du *Proemium* dont on avait approuvé le plan dimanche dernier. Ensuite, Rahner lit la rédaction qu'il a faite, avec Ratzinger, pour remplacer les quatre schémas doctrinaux insatisfaisants[3]. C'est très bon, surtout sur Église-Écriture-Tradition, qui sont bien liées. Certaines parties ne passeront probablement pas : surtout là où il est question des rapports entre Religion révélée et les autres Religions. De toute façon, par quelle voie et avec quelles chances pourra-t-on présenter ces nouvelles rédactions ? On discute sur ce point. J'admets bien qu'il faille préparer des solutions de rechange, quitte à faire du travail finalement

---

1. Cf. Léon-Joseph SUENENS, *Promotion apostolique de la religieuse*, Bruges-Paris, Desclée de Brouwer, 1962.

2. Cf. la traduction française de cette lettre pastorale, publiée par les évêques néerlandais à la fin de l'année 1960 : *Le Sens du Concile. Une réforme intérieure de la vie chrétienne*, Bruges, Desclée de Brouwer, 1961 ; la traduction italienne, parue tardivement au printemps 1962, fut retirée du commerce.

3. Traduction française dans Bernard-D. DUPUY (dir.), *La Révélation divine*, coll. « Unam Sanctam » 70b, Cerf, p. 577-587.

inutile. Mais il me semble pratiquement impossible de si peu tenir compte du travail déjà fait et où il y a du bon et de l'utile. Nous jouons à Perrette et le Pot au lait... Daniélou, qui prépare d'autres schémas et refait un peu tout le concile, pense comme moi sur ce point. Il voit tout le monde, parle partout, dit travailler à la demande de 4 ou 5 évêques. *Quid*[1] ? À la demande du cardinal Döpfner, on joindra Fritz Hofmann[2] à notre petit groupe ; à celle de Mgr de Provenchères, le P. Cottier.

Lundi 29 octobre. – Hier, ça allait ; ce matin, ça ne va pas. Je fais prendre ma tension au poste médical du concile : 110. C'est bas, me dit-on.

Conversation avec chanoine Boulard. Il était de la Commission des évêques. Il me dit qu'à cette Commission, les votes distribuaient les gens, pratiquement, par nation : car les attitudes se distribuaient ainsi. Un des résultats du concile, pense-t-il sera de dégager un nouveau type d'évêque. De même qu'après Trente il s'en est dégagé un, plus pastoral que féodal, de même, en ce milieu de XXe siècle. Ce nouveau type se caractériserait par : présence de l'Église au monde. Pas seulement en y créant des structures de paroisse et d'œuvres, mais, au-delà de ces structures, une présence de l'évêque, en union avec ses prêtres qui l'informent et qu'il informe, organise, anime, modère et encourage, aux problèmes du monde.

Mais cela me semble, une fois encore, dépendre des pays et du rapport que, dans chaque pays, l'Église a avec le monde. Cela suppose d'abord qu'on ait reconnu l'existence d'un plein monde. D'où dépend 1°) l'existence d'un plein laïcat ; 2°) une présence de l'Église, non par mode d'autorité cléricale mais par mode de conscience prophétique de l'humain.

Je vois quelques secondes Mgr Elchinger. Il me dit avoir vu le cardinal Tisserant hier, avec quelques évêques. Le cardinal Tisserant a adressé au pape une protestation contre la façon dont se sont déroulées les élections aux commissions. Ottaviani avait fait une liste, appuyée par l'autorité du Saint-Office. Cette liste est passée dans les votes des Pères de telle façon qu'elle représente un tiers

1. Quoi.
2. Fritz Hofmann, professeur de théologie à l'Université de Wurtzbourg.

dans chaque commission. Ainsi les commissions peuvent faire échec aux amendements qui n'iraient pas dans le sens du Saint-Office.

Messe par l'évêque de Nagasaki[1] : très mal dite, très rapide. Les célébrants ne semblent pas se rendre compte des exigences propres d'une assemblée de 2 500 personnes et du rythme qu'exige, pour répondre convenablement, une telle masse.

L'*Adsumus*[2] est récité, non plus par le seul président, mais par toute l'assemblée.

Mgr Felici donne d'abord la liste des membres choisis par le pape pour les commissions : nombre qui a été porté à neuf[3]. Dans la commission *de fide et moribus*, cardinal Browne, Parente, Franić[4], le P. Fernandez. Cela semble, une fois de plus, plutôt conservateur.

Le pape a nommé neuf membres de chaque commission, et non huit, comme le prévoyait le règlement, parce que, dit-on, le secrétaire de la Congrégation des rites ayant été omis dans la commission liturgique, il y a eu réclamation. Pour pouvoir l'y adjoindre, le pape l'aurait rajouté comme neuvième et aurait, par similitude, nommé un neuvième partout.

Mgr Felici dit qu'on a assez parlé du latin ! En réalité, il ne sera encore guère question que de cela. Je ne note pas tout, car c'est très fastidieux. Bientôt, d'ailleurs, je compterai environ un quart de places vides : les évêques se pressent aux bars !

Un évêque italien[5] : 1°) nommer Marie dans le schéma ; 2°) qu'il y ait entente entre les évêques des conférences épiscopales de pays limitrophes ; 3°) pour le latin !

Un Chinois[6].

---

1. Paul A. Yamaguchi, archevêque de Nagasaki.

2. Prière en latin dite au début de chaque Congrégation générale : « Nous nous tenons devant toi, Seigneur, Esprit-Saint, captivés encore par la masse de nos fautes, et pourtant réunis en ton nom. Viens en nous. Aide-nous. Veuille pénétrer nos cœurs et nous enseigner ce que nous devons faire. »

3. *AS* I/I, 559-562.

4. Franjo Franić, évêque de Split et de Makarska (Yougoslavie). Le pape le nomme membre de la Commission doctrinale.

5. Giuseppe Battaglia, évêque de Faenza, *AS* I/I, 565-566.

6. Frederick Melendro, archevêque de Anking, *AS* I/I, 566-567.

Franić[1] : en Dalmatie, on célèbre la liturgie romaine en langue slave.

Un Italien[2] : propose trois PRINCIPES : 1°) la fin de la liturgie est d'abord la gloire de Dieu, en second lieu le salut des âmes, qui est subordonné à la fin première ; 2°) Le Christ a remis le dépôt de la foi aux seuls apôtres et à leurs successeurs ; 3°) Pierre a la mission de confirmer. Conclusion : recourir à son magistère. – Quelle ecclésiologie !

Un évêque allemand[3] d'Allemagne de l'Est : L'athéisme dispose non seulement d'énormes (et exclusifs pour lui) moyens de diffusion, mais d'une véritable liturgie qui remplace nos sacrements en les copiant et qui est très efficace. Remède : une liturgie adaptée à l'enseignement des hommes.

Évêque d'Assomption[4] (Paraguay) : adaptation à mentalité actuelle. Beaucoup de rites se réfèrent à la mentalité d'époques passées depuis longtemps.

Après un évêque espagnol[5] endormant, un évêque copte[6] (Candal ?) propose l'exemple des coptes, qui n'ont gardé le copte, aujourd'hui incompris, que pour la Consécration, et sont passés à l'arabe.

Évêque auxiliaire de São Paulo[7] : peut à peine lire son papier, rédigé en latin digne de l'époque mérovingienne ; bégaie par endroits.

Évêque espagnol[8] : *Veterum sapientia*[9] regarde les études cléricales et ne contredit pas l'adaptation. Pour une *via media.* Mais tout par le Saint-Siège, rien par les conférences épiscopales.

---

1. *AS* I/I, 568-570.
2. Enrico Nicodemo, archevêque de Bari, *AS* I/I, 574-575.
3. Otto Spülbeck, évêque de Meissen, *AS* I/I, 576-577.
4. Felipe Santiago Benítez Avalos, auxiliaire d'Asunción, *AS* I/I, 577-578.
5. F. García Martinez, *AS* I/I, 579-580.
6. Alexandros Scandar, évêque copte-catholique d'Assiut (Égypte), *AS* I/I, 580-581.
7. Salomão Ferraz, *AS* I/I, 581-583.
8. Pablo Barrachina Estevan, évêque d'Orihuela-Alicante (Espagne), *AS* I/I, 583-585.
9. *Veterum Sapientia,* Constitution apostolique du 22 février 1962, qui rend obligatoire l'utilisation du latin dans la formation des clercs.

Mgr Simons[1] (Inde) : Qu'on regarde l'état actuel de l'usage du latin ! Les prêtres ne le parlent jamais ; le pape parle italien ou français ; le concile lui-même aurait pu, comme les Congrès internationaux, parler les grandes langues modernes. Même dans les rapports avec le Saint-Siège on les emploie. On donne des versions officielles des encycliques ; les théologiens publient en langue vulgaire. Touche un mot des régions mixtes. Loin d'être un facteur d'unité, le latin divise plutôt.

Un évêque carme[2] a réclamé qu'on introduise les dévotions dans le *De liturgia*, et entre autres le scapulaire de Notre-Dame du Mont Carmel (je ne le mentionne peut-être pas à sa place véritable).

Mgr Kandela[3], auxiliaire du Patriarche d'Antioche : chez eux, on a sacrifié le syriaque, langue qu'avaient parlée Notre-Seigneur et sa Mère, pour l'arabe, langue du Coran !

Quelques-uns renoncent à la parole.

L'enfant d'Agrigente, le pitoyable Mgr Peruzzo[4], revient avec son odieux trémolo et ses grands accents d'adjuration : *civis Romanus sum*[5] ; tous les saints évêques ont été pour le latin, etc. Misérable bonhomme, aussi pieusard que fermé.

On aborde le chap. II : célébration de l'Eucharistie.

Cardinal Spellman[6] : contre la communion sous les deux espèces et la concélébration.

Ruffini[7] : contre la communion sous les deux espèces : le concile de Constance, la condamnation de Luther et le concile de

---

1. Francis Simons est évêque d'Indore (Inde), AS I/I, 586-587.

2. Tarcisio V. Benedetti, évêque de Lodi (Italie), *AS* I/I, 591-593. Son intervention se situe après celles de Kandela et de D'Agostino que Congar ne mentionne pas.

3. Jules Georges Kandela, *AS* I/I, 587-589.

4. *AS* I/I, 594-595.

5. Je suis citoyen romain (expresssion que Cicéron attribue à un Sicilien dans un de ses discours contre Verrès).

6. *AS* I/I, 598-599.

7. *AS* I/I, 600-602.

Trente ont condamné... et confirmé le changement de rite par rapport à celui de l'Église ancienne.
Trente a remis la chose au Pape.
Il y a aussi inconvénients : nombre des communiants
conditions d'hygiène.
« Fortasse concedi posset in sacerdotali ordinatione et in aliqua extraordinaria occasione, praevia concessione S. Sedis[1]... »
Contre la concélébration. Quand il y a affluence de prêtres (pèlerinages, « *in coetibus ecclesiasticis*[2] ») et qu'on manque d'autels, que les prêtres ne célèbrent qu'un jour sur deux et communient simplement.

Cardinal Léger[3] (fait une grosse impression par sa modération et son ton qui respire l'honnêteté et la paix) : est pour l'*amplificatio*[4] de la concélébration. Demande qu'on modifie le texte, qui semble la CONCÉDER seulement, faute de mieux. Énoncer de façon positive en donnant ces motifs : *« Ex eo quod natura sua concelebratio pietatem sacerdotum fovet et unitatem manifestat*[5]. »

Lourde après-midi :
À 14 h, le P. Cottier,
À 15 h 20, M. et Mme Goss-Mayr[6] qui poursuivent avec ténacité, à Rome, leur campagne en faveur de la Paix absolue et contre les armes atomiques. Je ne suis évidemment pas entièrement à l'aise avec les excès faciles de lui (elle le modère), mais j'estime que leur

1. Peut-être cela pourrait-il être autorisé dans les ordinations sacerdotales et autres occasions extraordinaires, avec la permission préalable du Saint-Siège...
2. « Dans les rencontres du clergé. »
3. *AS* I/I, 602-603.
4. Plus grande fréquence.
5. « Du fait que, par sa nature, la concélébration favorise la piété des prêtres et exprime l'unité. »
6. Jean Goss, président du Mouvement international de la réconciliation, et son épouse Hildegard Goss-Mayr, qui parcouraient inlassablement le monde au service de la non-violence, étaient déjà en relations amicales avec Congar qui les avait encouragés ; Hildegard a raconté leurs combats dans *Oser le combat non violent. Aux côtés de Jean Goss*, Cerf, 1998, traduction de *Wie Feinde Freunde werden*, 1996.

cause est bonne et je veux faire quelque chose pour elle. Ils ont contacté des cardinaux (dont Ottaviani qui leur a dit : Il y a quelque chose à prendre dans Gandhi). Je leur dis qu'il n'y a aucune chance d'introduire utilement quelque chose dans le concile si l'on ne peut pas présenter un texte (en latin) qui réponde au genre littéraire et aux normes ou exigences de textes conciliaires. Il faudrait donc réunir une petite équipe de théologiens, dont j'accepte de faire partie, qui rédigerait ce texte. Je pense que le P. Häring pourrait en être le centre et la cheville ouvrière. J'indique quelques autres noms.

Le soir, je parle de la chose au P. Sigmond. Il me dit que, si rien n'avait été prévu ni préparé à la commission théologique, le pape a demandé, en mai, qu'il y ait un schéma sur l'ordre international et la paix. Une petite commission de gens de Rome s'y est mise et a fait un texte (dont le P. Sigmond a rédigé le paragraphe qui m'intéresserait). Il m'amène ce texte le mardi matin, dans la brochure imprimée pour la Commission Centrale. De fait, il y a deux paragraphes, qui me semblent suffisants : un contre la course aux armements, singulièrement aux armements nucléaires, l'autre contre l'usage des armes nucléaires, aux effets incontrôlables, non maîtrisables, et qui dépassent ce que la raison peut permettre (cela ne dit rien, donc, contre les armes nucléaires « conditionnées »).

À 16 h, Dom Lanne[1], qui participe à la fin de notre conversation.

À 16 h 20 tout un groupe d'experts d'évêques, dont Laurentin, Moubarac[2], le P. Anawati[3], le P. Dupuy[4], l'abbé Denis. Ils ont droit, eux, à ce qui est secret. Je leur expose un peu les choses, avec des ouvertures théologiques sur leur sens.

---

1. Emmanuel Lanne, o.s.b., du monastère de Chevetogne ; recteur du Collège grec, professeur de théologie orientale et de liturgie, il enseigne à Saint-Anselme et à l'Institut pontifical liturgique ; interprète au service des Observateurs durant la première session, il est nommé, en 1963, membre du Secrétariat pour l'unité.

2. Youakim Moubarac, prêtre maronite ; professeur à l'Institut Catholique de Paris ; engagé dans le dialogue islamo-chrétien, à la suite de Massignon, et dans la recherche d'une unité des Églises antiochiennes.

3. Georges Anawati, o.p., de la province de France, directeur de l'Institut Dominicain d'Études Orientales, au Caire ; il est nommé, en 1963, membre du Secrétariat pour l'unité, puis, en 1965, consulteur du Secrétariat pour les non-chrétiens.

4. Bernard-Dominique Dupuy, o.p., de la province de France, professeur de

À 17 h 15, je dois partir avec Mayor et Fesquet[1] pour entretenir les journalistes à Saint-Louis des Français. Impossible de trouver un taxi (il pleut) ; je suis obligé d'aller à pied.

Mardi 30 octobre. – À Saint-Pierre. Conversation avec Jedin[2], arrivé hier. Il s'intéresse surtout, et il intéresse les évêques allemands, à la *Geschäftsordnung*[3]. Il craint qu'on ne fasse traîner la discussion du *De Liturgia* pour lasser les gens pour les amener à remettre finalement les textes aux Commissions, qui feront ce qu'elles voudront et ce que voudront leurs présidents. Il faut veiller à ne pas laisser déposséder le concile (le « *plenum* ») au bénéfice des Commissions : dans le « *plenum* », c'est-à-dire l'assemblée totale, les conservateurs sont neutralisés, tandis qu'ils reprendront leur efficacité réactionnaire dans les Commissions.

Messe par l'évêque d'Oslo[4]. Présidence : cardinal Alfrink. On annonce trente et un orateurs.

Cardinal Godfrey[5] : n°s 39 et 40 : homélie « *ubi commode fieri possit*[6] », car il faut que les messes ne durent pas plus de quarante-cinq minutes.

Communion sous les deux espèces : difficulté doctrinale, car certains protestent contre notre pratique et interpréteraient

---

théologie fondamentale et d'ecclésiologie aux facultés dominicaines du Saulchoir ; engagé dans le mouvement œcuménique, il deviendra en 1967 directeur du Centre d'études Istina ; il est expert privé de l'évêque de Laval au Concile.

1. Henri Fesquet, camarade de captivité de Congar et informateur religieux au journal *Le Monde* qui l'envoie suivre le Concile ; ses articles sur le Concile sont publiés dans : *Le Journal du Concile*, Forcalquier, Robert Morel éditeur, 1966.

2. Hubert Jedin, prêtre du diocèse de Cologne, professeur d'histoire de l'Église à l'Université de Bonn, spécialiste du Concile de Trente dont il a écrit l'histoire ; expert du Concile.

3. Cf. Hubert JEDIN, « Die Geschäftsordnungen der beiden letzten ökumenischen Konzilien in ekklesiologischer Sicht », *Catholica* 14, 1960, p. 105-118.

4. Jacques Mangers.

5. *AS* I/I, 10-11.

6. « Où cela peut être facilement réalisé. »

un changement comme un désaveu de celle-ci, un aveu d'erreur de notre part.

De plus, il y a des questions hygiéniques : *quid*[1] pour les enfants, pour les femmes (rouge à lèvres), pour les abstinents.

L'expression « liturgie de la parole » est nouvelle.

Concélébration : N'est pas contre. Mais il y a des difficultés : la question des honoraires de messe.

Cardinal Gracias[2] : Notre discussion n'est pas logique. Il eût fallu l'organiser.

Préciser quel est le rôle des conférences épiscopales. Concélébration : ne pas trop limiter le texte.

Les évêques indiens, au nombre de soixante-dix, sont dans l'angoisse en raison des événements qui affectent leur pays. Ils se demandent si leur place est ici ou avec leur peuple. L'invasion communiste chinoise pose une question de vie ou de mort, même pour l'Église dans les Indes. Déjà deux évêques sont repartis, car leur diocèse est envahi.

Demande la prière des Pères du concile.

(Le départ des soixante-dix évêques indiens serait un très grave dommage pour le concile !)

Cardinal de Séville[3] : d'accord avec Ruffini sur communion sous les deux espèces. D'accord avec Léger sur la concélébration. Étendre la faculté de dire la messe à toutes les heures du jour (dans son pays, on vit plus le soir que le matin...).

Cardinal Alfrink[4] (non comme président, mais comme Père conciliaire). Parlera de la communion sous les deux espèces non sous l'aspect dogmatique, historique, pratique, mais sous l'aspect biblique.

Le sacrifice, les *epulae sacrificiales*[5] = comme dans tout banquet : *manducate, bibite*[6].

---

1. Qu'en est-il.
2. *AS* I/II, 12-14.
3. José M. Bueno y Monreal, archevêque de Séville, *AS* I/II, 14-16.
4. *AS* I/II, 16-17.
5. Les banquets sacrificiels.
6. Mangez, buvez.

Certes, le sacrement est complet sous une espèce, mais pas quant à sa forme externe.

Le grand nombre des communiants rend impossible d'introduire les deux espèces pour tout le monde, mais il est désirable que cette forme complète soit montrée plus souvent dans l'Église ; que l'*intentio Christi Domini*[1] soit montrée plus souvent.

Donc, en certains cas précis, concéder, au jugement du Saint-Siège pour ce qui est de la détermination des cas, et à celui des évêques pour savoir si tel cas est vérifié. De plus, aspect œcuménique.

Cardinal Ottaviani[2] : nº 37 : Comme l'a dit Spellman, ce serait une révolution ! On ne peut approcher de la messe, comme Moïse du Buisson ardent, qu'en ôtant ses souliers... nº 42 (communion sous les deux espèces) : *Miror*[3]... Alors que la commission centrale l'a rejeté presque à l'unanimité (il a dû y avoir une protestation, car se reprend ensuite : à une grande majorité). Ce serait *periculosum*[4], car mauvaises interprétations, difficultés pratiques.

Langue vulgaire : On a invoqué Pie XII, mais il y a les termes très forts de son allocution au Congrès liturgique d'Assise[5] (les cite en français).

Nº 44 : concélébration. Péril d'erreur, de croire que la messe concélébrée donne plus de gloire à Dieu et plus de grâce. La concélébration priverait les fidèles de messes... Il y a aussi la question des honoraires.

Le cardinal Alfrink, président, lui coupe la parole : il parle déjà depuis quinze minutes. Les applaudissements fusent, ayant valeur de manifestation hostile envers Ottaviani.

Cardinal Bea[6] : *quae in cap. 2 practice dicuntur, omnino admit-*

---

1. Intention du Christ Seigneur.
2. *AS* I/II, 18-20.
3. Je suis étonné.
4. Périlleux.
5. Cf. plus haut p. 21, n. 3.
6. *AS* I/II, 22-24.

tenda[1]. Mais bien des remarques sur la rédaction. Le *proemium* parle de « Pâques » et traite trop l'aspect de sacrifice. (On voit ici ce qui sera plus évident encore chez d'autres : l'idée de « mystère pascal » comme incluant, de façon indissociable, la Passion et la Résurrection, n'est pas connue de tout le monde. Beaucoup entendent encore par « Pâques » la seule Résurrection.

On me raconte que le cardinal Ottaviani, dans une intervention que je n'ai pas entendue, a même soutenu que la résurrection était comme extérieure à la Rédemption, laquelle consiste dans la Passion et la mort du Christ : preuve : le Bon Larron a eu le ciel avant « Pâques »[2].)

N° 39 : *homilia* PRAESCRIBATUR[3] !

N° 44 : *rationes concelebrationis melius explicentur*[4].

Communion sous les deux espèces : la question n'est pas doctrinale, mais disciplinaire. Donc *mutare licet*[5]. (Je serais tenté de dire le contraire : elle est de droit divin. Elle est doctrinale. *Mutare non licebat*[6] !)

Ceci d'après le concile de Trente lui-même. Du reste, deux ans après Trente, Pie IV a concédé le calice à certaines régions d'Allemagne.

On ne fait rien contre la doctrine de Trente en revenant à la question aujourd'hui.

Constance[7] a parlé contre Hus[8].

Omnino placet : casibus determinatis a S. Sede, auditis Conferentiis episcoporum[9].

1. Ce qui est dit pratiquement dans le chapitre 2 doit être tout à fait admis.
2. Il s'agit bien de l'intervention du cardinal Ottaviani à la cinquième Congrégation générale (23 octobre 1962) à laquelle Congar n'a pas assisté. *AS* I/I, 349-350.
3. Que l'homélie soit prescrite.
4. Que les fondements de la concélébration soient mieux expliqués.
5. Il est licite de changer.
6. Il n'était pas licite de changer.
7. Le concile de Constance.
8. Jean Hus.
9. J'approuve entièrement : dans les cas déterminés par le Saint-Siège, après avoir consulté les conférences épiscopales.

De plus, point de vue œcuménique.

Cardinal Browne[1] : Parle très mal. Gros départ d'évêques pour le Bar.

Corrections d'expressions.

Proemium : valeur sacrifice, l'Eucharistie = *Christus passus (sed regnans ! non patiens*[2]*).*

De même, *sacrificium laudis*[3] est trop vague.

Florit[4] (Florence) : on tait l'aspect sacrificiel, la croix.

N° 42 : difficile avec pain azyme ; et le temps qu'il faudrait ! Restreindre la communion sous les deux espèces à la concélébration, pour les célébrants.

N° 43 : attention ! rédiger de façon à ne pas condamner la validité de l'assistance pour ceux qui arrivent à l'offertoire.

Melendro[5] (Chine). Grand nombre de corrections.

Pereira[6], archevêque de Mozambique : restreindre la communion sous les deux espèces à l'ordination sacerdotale.

Évêque de Chine[7] : simplification. Par exemple rites du baptême.

Rusch[8] (administrateur Innsbruck) : grands fruits du Mouvement liturgique. On peut aller plus loin.

Est pour les offrandes réelles à la messe.

Pour lectures bibliques permettant de voir l'ensemble de la Bible.

Est pour les conférences épiscopales.

G. Dwyer[9] (anglais) impressionné par ce qu'ont dit les évêques de l'Église du silence.

---

1. *AS* I/II, 26-27.
2. Le Christ ayant souffert (mais régnant ! ne souffrant plus).
3. Sacrifice de louange.
4. Ermenegildo Florit, archevêque de Florence, membre de la Commission doctrinale, cardinal en février 1965, *AS* I/II, 28-29.
5. *AS* I/II, 30-32.
6. Custodio Alvim Pereira, archevêque de Lourenço Marques, *AS* I/II 32-33.
7. Stanislas Lokuang, évêque de Tainan (Chine nationaliste), membre et, par la suite, vice-président de la Commission des missions, *AS* I/II, 33-34.
8. Paulus Rusch, administrateur apostolique d'Innsbruck-Feldkirch, puis, en septembre 1964, titulaire du siège, *AS* I/II, 35-36.
9. *AS* I/II, 37-39.

Donc, « *fiat nova ordinatio missae*[1] ». Mais il faudrait des précisions et des limitations : restreindre à la Messe des catéchumènes, pour garder un tronc commun à tous et identique.

Évêque portugais[2].

Évêque de Yougoslavie[3].

(Je vais aux water. Je vois Mgr Roberts et on bavarde. Un très grand nombre d'évêques sont au bar, ou bavardent, ou se promènent dans le reste de la basilique. Quelques-uns prient dans une chapelle. Quand je remonte à la tribune, l'archevêque de Dublin[4] parle au nom des évêques d'Irlande. Il est contre la communion sous les deux espèces : il y aurait *periculum fidei*[5]. Il est contre l'extension de la concélébration.)

Fernandes[6] : n° 39. Renforcer l'obligation de l'homélie.

Un USA renonce à la parole[7].

Ddungu[8], Ouganda : que les prêtres puissent prendre une boisson (et autre chose que de l'eau ! – Rires) à n'importe quel moment, quand ils binent ou trinent.

Kleiner[9], abbé général cistercien. Très belle intervention, calme et sereine, très bien donnée. A beaucoup impressionné. Parle au nom des abbés cisterciens. Qu'on entende un moine sur la concélébration. Les moines prêtres sont obligés par leur règle à la Messe conventuelle. Or les règles cisterciennes sont qu'on assiste à la messe ou la serve selon sa qualité : l'acolyte comme acolyte, le diacre comme diacre. Donc, les prêtres comme prêtres. Qu'ils concélèbrent ! – Restaurer la formule du texte soumise à la commission centrale.

---

1. « Que soit réalisé un nouveau rite de la messe. »
2. M. Trindade Salgueiro, archevêque d'Evora, *AS* I/II, 39-41.
3. C. Zazinović, évêque auxiliaire de Krk, *AS* I/II, 41-42.
4. J. Ch. McQuaid, *AS* I/II, 44.
5. Péril pour la foi.
6. Angelo Fernandes, archevêque coadjuteur de Delhi (Inde), *AS* I/II, 45.
7. Ch. Helmsing, évêque de Kansas-City, *AS* I/II, 45.
8. H. Ddungu, évêque de Masaka, *AS* I/II 46-47.
9. S. Kleiner, *AS* I/II, 47-48.

Nemo cogetur. Ne reprobetur[1] !

B. Stein[2] (auxiliaire de Trèves) très belle intervention sur les nos 38-39 : pas seulement une *mensa Eucharistiae*[3], mais une *mensa Verbi Dei*[4]. (Cela dépasse la question des lectures bibliques pour toucher toute la valeur « parole de Dieu » dans la liturgie.)

Sansierra[5] (Argentine) s'adresse aussi aux observateurs.

Que le nom de S. Joseph soit dans le canon. Propose une forme de fin de la Messe (suppression de l'Évangile de S. Jean et des trois *Ave*).

Après le n° 41 il faudrait un paragraphe sur l'heure de la célébration : à TOUTE heure.

N° 42 : communion sous les deux espèces au moins le Jeudi Saint.

N° 44 : *ampliatio concelebrationis : laudanda*
" *in concilio provinciali*
– – *oecumenico*[6] !!!

Après cette matinée, je suis emmené, pour déjeuner avec eux, par Mgr Elchinger, Schmitt.

On bavarde. Je vois aussi chez eux une douzaine d'évêques italiens, une dizaine d'évêques anglais et surtout ÉCOSSAIS, quatre ou cinq évêques ruthènes (Amérique) : ceux-ci n'adressent plus la parole aux quatre évêques français depuis que ceux-ci ont invité les deux observateurs russes à leur table.

Ces évêques me disent qu'un des bénéfices du concile est qu'on a vu la Curie de près et qu'on a mesuré sa petitesse : ce n'est que ça !

À peine rentré, visite du P. Chenu. On bavarde.

---

1. Que personne ne soit contraint. Qu'on n'interdise pas !
2. Bernhard Stein, évêque auxiliaire de Trèves, *AS* I/II, 49-51.
3. Table de l'Eucharistie.
4. Table de la Parole de Dieu.
5. Ildefonso M. Sansierra, évêque auxiliaire de San Juan de Cuyo, *AS* I/II, 51-52.
6. Il faut louer l'extension de la concélébration – dans les conciles provinciaux – dans les conciles œcuméniques.

Ensuite, visite de Poupard, de la Secrétairerie d'État. Je me fais expliquer son travail. Jean XXIII a juste un secrétaire personnel ; il n'a pas le *brain trust* qu'avait Pie XII. Le travail est préparé par le cardinal Dell'Acqua[1], avec qui Jean XXIII est lié depuis trente-cinq ans. Aussi la présence de *Minutanti*[2] français est importante. Ils préparent la documentation dont le pape prend personnellement connaissance, et qui est considérable. Poupard est d'avis qu'il y a vraiment un groupe de gens qui veulent faire traîner les discussions pour faire la preuve que le concile est impuissant et impossible. Et alors, tout reprendre par les commissions, dans lesquelles ils feraient ce qu'ils voudraient et réintroduiraient la Curie.

Il me dit que le pape reçoit tous les jours beaucoup d'argent pour le concile, y compris de pauvres gens – vraiment l'obole de la veuve – qui lui écrivent. Vous faites un concile. Je prie beaucoup pour cela. Cela doit vous coûter cher. Il me restait 10 000 francs, les voilà !

C'est l'évangélisme des pauvres, qui, aujourd'hui comme avec Dominique et François sous Innocent III, soutient l'Église !

J'ai juste le temps de rédiger ces notes avant d'aller dîner à la Procure de Saint-Sulpice, à 7 h 30. On n'a le temps de rien ! Mais il y a salut... Ici, on ne mange pas à la table des évêques. Après le repas, je cause avec le cardinal Gerlier, le cardinal Liénart, Mgr Weber. Le cardinal Liénart est le seul qui ait de la classe, le cardinal Gerlier étant tout à fait un vieillard désormais.

Mercredi 31 octobre. – Avant l'ouverture, je vais voir les Observateurs. Le copte[3] me dit : il y a unité dans tant de Pères venus de toutes les parties du monde pour confesser Jésus-Christ.

Messe de rite OP, qui déroute un peu l'assistance[4].

---

1. En réalité, le Milanais Angelo Dell'Acqua, substitut de la Secrétairerie d'État pour les affaires ordinaires, est archevêque titulaire, mais ne sera créé cardinal qu'en 1967.

2. Employés des Congrégations romaines chargés d'étudier les dossiers et de préparer leur solution.

3. Il y a deux Observateurs coptes à la première session.

4. La messe est célébrée par Marie-Joseph Lemieux, o.p., archevêque d'Ottawa.

Mgr Felici donne d'abord cet avis : *Non distribuere circulares privatas*[1] dans l'enceinte du concile et pendant les séances. Quelqu'un me dit que le cardinal Larraona aurait fait circuler parmi les évêques italiens un papier les invitant à voter contre le schéma. Cela me paraît fort invraisemblable : 1°) un président de commission ne pourrait faire cela sans se discréditer ; 2°) un tel papier serait connu, porté dans les dix minutes à d'« autres » que cela intéresserait dans un tout autre sens. Cependant, il reste vrai que le cardinal Larraona est contre le schéma *De Liturgia* et qu'il a pour secrétaire Mgr Staffa, grand protagoniste du latin. Larraona a demandé aux évêques espagnols d'intervenir contre le schéma « pour défendre le Saint-Siège et la piété chrétienne ».

Cardinal Lercaro[2] : recommande l'*oratio fidelium*[3] après l'homélie : se réfère à S. Justin (on le fera trois fois ce matin) : c'est la prière de la communauté assemblée, pour le monde, pour les pauvres...
Sur n° 43 : *Missa*[4] désigne LES DEUX parties, didactique et sacrificielle. Ne pas sacrifier la *mensa divini Verbi*[5].

Cardinal König[6] : *Placet*[7], malgré omission des remarques soumises à la commission centrale. Pour communion sous les deux espèces et concélébration : *ne claudatur porta*[8].

Cambiaghi[9] (de Crema) : n° 39 : *homilia non tantum commendanda, sed imponenda*[10].
N° 42 : réserver la communion sous les deux espèces à l'ordination DES PRÊTRES.

---

1. Ne pas distribuer de circulaires privées.
2. *AS* I/II, 56-58.
3. Prière des fidèles ou prière universelle.
4. Messe.
5. Table de la Parole de Dieu.
6. *AS* I/II, 58.
7. J'approuve.
8. Que la porte ne soit pas fermée.
9. Placido M. Cambiaghi, évêque de Crema puis de Novara (Italie), en février 1963, *AS* I/II, 59-60.
10. Que l'homélie ne soit pas seulement recommandée, mais imposée.

Concélébration : Jeudi Saint et congrès de prêtres
pour prêtres malades.

Mais il faudra PRÉCISER ce que sont ces congrès de prêtres.

Jop[1] (Polonais) n° 39 : *commendetur*[2] ne suffit pas. *Semper nuntiari debet*[3].

N° 42 : communion sous les deux espèces : *Magna practica difficultas*[4], même pour les ordinations !

Iglesias[5] (Urgel) n° 42 : *Nulla immutatio*[6].

Limiter aux prêtres à leur ordination. Le Christ n'a donné les deux espèces QU'AUX PRÊTRES. Apporte quatre raisons contre.

N° 44 : pas de raison suffisante pour amplifier la concélébration.

Nuer[7] (Égypte) s'adresse aux observateurs aussi.

Qu'on puisse utiliser le pain ordinaire.

Auxiliaire de Barcelone[8] : Parle très vite, une vraie mitrailleuse, et trop longtemps. Il se fait couper la parole. Beaucoup d'évêques partent au bar.

N° 42 : il ne s'agit pas d'introduire les deux espèces sans discrimination pour tous, mais de quelques cas définis. Apporte des raisons en leur faveur : incorporation spéciale au Christ.

N° 44 : pour la concélébration en certaines circonstances.

Cistek[9] ? (évêque *Ianuarius*) : les n°s 42 et 44 sont nés de la vie même du mouvement liturgique.

Pie X a préparé le n° 42 en décidant que les Latins peuvent communier au rite oriental sous les deux espèces. Cela ex-

---

1. Franciszek Jop, évêque titulaire, demeurant à Opole (Pologne), *AS* I/II, 60-61.
2. La recommandation.
3. L'annonce doit toujours être faite.
4. Une grande difficulté pratique.
5. Ramón Iglesias Navarri, évêque d'Urgel (Espagne), *AS* I/II, 61-63.
6. Aucun changement.
7. Youhanna Nuer, o.f.m., évêque auxiliaire de Louqsor des Coptes (l'antique Thèbes), *AS* I/II, 64.
8. N. Jubany Arnau, *AS* I/II, 64-68.
9. J.-B. Przyklenk, évêque de Januária (Brésil), *AS* I/II, 68-70.

primerait l'unité de la foi. *Porta re-aperiatur*[1] ! Il n'y a plus de péril pour la foi.

Devoto[2] (Argentine).

Je vais aux WC. Le bar est archi-plein. Il n'y a qu'un mot dans toutes les bouches : c'est trop long !

Archevêque d'Atlanta[3] (USA) : pour les adaptations (bon).

Jaeger[4] (Paderborn) n° 42 : cas déterminés : ordinations, profession solennelle ; aux époux à la messe de mariage ; baptême des adultes et réception d'un converti.

Valeur de représentation plus parfaite.

Évêque du Brésil[5] : qu'on supprime *tum laicis*[6] n° 42, 1.11 la *celebratio versus populum*[7] : à réserver au jugement de l'ordinaire.

Mgr Weber[8] : 1°) c'est *absque fidei periculo*[9] : donc, supprimer *« sublato fidei periculo*[10] ».

2°) *judicio episcoporum*[11] et dans cas fixés par le pape. C'est donc sans danger et *libertas episcoporum integra manet*[12].

3°) *quae rationes*[13] ? Œcuméniques, pastorales : montrer au peuple la grande valeur des actes pour lesquels on la réintroduirait.

Mgr Elchinger[14] parle au nom de la jeunesse. Il donne son papier avec une éloquence aux effets très étudiés, et qui n'est pas dans le ton. Mais il est très écouté et même, à la fin, applaudi.

---

1. Que la porte soit réouverte.
2. Alberto Devoto, évêque de Goya, *AS* I/II, 71-72.
3. Paul J. Hallinan, archevêque d'Atlanta, *AS* I/II, 75-76.
4. *AS* I/II, 76-77.
5. Luís G. Da Cunha Marelim, évêque de Caxias do Maranhão, *AS* I/II, 78.
6. Aussi aux laïcs.
7. Célébration face au peuple.
8. *AS* I/II, 79-80.
9. Sans péril pour la Foi.
10. « Le péril pour la Foi étant écarté. »
11. Au jugement des évêques.
12. La liberté des évêques reste entière.
13. Quelles raisons.
14. *AS* I/II, 80-82.

Khoury[1], Maronite. S'adresse aussi aux *Carissimi Observatores*[2].
Très bonne intervention.
Concélébration : on a amputé le texte de la Commission. Pourquoi limiter ? L'étendre à : Jeudi Saint, toute réunion de prêtres, messe conventuelle.
Fondement doctrinal : la célébration eucharistique est un acte de la communauté, l'acte, non tant du prêtre que du *presbyterium* (saint Ignace). Les religieux ont la table commune, excepté celle du Seigneur. Il propose un texte disant tout cela. Le concile devrait donner l'exemple.

Edelby[3] (très bon latin ; très clair ; très bien donné) : veut faire entendre la voix de l'Orient *in restauranda liturgia latina*[4].
Adhère à ce qu'a dit Khoury sur la concélébration.
Deux espèces : *Bibite ex eo omnes*[5]. C'est la *praxis evangelica, apostolica, normalis. Non privilegium vel concessio*[6]. La communion sous une seule espèce est *praxis exceptionalis*[7]. De plus c'est une *res mere disciplinaris*[8].
Raisons psychologiques de l'opposition de la hiérarchie : un complexe. Elle ne veut pas paraître se déjuger, s'assimiler aux protestants et orthodoxes. Il faut qu'elle se décomplexe.
Ne pas exagérer les difficultés pratiques (allusion au rouge à lèvres du cardinal Godfrey[9]).
Non in uno ictu et statim concedenda[10].

---

1. J. Khoury, archevêque maronite de Tyr (Liban), *AS* I/II, 83-85.
2. Très chers Observateurs.
3. *AS* I/II, 85-87.
4. Dans la restauration de la liturgie latine.
5. Buvez-en tous.
6. Pratique évangélique, apostolique, normale. Non un privilège ou une concession.
7. Pratique exceptionnelle.
8. Affaire purement disciplinaire.
9. Déjà mentionné par Congar. Cf. la dixième Congrégation générale, *AS* I/II, 10-11.
10. Ne doit pas être accordé d'un seul coup et sur-le-champ.

Aramburu[1] (Tucumán) : pour jeûne eucharistique de deux heures. Plutôt contre les deux espèces.

Évêque de Formose[2] *[ ]*

Mgr Himmer[3] (Tournai) : n° 39 : l'homélie appartient à la liturgie.

N° 40 : très pour l'*oratio fidelium* : brève litanie impétratoire ; pour jeûne eucharistique réduit à une heure ?

Van Cauwelaert[4] (Congo). Peut-être la plus belle intervention de ce matin. Donnée avec force, au nom de 260 évêques d'Afrique et de Madagascar UNANIMES.

Stuporem meum omittere non possum[5], que quelques-uns veuillent enlever « *paschale convivium*[6] » du *proemium*. Saint Paul ; saint Thomas ! Concélébration : les 260 évêques approuvent unanimement et adhèrent aux paroles du cardinal Léger.

Le peuple comprendra ainsi, plus que par les discours, l'unité du sacerdoce et l'unicité du prêtre.

Si certaines régions ne voient pas l'utilité de certaines innovations, qu'elles ne gênent pas celles où les évêques, unanimement, les jugent nécessaires ; qu'elles n'étouffent pas l'Esprit.

Exemple de Paul et de Barnabé accueillis au Synode de Jérusalem. Qu'on ouvre l'Église à tous les peuples !

Applaudissements.

Cyrille Zohrabian[7], arménien *[ ]*

Évêque auxiliaire de Verdun : Boillon[8] : communion aux malades sous une espèce, celle du vin.

---

1. Juan Carlos Aramburu, archevêque de Tucumán (Argentine), *AS* I/II, 88-90.
2. P. Tou Pao Zin, évêque de Hsinchu (Taiwan), *AS* I/II, 90-91.
3. Charles Himmer, évêque de Tournai, *AS* I/II, 92-93.
4. *AS* I/II, 94-95.
5. Je ne peux cacher ma stupeur.
6. Banquet pascal.
7. C. G. Zohrabian, o.f.m. cap., évêque titulaire résidant à Rome, *AS* I/II, 96.
8. Pierre Boillon est en réalité évêque coadjuteur de Verdun. C'est en août 1963 qu'il deviendra titulaire du siège. *AS* I/II, 97.

De Vito[1] (Indes) : contre la concélébration à l'office des Saintes Huiles mais pour celle du jeudi soir. Pas de restriction pour l'heure de la célébration.

Melas[2] (Italie) : contre les deux espèces pour les laïcs.

L'après-midi, bonne visite du P. de Lubac. Il me raconte que *L'Espresso* « de la semaine dernière[3] » (?) montre une école (Lubac, Congar, Chenu) contre l'école Ottaviani-Parente... Il me dit qu'on lui a rapporté que, dans une conférence, Piolanti avait dit : On en a invité certains au concile pour éviter qu'ils ne fassent comme Döllinger en 1870, qui, froissé de n'avoir pas été invité, a fait schisme. On les a invités pour les retenir dans l'Église.

Nous remarquons aussi que nos évêques français n'utilisent pas leurs théologiens. Ils ne les font pas travailler et ne travaillent pas avec eux. Il y a bien quelques conférences d'information, pour lesquelles Mgr Garrone est soucieux de panacher et d'inviter tout le monde, mais il n'y a pas de séances de travail. Il en va tout autrement des Espagnols, des Allemands et des Hollandais. Ceux-ci ont une conférence tous les soirs, par le P. Schillebeeckx ; les Allemands ont des réunions régulières de travail et en ont eu avant le concile ; leurs cardinaux et leurs évêques consultent Rahner, Ratzinger, Häring, Jedin : j'en eus plusieurs fois des échos par ceux-ci. Nos évêques, rien. C'est au point que je me demande si je reviendrai pour une seconde session : car il y a tant de travail utile et efficace à faire !

Puis visite du P. Cottier, qui me propose de bonnes *emendationes*[4] du latin de mon *proemium.* Il me dit que Mgr de Provenchères a entendu dire que le pape aurait rejeté le *De episcopis* préparé. Cela me paraît un « tuyau » bien étrange et sans doute crevé.

Visite du P. Prete[5], régent de Bologne, qui veut me voir ; puis

1. Albert De Vito, évêque de Lucknow (Inde), *AS* I/II, 97-99.

2. Giuseppe Melas, évêque de Nuoro, *AS* I/II, 100-101.

3. Dans *L'Espresso* du 28 octobre, l'article de Carlo Falconi : « Prevalgono i padri conciliari favorevoli al rinnovamento. Verso la nuova teologia. »

4. Amendements.

5. Benedetto Prete, o.p., de la province de Lombardie, exégète.

du P. Mongillo[1], professeur de morale à notre *studium*[2] de Naples. Il voudrait que je vienne à Naples pour parler avec les Pères 1°) d'ecclésiologie ; 2°) des orientations et bases à donner à leur revue : *Temi de Predicazione.*

En attendant le P. Mongillo prend un acompte en me parlant de son sujet actuel de travail sur lequel, dit-il, ma *Pentecôte*[3] l'a illuminé : *principalissimum in lege nova, est gratia Spiritus Sancti*[4].

Je suis confondu du crédit insensé que j'ai partout. On ne cesse de m'aborder aussi à Saint Pierre. J'ose à peine dire mon nom, car cela déclenche des protestations d'affection et de vénération. Si j'ai fait quelque chose, ce n'est pas par ma valeur personnelle, qui est très chétive. C'est parce que j'ai (vaille que vaille) suivi ce que je croyais être la volonté et l'appel de Dieu. C'est lui qui a tout mené, tout préparé. Au concile même, je ne prends pas d'autre règle que de lui faire tout conduire. Une éthique toute théologale, jusque dans les petits détails matériels. Pour règle pragmatique, j'ai pris celle-ci : ne rien faire que sollicité par les évêques. C'EST EUX qui sont le concile. Cependant, si une initiative portait la marque d'un appel de Dieu, je m'y ouvrirais.

Mais je veux surtout noter ici mon sentiment au sujet de nos Pères italiens (j'ai vu aussi le P. Grion[5]). ILS ONT COMMENCÉ LE BON DÉPART. Ils ont un recrutement valable. Ils seraient très capables de faire, ces trente années qui viennent, pour l'Italie, ce que nous avons fait pour la France : animer idéologiquement un renouveau de l'Église par ressourcement authentique. C'est pourquoi j'ai quasi promis de venir à Naples : je veux les aider, si peu que ce soit, à prendre ce tournant. Ah ! si je savais l'italien, ou si tout le monde parlait français !

Jeudi 1er novembre. – Déjà trois semaines de passées !

En fin de matinée, visite de trois prêtres espagnols, dont deux de

---

1. Antonio D. Mongillo, o.p., de la province de Naples.
2. Maison de formation.
3. Yves CONGAR, *La Pentecôte – Chartres 1956*, Cerf, 1956.
4. La grâce du Saint-Esprit est la réalité principale de la loi nouvelle.
5. Alvaro Grion, o.p., de la province de Lombardie.

Saragosse et le troisième de Bilbao : Antero Hombría[1], Tomás Domingo[2], Teodoro Jimenez-Urresti[3]. Les évêques espagnols ont désigné collectivement cinquante théologiens et ils en ont, pour cette fois, amené vingt : tant d'historiens, tant de dogmaticiens, tant de spirituels, tant de canonistes. Ces théologiens habitent ensemble et se réunissent chaque semaine. Les évêques leur font étudier et exposer successivement les points et rédiger le texte d'amendements éventuels. Ceux-ci sont sympathiques. Ils se disent mes disciples et attendent de moi une ligne de direction. Je suis heureux de voir qu'ils avaient déjà sensiblement les mêmes réactions que moi-même.

De 15 à 16 h 30, petite sortie avec le P. Camelot : ma première. Le soir, visite de Mgr Jacq, de la Province OP de Lyon, évêque au Viêtnam[4]. Les évêques vietnamiens sont groupés dans un hôtel. Je me propose pour aller les voir.

Vendredi 2 novembre. – Visite du P. Häring (question d'un texte contre armes thermonucléaires et contre la course aux armements).

Visite du P. Gy : me parle des méthodes de travail de la Commission liturgique et de ce qui a chance de réussir : *per prius*[5], les AMENDEMENTS rédigés par écrit ; beaucoup moins les considérations générales et les prises de position idéologique. C'est regrettable.

Samedi 3 novembre. – Le froid est venu. Mais quelle belle lumière, éclatante et douce, dorée et jeune...

Après-midi, visite de l'abbé Houtart[6]. Il est tout à fait lié avec le CELAM. Il me dit que le Vatican (Secrétairerie d'État) voit assez mal le CELAM, qui est pourtant une création de Pie XII ; il lui

---

1. Antero Hombría Tortajada, théologien, professeur au séminaire de Saragosse, consulteur des évêques espagnols au Concile.

2. Tomás Domingo Pérez, historien, professeur au séminaire de Saragosse, consulteur des évêques espagnols au Concile.

3. Teodoro Jimenez-Urresti, du diocèse de Bilbao, où il enseigne la théologie au Séminaire diocésain.

4. André R. Jacq, o.p., est évêque missionnaire au Viêtnam.

5. Tout d'abord.

6. François Houtart, du diocèse de Malines-Bruxelles ; il dirige le Centre de recherches socioreligieuses qu'il a fondé à Bruxelles en 1956.

met des bâtons dans les roues de toutes les façons. L'abbé Houtart lui-même, ayant donné le texte qu'il a publié dans *L'Épiscopat et l'Église universelle*, en conférence, et cette conférence ayant paru (à son insu) ronéotée dans le Bulletin de deux épiscopats italiens, il y a eu des demandes d'explications et des corrections (de détail). Évidemment, l'épiscopat structuré en Conférences, c'est un peu l'épiscopat syndiqué : c'est une force avec laquelle il faudra compter.

Tout ceci est d'autant plus piquant que ce sont les nonces qui, en très grande et décisive partie, ont été à la naissance du CELAM. Non en le promouvant, mais en le suscitant, malgré eux, par leur bêtise. Il paraît qu'en Amérique du Sud, les nonces interviennent à tout propos, reprennent les évêques, interdisent des choses. Par exemple, le nonce de Montevideo[1], il y a très peu de temps, a interdit la participation à un congrès de Pax Romana[2] qui se tenait sur le thème : les responsabilités sociales de l'Université. C'était, disait-il, communiste !!!! On m'a cité des faits analogues de la part du Délégué apostolique à Washington[3] : celui-là même que nous avons entendu au concile, en la plus solennelle bêtise intégriste. C'est au point que les évêques (de Bolivie ?) ont fait pression sur le gouvernement pour que s'en aille le nonce de ce pays, Mgr Samorè[4]. Il est parti, mais c'est lui qui est chargé, maintenant, des affaires d'Amérique du Sud à la Secrétairerie d'État. Il passe pour compétent, tant il est vrai que, dans le royaume des aveugles, les borgnes sont rois : d'autant que, dans le personnel de la Secrétairerie qui s'occupe d'Amérique du Sud, il est le seul à avoir séjourné dans le pays. Or il ne comprend pas grand-chose. Ici même, à Rome, au Concile, sans interdire à l'épiscopat d'Amérique du Sud de se réunir, on freine ou empêche une telle réunion.

Ainsi mon intuition sur l'histoire des doctrines ecclésiologiques,

1. Il s'agit probablement de l'archevêque suisse Raffaele Forni, nommé nonce de Montevideo (Uruguay) en 1960.

2. Mouvement International des Intellectuels Catholiques.

3. E. Vagnozzi.

4. Plus précisément, l'archevêque italien Antonio Samorè, a été nonce apostolique en Colombie de 1950 à 1953. Durant la première session du Concile, il est nommé membre de la Commission pour l'apostolat des laïcs. Il sera plus tard président de la Commission pontificale pour l'Amérique latine et sera créé cardinal.

celle de la tension entre le pôle PAPA et le pôle ECCLESIA, est plus juste encore que je ne le savais. Cette tension est latente dans le concile et il est probable qu'un jour elle se produira à la grande lumière. La Curie ne comprend rien. La Curie est pleine d'Italiens, qui, maintenus dans l'ignorance des réalités, dans LA SUJÉTION POLITIQUE, dans une ecclésiologie simpliste et fausse où tout se déduit du Pape, ne voient l'Église que comme une grande administration centralisée, dont ils tiennent le centre. Tous ces jours-ci, je réunis des notes sur les Italiens et l'Église, l'ecclésiologie des Italiens... Vraiment, l'ultramontanisme existe. Victorieux THÉORIQUEMENT en ecclésiologie officielle, il existe et agit aussi puissamment au plan de la piété, des représentations religieuses et de l'anthropologie correspondante. Les collèges, les universités et scolasticats de Rome, distillent tout cela à doses diverses, le maximum, dose quasi mortelle, étant donné actuellement au Latran.

J'étudierai cela. Je vais nourrir mon dossier.

À 15 h 05, arrivée du petit groupe de théologiens d'évêques : Laurentin, un Maronite, et, cette fois, Colson, qui est épatant. Il a mûri. Ses réactions sont excellentes. Ils me font parler un peu sur tout, pendant deux heures. Laurentin prend des notes, questionne, fait répéter pour mieux noter : prépare-t-il un livre ? Pourquoi cherche-t-il tant à faire parler les gens et à noter ce qu'ils disent ? Le Maronite dit que la thèse des Maronites est : abolir la dualité de droit canonique et d'organisation entre Orient et Occident, en donnant aux Conférences épiscopales beaucoup plus de pouvoirs, de façon à ce qu'elles puissent assurer un pluralisme local considérable à l'intérieur d'une Église unifiée.

À première vue, ma réaction est très négative. Cela me semble oublier que l'Orient et l'Occident ne peuvent pas remettre en question leur histoire, qui les a faits tels. Je crois que la différence fait partie du type historique de l'Église.

Le soir dîner chez Laurentin, bien organisé pour travailler. Il amène toujours sa secrétaire avec lui.

Santé. Pas très bon. Les bras plus fatigables encore que les jambes. Nuit traversée d'insomnies où je vois tout le passif, l'insuffisant, le raté de ma vie, singulièrement de ma vie ici, au concile.

Dimanche 4 novembre. – À 17 h, Domus Mariae, réunion du groupe Rahner, Ratzinger, Semmelroth, Labourdette, Daniélou. On a ajouté le P. Cottier O.P. et Müller[1], d'Erfurt. On patauge. Daniélou parle de tout et mélange tout. Il voudrait faire, du *Proemium* qu'on m'a demandé, une Constitution dogmatique traitant, en particulier, de l'homme à l'image de Dieu et du péché originel.

Je trouve un peu naïve l'idée qu'on pourra SUBSTITUER les schémas que Rahner et Daniélou ont préparés, à ceux de la Commission théologique. Je subodore un peu d'esprit de revanche chez ces théologiens qui ne faisaient pas partie de la commission théologique préparatoire. Il est vrai que les schémas préparés sont superficiels, scolaires, trop philosophiques, trop négatifs : c'est comme s'il n'y avait pas eu quarante ans de travail biblique, théologique et liturgique. Je crois qu'on aura facilement deux cinquièmes, sinon même trois cinquièmes de l'assemblée pour les rejeter. Mais je crains que la question ne soit alors renvoyée à la Commission : c'est-à-dire qu'on demande à Brutus de corriger Brutus...

Je suis étonné maintenant de n'avoir pas été plus critique* sur les textes de la commission centrale, alors que je les estimais médiocres et, sur certains points, mauvais. Je m'explique la chose par les motifs suivants :

1°) J'ai cru que les textes qu'on me soumettait étaient quasi définitifs et qu'on ne pouvait plus y faire que des critiques de détail ;

2°) Je n'ai pas attaché assez d'importance à ces textes, étant convaincu que, ce qui fait vraiment l'opinion en tout cas de tout ce qui vit vraiment, ce n'est pas les textes officiels, c'est la pensée vivante. Je le crois encore, et cela me rend à la fois trop tolérant et un peu sceptique sur les textes ; mais je reconnais mieux l'importance de textes qui orientent tout de même l'enseignement et peuvent, éventuellement, empêcher ou gêner le mieux, le progrès.

3°) On n'a rien pu faire. Les consulteurs n'étaient guère que des figurants. Ils ont fait, dans l'ensemble, et j'ai fait en partie, les critiques qu'on fait aujourd'hui. En vain. Les *vota* qu'on m'a demandés et que j'ai adressés (*De episcopis* ; *De laicis* ; *De oecume-*

---

* En marge : théologique ?

1. Otfried Müller, prêtre et professeur de dogmatique au Collège théologique d'Erfurt.

nismo[1]) ont servi à quoi ? Ce n'est pas à Lubac ou à moi, ni à Häring, ni à Delhaye, qu'on a demandé de rédiger les textes. Nous parlions à peine (sauf en sous-commission, où le P. Gagnebet m'a fait venir), nous ne votions pas. Häring, Lubac, Laurentin, donnent le même témoignage que moi.

4°) Tout était dominé par la tyrannie du P. Tromp. Il était presque impossible de n'en point passer par où il voulait.

5°) Le climat général fait beaucoup. Aujourd'hui, c'est le climat du concile : climat pastoral, climat de liberté, climat de dialogue, climat d'ouverture. Alors, c'était le climat du « Saint-Office » et des chaires de collèges romains. On était neutralisé par un code tacite mais puissant, par une pression sociale très forte et contre laquelle on ne réagissait pas jusqu'au point où il eût fallu tout mettre en question.

Aujourd'hui, cérémonie du quatrième anniversaire du couronnement du Pape. En l'honneur de saint Charles, messe pontificale en rite ambrosien. Le Pape, me dit-on, a fait une homélie. Il a commencé en latin, puis il est passé à l'italien. Il a vanté le caractère pastoral de Saint Charles. Il a prôné la variété des rites. Certains voient en tout cela des indications discrètes pour le concile. C'est possible.

Santé : ce 4 novembre soir, très mal. J'ai les pieds comme non vivants à partir de la cheville, et les mains assez proches de la crampe. Que s'est-il passé ? Jusqu'au 1er et même au 2, cela allait : j'avais l'impression d'un mieux allant s'affirmant. Est-ce le froid ? De fait, j'ai froid, surtout aux pieds et à la main droite : les endroits qui ne fonctionnent pas. La grosse chaleur m'ôte toute force ; le froid me jette dans la crampe. Où aller ? Quoi faire ? Je prends mes drogues. Je croyais qu'elles finissaient par me faire du bien, et me voilà comme aux plus mauvais jours !

Lundi 5 novembre. – Messe de rite maronite. Cet exemple des liturgies orientales influera sur le concile plus que les discours, il est par lui-même démonstration d'une adaptation de la liturgie au peuple.

---

1. Des évêques, des laïcs, de l'œcuménisme.

Cardinal Confalonieri[1] précise quelles ont été les attributions de la Commission centrale et de la sous-commission *de Emendationibus*[2] : pour enlever, semble-t-il, leur argument à ceux qui se référaient aux désirs de la Commission centrale.

(On m'a dit par la suite que ceci serait une réponse au cardinal Ottaviani, qui avait invoqué l'autorité de la Commission centrale. Cela m'a été dit par un Mgr italien de la Secrétairerie d'État, Mgr Luigi Valentini[3].)

Le Martyrologe, appartenant aux livres liturgiques, doit, comme eux, *recognosci*[4].

Cardinal McIntyre[5] (lecture bafouillante) : contre langue vulgaire (sauf lecture de l'Épître et de l'Évangile par un prêtre autre que le célébrant). « *Summus Pontifex locutus est*[6]. »

Surban, Philippincs[7] : il y a eu bien des mutations. « *Redeatur ad primam et originalem missam*[8] » : le Christ a célébré vers le peuple, à haute voix, en langue populaire.

Et qu'on mette dans la messe les paroles mêmes du Christ : *Ego sum vitis vera... Ut sint unum*[9]...

Un rite œcuménique ! une *Missa Orbis*[10] ! ce serait un germe d'unité !

---

1. Carlo Confalonieri, secrétaire de la Congrégation consistoriale, président de la Commission pontificale pour l'Amérique latine. Il a été membre de la Commission centrale préparatoire et président de la sous-commission des amendements. Il fera partie de la Commission de coordination. *AS* I/II, 106-108.

2. La sous-commission des amendements était chargée de faire réviser les schémas préparatoires en fonction des souhaits émis par la Commission centrale préparatoire.

3. *Minutante* à la Secrétairerie d'État.

4. Être révisé.

5. *AS* I/II, 108-109.

6. « Le Souverain Pontife a parlé. »

7. En effet, Epifanio Surban Belmonte est l'évêque de Dumaguete (Philippines). Cependant il s'agit ici de l'intervention de l'évêque William I. Duschak, vicaire apostolique de Calapan (Philippines), *AS* I/II, 109-112.

8. « Qu'on revienne à la messe primitive et originelle. »

9. Je suis la vraie vigne... Qu'ils soient un.

10. Messe pour le monde.

László[1], Autriche : n° 37 : la réforme est commencée, et selon les normes que l'on invoque aujourd'hui pour la continuer. Qu'elle continue ! qu'on ait pour cela la *fortitudo apostolica*[2].

Ferrari[3], *Monopolitanus* (Italie). Le schéma se recommande par sa discrétion doctrinale et son souci pastoral. Qu'y soit ajoutée une brève formulation du fondement dogmatique de la participation des fidèles au sacrifice.

N° 37 : entre la messe basse et la messe solennelle, qu'il existe une forme mieux adaptée À LA COMMUNAUTÉ et à sa participation.

Fares[4] (Italie) : Attention au concile de Trente ! : qu'on ne touche pas au Canon ! ; n° 42 : ne rien changer ; n° 44 : concélébration surtout pour les conventuels.

Bandeira[5] (Brésil) : n° 37 : Qu'on ne touche pas au rite romain, institué par saint Pierre lui-même !

Un autre Brésilien[6] renonce.

Cousineau[7] (Haïti) : n° 44 : est dans le sens du cardinal Léger pour aspect communautaire, unité du sacrifice.

N° 37 : qu'on introduise mention de saint Joseph chaque fois que Marie est nommée.

Jenny[8] : sur le n° 37 : l'obscurité vient de la suppression de la déclaration de la Commission préparatoire : on ne sait pas de quoi il s'agit comme changements envisagés.

Donne la liste des principaux points
(très écouté).

Archevêque du Rwanda[9] : Que la liturgie de la parole enseigne

---

1. Štefan László, évêque d'Eisenstadt, membre de la Commission pour l'apostolat des laïcs dès la première session, *AS* I/II, 112-114.
2. Courage apostolique.
3. *AS* I/II, 115-116.
4. Armando Fares, archevêque de Catanzaro, *AS* I/II, 116-117.
5. C. E. Saboia Bandeira de Méllo, o.f.m., évêque de Palmas, *AS* I/II, 117-118.
6. João Batista da Mota e Albuquerque, archevêque de Vitória.
7. Albert Cousineau, évêque de Cap Haïtien, *AS* I/II, 119-120.
8. *AS* I/II, 121-122.
9. André Perraudin, archevêque de Kabgayi (Rwanda), *AS* I/II, 122-123.

toute la doctrine. Qu'on introduise les textes bibliques de toute l'histoire du salut.

N° 42 : supprimer « *sublato fidei periculo*[1] », injurieux pour le Christ et pour ceux qui le suivent en cela.

N° 44 : adhère au cardinal Léger. Préciser que chaque concélébrant peut recevoir un honoraire.

Espagnol[2]...

Je vais aux WC et, pour la première fois, prends un café au bar. J'y vois Cullmann et les deux frères de Taizé, et aussi Mgr Leclercq[3] et Mgr Rolland[4].

Quand je rentre, l'abbé général OSB, Gut[5], parle en faveur de la communion sous les deux espèces.

Évêque de Nankin[6] : pour la *lingua vernacula in omnibus partibus missae celebratae pro populo* (dimanches et fêtes), *incluso canone*[7]. Parle au nom des deux tiers de l'humanité.

Bekkers[8], au nom des évêques de Hollande et d'Indonésie : la communion sous les deux espèces est une authentique prolongation du Mouvement liturgique. La concélébration est conforme à la nature du sacrement et à l'intérêt œcuménique.

Évêque du Chili[9], au nom de la Conférence épiscopale groupant

---

1. « Si l'on supprime le péril pour la Foi. »
2. P. Barrachina Estevan, évêque d'Orihuela-Alicante (Espagne).
3. Georges Leclercq, du diocèse de Lille, recteur des Facultés catholiques de Lille.
4. Claude Rolland, évêque d'Antsirabé (Madagascar). Ancien élève de M.-D. Chenu, o.p., au Saulchoir, il demande à son maître d'être son théologien et de l'assister dans les travaux du Concile.
5. *AS*, I/II, 127.
6. Paul Yü Pin, archevêque de Nankin (Chine), élu membre de la Commission pour l'apostolat des laïcs lors la première session du Concile, *AS*, I/II, 128-129.
7. Langue vernaculaire dans toutes les parties de la messe célébrée pour le peuple, le canon inclus.
8. *AS* I/II, 129-130.
9. Eladio Vicuña Aránguiz, évêque de Chillán, *AS* I/II, 130-131.

trente-cinq évêques : Liturgie de la parole ! Langue vulgaire au moins pour parties d'instruction. Nous sommes assemblés, a dit le pape, pour introduire « *opportunas mutationes*[1] ». C'est une occasion unique. Ne pas oublier le *Misereor super turbam*[2].

Seitz[3] (Viêtnam). Plein assentiment à n°s 42 et 44.

Pour les peuples de chez lui, très communautaires, attachés à des rites séculaires et que repoussent le latin d'un côté, les séries de messes privées de l'autre, demande « *ut aperiatur porta... ut divulgetur Evangelium Dei*[4] » ; d'accord avec cardinal Léger et Mgr Bekkers.

Thomas Muldoon[5] : pour exactitude théologique dans les expressions du c. 2, *proemium*, où l'on confond sacrement et sacrifice ; préciser le rapport de la messe à la Croix. Expliquer le mot « *repraesentare*[6] ». Qu'on ne parle pas d'offrande par les laïcs : les fidèles n'offrent pas !

Communion sous les deux espèces : propose une nouvelle rédaction, sans toucher au fond.

Georges Xenopulos[7] (le nom est grec, mais sa prononciation du latin est typiquement et entièrement italienne). Soulève difficultés pour la communion sous les deux espèces, soit qu'on boive au calice : alors hygiène, rouge à lèvres...

soit... Il envisage la communion de centaines de personnes...

Le cardinal Liénart, président, lui coupe la parole : ce n'est pas *ad rem*. Il n'a pas l'air de comprendre la catastrophe qui lui arrive.

Mgr Théas[8] (très écouté). Pour la concélébration : argument de la situation de Lourdes. Or il l'a demandé plusieurs fois au

1. « Changements opportuns. »
2. J'ai pitié de cette foule (Mc 8, 2).
3. Paul Seitz, m.e.p., évêque de Kontum (Viêtnam), *AS* I/II, 133-134.
4. « Qu'on ouvre la porte, qu'on publie l'Évangile de Dieu. »
5. Thomas W. Muldoon, auxiliaire de Sydney (Australie), *AS* I/II, 135-137.
6. « Représenter. »
7. Georges Xenopulos, s.j., évêque de Syra et administrateur de Candia (Grèce), *AS* I/II, 137-138.
8. Pierre Théas, évêque de Tarbes et Lourdes (France), *AS* I/II, 139-140.

Saint-Siège pour des occasions solennelles et on lui a répondu *non expedire*[1].

Demande qu'on puisse communier le jour de Pâques bien qu'on ait communié à la vigile.

Évêque d'Équateur[2], au nom des autres évêques : 1°) abroger la messe *pro populo*[3] ; 2°) en cas de nécessité que l'évêque puisse permettre de biner en semaine.

Archevêque de Barcelone[4] : n° 39 : homélie. Qu'en quelques années on ait vu toute la doctrine chrétienne (passages bibliques plus riches). Cela enlèverait des raisons de langue vulgaire. N° 42 : est contre la communion sous les deux espèces, car les fidèles croiraient qu'il y a plus de grâce... De plus, le principe à suivre étant celui de la simplicité, y rester ! N° 44 : contre la concélébration, car il n'y aurait plus assez de prêtres pour assurer la messe aux fidèles !

Joseph D'Avack[5] (?) : ce sera le dernier. Aussi pendant qu'il parle avec une très forte accentuation italienne, les Pères plient leurs affaires pour partir.

Le P. Gillon trouve que, tout ça, c'est du protestantisme. Dans quel monde vit-il ?

Mardi 6 novembre. – Je ne vais pas à Saint-Pierre pour finir la révision de mon *Proemium.*

On me raconte : il y a eu d'abord sept ou huit discours, dont un de l'évêque de Linz[6] donnant, chiffres à l'appui, un tableau très positif des résultats du mouvement liturgique dans son diocèse. Puis Mgr Felici a lu un texte du pape[7] autorisant la présidence, quand elle estimerait qu'on a assez discuté sur une question ou un chapitre,

---

1. Ce n'est pas expédient.
2. C.A. Mosquera Corral, archevêque de Guayaquil, *AS* I/II, 140-141.
3. Pour le peuple.
4. G. Modrego y Casáus, membre de la Commission des séminaires, des études et de l'éducation catholique nommé par le pape lors de la première session du Concile. *AS* I/II, 141-143.
5. Giuseppe D'Avack, archevêque de Camerino (Italie), *AS* I/II, 145-146.
6. Franz Zauner, *AS* I/II, 151-153.
7. *AS* I/II, 159.

à demander à l'assemblée de voter par assis et levés sur le point de considérer le débat comme clos et de passer à la suite. Applaudissements. Tout le monde se lève. On aborde donc le ch. III du schéma. Je verrai cela demain.

Je passe vingt-cinq minutes (à 17 h 10) à Saint-Louis : premier mardi : réunion des Français. Je vois pas mal d'évêques et d'autres : P. de Baciocchi[1], Villain, etc. J'y rencontre Laurentin qui me dit être nommé expert du concile. A-t-il travaillé POUR CELA depuis un mois qu'il est à Rome ?

Je passe un instant au Foyer Unitas[2].

À 18 h chez le cardinal Frings (à l'église allemande dell' Anima) : il m'a fait demander de venir. Il y a Ratzinger, Jedin, Rahner. But de la réunion : voir comment faire pour proposer les textes Rahner-Ratzinger en place des schémas dogmatiques actuels ? On patauge sans avancer vraiment. On ne sait rien et, semble-t-il, personne ne sait rien, de la marche à venir du concile. Le cardinal Tisserant, vu par le cardinal Frings hier, ne sait rien. Qu'abordera-t-on après le *De Liturgia* ? Mystère ! En attendant la Commission de Liturgie s'est divisée en sous-commissions qui travaillent dur sur les deux mille amendements proposés sur l'Introduction et les deux premiers chapitres. Un certain nombre ne relèvent pas de la Commission liturgique et une sous-commission les renvoie à leur lieu. Cela déblaie, mais n'avance pas le concile... On me demande de m'enquérir de la façon dont les évêques belges comptent procéder pour substituer le *De Ecclesia* Philips au texte officiel. C'est pourquoi, à la sortie de cette réunion je vais au Collège Belge où je vois le cardinal Suenens. Il vient juste de rentrer de Belgique et ne sait RIEN. Personne ne sait rien. Lui pense introduire le texte revu concurremment au texte officiel, par la voie de la Commission des Affaires extraordinaires[3]. Cette commission, composée de quatre

---

1. Joseph de Baciocchi, s.m., professeur de théologie aux Facultés catholiques de Lyon, expert privé d'évêques missionnaires maristes.

2. Le Foyer Unitas, situé 30, via S. Maria dell'Anima, tenu par la communauté hollandaise des Dames de Béthanie, est le siège du Centre Unitas (cf. plus haut, p. 19, n. 1).

3. Cf. plus haut, p. 123, n. 7.

cardinaux italiens (dont Siri[1], Confalonieri) et quatre non italiens, a pour rôle théorique d'être un peu, au moins au niveau du conseil, l'organe régulateur de la marche du concile. Mais on ne voit pas jusqu'ici qu'elle ait été très efficace. Bref, je suis fort déçu.

Les Allemands comptent sur les évêques et sur les théologiens français. Mais qui ? Il n'y en a guère. Ils me chargent un peu de voir cela, mais je me trouve devant de bien indécises possibilités[2].

Mercredi 7 novembre. – On nous annonce officiellement que le schéma *De fontibus revelationis* viendra tout de suite après le *De Liturgia.*

Mgr Rougé[3], visiblement porte-parole du CPL[4] répond aux objections sur le texte touchant l'onction des malades et le changement de nom (jusqu'ici : Extrême-Onction).

Angelini[5] : Pour élargissement de l'administration de ce sacrement : par exemple avant une grave opération. Et pour onctions seulement au front et aux mains.

Évêque du Brésil[6] : *De ritu confirmationis*[7] : les évêques sont juges de l'opportunité de le célébrer au cours d'une messe.

Sansierra[8] (Argentine) s'adresse aussi aux Observateurs. Pour le schéma tel quel.

Rituel du mariage : pour le développement de tout un dialogue dans lequel les époux exprimeraient les grandes valeurs du mariage chrétien.

Contre le noir dans les enterrements : c'est païen.

---

1. Giuseppe Siri, archevêque de Gênes, membre du Conseil de présidence.
2. Congar écrit le 8 novembre à Garrone, rendant compte de ses rencontres du 6 novembre chez Frings et Suenens ; il lui fait part des attentes des Allemands et propose ses services aux évêques français ; il précise d'ailleurs que les évêques allemands ont des réunions fréquentes avec leurs théologiens (Archives Congar).
3. Pierre Rougé, coadjuteur de Nîmes ; il deviendra, en juillet 1963, évêque de Nîmes, *AS* I/II, 292-293.
4. Le Centre français de pastorale liturgique.
5. Fiorenzo Angelini, évêque titulaire, aumônier général des hôpitaux d'Italie, *AS* I/II, 294-296.
6. Clemente J. C. Isnard, évêque de Nova Friburgo, *AS* I/II, 300-301.
7. Du rite de la confirmation.
8. *AS* I/II, 301-302.

Faveri[1] (Italien) fait rire avec des histoires très sérieuses d'eau baptismale qui croupit et de bébés qui vomissent. Hygiène ! Eau pure et propre : simplifier les rites ; plus d'exsufflations (et si le prêtre est tuberculeux ?).

(Je vais aux WC. Je rencontre beaucoup de monde, car beaucoup de monde circule, va au bar, bavarde par petits groupes dans les bas-côtés. Je vois ainsi : Jedin, Thils[2], Mgr Khoury, qui m'invite à venir chez les Maronites... ; l'évêque d'Orléans, Picard de la Vacquerie[3] : « Je suis la grande gueule de l'Épiscopat... J'ai dit à Ottaviani : maintenant, il n'y a plus de Saint-Office, ce sont les évêques qui ont la parole », etc. ; trois jeunes évêques du Brésil qui me répètent qu'ils veulent un *De episcopis* à CETTE session et qu'ils ne reviendront pas à la seconde session ;

évêque du Venezuela, qui veut une conférence
évêque du Canada
évêque du Mexique, qui veut une conférence ;

Schmaus, qui pense que le *De fontibus*[4] laisse les portes ouvertes et serait facilement amendable. Il m'empêche d'écouter Mgr Bekkers, un Polonais[5] et Mgr van Bekkum[6], dont je n'entends que des bribes. Ce que saint Ambroise a fait (créer un rite), pourquoi ne le ferions-nous pas ? Il reprend le mot de saint Ambroise cité par le pape dimanche dernier : Nous aussi nous sommes des hommes et nous avons l'intelligence !)

Je rencontre Laurentin qui va de tribune en tribune. Avant de regagner la mienne (j'étais allé porter le *De episcopis correctus*[7], à

1. Luigi Faveri, évêque de Tivoli (Italie), *AS* I/II, 302-305.

2. Gustave Thils, professeur de théologie fondamentale à l'Université de Louvain, engagé dans le mouvement œcuménique ; il est membre du Secrétariat pour l'unité et expert du Concile.

3. Robert Picard de la Vacquerie, évêque d'Orléans, *AS* I/II, 313-314.

4. Des sources.

5. Il s'agit de Karol Wojtyła, le futur pape Jean-Paul II, qui est alors évêque auxiliaire et vicaire capitulaire de Cracovie ; il en deviendra l'archevêque en janvier 1964, *AS* I/II, 314-315.

6. Évêque de Ruteng (Indonésie), *AS* I/II, 316-317.

7. Corrigé.

Mgr Colombo), j'entends applaudir : c'est Mgr D'Souza[1], qui vient de dire : on écrit à Rome pour demander une permission, un « indult » en une matière pour nous pastoralement importante. On reçoit un papier d'un *minutante*[2] quelconque d'un bureau, avec un simple : *Non expedit*[3] ! Dans différents discours, on réclame la faculté, pour les Conférences épiscopales, d'aménager de larges adaptations pour les peuples, qui doivent s'exprimer selon leur génie et leur culture.

C'est encore ce que dit un évêque du Congo[4], qui cite l'encyclique *Evangelii Praecones*[5] en faveur d'une consécration des cultures par leur usage dans l'Église. Nous avons, dit-il, une occasion d'appliquer cela !

Applaudissements chez les évêques plus jeunes.

Encore deux ou trois évêques. Puis, à 11 h 50, on passe au chap. IV. Parlent sur ce sujet de l'office divin :

Cardinal Frings[6] : 1°) pour une version latine des psaumes qui soit conforme au langage des Pères : qu'on ne quitte la Vulgate, et alors pour le psautier de saint Jérôme, que quand le texte est obscur ou faux ; donne en exemple le psautier de Dom Weber[7].
2°) pour un meilleur usage des trésors de l'Écriture et des Pères
3°) équilibre entre les Psaumes et textes scripturaires
4°) au nom des évêques de langue allemande, que l'évêque puisse accorder la dispense de la récitation en latin.

---

1. E. D'Souza, archevêque de Nagpur (Inde), puis de Bhopal (Inde) en 1963, membre de la Commission des missions élu lors de la deuxième session du Concile. *AS* I/II, 317-319.
2. Fonctionnaire de la Curie.
3. Ce n'est pas expédient.
4. Malula, *AS* I/II, 323-324.
5. Publiée par Pie XII en 1951 en faveur des missions.
6. *AS* I/II, 327-328.
7. Dom Robert Weber (de l'Abbaye Pontificale Saint-Jérôme in Urbe), *Le Psautier romain et les autres anciens psautiers latins*, Collectanea Biblica Latina, Abbaye Saint-Jérôme/Libreria Vaticana, 1953.

Cardinal Ruffini[1] : l'annonce de son nom est saluée par un murmure. Or il parle des Psaumes, il cite même Luther à leur sujet. Mais pour élimination des psaumes imprécatoires et de quelques autres (tel qui semble énoncer des doutes sur la vie éternelle).

Sur n° 74 : *oratio publica fit a solo sacerdote ; orationes fidelium sunt privatae*[2].

Cardinal Valeri[3] : Pour différents détails. Réduire l'obligation à laudes et vêpres.

Cardinal archevêque de Compostelle[4] : propose quelques modifications.

Cardinal Léger[5] : Une fois de plus, très écouté. Il exprime certainement la pensée la plus générale des Pères. Je pense qu'il devrait être un des dirigeants du concile. Sollicitude pour nos prêtres... Que, pour ceux qui ne sont pas tenus au chœur, l'obligation porte seulement sur Laudes, Vêpres, et une *Lectio divina*[6] d'environ vingt minutes, à faire à n'importe quelle heure.

Critique de l'idée de sanctification des heures, qui aboutit à un formalisme.

Langue : que les évêques puissent accorder la langue vulgaire, pour que la prière soit pleinement prière, *ut mente intelligant quod labiis pronuntiant*[7].

Est applaudi.

On arrête là.

Je vais déjeuner avec Schlink, son assistant[8] et Lukas Vischer, chez les Diaconesses allemandes, où ils ont leur pension. Ils m'interrogent beaucoup et on parle de tout. Au bout de plus de 2 h 1/2

---

1. *AS* I/II, 328-330.
2. Que la prière publique soit faite uniquement par le prêtre ; les prières des fidèles sont privées.
3. *AS* I/II, 330-331.
4. Fernando Quiroga y Palacios, *AS* I/II, 332-333.
5. *AS* I/II, 334-336.
6. Lecture méditée de la Bible.
7. Afin qu'ils comprennent par l'esprit ce que leurs lèvres prononcent.
8. Reinhard Slenczka.

de conversation allemande, je suis mort. À 15 h 10, je reçois Fesquet. Je le remercie de ne m'avoir pas vu plus tôt : ainsi suis-je indemne de toute indiscrétion. Il m'interroge beaucoup et me fait un peu parler : il prend des notes. De mon côté, je lui demande de dire deux choses : 1°) que beaucoup d'évêques venus de loin ne veulent pas revenir à une seconde session (bien que le serment de leur sacre les engage à venir au concile) : ce qui risque de changer, d'altérer même gravement, la composition de l'assemblée pour l'abordage des questions *De Ecclesia*, *De episcopis* ; 2°) que dans l'absence de tout programme, on se demande si certaines questions importantes pour les hommes, la paix, la bombe, la faim, seront abordées par le concile.

À 16 h 30 conférence aux évêques d'Afrique d'expression française. Très remarquable secrétaire de ce groupe, Mgr Zoa[1].

Après ma conférence (Tradition), puis d'assez nombreuses questions, on bavarde un certain temps avec les PP. Chenu, Lubac et Martelet[2]. Il faut presser la préparation de la bataille des schémas dogmatiques, du côté des évêques africains et des évêques français. On convient que Martelet verra K. Rahner et le cardinal Liénart.

Je trouve, moi, que nos évêques français sont bien gentils, bien disposés, mais mous. Ils ne travaillent pas avec leurs théologiens. Mgr Garrone semble même avoir une répugnance à recourir à eux. Il est gentil, aimable, mais paraît ne vouloir leur devoir rien et montrer qu'il n'a pas besoin d'eux. Or c'est lui qui est le représentant théologique de l'épiscopat français. J'aimerais mieux travailler avec le cardinal Liénart ou Mgr Villot[3].

Martelet répète ce que j'ai entendu dire deux fois, que le pape serait mécontent des chapitres *De episcopis*. Qu'en est-il ? Comment le savoir ?

---

1. Jean Baptiste Zoa, archevêque de Yaoundé, membre de la Commission des missions.

2. Gustave Martelet, s.j., professeur de dogmatique à la faculté de théologie jésuite de Lyon-Fourvière ; venu au Concile comme expert de Mgr Henry Veniat, évêque de Fort-Archambault (Tchad), il se retrouve rapidement secrétaire du groupe des évêques d'Afrique équatoriale et conseiller théologique des évêques africains francophones.

3. Ni l'un ni l'autre ne font partie des Commissions conciliaires.

Je rentre à 19 h 20 : près de douze heures dehors. Les jours passent sans qu'on ait le temps de rien, et surtout de travailler !

D'autre part, rien que dans cette journée, on m'a demandé cinq conférences.

Jeudi 8 novembre. – Abominable temps d'hiver romain : pluie dans une température méditerranéenne ; espèce d'étuve tiède. Vent et pluie venant du Sud. À partir de 3 heures du matin, on est dans le moite et on ne dort plus. Tout le temps des orages. C'est ce que j'avais connu en 54-55 et que je redoutais comme représentant les pires conditions pour mon conditionnement neurologique.

Après-midi, longue visite de M. Sencourt[1], critique anglais. On parle un peu de tout. Il connaît beaucoup de choses. Il estime, lui aussi, que les pontificats de Pie IX et de Pie XII ont été catastrophiques. Il explique beaucoup Pie XII par une réaction contre un tempérament personnel qui aurait été sensuel et porté vers les femmes. Réaction totale, qui a sublimé la tendance dans un marianisme invraisemblable. Sencourt tient d'un Gentilhomme attaché à la personne du pape, que Pie XII attribuait son mouvement marial et la définition de l'assomption à des visions de la Sainte Vierge. En tout cas, avec Pie XII, c'était l'étouffement de l'Église. Jean XXIII a pris le contre-pied.

Sencourt vit beaucoup en Italie : il parle bien l'italien. Selon lui, les Italiens (et les Français) ont l'esprit porté à DÉFINIR. Mais, une fois qu'on a défini, on croit que tout est joué. Les Romains posent des lois, par exemple l'obligation de la messe du dimanche, ou l'interdiction des procédés contraceptifs. Mais, une fois la loi définie, on fait ce qu'on veut, chacun reprend sa liberté. On n'observe pas la loi, parce que le sentiment d'obligation est en dehors de la conscience.

Sencourt voit pas mal d'évêques et de cardinaux : BEA. Il me dit que c'est le secrétaire Schmidt qui fait les choses et rédige les discours. CARDINAL GILROY[2] (Australie) : en Australie, tout le monde prie pour le concile, les protestants aussi. Cette œcuménicité de

---

1. L'écrivain Robert Sencourt, catholique d'origine anglicane et lié aux milieux œcuméniques.

2. Norman Th. Gilroy est archevêque de Sydney.

l'imploration du Saint-Esprit est un fait spirituel sensationnel. Et vraiment, le Saint-Esprit répond. Gilroy disait : c'est extraordinaire comme l'épiscopat d'Australie a changé depuis un mois !

Ensuite, visite du P. Daniélou. Lui aussi s'inquiète de voir que, du côté français, rien n'est organisé pour un travail efficace. Il a un peu la même impression que moi sur Mgr Garrone. Il voudrait qu'on mette des textes sur pied sur Écriture et Tradition, Historicité des Évangiles, etc. Il m'apprend (ce que j'ignorais) que le Secrétariat Bea a un très bon texte (rédigé en particulier par Feiner) sur Écriture et Tradition[1]. Il m'invite à une réunion qui aura lieu à 18 h 30 au Biblicum.

Je vais à cette réunion : Daniélou, Thils, Lyonnet, Vogt[2] (recteur du Biblicum), Feiner, deux S.J., de la Potterie, puis Mgr Charue et son auxiliaire Mgr Musty[3]. Quoi faire contre le schéma *De fontibus* ? On fait un peu le tour des réactions qui se préparent ou qui pourraient être suscitées. On me dit que le P. Salaverri a fait hier aux évêques espagnols une conférence sur le *De fontibus*, où il a dit : ce texte est parfait. D'ailleurs, le P. Congar et le P. de Lubac l'ont entièrement approuvé. Mgr Charue lit un texte très vigoureux qu'il lira. Il a même quelques expressions trop fortes, comme quand il souhaite, pour le « *De duplici fonte*[4] », un texte plus conforme à l'exactitude de la foi...

On parle de ce qu'il serait bon de dire aux évêques si on leur fait des exposés sur l'historicité des Évangiles.

Mais toutes les petites réunions de ce genre intéressantes et sans doute nécessaires, sont assez décevantes et concluent fort vaguement.

À 20 h, dîner avec les quatre frères de Taizé[5]. Ils ont créé leur climat propre dans l'appartement qu'ils occupent. On parle beau-

1. On en trouve un exemplaire dans les Archives Congar, accompagné d'une carte de Feiner lui disant qu'il verra que son travail sur la Tradition a été pris en compte.

2. Le Suisse Ernst Vogt, s.j., est recteur de l'Institut biblique pontifical jusqu'en 1963 ; il avait été nommé au début de 1961 consulteur à la Commission théologique préparatoire.

3. Jean-Baptiste Musty est évêque auxiliaire de Namur.

4. « D'une double source » ; il s'agit du chapitre I du schéma.

5. Durant le Concile, Roger Schutz et Max Thurian sont accompagnés de

coup. Moi surtout, peut-être. Ils reçoivent beaucoup. Pratiquement pas de repas où ils n'aient des invités, parfois jusqu'à cinq ou six évêques. Il se tient ainsi en ce moment tout un concile de conciliabules et d'amitiés, qui contribue à créer le climat du concile proprement dit. Ils me disent que Lukas Vischer est très en crispation : la messe de chaque matin, etc. Ce ne sont pas de bonnes dispositions pour comprendre... Par contre, le rédacteur de *Réforme*[1] qui a passé quinze jours à Rome et qui avait écrit un premier article hargneux, s'est ensuite « converti » et a écrit un second article irénique et ouvert. Le point de vue des frères de Taizé est : il faut assumer AVEC le pape et le cardinal Bea le risque que, courageusement, ils ont pris en ouvrant ainsi le concile aux observateurs.

Vendredi 9 novembre. – Je ne vais pas à Saint-Pierre, pour travailler. Il paraît que ça n'a pas été très intéressant. Plusieurs prises de position contre la proposition du cardinal Léger sur l'office : du cardinal Wyszyński[2], du cardinal Lefebvre[3].

Le cardinal Bea est d'accord sur la nécessité de revoir le bréviaire qu'on lui attribue ; une commission y travaille. Il fait l'éloge du *Psautier* de Dom Weber.

Mgr Weber[4] a parlé.

Après déjeuner, visite de M. l'abbé Jorge Mejía[5], qui vient me parler de la conférence que je dois faire mercredi prochain.

Il faudra, me dit-il, être très élémentaire, et aussi très net, carré. Certes, plusieurs des évêques sont cultivés et bien au courant. Mais

---

quelques autres frères de Taizé avec lesquels ils forment une petite communauté qui reçoit de nombreux invités.

1. Le pasteur Georges Richard-Molard suit le Concile en tant que directeur du Service de Presse et d'Information de la Fédération Protestante de France et directeur adjoint de l'hebdomadaire protestant *Réforme*.

2. *AS* I/II, 392-394.

3. *AS* I/II, 396-397.

4. *AS* I/II, 418-420.

5. Jorge M. Mejía est professeur d'Écriture sainte à la faculté de théologie de l'Université catholique d'Argentine et directeur de la revue *Criterio* ; il sera plus tard vice-président du Conseil pontifical Justice et Paix, secrétaire de la Congrégation pour les évêques, puis responsable des Archives vaticanes et de la Bibliothèque apostolique vaticane, et deviendra évêque et, par la suite, cardinal.

un grand nombre sont dans des pays très reculés et ne voient jamais un livre. La position d'un bon nombre est : le Saint-Père a préparé le concile, donc les textes sont excellents et nous n'avons qu'à dire : Amen. Beaucoup ont une ecclésiologie simpliste : le Pape étudie les choses et dit ce qu'il faut dire, on n'a qu'à le suivre. Pour ceux-là, le concile est sans objet. Du reste, leur sentiment que les schémas sont très bien peut être confirmé. Mgr Spadafora est venu leur faire une conférence et sa brochure contre l'Institut Biblique a eu un certain succès.

À 14 h 55, coup de téléphone de Mgr Garrone, en réponse à ma lettre. Il pense qu'on est dans la pagaille la plus complète et que les Allemands s'illusionnent. Il dit qu'il ne savait pas que Rahner ait rédigé un texte. Il n'aime pas beaucoup Rahner et pense, en tout cas, qu'il est trop problématique et trop personnel pour rédiger un texte conciliaire. Il verra, dit-il, le cardinal König.

À 15 h 20, visite de Vogel[1], des *ICI.*

À 16 h au Collège canadien, où j'ai un rendez-vous du cardinal Léger. L'homme n'a pas l'allure que je me représentais d'après ses interventions. Autant celles-ci sont calmes, autant l'homme est nerveux. Il prend successivement, sur son visage, des plis un peu grimaçants. De temps en temps, ses doigts tapotent nerveusement. J'avais pensé, pour l'avoir entendu, qu'il pourrait être une tête du concile. Je le crois moins après l'avoir vu : 1°) il est trop impulsif ; 2°) il est trop seul et le restera trop, par goût et par choix répondant à ses goûts. Il suit SON chemin sans s'inquiéter de l'accord des autres.

Nous parlons un peu de tout : de son diocèse, Montréal, où la situation est difficile, car, dans des cadres encore traditionnels, un bouillonnement de tendances contradictoires existe. Il y a les mouvements laïcs, assez vifs. Ils ont eu une influence sur le cardinal, car celui-ci, comme Recteur du Collège canadien à Rome et au début de son épiscopat, était plutôt conservateur. Le tournant a été la suite du fait suivant (me dit le P. Perreault, OP) : quand Mgr Léger a été nommé cardinal, il s'est cru vraiment « Prince ». Sa ville épiscopale l'a accueilli avec d'énormes manifestations : illumina-

1. Jean Vogel, correspondant au Concile pour les *Informations catholiques internationales*, magazine auquel Congar collabore régulièrement par ses blocs-notes du Concile.

tions, etc. Dans ses nombreux discours (il parle beaucoup), il a répété : Ma ville s'est faite belle pour accueillir son prince. Mais des groupes LAÏCS vivants lui ont fait remarquer que cela ne collait pas. Il les a vus et a épousé assez bien leurs points de vue. Ce serait l'origine de son espèce de conversion. Mais il y a un très fort mouvement de « Cité Catholique[1] », ENCOURAGÉ DEPUIS ROME, me dit-il. Plusieurs évêques de sa Province patronnent la Cité Catholique et ont demandé à leurs curés d'en établir des comités dans les paroisses...

La situation de l'Église en Amérique : Le Canada français est pris dans l'énorme milieu américain. Le règne des Affaires et du Dollar. Or les Canadiens français, catholiques, sont pauvres. Les grandes affaires, les grosses fortunes, appartiennent aux Protestants. Dans ce contexte, par exemple, *Mater et Magistra*[2] n'a pas d'application... Les évêques américains, me dit le cardinal, ceux des USA sont des hommes de pure organisation financière. Le cardinal Cushing[3] a quitté le concile en disant : je perds mon temps, je repars travailler. Travailler, cela veut dire : recueillir 25 000 dollars par jour. Ils ne font que cela. Ils ne connaissent même pas le nom de leurs curés. Quant à l'idée de présence de l'Église au monde, elle ne les effleure pas.

Le concile : le cardinal est très sévère pour les schémas doctrinaux, et décidé à les faire écarter purement et simplement. Le cardinal Bea, me dit-il, y est encore plus décidé : il est prêt à jouer sa vie et sa pourpre pour cela.

Il sait que Garofalo est le rédacteur du 1er chapitre *de Duplici fonte*. Il me dit que plusieurs évêques canadiens ne peuvent pas le voir, car ils ont été ses condisciples au Biblicum et disent avoir la preuve formelle qu'il a copié ses examens... !!!

Le cardinal Léger me dit être humainement pessimiste sur l'issue du concile, même du schéma *De liturgia*. Le cardinal Larraona, qui préside la commission, est contre le schéma et l'a dit publiquement aux évêques espagnols. Le cardinal Léger ne voit pas où on va et ce

1. Mouvement intégriste fondé par Jean Ousset.
2. Encyclique sociale de Jean XXIII, publiée le 15 mai 1961.
3. Le cardinal Richard J. Cushing, archevêque de Boston.

que sera l'état de l'Église si on lui communique tous les changements prévus...

Après plus d'une heure d'entretien avec le cardinal Léger, je profite de la proximité pour passer voir Mgr Weber. J'ai quitté un homme dramatique, plein d'angoisse. Je trouve un homme qui me dit avoir dormi une heure après le déjeuner et qui me quitte en me disant : Je profite que je suis levé pour aller au bout du couloir...

On me dit ce soir que le P. Liégé serait arrivé. C'était l'idée de Mgr Elchinger et de Mgr Schmitt de le faire venir.

Samedi 10 novembre. – Journée lourde. Climat d'abord ; énervement ; séance pénible ; incertitudes et indécisions...

Présidence Ruffini[1]. A un mot aimable pour les observateurs ; puis parle contre les applaudissements. Si on permet d'applaudir, il faudrait permettre de manifester la réprobation : cela détruirait le climat de respect et de confiance qui doit régner. À ce sujet, par je ne sais quelle transition, il fait l'éloge de la Curie : il ne faut pas l'attaquer. Elle ne fait que suivre et servir docilement les intentions du Pape. Je me demande si ces mots ne sont pas une satisfaction donnée au cardinal Ottaviani, qui ne vient plus aux séances depuis cinq ou six jours, estimant peut-être avoir été blessé.

Je suis un moment les discours, mais c'est si assommant que je quitte la tribune. Chacun y va de sa conception du Bréviaire ; qu'ils remettent cela à une commission faite de gens compétents !

Au bar, où il n'y a encore aucun évêque, le personnel (pompiers, huissiers et clercs) s'empiffre littéralement, avant le rush des Pères conciliaires... C'est drôle.

Je vais voir les observateurs. Conversation avec Cullmann. Il prépare un commentaire de S. Jean[2] et une théologie de l'histoire du

1. *AS* I/II, 435-436.

2. Il doit s'agir de *Der johanneische Kreis. Zum Ursprung des Johannesevangeliums*, Tübingen, 1975 ; *Le Milieu johannique. Étude sur l'origine de l'évangile de Jean*, Neuchâtel-Paris, Delachaux & Niestlé, 1976.

salut[1]. Je lui dis que je l'attends à une étude du Saint-Esprit et de son rapport avec l'Église.

Je rencontre Mgr van Cauwelaert, Mgr Schmitt, puis mes amis brésiliens. Ils me disent qu'ils doivent avoir mardi une réunion faisant suite à une qui a déjà eu lieu, et à la suite de laquelle ils comptent réunir 1 500 signatures d'évêques pour le remplacement des trois premiers schémas dogmatiques (ou des quatre ?) par un seul. CE schéma serait prêt, me disent-ils ! – En ce cas, il y en aurait quatre ou cinq : quelle pagaille ! Cela me dégoûte un peu. Ces évêques brésiliens semblent ne rien savoir du travail Rahner-Ratzinger. Je les renvoie à Mgr Volk.

Je rencontre aussi un groupe d'évêques français, avec Mgr Marty et Mgr Pailler. Ils pensent qu'il faut sortir du vague, de l'inorganisation et de l'inefficacité présents. Le cardinal Feltin ne dirige rien : il passe le temps des réunions à regarder sa montre. Je dis qu'il devrait déléguer l'organisation à un vicaire ou un secrétaire efficace. Mgr Marty a l'idée, qu'il proposera ce soir, d'organiser les évêques en commissions, dont l'accès serait d'ailleurs ouvert à qui voudrait et qui étudieraient des points précis et prépareraient les interventions avec les experts.

Partout, on voit lassitude et dégoût, en raison du vague, du manque de direction et de méthode. Il a fallu passer un mois pour en arriver là !

Je vois le P. Liégé, appelé par Mgr Elchinger et qui a obtenu une autorisation d'assister, du cardinal Marella. Il me dit qu'en France le Message aux hommes n'a pas eu grand écho : il était trop abstrait. Par contre, le discours d'ouverture du pape a été considéré comme un vrai programme, ouvert et nettement défavorable au conservatisme, encore plus à l'intégrisme. Liégé m'interroge surtout, avec son attention extraordinairement PRÉSENTE à tout.

Sur la fin de la séance, un évêque (Costantini ?) parle surtout pour le culte de saint Joseph, à propos de l'Année liturgique[2]. Mar-

---

1. Oscar CULLMANN, *Heil als Geschichte. Heilsgeschichtliche Existenz im Neuen Testament*, Tübingen, 1965 ; *Le Salut dans l'histoire. L'existence chrétienne selon le Nouveau Testament*, Neuchâtel-Paris, Delachaux & Niestlé, 1966.

2. Il s'agit en réalité de l'intervention d'Antonio Tedde, évêque d'Ales et Terralba (Italie), *AS* I/II, 481-483.

timort est désespéré : on a travaillé vingt ans pour rien ! Mais le cardinal Ruffini rappelle cet évêque *ad rem*, lui disant que les évêques prêchant et comme tous ceux qui prêchent, n'aiment pas entendre de sermons. Ruffini lèvera la séance en ajoutant aux prières habituelles (qu'il allonge d'une prière à l'ange gardien, etc.), un *Sancte Joseph*[1] retentissant et un peu humoristique.

Il est évident que le concile manque de méthode de travail. Il eût fallu qu'il fût préparé, non seulement par des Commissions à Rome, mais PAR LES ÉVÊQUES réunis en conférences. Faute de cette préparation, on arrive devant 2 400 personnes qui partent de zéro et ont à faire leur apprentissage et leurs essais, au prix de précieuses semaines.

Je déjeune à Sainte-Marthe, dans la Cité du Vatican, où logent une vingtaine d'évêques français. Longue attente. Repas assez sinistre : table d'hôtes de vieux garçons. Malgré la gentillesse extrême de Mgr Béjot qui m'a invité.

Après le repas, réunion. Mgr de Provenchères lit un papier qu'il veut présenter tout à l'heure à la réunion des chefs de Maisons et à celle, consécutive, des évêques français. Il y formule les raisons de REJETER le schéma *De fontibus*. C'est très exact, cela résume bien les raisons qu'on entend un peu partout. Ensuite, on m'interroge sur différents points et je dis ce que je sais de l'attitude d'autres épiscopats.

Je me perds dans le Vatican. J'attends vingt-cinq minutes un bus. À peine rentré à 15 h 30, je reçois la visite du P. Daniélou. Il était, ce matin (je l'avais vu dans Saint-Pierre) très écœuré par la pagaille et parlait de quitter Rome. Il dit (après avoir vu Mgr Veuillot) : il faut sortir de la diplomatie secrète et aboutir à un texte possible, fruit d'une large collaboration. Le schéma Rahner-Ratzinger n'a pas chance de passer tel qu'il est : il est trop personnel. De plus, il recouvre l'ensemble de la matière des schémas dogmatiques, alors qu'on n'a à discuter que sur le *De Fontibus*. Il faut donc proposer un texte moins personnel et se limitant à la matière du *De Fontibus*. Il en ferait une partie, avec Lyonnet et Alonso[2], du Biblicum, et

1. Saint Joseph.

2. Luis Alonso-Schökel, s.j., est professeur d'exégèse de l'Ancien Testament à l'Institut biblique pontifical.

ceci en assumant le plus possible des anciens textes. Il me demande, de la part de Mgr Veuillot, si j'accepterais de rédiger le ch. I, sur la Tradition et ses rapports avec l'Écriture. J'accepte d'essayer. Cela doit être fait pour demain soir. Alors, nous verrons ensemble Mgr Garrone. – Daniélou pense, et je suis du même avis, qu'on ne peut purement et simplement écarter les schémas : car le concile DOIT pour servir les hommes de notre temps selon la vérité de Dieu, dire quelque chose de positif, de précis et de fort sur la Sainte Écriture, l'inspiration, l'historicité du N.T.

Je me mets au travail le soir même.

Dimanche 11 novembre. – Je travaille à mon chapitre *De Traditione*[1]. – À midi, à déjeuner le cardinal Browne et Mgr Paul Philippe.

À 17 h, réunion chez Mgr Volk avec les Allemands. Ils introduisent le conseiller des évêques japonais[2]. Ils nous distribuent le schéma Rahner-Ratzinger ronéoté. J'ai appris qu'ils l'ont tiré à 3 000 exemplaires et largement distribué. Par contre, ils n'ont pas ronéoté mon *Proemium*.

On lit ensemble les remarques du P. Schillebeeckx sur le *De fontibus Revelationis*. Ces remarques ont été traduites en japonais, en anglais et, je crois, en yougoslave. Rahner a fait aussi des remarques qu'on a ronéotées et qu'on nous distribue.

On n'apprend que quelques détails : le cardinal Bea aurait l'intention de dire que des questions mixtes comme celles concernant la Tradition et l'Écriture intéressent le Secrétariat et devraient être de la compétence de commissions mixtes, Théologie et Secrétariat... Si cela avait du succès, cela changerait substantiellement les perspectives...

J'ai beaucoup regretté, au stade de la préparation, que le travail du Secrétariat ne débouche dans rien et que la commission théologique, en particulier, ne collabore pas avec lui. Je l'ai dit dès le premier jour au P. Tromp. J'en étais tellement inquiet qu'en juin 61 je l'ai écrit au Pape, en lui faisant tenir personnellement ma lettre.

---

1. De la Tradition.
2. Probablement Jean K. Sawada.

Je serais donc enchanté si MAINTENANT (*sero*[1] !!!) le secrétariat entrait dans le travail du concile. Cependant, je me demande si l'isolement est venu du seul orgueil, de la seule suffisance, du seul manque d'ouverture de la Commission Théologique. Le secrétariat lui-même me paraît s'isoler. C'est un peu la chasse gardée. Ils font leurs affaires, ils sont très fiers de les faire et ne se soucient guère d'ouvrir le jardin fermé aux autres.

Les Italiens craignent le cardinal Siri. Ils ne s'expriment pas librement à cause de cela.

Nous allons voir Mgr Garrone, le P. Daniélou et moi. Mgr Garrone est consterné et très décontenancé. Non seulement les Allemands ont distribué le schéma Rahner-Ratzinger, mais ils l'ont fait précéder d'un chapeau disant qu'il est présenté au nom des présidents des conférences épiscopales d'Autriche, Allemagne, Hollande, Belgique et France. Or les évêques français n'ont nullement été consultés. Sur-le-champ, Mgr Garrone téléphone au cardinal Liénart. Il a Mgr Glorieux[2] au bout du fil. Voici les faits : les Allemands ont distribué le texte AVANT l'accord du cardinal Liénart, mais ce matin le cardinal a donné son accord. Toujours sans rien demander aux évêques français, pas même à Mgr Garrone qui est leur tête théologique. Il y a là un acte léger qui m'étonne au plus haut point de la part du cardinal Liénart. Si les évêques français ne sont pas d'accord, il devra préciser qu'il a fait cela étant *praeses*[3] de la Conférence « *materialiter*[4] », mais non « *formaliter, ut sic*[5] ». De toute façon, on est mis devant le fait accompli. C'est assez la méthode allemande. Ils foncent en force, sans s'inquiéter des autres. Cela va faire un sombre cafouillage. D'autant que le texte Rahner-Ratzinger, contenant d'EXCELLENTES choses, 1°) est tout de même très personnel, peu conciliaire ; 2°) tout à la fois ne traite pas TOUTES les questions proposées dans le *De Fontibus*, en particulier celle,

1. Tardivement.

2. Palémon Glorieux, du diocèse de Lille ; après avoir enseigné la théologie aux Facultés catholiques de Lille et avoir été recteur des mêmes facultés, il est le secrétaire privé du cardinal Liénart.

3. Président.

4. Matériellement.

5. Formellement, comme tel.

dogmatiquement et pastoralement très importante, de l'historicité des évangiles, et cependant déborde de beaucoup le *De Fontibus.* On aura beau jeu de dire qu'il parle de choses qui ne sont pas en cause. Pour ces raisons, il a peu de chances d'être retenu comme texte conciliaire. D'autant qu'il faudra bien, à un moment ou à un autre, d'une façon ou d'une autre, passer par la Commission *De fide et moribus.* Cela va être une pagaille sombre.

Mais peut-être les choses s'éclaircissent-elles plus vite et mieux qu'on ne croit. Peut-être le débat servira-t-il, en mettant sous les yeux des Pères, un autre texte, à mieux leur faire prendre conscience de l'insuffisance du schéma officiel et de ce qu'il y aurait à dire.

Mgr Garrone, qui n'est en rien au courant du projet Daniélou, pour lequel celui-ci est venu me voir hier et qui émane entièrement de ce même P. Daniélou, approuve cependant formellement qu'on en poursuive la réalisation. Cela POURRA peut-être servir ???

La commission théologique se réunit MARDI. Cela signifie donc que le schéma *De fontibus* ne commencera pas avant mercredi puisque, d'après le Règlement, il doit être d'abord soumis à la Commission, ainsi que sa présentation.

Le P. Gagnebet me dit qu'on va répétant, et que même des journaux ont dit, que le P. de Lubac et moi avions été empêchés de parler à la Commission préparatoire. C'est faux, tout comme il est faux de nous faire cautionner les schémas, comme le cardinal Ottaviani l'a fait à la Commission centrale, et le P. Salaverri devant les évêques espagnols.

Lundi 12 novembre. – Je ne vais pas à Saint-Pierre. On y a annoncé que la 2e session du concile aurait lieu du 12 mai au 29 juin 63 et que, dans l'intervalle, les Commissions travailleraient. Étrange chose que ce concile qui n'a pas de programme et qui n'est pas « mené ». Le pape le conçoit-il comme une période de transition entre le règne de la Curie et un régime collégial ?

On m'a dit ultérieurement qu'une raison de cette date tardive serait que les élections italiennes ont lieu en mai. De même que, sur le désir du pape, le parti socialiste italien avait avancé son congrès national pour qu'il ne coïncide pas avec l'ouverture du concile, de même il est coutumier que les sessions de l'ONU ne coïncident pas avec les élections américaines, de même... ???

Je me demande si je reviendrai à cette seconde session. Les semaines qui viennent me diront si je puis faire du travail utile.

À 14 h, visite de l'abbé Bissonnette[1], canadien, qui veut faire une thèse sur « *Cooperator ordinis nostri*[2] ». Son évêque, Mgr Coderre[3], vient le rechercher à 15 h.

À 17 h, conférence aux évêques sud-américains. Certains ont entendu la conférence de Mgr Spadafora (contre l'Institut biblique). Quelques évêques sont bien formés et informés. D'autres sont attachés au littéralisme biblique et sont un peu perdus devant les problèmes que rencontre l'exégèse présente.

Parti à 16 h (c'est très loin) sous un orage affreux, qui dure plusieurs heures, avec pluie diluvienne. Mauvaise conférence, mal préparée (sujet mal défini), sur les schémas. Au retour, il nous faut vingt minutes en voiture pour faire les 300 m de la place de Venise à l'Angélique.

Les journaux d'hier parlent de l'incident Ottaviani. Voici un certain temps qu'il ne va plus au concile. Il serait furieux de l'interruption du cardinal Alfrink et des applaudissements qui l'ont salué. Petit signe, évidemment, d'une tension et d'un malaise assez profonds.

Avant dîner, visite du conseiller (« assistant ») des évêques hindous. Reviendra demain. Pendant le dîner, téléphone pour une thèse sur la théologie du ministère selon Calvin[4]. Il n'y a guère de jour où un étudiant ne vienne me voir pour son travail ou sa thèse.

Mardi 13 novembre. – Je ne vais pas à Saint-Pierre. J'achève mon chapitre sur la Tradition pour un schéma à proposer éventuellement en remplacement de l'officiel. Visite d'un prêtre espa-

---

1. Jean-Guy Bissonnette, du diocèse de Saint-Jean de Québec.

2. « Coopérateur de notre ordre » (l'expression, très ancienne, figure dans la préface de l'ordination des prêtres).

3. Gérard-M. Coderre, évêque de Saint-Jean de Québec.

4. On verra plus loin (p. 216) qu'il s'agit d'Alexandre Ganoczy, prêtre d'origine hongroise ; Congar publiera sa thèse soutenue à la Grégorienne en 1963 (*Calvin théologien de l'Église et du ministère*, coll. « Unam Sanctam » 48, Cerf, 1964) ; il enseignera par la suite à l'Institut catholique de Paris puis à Wurtzbourg.

gnol pour une traduction d'*Aspects de l'œcuménisme*[1]. À 13 h 45, visite du P. [ ], jésuite canadien, en mal de sujet de thèse ecclésiologique. Comme il a fait des études médiévales, je l'oriente vers l'ecclésiologie (critique du seigneurial et du temporel de l'Église) dans les sectes spirituelles du XIIe siècle, ou les aspects ecclésiologiques des réponses catholiques. Je lui donne de la bibliographie. Mais il faudrait du geingein pour BIEN traiter ce très beau sujet.

À 15 h, visite de l'abbé Boillat[2], professeur de philosophie dans un petit collège de Porrentruy, aumônier d'AC pour la Suisse romande et conseiller, ici, d'évêques hindous. Un homme de grande culture, de réflexion, de réelle originalité de pensée. Il voudrait que le concile dise quelque chose sur l'unité de l'humanité (contre le racisme) et le salut des non-catholiques.

Vers 17 h, visite de deux prêtres américains de Boston (Quint ???) ; ils m'interrogent sur la situation des non-catholiques.

Le soir, visite d'un jeune Père espagnol très bien, José Fernandez. Il doit aller l'an prochain à Jérusalem. Cette année, il fait une thèse sur les membres de l'Église : mais dans l'esprit systématique, purement dialectique, des étudiants dominicains durant leurs études. Je vois pourtant mieux après : un Portugais qui veut mon avis sur la thèse d'un de ses confrères, faite en Allemagne, et voyant dans le concile un sacrement. J'essaie de le détourner de prêter intérêt à cette thèse. Plusieurs étudiants critiquent assez fort l'enseignement de l'Angélique, qui semble manquer de fraîcheur et de créativité. On croit, ici, donner du prestige à une maison en invitant beaucoup d'évêques et, si possible, plusieurs cardinaux, à une grande démonstration. Pas d'accord. Cela ne fait que de la dorure. Une maison vaut si elle produit du valable, si les maîtres ont fait quelque chose chacun dans son domaine. Je me garde d'exprimer aucune critique sur la Maison. Du reste, je ne la connais guère. J'y suis un hôte de passage bien reçu. C'est tout. Quant aux Espagnols, qui doivent faire la bonne moitié de l'effectif, il s'avère qu'ils sont très capables

---

1. Yves CONGAR, *Aspects de l'œcuménisme*, Bruxelles, Éd. de la Pensée Catholique, 1962 ; l'ouvrage sera traduit en espagnol en 1965.

2. Fernand Boillat est aumônier général de l'Action catholique de Suisse romande ; secrétaire des évêques suisses au Concile et expert du Concile.

de très bon : d'ouverture et de belle intelligence. Il faut donc les convertir à une théologie vraie, ressourcée, en prise sur les questions des hommes.

Le P. Daniélou vient prendre mon chapitre sur la Tradition[1].

Ce matin, à Saint-Pierre, fin peu glorieuse du schéma sur la Liturgie. On a mis fin aux discours bien avant d'épuiser la liste des inscrits. On a lu une décision du pape qui, répondant à la demande de quatre cents évêques, inscrit S. Joseph au Canon de la Messe : à valoir à partir du 8 décembre. Les évêques français sont, paraît-il, fort mécontents. Les Observateurs sont atterrés. Le grave n'est pas d'avoir mis S. Joseph au Canon : il vaut mieux que S. Chrysogone et que Paul et Jean, dont l'existence n'est pas certaine. C'est que, en plein concile, et alors que le concile connaît de la liturgie, le pape, de sa seule autorité, décide quelque chose (dont l'opportunité est pour le moins douteuse). Le bon Jean XXIII mélange sans cesse le très sympathique et le regrettable ou l'arriéré.

Mercredi 14 novembre. – Grande journée sous une pluie incessante et un ciel sombre. Je vois Mgr Garrone avant la séance. Il me raconte la séance de la Commission théologique hier. Le P. Tromp a proposé un texte du rapport qui devait être lu ce matin pour présenter le schéma. C'était navrant d'étroitesse négative. Il partait des réactions reçues des évêques le 15 septembre et les récusait : on parle d'un homme moderne : cela n'existe pas ! On veut être pastoral. Mais le premier devoir pastoral est la doctrine. Ensuite, les curés adaptent.

On parle d'œcuménisme. C'est un grand danger de minimisme.

Mgr Parente a dit qu'il circulait deux contre-projets de schémas : l'un, des présidents de certaines conférences épiscopales, de rédaction allemande, qui contient nombre d'erreurs théologiques, l'autre en anglais, mais rédigé par un Français : on le voit à ceci qu'il veut partir de faits, non des principes.

Mgr Garrone a été bouleversé de l'atmosphère, effroyable dit-il, de la réunion. Il a déclaré : 1°) je n'admets pas le schéma ; 2°) je

1. Le texte latin et sa traduction en ont été publiés : cf. Yves CONGAR, « Tradition et Écriture », dans B.-D. DUPUY (dir.), *La Révélation divine*, tome II, coll. « Unam Sanctam » 70 b, Cerf, 1968, p. 589-598.

ne souscris pas au rapport introductif. – Un membre présent (Évêque ? *Peritus*[1] ? Il paraît qu'il y avait quatre ou cinq *Periti* ? Qui ? Les rédacteurs du schéma ??) l'a remercié ensuite : « Vous m'avez libéré »...

J'ai eu quelques autres précisions sur cette séance de la Commission par Mgr McGrath. Cela a été effroyable. Ottaviani a parlé 20 minutes, Tromp 45 minutes, Parente 20 minutes. Parente a parlé d'un schéma allemand et d'un schéma en anglais, rédigé probablement par un Français à l'Angelico. (À un autre, il a indiqué mon nom.) Ce schéma anglais est en réalité les *Animadversiones*[2] du P. Schillebeeckx, traduites en anglais. Ottaviani a dit que le rôle de la Commission était de défendre le schéma devant le concile. Le cardinal Léger a alors dit : Est-ce que ma qualité de membre de la Commission m'enlève ma liberté de parole au concile ? En ce cas, je quitterais tout de suite la Commission. Le cardinal Léger a dit aussi : je croyais venir dans une commission comme un collaborateur ; je me trouve devant un tribunal de juges...

Peruzzo, le vieil enfant d'Agrigente, ce pieusard scandalisé, a déclaré que, parfois, au concile, il se croyait dans un asile de fous : il y a une solution pour les fous, les enfermer...

J'ai appris ensuite d'une autre source que le cardinal Ottaviani a demandé au cardinal Browne de faire UN RÉSUMÉ des schémas. Mais un pommier fait des pommes, un poirier des poires. Le cardinal Browne ne PEUT pas faire un exposé pour notre temps. La question de fond est une question d'hommes, d'équipe.

J'apprends d'autre part que les journaux parlent du schéma des Présidents de Conférences épiscopales (= Rahner-Ratzinger). C'est fatal : il a été distribué à 3 000 exemplaires. Le *Tempo* de ce matin redit aussi, une fois de plus, que Lubac et moi n'avons pas été écoutés. C'est vrai et c'est faux. Mais comment rétablir la vérité sans 1°) tout raconter ; or c'est secret ; 2°) tenter d'expliquer des choses qu'on ne peut comprendre si on n'a pas été dedans ; 3°) donner à cela et à ma personne plus d'importance que cela n'en a ? Il faudra que j'en parle avec le P. de Lubac.

---

1. Expert ; le mot désigne dans le *Journal* les experts nommés officiellement par le pape et pouvant participer au travail des Commissions conciliaires.

2. Remarques.

Je vois un moment Cullmann. Tous les mardis, donc hier, les Observateurs ont une réunion organisée par le secrétariat. C'est moi qui devais parler hier, sur le sacerdoce. Au dernier moment on m'a remplacé par le P. Kerrigan sur la tradition. Cullmann me dit que c'était très primaire. Il me parle aussi de saint Joseph. Il s'étonne que le pape a fait cela au moment même où le concile discutait de la liturgie. Un autre observateur lui a dit : Vous avez écrit une Christologie[1]. Il ne vous reste qu'à écrire une iosépholoaie ! Cullmann a répondu : Inutile, c'est déjà fait. J'ai vu le livre à la Grégorienne...

Messe basse bâclée : récitation à toute vitesse. Le cardinal Tisserant, président, fait de même pour l'admirable *Adsumus.*

Le président propose qu'on vote sur les deux propositions suivantes : 1°) approuve-t-on les critères directifs du schéma *De Liturgia* ? 2°) et que les amendements soient soumis à mesure après le travail de la Commission ? Cela est répété dans les cinq langues, longuement.

Le résultat, communiqué avant la fin de la Congrégation, sera : sur 2 215 votants, 2 162 *placet*, 46 *non placet*, 7 bulletins nuls.

Le cardinal Ottaviani commence le rapport, dont il fera lire la suite (à cause de ses mauvais yeux) par Mgr Garofalo[2].

1°) Il circule des schémas de remplacement. C'est contre le canon 222 § 2 (si j'ai bien compris) qui réserve la proposition des matières au pape. Qu'on propose des corrections, mais il faut discuter CE schéma. 2°) On lui reproche le manque de ton pastoral. Mais les pasteurs doivent d'abord enseigner : *docete*[3]. Après, d'autres pourront adapter (c'est la réponse fausse qu'il avait faite déjà à ma remarque du premier jour il y a deux ans...). Le concile ne doit pas parler « *ad modum praedicationis*[4] ». 3°) On note que le schéma

1. Oscar CULLMANN, *Christologie du Nouveau Testament*, Neuchâtel-Paris, Delachaux & Niestlé, 1958.
2. *AS* I/III, 27-32.
3. Enseignez.
4. Sur le mode de la prédication.

manque d'un *afflatum novae theologiae*[1]. Mais *debet esse afflatum saeculorum*[2].

4°) Il faut considérer le travail sérieux de deux années. – La voix du cardinal, qui a été douce, se fait presque enjôleuse...

Ici, Garofalo lit la suite du texte.

Le premier but du concile est doctrinal : protéger la doctrine, le dépôt. Une doctrine *integra, non diminuta*[3] ! Il ne faut pas des homélies, des exhortations. L'enseignement du magistère extraordinaire est infaillible. Ne pas renoncer à exclure les erreurs. – Le schéma a été fait d'après les vœux des ÉVÊQUES et par une commission d'ÉVÊQUES assistés de *periti*[4]. La commission centrale a revu le texte. – Donne rapidement le plan du schéma et ses intentions. – Quant aux frères séparés, il faut leur montrer la doctrine catholique. On doit qualifier ce texte de pastoral parce que la défense de la foi appartient en premier lieu à l'office pastoral.

Cardinal Liénart[5] : Texte inadéquat aux matières qu'il veut traiter. 1°) Écriture et Tradition sont des moyens. Or on ne dit rien de la source plus profonde et unique, la Parole de Dieu, l'Évangile (cf. Denz. 783).

2°) C'est traité *modo frigido, nimis scholastico*[6], alors qu'il s'agit du premier don de Dieu.

Le concile aurait dû exalter la parole de Dieu, surtout devant nos frères séparés qui ont tant d'amour pour elle. Et exalter sa vertu efficace. Le cardinal déplore l'absence de tout cela et d'un exposé qui soit plus nourrissant que des condamnations d'erreurs. Trop de scolastique et de raisonnements. Conclut : *ut recognoscatur penitus*[7].

Cardinal Frings[8] : 1°) question langue. Le premier devoir des

---

1. Souffle de la nouvelle théologie.
2. Il doit porter le souffle des siècles.
3. Dans son intégrité, sans diminution.
4. Experts.
5. *AS* I/III, 32-34.
6. De manière froide, trop scolastique.
7. Qu'il soit entièrement revu.
8. *AS* I/III, 34-36.

évêques est de prêcher, mais de manière à attirer. C'est le ton qui fait la chanson. Le premier concile du Vatican a rejeté le schéma de Franzelin[1] comme trop scolastique. Ce n'est pas ici la *vox Matris et Magistrae*[2], la *vox boni pastoris*[3].

2°) *de duobus fontibus*[4] : pas bonne façon de parler, PAS TRADITIONNELLE, mais récente, de l'époque de l'historicisme. Cela vaut POUR NOUS, « *in ordine cognitionis*[5] », mais dans la réalité il n'y a qu'une source, la Parole de Dieu. Et cela blesse nos frères séparés DÈS la première ligne.

3°) *De inspiratione et inerrantia : nimis coarctatur libertas scientiae et appropinquat ad doctrinam inspirationis verbalis*[6]. Il y a deux lignes parmi les théologiens catholiques. Les conciles ne diriment pas les questions disputées entre théologiens de bon renom.

4°) *Non placet propter nimiam amplitudinem*[7]. Les Commissions ont proposé 70 schémas. Cela fait 1 000 pages. La dernière édition de TOUS les conciles œcuméniques en fait 800... Il faut réduire les deux premiers schémas en un, comme a fait le projet présenté par les présidents (= Rahner).

Cardinal Ruffini[8] : Très grande importance de la question. *Placet.* A été fait et approuvé. Ce serait dangereux si un orage renversait une maison bien construite. Le pape a transmis ce schéma... Si un autre schéma était substitué, il devrait être discuté. S'il était rejeté à son tour...

Au fond, Ruffini parle de telle manière qu'il rend inévitable

1. Johannes Baptist Franzelin, s.j., professeur à la Grégorienne, avait préparé une Constitution *De fide catholica* qui déplut dans sa forme aux Pères de Vatican I et fut entièrement refondue.

2. Voix de la Mère et Maîtresse (allusion à l'encyclique *Mater et Magistra* publiée par Jean XXIII le 15 mai 1961).

3. Voix du bon pasteur.

4. Des deux sources. (Il s'agit du chapitre I du schéma.)

5. Dans l'ordre de la connaissance.

6. De l'inspiration et de l'inerrance : on limite trop la liberté scientifique et on se rapproche de la doctrine de l'inspiration verbale.

7. Texte inacceptable parce que trop long.

8. *AS* I/III, 37-38.

de poser la question d'un vote sur le rejet ou l'acceptation préalable.

Cardinal Siri[1]. Le schéma doit être amendé mais il doit être soumis à la discussion. Il y a encore des suites du modernisme ; il y a des questions sur l'interprétation de l'Écriture ; sur les rapports entre Tradition et Écriture.

Fait les critiques suivantes : disproportion entre ce qui est dit de l'Écriture et ce qui est dit de la Tradition ; il n'apparaît pas clairement comment les critères théologiques d'interprétation de l'Écriture ont primauté sur les critères *humains.*

Quiroga[2], Compostelle. Ce schéma doit être discuté (ainsi lui aussi pose la question). On pourra aménager le style pour faciliter l'intelligence aux frères séparés. Suggère quelques corrections sur l'inspiration, sur l'historicité des Évangiles.

Cardinal Léger[3]. *Ut tota praesens Constitutio recognoscatur*[4].

On espérait un schéma qui éclaire positivement le travail. Tel qu'il est, il n'aiderait pas, car 1°) il est imprudent de parler si péremptoirement de questions si disputées, surtout entre Écriture et Tradition ; 2°) on semble traiter des travaux scripturaires avec méfiance ; on favorise la méfiance entre exégètes dans l'Église ; ce n'est pas l'esprit du pape. 3°) On parle de « *serpentes errores*[5] » ; cela respire la crainte des erreurs. Il faut un parler plus positif. 4°) Ne pas substituer une seule école théologique à la variété. Le schéma n'exprime qu'un seul mode de pensée. Donc, renvoyer à une équipe d'hommes à la fois traditionnels et modernes.

Cardinal König[6] : éloges. Mais 1°) sur rapport Écriture-Tradition, prend parti contre toute une école ; 2°) sur inerrance, dit plus qu'un concile ne peut définir ; néglige les genres

1. *AS* I/III, 38-39.
2. *AS* I/III, 39-41.
3. *AS* I/III, 41-42.
4. Que l'actuelle Constitution soit entièrement revue.
5. Erreurs rampantes.
6. *AS* I/III, 42-43.

littéraires ; régresse par rapport à *Divino afflante*[1] ; 3°) nulle part ne précise les qualifications théologiques. Par exemple, sur auteur IVe Évangile. *Non placet.*

Cardinal Alfrink[2]. N'est pas conforme au discours d'ouverture du pape ; ne pas répéter le déjà défini... Or on répète ce qu'il y a dans tous les manuels. Le pape a précisé le but du concile : formuler la doctrine telle que notre temps l'appelle. De plus, il manque des lumières sur des questions travaillées par la théologie récente telles que : notion de Révélation, Tradition et Magistère, Deux sources.

C'est d'autant plus regrettable que nous devons servir la cause de l'unité.

Répond à son ancien confrère d'étude du syriaque, le cardinal Ruffini ; le pape a proposé les schémas à notre libre discussion, sans restriction ; donc on peut poser la question du rejet total.

(À mon avis, le pape, son intention ayant été invoquée et mise en cause par les deux partis opposés, devra dire quelque chose. Sans peser sur le concile, il devra faire connaître son sentiment, ou indiquer une voie à suivre.)

Cardinal Suenens[3] : Adhère aux critiques faites. Les autres schémas de la même commission lui plaisent encore moins.

Mais veut surtout proposer un mode de travail plus rapide et plus efficace. Sans quoi on va vers un second concile de Trente.

1 – Il faut réviser la méthode. Propose

a) après une discussion sur le schéma en général, un vote sur l'acceptation du schéma comme tel ;

b) il peut arriver qu'il ne suffise pas de corriger un schéma mais qu'il faille le rejeter ;

c) beaucoup parlent, mais le concile comme tel et dans son ensemble ne s'exprime pas. Il faudrait qu'il vote.

2 – Après le vote sur le schéma *in genere*, que les Pères

---

1. L'encyclique *Divino afflante Spiritu* publiée le 30 septembre 1943 par Pie XII.

2. *AS* I/III, 43-45.

3. *AS* I/III, 45-47.

remettent PAR ÉCRIT leurs remarques de détail. La commission les classerait, examinerait, ferait connaître son opinion. Si elle accepte un amendement, le proposant n'aurait plus rien à dire. Si elle rejette un amendement, le proposant pourrait défendre son amendement.

3 – Les commissions commenceraient leur travail tout de suite en cherchant à abréger, à en rester à l'essentiel.

4 – Que des commissions post-conciliaires soient instituées pour veiller à l'application efficace des décisions.

5 – Supprimer la publication des noms de ceux qui ont parlé : c'est une incitation à prendre la parole. Abréger les titres « *Reverendissimus*[1]... » etc. (applaudissements).

Cardinal Ritter[2], USA : *Reiciendum*[3].

1°) manque d'utilité ;

2°) ambigu : d'esprit négatif ; contre les exégètes du NT. Ne soutiendra pas les fidèles et les savants, mais répandra la suspicion.

Cardinal Bea[4] : Non. Car 1°) ne répond pas au but du concile proposé par le pape, à savoir : SIC *proferre Doctrinam*[5]... pour répondre aux besoins de notre temps ; 2°) ne répond pas non plus à ce que le concile lui-même a proclamé vouloir faire, dans son message aux hommes : *Studebimus*[6]...

La doctrine est fondamentale, oui, mais un Manuel n'est pas une expression pastorale de la doctrine.

Parfois on fait un paragraphe pour combattre UN UNIQUE théologien.

On ne dit rien du FAIT de la Révélation avant de parler des *fontes Revelationis*[7]. On parle de choses dont le concile n'a pas à parler : auteurs des Évangiles, Vulgate, inspiration per-

1. Révérendissime.

2. Cardinal Joseph E. Ritter, archevêque de Saint-Louis (Missouri, États-Unis), *AS* I/III, 47-48.

3. Il faut le rejeter.

4. *AS* I/III, 48-51.

5. Exprimer la doctrine DE TELLE SORTE QUE.

6. Nous étudierons.

7. Sources de la Révélation.

sonnelle et collective (sur ce point la question est de savoir non si la communauté est inspirée, mais COMMENT LA COMMUNAUTÉ A INFLUÉ SUR LES AUTEURS.

Enfin la question union n'est pas prise en considération. On parle beaucoup des exégètes mais, sauf une fois en quelques mots, leur énorme travail n'est pas pris en considération. On est sous le signe de la crainte et de la suspicion.

Maximos IV[1] (en français, d'un ton saccadé, au souffle court) : Manque de considérations pastorales et œcuméniques. Un concile traite de sujets liés avec la vie de l'Église. Or quel intérêt de traiter de ces choses sous un angle restreint, négatif et polémique ? Nul besoin d'une déclaration dogmatique qui durcirait des questions en plein débat. Certaines parties du schéma répètent un enseignement traditionnel, mais sous une forme négative. Sur le plan œcuménique, pas d'effort pour préparer les voies à un dialogue, mais reprise des formules de la Contre-Réforme, des formules antimodernistes. Il faut renoncer purement et simplement à examiner ce texte. Dans ce concile, on n'a pas abordé les questions les plus vitales : la constitution de l'Église. Le premier concile du Vatican a eu une vision partielle. Il a grossi la tête, mais le corps de l'Église (hiérarchie et fidèles) est resté nain. Il faut rétablir les proportions entre la tête et le corps. Aussi, réitère la demande qu'il a déjà faite qu'on soumette aux Pères le schéma *De Ecclesia*, *De Sacra hierarchia*[2], et questions pastorales et sociales.

Mgr Felici[3], secrétaire : le schéma *De Ecclesia* sera distribué à la fin de la semaine ou au début de la semaine suivante.

Annonce résultats du vote sur l'ensemble du schéma *De S. Liturgia*.

Mgr Manek[4], au nom des évêques d'Indonésie :

1. *AS* I/III, 53-54.
2. De la hiérarchie sacrée ; comme *De Episcopis*, l'expression semble désigner le ou les chapitres sur l'épiscopat.
3. *AS* I/III, 55.
4. Gabriel Manek, archevêque d'Endeh (Indonésie), *AS* I/III, 55-57.

Nisi funditus emendetur, non tradatur in concilio[1] ! Cela pour des motifs pastoraux et théologiques ; et ceux-ci généraux : a) ... (j'ai son papier ici).

Archevêque[2] parlant pour les évêques de l'autre Indonésie : rejet.

Mgr Morcillo[3], évêque de Saragosse, au nom d'un certain nombre d'évêques : à amender ; mais qu'on discute le schéma.

– Je pars avant la fin, qui doit intervenir tout aussitôt. Il paraît qu'on a proposé aux évêques de voter sur trois canonisations[4] (????). Un air froid tombait des verrières d'en haut. J'avais déjà un peu de grippe latente depuis mon pataugeage de lundi dans l'eau et l'orage. J'ai attrapé ce matin d'assez fortes névralgies.

Rentré à 13 h 10. À 13 h 40, visite de l'abbé A. Gánóczy (hongrois) pour sa thèse sur le ministère selon Calvin. Cela ferait peut-être un volume pour *Unam Sanctam* ?

Puis visite du P. de la Potterie.

Puis visite de trois étudiants de la Capranica[5] (demandent conférence).

Puis visite du P. Gy, qui partira vendredi.

Puis visite de Vogel *(ICI)*.

Mgr Garrone m'avait invité à la réunion des évêques à 16 h 30, mais je conférencie moi-même aux évêques d'Argentine... Il faut près d'une heure pour faire en voiture, sous une pluie battante et un orage (cela n'arrête pas !) les 1 800 m ou 2 km de l'Angélique à la via Marsala. Conférence en latin sur la Tradition. Un prêtre américain, USA, me demande une conférence pour leur collège...

Le P. Camelot me raconte, ce soir, la réunion à laquelle je lui ai demandé d'aller[6]. D'abord Mgr Veuillot a rendu compte de divers

---

1. Si le schéma n'est pas complètement révisé, qu'il ne soit pas transmis au Concile.

2. Albert Soegijapranata, s.j., archevêque de Semarang (Java, Indonésie), *AS* I/III, 58-59.

3. *AS* I/III, 59-62.

4. Cf. *AS* I/III, 62.

5. Collège romain accueillant essentiellement des prêtres et séminaristes italiens en formation.

6. Il s'agit de la réunion des évêques français.

contacts qu'il a eus[1] ; Mgr Ancel a rendu compte d'une réunion chez Mgr Himmer, évêque de Tournai, sur le thème : Église des pauvres[2]. Pour que le concile aborde ces questions ; et pourquoi pas créer un secrétariat pour les relations *ad extra*[3] comme il y en a un pour l'unité ?

Le P. Daniélou a proposé le projet de schéma et on a demandé aux évêques de se distribuer pour travailler avec des théologiens sur les différents chapitres. On ajoutera, en tête, un chapitre sur la Parole de Dieu.

Je regrette beaucoup de n'avoir pu être à cette réunion, parce que beaucoup de choses demeurent très imprécises pour moi.

Jeudi 15 novembre. *Saint Albert.* – Matin : vais voir le P. Daniélou pour avoir quelques précisions. Contrairement à ce que j'avais compris, il ne s'agit pas de « préparer un schéma », mais de GROUPES DE TRAVAIL, qui aboutiront cependant à un texte sobre et plus impersonnel que le mien. J'insiste pour qu'on mette bien cette enseigne : il s'agit, pour les évêques qui le veulent de TRAVAILLER avec des théologiens sur des points dont traitera le concile. Le P. Daniélou pense qu'il serait bon d'avoir quelque théologien étranger. Je demanderai au chanoine Thils. Je vais au collège belge, pensant qu'il y habitait : non. Je le verrai demain.

Daniélou me dit qu'hier, avant la réunion générale des évêques, il y a eu, comme d'habitude, la réunion des représentants des grou-

1. Il s'agit des premiers jalons de la future Conférence des délégués de conférences épiscopales, appelée aussi « Conférence des 22 », qui jouera un rôle important dans le déroulement du concile ; sur sa genèse, voir Jan GROOTAERS, « Une concertation épiscopale au concile : la Conférence des vingt-deux (1962-1963) », dans son livre : *Actes et acteurs à Vatican II*, Leuven, 1998, p. 133-165 ; pour l'ensemble de son activité, voir : Pierre NOËL, « Gli encontri delle conferenze episcopali durante il concilio. Il "gruppo della Domus Mariae" », dans Maria Teresa FATTORI et Alberto MELLONI (dir.), *L'evento e le decisioni*, Bologne, 1997.

2. Il s'agit du groupe « Jésus, l'Église et les pauvres », auquel Congar participera par la suite ; cf. Denis PELLETIER, « Une marginalité engagée : le groupe "Jésus, l'Église et les pauvres" », dans M. LAMBERIGTS, Cl. SOETENS et J. GROOTAERS (dir.), *Les Commissions conciliaires à Vatican II*, Leuven, 1996.

3. Vers l'extérieur.

pes. Ils se sont plaints vivement du manque d'organisation et de l'inefficacité des évêques français. Aussi on a résolu de réagir et de faire quelque chose. De fait, les évêques français sont peu organisés : c'est la bonne franquette...

À midi, visite d'un prêtre italien des missions italiennes à l'étranger. Un bon type, sympathique, mais qui commence ainsi : je voudrais travailler sur l'Église... Quoi ? N'importe quoi. Il énumère successivement quatre ou cinq grands sujets. Quelque chose. N'IMPORTE QUOI !

Après-midi. Visite d'un prêtre irlandais, Daly[1], conseiller d'évêque, qui me demande des avis sur les schémas. Un homme intelligent. Visite de l'abbé Boillat, qui me demande quelques idées à proposer aux évêques hindous qui veulent attirer l'attention du concile sur ces trois points :

1) Droits de la personne humaine.
2) Déclaration Unesco, complétée par affirmation de Dieu.
3) Contre nationalisme, racisme, colonialisme moderne.

À 17 h, séance inaugurale (Saint Albert le Grand) dans l'*Aula Magna.* Huit cardinaux et quelque soixante-dix évêques (?) : la Grégorienne « en a eu » respectivement trente-deux et trois cents... Le P. Sigmond, dans son discours, présente les grades académiques donnés dans cette maison comme émanant du Magistère du Saint-Siège.

Je trouve cette conception incroyable et absolument fausse. Je ne sais si le P. Sigmond y croit ou s'il dit cela pour la galerie. Dans l'un et l'autre cas, c'est grave. Si c'est cela, c'est la négation même de la science, le contraire de l'esprit d'Albert le Grand (que Mgr Graber[2], son successeur sur le siège de Ratisbonne, présente en sa pensée ecclésiologique). J'en parle ce soir au P. Sigmond. Il me dit n'avoir parlé que dans ce sens : c'est l'institution du Saint-Siège, dépendant de l'autorité du Saint-Siège.

---

1. Cahal B. Daly, professeur de philosophie à la Queen's University de Belfast ; expert privé d'un évêque irlandais, il sera expert du Concile à partir de la troisième session ; il deviendra plus tard archevêque d'Armagh (Irlande) et cardinal.

2. Rudolf Graber a enseigné la théologie avant de devenir évêque de Ratisbonne (Regensburg) en juin 1962.

Les enfants de la Sixtine (vingt à vingt-trois) chantent d'une façon merveilleuse. (Rossini : *La Fede, la Speranza, la Carità*). Par moments, ils SONT musique et rythme. La musique coule d'eux comme d'une source toute gracieuse, aisée, forte, sûre. C'est moins apprêté et au moins aussi artistique que les Petits Chanteurs de Vienne.

Après, je vois un peu le P. Schillebeeckx, enchanté du milieu parfaitement unanime des évêques hollandais. TOUS les évêques de Hollande, sauf un, font partie des Commissions. De sorte que si les Commissions devaient rester à Rome pour travailler, la Hollande serait privée d'évêques !

Vendredi 16 novembre. – On votera demain sur les quatre points du texte révisé du schéma *De Liturgia* qu'on distribue.

On annonce les orateurs inscrits. Les cardinaux peuvent parler, avant tout le monde, sans délai d'inscription : de sorte qu'ils occupent une bonne partie de la séance et que beaucoup d'évêques ne peuvent pas parler. Cette fois, Ottaviani a dû en recruter un bon nombre pour parler en faveur du schéma.

Cardinal Tisserant[1] (s'adresse aux observateurs) : fait bref historique de *Divino afflante* et de la lettre au cardinal Suhard[2]. Il semble que, en matière biblique, il soit contre l'approbation du schéma *sicuti est*[3].

Cardinal Cerejeira[4] : Le pastoral et l'œcuménique veulent la netteté de la doctrine intégrale. Donc, prendre le schéma pour base de discussion. Regrette l'indiscrétion des journaux.

Câmara[5] (Brésil) : Si on rejette ce schéma, pourquoi pas l'autre ?

---

1. *AS* I/III, 66.

2. Il s'agit d'une lettre du secrétaire de la Commission biblique pontificale au cardinal Suhard, archevêque de Paris, datée de 1948 et approuvée par le pape Pie XII.

3. En l'état.

4. Manuel Gonçalves Cerejeira, patriarche de Lisbonne (Portugal), *AS* I/III, 67-68.

5. Le cardinal Jaime de Barros Câmara, archevêque de Rio de Janeiro, président de la Conférence des évêques du Brésil, *AS* I/III, 68.

McIntyre[1] : Doctrine nécessaire.

Charité envers les non-catholiques, mais affirmation non ambiguë de la doctrine catholique.

Caggiano[2] : les raisons pour le rejet ne suffisent pas. Le texte a été préparé par... et revu par... Répond aux objections.

La question qui divise = les deux sources ; or c'est là une question qui n'est pas discutable entre catholiques. (Tous ceux qui sont pour le schéma croient qu'en parlant contre la formulation « deux sources », nous nions la tradition !!!)

Placet juxta modum[3].

Admet le manque de caractère pastoral du texte.

Lefebvre[4] (Bourges) : les schémas ne répondent pas à l'intention du pape dans son discours inaugural :

1°) trop négatifs, arides, forme scolastique ;

2°) pas forme attirante ;

3°) pas assez préoccupation pastorale.

Ces schémas sont à soumettre à une révision substantielle et fondamentale.

Santos[5] (Philippines) : on peut discuter librement les schémas. Résume les objections faites. C'est aux pasteurs à donner la doctrine pastoralement ; donc l'objection pastorale ne vaut pas. Le schéma dirime des questions controversées ; mais si on ne le faisait pas, un concile ne définirait jamais rien.

Patriarche de Venise[6] : *Placet* avec amendements pour mieux répondre à œcuménisme et questions actuelles. Mais contient choses utiles et répondant bien aux questions posées.

Cardinal Silva[7] (Santiago, Chili) : Au nom de nombreux évêques d'Amérique du Sud. Il faudrait :

---

1. James McIntyre, *AS* I/III, 70-71.
2. Le cardinal Antonio Caggiano, archevêque de Buenos Aires, *AS* I/III, 71-74.
3. J'approuve moyennant modifications.
4. Joseph Lefebvre, *AS* I/III, 74-75.
5. Le cardinal Rufino J. Santos, archevêque de Manille, devenu membre de la Commission doctrinale lors de la première session, *AS* I/III, 76-78.
6. Le cardinal Giovanni Urbani, *AS* I/III, 79-80.
7. *AS* I/III, 81-82.

1°) L'esprit plus pastoral. Cela manque. On n'exprime qu'une tendance. On sent la déformation professionnelle.

2°) Une proposition plus positive de la doctrine est plus efficace.

3°) Contient des questions très utiles aujourd'hui (historicité de l'Écriture), mais il faudrait une commission de *periti* de différentes tendances qui reforme le schéma.

Cardinal Browne[1] : il y a onze objections. Il répondra seulement aux premières.

1) La doctrine des deux sources. Elle est traditionnelle. Cite saint Thomas.

2) Ce n'est pas œcuménique. Mais tout est dans la charité *in agendo cum ipsis*[2].

3) Pas pastoral.

4) Trop scolastique.

5) Pessimiste.

6) Trop négatif.

7) *Repetit plura jam agnita*[3].

8) Trop rigide sur inspiration.

9) Suspicion pour les exégètes.

10) Rien contre l'athéisme.

J'ai perdu une objection...

Le P. Browne est une mule.

Mgr Fares[4], italien. *[ ]*

Mgr Bengsch[5], Berlin-Est. Très calme. Arguments contre. Parle au nom de sa situation. À la fin, adjure les Pères des régions où la foi n'est pas en péril, de considérer cette situation. Il ne pourra pas revenir à ses enfants en leur apportant une pierre au lieu de pain !

Espagne[6] : loue le schéma, réfute les objections. Charité, mais dans la vérité.

---

1. *AS* I/III, 82-84.
2. Dans l'action commune.
3. Il répète beaucoup de choses déjà connues.
4. *AS* I/III, 85-86.
5. *AS* I/III, 87-89.
6. Arturo Tabera Araoz, évêque d'Albacete, *AS* I/III, 89-91.

Mgr Reuss[1]. On ne peut pas passer des mois à discuter. Que le concile demande au pape que, au lieu de ce schéma, on aborde *De verbo Dei revelato*[2], *De Ecclesia*, *De Episcopis*, *De unitate Ecclesiae*[3]. C'est le plus urgent et, si on ne faisait que cela, on aurait fait l'essentiel.

Gargitter[4] de Brixen. 1°) faire un seul schéma plus bref, des deux premiers. Qu'on ne garde que l'essentiel ; 2°) que le nouveau texte soit pastoral, positif ; 3°) pour les exégètes : une nouvelle rédaction sur l'aspect pastoral des recherches SCIENTIFIQUES, avec considération de leurs difficultés et liberté de leur recherche. Ne pas affirmer seulement la vigilance, mais la reconnaissance pour leur travail.

Hien[5], Viêtnam. Le message aux hommes a été bien accueilli : on y parlait de ce qui intéresse les hommes dans une langue accessible aux hommes : « *linguam nostram in qua nati sumus*[6] »... Affirmer l'unité des hommes !

(se fait rappeler à la question et interrompre).

Battaglia[7] (italien) s'étonne et s'attriste des arguments apportés contre le schéma : *fallacia et inania*[8], sans respect pour la commission et pour le pape qui a proposé le schéma. Il répond aux objections.

(type du produit misérable de l'enseignement des manuels latins où les objections sont magnifiquement réfutées).

Mgr Guerry[9]. Donne mal son papier, avec un effroyable accent français ; mais, très véhément, est très écouté.

Au nom de tous les évêques français, parle contre l'opposi-

1. *AS* I/III, 91-92.
2. De la Parole de Dieu révélée ; il s'agit du schéma *De Verbo Dei* préparé par le Secrétariat pour l'unité.
3. De l'unité de l'Église : il s'agit du schéma *De Ecclesiae unitate* préparé par la Commission préparatoire pour les Églises orientales.
4. Joseph Gargitter, évêque de Bressanone (Brixen) en Italie, *AS* I/III, 92-94.
5. Simon Hoa Nguyen-van Hien, évêque de Dalat, *AS* I/III, 94-95.
6. Notre langue maternelle.
7. *AS* I/III, 97-99.
8. Faux et vains.
9. *AS* I/III, 99-101.

tion entre doctrinal et pastoral. Il manque un *proemium* où serait dessinée l'histoire du salut.

...

Mgr Florit[1] (Florence) : n'était ni annoncé, ni inscrit. Il y a des complaisances... Il est d'ailleurs très écouté. De fait, c'est un très bon avocat.

Pour deux *fontes*[2], revenir au Concile de Trente. On sait que la seule source = *verbum Dei*[3]. On pourrait abréger et rendre plus clair le texte, dont il fait l'éloge, rendre le schéma plus aimable (!!!).

Contre la *Formgeschichte*[4].

Évêque du Mexique[5] (s'adresse aux observateurs) : parle des deux premiers schémas. Ils répètent les décrets des conciles anciens et y ajoutent des prises de position sur des points non mûrs et débattus. On introduit une NOUVELLE terminologie, celle de deux sources. En matière biblique, on ajoute à Pie XII des expressions plus restrictives. Le magistère ordinaire suffirait : Pape, commission biblique avec participation de l'Institut biblique pontifical.

Recognoscatur[6] !

(Je retrouve dans cette intervention des échos de ma conférence de l'autre jour.)

Dom Butler[7], abbé de Downside. Se réfère à son passé d'exégète. Il est inquiet de la teneur du schéma pour l'avenir des sciences bibliques. *Non placet.* Il est d'accord avec ceux qui ont dit que le schéma ne répond pas aux intentions du pape et

---

1. *AS* I/III, 101-103.
2. Sources.
3. Parole de Dieu.
4. Histoire des formes (méthode exégétique).
5. J. Alba Palacios, évêque de Tehuantepec, *AS* I/III, 104-106.
6. Qu'il soit révisé.
7. Basil C. Butler, o.s.b., président de la Congrégation bénédictine d'Angleterre, membre de la Commission doctrinale élu lors de la deuxième session du Concile. Il deviendra plus tard évêque auxiliaire de Westminster. *AS* I/III, 107-108.

du concile, qui veulent donner au monde « *bonum nuntium*[1] ».
Sur inspiration et inerrance, le schéma va au-delà de la doctrine commune.
On a dit : on le corrigera. Mais le schéma n'a pas seulement quelques épines qu'on pourrait enlever : c'est plus profond que cela.
Or, dans un schéma doctrinal, surtout dans ce premier, il faut l'unanimité. Beaucoup ne pourront répondre *Placet*, même si on fait quelques corrections. Il faut qu'un petit groupe, représentatif des deux tendances, refasse quelque chose qui plaise à tous. Ou bien il faudrait passer à un autre schéma.
(Tout à fait excellente intervention. Malheureusement, l'accent anglais en aura gêné la compréhension pour plus d'une oreille. Cette idée bien anglaise de *Joint Committee*[2]...)

L'après-midi, d'abord visite des PP. Rouquette[3] et Bréchet[4].

De 16 h 30 à 19 h 30, séance de travail avec un groupe d'évêques, sur la tradition.

Ensuite, jusqu'au dîner, P. Liégé. On parle de beaucoup de choses. Son don de présence à l'essentiel et, en cela, de présence à son esprit des exigences de l'essentiel...

Samedi 17 novembre. – Avant la Congrégation, je vois Mgr Elchinger. Il m'invite à une réunion avec Mgr Volk demain sur « la Stratégie du concile »... Je décline, ayant trop de travail urgent en retard. Mgr Volk était mécontent de la diffusion du texte Ratzinger-Rahner, sur laquelle il n'a pas été consulté par le cardinal Frings.

1. Une bonne nouvelle.

2. Comité mixte.

3. Robert Rouquette, s.j., fait partie du comité de rédaction des *Études*, revue des jésuites français ; chroniqueur religieux, il s'intéresse au mouvement œcuménique ; il suit à Rome le déroulement du Concile et ses chroniques des *Études* seront publiées par Congar : *La Fin d'une chrétienté*, coll. « Unam Sanctam » 69 a et b, Cerf, 1968.

4. Raymond Bréchet, s.j., exégète de formation, rédacteur à *Choisir*, revue publiée par les jésuites à Genève et pour laquelle il suit le Concile.

Je vois le P. Lécuyer, qui me dit que le cardinal Ottaviani a déjà appelé deux experts : Fenton et un autre dont il ne se rappelle pas le nom.

Mgr Felici[1] lit le texte révisé du *proemium.* Ensuite, relation du cardinal Lercaro[2] sur le travail fait, et excellent (très clair) exposé de Mgr Martin[3] (évêque du Canada) sur les différents amendements.

On votera successivement et séparément sur chacun des quatre numéros.

Le résultat de ce vote, annoncé en fin de séance est ceci :

Point n°	Nombre de votants	*Placet*	*Non Placet*	Bull. nuls
1	2 206	2 181	14	11
2	2 202	2 175	26	1
3	2 203	2 175	21	7
4	2 204	2 191	10	3

C'est un magnifique succès pour la liturgie !

Cardinal de la Torre[4] (Équateur). Les raisons contre le refus ont été assez exprimées, ne les répétera pas. On dit que l'Amérique latine avait adhéré à la substitution d'un autre schéma à celui-ci. Or l'avis des évêques est : *placet juxta modum.*

Cardinal Garibi[5] (Mexique). Défense du schéma.

Le concile doit laisser libres les opinions, mais il lui revient de dire si une proposition donnée est une opinion ou non. Le concile de Trente a certes été pastoral, mais il a d'abord été doctrinal !

Cardinal Döpfner[6] : remarques sur le rapport de présentation du

1. *AS* I/III, 114-115.
2. *AS* I/III, 116-118.
3. Joseph-Albert Martin, évêque de Nicolet, membre de la Commission de liturgie, *AS* I/III, 119-121.
4. Carlos María de la Torre, archevêque de Quito, *AS* I/III, 121-122.
5. José Garibi y Rivera, archevêque de Guadalajara, *AS* I/III, 122-124.
6. *AS* I/III, 125-126.

cardinal Ottaviani, qui a parlé comme si le schéma avait été préparé en accord et paix pendant deux ans de travail. Mais : dans la commission théologique préparatoire, influence unilatérale, esprit « contre » ; pas considération du Secrétariat, refus de commission mixte ; la commission centrale a demandé des changements qu'on n'a pas pris en considération ; on y a fait un vote en bloc, vaguement de sorte que fatalement, les mêmes remarques devaient revenir au concile. Il faut arriver à l'accord.

Il n'y a aucun manque de respect envers le pape à discuter... Qu'après les remarques générales, il y ait un vote sur le schéma dans son ensemble.

Que le cardinal Ottaviani entende des *periti* d'autres tendances et qu'on tienne compte des remarques des Pères, du Secrétariat.

Ce sera long ? Mais une constitution si importante doit être parfaite ; qu'on supprime plutôt d'autres schémas !

Dit tout cela au nom des évêques de langue allemande.

Cardinal Della [[Conqua (?)]][1] : s'étonne qu'on ait critiqué un schéma présenté par le pape.

(Je vais aux WC et manque le cardinal Bacci[2].)

Mgr Schmitt[3] (Metz). Sort du Liégé, mais beaucoup trop long (se fait interrompre), avec beaucoup de conviction.

Trente = l'Évangile, source

Vatican I = aspect objectif, nature dogmatique de la doctrine chrétienne. Il faut maintenant en montrer d'autres aspects, liés aux renouveaux biblique, liturgique, catéchétique.

Trois points :

1. Toute la révélation consiste dans la personne du Christ ; toute la vie et la personne du Christ sont révélation.

2. Toute la révélation chrétienne est l'Évangile, c'est-à-dire l'Économie DU SALUT. La ramener à de pures « *doctrinas theo-*

1. Luis Concha, archevêque de Bogota (Colombie), *AS* I/III, 126-127.
2. *AS* I/III, 127-128.
3. *AS* I/III, 128-130.

logicas[1] » mène au déssèchement et à la diminution de la foi.

3. Cet Évangile du salut répond parfaitement aux nécessités du monde actuel. Mais beaucoup de fidèles ont dans l'esprit quelques vérités, et n'ont jamais rencontré le Christ.

(Je vois bien à quoi répondent ces idées, qui me sont aussi assez familières. Elles visent à reporter le débat au niveau plus radical et plus décisif de la notion même de Révélation et de Foi. Mais, au point de vue de l'auditoire et de l'orientation du débat, elles étaient, à mon avis, trop étrangères, elles venaient trop d'un autre univers, pour pouvoir passer. Du reste, obligé, par ce caractère même, d'EXPLIQUER des choses, non supposées connues, Mgr Schmitt a été trop long et s'est fait interrompre.)

Le cardinal Ottaviani[2] répond alors au cardinal Döpfner, qui a dit des choses erronées : 1°) il y a eu, dans la sous-commission, *De re biblica*[3], discussion et oppositions. On a voté plusieurs fois et, forcément, la minorité a succombé. Il est faux qu'il n'y ait eu qu'une tendance : il y avait des exégètes : Cerfaux et le P. Vogt... (!!!)[4]. – 2°) pour la Commission centrale, tous ont pu parler. La commission des amendements et la commission théologique ont vu les propositions.

Le président, cardinal Gilroy[5], dit alors qu'un Père vient de lui communiquer un billet rappelant aux Pères le can. 303, d'après lequel les Pères décident librement *de rejiciendo vel acceptando*[6]. Et, ajoute le président, on souligne *rejiciendo.*

Parente[7]. Ne parle pas comme assesseur du « Saint-Office », mais comme évêque de Ptolémaïs, en Thébaïde[8] (qu'il aille résider dans son diocèse !!!).

---

1. Doctrines théologiques.
2. *AS* I/III, 131-132.
3. Sur les questions bibliques.
4. Vogt n'était que consulteur et sa nomination avait été tardive ; quant à Cerfaux, il approchait de ses quatre-vingts ans.
5. *AS* I/III, 132.
6. Pour le rejet ou l'acceptation.
7. *AS* I/III, 132-135.
8. Pietro Parente est archevêque titulaire de Ptolémaïs (Égypte).

Propose de voter par parties sur le fond après qu'on aurait modifié la rédaction dans un sens plus agréable et plus pastoral. (Il se réfère à la distinction de la *forma*[1] et de la *substantia*[2] : comme si l'esprit vivant n'intervenait que pour la première, non pour la perception et l'élaboration de la seconde !!!).

Se met à discuter texte de Trente et question du *partim*[3], *partim*, en récitant les articles Lennerz[4].

Se fait couper.

Évêque de Yougoslavie[5] : on devrait parler plus longuement de la Tradition ; fait quelques propositions.

Cardinal Frings[6] : En réponse à Parente, ne doute pas que la Révélation doive être prise de l'Écriture ET de la Tradition, *in ordine cognoscendi*[7]. Mais, *in ordine essendi*[8], il y a une seule source qui coule par deux ruisseaux. Il a omis de dire cela l'autre jour car, ne pouvant pas lire, il parle par cœur.

Simons[9] (Inde) : De *inerrantia*[10] limitée à « *quae auctor humanus reapse et absolute intendit*[11] ».

Se fait rappeler au sujet actuel : le schéma EN GÉNÉRAL. Éviter,

---

1. Forme.
2. Substance.
3. En partie, en partie. (La formule « *partim... partim* » fut retenue puis écartée par les Pères du Concile de Trente pour parler des vérités de la Foi qui sont contenues à la fois dans l'Écriture et dans la Tradition.)
4. H. Lennerz, s.j., décédé en 1961, s'était opposé en 1959, dans la revue jésuite *Gregorianum*, à la position de Joseph R. Geiselmann, dogmaticien de l'Université de Tübingen, sur la question du rapport entre Écriture et Tradition au Concile de Trente ; ce dernier cherchait à montrer qu'en écartant la formule « *partim... partim* », ce Concile avait voulu laisser ouverte la question de la suffisance matérielle de l'Écriture (les vérités de la Foi sont-elles contenues intégralement dans l'Écriture ?).
5. Pavao Butorac, évêque de Dubrovnik, *AS* I/III, 137-138.
6. *AS* I/III, 139.
7. Dans l'ordre de la connaissance.
8. Dans l'ordre réel des choses.
9. Francis Simons, évêque d'Indore, *AS* I/III, 139-140.
10. Inerrance.
11. « Ce que l'auteur humain visait réellement et absolument. »

ajoute-t-il, l'apparence de vaine gloire, dans la façon de parler du magistère.

Mgr Charue[1] : donne remarquablement bien un discours d'une grande densité. Parle au nom de tous les évêques belges et d'autres évêques missionnaires belges.

Le schéma manque de sérénité, de caractère positif, pastoral, biblique, œcuménique. Doit être refait entièrement. Il faudrait aussi mieux distinguer magistère ordinaire et extraordinaire.

Notre déclaration conciliaire aura grande valeur pour longtemps. Donc, *caute procedatur*[2] dans les questions difficiles, surtout là où l'histoire doit parler.

Il y a des problèmes : par exemple, auteurs des Évangiles. *Formgeschichte* : distinguer les présupposés rationalistes et la méthode historique et philosophique, qu'on ne peut condamner *nullo modo*[3].

Renvoie à l'article de Mgr Weber dans le *Bulletin de Strasbourg*[4]. Être attentifs aux difficultés des exégètes. Que l'expérience de Galilée suffise !

On parle de péril moderniste, mais le remède n'est pas de mettre des *impedimenta*[5], il est de travailler. C'est de là que vient l'autorité de Louvain. Rivière[6] dit que s'il n'y a pas eu de modernistes en Belgique, on le doit à Louvain.

On dit que les vingt conciles précédents ont condamné des erreurs. Mais le nôtre doit imiter plutôt celui de Jérusalem, ou Pierre : ne pas imposer plus que le nécessaire. Appliquons

---

1. *AS* I/III, 143-145.
2. Que l'on procède avec prudence.
3. D'aucune manière.
4. « Orientations actuelles des études exégétiques sur la vie du Christ », dans le *Bulletin ecclésiastique du diocèse de Strasbourg*, 1er-15 octobre 1962 ; diffusé au Concile par l'Institut biblique pontifical, il sera publié, complété et retouché, dans *La Documentation Catholique*, 1963, col. 203-212.
5. Empêchements.
6. L'abbé Jean Rivière, professeur de théologie fondamentale à Strasbourg, décédé en 1946, avait publié *Le Modernisme dans l'Église. Étude d'histoire religieuse contemporaine*, Paris, Letouzey et Ané, 1929.

cela, nous, à nos frères séparés et aux *gentes*[1]. Nous portons l'avenir pour plusieurs siècles.

Mgr [[De Minio ??]][2] (s'adresse aux Patriarches et aux observateurs). Le caractère pastoral = les questions qui occupent les hommes. Cela ne revient pas à suivre les goûts du moment. *In re potius quam in forma est ponendum*[3].
Pas faire de philosophie. Pourtant, une forme scolastique modérée est la meilleure.
Quant au contenu, il n'est pas parlé de la tradition vivante, du *sensus fidelium*[4]...
(se fait arrêter : le président conçoit de façon un peu étroite la discussion sur le schéma *in genere*)

Mgr Zoa[5] : 1°) Au nom de plusieurs évêques d'Afrique, Madagascar et îles : accord avec les cardinaux Alfrink, Bea, Frings, Lefebvre, etc. Ont donné leurs observations au secrétariat. *Non placet.*
2°) En son nom personnel : lit un papier que je lui ai remis ce matin, avant la séance, en trois points. Accord avec Dom Butler, à savoir :
a) Il faut arriver à une unanimité au moins morale.
b) On exagère les oppositions. *Tous* admettent l'existence de la Tradition : tous admettent le caractère souverain de l'Écriture : tous admettent Trente et Vatican I.
c) Qu'on fasse, dans le cadre de la Commission théologique, une équipe de *periti* représentant les tendances différentes, et qu'ils préparent pour la commission un texte acceptable à tout le monde.

Mgr Pourchet[6] (Saint-Flour). Nos responsabilités. C'est très sérieux. D'abord celle de laisser ouvert ce que Trente a laissé ouvert et ne pas définir les opinions controversées. Ensuite : après Trente, on a été dominé par la polémique antiprotes-

---

1. Peuples (il s'agit ici des peuples non chrétiens).
2. Angel Temiño Saiz, évêque d'Orense (Espagne), *AS* I/III, 146-147.
3. Cela doit être établi dans le fond plutôt que dans la forme.
4. Sens de la foi chez les fidèles.
5. *AS* I/III, 148.
6. Maurice Pourchet, évêque de Saint-Flour (France), *AS* I/III, 149-151.

tante et on a diminué l'importance de l'Écriture. Maintenant... L'œcuménisme, qui doit être pris en considération, ne consiste pas en un faux irénisme, mais à ne pas multiplier les obstacles.

Responsabilité vis-à-vis de l'exégèse : cf. Charue. La discussion de ces trois jours montre que ces schémas ne suscitent pas d'enthousiasme. Leurs partisans admettent des amendements. Mais il y faudrait des semaines. Aussi adhère à la proposition de Butler.

Mgr Hakim[1] (*Beatitudines*[2]... chers observateurs). En français. Très remarquable. Mais a dû échapper à un bon nombre. Veut faire entendre la voix de l'Orient et de sa tradition patristique. Les schémas lui sont étrangers dans leur orientation, leur structure et leur conceptualisation. C'est purement latin. Regrette que, ignorant la catéchèse et la théologie orientales, les rédacteurs aient monopolisé la foi universelle au profit de leur théologie particulière.

Dans la théologie orientale, où la liturgie est le lieu efficace de la transmission de la foi, le mystère du Christ est proposé comme une économie se déroulant dans l'histoire. Le caractère concret de la Parole de Dieu en manifeste la présence dans le monde. Toute disjonction, même apparente, entre Écriture et Tradition, sera jugée comme une violence faite à l'unité des voies de transmission.

La théologie orientale donne plein relief à l'idée de l'homme à l'image de Dieu. D'où conséquences dont voici deux exemples :

1) Autre façon de concevoir nature-grâce et les rapports de Dieu et de l'homme, y compris dans la Révélation ;

2) Pâques = unité de la mort et de la résurrection, alors que pour les Latins, il y a surtout la satisfaction.

« Je me sens étranger à la rédaction et à la structure des schémas proposés. »

---

1. Georges Hakim, *AS* I/III, 152-153.
2. Béatitudes.

Un évêque des Philippines[1]. *[ ]*

Mgr Rosales[2] parlant pour la majorité des évêques de la Conférence des Philippines, dont il est le président.

Placet quamvis[3]... Les objections ne suffisent pas. Le schéma est pastoral et il est œcuménique ; le pape l'a approuvé...

Vraiment, il y a l'Église ressourcée et l'Église non ressourcée. Celle-ci, retrouvant la théologie des manuels qu'elle a apprise, en est satisfaite...

À la sortie, Mgr Blanchet : « Je fais campagne pour l'idée de Butler. »

Je vois surtout le P. Tucci, directeur de la *Civiltà cattolica*, où il a bien des difficultés avec des non-ressourcés. Il me parle du texte que j'avais demandé à Mayor de lui remettre. Il ne l'a jamais reçu. S'il l'avait reçu, il n'aurait pu le passer, car c'est une loi à la *Civiltà*, de n'imprimer que des textes émanant de l'équipe de rédaction. Loi nécessaire, me dit-il, sans quoi le moindre Mgr nous importunerait pour qu'on passe sa prose. De plus, aucun article n'est imprimé s'il n'a recueilli deux tiers de suffrages favorables au Conseil de Rédaction. Enfin, pour achever le tableau des libertés de cette revue, le numéro est soumis à la Secrétairerie d'État avant d'être envoyé à l'imprimerie.

Le P. Tucci est merveilleux. Ouvert, intelligent. Il voit le pape régulièrement. Je lui demande s'il est vrai que le pape ne soit pas satisfait des schémas. Il me dit qu'une fois le pape, ayant devant lui un schéma moral, lui dit ne pas être d'accord. Mais le pape n'est pas un théologien, il a des intuitions. Il verrait plutôt un ennemi dans un théologien... Il n'a guère de défense et il n'a personne pour le défendre. Il reçoit des assauts de divers côtés et, pour avoir la paix, il cède quelque chose. Il ne sait guère dire non.

Mon impression sur le moment du concile où nous sommes est nette : c'est une impasse. On n'aura jamais la majorité nécessaire

---

1. Il s'agit en réalité de Jacinto Argaya Goicoechea, évêque de Mondoñedo-Ferrol (Espagne), *AS* I/III, 153-154.
2. Julio Rosales, archevêque de Cebù, *AS* I/III, 155-156.
3. J'approuve bien que.

pour un texte exprimant l'une ou l'autre tendance. Donc, solution Butler – Zoa (Congar) – Pourchet.

Le soir, je vois le P. Cottier. Il vit au milieu de quelques évêques italiens. Ils ont reçu un papier, AU NOM DE LA CONFÉRENCE DES ÉVÊQUES D'ITALIE, rédigé par les *periti* de cette conférence, et qui renforce encore les positions scolastiques et négatives du schéma.

Le P. Labourdette me dit d'autre part tenir, *sub secreto*, du P. Gagnebet, que celui-ci avait demandé qu'il y ait des biblistes de Jérusalem[1] et du Biblicum dans la Commission. Volontairement, on n'en a pas mis. On voulait donc instrumenter contre eux ! Un papier (courageux) de Laurentin met plus d'un détail au point concernant le travail de la Commission théologique préparatoire. Il est certain qu'elle a été sciemment et profondément orientée. On a invité quelques consulteurs du dehors, et on a tout arrangé sans eux. Ils étaient assis sur des chaises le long des murs, tandis que les membres se trouvaient au milieu, autour d'une table. Ils ne pouvaient parler que si on les interrogeait, ou en se faisant interroger. Ils ne venaient pas aux sous-commissions, où se préparait le travail. Si le P. Gagnebet m'a (nous a) invité(s) à la sous-commission *De Ecclesia*, c'est de son propre chef : à la sous-commission de morale, Mgr Janssen et le P. Häring se sont fait éjecter, sinon corporellement, du moins réellement. Les consulteurs non romains sont peu venus : je suis venu à Rome trois fois en tout. On leur a souvent envoyé les papiers au dernier moment : non sans doute intentionnellement, bien plutôt parce que les papiers n'étaient pas prêts avant, mais le fait est là. Les papiers que nous recevions étaient souvent la cinquième ou sixième rédaction d'un texte qui avait été tout entier élaboré sans nous, par les Romains, en des réunions hebdomadaires. D'autre part, nos remarques, que nous ne pouvions ni présenter ni défendre verbalement, étant présents, n'ont pas été beaucoup prises en considération. Il est vrai que nous avons obtenu un certain nombre de petites améliorations, par suppression, addition, ou changement. Mais qu'a-t-on fait des notes de Delhaye, de Laurentin ? À quoi ont servi mes notes *De episcopis*, *De modo exprimendi habitudinem non catholicorum ad ecclesiam*, *De oecume-*

1. De l'École biblique et archéologique française de Jérusalem.

nismo[1] ? Pour ce qui est de la Tradition, je suis intervenu : et contre l'idée de deux sources, et contre l'attribution au seul magistère de la garde de la Tradition. J'ai remis un papier à Mgr Garofalo sur le premier point. Cela n'a servi à rien.

Il est exact que j'ai été trop timide, que je ne me suis, ni assez inquiété, ni assez battu*. Il eût fallu être importun avec entêtement. Il est arrivé cependant qu'on modérât volontairement l'intervention, trop sûr du résultat si, l'autre tendance prenant la chose à cœur, on en était venu à un vote. Toute majoration de l'autorité du « Magistère » était accueillie, au point que cela devenait ridicule et qu'on en a fait la remarque. Toute mise en garde contre des erreurs ou des dangers, même lointains, était reçue. Tout élargissement était réduit à une présence à peine symbolique. J'ai dit aussi, et plusieurs fois, qu'il n'y avait pas assez de biblistes parmi nous, pas d'Orientaux : que notre théologie était purement latine. Mais j'ai l'habitude 1°) de proposer seulement la vérité, à chacun d'y être attentif ; 2°) de ne pas vanter ma marchandise, de ne pas répéter. Il eût fallu le faire jusqu'à l'importunité. J'ai manqué de le faire.

Dimanche 18 novembre. – Mauvaise journée : orages une bonne partie de la nuit et ce matin. Pluie, temps tiède et humide. Je saigne du nez. Cela m'a repris toute la soirée et jusqu'à 2 h du matin. Je dors trop peu ces jours-ci.

À 17 h, à la Grégorienne, réception des *periti* et théologiens. Occasion de voir BEAUCOUP de monde. Je vois aussi le président de l'Amicale des élèves de la Grégorienne, un Espagnol. Il se plaint du manque total de liberté. Il y a là 3 300 étudiants de tous les pays : ce serait merveilleux de leur donner une conscience commune, mais la Curie ne veut surtout pas de cela ! Aussi elle leur met une foule d'entraves, par des voies qui ne sont jamais nettes. Par exemple, récemment ils devaient recevoir quelques observateurs (les frères de Taizé, je crois). Le Recteur de la Grégorienne était d'accord. Deux jours avant, le fait a été interdit par une instance X = la Curie.

---

* Le dactylogramme porte : débattu.

1. Des évêques, De la manière d'exprimer la relation des non-catholiques à l'Église, De l'œcuménisme. (Il s'agit des *vota* rédigés par Congar pour la Commission théologique préparatoire.)

J'ai parlé aussi, à midi, avec un professeur [[polonais]] de l'Angelicum, le P. *[ ]*. Il me dit qu'ici, la recherche est absolument impossible. Dès qu'un professeur dit, dans un cours, un mot qui dépasse les manuels, c'est rapporté à la Curie et cela revient désagréablement, d'une façon ou d'une autre. Il serait impossible ici d'avoir un enseignement ressourcé, qui aborde, fût-ce partiellement, les vraies questions des hommes. On ne peut « émerger » qu'en reprenant de vieilles querelles d'École, comme a fait le P. Garrigou[1].

Conversation avec le P. de Lubac. Il tient directement cette information secrète : Ottaviani a fait savoir à quelques évêques que le « Saint-Office » contrôlait et jugeait la Commission centrale. La prétention du « Saint-Office » est de contrôler et juger le concile. Or c'est l'inverse qui est dans l'ordre. Il faudra que le conflit éclate un jour au concile.

Lubac me dit aussi qu'Ottaviani a appelé comme experts Fenton, Schauf et Lio : c'est-à-dire SES hommes. Donc, la comédie continue, d'une soi-disant ouverture, dont Lubac et moi avons été les enseignes, mais en réalité les otages.

J'emmène le P. de Lubac dîner avec Mgr Elchinger et les trois autres évêques français.

Mgr Elchinger me donne l'écho d'un certain nombre de réunions : samedi soir (hier), les cardinaux Liénart et Ruffini : il faudra bien arrondir les angles et se rapprocher !

Dimanche (aujourd'hui) matin, chez Mgr Volk, réunion comme la première fois, à laquelle j'étais invité mais ne suis pas allé : Volk pense qu'il faudrait dissiper les malentendus sur : pastorale et doctrine ; scolastique ; Révélation ; œcuménisme – et déclarer que le « Saint-Office » n'est pas le juge du concile, mais l'inverse ; le « Saint-Office » sera seulement au service des conséquences du concile. Il faut faire un effort pour nous comprendre les uns les autres.

Rahner pense qu'avant d'entrer en dialogue avec l'autre tendance, il faudra déterminer un certain nombre de points positifs et précis sur lesquels on déclarera ne vouloir jamais céder.

---

1. Le néo-thomiste Réginald Garrigou-Lagrange, o.p., de la province de France, professeur de théologie à l'Angélique jusque 1960, avait exercé une forte influence sur de nombreuses générations d'étudiants.

Il y a de nombreuses pressions du « Saint-Office, c'est-à-dire Ottaviani et Tromp, qui se sont même permis d'opérer des changements dans le texte admis par la commission théologique ou admis par la commission centrale : toujours dans le sens, soit du durcissement, soit de l'accentuation des sécurités et de l'autorité.

On me dit aussi que le cardinal Siri a réuni les évêques italiens et que depuis lors, ceux-ci fuient les contacts avec les quatre évêques français, dans la pension où ils se trouvent ensemble.

Enfin, me dit Mgr Elchinger, la question de la qualification théologique, chère aux Allemands, sera posée au cardinal Ottaviani. S'il répond : de foi, on le mettra en contradiction avec lui-même et avec ce qu'il a dit à la Commission centrale.

Lundi 19 novembre. – J'ai saigné du nez jusqu'à 2 h du matin. Temps effroyable : pluie tiède, orage, basse pression. Je mets avec peine un pied devant l'autre.

Présidence Spellman. On ne comprend pas un mot de ce qu'il dit. On continue la discussion générale.

Cardinal de Tarragone[1] : schéma opportun *contra serpentes errores*[2]. Rappelle les avertissements des papes.

Gilroy[3] : pour la tolérance mutuelle. Éloge du schéma, de la commission, de son travail. Pour la considération.

Cardinal Gracias[4] : on souhaite une constitution QUI AIDE. On n'aura pas de majorité suffisante pour celle-ci. Les partisans du schéma admettent des *emendationes*. Il y en aura tant à faire que cela reviendra à faire un nouveau texte, avec des représentations des deux parties. Tel quel, *schema non satisfacit*[5]. Cela ne va pas contre l'honneur de la commission théologique, mais ses membres ne jouissaient pas de l'assistance, comme le concile...

1. Cardinal Benjamín de Arriba y Castro, archevêque de Tarragone (Espagne), *AS* I/III, 162-164.
2. Contre les erreurs rampantes.
3. *AS* I/III, 164-165.
4. *AS* I/III, 166-168.
5. Le schéma n'est pas satisfaisant.

Cardinal Meyer[1] (Chicago) : le conflit tel qu'on l'éprouve n'est pas conforme au but du concile. On n'aura pas l'unanimité avec CE texte. Adhère à la proposition de Butler et Gracias. Et qu'on exprime la confiance dans les exégètes, en leur recommandant la docilité aux règles posées.

Cardinal-archevêque de Lima[2] : répond aux objections faites contre le schéma. Mais les points de vue ne sont pas si opposés... *Placet juxta modum.* La discussion de chaque paragraphe serait infinie. On a tout dit. Il faut progresser...

Cardinal Rugambwa[3] : il faudrait une majorité des deux tiers... ! Que les présidents demandent au pape que le schéma soit renvoyé à la 2e session et d'ici là réexaminé par théologiens, exégètes et œcuménistes.

Évêque de Nouvelle-Calédonie[4] (français. Accent !) Adhère à arguments contre. Ajoute cette raison : le schéma sépare *doctrinam de Christo et factum Christi*[5] : alors que la révélation parfaite est le Christ. On ne lui donne pas sa primauté absolue. Qu'au moins le titre soit : *De Scriptura secundum Traditionem Ecclesiae legenda*[6]. Et omettre les assertions déjà acquises, en renvoyant aux documents passés. Qu'on fonde les deux premiers schémas en un seul.

Henríquez (Venezuela)[7] au nom de la Conférence des évêques du Venezuela. *Ut sic est, non admittatur schema*[8] ; qu'un autre soit fait avec collaboration de la Commission biblique. Manque d'esprit œcuménique : ce qui ne signifie pas diminution de la vérité ! Répond aux objections faites contre une

1. *AS* I/III, 169-170.
2. Cardinal Juan Landázuri Ricketts (Pérou), *AS* I/III, 170-171.
3. *AS* I/III, 172.
4. Pierre Martin est vicaire apostolique en Nouvelle Calédonie (Océanie), *AS* I/III, 174-175.
5. La doctrine sur le Christ et le fait du Christ.
6. De la lecture de l'Écriture selon la Tradition de l'Église.
7. Luiz E. Henríquez Jimenez, évêque auxiliaire de Caracas. Il sera élu membre de la Commission doctrinale durant la deuxième session du Concile. *AS* I/III, 178-180.
8. On ne peut admettre ce schéma en l'état.

reprise profonde du texte, tirées soit du pape, soit du travail de la commission théologique.

Griffiths[1] (auxiliaire, New York). Humour. Mais trop long. « *Per totam noctem laboravimus et nihil cepimus. Sed in verbo tuo laxabo rete*[2]. » Que toute la question soit reprise par des *periti* des deux côtés, en gardant ce qu'il y a de bon dans ce texte.

Mgr De Smedt[3], Bruges, au nom du Secrétariat. Texte très bien donné, écouté avec intensité. Note assez forte d'émotion venant, non du sentimental, mais des entrailles du vrai.

Veut dire *ex quo praecise consistat oecumenicitas*[4], dans une doctrine et dans son style. Tous les chrétiens admettent Jésus-Christ, mais ils discordent sur les moyens d'aller à lui. Pendant des siècles, les catholiques et les autres ont estimé qu'il suffisait d'exposer clairement chacun sa doctrine, mais chacun le faisait dans SES catégories, que l'autre ne comprenait pas. Cela n'a mené à RIEN. On a depuis quelque temps introduit une autre méthode : le DIALOGUE œcuménique. Il consiste en ce qu'on s'attache au MODE selon lequel la doctrine est exprimée, de manière à pouvoir être comprise par l'autre. Ce n'est pas une tractation d'union, ce n'est pas une tentative de conversion, mais, de part et d'autre, un témoignage clair, tenant compte de l'autre. Nos textes doivent répondre à cela. Ce n'est pas commode ! Il ne faut aucune diminution qui tromperait les autres.

Il faut neuf conditions dont, par brièveté, il ne dira que les quatre premières : 1) *quid sit doctrina hodierna Orthodoxorum et protestantium*[5].

2) Quelle idée ont-ils de NOTRE doctrine ?

3) Qu'est-ce qui n'est pas assez bien développé dans la doctrine catholique ?

---

1. *AS* I/III, 181-183.

2. « Nous avons peiné toute la nuit sans rien prendre ; mais sur ta parole je vais lâcher les filets » (Lc 5, 5).

3. *AS* I/III, 184-186.

4. En quoi consiste précisément l'œcuménicité.

5. Quelle est la doctrine actuelle des Orthodoxes et des protestants.

4) La doctrine catholique est-elle proposée dans la forme qu'il faut ? La scolastique ne va pas. Il faut le mode biblique et patristique. Mais il ne suffit pas d'exprimer « la vérité » pour qu'un texte soit œcuménique.

Les hommes du secrétariat ont proposé leur aide à la Commission théologique, ils ont proposé une commission mixte. Mais la Commission théologique a refusé.

Les gens qui vivent en milieu protestant ou orthodoxe ont tous dit : il n'y a pas d'esprit œcuménique dans le schéma.

Velint examinare utrum sufficienter consideraverint[1] si on a pris la bonne méthode ? Le Secrétariat, lui, trouve que le schéma « *notabiliter deficit in oecumenicitate*[2] ». Il ne marque pas un *progressus*[3], mais un *regressus*[4]. Il sera un *impedimentum et nocumentum*[5]. Or la nouvelle méthode a porté ses fruits : le signe en est la présence des observateurs. Si le schéma n'est pas récrit, nous serons responsables que le Concile du Vatican aura déçu une immense espérance (applaudissements nourris chez les évêques ; les archevêques n'applaudissent pas).

De Sousa[6] (long !) : À parfaire sur cinq points.

Garrone[7] (pathétique, homilétique, sentimental, vague. Cela ne POSE pas quelque chose de ferme et de net devant les esprits...).

Dans deux sens de conciliation. Ce n'est pas une parole aux hommes, qu'il y ait un *proemium*. Que ce soit refait *integre*[8]. Que ce soit renvoyé à la commission et que celle-ci coopère avec le secrétariat.

---

1. Qu'ils veuillent bien examiner s'ils ont suffisamment pris en considération.
2. « Manque sérieusement de qualité œcuménique. »
3. Progrès.
4. Régression.
5. Un empêchement nuisible.
6. David de Sousa, évêque de Funchal (Portugal), *AS* I/III, 187-189.
7. *AS* I/III, 189-191.
8. Entièrement.

Je vais aux WC. Pendant ce temps, un évêque français[1] a dit : il faut discuter ce schéma. Autrement, qu'est-ce qu'on ferait ?

Del Pino[2], Espagne. *[ ]*

? (un anglophone) « Carol » ? je crois que c'est Hurley[3].

Qu'on distribue aux Pères le schéma préparé par le Secrétariat *De verbo Dei*[4].

Pour un *coetus bipartitus*[5].

Les oppositions actuelles dépassent le 1er schéma : on les retrouvera partout. Il a manqué, même à la commission centrale, une idée précise de ce qu'est le but pastoral du concile. Il faudrait qu'on précise ce point et qu'entre la 1re et la 2e session, une commission revoie les schémas en ce sens.

? (un Italien)[6] : Il est clair que deux positions s'affrontent. Aussi est pour un compromis honorable.

Qu'on fasse un *proemium* à mettre avant tous les schémas : *« ampla panoramica et serena recapitulatio totius historiae salutis*[7] », – il en indique quelques éléments – et à proposer au concile tout de suite.

En attendant, faire une discussion particulière des deux schémas proposés, pour en améliorer le style ! et pour mettre en lumière les points d'accord.

Mgr Ancel[8] : s'efforce de bien accentuer, ce que les Français font rarement bien. L'accord est plus profond qu'on ne croit. Cependant, la solution pratique est difficile. Même amendé, le schéma n'aura pas les deux tiers. Et il en sera de même d'un nouveau schéma, si le pape acceptait qu'on le proposât.

---

1. Il s'agit en réalité de l'Italien Giuseppe D'Avack, archevêque de Camerino, *AS* I/III, 192-193.
2. Aurelio Del Pino Gómez, évêque de Lérida, *AS* I/III, 194-196.
3. C'est en effet Denis E. Hurley, *AS* I/III, 198-200.
4. De la Parole de Dieu.
5. Commission mixte.
6. Giuseppe Ruotolo, évêque d'Ugento-S. Maria di Leuca, *AS* I/III, 201-203.
7. Une récapitulation ample, panoramique et sereine de toute l'histoire du salut.
8. *AS* I/III, 203-204.

Il faut une *renovatio*[1] des textes. Pas par les mêmes qui ont rédigé celui-ci.
Solution : 1°) au concile, il ne faut ni vainqueurs ni vaincus, mais trouver l'unanimité morale, 2°) on ne peut rejeter purement et simplement le travail de la Commission théologique ; donc garder, de son texte, les parties admissibles par tous.
3°) refaire un texte avec des éléments du texte actuel, mais répondant aux exigences exprimées et pour cela, *« salvo jure Commissionis theologicae, novos peritos ad diversas theologiae scholas pertinentes*[2] *».*

Un évêque du Viêtnam[3] (prononciation française) : remarques critiques sur parties bibliques du schéma. Il faudrait dire que le magistère est soumis à Écriture et Tradition. On ne peut lier le présent et l'avenir à du Manuel. Il faut amender le schéma.

Le soir, conférence sur le laïcat aujourd'hui, chez les Pères de la Sainte Croix. J'y retrouve le merveilleux Mgr McGrath. Comme moi, il a eu des larmes dans les yeux quand Mgr De Smedt a parlé ce matin. Le cardinal Silva, du Chili, lui a dit qu'il avait pleuré, tout cela prenait aux entrailles. Des larmes du Saint-Esprit, comme j'en souhaite aux endurcis dans leur justice dogmatique !

Mardi 20 novembre. (Notes prises directement en séance). – Hier, à la réunion des présidents, le cardinal Tisserant CONTRE l'arrêt de la discussion et le renvoi du schéma à une commission. Car « que ferait-on au concile ? »

Le cardinal Lefebvre[4] a vu le cardinal Ottaviani. Celui-ci serait prêt à jeter du lest.

À Saint-Pierre, tout le monde attend « quelque chose ». Or on

---

1. Reprise.
2. « Étant saufs les droits de la Commission doctrinale, de nouveaux *periti* appartenant à diverses écoles théologiques. »
3. Paul Seitz, *AS* I/III, 205-206.
4. Joseph Lefebvre.

reprend la discussion des principes généraux du schéma. Lassitude et déception.

Mgr Cabana[1] (Canada) : contre faux irénisme ; cite *Humani Generis.* Donc, *placet* et que les différents chapitres du schéma soient le plus tôt possible soumis à la discussion.

Echeverria[2] (Équateur) : ces dernières années, nombreuses opinions sur l'Écriture ; beaucoup de faux. Le concile doit mettre fin aux erreurs et veiller à l'intégrité du dépôt. Éloge du texte (se fait couper la parole).

García[3] (Espagne) : constate situation d'opinions opposées. *Ut commissio formetur non valde numerosa*[4] (d'évêques) qui fasse une nouvelle rédaction, et qu'on considère le schéma *De Ecclesiae unitate*[5], très concordant avec le but œcuménique du concile.

Évêque polonais[6] : qu'on fasse un *proemium.* Le titre n'est pas bon : c'est Dieu qui est la source.
De revelationis deposito vel testimonio[7].
Mieux dire que l'Écriture doit être lue DANS L'ÉGLISE.
Efficacitas salutaris Verbi Dei[8] et exprime différentes remarques sur les questions bibliques.

Nicodemo[9] (Bari, Italie) : Pour REJETER le schéma, il faudrait qu'il contienne quelque erreur. Ce n'est pas le cas. De plus on a distribué un autre schéma : pourquoi d'autres n'en proposeraient-ils pas ?
Bref, le schéma est à discuter. Comment l'amender ?... (flot

1. Georges Cabana, archevêque de Sherbrooke, *AS* I/III, 209-210.
2. B. Echeverria Ruiz, *AS* I/III, 210-211.
3. F. García Martinez, *AS* I/III, 213-215.
4. Que l'on constitue une commission pas trop nombreuse.
5. De l'unité de l'Église ; il s'agit du schéma de la Commission préparatoire pour les Églises orientales.
6. Michal Klepacz, évêque de Łodź, *AS* I/III, 215-218.
7. Du dépôt ou du témoignage de la Révélation.
8. Efficacité salutaire de la Parole de Dieu.
9. Enrico Nicodemo, archevêque de Bari, membre de la Commission de la discipline du clergé et du peuple chrétien, *AS* I/III, 218-220.

de paroles avec différents poncifs, il est mûr pour les Congrégations romaines).

Mgr Felici[1], secrétaire général, lit proposition : après la fin de la discussion générale, on passera à la discussion de *singulis schematis capitibus*[2]. Cependant, comme certains ne sont pas d'accord, la présidence soumet au vote ceci :

An disceptatio de Schemate Constitutionis dogmaticae de fontibus revelationis interrumpenda sit[3] ? (après un quart d'heure de bavardage, il précise : *sine die*). Par vote secret : *placet, non placet.*

Le cardinal Frings[4] accepte cette proposition (qui est celle d'un enterrement du schéma) bien qu'elle ne le satisfasse pas entièrement.

Le cardinal Ruffini[5] précise le sens bien obscur de ce vote : voter *placet* à la proposition signifie l'interruption de la discussion (en vue d'une rénovation du schéma). *Non placet* = le schéma plaît (au moins *juxta modum*[6]) et il faut en entreprendre la discussion chapitre par chapitre.

Un Américain fait un *gallup* sur ce que va être le vote.

Le P. Tucci me dit que cette proposition est du cardinal Ruffini. Cela va permettre de voir la proportion de ceux qui sont pour le rejet du schéma. IL FAUT DEUX TIERS POUR QUE LE SCHÉMA SOIT REJETÉ. Si, me dit le P. Tucci, on avait formulé la proposition ainsi : voulez-vous continuer la discussion ? il y aurait eu une tout autre majorité. Donc la façon de formuler est orientée vers la preuve désirée qu'un petit nombre seulement sont contre le schéma.

Mais je suis convaincu qu'un grand nombre de Pères ne comprendront pas le sens du vote qui leur est demandé et voteront dans cette demi-conscience.

---

1. *AS* I/III, 220.
2. De chaque chapitre du schéma.
3. Est-ce que le débat sur le schéma de Constitution dogmatique sur les sources de la révélation doit être interrompu ?
4. Président de cette Congrégation générale. *AS* I/III, 220.
5. *AS* I/III, 223.
6. Moyennant modifications.

On reprend la discussion générale. Celui à qui on donne la parole n'est pas là[1].

Sigaud[2] (Brésil) : *schema placet. Perficiendum*[3]. Il y a des restes de modernisme, etc. Très ennuyeux. Pas très écouté. Beaucoup de Pères ne sont plus en séance.

Quarracino[4] (qui est revenu sur ces entrefaites) : *non placet* et adhère à proposition Ancel.

Le cardinal Frings[5] précise maintenant, mais c'est trop tard : le vote est fait : *placet* signifie que la discussion est interrompue JUSQU'À CE QU'ON SOUMETTE AU CONCILE UN NOUVEAU TEXTE.

Carli[6] : les schémas proposés par le pape sont à discuter chapitre par chapitre. On ne peut rejeter le schéma que par la voie du rejet de chacun de ses articles. Le schéma soumis par le pape est en possession *[ ]*. Et montre que le rejet serait contre plusieurs articles du règlement.

Mgr Costantini[7] répond une fois de plus aux critiques faites contre le schéma. Mais se rallie à formule : unique source nous venant par deux *rivuli*[8].

P. Fernandez O.P.[9] : précisions sur le caractère pastoral et œcuménique (*TRÈS* ennuyeux). Priorité de la clarté de la doctrine.

Barbetta[10] (italien) : il est impossible que le schéma ne reflète qu'une école si on considère la composition de la commis-

---

1. Il s'agit d'Antonio Quarracino, évêque de Nueve de Julio (Argentine).
2. Geraldo de Proença Sigaud, archevêque de Diamantina (Brésil), *AS* I/III, 224-227.
3. À améliorer.
4. *AS* I/III, 230-231.
5. Ni les *Acta*, ni Giovanni CAPRILE, s.j., dans *Il concilio Vaticano II. Il primo periodo 1962-1963*, Rome, 1968, p. 175-179, ne signalent cette précision du président de la Congrégation générale.
6. Luigi Carli, évêque de Segni (Italie), nommé membre de la Commission des évêques et du gouvernement des diocèses à la fin de la première session, *AS* I/III, 231-232.
7. *AS* I/III, 234-235.
8. Petits ruisseaux.
9. *AS* I/III, 236-237.
10. Giulio Barbetta, évêque titulaire, *AS* I/III, 241-242.

sion et les discussions de la commission centrale. Éloge du schéma. (Écouté bien que très ennuyeux et très long.)

Ferro[1] (*Rheginensis* italien) : si on fait quelques corrections et avec un *proemium* pastoral, *placet.* Primat de la vérité. Cite *Humani Generis* contre irénisme. Critique du schéma de remplacement : oratoire, parlant du salut de tous les hommes. Parfait exposant de l'état d'esprit italien.

Franić[2] (Split) : *placet juxta modum.* Contre l'invocation de l'œcuménisme : ce concile n'est pas un concile d'union. Il ne faut pas se contenter d'un exposé positif de la vérité, mais indiquer les erreurs.

On a dit que le schéma est contraire à la mentalité orientale. Mais les sept conciles ont condamné des erreurs. Nous sommes l'Église *docens*[3]. Qu'on fasse un *proemium* pastoral et quelques émendations de détail.

Felici[4], secrétaire général : on communiquera le résultat des votes demain. En attendant, on discutera le ch. I du schéma. Si le vote était pour le rejet, on entreprendrait vendredi la discussion des moyens de Communication.

On commence donc de suite la discussion du chap. I. On donne la liste des inscrits pour parler.

Tisserant[5] : il y a des confusions dans le chap. I. Fait très vite nombreuses remarques et critiques de détail, souvent par mode de questions.

Ruffini[6] : pourquoi n'a-t-on pas dit d'abord ce qu'est la Révélation ? Défend le « *duo fontes*[7] » du n° 4 car dire que nous pouvons puiser la révélation soit dans l'Écriture soit dans la Tradition, revient à dire qu'il y a deux sources de la Révélation. Le magistère EST la *regula regulans*[8], non la *regula*

---

1. Giovanni Ferro, archevêque de Reggio-Calabria (Italie), *AS* I/III, 242-244.
2. *AS* I/III, 244-246.
3. Enseignante.
4. *AS* I/III, 248.
5. *AS* I/III, 248-249.
6. *AS* I/III, 249-251.
7. Deux sources.
8. La règle qui régule.

regulata (a Scriptura[1]*)* à laquelle nous donnons notre foi. Cite le « *Ego Evangelio non crederem*[2]... » de S. Augustin.

Mgr Jacono[3] (Padoue, je crois) : n° 5, p. 10-11. Cite *Humani Generis*. On n'écoute guère.

Un Mgr de la Rote, mon voisin, me dit, concernant le vote : il y a plus de la moitié contre le schéma, mais pas les deux tiers. On veut recourir au pape. C'est pourquoi on n'a pas communiqué les résultats.

Mais, au moment où tout le monde pliait bagage, on donne les résultats du vote[4].

Nombre de votants	*Placet* (donc pour le renvoi)	*Non placet*	Nuls
2 209	1 368	822	19

Je n'aurais pas cru cela.

Mgr Guerry me dit que nombre d'évêques ont voté *Non placet* croyant que *Placet* signifiait le renvoi *sine die*, c'est-à-dire l'enterrement. Ils auraient voté autrement si on avait dit tout de suite que *Non placet* signifiait qu'on propose un schéma revu, quand il sera revu.

« On peut considérer qu'avec ce vote du 20 novembre s'achève l'âge de la Contre-Réforme et qu'une ère nouvelle, aux conséquences imprévisibles, commence pour la chrétienté. » Dieu le veuille ! (R. Rouquette, Bilan du Concile, = *Études*, Janv. 1963, p. 94-111 – p. 104).

Après-midi 15 h, réunion ICI des évêques français du groupe qui étudie la tradition. On prépare 1°) un recours auprès du tribunal administratif du concile, car le vote de ce matin présente bien des aspects douteux, sinon contraires au règlement. Il a d'abord été dit

---

1. La règle est régulée (par l'Écriture).
2. Les *Acta* citent la phrase complète : « *Ego Evangelio crederem nisi me catholicae Ecclesiae commoveret auctoritas* » (Moi je ne croirais pas à l'Évangile si l'autorité de l'Église ne m'y poussait).
3. Vincenzo M. Jacono, évêque titulaire italien, *AS* I/III, 252-254.
4. *AS* I/III, 254-255.

que *Placet* signifiait « *interrumpenda discussio*[1] », puis, par Mgr Felici, « *interrumpenda sine die* » ; puis le sens a été expliqué par le cardinal Ruffini. Puis, LES VOTES ÉTANT FAITS, le cardinal Frings, président, a expliqué que cela signifiait : « *interrumpenda donec textus noviter conficiatur*[2] ». Beaucoup avaient déjà voté, qui auraient voté autrement si cette explication avait été donnée d'abord ;

2°) des interventions de la discussion, qui se distribuent ainsi :

Mgr Pourchet sur (contre) l'idée de deux sources.

Mgr Desmazières[3] pour réclamer la mention de la Tradition vivante (je rédige son texte).

Mgr Maziers sur le magistère comme LIÉ aux normes et au dépôt et comme serviteur.

Mgr Boillon sur le rôle des fidèles dans la garde et le développement de la Tradition.

À 17 h, je vais à la réunion hebdomadaire des Observateurs, Hôtel Columbus. Je leur explique avec une totale franchise, mais, je l'espère, avec discrétion et délicatesse, ce qu'il y a sous la tension qu'ils constatent depuis cinq jours au concile.

Mgr Heenan n'est pas d'accord avec tout. Il me déçoit beaucoup.

Mgr Willebrands explique le motif pour lequel la Commission théologique a refusé la commission mixte : c'est qu'elle s'occupe des PRINCIPES, tandis que le secrétariat s'occupe des questions PRATIQUES.

Toujours cette fausse division des domaines qui m'est apparue dès le premier jour comme *LE* vice *LE* plus décisif de l'institution.

Mercredi 21 novembre. – Avant la séance, Mgr Vial[4] (auxiliaire Nevers) me passe un papier distribué hier matin à tous les évêques italiens, et qui, en quatre pages serrées, met au point les deux propositions suivantes :

1. Interrompre la discussion.
2. « Interrompre la discussion jusqu'à ce que le texte soit à nouveau rédigé. »
3. Stéphane Desmazières, évêque auxiliaire de Bordeaux.
4. Michel Vial, coadjuteur de Nevers, puis évêque de Nevers en décembre 1963.

1°) *Super duos fontes revelationis est unica origo, scilicet Verbum Dei*[1] parce que le Verbe de Dieu n'est connu que par l'Écriture si on lui donne sa valeur d'inspirée, ce qui suppose l'Église.

2°) *Est evolutio in doctrina Pontificum ab encyclica* Providentissimus Deus *ad aliam* Divino afflante Spiritu[2] (historique des interventions romaines, avec attaque contre les dangers actuels en matière d'exégèse, qui vont à saper l'inerrance absolue de l'Écriture).

Le secrétaire général, Mgr Felici[3] : *de mandato*[4] du Secrétaire d'État[5] : le vote d'hier laisse des inquiétudes... Il faut d'abord amender le schéma de ses défauts. Le pape a décidé de remettre l'examen à une commission de cardinaux et membres pris de la Commission théologique et du secrétariat. Ensuite le schéma sera proposé de nouveau au concile. On pourra en attendant prendre en considération quelque autre schéma : vendredi on abordera celui des moyens de communication.

Mgr Guano[6] (Italie) : que dans l'Exorde on manifeste mieux ces points :

1)° *Deus hominibus loquitur per suum Verbum*[7], surtout le Christ.

2°) Le Christ est *imago et vox Patris, unicus magister et via ad Patrem*[8] (par toute sa personne et ses actes).

3°) *Deus Verbum suum loqui vult*[9] non à quelques hommes mais à toute l'humanité. Par les Prophètes, transmise par l'Église à toute l'humanité.

1. Au-dessus des deux sources de la révélation, il n'y a qu'une unique origine, à savoir le Verbe de Dieu.
2. Il y a une évolution dans la doctrine des Pontifes depuis l'encyclique *Providentissimus Deus* jusqu'à l'encyclique *Divino afflante Spiritu.*
3. *AS* I/III, 259-260.
4. Par mandat.
5. Cicognani.
6. *AS* I/III, 260-261.
7. Dieu parle aux hommes par son Verbe.
8. Image et voix du Père, unique maître et voie vers le Père.
9. Dieu veut dire sa Parole.

4°) *Plurimis viis fit : per vocem prophetarum*
per totam vitam Ecclesiae[1], mais parmi ces modes l'Écriture a la primauté.

5°) *Hominibus patefacere via salutis*[2].

6°) *Tota vita christiana*
tota vita Ecclesiae } *de Verbo Dei vivunt*
in servitium Verbi Dei positae sunt[3].

7°) *Munus episcoporum*[4] ne diminue pas le rôle des exégètes.

Martínez[5] (Zamora) : sur le *cap.*[6] I.

1°) Il faut une introduction générale à toutes les constitutions dogmatiques, déclarant dans quel sens le concile exprime ces constitutions : intention pastorale. Le concile s'adresse aux hommes de notre temps. Préciser la qualification théologique.

2°) Le titre *De fontibus* n'est pas bon. Il n'embrasse pas toute la matière du chapitre. Ces mots ne sont pas du vocabulaire conciliaire. Ils sont contraires au but œcuménique du concile.

Propose : *De Revelatione ejusque transmissione*[7].

3°) Qu'on exprime d'abord la notion de Révélation, et pas en termes purement intellectuels.

4°) Sur le n° 1 du chapitre, dont le style est trop sec. Propose un texte.

5°) Sur le n° 2.

Dom Butler[8] OSB : adhère à ce qu'a dit hier Ruffini : qu'on exprime d'abord la notion de Révélation (et dans sens de Mgr Guano).

---

1. Cela se fait de plusieurs manières : par la voix des prophètes – par toute la vie de l'Église.
2. Révéler aux hommes le chemin du salut.
3. Toute la vie chrétienne – toute la vie de l'Église – vivent de la Parole de Dieu. Elles sont établies au service de la Parole de Dieu.
4. La charge des évêques.
5. Eduardo Martínez Gonzáles, évêque de Zamora (Espagne), *AS* I/III, 261-263.
6. Chapitre.
7. De la Révélation et de sa transmission.
8. *AS* I/III, 264-265.

Ce schéma « *non adequate redolet consensum scholarum catholicarum*[1] », et ne reflète pas la Tradition orientale. Et c'est plus profond que le style ou quelque ornement pastoral. De plus il touche des questions légitimement discutées. Il ne faut pas substituer les énoncés d'une autre école, mais faire quelque chose à quoi tout le monde puisse adhérer.
Qu'on change le titre : *De revelatione et transmissione ejus*[2].
Et pour le chap. I : *De Traditione et Sacra Scriptura*[3].
P. 9, n° 4, I. 16 sq. : qu'on substitue un texte qu'il donne et qui fait place à la révélation par LA VIE du Christ, car le Christ incarné EST la parole de Dieu.
On a parlé hier des exégètes catholiques. Il s'indigne qu'on en ait parlé avec suspicion, en citant l'Institut biblique et Jérusalem.

Tso-Huan[4] ? (aussi : *observatores*[5]) : Il faut parler de la Révélation originelle ou *Protorevelatio*[6] : avant Abraham. Propose une formule et explique LONGUEMENT l'intérêt de sa proposition. Fatigue les auditeurs.

Hermaniuk[7] : 1°) le titre est mauvais : il n'indique pas le seul auteur de cette révélation, donc *unicus fons*[8]. Dire seulement : *De Revelatione divina*[9], et qu'on expose d'abord la notion de Révélation ;
2°) au n° 3, ligne 17 : il faudrait parler de l'annonce vivante AVANT la rédaction. Propose un texte ;
3°) ligne 31 du n° 4 ;
4°) page 10, ligne *[ ]*
(papier préparé pour la discussion du schéma § par § : mais il n'est plus question de cela !!!).

---

1. « Ne reflète pas adéquatement le consensus des écoles catholiques. »
2. De la Révélation et de sa transmission.
3. De la Tradition et de la Sainte Écriture.
4. Vito Chang Tso-Huan, évêque titulaire, *AS* I/III, 267-269.
5. Observateurs.
6. Proto-révélation.
7. *AS* I/III, 269-270.
8. Une seule source.
9. De la Révélation divine.

Mgr Rupp[1], *nomine proprio* !

tria placent[2] : LA DISTINCTION ENTRE LA TRADITION ET LE MAGISTÈRE

on mentionne la *praxis Ecclesiae*[3]

textus rationem habet geminae scientiae theologia[4] *modus loquendi longe differt a virili stylo*[5] du concile de Trente et de Vatican I.

Qu'on ne dise pas que les évêques ont toujours prêché le pur Évangile.

Et propose deux corrections de détail. Cite Melchior Cano[6] ; désire une citation ou mention de Vincent de Lerins[7].

Mgr Marty[8] : propose des remarques pour la nouvelle rédaction du schéma sur les nos 4, 5 et 6.

Qu'on mette toute la matière du chapitre dans la lumière du mystère de l'Église qui est « le Christ répandu et communiqué ». L'Église EST Tradition DU CHRIST lui-même, et pas seulement de sa doctrine. De cette Tradition, qui transmet la même réalité que les apôtres, la Sainte Écriture est le témoignage. Cette tradition est, sous la motion du Saint-Esprit, le fait de toute l'Église.

(s'applique à donner son texte lentement, clairement ; mais sa diction est très artificielle).

Cette présentation serait œcuménique et pastorale.

Je vais circuler dans les bas-côtés. Grand nombre d'évêques. Tous ceux que je vois ont la mine hilare et m'abordent en me félicitant comme d'une victoire personnelle. Partout détente (chez ceux que je vois).

---

1. Jean Rupp, évêque de Monaco, *AS* I/III, 271.
2. À titre personnel : j'approuve trois choses.
3. Pratique de l'Église.
4. Ici, on trouve dans les *Acta « genuinae naturae theologiae »* ; la phrase signifie donc : « Le texte a une structure d'argumentation de nature authentiquement théologique. »
5. Le mode d'expression diffère grandement du style vigoureux.
6. Théologien dominicain espagnol (1509-1560).
7. Moine et théologien du Ve siècle.
8. *AS* I/III, 273-274.

J'entends plusieurs interventions (Mgr Veuillot[1] sur la nécessité d'un paragraphe sur la Révélation et la Parole de Dieu). Mais d'une oreille désintéressée, pour ne pas dire distraite. Beaucoup d'évêques font de même.

La séance est levée peu après midi. Vendredi, discussion sur le schéma des moyens de communication. Je n'irai pas, mais je vais préparer un papier que Mgr de Provenchères accepte de lire.

Je fais prendre ma tension : 10/7. « *Bassa* ».

Le frère Clément de Bourmont[2], trappiste, a organisé un déjeuner des anciens du IV D[3] = 8 évêques et Guitton, qui est revenu, s'étant fait déléguer par l'Académie (plus ou moins) et, ici, assimiler aux Observateurs*.

Visite d'un Sulpicien américain, Brown[4]. Le même nom, à vrai dire très répandu, recouvre des hommes assez différents. Celui-ci, exégète et vice-président de la Société Biblique catholique des USA, est très ouvert. Il est super-joyeux de ce qui est arrivé. Il me dit que les évêques non seulement USA mais anglophones ont beaucoup changé d'idée ces derniers jours. Avant, ils n'avaient, plutôt, aucune idée de l'Écriture et des études bibliques actuelles. Ils ont, ces dernières semaines, entendu bien des conférences, quelques-unes sur les questions bibliques. Ils entrevoient la situation et s'y intéressent.

Il y a un petit quelque chose de cela chez un certain nombre d'évêques français. Le P. Daniélou, qui sent avec vivacité les grandes émergences, veut ne pas laisser passer ce moment et cette occasion.

Il envisage en ce sens le travail qu'on poursuit avec les évêques par petites équipes et voudrait le poursuivre d'une façon ou d'une autre en France, après le concile. Idée intéressante et peut-être féconde.

---

* Sympa.

1. *AS* I/III, 285-286.

2. Moine de l'abbbaye cistercienne de Bellefontaine (Maine-et-Loire) ; secrétaire de l'Abbé général de l'ordre cistercien, il réside à l'abbaye de Trois-Fontaines.

3. Congar est un des anciens prisonniers de l'Oflag IV D.

4. Robert E. Brown, spécialiste de saint Jean ; il sera plus tard membre de la Commission biblique pontificale.

Incontestablement, le concile aura eu cet effet de faire découvrir la catholicité par Rome (cf. *ICI*, 15. XI. 62, p. 8) et beaucoup de choses, d'idées, de courants, par les évêques.

À 16 h, je prends un taxi pour aller à la RAI (Radio italienne) où je devais préparer l'émission de dimanche avec quelques observateur. Il y a erreur, est-ce de ma part ? Je ne trouve personne et reviens.

Ce soir, à 21 h, à la *Civiltà Cattolica*, invité par les PP. Tucci, Rouquette et Bréchet. Quelques bricoles, quelques détails sur tel ou tel, sur tel incident. Peu de chose.

Le P. Fransen me montre, à la *Civiltà Cattolica* (21. XI. 62) le n° de *La Libre Belgique* du 16 novembre 62, où l'article de tête est du P. Stiernon[1], A. A. (du Latran) : article contre la position Geiselmann-Rahner-Holstein[2], et où je suis aussi pris à partie. Donc, il y a vraiment une offensive en faveur des deux sources et du vieux *partim-partim*[3].

Jeudi 22 novembre. – Je passe presque toute la matinée à préparer la conférence que je dois donner EN LATIN au séminaire Capranica. Pour la faire en français, il m'aurait suffi de dix minutes de préparation ; pour la faire en latin, il me faut plus de trois heures. Alors que j'ai tant à faire et que les jours passent, passent, sans que le travail avance.

On dit, de différents côtés, que le cardinal Ottaviani aurait offert sa démission au pape, qui l'a refusée. Le bruit paraît assez sérieux. On ajoute, mais cela semble moins sérieux, que le cardinal Ottaviani aurait demandé que Karl Rahner soit éloigné de Rome.

À 10 h 45 jusqu'à 12 h 30, à la Faculté vaudoise, avec H. Roux, Míguez[4], Thurian et un moment Cullmann. Suite de mardi soir

1. Daniel Stiernon, a.a., professeur de théologie orientale au Latran, enseigne également à l'Urbanienne ; c'est un collaborateur de Boyer à la revue *Unitas*.

2. Henri Holstein, s.j., secrétaire de la rédaction des *Études* et enseignant à l'Institut supérieur catéchétique de l'Institut Catholique de Paris, avait publié : *La Tradition dans l'Église*, Paris, Bernard Grasset, 1960.

3. Cf. plus haut, p. 228, n. 3.

4. Le pasteur José Míguez Bonino, recteur de la faculté évangélique de théologie de Buenos Aires, est Observateur délégué du Conseil mondial des méthodistes ; il deviendra secrétaire général du COE.

sur Tradition, Révélation, Foi, connaissance naturelle, Magistère. Cela fait du bien de parler théologie !

Après-midi, P. Rieber Mohn[1] (interview pour journaux du Nord).

À 17 h, à la Grégorienne, pour une soutenance solennelle de Thèse de l'Institut biblique : P. Lohfink[2]. L'Institut biblique en fait une manifestation de sympathie en sa faveur. Assistance énorme, très nombreux cardinaux, beaucoup d'évêques. C'est une nouvelle victoire du cardinal Bea. Le concile est le concile du cardinal Bea ! Je quitte la séance à 17 h 50, devant parler à la Capranica à 18 h. La Capranica est un des deux séminaires de Rome : une quarantaine de séminaristes. Je parle, en latin, de l'œcuménisme. Le latin me gêne beaucoup pour les nuances, auxquelles il ne se prête pas, même pour ceux qui le savent mieux que moi. Certainement aussi, malgré ma préparation soignée, j'ai donné tout mon effort et tout mon temps à la préparation de la matière, je n'en ai plus eu pour tout revoir du point de vue psychologique : en sorte que je ne suis pas sûr d'avoir fait ce soir ce que j'essaie généralement de faire en sermon ou en conférence : prendre les gens là où ils sont au point de vue idées et sentiments, et les mener là où je veux. Mon discours a été trop abrupt, peut-être trop allusif, bien que j'aie amené des exemples et des anecdotes concrètes.

Vers le dernier tiers de ma conférence, trois évêques sont entrés, venant peut-être de la Grégorienne. L'un d'eux prend la parole après ma conférence. J'ai su que c'était l'évêque[3] de Bénévent*, en Italie. D'une voix de stentor, augmentée par la passion, en martelant ses mots, en poussant ses cris au paroxysme de la violence, il attaque ma conférence. Tout cela est vague et ne mène à rien. Il n'y a qu'une chose de vraie : l'affirmation de la doctrine dans toute sa force et son intransigeance. Les manuels sont parfaits, pas superficiels : ils ont ce qu'il faut, des formules nettes, tranchées, non am-

* Calabria.

1. Le Norvégien Hallvard Rieber Mohn, o.p., de la province de France, exerce son apostolat dans le monde de la communication à Oslo.

2. Norbert Lohfink, s.j. enseignera par la suite l'exégèse de l'Ancien Testament à la faculté de théologie jésuite Sankt Georgen de Francfort et à l'Institut biblique pontifical.

3. Raffaele Calabria, archevêque de Bénévent.

biguës. Ce qui détermine tout, c'est le magistère. L'Ange de Bénévent dit : on parle d'une présence du Christ dans l'Église. Il n'y en a qu'une, c'est le Magistère. Et, comme je réponds qu'il y a dans l'Église une expérience du mystère du Christ, il beugle : l'Expérience ! On en a déjà parlé au début du siècle, c'est du Modernisme !!! Quoi faire entendre ? Entre les protestants ou les orthodoxes et nous, il y a « *magnum chaos*[1] » absolument infranchissable. Du reste, qu'est-ce que les œcuménistes ont obtenu ? Et l'évêque de Bénévent me somme de citer un seul exemple d'exposés, faits dans l'esprit que j'ai prôné, sur l'inerrance, l'historicité, etc.

Je réponds d'abord calmement, comme je peux, et dans la mesure où le stentor n'étouffe pas ma voix sous ses rugissements. Puis j'attaque et je le somme, à mon tour, de citer un seul cas où j'ai diminué la vérité. Il se tait. Un tonnerre d'applaudissements éclate, qui dure plusieurs minutes. Les questions reprennent. Je m'aperçois qu'elles procèdent d'un esprit plutôt scolaire et peu informé. Un directeur de la maison me paraît bien proche de l'évêque de Bénévent. De plus, il tient absolument à l'idée, que je sais et dis fausse, selon laquelle les protestants se tourneraient vers nous aujourd'hui par peur du communisme : nous résistons au communisme, ils nous savent forts et veulent s'appuyer sur notre force.

Les séminaristes manifestent contre l'évêque de Bénévent en m'applaudissant à tout rompre. Moi, je ne suis pas satisfait et garde une mauvaise impression. Je savais, en acceptant, que je courais un risque. Je pensais pouvoir le courir dans le climat actuel. De plus, je pense qu'il faut prendre des risques. La cause le vaut bien. Cela vaut bien quelque ennui de porter la parole œcuménique à un auditoire qui est une pépinière de futurs membres des services romains. J'accepte volontiers d'avoir quelques ennuis encore pour la cause sainte de la réunion. Les Italiens, d'ailleurs, ne sont nullement inquiets. Ils se contentent de dire, de l'évêque de Bénévent : il est du Sud, ils sont comme cela là-bas, violents toujours...

Vendredi 23 novembre : Saint Clément. – Je ne vais pas à Saint-Pierre. Je fais remettre à Mgr de Provenchères un papier que

1. « Un grand abîme » (Lc 16, 26).

j'ai fait pour lui sur le schéma des Moyens de Communication. La séance n'a pas été bien intéressante. Tout le monde trouve le texte proposé trop long. On a annoncé qu'après lui on discuterait le *De Beata Virgine Maria*, puis le *De unitate Ecclesiae*. On a distribué ces textes. Mais, pour le *De unitate*, la commission orientale elle-même, qui l'a rédigé, reconnaît qu'il devra être harmonisé par le Secrétariat pour l'unité, avec le texte préparé par ce Secrétariat. Il y a même un troisième texte, celui de la Commission théologique sur l'Œcuménisme. Plus je vais, plus je trouve que la préparation du concile a été faite n'importe comment, ou plutôt très mal, et ceci dans des matières ou sous des aspects qu'il était aisé de prévoir. Comment n'a-t-on pas fait AVANT le concile ce qu'on va être obligé de faire maintenant ? On n'aurait pas agi autrement si l'on avait VOULU manifester les vices du système par ses résultats : car il m'a été, à moi, évident dès le premier jour, qu'on aurait plusieurs projets sur les mêmes matières, faute de coopération entre les différentes commissions !

À 15 h, séance de travail avec le groupe des évêques : au Biblicum, puisque le P. Général veut qu'aucune réunion ne se tienne à l'Angélique : en suite de ce qu'a dit Parente à la Commission théologique (voir supra, au 14 novembre).

Le soir, visite de M. Sencourt, qui n'a rien à faire que des visites...

Samedi 24 novembre. – Je ne vais pas à Saint-Pierre et tâche de « taper » quelques pages de ma *Tradition*[1]. La congrégation à Saint-Pierre n'a pas été intéressante. Le cardinal Léger[2] a dit cependant qu'on ne doit pas parler des DROITS de l'Église, mais de son service. Les Africains ont aussi insisté sur le service des hommes.

Visite de M. Noël Howard Salter[3], un Anglais employé comme secrétaire général adjoint dans les organisations européennes. Congrégationaliste, « converti » à Taizé, où il a sa patrie spirituelle, il fait de l'action chrétienne : ce que nous appellerions, nous, de

1. Cf. p. 99, n. 1.

2. *AS* I/III, 460-462.

3. Noël H. Salter, qui travaille à l'Assemblée de l'union de l'Europe Occidentale à Paris, organise une conférence à laquelle Congar participera le 22 janvier suivant (cf. p. 319) avec Roger Schutz.

l'Action catholique, dans le milieu des fonctionnaires européens habitant Paris (environ deux mille personnes). Quelle belle personnalité. Il a dîné hier soir avec plusieurs évêques français, chez les Frères de Taizé. Il me dit : si mes compatriotes voyaient et entendaient ce que je vois et entends, l'unité serait bientôt faite !

Mon Dieu, qui m'avez fait comprendre dès 1929-1930 que si l'Église changeait de visage, si elle prenait simplement son VRAI visage, si elle était tout simplement l'Église, tout deviendrait possible sur la voie de l'unité, suscitez des ouvriers efficaces, purs et courageux, pour cette œuvre que vous avez entreprise et que je vous supplie de ne pas abandonner !

Conférence de Presse Cullmann hier soir. Le texte anglais *hic*[1].

Dimanche 25 novembre. – Le matin, télévision française avec les Observateurs[2]. Programme ici[3]. On est en conversation directe avec Paris, qui nous pose des questions auxquelles nous répondons à l'instant même, les spectateurs ayant tout cela sous les yeux, en direct, à la seconde même. C'est tout de même quelque chose de sensationnel ! Nos arrière-neveux en verront bien de l'autre !

À 13 h, déjeuner avec S. B. Maximos IV, Mgr Edelby, Mgr l'Archevêque melchite de Beyrouth[4]. J'apprends peu de chose. Surtout que le cardinal Ottaviani ne vient pas aux congrégations générales. TOUT LE MONDE le désigne comme le grand accusé et le grand vaincu du concile. Celui-ci, par contre, s'annonce comme devant être le concile du cardinal Bea.

Après, entretien avec deux prêtres américains, théologiens d'évêques. Ils me posent des questions surtout sur les membres de l'Église.

Fenton n'est pas représentatif des théologiens américains. Il a peu de disciples. Il parle demain aux évêques USA : tant mieux, me disent les deux prêtres : on verra quel pauvre homme c'est ! Il est

---

1. Cf. le texte français dans *La Documentation Catholique*, 16 décembre 1962, col. 1619-1626.
2. Cette émission aura un grand retentissement et le pape demandera à la voir.
3. Congar y est interrogé avec H. Roux au sujet des Missions.
4. Il s'agit de Philippe Nabaa, qui est aussi sous-secrétaire du Concile.

TRÈS lié avec le cardinal Ottaviani (de nouveau : accusé et victime) et avec le délégué apostolique, Mgr Vagnozzi, très étroit, qui surveille les évêques américains, intervient partout et tâche d'orienter tout dans le sens du « Saint-Office ». Ici à Rome, il ne lâche pas les évêques américains d'une semelle et continue de les surveiller.

Les évêques américains sont intimidés. Ils n'osent pas parler. Ils se sentent trop peu théologiens.

Ils ont beaucoup évolué ici, surtout en matière biblique, grâce aux conférences du P. Passioniste*[1].

Le soir, dîner chez Laurentin avec l'abbé Poupard. Celui-ci nous donne bien des détails sur :

1°) L'épiscopat italien, tenu systématiquement dans l'émiettement, dans des attitudes de défense obsidionale : les Allemands et les Français mettent « la foi », « la doctrine » en péril : les Italiens doivent la sauver, avec le pape.

2°) Ottaviani-Tromp. Le P. Tromp va disant que, la fièvre du concile passée, il faudra remettre de l'ordre. Pour lui, pour Ruffini, rejeter les schémas de la commission théologique, c'est vouer l'Église au chaos.

L'abbé Poupard me raconte aussi ceci, qu'il tient de l'intéressé, un évêque noir**. Mgr Parente rencontre cet évêque noir après le vote, et il lui dit : quand tu étais étudiant à Rome, tu n'avais pas ces idées-là. Mais maintenant tu es sous la coupe des « méchants » théologiens français, tu n'es pas libre. L'évêque noir a répondu : quand j'étais étudiant à Rome, j'étais sous l'influence des bons théologiens italiens. Je n'étais pas libre, je n'étais pas moi-même.

Laurentin a vu (et en partie copié) les procès-verbaux de la commission centrale. Cela s'ouvre par une déclaration d'Ottaviani disant : la Commission centrale n'a aucune autorité doctrinale ; c'est la Commission théologique (= le « Saint-Office ») qui juge de la doctrine ; c'est pourquoi elle n'a rien à recevoir des autres commissions, encore moins du Secrétariat***, mais elle doit apprécier leur doctrine.

---

*1. L'exégète Barnabas Ahern ; nommé expert du Concile au cours de la première session, il collaborera également au Secrétariat pour l'unité.

** Zoa.

*** Bea.

C'est vraiment la lutte entre le règne omnipotent du « Saint-Office » et l'Église qui vit et qui a le contact apostolique avec le monde.

Lundi 26 novembre. – Bien que sachant qu'on risque de ne pas dépasser la discussion Cinéma-radio (malgré ce que m'a dit hier le Patriarche Maximos IV), je vais à Saint-Pierre pour reprendre contact avec quelques évêques et *periti.*

Santé, marche : assez mauvais.

Je vois ainsi un instant les observateurs, puis Thils, Mgr McGrath, Feiner, Lubac, Mgr Philips. Celui-ci est assez optimiste. Il pense que sa reprise du schéma *De Ecclesia* a chance d'être prise en considération. Le parti Ottaviani en a eu connaissance et en a fait prendre une photocopie. Mais il aurait dit qu'on pourrait amender le schéma en ce sens. Par contre, mes autres interlocuteurs sont fort inquiets :

1°) La Commission mixte, Théologie-Secrétariat, s'est réunie hier. Le cardinal Bea y a peu parlé ; le cardinal Ottaviani a mené. En une heure de temps, il a fait agréer les principes d'après lesquels on travaillerait : cela a été expédié très vite. Le cardinal Ottaviani a fait agréer l'idée de reprendre simplement le cadre des cinq chapitres du schéma officiel, c'est-à-dire le cadre même de ce schéma. Son idée est d'apporter simplement à celui-ci quelques modifications. Ce serait insuffisant et, s'il en était ainsi, le concile devrait REFUSER une nouvelle fois !

Cependant, avec le chanoine Thils, nous allons voir Mgr Garrone, vers 10 h 15 : car Mgr Garrone n'était pas à Saint-Pierre ce matin, travaillant justement sur un texte *De Revelatione*[1], pour une des sous-commissions de la Commission mixte. Lui est moins pessimiste. Il estime que c'est dans les sous-commissions que le travail va se faire et que s'il y a là quelques évêques décidés, on peut faire passer ce qui doit passer.

Du côté de la Commission théologique, il y avait hier sept *periti* : Fenton, Balić, van den Eynde, Kerrigan et trois autres qu'on n'a pas pu me citer. Je suis donc éliminé par cette commission, ce qui

---

1. De la Révélation ; il s'agit d'un préambule pour le nouveau schéma.

ne laisse pas d'être significatif. Mais les évêques des sous-commissions ont le loisir de faire appel à des *periti*.

Avant que je ne quitte Saint-Pierre, j'ai entendu Mgr Felici[1] annoncer :

1°) Il y aura demain un vote relatif au schéma Radio-Cinéma, sur un texte qui sera distribué.

2°) On commencera tout de suite la discussion générale du schéma *Ut sint unum*[2]. Cependant, ce texte doit être refondu avec le texte du Secrétariat, non encore distribué.

3°) À la demande de nombreux Pères, on abordera très bientôt la discussion *De Ecclesia* ; s'inscrire si on veut parler. La constitution sur la Vierge Marie sera traitée comme un des chapitres de *De Ecclesia*, *« quia est membrum corporis mystici*[3] *» (sic !).*

Il y a en tout cela, une incohérence et une légèreté inconcevables. Incohérence : on annonce successivement des choses différentes, il n'y a pas d'ordre du jour. La préparation a été faite aussi de façon incohérente : on savait bien qu'il y avait trois textes différents touchant l'unité : on n'a pas réussi à les harmoniser. Incohérence et légèreté encore : les évêques sont invités à discuter dès demain des textes qui leur ont été distribués il y a trois jours et qu'ils n'ont matériellement pas eu le temps d'étudier.

Le P. de Lubac pense que c'est voulu : ON NE VEUT PAS que les évêques aient le temps d'étudier sérieusement les textes avec les théologiens. Le P. de Lubac craint aussi qu'entre les deux sessions les gens de Rome ne prétendent remanier les textes, apparemment avec quelques concessions dans le sens du concile ; réellement, dans le sens de la Curie. Le P. Tromp, cela m'est revenu de plusieurs côtés, a dit que, pour le *De fontibus*, on ferait un schéma nouveau qui serait le frère jumeau du premier.

Lubac pense qu'il faudrait qu'un organisme CONCILIAIRE soit créé, qui, entre la première et la deuxième session, s'attache à garder, dans le travail de Commission qui sera fait à Rome, l'esprit de la

1. *AS* I/III, 501-502.

2. « Qu'ils soient un » ; il s'agit du schéma *De Ecclesiae unitate* de la Commission préparatoire pour les Églises orientales, intitulé aussi *Ut omnes unum sint* (« Que tous soient un »), selon les premiers mots du texte.

3. « Parce qu'elle est un membre du corps mystique. »

première session, à surveiller les commissions, à renseigner, éventuellement alerter les évêques, sur ce qui se fait, sur la fidélité à leur volonté ou la trahison de celle-ci.

Oui, mais 1°) ce n'est pas prévu.

2°) Quels hommes seront à la fois assez forts et lucides, libres de leur temps, agréés de part et d'autre pour faire ce travail ?

On est dans le cirage.

Mais je vois qu'un concile passe par des alternatives d'ombre et de lumière. Je crois au Saint-Esprit. Il se sert des hommes.

On va tâcher de faire en quelques jours un travail qui eût demandé des semaines. « Notre secours est au nom du Seigneur qui a fait le ciel et la terre[1]. »

J'ai quitté le concile peu après 10 h. On me dit qu'on a interrompu la série des interventions sur les moyens de communication et qu'on a entamé le schéma *De Unitate*[2]. Lecture du rapport de présentation par le secrétaire[3] ; puis intervention du cardinal Liénart[4] (remarques de détail et note que le schéma ne parle que des Orientaux), des cardinaux Ruffini[5], Browne[6] et Bacci[7] (Ruffini et Browne : on ne peut pas parler d'*unitas ecclesiae instauranda*[8]. C'est vrai, et je n'aurais pas écrit cela. *Unitas inter christianos*[9], oui, *unitas eorum qui nomine christiano insigniuntur*[10].

À 15 h, réunion du groupe de travail des évêques français, au Biblicum. Étude du schéma *De Virgine Maria*[11]. Très bon exposé de Laurentin.

1. Ps 123, 8.

2. *AS* I/III, 527.

3. Après un discours introductif du cardinal Cicognani, président de la Commission conciliaire des Églises orientales (*AS* I/III, 546-547), le secrétaire de la même Commission, Athanase G. Welykyj, moine basilien de Saint-Josaphat, présente le schéma, *AS* I/III, 548-553.

4. *AS* I/III, 554-555.

5. *AS* I/III, 555-557.

6. *AS* I/III, 559-560.

7. *AS* I/III, 558-559.

8. Unité de l'Église à instaurer.

9. Unité entre les chrétiens.

10. Unité de ceux qui sont désignés par le nom de chrétiens.

11. De la Vierge Marie.

À 16 h 40, on m'y prend pour aller à la TV canadienne. Le Père qui m'y interroge me raconte que le cardinal Léger a eu avant-hier une demi-heure d'audience du Pape. Le Saint-Père lui a dit : « ils ne m'ont pas compris », ils n'ont pas compris ce que je voulais en convoquant le concile (la mise à jour de l'Église). Et, le lendemain, hier, il a envoyé au cardinal Léger une lettre autographe et une croix pectorale.

À 18 h, je suis au collège belge où je ne puis participer qu'à la dernière demi-heure de discussion de la reprise du *De Ecclesia* par Mgr Philips. Rahner, Daniélou et ? quittaient la séance. Restaient Ratzinger, Onclin[1], Lécuyer. Mgr Philips a bon espoir de faire passer son texte.

À 18 h 30, conférence aux étudiants du collège belge (Laïcat), suivie du dîner.

Mardi 27 novembre. – À Saint-Pierre. Felici[2] : de nombreux évêques ont demandé que la seconde session commence non en mai mais le 8 septembre 1963.

On votera sur la constitution des Communications comme approbation générale, qu'une commission le réduise à un texte plus bref et qu'on fasse un directoire pratique.

Ce vote :

Votants	*placet*	*non placet*	nuls
2 160	2 138	15	7

Déclaration de la Commission orientale :

1°) le titre pourrait être changé pour exprimer qu'il s'agit seulement des Orientaux ;

2°) les parties doctrinales ne visent qu'à manifester les conditions nées de la séparation en Orient et à fonder les applications pratiques de la seconde partie ;

---

1. Willy Onclin, prêtre du diocèse de Liège, professeur de droit canonique à l'Université de Louvain ; expert du Concile, il est très impliqué dans la Commission des évêques et du gouvernement des diocèses ; il est nommé en novembre 1965 secrétaire adjoint de la Commission pour la révision du Code de droit canon.

2. *AS* I/III, 613-615.

3°) le décret est adressé aux catholiques pour leur donner les moyens de travailler à l'union avec les orthodoxes.

Cardinal de Barros Câmara[1] (Rio Janeiro, Brésil) : adhère à ce qu'on a dit hier. Il n'y aura réunion que par l'exposé clair de la doctrine catholique. Y ajouter des moyens psychologiques : que les Orientaux voient l'unité entre nous. Et considérer les problèmes spéciaux des Orientaux.

Que dans les Litanies des Saints on distingue ERRANTS et INFIDÈLES.

Maximos IV[2] : C'est une bonne base en général. Cependant, quatre remarques :

1°) Sur l'esprit, surtout n° 5 à 12, affirmations trop péremptoires et partielles. On donne trop exclusivement le beau rôle à Rome. Rome n'est pour rien dans le christianisme oriental, qui vient des Apôtres et des Pères. Il faut, à l'Orient, parler d'abord de la collégialité pastorale de l'Église ; ensuite, de la Papauté comme base et centre de cette collégialité.

2°) Il y a trois schémas pour la même matière. « Quand beaucoup de mains se mêlent pour faire la cuisine, les mets se brûlent » (proverbe arabe). Qu'une commission mixte faite des trois propose un texte unique.

3°) Après quelques considérations générales, le schéma ne parle en fait que des moyens visant l'union avec l'Orient. De fait, il faudra, après des principes généraux communs, une partie spéciale pour les orthodoxes. L'union est pour les catholiques orientaux une question vitale : ils forment avec les orthodoxes une seule famille.

Texte lu ensuite en latin par Mgr Hakim[3] (qui l'avait répété avec moi avant la séance).

Mgr Principi[4] (Italie) *(dilecti observatores*[5]*)* : évoque la situation

1. *AS* I/III, 615-616.
2. *AS* I/III, 616-618.
3. *AS* I/III, 618-620.
4. Primo Principi, archevêque titulaire de la Curie, *AS* I/III, 621-622.
5. Chers Observateurs.

à l'époque de Léon XIII et de Soloviev[1]. Ne pas recommencer les mêmes errements. Donc, renvoyer la discussion de ce schéma après celui *De Ecclesia*.

Pawłowski[2] (Pologne) : Prudence ! Sécurité ! Sobriété !

Cite *Humani Generis* sur irénisme.

On charge trop l'Église latine des responsabilités de la séparation... Marie fera l'union.

Mgr Nabaa[3] (Liban) *(observatores carissimi*[4]*)* : *placet tantum juxta modum*[5]. Tout n'y est pas heureux. Son importance est telle qu'il devra être très amélioré.

1°) ne parle que de l'Orient, mais celui-ci a des conditions particulières ;

2°) propose des moyens...

Je suis cherché dans ma tribune et emmené par Mgr Guano. Au bar, je vois Mgr Sauvage[6], Elchinger, puis Roberts et un évêque tchèque, Mgr Tomášek[7], qui veulent quelque chose sur la paix, la guerre et la bombe. Le dernier me dit que les gouvernements polonais et tchèque ont un peu conditionné leur passeport par la promesse que le concile fasse quelque chose pour la paix.

Je fais la connaissance de Mgr Guano, évêque de Livourne, auquel j'avais envoyé un mot à propos de son intervention, il y a quelques jours. Il est très ouvert. Il est aumônier général des intellectuels.

Je rencontre aussi le P. Villain, qui a fini, lui aussi, par entrer. Quand je regagne ma tribune, le cardinal Bea[8] parle. Je n'ai que la

---

1. Vladimir Soloviev, penseur orthodoxe russe ; par son rapprochement avec le catholicisme, il fut un précurseur du mouvement œcuménique.

2. Antoni Pawłowski, évêque de Włocławek, *AS* I/III, 622-624.

3. *AS* I/III, 624-627.

4. Très chers Observateurs.

5. J'approuve tout au plus avec réserve.

6. Jean Sauvage, évêque d'Annecy (France).

7. František Tomášek, évêque titulaire, futur cardinal-archevêque de Prague.

8. Il doit s'agir d'une confusion, car, d'après les *Acta*, le cardinal Bea n'intervient pas durant cette Congrégation générale. C'est l'archevêque ukrainien de Philadelphie Ambrozij Senyshyn qui parle avant l'intervention d'Antonio G. Vuccino.

fin de son intervention. On me dit que Mgr Nabaa[1] a fini la sienne, qui s'annonçait très intéressante, en disant : qu'on nous donne d'abord à nous-mêmes et à nos synodes des pouvoirs réels. Alors nous pourrons être un exemple et un attrait pour les Orthodoxes.

Vuccino[2] : on aurait pu éviter bien des imperfections et des pertes de temps si on avait collaboré au lieu de faire trois schémas. Expérience personnelle dans les Balkans. L'exposé fait de notre doctrine, loin d'attirer les orthodoxes, les repousse : trop juridique. Il faut accentuer les idées : Bon pasteur → diaconie, SERVICE, non droits et domination.

Mgr Fernández[3], espagnol : Il n'y a qu'une Église ! On ne peut parler des *ecclesiae*[4].

Edelby[5] (TRÈS BIEN donné, écouté) : ne parle que de l'Introduction générale, surtout n° 1-11. Si le corps du schéma a beaucoup de bon, cette introduction générale est très incomplète et pas toujours juste. Il y a des considérations qui relèvent du *De Ecclesia* et qui ne sont pas orientées vers leurs conséquences unioniques.

1°) L'esprit est loin de l'esprit œcuménique qui est *spiritus veritatis in caritate et claritate*[6]. Il y a quelque animosité contre les Orientaux (par ex. accusation de soumission à l'autorité civile).

2°) Au point de vue historique, façon de présenter la séparation : que l'Église catholique aurait toujours fait tout ce qu'il faut en faveur de l'unité. Alors que les torts sont des deux côtés.

3°) La doctrine-théologie n'est pas toujours heureuse ni profonde. Par ex. n° 6 où l'unité de l'Église est fondée seule-

---

1. *AS* I/III, 624-627.
2. Antonio G. Vuccino, évêque auxiliaire de Paris pour les catholiques de rite oriental, *AS* I/III, 633-635.
3. Doroteo Fernández y Fernández, évêque coadjuteur de Badajoz, *AS* I/III, 636-638.
4. Églises.
5. *AS* I/III, 638-640.
6. Esprit de vérité dans la charité et la clarté.

ment sur le primat du pape et la soumission des fidèles à la hiérarchie. C'est très incomplet.

Les papes eux-mêmes ont appelé les orthodoxes « Églises ».

Au n° 9, rien sur la relation des autres chrétiens au Christ.

Que le schéma ne commence qu'au n° 12 et constitue un chapitre spécial d'un schéma à faire avec le Secrétariat.

Mgr Zoghby[1] (en français) : l'unité chrétienne au point de vue oriental et orthodoxe.

L'Église orientale n'a jamais fait partie de l'Église latine et elle ne lui doit pas son développement. Elle est l'Église SOURCE, émanant des Apôtres directement.

Deux génies, deux inspirations chrétiennes différentes : orientale et occidentale.

Les mêmes mystères chrétiens et les mêmes fêtes sont compris et vécus différemment ici et là : Trinité, christologie (divinisation de la nature humaine par le Christ). Deux Églises qui peuvent s'unir mais non fusionner. Unité mais non uniformité, à l'image de la Sainte Trinité.

(Je crois reconnaître du Chenu.)

Pouvoir collégial des Apôtres, alors que l'Église catholique évolue vers la centralisation.

L'Église catholique est latine dans son écrasante majorité. Il y a ICI AU CONCILE 130 évêques orientaux perdus parmi 2 500 Pères, et les patriarches d'Orient sont noyés et disparaissent derrière la pourpre sacrée des 100 cardinaux qui font aujourd'hui honneur à l'Église catholique, mais n'existaient pas aux premiers siècles.

On ne peut pas imposer à l'Orient cette évolution de l'Occident. Quand l'Occident aura retrouvé ses langues liturgiques, ses synodes nationaux et ses rites nationaux, alors une première étape sera faite.

Méndez[2] (Mexico) : 1°) regrette défaut de coordination.

2°) on ne parle que des orthodoxes et parfois on ne distingue pas s'il s'agit des orthodoxes ou des catholiques orien-

---

1. *AS* I/III, 640-643.
2. Sergio Méndez Arceo, évêque de Cuernavaca, *AS* I/III, 643-646.

taux unis. Et on ne précise pas ce qu'est l'Église orientale ; etc. (autres défauts) ;
3°) juridisme ; monologue non dialogue au sens De Smedt. Parfois on semble viser plus des conversions individuelles que l'union des Églises.
Pour une nouvelle rédaction par les trois commissions que cela intéresse.
Une meilleure explication des relations entre le primat et l'épiscopat. Qu'on n'introduise pas dans un document conciliaire des citations du Magistère ordinaire, mais seulement de l'Écriture et des Pères.
Il faudrait qu'avant le 8 septembre prochain on convoque à Rome un évêque sur dix élus par les autres pour revoir tout cela pendant un ou deux mois : un *coetus*[1] d'environ deux cents évêques.

Romero[2] (espagnol, mais prononciation italienne très accentuée et désagréable).

Athanase Hage[3] (Supérieur des Basiliens) : *omnino placet*[4] : bon équilibre général. Mais dans le détail et si on le met en rapport avec le schéma *De Ecclesia* : pas accord complet. Et à abréger. Critique certaines expressions dures. À insérer dans le chap. XI du *De Ecclesia.*

Nombreux coups de téléphone. Longue et bonne visite du P. Chenu.

À 20 h 30, après leur dîner (moi, je m'en passe), parlote aux prêtres du Séminaire français. Je retrouve le prêtre français : de bonnes têtes, parfois sans grâce, parfois agréables ; de bons yeux qui vous regardent honnêtement et interrogent ; un intérêt aux hommes et au monde ; un penchant à la liberté et à saisir l'aspect plaisant des choses.

---

1. Assemblée.
2. Felix Romero Menjibar, évêque de Jaén, *AS* I/III, 646-648.
3. L'archimandrite Athanase Hage, supérieur général de l'ordre des Basiliens melkites de Saint-Jean-Baptiste, *AS* I/III, 648-650.
4. J'approuve tout à fait.

Mercredi 28 novembre. – Cherchant des évêques avant la messe à Saint-Pierre, je frôle le cardinal Ottaviani. Je me présente donc. Immédiatement, il m'attaque (en italien, puis, comme je réponds en latin, en français). Il me reproche de faire une critique toute négative, non constructive. Comme je lui demande QUELLE critique et à quoi, il m'attribue une part dans la rédaction du schéma signé par les présidents. Il ajoute que l'approbation donnée par ceux-ci à ce texte ne leur fait pas honneur. Il va y avoir une critique, une réponse à ce schéma, et ceux qui l'ont approuvé comme ceux qui l'ont fait n'en sortiront pas grandis ; leur faiblesse théologique apparaîtra.

Ce bref entretien est coupé de quatre ou cinq interruptions, car tour à tour le cardinal Pizzardo et plusieurs gros évêques veulent dire quelques mots au cardinal Ottaviani, et chaque fois je me retire.

Je dis que K. Rahner est mon ami, mais que je ne suis pour rien dans la rédaction du texte incriminé.

Le photographe de *Match*, qui prend les flashes, nous prend au moment où, profondément révolté par cette nouvelle agression et cette suspicion dont je sais que je ne sortirai que par la mort, je devais avoir une mimique assez peu souriante.

Le cardinal Ottaviani me dit que je devrais aller le voir, collaborer, voir l'assesseur du Saint-Office[1]. Oui j'irai voir le cardinal Ottaviani ; Parente, c'est autre chose !

Mgr Collin[2] (Digne), OFM, ancien évêque de Suez, m'accroche : il me dit que les Italiens ont été très déroutés par les propos de Maximos IV qu'ils résument ainsi : il y aurait deux Églises. Le cardinal Ottaviani a, paraît-il, réaffirmé : Une seule, unique ! Mgr Collin me dit : il faudrait leur *EXPLIQUER*. Oui, mais comment faire ? Le temps ! Et je ne parle pas l'italien...

Messe éthiopienne, une heure pleine. Des braillements étranges. Elle me laisse un malaise. Mais j'aime l'intronisation de l'Évangile, avec tam-tam et applaudissements. Évidemment, les Noirs doivent s'y retrouver parfaitement.

On distribue une feuille d'*emendationes* sur le chap. I de la liturgie. Il y aura vote sur neuf *emendationes*.

---

1. Pietro Parente.
2. Bernardin Collin, évêque de Digne (France).

Le président, cardinal Tappouni[1], précise : le schéma n'a pas pour but d'exposer les principes dogmatiques, mais le sens de l'Église catholique dans l'abordage de la question de l'union avec les Orientaux. *Schema mihi placet*[2] (insiste beaucoup). (Prononce à l'italienne, mais en US (non OUS).)

Cardinal Spellman[3] : une seule Église fondée sur Pierre, mais admettant des variétés de rites. Prière ; confiance en Marie. *Caveant ne falso irenismo ducti*[4]... etc. Parle d'Églises schismatiques, de REDIRE : elles ont professé la doctrine catholique dans les sept conciles œcuméniques. *Placet.* (Aucun rapport RÉEL avec les problèmes RÉELS.)

Cardinal Ottaviani[5] : *placet* avec quelques corrections.
Pour un UNIQUE schéma (et pas séparé pour les Orientaux). Le schéma *De Ecclesia*, 80 pages, est trop important pour qu'on le traite si vite. Il propose qu'on le laisse et qu'après l'unité on passe au *Beata Virgine Maria*[6]. Ainsi on finira en donnant le spectacle de l'unité des enfants dans la louange de leur mère. On donnera ainsi une consolation au pape qui pourra, en la fête de l'Immaculée Conception, approuver solennellement ce schéma.
Appel SENTIMENTAL à toutes les Saintes Vierges du monde, à la piété [[mariale]] de tous les prêtres.
Applaudissements.

Sa Béatitude le patriarche chaldéen de Babylone[7] (*observatores...*) : Le schéma lui plaisait et lui plaît toujours. Souhaite que les Pères composent au nom du concile une prière pour l'union : ce serait un signe de sa sollicitude pour cette cause.

1. Originaire de Mossoul, Ignace G. Tappouni est patriarche d'Antioche des Syriens. *AS* I/III, 654-655.
2. Le schéma me plaît.
3. *AS* I/III, 655-656.
4. Qu'ils prennent garde à ne pas se laisser conduire par un faux irénisme.
5. *AS* I/III, 657-658.
6. De la Bienheureuse Vierge Marie.
7. Paul II Cheikho, *AS* I/III, 658-659.

Mgr Tawil[1] (Damas) : il faut enlever les obstacles sur la voie.
Propose des corrections particulières.
Le terme *coetus*[2]. Il vaut mieux dire : ORTHODOXI[3]
l'accusation de soumission au pouvoir civil
nº 26 : soupçon de mauvaise moralité
nº 52 : très insuffisant. Car les Églises catholiques d'Orient n'auront pas leur plein statut catholique tant que les Orthodoxes ne seront pas unis. Elles n'ont en ce moment qu'un statut provisoire, ni tout à fait oriental, ni latin, et qui ne se justifie que par leur vocation œcuménique.

J. Velasco[4] (Chine) : *placet*. Cependant critiques sur le *modus aggrediendi*[5] le problème. Le schéma est trop indulgent à l'irénisme, les positions catholiques (la constitution monarchique de l'Église) ne sont exprimées qu'en passant et diplomatiquement. Nous n'avons d'intention que d'attirer à nous nos frères séparés. Le moyen = la force et l'unité de la doctrine. Et qu'on ne laisse pas entendre que Rome aurait quelque responsabilité dans les séparations.

Archevêque de Valence[6] (Espagne) propose quelques corrections.

Khoury[7] (Liban) (*observatores...*) : au nom de plusieurs évêques. Le schéma demanderait plusieurs éclaircissements. Il faudrait un seul schéma. D'autre part, il y a plusieurs Églises en Orient, qu'on semble ignorer (contre un intérêt privilégié aux Grecs, à Byzance).
Contre les exagérations prononcées ICI sur Orient et Occident (réaction anti-melchites).
Cathedra unica Petri[8] (éloge).
Ce qu'on souhaite pour l'Orient est : service de TOUTE

1. L'archevêque melkite Joseph Tawil, du patriarcat d'Antioche, vicaire patriarcal des melkites de Damas, *AS* I/III, 660-661.
2. Rassemblement.
3. Les orthodoxes.
4. J. B. Velasco, o.p., évêque de Hsíamen, *AS* I/III, 661-663.
5. Manière d'approcher.
6. Marcelino Olaechea Loizaga, membre de la Commission des séminaires, des études et de l'éducation catholique, *AS* I/III, 667-668.
7. *AS* I/III, 668-671.
8. La chaire unique de Pierre.

l'Église (régime moins centralisé, etc.) thèse maronite : une seule Église, mais une certaine liberté provinciale.
Faire un seul schéma par commission mixte théologie et Secrétariat. Applaudissements (à la voix bien timbrée et au ton décidé).

Darmancier[1] (Nouvelle-Calédonie) : il faut l'humilité et l'esprit de pénitence. L'Église romaine en a trop peu eu conscience : cite Adrien VI (on écoute peu ; les conversations dans les bas-côtés couvrent presque sa voix qui est celle d'un professeur). NE PASSE PAS LA RAMPE.
Rome a eu des torts. Cite aussi des faits récents de manque de vrai respect des traditions orientales. Le chap. XI du schéma *De Ecclesia*, à savoir *De oecumenismo*[2], n'a pas le bon esprit de ce texte. Que le Secrétariat refasse un texte !

Évêque du Viêtnam[3] (*observatores...*) : que ce schéma et le chap. XI *De oecumenismo* soient unifiés.

Dom Butler[4] renonce ? Annoncé, il ne parle pas.

Espagnol[5] : *placet.*

Je descends. Je suis très oppressé par un certain nombre d'interventions de ce matin. J'en suis écrasé. « La misère ne finira jamais », disait Van Gogh avant de se tirer une balle dans la tête. Moi, j'ai l'espérance et la prière. Mais je suis accablé. Comment soulèvera-t-on ce poids ? Le nombre de ceux qui n'ont pas compris est énorme. En sortira-t-on jamais ?

Le terrible, quand on est descendu au bar ou dans les bas-côtés, est qu'on est accroché longtemps. Je manque pratiquement toute

---

1. Michel Darmancier, vicaire apostolique de Wallis et Futuna, *AS* I/III, 671-672.

2. De l'œcuménisme.

3. Le Vietnamien Dominique Hoàng-văn-Doàn, o.p., évêque titulaire, demeurant à Hong Kong. Il deviendra, en 1963, évêque de Quinhon (Viêtnam), *AS* I/III, 673-674.

4. L'intervention de Basil C. Butler avait été annoncée au début de la Congrégation, *AS* I/III, 653.

5. Vicente Enrique y Tarancón, évêque de Solsona (Espagne), membre de la Commission de la discipline du clergé et du peuple chrétien, futur cardinal-archevêque de Madrid, *AS* I/III, 674-676.

la fin du débat, sauf Mgr Ancel[1], qui parle sur l'esprit d'humilité et de pénitence nécessaire, d'une façon vraiment pénétrée. Je vois d'abord le P. Lanne, qui me dit que le regonflement du schéma de ce matin vient d'une réunion tenue à l'Orientale hier ; mais j'ai oublié le détail de ce qu'il m'a dit. Je cause un peu avec Cullmann, qui prépare, me dit-il, quelque chose sur la Vierge Marie. Cullmann est émouvant de profonde volonté de ne pas majorer les différences, de chercher l'accord maximum. Mais il n'a guère de cadre THÉOLOGIQUE ; il n'éclaire pas les questions par de larges positions de principe.

Le Nonce Mgr Bertoli, qui m'avait fait dire qu'il désirait me voir, et que j'avais réussi à joindre un instant, me recherche et me prend à part un moment. Il s'enquiert d'abord de ce que je pense du concile et de sa marche. Je regrette le manque de cohésion dans la préparation, l'absence de direction. J'évoque ma lettre au pape, que le Nonce avait transmise, et dont je ne savais pas à quel point elle touchait juste. Tout sera à refaire !

Ensuite, Mgr Bertoli me dit craindre qu'entre les deux sessions, de nombreux discours, livres, articles, conférences, n'étalent en public les oppositions qui se sont manifestées, et cela sans présenter le climat d'entente et de respect au sein duquel tout s'est passé. Il me dit aussi : ce qu'on écrit est pris par les autres sans nuances ; vous, vous savez où vous allez et dans quelles conditions ce que vous dites vaut. Mais d'autres ne font pas ces distinctions et en tirent...

Je demande s'il fait allusion à quelque chose de précis ? Non, c'est tout à fait général.

Il me dit qu'il faudrait se rencontrer avec des hommes de l'autre tendance. Lui s'attache à défendre les intégristes auprès des libéraux et les libéraux auprès des intégristes. Je devrais faire l'effort... Je lui demande s'il connaît bien le cardinal Ottaviani. Oui, dit-il. Sans exprimer formellement l'idée, je laisse entendre que peut-être il pourrait nous ménager une rencontre. Il me dit : Allez le voir, il vous recevra certainement, et tout de suite.

---

1. *AS* I/III, 682-683.

Drôle de coïncidence. Trop nette pour qu'il n'y ait pas une origine commune.

Cela ne facilitera pas la rédaction de ma chronique des *ICI.*

Pendant que le Nonce me parle, intervention de l'évêque de Leeds[1].

J'ai pris au secrétariat de l'épiscopat les textes ronéotés de mon *De Traditione et Scriptura*[2]. Je suis en train de les corriger quand, à 14 h, Ratzinger me téléphone : le cardinal Frings en connaît l'existence et désire avoir ces textes avant la réunion de la sous-commission[3] qui doit se tenir cet après-midi.

Cette sous-commission de la nouvelle commission mixte comporte les cardinaux Frings et Browne, Mgr Jaeger, Holland[4], Schöffer et Parente ; comme experts van den Eynde, Balić, Maccarrone[5] et[6] ?

J'achève vite mes corrections et suis à 15 h chez le cardinal Frings, sous une pluie battante qui a commencé vers 10 h.

De là à Saint-Louis. De 15 h 30 à 16 h 30, réunion restreinte des archevêques ou évêques qui représentent les différents groupes.

On rapporte que le *praesidium*[7] a repoussé la proposition de Mgr Ottaviani. Cette proposition avait vivement déplu au cardinal Liénart pour ces deux raisons : 1°) cette palinodie déconsidérerait la présidence ; 2°) la démarche du cardinal Ottaviani est contraire au règlement. Il parlait d'autre chose que du sujet sur lequel on lui avait donné la parole, et faisait une proposition sans en avoir référé à la présidence... Le cardinal Tisserant était hésitant. Ruffini a pro-

---

1. George P. Dwyer, *AS* I/III, 685-687.

2. De la Tradition et de l'Écriture.

3. Il s'agit de la sous-commission I qui traite des rapports entre Écriture et Tradition.

4. Thomas Holland, évêque coadjuteur de Portsmouth (Angleterre).

5. Michele Maccarrone, prêtre du diocèse de Forli, professeur d'histoire ecclésiastique à la faculté de théologie du Latran ; il est expert du Concile et membre du Secrétariat pour l'unité.

6. Il s'agit de Feiner et d'Eduard Stakemeier ; ce dernier, prêtre du diocèse de Paderborn, est directeur de l'Institut Johann Adam Möhler à Paderborn et consulteur du Secrétariat pour l'unité.

7. La présidence (c'est-à-dire le Conseil de présidence ; cf. plus haut, p. 113, n. 5).

posé qu'on fasse voter l'assemblée. Mais le cardinal Liénart a dit : puisque nous sommes d'accord, à l'exception d'un peut-être, et puisque cela relève des attributions de la Présidence, décidons le rejet de cette proposition. Cela a été adopté.

On parle ensuite de l'entre-deux des deux sessions ; on voudrait la présence à Rome d'une délégation d'évêques qui surveille le travail des commissions et assure la permanence de l'esprit du concile, tel que celui-ci s'est dégagé. On cherche les voies les meilleures pour réaliser cela.

Mgr Veuillot appelle cela comité de continuation[1]. Il parle aussi d'une proposition des Africains pour la seconde session : que les évêques absents puissent voter par procuration, un évêque ne pouvant avoir la procuration que d'un seul autre évêque.

On dresse l'ordre du jour de la réunion générale qui va suivre ; on me charge d'organiser les équipes de travail.

À cette réunion, le P. Gagnebet, invité pour cela par le cardinal Feltin, expose l'histoire de la rédaction du *De Ecclesia*, et les intentions qui ont présidé à chacun et à l'ensemble de ses onze chapitres. Il fait cela avec objectivité, clarté, et d'une façon qui, sans aucun doute, prépare bien les évêques à un abordage positif du schéma. Ensuite, j'ai la parole. Il me semble que, pour une discussion qui doit porter sur l'ensemble du schéma comme tel, il y a trois grands points qui feront l'objet d'autant d'équipes de travail : 1°) Le caractère général du schéma ; son style. La question d'un ordre plus synthétique et organique. Enfin l'insertion du *De Beata Maria Virgine* (Daniélou, Laurentin). – 2°) Les notions employées pour définir l'Église, à savoir Peuple de Dieu et Corps du Christ ; la question exégétique de σῶμα χριστοῦ[2] (P. Lyonnet, Congar). – 3°) La question d'un meilleur *De episcopis*, regroupant tous les éléments qui en parlent et développant des aspects qui sont à peine touchés, surtout la collégialité (Lécuyer, Thils). Mettre quelque chose sur LES CONCILES, la vie conciliaire de l'Église.

Après cela, il y aurait bien des objections particulières à examiner, à étudier critiquement. Mais cela ne pourrait se faire que lors de la

1. Cette idée se réalisera avec la nomination, à la fin de la session, d'une Commission de coordination.

2. Corps du Christ.

discussion du schéma chapitre par chapitre. Église et État : conçu ici dans les cadres médiévaux en termes d'autorité : alors qu'il y a l'aspect actuel d'une présence de l'Église au monde par mode de témoignage (l'Église, conscience évangélique du monde) et de service. *De Magisterio* : diffus, trop développé sur le pape et les Congrégations. Œcuménisme.

En rentrant après avoir vu le P. Lyonnet, je trouve à ma porte *Sacerdoce et Laïcat devant leurs tâches d'évangélisation et de civilisation*[1]. Un épi de plus. Agréable. Je serais étonné qu'il ne soit pas également douloureux.

On dit aujourd'hui que le Saint-Père est très malade : prostate avec diabète et encore autre chose. De fait, il a suspendu ses audiences.

Dieu nous le garde, ou nous donne Élisée après Élie !

Jeudi 29 novembre. – Pluie sans arrêt depuis 24 h. Orage.

Travail-pensum de quelques pages pour *Vérité et Vie*[2]. Tout le monde me demande quelques pages ! Et, avec le P. Lécuyer, rédaction d'une intervention pour Mgr Blanchet.

Déjeuner à l'ambassade auprès du Saint-Siège. Il y a les cardinaux Léger et Marella, Mgr l'archevêque d'Auch[3], l'archevêque de Tananarive[4], son prédécesseur européen*[5], plusieurs autres évêques, Mgr Mercier. Je suis à table entre lui et Robert Bresson[6], qui vient ici présenter sa *Jeanne d'Arc* et que j'introduis auprès du cardinal Marella pour qu'il puisse assister à la messe à Saint-Pierre demain.

Le cardinal Léger me demande mon sentiment sur le *De Ecclesia.*

---

* Mgr Sartre.

1. Yves M.-J. CONGAR, *Sacerdoce et laïcat devant leurs tâches d'évangélisation et de civilisation*, Cerf, 1962.

2. Yves M.-J. CONGAR, « Quelques aspects de l'Église remis en lumière par le Concile », dans *Fiches de Pédagogie Religieuse « Vérité et Vie »* 57, n° 437, 1er janvier 1963, p. 4-11.

3. Henri Audrain.

4. Jérôme Rakotomalala.

5. Victor Sartre, s.j., archevêque de Tananarive de 1955 à 1960, est vice-président de la Commission conciliaire des missions.

6. Robert Bresson est réalisateur de films, dont *Le Procès de Jeanne d'Arc* (1962).

Il me dit que le pape a une tumeur, dont on n'est pas sûr qu'elle soit la prostate : elle pourrait être cancéreuse. Il me donne le sens de ce que lui a dit Jean XXIII : « ils ne m'ont pas compris ». Cela voulait dire : par mon discours du 11 octobre[1], j'ai indiqué qu'il ne fallait pas répéter Trente et Vatican I. Or ils veulent le faire.

Le cardinal Léger revendique la paternité du chapitre *De laicis.* C'est beaucoup dire : je sais la part décisive de Mgr Philips. Le cardinal Léger l'a peut-être amélioré, à la commission centrale.

Le soir, téléphone de Mgr Hurley, archevêque de Durban, qui me demande de préparer quelque chose qui définisse la « pastoralité » d'un texte, comme Mgr De Smedt a défini son « œcuménicité ». Je tâcherai de faire cela. Mais qui fera que vingt-quatre heures en soient quarante-huit ?

Vendredi 30 novembre 1962. – Je devais, appuyé par le cardinal Marella, introduire Robert Bresson pour la messe. Mais le cardinal s'est arrangé pour gagner sa place à Saint-Pierre avant mon arrivée. Il nous a bien recommandés au sacristain, mais le garde à l'entrée refuse absolument de laisser passer Bresson. Mon intervention auprès de Mgr Felici, secrétaire général, n'y change rien. Je suis bien triste de cet échec.

Je vois de nombreux nouveaux *periti* : Küng, Martelet, Baum.

On explique les votes à donner sur neuf *emendationes* du ch. I *De liturgia* et Mgr Martin[2], de Nicolet, en explique les raisons et le sens.

On continue la discussion du schéma *De unitate.*

Cardinal Wyszyński[3] : importance de la question ; insistance sur la solidarité de tous les croyants dans la confession du Christ dans les difficultés du monde athée. Nécessité d'éviter les choses heurtantes. Éloge de l'Orient et de ses Pères. *Schema placet tanquam osculum amoris et pacis*[4].

Présidence Spellman : on ne comprend rien de ce qu'il dit.

1. Son discours d'ouverture de la première session.
2. Joseph-Albert Martin, *AS* I/III, 702-707.
3. *AS* I/III, 707-709.
4. J'approuve le schéma comme un baiser d'amour et de paix.

Cardinal Bea[1] : le schéma n'a pas été fait pour être séparé des considérations générales sur l'unité, mais pour exprimer l'estime particulière envers les Orientaux, dont les problèmes sont particuliers. On pourra fusionner ce qui, dans ce schéma, est commun avec le texte du Secrétariat. La commission orientale a des schémas spéciaux sur la *communicatio in sacris*, sur les patriarches. On pourra faire un ensemble de tout. Quelques remarques particulières : sur la prière pour l'unité, le Secrétariat a fait un schéma spécial qui a été soumis à la Commission centrale. Etc. Fait allusion au conseil que Léon XIII avait créé et qui a disparu par sa mort. Ce conseil a revécu par Jean XXIII dans le Secrétariat, qui a aussi une section orientale.

Évêque *Eboracensis*[2] *in Lusitania.*

Je ne le suis pas beaucoup. Il m'ennuie.

Mgr Hermaniuk[3] : Le concile devrait élaborer une constitution où la question de l'unité de *TOUS* les séparés soit traitée à fond. Faire une constitution unique des trois ; qu'on y insiste sur LE COLLÈGE DES ÉVÊQUES ; qu'une double commission de théologie mixte soit faite : catholiques et orthodoxes, catholiques et protestants, sous la conduite du Secrétariat.

Addition à faire au n° 49 : une bonne exposition de la question dans les catéchismes, car on identifie trop l'Église latine au rite latin.

Youakim[4], Melchite (mais semble italien ou italianisé) : remarques de détail dans un bon esprit.

Franić[5] : il faut considérer le problème *non ex libris sed ex experientia*[6], sans romantisme. Il y a aussi les catholiques qui sont attirés à l'Église orthodoxe, parfois par la violence. Aussi craint un œcuménisme qui exténue les différences entre ca-

1. *AS* I/III, 709-711.
2. M. Trindade Salgueiro, archevêque d'Évora (Portugal), *AS* I/III, 713.
3. *AS* I/III, 715-717.
4. Eftimios Youakim est évêque melkite de Zahleh et Furzol (Liban), *AS* I/III, 717-718.
5. *AS* I/III, 719-721.
6. À partir non des livres mais de l'expérience.

tholiques et orthodoxes. Le schéma actuel a un assez bon équilibre. Aussi *placet.* Cependant, quelques remarques : au n° 31, est contre l'égalité de responsabilités. Contre l'idée d'une seule foi en deux Églises (*sic* : Strossmayer[1]). Critique les œcuménistes catholiques qui aiment leurs frères lointains et non leurs frères proches.

Portugais[2] : le schéma traite plus de l'unité externe, sociale, que de l'unité interne (lit très mal). Qu'on recommande surtout, la charité comme moyen d'union ! propose un texte de prière.

P. Sépinski[3] (supérieur général OFM). Bien équilibré ; corrigé heureusement par la Commission centrale. Garder les articles 1-11, qui donnent avec loyauté la doctrine catholique et qui ont été composés par des experts dont plusieurs venant d'Orient. Propose quelques corrections.

Denys Hayek[4] (Alep) : *(Observatores...) Placet* malgré imperfections. Énonce quelques *desiderata.*

Heenan[5] : parle beaucoup pour peu dire. PARLE EN TERMES DE RETOUR. Regrette absence d'observateurs de Constantinople et Athènes. Sentimentalité et apologétique. Éloge du pape.

Philippines[6] : *Placet juxta modum.* Propose corrections, dont le renvoi en note des citations de la Sainte Écriture !!!

Archevêque de Ségovie[7] : quelques corrections pour une plus

---

1. L'évêque croate Josip-Juraj Strossmayer (1815-1905), membre actif de la minorité à Vatican I, milita pour un rapprochement de Rome avec l'Orient chrétien, et notamment la Russie.

2. Abílio A. Vaz das Neves, évêque de Bragance et Miranda, *AS* I/III, 721-723.

3. *AS* I/III, 723-724.

4. Denys A. Hayek, archevêque syrien d'Alep (Syrie), membre de la Commission des évêques et du gouvernement des diocèses dès la première session, *AS* I/III, 724-726.

5. *AS* I/III, 726-728.

6. Alejandro Olalia, évêque de Lipa, *AS* I/III, 728-730.

7. Il s'agit de l'intervention de José Pont y Gol qui est en réalité l'évêque de Segorbe-Castellón de la Plana (Espagne), *AS* I/III, 731-732. Les noms latins de Ségovie et Segorbe sont proches : *Segobiensis* et *Segobricensis.*

grande exactitude (rigueur) théologique ou pour formules plus positives.

(un Hollandais ?)[1] : le schéma serait plus nocif qu'heureux. Texte de monologue qui ignore le Conseil œcuménique.

Pour l'aveu de notre faute avec esprit de componction. Le style du schéma est auto-laudatif. Et ne pas mettre cette confession dans les aspects psychologiques, car cela a l'air d'en faire quelque chose d'accidentel.

Ce qui est dit de l'apostolicité (a. 5 fin) ne colle pas, car le pape n'est jamais seul mais toujours *caput collegii (episcopalis)*[2].

Évêque des Ruthènes[3] USA : (voix ténor très timbrée) : *placet.*

Coadjuteur de l'archevêque de Belgrade[4].

Je quitte la séance, parce que j'ai rendez-vous au « Saint-Office », avec le cardinal Ottaviani, à 12 h 15. J'y arrive en clopinant. Après quelques mots d'éloges, il me dit : dans *La Tradition et les traditions*, il y a quelques erreurs d'interprétation des textes des conciles, du magistère et même des Pères. Je n'ose lui demander lesquelles, mais je vois tout de suite qu'il est l'écho de Parente. De même, dit-il, dans *Vraie et fausse Réforme*, il y avait une page juste suivie d'une page fausse sur le même sujet. Il me reproche aussi une critique purement négative des schémas, par exemple dans des conférences (or les évêques français ont bien remarqué que mon exposé sur la Tradition a été entièrement positif et qu'à la fin seulement, sur la base de cet exposé positif, j'ai articulé trois critiques précises sur le schéma). Je vois aussi (moi Y.C.) qu'on m'a attribué la rédaction de critiques qui ne sont pas de moi, et je cite formellement Parente avec son « *alicujus Galli*[5] ». Or ces critiques ne sont pas de moi ; je n'ai pas à dire de qui elles sont. Le cardinal me dit : puisque vous

1. Le Hollandais Rudolf J. Staverman, o.f.m., est vicaire apostolique en Nouvelle-Guinée, évêque des Ruthènes à Pittsburgh, *AS* I/III, 733.

2. Tête du collège (épiscopal).

3. Nicholas Elko, évêque des Ruthènes à Pittsburgh, *AS* I/III, 734-735.

4. Gabriel Bukatko, qui deviendra archevêque de Belgrade en mars 1964, membre de la Commission des Églises orientales, *AS* I/III, 737.

5. Un certain Français.

êtes si surveillé et soupçonné, vous devez faire d'autant plus attention et vous référer au magistère authentique.

À la Commission théologique, vous êtes témoin, dit-il, que vous avez pu parler librement et que, quand vous avez demandé la parole, je vous l'ai donnée. Je réponds : théoriquement, oui, pratiquement presque pas. Le cardinal dit : si vous avez des critiques à faire aux schémas, adressez-nous-les À NOUS.

Je dis qu'on m'a très peu écouté et qu'au concile même, on n'a pas fait une seule fois appel à moi. J'ai rédigé, à la demande d'évêques – car je suis au service des évêques et ne fais rien qu'à leur demande : le Cardinal approuve et dit que les évêques peuvent librement faire appel à nous – un chapitre *De Traditione et Scriptura*[1], que je donne au Cardinal : car il n'y a rien de secret ni de caché. Je l'ai, dis-je, remis au cardinal Frings pour qu'il le communique aux membres de la sous-commission. Le cardinal semble étonné qu'on n'ait nullement fait appel à moi, mais les faits sont là. Je lui fais remarquer qu'à la Commission théologique préparatoire on ne m'a jamais demandé de rédiger un texte.

Je vois que je suis une fois pour toutes et à jamais soupçonné. Cela ne m'empêchera pas de travailler. Mon travail leur déplaît parce que, ils le sentent bien, tout son sens est de remettre dans le commerce des idées, certaines choses qu'ils se sont appliqués depuis quatre cents ans et surtout cent ans à en exclure. Mais c'est cela ma vocation et mon service, au nom de l'Évangile et de la Tradition.

Je peux à peine écrire tant j'ai tout le côté droit fatigué.

Après-midi, à 16 h, réunion du groupe d'évêques qu'intéresse le thème de l'Église des pauvres, au collège belge[2]. Assemblée assez nombreuse, d'évêques de plusieurs pays (Brésil, Mexique, Viêtnam, Afrique, Indes et différents pays d'Europe). L'initiative première vient du Père Gauthier[3], de Nazareth. Elle a été prise à cœur surtout

---

1. De la Tradition et de l'Écriture.

2. Congar y donne une conférence : cf. « Titre et honneurs dans l'Église. Brève étude historique », dans *Pour une Église servante et pauvre*, Cerf, 1963.

3. Paul Gauthier, disciple de Jean Mouroux, avait été professeur au séminaire de Dijon ; cherchant à partager la vie ouvrière, il était parti fonder à Nazareth les Compagnons et Compagnes de Jésus Charpentier, reconnus par l'évêque melkite du lieu, Mgr Hakim ; il est présent à Rome pendant le concile où son

par Mgr Himmer (Tournai), Mgr Hakim, MGR MERCIER, le cardinal Gerlier (qui devait avoir une audience du pape, mais celui-ci est malade), Mgr Câmara (Brésil), etc. Je suis toujours sensible à l'anthropologie que réalise un groupe donné. Celle-ci est belle : des têtes d'hommes décidés, dont plusieurs reflètent une vraie liberté. Ces hommes portent la plus sainte des causes et peut-être la plus importante. Il est invraisemblable que le concile byzantinise, alors que les hommes attendent de lui quelque chose pour la paix, la faim, la dignité de l'homme. Mais Mgr Mercier me dit que même ce groupe a supprimé de la lettre qu'il a adressée au pape tout ce qui était un peu aigu et concret à la fois, par exemple, par allusion à « je n'ai ni or ni argent », la proposition d'avoir des croix pectorales et des anneaux en métal vil, ou le rejet des voitures de luxe pour la simple voiture de travail.

Cependant, je crois que le propos qui se forme ici aboutira. Je voudrais le servir en quelque chose.

J'ai peine à rentrer tant je suis fatigué.

1er décembre 1962. – Dans le car qui nous conduit à Saint-Pierre, Mgr Desmazières me lit une lettre du cardinal Richaud, dont il est l'auxiliaire, et qui 1°) lui fait des éloges de moi ; 2°) parle de l'allégation du cardinal Ottaviani au sujet d'un accord de la Commission centrale et de la rectification faite par le cardinal Döpfner. Dire cela, dit le cardinal Richaud, est « une escroquerie morale », car il y a eu beaucoup d'oppositions et de critiques, mais dont on a tenu compte comme on a voulu...

Le P. Gagnebet dit que, même après le passage à la Commission centrale, la commission dite des Amendements[1] a supprimé ou introduit certaines choses, parfois importantes. Il y a des différences notables entre le texte tel que la Commission centrale l'a corrigé et celui qui nous est proposé imprimé. Les historiens du concile auront une tâche difficile pour faire l'histoire des huit, dix ou douze rédactions successives de la Commission, puis des passages au laminoir, d'abord de la Commission centrale, puis de la Commission

---

témoignage et son expérience rejoignent de nombreux évêques préoccupés par le souci d'une Église à la fois plus proche des pauvres et elle-même plus pauvre.

1. La sous-commission des amendements (cf. plus haut, p. 183, n. 2).

des Amendements. Sans compter les avatars subis au concile. Et ce n'est pas fini !!!

Je crois qu'on a voulu embrasser beaucoup trop de choses.

À Saint-Pierre. Mgr Felici[1] propose au sujet du schéma *De unitate*, un vote qui sera fait sur ceci : *Expleta disceptatione*[2], les Pères approuvent ce document en général. Mais que, en tenant compte des remarques faites, le décret soit renvoyé à une refonte à faire avec le Secrétariat et la Commission théologique.

Puis il donne les résultats des votes sur les amendements des premiers numéros *De liturgia*.

Le cardinal Ottaviani[3] introduit le schéma *De Ecclesia*. Il prend sa voix cajolante, mais y mêle, sous un certain humour, une pointe d'humeur et d'agressivité. Le schéma, dit-il, a un souci pastoral, biblique, accessible aux hommes et non scolastique. Mais « *res jam praejudicata est*[4] ». Il y en a qui sont prêts à lui substituer un autre texte : le leur était déjà préparé avant même que le volume ne soit distribué. C'est une prédestination *ante praevisa merita*[5]...

Ottaviani est un bon comédien, mais il le prend à l'ironie et un peu au mépris. Il a sans doute eu tort.

Le rapport de présentation du schéma est lu par Mgr Franić[6]. Il donne pratiquement en latin ce que le P. Gagnebet a donné mercredi dernier aux évêques français.

Cardinal Liénart[7] : désire qu'on n'exprime pas la relation entre Église romaine et Corps mystique comme si TOUT le Corps mystique était compris dans l'Église romaine. Le Corps mystique dépasse l'Église romaine militante : il comprend l'Église souffrante et celle du ciel. Et les séparés ? Je n'oserais

1. *AS* I/IV, 9-11.
2. Le débat étant achevé.
3. Il parle en tant que président de la Commission doctrinale, *AS* I/IV, 121-122.
4. « L'affaire est déjà jugée par avance. »
5. Avant les mérites prévus (expression inspirée du dogme de l'Immaculée-Conception).
6. *AS* I/IV, 122-125.
7. *AS* I/IV, 126-127.

pas dire que *nullo modo Corpori mystico adhaereant*[1]. Je n'oserais pas dire *quod Ecclesia, eo ipso quod corpus est oculis cernitur*[2]. *Enixe peto*[3] que l'art. 7 du ch. I soit supprimé, et que le schéma soit écrit moins juridiquement. Il dit cela non par goût de critique, mais par amour de la vérité. *Amicus Plato, magis amica veritas*[4].

Cardinal Ruffini[5] : *Placet.* Quelques remarques : qu'on omette les ch. 5, 6 et 11 qui font double emploi avec d'autres textes préparés ; qu'on joigne l'idée de nécessité de l'Église (ch. II) au ch. I, nature de l'Église. On aurait alors sept chapitres : 1 – *De Ecclesiae natura* ET FINE[6] ; 2 – *De membris*[7] ; 3 – *De potestate ordinis*[8] avec développement sur le sacerdoce ; 4 – *De potestate juridictionis*[9], avec quelque chose sur les conférences épiscopales et les régimes patriarcaux ; 5 – *Ecclesiae magisterium*[10] ; 6 – Obéissance au gouvernement et au Magistère ; 7 – Rapport Église-État.

Cardinal-archevêque de Séville[11] : (ennuyeux).

Cardinal König[12] : 1°) Être plus bref ; que la Commission théologique en sorte les éléments disputés ou ce qui a été traité ailleurs. 2°) Ne pas *extollere jura*[13] (ch. II), mais la mission. 3°) Dans le ch. I manque *indoles eschatologica*[14] et le *ministerium verbi*[15]. 4°) Qu'on ne traite pas de la nécessité de l'Église seulement sous l'aspect individuel, mais qu'on men-

1. Ils ne sont attachés d'aucune manière au Corps mystique.
2. Que l'Église, du fait qu'elle est un corps, se discerne à l'œil nu.
3. Je demande avec insistance.
4. Je suis l'ami de Platon, mais plus encore de la vérité.
5. *AS* I/IV, 127-129.
6. De la nature et de la fin de l'Église.
7. Des membres.
8. Du pouvoir d'ordre.
9. Du pouvoir de juridiction.
10. Le magistère de l'Église.
11. José M. Bueno y Monreal, *AS* I/IV, 130-132.
12. *AS* I/IV, 132-133.
13. Exalter les droits.
14. Caractère eschatologique.
15. Ministère de la parole.

tionne le fondement premier de la qualité de membre dans la participation à la nature humaine. 5°) Fonder l'épiscopat dans l'idée de peuple de Dieu et, pour le magistère, marquer la participation des fidèles dans l'indéfectibilité de l'Église.

Cardinal Alfrink[1] : signale des doublets : évêques, laïcs, œcuménisme. L'Église est bien définie comme *Corpus Christi*[2], mais on insiste trop sur le sens externe de la comparaison. Également le rapport des autres au Corps mystique est minimisé. Évêques « résidentiels » ? Le tiers de cette assemblée est fait d'évêques titulaires. Ce qui est dit du Collège des évêques est exprimé de façon plutôt négative. Or il y a le magistère ORDINAIRE des évêques. Cite Kleutgen à Vatican I. Église et État : on insiste trop sur les DROITS.

Que le *De Beata Virgine Maria* soit joint organiquement à l'Église.

« *Renovatur a nova Commissione mixta*[3] » instituée par le Pape.

Cardinal Ritter[4] (Saint-Louis) : *multa desunt*[5]. Les défauts tiennent à la méthode suivie. On ne peut déduire l'Église des pouvoirs. Exemples : façon de parler de la sainteté (alors qu'il y a Éphés. 5) le magistère n'est pas seul à garder le dépôt, mais il y a les fidèles (j'ai l'impression qu'il a lu *Lay People in the Church*[6], lui ou le théologien qui a rédigé son papier). Dans le ch. IX sur Église-État, mettre liberté de conscience et de religion.

Bernacki[7], auxiliaire de Gniezno. Parle plus d'un quart d'heure, pour dire qu'il manque un chapitre essentiel sur le Pape.

---

1. *AS* I/IV, 134-136.
2. Corps du Christ.
3. « Qu'il soit repris par une nouvelle commission mixte. »
4. *AS* I/IV, 136-138.
5. Beaucoup de choses manquent.
6. Y. CONGAR, *Lay People in the Church, A Study for a Theology of Laity*, Londres, 1967 ; traduction anglaise des *Jalons pour une théologie du laïcat*, coll. « Unam Sanctam » 23, Cerf, 1953.
7. Lucjan Bernacki, *AS* I/IV, 138-141.

On donne alors le résultat[1] du vote annoncé concernant le schéma sur l'unité :

Votants	*Placet*	*Non placet*	Nuls
2 112	2 068	36	8

Mgr De Smedt[2] : loue d'abord le schéma, qui a profité des progrès des dernières années. Cependant, critique la conception sous-jacente sur trois points :

- Esprit de triomphe : genre *Osservatore Romano* et les documents romains, où la vie de l'Église est présentée comme une série de triomphes, alors que Notre Seigneur a parlé de *pusillus grex*[3].
- Cléricalisme : l'image traditionnelle : pape, évêques, prêtres, avec leurs pouvoirs : le peuple chrétien est présenté comme seulement réceptif et occupant le second rôle dans l'Église. Alors que la hiérarchie n'est qu'un MINISTÈRE qui relève du *status viae*[4] de l'Église, tandis que le peuple de Dieu reste éternellement ; or en lui, nous sommes tous d'abord des chrétiens, jouissant de la même dignité et des mêmes biens.
- Juridisme : tandis que la Maternité de l'Église a été le centre de l'ecclésiologie primitive (Delahaye[5]), on considère ici trop juridiquement (surtout p. 15-16).

Bref, souhaite « *ut a concilio statuatur ; remittendum ad Commissionem ut emendetur*[6] ».

Mgr De Smedt est applaudi. Pourtant, j'ai trouvé son papier moins bon que le précédent. Les critiques qu'il fait à l'ecclésiologie romaine en général sont très justes, mais elles me semblent excessives appliquées à CE texte-ci.

---

1. *AS* I/IV, 141.
2. *AS* I/IV, 142-144.
3. Petit troupeau (Lc 12, 32).
4. Statut pérégrinal.
5. Cf. Karl DELAHAYE, *Erneuerung der Seelsorgsformen aus der Sicht der frühen Patristik*, Herder, Fribourg, 1958 ; Congar le publiera en français et lui donnera une préface : Karl DELAHAYE, *Ecclesia Mater chez les Pères des trois premiers siècles. Pour un renouvellement de la Pastorale d'aujourd'hui*, coll. « Unam Sanctam » 46, Cerf, 1964.
6. « Que le concile décide : qu'il soit remis à une Commission pour être amendé. »

Mgr Lefebvre[1], C.S.Sp. : Comment faire un texte à la fois pastoral et rigoureux ? C'est bien simple : faire deux textes, un théologique et l'autre pastoral... (peu écouté : sa parole tombe devant lui sans passer la rampe pour rejoindre et percuter l'auditeur).

Mgr Elchinger[2] parle beaucoup mieux *(Observatores...)* : pose une question sur l'esprit général de ce schéma : à qui s'adresse ce texte ? Aux seuls évêques et théologiens, ou aussi aux fidèles, qui attendent un exposé ? Le pastoral n'est pas une ajoute extérieure. Autrefois, Église proposée comme institution. Aujourd'hui : communauté. Hier : le pape ; aujourd'hui : les évêques (je suis un évêque titulaire).

Hier, *episcopus singularis*[3]. Aujourd'hui, le collège des évêques.

Hier, hiérarchie. Aujourd'hui aussi le peuple chrétien.

Hier, avec les dissidents, surtout ce qui divise. Aujourd'hui ce qui unit.

Hier, Église apportant le salut *ad intra*[4].

Un Italien, évêque *Camerinensis*[5] : manque sur vie intime de l'Église.

Pawłowski[6] : *Ex sese* ne signifie pas *sine Ecclesia*[7]. Mieux déclarer cela, qui répondrait à la *nota conciliaritatis*[8] des Orthodoxes.

Van Cauwelaert[9] : *(Observatores...)* Vœu de l'Afrique : que l'Église montre au monde un visage pur, qu'elle se présente comme l'unité dont les hommes ont besoin.

Les évêques du Congo sont déçus par ce schéma : il est trop juridique et n'a pas l'allure d'une Bonne Nouvelle ; il est statique et ne montre pas l'Église tendant à l'eschatologie.

---

1. Marcel Lefebvre, *AS* I/IV, 144-146.
2. *AS* I/IV, 147-148.
3. L'évêque seul.
4. À l'intérieur d'elle-même.
5. Giuseppe D'Avack, archevêque de Camerino, *AS* I/IV, 148-150.
6. *AS* I/IV, 151-153.
7. Sans l'Église.
8. Note de conciliarité.
9. *AS* I/IV, 156-158.

Mgr Carli[1], italien : parle longtemps. Très soutenu par les Italiens.

Après-midi, à 17 h 30 au Biblicum, groupes de travail. Un avec Lécuyer et Colson sur l'épiscopat et la collégialité ; l'autre avec moi et le P. Lyonnet sur l'encyclique *Mystici Corporis*[2] et la notion de σῶμα χριστοῦ. Mais on ne conclut guère sur une intervention précise. Cependant, Mgr Boillon s'inscrira.

Dimanche 2 décembre. – Matin, rédaction et dactylographie de ma Chronique *ICI*. À midi, cardinal Lefebvre[3] et évêques français à déjeuner. À 14 h 15, visite Vogel. Il me parle de l'article de l'*Espresso*[4] sur la déconfiture du cardinal Ottaviani, rédigé par un ancien prêtre[5], et de trois articles du *Corriere d'Italia*[6] (bourgeoisie libérale en philosophie et conservatrice en Économie et politique) qui insinuent que le pape est moderniste : c'est un disciple de Buonaiuti[7] qui l'a assisté à sa première messe ; il est de Bergame, où le modernisme a eu des adeptes. Qu'est au fond le modernisme, sinon l'adaptation de l'Église à la culture moderne (allusion, dans les mots mêmes, à l'« *aggiornamento* » de l'Église, donné comme programme au concile) ? Le dernier article attaque surtout le cardinal Bea et le cardinal Alfrink. Celui-ci est antiromain. Signe : à la messe pontificale, il a croisé les jambes... !!! Vogel me dit aussi que le P. Rahner devait faire une conférence à la Capranica, mais cette conférence a été interdite par le Vicariat. Je me rappelle ce que m'a dit le secrétaire de l'Association des Étudiants de la Grégorienne...

Visite de Mgr Sergio Méndez Arceo, évêque de Cuernavaca (Mexique). C'est lui qui a pour théologien Dom Lemercier[8], l'au-

1. *AS* I/IV, 158-161.
2. Encyclique du 29 juin 1943.
3. Joseph Lefebvre.
4. *L'Espresso* du 30 novembre.
5. Carlo Falconi, historien du catholicisme.
6. Il s'agit de trois articles d'Indro Montanelli publiés dans le *Corriere della sera* les 24, 25 et 26 novembre.
7. Ernesto Buonaiuti (1881-1946), prêtre et théologien, il fut accusé de modernisme et fut excommunié en 1926.
8. D'origine belge, formé à l'abbaye du Mont-César à Louvain, Dom Gré-

teur du rapport sur la psychanalyse[1]. Il me demande une conférence aux évêques sud-américains, et mon avis sur l'intervention qu'il veut faire au concile et qui est pro-épiscopale, contre les empiétements de la Curie.

À 18 h jusqu'à 19 h 15, je réponds aux questions écrites du groupe anglophone de l'Angélique. Ce sera mon seul exposé ici...

Lundi 3 décembre 1962. – Je vois quelques évêques ; puis P. Daniélou pour parler de l'organisation des équipes de travail des évêques pendant la période intermédiaire.

Nouvelle invasion d'experts ou d'assistants : Ch. Moeller[2], Dom O. Rousseau, etc. ; gens de secrétariat.

Daniélou me donne quelques échos des sous-commissions de la Commission mixte. À celle dont il fait partie, cela va bien (NT) ; chez Mgr Garrone aussi *(proemium De revelatione*[3]*)* ; à la sous-commission sur les sources, cela ne va pas. Les gens du Secrétariat sont faibles, me dit-il, et l'on est proche de revenir à l'idée de deux sources.

Daniélou me dit avoir reçu sa nomination comme *peritus* de la Commission des laïcs.

D'abord, rapport[4] sur deux *emendationes De Liturgia*, sur lesquels il y aura vote.

---

goire Lemercier avait fondé, non loin de Cuernavaca, le monastère bénédictin de la Résurrection dont il était le prieur ; après s'être soumis à une psychanalyse, il avait engagé moines et postulants à s'y soumettre à leur tour.

1. Ce rapport circule au Concile durant la première session.

2. Charles Moeller, prêtre du diocèse de Malines-Bruxelles, spécialiste des rapports entre littérature moderne et pensée chrétienne, professeur de théologie à Louvain ; présent au Concile comme expert privé du cardinal Léger, il sera nommé, à la fin de la première session, expert du Concile ; il est nommé en 1966 sous-secrétaire de la Congrégation pour la doctrine de la foi ; il sera plus tard recteur de l'Institut œcuménique de Tantur, et secrétaire du Secrétariat pour l'unité.

3. Préambule sur la Révélation.

4. Le rapport est présenté par Francis J. Grimshaw, archevêque de Birmingham, membre de la Commission conciliaire de liturgie, *AS* I/IV, 170-172.

Cardinal Spellman[1] : remarques sur le ch. VI *De laicis* : rien n'en ressort, sinon le trop peu de place donné à l'AC.

Cardinal Siri[2] : *Bonum quamvis perfectibile*[3]. Deux remarques :

1°) Montre bien l'Église VISIBLE. Souhaite meilleure explication du rapport entre Corps mystique et Église juridique.

2°) *[ ]*

Cardinal McIntyre[4] : n° 9 *membra ecclesiae sensu proprio*[5].

Je ne vois pas bien ce qu'il veut dire...

Cardinal Gracias[6] : nous sommes à la dernière semaine... (...)

Ch. X : exposé unilatéral, sans respect pour les pays où les catholiques sont peu nombreux et REÇUS DANS un pays non chrétien. TEL QUEL, SERAIT CATASTROPHIQUE POUR LES MISSIONS. Il y a des expressions provocantes. Ne pas penser seulement aux frères séparés orthodoxes ou protestants mais aux millions de non chrétiens. Tenir compte des méthodes de présentation qui ont fait leurs preuves : utiliser leurs écrits.

Cardinal Léger[7] : ce schéma sera le *cardo*[8] du concile. Le chapitre *De episcopatu* spécialement. On n'a pas le temps de le traiter.

Vœux : 1°) Que l'esprit de rénovation soit gardé par un conseil qui, dans l'époque intermédiaire, garde l'esprit du concile AVEC UNE AUTORITÉ.

2°) Que le temps qui reste soit surtout consacré à VOTER sur le *De liturgia*, au moins sur les deux premiers chapitres.

Cardinal Döpfner[9] : le schéma a des défauts généraux.

1°) Trop long sur des choses extérieures ; juxtaposition de chapitres séparés. Pas d'exposé du PEUPLE DE DIEU, qui devrait être la base du *De episcopis*[10].

---

1. *AS* I/IV, 172-173.
2. *AS* I/IV, 174.
3. Bon encore que perfectible.
4. *AS* I/IV, 175.
5. Membres de l'Église au sens propre.
6. *AS* I/IV, 175-178.
7. *AS* I/IV, 182-183.
8. Pivot.
9. *AS* I/IV, 183-186.
10. Des évêques.

2°) Pas d'usage assez PROFOND de l'Écriture. Église ≠ *regnum Dei*[1].
3°) Trop juridique. Par exemple, façon de traiter des membres.
4°) Pas de précisions sur notes théologiques.
Questions particulières :
Le collège des évêques n'apparaît pas bien comme succédant au collège apostolique.
La question collation de la juridiction par le pape ne doit pas être favorisée par rapport à l'opinion qui tient : désignation d'une personne qui devient ainsi participante du pouvoir du collège des évêques.
Question Église-État déjà améliorée à la Commission centrale. *Nova reelaboratione indiget schema*[2].
Qu'on élabore un nouveau schéma. Qu'on continue la discussion et qu'on fasse un vote sur *placet-non placet* du schéma. Et que d'autres commissions collaborent à la rédaction de certains chapitres qui les concernent.

Mgr Kominek[3] (polonais) : *placet.* Cependant ne parle pas assez de la Croix du Christ et de la passion. Pour l'idée d'Église souffrante (*TRÈS* long !)

Mgr Marty[4] (ton un peu triste et précieux) : deux remarques :
1°) L'Église est essentiellement mystère ; ici elle est trop proposée comme institution. Or l'institution n'est que l'épiphanie du mystère. L'évêque est une partie essentielle du mystère. Les fidèles devraient être montrés collaborant plus que sujets.
2°) L'Église est ENVOYÉE. Que le schéma soit organisé selon les deux idées : mystère et mission (appliquées à évêques et laïcs).

Gargitter[5] (Italie ; mais accent allemand) : les laïcs ne sont pas

1. Royaume de Dieu.
2. Le schéma a besoin d'une nouvelle réélaboration.
3. Boleslaw Kominek, évêque titulaire, demeurant à Wrocław, membre de la Commission conciliaire pour l'apostolat des laïcs, *AS* I/IV, 189-191.
4. *AS* I/IV, 191-193.
5. *AS* I/IV, 193-195.

prêtres seulement métaphoriquement, ni de simples subordonnés de la hiérarchie. Qu'on expose mieux *jura et officia*[1] des évêques et des laïcs.

Mgr Huyghe[2], Arras : attitudes des hommes en face de l'Église. Cela dépend beaucoup de notre façon de la présenter. Les hommes seront attentifs à ce que l'Église va dire d'elle-même à ce concile.

Or le schéma ne présente pas assez l'Église pleine d'esprit large et vraiment catholique, pleine d'esprit missionnaire, évangélique, d'esprit de service, ce qui est différent de juridique et de domination. Que le schéma soit revu par une commission mixte.

(Très écouté malgré grands vides d'évêques qui sont au bar.)

Mgr Hurley[3] : refera l'avocat du diable...

Défaut commun à toute la préparation du concile : manque d'unité et de coordination. Qu'entre la première et la deuxième session, ce soit repris sous l'autorité d'une commission VRAIMENT CENTRALE.

Veut proposer quelques précisions sur notion de PASTORALITÉ (mon papier).

Barbetta[4] (Italie) : éloge du schéma.

Évêque auxiliaire de Barcelone[5] : pose la question de la note théologique du schéma.

Attention à ne pas dirimer des questions disputées entre théologiens ou alors qu'on le dise formellement. Or il y a de tels points :

Question juridiction des évêques venant du pape, alors qu'ailleurs elle est reliée à la consécration.

Question d'un seul sujet.

Les évêques sont dits ici ne pas être juges dans la foi et cependant infaillibles. Cela ne s'accorde pas.

---

1. Les droits et les devoirs.
2. Gérard Huyghe, évêque d'Arras, membre de la Commission des religieux, *AS* I/IV, 195-197.
3. *AS* I/IV, 197-199.
4. *AS* I/IV, 199-201.
5. N. Jubany Arnau, *AS* I/IV, 201-203.

Mgr Rupp[1] : On doit, pour chaque schéma, poser la question de ce qu'il vaut à l'égard de la fin lointaine du concile : l'union chrétienne et de la fin prochaine : *aggiornamento.*
Fait un tas d'allusions, citations ; cherche le succès. Quand il parle du Magistère, assimile celui des évêques dispersés à celui *[ ]*
Exalte les évêques résidentiels au point de ne pas même mentionner les titulaires. Fait rire. Comédien ! Il a son succès et détend.

Musto[2] (italien) : parle si longtemps que le cardinal Ruffini finira par l'arrêter. Voix tonitruante, grands accents comme mon évêque de Bénévent[3]. Il est pour le schéma à bloc et qualifie presque d'hérétiques les évêques qui ont proposé une nouvelle rédaction.

Évêque de Rhodésie du Nord[4] : le schéma ne répond pas à la fin du concile ; style trop compliqué. Pas assez christologique. Pas assez eschatologique.
Qu'on mette à la fin la Vierge Marie et LA COMMUNION DES SAINTS. Finit sur un hymne à la *LEX caritatis*[5] (pas simple conseil). Mettre en tête de tout l'amour éternel de Dieu. Mettre toute la morale sous le signe de la charité.

Mardi 4 décembre. – Ai la joie de trouver Bresson à Saint-Pierre ; je reste avec lui jusqu'à l'intronisation de l'Évangile. Il me demande de me voir à Paris, car il a accepté de faire un film sur la Genèse.

Cardinal Frings[6] : le schéma ne donne qu'une partie de la tradition catholique : celle des cent dernières années. Mais rien de la tradition orientale et peu de la tradition latine ancienne. On le voit par les références et les sources, qui don-

1. *AS* I/IV, 204-205.
2. Biagio Musto, évêque d'Aquino, Sora et Pontecorvo, *AS* I/IV, 206-208.
3. Cf. plus haut p. 254, n. 3.
4. L'archevêque Adam Kozłowiecki, s.j., *AS* I/IV, 208-211.
5. Loi de la charité.
6. *AS* I/IV, 218-220.

nent citations des cent dernières années. Est-ce bien ? est-ce universel, catholique, scientifique, œcuménique ? Ce défaut atteint la doctrine elle-même, *qui coarctatur*[1].

Ex. : notion de Corps mystique, très sociologique ; il n'y a rien de la doctrine grecque de l'Eucharistie, de la communion des Églises.

Pourquoi avoir séparé le *De Magisterio* du *De Episcopis* ? Et, dans ce chapitre, on ne trouve rien de la Parole de Dieu. Ou, 3e ex. : le ch. *De praedicatione Evangelii*[2] : il n'y a rien de la mission procédant du Père.

Bref, manque de catholicité. Donc, entre les deux sessions, à refaire.

Cardinal Godfrey[3] : *generatim placet*[4]. Envisage le schéma sous l'angle de l'œcuménisme. En Angleterre, la situation est très complexe. Erreur d'un certain optimisme sur les anglicans, ou de laisser espérer aux anglicans des concessions doctrinales et morales (expression de ce que la hiérarchie anglaise dit depuis 1895).

Dans la pure perspective du retour et de la conversion.

Cardinal Suenens[5] : Considérer le BUT du concile pour qu'on puisse CENTRER le travail de la seconde session et que les commissions travaillent comme des parties dans un corps.

Vatican I a été le concile de la primauté ; Vatican II, d'après Jean XXIII = *Ecclesia Christi lumen gentium*[6]. Se mettre tous d'accord sur un même plan d'ensemble.

Que le concile soit un concile de l'*Ecclesia*

1°) *ad intra*[7] : l'Église, son action missionnaire (Mt. 28 fin donnant le plan de tout) ;

2°) *ad extra*[8], en dialogue avec le monde et s'intéressant à

1. Qui est enserrée par des contraintes.
2. De la prédication de l'Évangile.
3. *AS* I/IV, 221-222.
4. De façon générale j'approuve.
5. *AS* I/IV, 222-225.
6. L'Église du Christ, lumière des nations.
7. En elle-même.
8. Vers l'extérieur.

la personne humaine, à la démographie, à la justice sociale (propriété, etc.), tiers-monde et faim ; évangélisation des pauvres ; paix et guerre.
En dialogue avec les fidèles.
En dialogue avec les frères *nondum visibiliter unitis*[1].
Tout cela est dans le discours du pape du 11 septembre[2].
Demande que le programme de la suite du concile soit déterminé par le concile lui-même.
Que les schémas soient revus par les commissions dans l'esprit et le but du concile.
Que soit créé un secrétariat pour les problèmes du monde actuel, qui fasse autant de bon travail que le secrétariat pour l'unité (je dis cela comme successeur du cardinal Mercier[3]).
Applaudissements.

Cardinal Bea[4] : Moment historique du schéma. L'ecclésiologie est née au XVIe siècle. Le concile de Trente n'en a pas traité ; Vatican I n'a pas pu conclure. La question intéresse les protestants comme une découverte nouvelle. Le schéma est donc central. Loue le travail de préparation. Cependant :
1°) manque des choses essentielles. Ne traite que de l'Église MILITANTE. Après la nature de l'Église, on eût attendu quelque chose sur SA FIN.
Mais d'autre part, il y a des choses peu utiles ou ne convenant pas à un schéma dogmatique. On y traite de questions non mûres (membres de l'Église) ;
2°) ordre dans lequel la doctrine est exposée : pape, *singuli episcopi*[5], *collegium episcoporum*[6]. Or l'ordre naturel et bibli-

1. Avec qui nous ne sommes pas encore visiblement unis.

2. « *Ecclesia Christi, lumen gentium* », Message de Jean XXIII au monde entier un mois avant l'ouverture du Concile (11 septembre 1962). Cf. *La Documentation Catholique*, 1962, col. 1217-1222.

3. Son prédécesseur, Désiré-J. Mercier, avait organisé, de 1921 à 1926, les « Conversations de Malines » en vue d'un rapprochement entre anglicans et catholiques.

4. *AS* I/IV, 227-230.

5. Chaque évêque.

6. Le collège des évêques.

que voudrait qu'on commence par le collège des évêques, puis Pierre comme *caput collegii*[1].
Le pape a donné comme but au concile la rénovation de la vie chrétienne à partir des sources de l'Écriture et de la Tradition. Or ici...
On apporte les métaphores bibliques de l'Église, mais on ne les explique pas et on passe de suite à la SEULE image du Corps mystique.
On trouve des exhortations (surtout ch. *De laicis*) qui ne conviennent pas à une constitution dogmatique.
Si on cherche la racine de tout ce qui ne va pas, c'est que le schéma ne répond pas au but donné au concile par le pape et que nous avons professé dans le message aux hommes.

Cardinal Bacci[2] : 1°) les autres sont des frères *a nobis seiuncti, non separati*[3]. S'excuse si nos discussions les ont troublés. Mais nous ne sommes jamais en désaccord sur la doctrine. *De modo, non de ipse doctrina agitur*[4] ;
2°) et si notre désaccord est seulement sur le *modus*[5], pourquoi vouloir une nouvelle refonte du schéma. D'ailleurs, ceux auxquels ce schéma plaît pourraient dire *non placet* au nouveau schéma. Et alors, où irait-on ?
Que la Commission théologique reforme et améliore CE schéma.

Cardinal Browne[6] : *schema in sua substantia mihi placet*[7] ; à améliorer par la discussion de chaque chapitre. Parle de l'appartenance au Corps mystique.
On reproche au schéma du juridisme. Mais *sine jure non*

1. Tête du collège.
2. *AS* I/IV, 230-232.
3. Disjoints de nous, non séparés.
4. Il est question de la forme, non de la doctrine elle-même.
5. La forme.
6. *AS* I/IV, 232-233.
7. J'approuve le schéma en substance.

vivitur[1]. On lui reproche de trop parler de la hiérarchie. Or on parle des fidèles.

Mgr Blanchet[2] (bien écouté) : Le schéma manque d'unité : on sent des auteurs différents et des matières y sont traitées en plusieurs endroits : ainsi *De episcopatu*, sur lequel on attend une doctrine complète pour achever Vatican I. Il faudrait un traité *De episcopatu*.

On a une doctrine trop juridique de l'épiscopat, pas assez apostolique. Il y a plus de mille évêques titulaires dans le monde, or on n'en parle pas. Or l'évêque ne se définit pas seulement par un territoire, mais par le *munus*[3]. On confond le pouvoir pastoral avec la juridiction, et on l'attribue non à la qualité épiscopale comme telle mais on en fait une sorte de délégation du pape.

On veut une théologie de l'épiscopat qui réponde à la Sainte Écriture, à la tradition des Pères, aux RÉALITÉS.

Et qu'on parle UNE BONNE FOIS des droits, mais ensuite non.

Rabban[4] (chaldéen) : *generaliter placet*[5]. Mais...

Guerry[6] (un peu grandiloquent ; trop long ; sentimental) : la paternité de l'évêque.

Un Espagnol[7] : que le traité soit réorganisé par UN SEUL pour avoir unité, plan...

Je vois Mgr Flusin dans le couloir. Il me dit que le cardinal Montini est l'étoile montante (dans les coulisses !!!). Il fait chaque semaine, dans *l'Italia*, une lettre du concile[8]. Dans celle de dimanche dernier, il donne un grand coup. Le concile accumule du papier, dont il ne restera rien. Il devrait se limiter à UNE question, à savoir à un traité de l'Église, en soi et par rapport au monde. Il

---

1. On ne peut vivre sans droit.
2. *AS* I/IV, 233-235.
3. La charge.
4. *AS* I/IV, 236-237.
5. J'approuve de manière générale.
6. *AS* I/IV, 240-241.
7. Rafael González Moralejo, évêque auxiliaire de Valence, *AS* I/IV, 242-244.
8. Ce sont les *Lettere dal Concilio* publiées dans le quotidien catholique milanais *L'Italia*.

faudrait que, d'ici la seconde session, une petite commission fasse cela et qu'en trois mois cette seconde session l'adopte.

Le cardinal Montini est l'hôte du pape. Il habite au Vatican. Il a une influence croissante à la Secrétairerie d'État ; c'est lui qui, par Dell'Acqua, fait les nominations. Il n'a certainement pas écrit cela sans que le pape soit d'accord.

Mgr Suenens et Liénart seraient d'accord.

Maccari[1] (italien) : sur les laïcs et l'AC.

Th. Holland[2] (auxiliaire, Angleterre) : sur l'épiscopat, déçu. Les frères séparés espèrent avec nous un complément de Vatican I sur ce point.

Éloge de Tromp (non nommé) sur théologie du Corps mystique. Que sera l'avenir de notre concile ? Que sera l'avenir de ce schéma ? On ne voit pas bien ce qu'il veut... Il semble que ce soit un dualisme entre un texte kérygmatique et une constitution dogmatique.

Mgr Devoto[3] (argentin) : on attendait des choses que le SCHÉMA NE DONNE PAS : peuple de Dieu ; collégialité épiscopale ; évangélisation des pauvres.

Italien[4] : *placet.*

J'entends seulement la fin d'un Allemand[5] : qu'on harmonise les chapitres qui traitent des mêmes sujets dans différents schémas préparés par différentes commissions.

Doumith[6] (maronite) : il faut une constitution *De episcopis* qui complète Vatican I. Or au lieu de cela, on a un schéma *De Ecclesia in genere*[7] dans lequel un seul chapitre sur les évêques. On multiplie les recommandations de prudence, comme une mère qui a donné un jouet à un enfant et qui

1. Carlo Maccari, évêque titulaire, *AS* I/IV, 244-246.

2. *AS* I/IV, 247-249.

3. *AS* I/IV, 250-251.

4. Giuseppe Vairo, évêque de Gravina et Irsina, *AS* I/IV, 251-253.

5. Franz Hengsbach, évêque d'Essen (Allemagne), membre de la Commission pour l'apostolat des laïcs, *AS* I/IV, 254-255.

6. Michel Doumith, évêque maronite de Sarba (Liban), nommé membre de la Commission doctrinale, *AS* I/IV, 255-257.

7. De l'Église en général.

craint qu'il n'en abuse. Il n'y a presque rien sur l'évêque *relative ad presbyterium et ad Ecclesiam suam*[1]. La doctrine proposée consacre l'ordre actuel, critiquable. La discipline ancienne était : consécration POUR UNE ÉGLISE. Ainsi la mission n'était pas séparée de l'ordre, qui est fait pour elle. On ne nie pas le droit de l'autorité supérieure « *ad moderandum usum potestatis*[2] », mais il faut lier le pouvoir à la consécration. Aujourd'hui on sépare les deux pouvoirs, disjoignant ainsi ce qui doit être uni.

À mon avis, cette intervention (qui a été TRÈS écoutée) est, théologiquement, une des plus fortes et des plus importantes de toute la session.

Un évêque de Turquie[3] dit aussi des choses extrêmement importantes. Mais il parle trop lentement et il tousse dans le micro, ce qui fait rire.

Il se fait l'écho de ce qu'il entend de la part des Orthodoxes : le primat romain vient de faits politiques... Mais surtout : si le pape est infaillible, l'infaillibilité de l'Église est vaine. Et si l'Église est infaillible, pourquoi l'infaillibilité du pape ? Cela touche le fond de la question. Il faut expliquer les choses. Il y a une bonne base pour cela dans notre schéma p. 46.

P. 47, nº 30 : qu'on déclare mieux le rapport entre l'infaillibilité du pape et celle de toute l'Église enseignante. Le pape doit consulter les évêques pour pouvoir définir au nom de l'Église. Le *ex sese* devrait être remplacé ou expliqué par « *ex ipsius sententia personali*[4] ».

Dans l'intervalle, j'ai vu le P. Daniélou pour prévoir le travail avec les évêques dans la période intermédiaire. Daniélou est vraiment extraordinaire. Il va vite, trop vite, mais il a un don exceptionnel de présence et d'aller à l'essentiel.

Il me dit qu'il y a, du côté romain, un barrage aux conférences

1. Dans sa relation au presbyterium et à son Église.
2. De régler l'usage du pouvoir.
3. J. Descuffi, *AS* I/IV, 257-259.
4. Par sa décision personnelle.

épiscopales. Je savais déjà que le CELAM est gêné par la Curie. Daniélou interprète ainsi le fait que Mgr de Provenchères, inscrit DEPUIS LONGTEMPS pour parler sur les conférences épiscopales, n'a pas été appelé à parler. Il me dit tenir de Mgr Zoa (Cameroun) que celui-ci a vu hier le cardinal Agagianian, préfet de la Propagande, qui lui a dit : Cessez de parler comme vous faites de la conférence épiscopale d'Afrique, ou l'on vous coupe les vivres... Mgr Zoa et les évêques africains en sont fort troublés.

Dans le car, sur le retour, jetant un coup d'œil sur les *emendationes* du *De liturgia* qu'on vient de nous distribuer, je m'aperçois qu'on y a supprimé la mention des Conférences épiscopales. Ce n'est sans doute pas pour cette seule raison qu'un schéma dogmatique ne veut énoncer que des choses immuables !!!

Précisions acquises le lendemain :

1°) Mgr de Provenchères : c'était un oubli ou plutôt on l'avait inscrit pour parler DES ÉVÊQUES lors de la discussion de ce chapitre, et non pour parler du schéma en général. On l'a réinscrit pour jeudi.

2°) Mgr Zoa me dit qu'on lui a reproché, comme exprimant la pensée de tous les évêques africains, l'intervention de Mgr van Cauwelaert, trop violente. Mais, a dit Mgr Zoa, dans tous les groupes épiscopaux, il y a quelque individuel qui ne représente pas toujours la totalité.

3°) Dans les *emendationes* au schéma *De Liturgia*, on a remplacé la mention des conférences épiscopales par une autre formule plus générale. Précisément pour ne pas lier le jeu de l'autorité des évêques à une forme particulière et à une dénomination particulière telle que, si, un jour, cela ne s'appelait pas « conférences épiscopales », on ne puisse pas éliminer le jeu de l'autorité des évêques en arguant du fait qu'il se présenterait sous un autre titre. Ce que j'ai écrit ici hier n'est donc pas (ou peut-être pas) exact.

Mercredi 5 décembre. – Mgr Garrone, les PP. Hamer et Daniélou me parlent du travail de la Commission mixte. Cela avance assez bien : sauf à la sous-commission *De Scriptura et Traditione*[1], où Parente bloque. Le P. Hamer me soumet une page de sept points qui constituent, pour Parente, les principes de base sur lesquels il rédigera le chapitre. Je lui en remets une brève critique.

Le P. Lanne me dit qu'à la Commission de la discipline des clercs et du peuple chrétien, le cardinal Ciriaci[2] a dit que le Saint-Père avait déterminé qu'on pouvait, à la demande de trois évêques, faire venir un expert du dehors. Je fais état de cela dans une lettre à Mgr McGrath[3].

Thurian a entendu dire le bruit court que, vendredi, on ferait voter la Médiation mariale par acclamation. Cela m'étonnerait car on ne peut faire voter qu'un texte PRÉCIS, préalablement discuté, ou alors quelque chose de très vague.

Cardinal Ruffini[4] : adhère à Bacci sur unité profonde. Pour doubles schémas : théologique et pastoral.

Cardinal Montini[5] : 1°) adhère à cardinal Suenens hier : centrer sur mystère de l'Église et son *munus* à l'égard du monde. Il souhaite que la Vierge soit honorée, mais surtout que soit exalté Jésus-Christ dans ce schéma. Donc développer relation Église et Christ de qui elle tient tout.

2°) Quant à la doctrine de l'épiscopat, les deux chapitres qui nous sont soumis ne répondent pas à ce qu'on attend ! Sont trop juridiques. Il faut proposer la volonté de Jésus-Christ sur les évêques.

De institutione collegii apostolici[6].

De successione[7] du collège des évêques au collège apostolique.

De muneribus episcoporum[8] et leur fondement dans la consécration épiscopale.

---

1. De l'Écriture et de la Tradition.
2. Pietro Ciriaci est préfet de la Congrégation du Concile et président de la Commission de la discipline du clergé et du peuple chrétien.
3. Celui-ci fait partie de la Commission mixte *De Revelatione.*
4. *AS* I/IV, 290-291.
5. *AS* I/IV, 291-294.
6. De l'institution du collège apostolique.
7. De la succession.
8. Des charges des évêques.

3°) *[ ]*
Que le schéma soit revu par les commissions compétentes et le secrétariat.

Maximos IV[1] : Ce schéma est la pièce doctrinale la plus importante de tout le concile. Il s'agit de compléter Vatican I, afin que la primauté et l'infaillibilité du pape paraissent dans le cadre du pastorat universel et de l'infaillibilité de l'Église. Le ch. I n'énonce pas d'erreur mais il est INCOMPLET. Contre image de l'Église comme armée rangée en bataille.
Le n° 5 réduit la diversité des membres au rapport de commandement et obéissance. Trop grande insistance sur juridiction, qui amène à ne pas parler des évêques titulaires. Insistance maladive sur le pape : on l'isole ainsi du reste de l'Église. Ce qui est dit de positif est vrai, mais ce n'est pas toute la vérité.
L'œcuménisme n'est pas une diminution de la vérité, mais au contraire une présentation de la PLÉNITUDE de la vérité : ce que ne fait pas une certaine École théologique, qui accuse les œcuménistes de diminuer la vérité...
Contre papolâtrie, dont il cite quelques exemples (en italien). Papauté – mission d'amour et de service. Présidence à la charité.

Mgr Florit[2] (Florence) : « *Immutabilia sunt Constitutio Ecclesiae*[3]... » etc. On change de monde spirituel d'avec Maximos. « *ii qui Ecclesiae insidiantur*[4]... »
Approuve le schéma. Quelques remarques : qu'on ajoute quelques citations de Pères grecs (pour lui ce sont de purs ornements). Et aussi qu'on ajoute eschatologie, maternité de l'Église, aspect corédempteur. Et corrections de détail.

Mgr Plaza[5] (Argentine). *Placet.* 1°) doctrine claire sur Corps Mystique ;
2°) exclut erreurs, etc.

1. *AS* I/IV, 295-297.
2. *AS* I/IV, 298-300.
3. Sont immuables la Constitution de l'Église...
4. Ceux qui critiquent l'Église.
5. Antonio J. Plaza, archevêque de La Plata, *AS* I/IV, 303-305.

Je sors un instant et suis pris par l'un, par l'autre, sans pouvoir me dégager et d'une façon très fatigante.

Mgr *[ ]*[1] Que, pour notre unité, la discussion soit faite en dehors de cette salle, fraternellement.

Le Secrétaire[2] donne le résultat des votes sur les quatre premiers amendements soumis ce matin.

À midi, le pape apparaît à son balcon, récite l'*Angelus* avec les Pères et la foule, et donne deux fois sa bénédiction. Il dit quelques mots cordiaux. Je salue le cardinal Montini, très entouré et qui a toujours une grande présence spirituelle.

Après-midi : 1°) visite d'un prêtre de la Société de la Sainte-Croix, canadien, pour une thèse sur le laïcat chez les Pères : je lui indique l'idée de maternité de l'*Ecclesia* chez saint Augustin ;

2°) visite d'un étudiant de l'Angélique, qui a fait sa philosophie au Saulchoir. Cherche conseils de travail. Très dérouté et déçu : en Théologie, à l'Angélique, on leur donne du saint Thomas le plus systématique et scolaire. Ceux qui sont passés au Saulchoir sont classés. On les a tous reculés à la profession solennelle. Les frères étudiants ont demandé unanimement qu'on me fasse faire une conférence, mais on ne m'a rien demandé !!!

3°) À 16 h 30, conférence aux évêques d'Amérique latine sur les aspects seigneuriaux dans la hiérarchie catholique[3]. Mais ils font leurs valises : il y en a sept ou huit.

4°) Après, à 17 h 55, je passe à Saint-Louis, où s'achève la réunion hebdomadaire des évêques français : ou plutôt elle est finie, je vois les derniers partants.

Quand je rentre de Saint-Louis, à 18 h 30, un prêtre d'Amiens m'attend. C'est cela qui est le plus épuisant dans cette vie : quand on rentre éreinté, on trouve quelqu'un, ou du courrier, un télé-

---

1. Il s'agit probablement de l'intervention du Belge Bernard Mels qui est archevêque de Luluabourg et administrateur apostolique du diocèse de Luebo (Congo), *AS* I/IV, 312-314.

2. *AS* I/IV, 315-316.

3. Cf. « Titres et honneurs dans l'Église. Brève étude historique », dans *Pour une Église servante et pauvre*, Cerf, 1963.

gramme, une lettre expresse, des téléphones survenus pendant l'absence et qu'il faut rappeler. On ne souffle pas une seconde.

5°) À 19 h, on vient me chercher pour une conférence au Collège américain (75 PRÊTRES USA). Sur l'œcuménisme. Beaucoup de questions.

Jeudi 6 décembre. *Saint-Nicolas !* – Téléphone de *L'Osservatore Romano.* Il[1] veut une sorte d'interview sur *Chrétiens désunis.* Je prends rendez-vous à Saint-Pierre, j'attends presque une demi-heure et quand on finit par se retrouver, un gendarme met le journaliste à la porte !!!

Je vois une seconde le P. Balić et Mgr Garofalo, à qui je remets mon texte sur la Tradition qu'il me dit ne pas avoir (bien qu'il en ait eu connaissance).

Mgr Felici[2] fait une sorte de bilan du travail fait : plus de 500 Pères ont pris la parole et plus de 300 ont, en outre, remis des remarques par écrit.
Donne résultat des votes d'hier ; on explique les *emendationes De liturgia*[3] proposées au vote aujourd'hui.

Cardinal Lercaro[4] : adhère à Suenens et Montini : il faut une doctrine *De Ecclesia* qui dépasse le niveau juridique où le schéma se tient trop.
Comme tous les Italiens, vante l'unité fraternelle qui règne.
Valoriser l'aspect de MYSTÈRE de l'Église, mystère du Christ.
Mais aujourd'hui il y a surtout le mystère du Christ dans les pauvres. Aucun des schémas proposés ne considère cet aspect, alors qu'il a été formulé par les prophètes *(pauperes evangelizantur*[5]*)*, qu'il remplit l'Incarnation du Christ et l'Évangile ; il est l'objet d'une béatitude.
Il faut que ce point de vue soit affirmé comme fond de l'œuvre du concile. Le temps réclame cela.

---

1. Le journaliste qui le contacte s'appelle P.G. Colombi.
2. *AS* I/IV, 319-321.
3. Pour le texte, cf. *AS* I/IV, 322-326.
4. *AS* I/IV, 327-330.
5. Les pauvres sont évangélisés (Lc 4, 18 qui cite Is 61, 1).

Il ne s'agit pas d'AJOUTER UN SCHÉMA sur la question, mais de mettre ce thème-là dans TOUS les thèmes du concile... Propose :

1°) Mettre avant tout la doctrine de la pauvreté du Christ.

2°) Priorité à la doctrine évangélique de l'éminente dignité des pauvres.

3°) Que dans tous les schémas on mette en lumière la connexion entre la présence du Christ dans les pauvres et sa présence dans l'eucharistie, dans la hiérarchie.

4°) Dans les schémas sur la rénovation ecclésiale et l'adaptation à l'évangélisation du monde, qu'on mette en lumière les exigences de l'évangélisation des pauvres dans toutes les institutions :

a) limite à donner à l'usage des moyens matériels ;

b) limite de la pompe épiscopale ;

c) fidélité à la pauvreté même communautaire ;

d) *novus ordo de re oeconomica*[1].

Si on a dans l'esprit ces préoccupations, on trouvera aisément le mode juste de tout exposer même des doctrines dogmatiques (applaudissements).

Mgr Felici[2] lit l'*ordo*[3] à observer entre les deux sessions. Le pape a déterminé.

1°) *Curandum erit ut schemata*[4] soient revus, en tenant compte des désirs exprimés, par les commissions conciliaires.

2°) *Finis concilii proprius*[5] exprimé par le pape doit dominer tout. Cite : « *neque opus nostrum*[6]... » (alloc. 11 oct.).

On n'a pas à répéter ce qui est acquis et que tous savent. Mais expression de la doctrine ADAPTÉE À NOTRE TEMPS, et climat de bonté, de miséricorde envers le monde.

1. Nouvel ordre économique.

2. *AS* I/IV, 330.

3. Organisation.

4. Il faudra veiller à ce que les schémas.

5. La fin propre du concile.

6. « Nous n'avons pas... » : début d'une phrase du discours d'ouverture du 11 octobre où le Pape disait qu'il ne s'agirait pas, dans ce Concile, de répéter plus abondamment ce qui avait déjà été dit par les Pères de l'Église et les théologiens sur certains chapitres fondamentaux de la doctrine ; cf. *AS* I/I, 171.

3°) Choisir, dans les schémas préparés, les points les plus importants et UNIVERSELS.
Ce qui concerne la révision du Droit canon sera renvoyé à une commission spéciale.
4°) *Interea*[1] on constitue une commission[2] pour coordonner les travaux, faite de cardinaux et de quelques évêques. Son *munus* sera de suivre et coordonner le travail des commissions et de veiller à la conformité des textes à la fin du concile.
Utiliter consultari poterunt alii qui experientia praestant[3], surtout dans les choses extérieures *(LAÏCS ?)*
5°) Les schémas une fois revus et approuvés *in genere* par le pape seront envoyés aux évêques pour examen.
6°) Les commissions conciliaires procéderont alors aux corrections nécessaires d'après les remarques des évêques.

Mgr Compagnone[4] (Italie) : fait une critique de ce qui s'est fait et dit au concile. Le président, cardinal Tisserant[5], l'interrompt en disant : Tu n'as rien dit de la question de l'Église, tu as fait l'examen de conscience du concile. Merci !

Espagnol[6] : éloge du schéma (parle à toute vitesse).
Ne donner l'impression d'aucun recul par rapport aux acquis du magistère, et chercher les formes d'expression adaptées (toujours la *Doctrina*[7] toute faite, et des gentillesses de forme).

Méndez[8] (Mexique) (le papier dont il m'avait soumis le premier texte mais fort changé) : loue la conscience qui s'est formée du fait du concile.
Le ch. III sur l'aspect sacramentel de l'épiscopat est isolé ;

1. Entre-temps.
2. Il s'agit de la Commission de coordination.
3. On pourrait consulter utilement d'autres personnes qui se distinguent par leur expérience.
4. *AS* I/IV, 331-332.
5. *AS* I/IV, 333.
6. J. Hervás y Benet, *AS* I/IV, 334-337.
7. Doctrine.
8. *AS* I/IV, 338-341.

dans le ch. I, on ne mentionne pas les évêques, on ne parle que de Pierre.

Dans *De Magisterio*, on ne définit le magistère des évêques qu'à partir de celui du pape.

Rapports pape et évêques : pour le principe de subsidiarité et pour un meilleur équilibre, plus conforme à l'Évangile.

Soumet deux questions : les Juifs, l'acrimonie suscitée ces deux derniers siècles par certaines mesures : quest. F∴ M∴ [1] (il dit trop de choses !!).

Philbin[2] (prononciation anglaise) : propose trois principes pour juger :

1°) Notre but premier, au point de vue doctrinal est de défendre les vérités aujourd'hui attaquées. Par ex. les droits de l'Église, la distinction des deux sacerdoces.

2°) Là où il n'y a pas de dangers, ne pas s'arrêter sur la théologie.

3°) Ne jamais donner l'impression de reculer sur les doctrines acquises et ne pas s'en taire.

Mgr Renard[3] : manque dans le schéma quelque chose sur LES PRÊTRES. L'obéissance promise par le prêtre est liée au sacrement lui-même.

Fares[4] (?) (prononciation italienne).

Je sors et vois différents évêques : Méndez, évêque du Chili. J'entends seulement quelques passages de la très belle intervention du supérieur des Maristes[5]. Il ne faut pas, dit-il, partir de l'autorité, mais de la personne libre et de la conscience (ô Newman !)

Mgr Stella[6] : répond aux accusations De Smedt, sur juridisme, etc. Pour Hiérarchie, Monarchie dans l'Église, etc. (prononciation italienne)

---

1. Franc-maçonnerie.
2. William Philbin, évêque de Down et Connor (Irlande), *AS* I/IV, 341-344.
3. Alexandre Renard, évêque de Versailles, membre de la Commission conciliaire de la discipline des sacrements, futur cardinal-archevêque de Lyon, *AS* I/IV, 344-346.
4. A. Fares, *AS* I/IV, 346-349.
5. Joseph Buckley, *AS* I/IV, 353-355.
6. Costantino Stella, archevêque de L'Aquila, *AS* I/IV, 356-357.

Mgr Hakim[1] (en français) reprend l'idée de l'Église des pauvres.
Cf. population, faim. C'est pourquoi nous aimerions trouver dans le schéma *De Ecclesia* non ce qu'on trouve dans les manuels mais ce dont les hommes ont besoin.
Épiscopat ; fonction papale et épiscopale comme service d'amour. Au point de vue oriental : on n'en tient pas compte. Trop de catégories juridiques.
Sur les trois cents notes, seulement cinq mentions des Pères grecs.
Deux exemples de juridisme étouffant le réalisme mystique des Pères orientaux.
Le pouvoir du corps épiscopal émane directement du Christ et est précisé par le pape pour un territoire déterminé.
Que le schéma soit renvoyé à une commission comprenant des experts en théologie orientale.
(BEAU TEXTE, bien donné) (très écouté).

On donne les résultats des votes sur les *emendationes* soumises ce matin. La présidence demande si on peut procéder demain au vote sur l'ensemble du texte amendé du *Proemium* et du ch. I *De Liturgia.* Vote par assis et levé.

Rentré à 13 h. On attend le cardinal[2] et les évêques des Philippines, qui doivent déjeuner. Je vais juste manger une salade et une tranche de jambon, car les festivités durent longtemps et je dois faire un bref résumé de mes remarques sur le *De Ecclesia.* Le Père Général m'a fait en effet la confiance de me demander ce que je pense, puisque, dit-il, je suis compétent. Je vais à Sainte-Sabine avec ma feuille et on parle un peu. Le P. Général n'a pas aimé l'intervention du Général des Maristes de ce matin...

Je fais allusion à Parente, au fait qu'il m'a attribué la paternité du schéma de remplacement. Le P. Général sait que ce texte est de Rahner : il est très critique à son sujet, me dit que beaucoup de choses étaient à y reprendre ou y manquaient, que c'était plutôt une proposition de type édifiant. Il ajoute que nombre d'évêques

1. *AS* I/IV, 358-360.
2. R. I. Santos, seul cardinal des Philippines.

ont voté POUR le schéma *de duobus fontibus*[1] *POUR* voter contre le schéma de remplacement. Il dit être étonné, un peu choqué, que des épiscopats prennent une attitude de groupe homogène : les Allemands, Hollandais, Africains, et même les Français. Il dit que cela choque les autres et il est contre l'idée de faire parler UN orateur au nom de tout un groupe : cela favoriserait l'esprit national et les oppositions de groupes ethniques. Il vante la sainte anarchie individualiste des Espagnols.

À 15 h 45, on vient me prendre pour une conférence à Helvetia Romana. Hélas, j'ai si peu de temps et je vais passer là près de trois heures ! Les Suisses, c'est normal, reconstituent un peu la Suisse partout : tables avec nappes, fleurs, chants, goûter. Retour seulement à 6 h 45.

Je rédige la réponse à l'interview que me demande *L'Osservatore Romano*[2].

Le P. Stirnimann[3] me dit qu'on a distribué hier gratuitement aux Pères du Concile un livre de 610 pages en italien contre les Juifs. Qui paye des idioties pareilles ? (peut-être les Arabes ?) Cela devrait susciter une réaction expresse des Pères du concile !...

(= Maurice Pinay, *Complotto contra la Chiesa*[4]).

Vendredi 7 décembre. – Je vois le livre antisémite distribué aux Pères. J'obtiens de Mgr Ancel qu'il y fasse une allusion réprobatrice dans son intervention de ce matin. Il accepte, puis me dit que le cardinal Lefebvre, qui doit intervenir sur le thème de la charité, pourrait le faire avec plus de poids. Je vois le cardinal Lefebvre, qui en réfère au cardinal Liénart. Celui-ci pense qu'il ne faut pas entrer

1. Des deux sources.

2. Il s'agit d'un questionnaire sur l'unité de l'Église, thème auquel devait être consacré un numéro spécial de *L'Osservatore della Domenica.*

3. Heinrich Stirnimann, o.p., de la province de Suisse, professeur de théologie fondamentale à l'Université de Fribourg ; il sera plus tard recteur de cette Université et coprésident de la Commission suisse de dialogue évangélique-catholique romain.

4. Maurice Pinay, *Complotto contra la Chiesa*, Rome, 1962 ; dans son exemplaire, Congar a laissé un billet manuscrit : « affreux pamphlet antisémite distribué largement aux Pères du Concile (à domicile) pendant la 1re session du concile. »

dans la voie de faire, AU CONCILE des allusions à ce qui se publie et se distribue. On n'en finirait pas. Il faut trouver un moyen de réagir, en dehors du concile. On laisse donc tomber.

Je fais adieux aux observateurs.

On annonce pour demain messe chantée en grégorien, de façon à ce que les Pères puissent chanter avec les fidèles (applaudissements).

Il reste soixante-quatorze inscrits ! on ne pourra pas les entendre ; les Pères peuvent remettre leurs papiers sur les chapitres *De Ecclesia* au secrétariat ; date limite : 28 février.

Aujourd'hui vote sur le *proemium* et le ch. I du *De sacra Liturgia*[1].

Je vois Mgr Florit, Florence, et me présente à lui, en vue de ma conférence de janvier. Je fais bien. Il arrive trop souvent que La Pira[2] prenne des initiatives sans l'en informer.

Dc Bazelaire[3] : ce qui est dit de l'autorité de l'Église est trop dur.
Beaucoup écouteraient l'Église si elle parlait plus maternellement.
Pour un exercice de l'autorité comme service.

Mgr Ghattas[4] (Thèbes, Égypte) : trois remarques :
1°) Réduction du Corps mystique d'abord à l'Église militante, puis aux soumis à la hiérarchie, puis à l'Église romaine. Or les Saints font partie du Corps Mystique. Il y a une problématique fausse au départ.
2°) Le schéma semble oublier que pendant de nombreux siècles, l'expression « Corps mystique » a désigné l'Eucharistie. Les Coptes, en Égypte, ont le baptême et l'Eucharistie. Comment peut-on les considérer comme en dehors du Corps Mystique ?
La notion de membre est ANALOGUE.
3°) Le ch. I marque une vue rétrécissante. La tradition a

1. De la liturgie sacrée.

2. Giorgio La Pira, maire démocrate-chrétien de Florence jusqu'en 1964 ; en contact avec de nombreux théologiens et intellectuels catholiques, il s'intéresse au rayonnement culturel du christianisme.

3. *AS* I/IV, 374-376.

4. *AS* I/IV, 376-377.

toujours parlé des Églises. Cela tient compte de la collégialité. Il faut dire : l'Église est constituée par toutes les Églises en communion avec l'Église de Rome.
La formule du schéma est NOVATRICE, non traditionnelle. Que le schéma soit remanié dans un esprit plus traditionnel.
Mgr Ancel[1] (bien écouté PAR LES PRÉSENTS) : pas d'opposition entre aspect juridique et amour, autorité et service, collégialité et primauté. L'union de ces aspects se fait quand on recourt à l'Évangile.
Le Christ vrai roi, fondant un vrai royaume, MAIS SPIRITUEL. L'organisation juridique est elle-même subordonnée à la vie spirituelle. Les principes évangéliques valent même pour l'organisation ecclésiastique.

Je quitte la salle à 10 h. Je peux, au dernier moment, faire rapidement des adieux à un très grand nombre d'amis. J'ai en effet rendez-vous avec Mgr Doumith, maronite. Il veut mon avis sur un document qui leur a été remis ce matin et qui doit être discuté ce soir à l'assemblée générale de la Commission mixte *De Fontibus*, dont il fait partie. C'est une lettre du cardinal Ottaviani, approuvée par une vingtaine de cardinaux, beaucoup d'Italiens (Bacci, Siri, Ruffini, etc.) et d'autres pays (Godfrey, Wyszyński, etc.)[2] et qui demande au pape que le schéma *De Fontibus* revu, condamne les erreurs dont font preuve, en matière biblique, un certain nombre de publications, parmi lesquelles : l'article de A.M. Dubarle, dans *Revue Biblique*, sur le péché originel dans la Genèse[3], l'Atlas biblique[4], un écrit belge avec imprimatur de Namur[5], qui rattache les récits de l'enfance de saint Luc au genre apocalyptique dont Daniel (rédigé sous Antiochus Épiphane !!!) est l'exemplaire type. Etc. Bref,

---

1. *AS* I/IV, 379-381.
2. Cette pétition signée par dix-neuf cardinaux est datée du 24 novembre.
3. « Le péché originel dans la Genèse », *Revue Biblique*, 1957, p. 5-34.
4. J. DE FRAINE, *Nouvel Atlas historique et culturel de la Bible*, Paris, Elsevier, 1961 ; J. DE FRAINE, s.j., est exégète et enseigne au scolasticat jésuite près de Louvain.
5. F. NEYRINCK, *L'Évangile de Noël selon saint Luc*, Bruxelles, Pensée Catholique, 1960 ; l'auteur est professeur au Grand Séminaire de Bruges.

un aboutissement de l'offensive Spadafora-Romeo[1], bien que l'Institut Biblique ne soit pas nommé. Au contraire, on cite un texte du cardinal Bea, dans le discours prononcé à la Semaine biblique italienne, qui exprime l'inquiétude au sujet de graves erreurs bibliques. Le cardinal Bea pourra s'expliquer lui-même à la Commission mixte. Mais Mgr Doumith me dit qu'à cette Commission, il est assez mou. Après tout, Bea bibliste était plutôt conservateur !

*(Pour les noms des cardinaux qui ont signé cette lettre, voir le P. Wenger, *Vatican II. Première session.* Centurion, 1963, p. 116 n. 12. À corriger par Rouquette, *Études*, juin 1963, p. 419 n. I.) Les cardinaux Marella, Browne, et même Pizzardo, dit Rouquette, n'étaient pas parmi les signataires. Il donne les noms de 18 (non 19) cardinaux signataires. D'après les *ICI*, 15 mars 63, p. 4, cinq cardinaux qui avaient d'abord signé cette lettre ont par la suite retiré leur signature (qui ? il me semble : Wyszyński, patriarche de Venise[2] ??)[3].

Je parle aussi, avec Mgr Doumith[4], de sa belle intervention de l'autre jour sur l'épiscopat, dont il me donne le texte. Je dis aussi un mot de la notion de Tradition.

Je penserai bien à la réunion (la dernière !) de la Commission mixte, quand elle se tiendra, ce soir, à 17 h. Cela chauffera certainement. Les autres ont fait leur coup au dernier moment, espérant sans doute que cela passerait plus aisément. Du reste, je pense qu'il y a quelques dangers réels. Le concile est-il le lieu et l'instrument adéquats pour y obvier ?

J'ai manqué, me dit-on, la visite du pape qui est venu à midi réciter l'*Angelus* avec les Pères et leur adresser quelques mots.

Dimanche 9 décembre 62. – Je rentre d'un voyage à Naples où j'ai voulu aller pour répondre à l'invitation des Pères qui y font un

---

* Congar a écrit en marge de ce paragraphe : Ajout postérieur.

1. Gerrit C. Berkouwer, *The Second Vatican Council and the New Catholicism*, Grand Rapids, 1965.

2. G. Urbani.

3. Le texte et ses signataires, tels qu'on les trouve dans les archives du Cardinal Ruffini, ont été publiés : cf. *Cristianesimo nella Storia*, février 1990, p. 124-126.

4. L'intervention du 4 décembre 1962 ; cf. plus haut, p. 297.

effort très intéressant de travail dominicain pour alimenter une bonne prédication dans le clergé. Je voulais les aider. Je considère que tout ce qui sera entrepris pour convertir l'Italie de l'ultramontanisme politique, ecclésiologique ou dévotionnel, à l'Évangile, est autant de gagné également pour l'Église universelle. C'est pourquoi je vais, ces temps prochains, accepter un certain nombre d'engagements qui vont en ce sens.

Les Pères ont été merveilleusement gentils pour moi. Ils m'ont reçu comme un roi. Vendredi soir, 7 décembre, au couvent d'études de Barra[1] : soirée avec quelques Pères et les frères étudiants. La Province n'a été refondée qu'en 1937. Elle est jeune, elle a le sentiment de manquer de l'appui d'une tradition. Mais leur ligne de travail est authentique.

Samedi matin 8 (fête nationale en Italie), le P. Mongillo me prend à 9 h pour faire un tour en voiture. Par Pompéi jusqu'aux portes de Salerno. Au lieu d'entrer dans la ville, route de corniche. Un ciel d'une pureté et d'une luminosité que même la Terre Sainte n'a pas. Toutes les tonalités de verdure méditerranéenne : les oliviers, les orangers, les cèdres, les cactus. La mer, à nos pieds, calme et sans bornes. Un silence qui m'est plus doux et plus tonique que tout.

Nous montons à Ravello, dominé par des tours juchées en haut de pitons escarpés. Nous visitons ce qui reste d'une villa ou d'un château de style maure : type de villa arabe, dont les bâtiments se succèdent, séparés les uns des autres, au milieu de très beaux jardins. Cela date du XIe-XIIe siècle. Cela m'intéresse prodigieusement du point de vue de S. Thomas. La terre des d'Aquin et de la mère de Thomas n'était pas si loin. Je sais bien qu'à cette époque il n'y avait pas toutes ces routes. S. Thomas n'est peut-être pas venu ICI. Il est impossible, cependant, qu'il n'ait pas, dans cette région, frôlé ou rencontré une civilisation arabe alors dans l'éclat de sa force et de sa jeunesse. Ce que je vois m'explique que saint Thomas ait donné une telle attention aux Arabes, aux *Gentiles*[2]. Je vois saint Thomas PLEIN D'UNE ATTENTION EXTRÊMEMENT OUVERTE ET ACTIVE au monde qu'il

1. Le couvent d'études de la province de Naples est situé à Barra-Napoli.
2. Païens.

rencontrait. Il a eu là une révélation sensible de tout un monde de grande culture.

Amalfi : petit port, cité étroitement resserrée dans la gorge qui descend à la mer. Cathédrale (façade ; tour) et cloître de plein style arabe. Que ces hommes suivaient leur inspiration et étaient peu dominés par des règles figées d'académie !

Arrivée au couvent, à Naples, à 13 h 40. Déjeuner.

Conférence à 17 h. Bonne nuit. C'est curieux : depuis exactement le dimanche 2 décembre, je vais beaucoup mieux. Je me demande si je n'approche pas de la guérison. J'ai encore de la peine à monter les escaliers et je traîne un peu les jambes, mais cela va nettement mieux qu'en novembre où, au milieu d'orages et de tempêtes incessantes, cela n'allait pas du tout.

Ce dimanche matin, j'ai visité la Galerie Nationale de peinture, installée dans le palais royal d'été. Que de richesses ! L'Italie a eu des rois locaux, des seigneurs-mécènes, qui ont rassemblé d'admirables collections de tableaux.

Je rentre dans l'après-midi à Rome ; je tape un article, écrit à Naples, pour *TC*. Je vois le P. Camelot, qui me dit : 1°) La cérémonie à Saint-Pierre, hier, a été très belle. Chant de la messe par les évêques, venue du pape[1] à la fin, qui a parlé un quart d'heure.

2°) La séance de la Commission mixte vendredi soir, a été houleuse. À la fin, le cardinal Suenens a protesté très vivement contre la lettre des vingt cardinaux sur les dangers bibliques[2].

Je note enfin, avant de boucler ce cahier dans ma malle, quelques réflexions qui me sont venues à l'esprit dans le train :

Ottaviani me reproche de dire tantôt bien, tantôt mal, dans *Vraie et fausse Réforme*. Il ne voudrait rien de complémentaire, il ne parle et ne pense jamais dialectiquement de l'Église. Tout est louable, tout doit être loué. Ils ne connaissent qu'UNE ligne : ce qui est homogène et favorable à l'affirmation de leur autorité.

Leur procédé d'extraire quelques lignes de toute une page ou

---

1. « Allocution de S.S. Jean XXIII pour la clôture de la première session du Concile », *AS* I/IV, 643-649 ; *La Documentation Catholique*, 1963, col. 7-12.

2. C'est en réalité De Smedt qui protesta contre la pétition des dix-neuf cardinaux, ce que racontera d'ailleurs Daniélou à Congar le 11 décembre (cf. plus bas, p. 315).

même de tout un livre, est consonant à cela. Ils ne veulent pas considérer ces quelques lignes dans l'équilibre de toute une pensée : c'est pour eux la part non conforme, non homogène, qui doit être exclue et réprouvée.

J'ai été frappé, en causant, soit avec le P. Général, soit avec Mgr Doumith, par l'intérêt qu'ils portaient au nom de Geiselmann, qu'ils ne connaissaient d'ailleurs pas mais sur lequel ils m'ont interrogé indirectement. Je suis amené à me demander si Parente ne veut pas faire condamner la thèse Geiselmann par le concile, et s'il ne m'a pas exclu, en plus de sa jalousie personnelle, pour m'inclure plus ou moins sans que je puisse défendre la thèse ouverte avec quelque force ?

S'ils tiennent tant à parler de deux sources et au *partim-partim*[1], c'est parce qu'ils ont, de la Révélation, l'idée d'une série de propositions particulières. L'affirmation que tout est, de quelque manière, dans l'Écriture, vit de l'idée que la Révélation est UN TOUT. Pour moi, elle est révélation du VRAI RAPPORT RELIGIEUX. Ce point est le principe de la santé de tout le reste.

Pourquoi est-ce LE SECRÉTARIAT qui a été appelé à faire un contrepoids au « Saint-Office » ? En un sens, ce n'est pas totalement heureux : il ne peut tout faire et ne dispose pas toujours des hommes les plus qualifiés... Mais c'est parce qu'il est le (seul) organe de dialogue avec le monde ; donc le représentant du besoin de répondre aux questions des hommes, au-delà du pur en soi.

Mardi 11 décembre 1962. – Paris. À midi, déjeuner aux *Études.* Avant et après, travail avec le P. Daniélou et Colson. Daniélou me raconte la séance de la Commission mixte du 7 décembre. Sur tous les chapitres, l'accord est fait. Il ne reste d'accrochage que sur Écriture-Tradition. Les évêques allemands (Frings, Volk, Schröffer) ont fait venir le P. K. Rahner qui a tenu tête à Tromp avec une grande force et dans un magnifique latin. Le texte proposé, et que le cardinal Bea acceptait, portait que la tradition *« latius patet*[2] » que l'Écriture, *praesertim*[3] pour ce qui touche l'inspiration et la

1. Cf. plus haut, p. 228, n. 3.
2. A une extension plus large.
3. Particulièrement.

canonicité de l'Écriture. Le P. Rahner, sentant que ce « *praesertim* » cachait le dessein d'élargir beaucoup le domaine des vérités de foi non contenues dans les Écritures, a demandé si c'était tout, si l'on se limiterait à ces cas, *an non* [1] ? Tromp n'a pas répondu.

Le cardinal Bea, dit Daniélou, a été très faible. Il s'est rallié à une formule transactionnelle. Le Secrétariat l'a suivi. Feiner (spécialiste de la question, ou soi-disant tel, au Secrétariat) n'a pas dit un mot. Baum est intervenu faiblement, Thils était absent. L'archevêque Heenan a déclaré que sa seule raison de voter le texte était l'agrément donné par le cardinal Bea. Daniélou a pu faire signe à Mgr Garrone et à Mgr McGrath de ne pas voter OUI. Finalement, il y a eu une faible majorité en faveur de la formule proposée. Ottaviani voulait la considérer comme acquise, mais le cardinal Frings s'y est opposé, arguant de la nécessité des deux tiers des voix.

La séance était finie (après deux heures de discussion très tendue), on avait récité l'*Ave Maria* quand Mgr De Smedt s'est levé pour protester contre la lettre des vingt cardinaux qui avait circulé le matin, n'étant pas un document *sub secreto.* Cette lettre disqualifie la censure de deux Pères du concile... Réponse embarrassée d'Ottaviani, qui revendique le droit d'intervenir ainsi pour l'orthodoxie en matière biblique.

Mercredi matin 12 décembre. – Je suis rentré à la Salpêtrière, salle Déjerine, pour subir divers examens (radio, sang, lipiodol, sonde stomacale, électro-encéphalogramme...) jusqu'au vendredi 14 après-midi.

Expérience fructueuse d'une salle d'hôpital.

En rentrant à Strasbourg, j'ai trouvé un arriéré insensé de travail, coïncidant avec beaucoup d'épreuves à corriger. Il y a eu aussi les ennuis venant du fait que ma cantine ne m'avait pas suivi, ayant été laissée par le Secours Catholique. Je ne l'ai reçue, après nombre de télégrammes, de lettres, de démarches à la douane et à la gare, de nuits d'insomnie enfin, que le 16 janvier 63 soir... ! Cela a été

1. Ou non.

pour moi, pour mon travail, pour les manuscrits que je devais à Fayard[1], une vraie catastrophe.

Prêché la retraite de Lille. Cela m'a donné l'occasion, *LE 4 JANVIER 1963*, de voir le cardinal Liénart. Je l'ai trouvé étonnamment jeune et « présent ». Il m'a d'abord donné la distribution du travail aux sept cardinaux de la Commission de continuation[2]. Voici :

Cardinal Cicognani :	*De Ecclesiis orientalibus*[3]
	De Missionibus[4]
	De unione fovenda inter christianos[5]
Cardinal Liénart :	*De Revelatione*[6]
	De Deposito pure custodiendo[7]
Cardinal Spellman :	*De Liturgia*
	De Castitate et Matrimonio[8]
Cardinal Urbani :	*De clericis*[9] ; *De laicis*[10]
(Venise)	*De mediis communicationis inter homines*[11]
	De matrimonii sacramento[12]
Cardinal Confalonieri :	*De Seminariis*[13], *De Studiis et Scholis*[14]

1. Pour deux ouvrages à paraître : *La Tradition et les traditions. Essai théologique*, Paris, Fayard, 1963 et *La Tradition et la vie de l'Église*, Paris, Fayard, 1963.
2. Plus exactement la Commission de coordination.
3. Des Églises orientales.
4. Des Missions.
5. De l'unité à favoriser entre les chrétiens.
6. De la Révélation.
7. Du dépôt à garder fidèlement.
8. De la chasteté et du mariage.
9. Des clercs.
10. Des laïcs.
11. Des moyens de communication entre les hommes.
12. Du sacrement de mariage.
13. Des séminaires.
14. Des études et des écoles.

Cardinal Döpfner : *De Episcopis et regimine diocesium*[1]
De Cura animarum[2]
De Religiosis[3]
Cardinal Suenens : *De Ecclesia*
De Beata Maria Virgine
De ordine sociali

Il me raconte, lui aussi, la séance du 7 décembre. Il me dit que cela a été « dramatique ». Il a, depuis, écrit au cardinal Ottaviani pour dire : « La vérité exige » qu'on ne fixe pas un point sur lequel la Commission elle-même n'a pas pu se mettre d'accord. Il n'y avait et il n'y aurait la majorité requise des 2/3 pour aucune des thèses en présence.

Le cardinal Liénart est très décidé à imposer à la Commission de travailler dans l'esprit et la ligne du concile. Il me dit que les autres cardinaux sont dans la même disposition et que les Romains (Ottaviani) se rendent compte qu'il faudra en venir là. Il est assez optimiste sur le rétablissement de la santé du Pape et très optimiste sur la possibilité de tout finir en décembre 63. Chargé de superviser et diriger le travail, non seulement sur le *De revelatione* mais sur le *De Deposito fidei pure custodiendo*, il a l'idée de faire de ce dernier schéma une anthropologie chrétienne : l'homme dans la pensée de Dieu, l'homme pécheur, l'homme restauré par le Christ-Rédempteur et sauvé.

Ce pourrait être, en effet, très bon. On reprendrait ainsi, dans la lumière d'une idée une, la matière hétéroclite du schéma, et on pourrait la reprendre dans un climat positif, pastoral, kérygmatique.

Le 6 janvier, ai revu le P. Daniélou, qui s'était attribué ou s'est fait attribuer un rôle de centre de tout le travail théologique français entre les deux sessions. Lui-même rédige, en puisant à droite et à gauche, un chapitre sur la collégialité épiscopale. Colson, qui est là, est pourtant plus compétent ! Daniélou me lit des lettres de Mgr Garrone et de Mgr Guerry lui remettant la charge d'une sorte

1. Des évêques et du gouvernement des diocèses.
2. Du soin des âmes.
3. Des religieux.

de secrétariat théologique. Nous échangeons pas mal d'idées sur divers points du *De Ecclesia.*

Le chanoine Thils m'ayant invité à Louvain, j'ai pensé, connaissant la tâche confiée au cardinal Suenens et voyant bien qu'il s'agissait de travailler finalement pour lui, devoir répondre à cette invitation. Je suis donc allé à Louvain LE 12 JANVIER SOIR ET LA JOURNÉE DU 13. En réalité, il s'agissait 1°) d'arrêter avec Mgr De Smedt la ligne ecclésiologique (le plan) que défendrait le Secrétariat, qui sera appelé tôt ou tard, d'une façon ou d'une autre, à intervenir dans le *De Ecclesia* ;

2°) d'arrêter un plan que le cardinal Suenens défendra ;

3°) d'indiquer à Mgr Philips un certain nombre d'améliorations souhaitables dans son *De Ecclesia* révisé.

Le cardinal Suenens est très formellement d'avis de ré-insérer le *De Beata Virgine* dans le *De Ecclesia.* Je dis que l'abbé Laurentin est, sinon le seul capable, du moins le plus capable, d'indiquer la façon de procéder, les écueils à éviter, le contenu et l'ordre du chapitre *De Beata.*

On s'arrête à l'idée d'un *De Ecclesia* en quatre chapitres :

1. *De Mysterio Ecclesiae*[1] : dans lequel on assumerait la MISSION de l'Église et les affirmations essentielles *De membris*[2] (mais en évitant ce mot et en présentant de façon POSITIVE la maternité de l'Église).
2. *De Episcopis.* Avec développement de la collégialité.
3. *De laicis*[3].
4. *De Beata Maria Virgine.*

Voyage fatigant, mais fécond. Par la suite, j'ai vu Laurentin (21.1.63) au Saulchoir. J'ai correspondu avec Philips. Le travail a continué.

Dans l'intervalle, Semaine de l'Unité[4] assez médiocre. J'avais refusé tout engagement et n'ai eu que ceux de dernière heure.

---

1. Du mystère de l'Église.
2. Des membres.
3. Des laïcs.
4. Semaine de prière pour l'unité des chrétiens, organisée chaque année du 18 au 25 janvier ; Congar avait l'habitude de donner de nombreuses conférences ou homélies à cette occasion.

Florence, samedi 19 et dimanche 20[1]. Vu très longuement La Pira. Vu aussi jeunes qui sont autour de lui et de la revue *Testimonianze*[2]. Il se prépare ainsi une génération de laïcs qui transformeront le catholicisme italien.

Lundi-mardi au Saulchoir. Conférence.

Mardi soir, conférence à l'Otan, avec Roger Schutz[3].

Mercredi 23, conférence à Strasbourg*.

Le 24 janvier 63, passé la journée au mont Sainte-Odile, avec Mgr Elchinger, Flusin, Boillon, Huyghe. Le P. Féret était là. Le chanoine Chavasse et le P. Bouyer y étaient venus les jours précédents. On travaille le *De Ecclesia.* Je me sens mal à l'aise devant certains grands projets de refonte totale et de *De Ecclesia* complet : synthèses personnelles très intéressantes, mais il ne s'agit pas de cela. Il faut se représenter 1°) ce dont il s'agit ;
2°) à qui on a affaire.

Cependant, il est possible que je sois trop timide, trop passif, voire pusillanime ? Je suis, aussi, très fatigué. Jambe droite et bras droit ne vont pas du tout. Je dors peu et mal. J'ai des embêtements : du « *Nec nominetur*[4] », où l'on est persuadé que j'ai mené toute une campagne d'opinion au sujet du concile[5]. J'ai la grippe et un peu d'angine.

Vendredi 25 janvier 1963. – Départ pour Mayence à 17 h 10. Stupidement, je n'ai pas relu la lettre de Mgr Volk et vais à l'évêché,

---

* J'ai aussi préparé avec Mgr Weber ses remarques sur le schéma *De Ecclesia*, surtout sur le chapitre I.

1. Congar y donne une conférence dans le cadre de cette Semaine de prière pour l'unité sur le thème suivant : le sens de l'histoire et l'unité de l'Église.

2. *Testimonianze. Quaderni mensili di spiritualità* (Florence).

3. Conférence organisée par Noël H. Salter (cf. p. 256).

4. « Il ne doit pas en être question » (Ep 5, 3).

5. Congar est obligé de réagir à un article de Carlo Falconi paru dans *L'Espresso* du 6 janvier selon lequel il aurait fait certaines révélations sur les schémas préparatoires ; le Maître général de l'ordre ayant demandé des explications à son provincial, le P. Kopf, Congar indique à ce dernier dans une lettre datée du 25 janvier qu'il a toujours cherché à être discret avec les journalistes et qu'il est resté modéré dans ses critiques des schémas préparatoires (Archives Congar).

qui est très loin (par tram 21). La sœur de Mgr Volk, absent, me propose bien de loger là, mais, après téléphone, je rejoins la réunion, à Ketteler-Haus.

Samedi 26. – À 9 h, séance de travail. Participants à la réunion, avec Mgr Volk : Mgr Philips, PP. Schillebeeckx et Mulders[1], Ratzinger, K. Rahner, Grillmeier, Semmelroth, Schnackenburg[2], moi, puis, l'après-midi, le P. Hirschmann[3].

(Peu avant Noël, les théologiens allemands ont eu une première réunion à Mayence, consacrée à la critique du schéma officiel. Puis, peu après Noël, une réunion à Munich avec quelques évêques, pour commencer le projet de la rédaction d'un nouveau texte.)

On lit et on discute le schéma préparé par Grillmeier, avec l'aide de Schnackenburg et Semmelroth. Les Allemands rédigent ainsi un schéma complet : mieux, un TRAITÉ ! Je critique l'idée de faire un traité. L'idée des Allemands est de mettre au point un texte (cela se fera à la réunion des évêques de langue allemande, à Munich, le 5 février), de tâcher d'obtenir pour ce texte le plus de suffrages possible, voire même le suffrage du plus grand nombre possible d'épiscopats, et de le proposer à la Commission théologique comme l'expression de ce que désirent un grand nombre d'évêques (d'épiscopats). Ainsi, sans être adopté tel quel, le texte servirait-il plus ou moins largement à la rédaction du schéma révisé.

Le texte a été conçu très en fonction des protestants ; on a voulu que si possible, chaque affirmation soit appuyée de références bibliques.

Moi, je trouve ce texte trop long,

---

1. Le journal conciliaire de Gerard Philips indique plutôt la présence de Piet Smulders, s.j., professeur de théologie au Canisianum, le scolasticat jésuite de Maastricht ; expert privé d'un de ses anciens élèves, il est expert du Concile à partir de la deuxième session ; Congar a pu confondre son nom avec celui d'un autre Néerlandais, Alfons J. Mulders, missiologue enseignant à Nimègue et expert du Concile.

2. Rudolph Schnackenburg, prêtre du diocèse de Wurtzbourg, professeur d'exégèse du Nouveau Testament à l'Université de Wurtzbourg, consulteur de la Commission biblique pontificale.

3. Johann Hirschmann, s.j., professeur de théologie morale et pastorale au scolasticat jésuite de Sankt-Georgen à Francfort, expert du Concile.

– trop scolaire (pas scolastique !), s'exprimant plus comme un cours de théologie que comme un concile,

– intégrant quelques points de vue qui ne s'imposent pas à la foi catholique comme telle et représentant une option (par exemple sur les membres de l'Église et le statut des non-catholiques).

Mgr Volk reçoit avec une simplicité et une délicatesse de cœur extraordinaires. Il est amical, présent, affectueux.

Dans la conversation, je réalise mieux combien les critiques adressées aux textes de la Commission théologique préparatoire, les discours et les votes faits au cours de la première session, étaient, voulaient être une condamnation du Saint-Office et un rejet de la théologie du P. Tromp. C'est CONTRE CELA de nouveau que se prépare la seconde session.

Mais une certaine confusion et imprécision règne dans nos propos. Je retrouve l'atmosphère de certaines réunions de Rome : on cherche à perte de vue et dans le vague QUOI FAIRE ?

Le P. Hirschmann rentre de Rome, où il était pour la Commission des laïcs. C'est un homme remarquable de réalisme, de précision. Il doit être très efficace, ce petit bonhomme à l'allure d'*homo alpinus*[1]. D'après lui 1°) On pense assumer des laïcs, au moins dans la Commission des laïcs. 2°) Tromp, qui a le plus grand mépris pour les évêques, craint la Commission cardinalice des 7. 3°) On susurre que le cardinal Ottaviani se retirerait du « Saint-Office ». Le bruit repose sur le fait qu'il s'est plusieurs fois fait remplacer par le cardinal Browne. Dieu nous garde de Browne ! J'aime encore mieux Ottaviani... 4°) L'idée d'établir une sorte de Commission centrale permanente (réunion une ou deux fois par an), une sorte de σύνοδος ἐνδημοῦσα auprès du pape, gagne du terrain à Rome. On l'envisage assez largement comme possible. 5°) Dès maintenant, de fait, des commissions où siègent des évêques et des responsables du monde entier, existent à l'intérieur ou à côté de nombreuses Congrégations, les doublant en quelque sorte et les élargissant.

Ainsi s'esquisse ce qui pourrait bien être l'idée de Jean XXIII, à savoir faire passer l'Église à un régime largement collégial et épiscopal. Le « pape de transition » serait vraiment le pape de la tran-

1. Homme des Alpes.

sition. Il semble bien que le résultat interne du concile sera cela : mettre en place des organismes MONDIAUX et non plus seulement romano-catholiques.

Je rentre à 3 h du matin, par un train de nuit qui a du retard, en sorte que j'ai deux heures d'attente à Karlsruhe.

Lettre d'Alberigo[1] me posant un certain nombre de questions de la part du cardinal Lercaro. Mais de grosses questions, qu'il faudrait des jours pour traiter[2]. Et aussi plus de forces que je n'en ai. Je réponds ce 31.1. Mais je peux à peine taper à la machine et ma jambe droite ne fait plus que traîner. Ça ne va pas fort et je suis TRÈS fatigué.

6-7 février. – À Angers pour les évêques de la IIIe Région apostolique[3] : quinze évêques et, le jeudi 7, le cardinal Roques, aussi néant qu'à Rome.

Les seuls évêques un peu actifs théologiquement sont Mgr Guyot et Mgr Cazaux[4] (mais parle très longuement, sans que ce soit bien net). Le mercredi soir, grand exposé sur le sacerdoce, par le chanoine Derouet[5], supérieur du Grand Séminaire de Laval. Un peu de discussion sur la sainteté sacerdotale, au sujet du schéma de décret *De laicis.*

Le jeudi 7 matin, moi sur le *De Ecclesia* ; après-midi, discussion Laurentin sur le *De Beata Maria Virgine* et conclusions. (Laurentin me semble accentuer son penchant à se faufiler, à s'arranger, à avoir son plan...)

Mgr Mazerat a reçu, sur-le-champ, des documents venant de la Commission du clergé, dont il est membre. Il s'avère que tout est, en ce moment, en chantier : c'est-à-dire, que tout est par terre, tout

---

1. Giuseppe Alberigo, juriste et historien, est directeur du Centre de documentation de l'Institut pour les sciences religieuses, fondé par Giuseppe Dossetti à Bologne ; cet Institut, qui a notamment pour objectif de travailler sur l'histoire des conciles œcuméniques, fournit au cardinal Lercaro quelques experts durant le concile, en particulier Dossetti et Alberigo.

2. Elles portent notamment sur l'amélioration du *De Ecclesia* et sur la question de l'évangélisation des pauvres.

3. La Région apostolique de l'Ouest.

4. Antoine M. Cazaux, évêque de Luçon.

5. Pierre Derouet.

est en question ; on trie, on élimine, on reclasse et redistribue les matériaux... La Commission des sept cardinaux semble avoir décidé : on ne parlera pas de cela ; ceci sera redistribué ailleurs ; sur telle question, le concile exprimera seulement son esprit et nommera une Commission qui rédigera un directoire, etc. Cela me coupe bras et jambes. J'ai l'impression d'un gâchis, d'une improvisation invraisemblable. Tout est à refaire ou à faire. Et l'on prétend que ce sera prêt pour septembre et que le concile pourra se clôturer à Noël ?

J'ai vu à Angers Mgr Derouineau[1] (du moins je crois que tel est son nom. C'est l'évêque missionnaire expulsé de Chine). C'est lui qui a été chargé par le pape de s'occuper du ralliement de la Petite Église : celle-ci représenterait à peu près neuf cents familles en tout (huit mille personnes) en Deux-Sèvres, Lyon et région de Cluny. Mgr Derouineau a contacté tout le monde. Monsieur Hy[2], qui représente le groupe des Deux-Sèvres, serait bien disposé, mais tout échoue à cause de l'entêtement de certains Rolland, de Lyon (Sainte-Foy), qui sont animés d'un esprit sectaire et janséniste. Ils réinterviennent chaque fois que Mgr Derouineau a marqué un point, et ramènent tout à zéro.

Un certain Tugdual Ier a essayé de mettre la main sur la Petite Église : il s'intitule patriarche de l'Église celtique. Il s'est fait consacrer évêque et aurait, non seulement donné la confirmation, mais consacré d'autres évêques. Évidemment, l'ignoble Kovalevski[3] trempe là-dedans et a donné son concours. Tugdual réside, je crois, à Saint-Dolé (?).

Samedi 9 février. – Après-midi, visite de l'abbé Zimmermann[4], secrétaire de Mgr Elchinger. Il m'apporte 1°) la rédaction actuelle du schéma allemand *De Ecclesia* ; 2°) des textes qu'il me donne à lire simplement, à savoir :

---

1. Cf. plus haut, p. 76, n. 5.
2. Jean Hy.
3. Il s'agit de Pierre Kovalevski ou de son frère Eugraph qui, au sein de l'Église Catholique Orthodoxe de France, cherchaient à promouvoir une orthodoxie occidentale, se réclamant de traditions gallicanes du premier millénaire.
4. Jean-Paul Zimmermann.

a) La redistribution des schémas actuellement projetée, sous les deux grands chefs : l'Église en elle-même, l'Église quant à sa présence au monde. C'est vraiment le grand chamboulement. Tout est d'abord pulvérisé, puis redistribué... !!!

b) Une lettre de Mgr Villot disant qu'a été décidé, à la réunion des sept cardinaux,

– le démembrement du *De deposito fidei pure custodiendo*, aboutissant à sa suppression ;

– l'intégration de certains éléments du *De Magisterio* dans un *De Ecclesiae principiis et actione ad bonum societatis promovendum*[1] ;

– la transformation du *De ordine morali* en un *De persona humana in societate*[2], qui sera intégré dans le schéma sus-nommé ;

– le démembrement du *De castitate*[3], dont ne subsistera que le chap. *De matrimonio et familia*[4].

C'est le glas de la théologie curialiste, de l'esprit de Pie XII et d'*Humani Generis*, du « Saint-Office ».

Le soir, long téléphone de Mgr Elchinger. Il est enchanté de la réunion de Munich : il y avait plus de cinquante évêques, une dizaine de supérieurs religieux, pères conciliaires, une vingtaine de théologiens, dont Schauf. Le texte de Mayence avait été complété et amendé considérablement. Mgr Elchinger le trouve, tel qu'il est maintenant, bon : tel qu'on devrait s'y rallier pour lui donner sa pleine chance. Mgr Philips s'y serait rallié (?). On prendra d'ailleurs la formule Philips pour le *De membris*[5]. Les Allemands (cardinal Döpfner) l'enverront à Ottaviani, non comme texte à substituer, mais comme expression de ce que souhaitent un grand nombre d'évêques.

Le pape, paraît-il, va très bien. Il compte finir le concile à Noël et forme des projets pour après le concile. Les évêques allemands pensent qu'il NE FAUT PAS vouloir finir à Noël : ce serait se vouer à tout bâcler.

---

1. Des principes et de l'action de l'Église pour promouvoir le bien de la société.
2. De la personne humaine dans la société.
3. De la chasteté.
4. Du mariage et de la famille.
5. Des membres.

Les évêques allemands ont déterminé une ligne de conduite pour ceux qui auront à prendre position : 1°) bien dire qu'il ne s'agit pas de formulation dogmatique, mais d'une large présentation de ce que pense l'Église ; 2°) refuser absolument le *De membris* de Tromp ; 3°) insister sur la collégialité, sans rien abandonner de Vatican I ; 4°) en mariologie, proposer une expression de ce que tient l'Église, en évitant tout ce qui pourrait heurter les protestants et en excluant la question corédemption et la question médiation.

Mgr Elchinger me dit que la Commission théologique est convoquée pour le 20 février (alors que les évêques ont jusqu'au 25 pour envoyer leurs remarques) ; elle doit avoir fini son travail sur le *De Ecclesia*, le *De fontibus* ou *De Revelatione* et le *De Beata Maria Virgine* avant le 10 mars !

C'est absolument impossible !

Le pape, paraît-il, a refusé d'admettre le texte pour lequel une légère majorité s'est déclarée à la séance de la Commission mixte du 7 décembre : il faut, a-t-il dit, les 2/3 (thèse Liénart et Frings). Si on ne peut se mettre d'accord, on reprendra simplement le texte de Trente et de Vatican I.

Il paraît que le cardinal Ottaviani se montre assez coulant et rejette sur le P. Tromp la responsabilité de ce qui ne marche pas.

Mgr Elchinger a été très impressionné par la tenue de la réunion de Munich et la coopération des évêques avec les théologiens. Chez nous, c'est l'anarchie, la dispersion. Les évêques, qui s'intéressent peu à la théologie, n'attendent pas grand-chose des théologiens et ne leur demandent rien de sérieux. Mgr Elchinger me dit avoir écrit en ce sens au cardinal Liénart. Il doit voir le P. Daniélou à Paris la semaine prochaine.

Je trouve, en effet, que les évêques français n'ont presque rien attendu de nous. Mais un petit nombre d'entre eux seulement est apte à s'intéresser DE PRÈS aux questions théologiques et à TRAVAILLER vraiment avec des théologiens.

Jeudi 14 février 1963. – Conférence de Mgr Constantinidis[1] sur l'unité du point de vue orthodoxe. Il propose une doctrine qui

1. Chrysostomos Constantinidis, métropolite de Myre et professeur de théologie à l'École de théologie de Chalki, près d'Istanbul ; après une formation en

me semble, au total, une sorte d'ouverture modernisante qui n'a guère d'appuis dans la théologie orthodoxe. Ou cela n'engage pas à grand-chose, ou cela engage dans une aventure assez neuve.

Il distingue l'unité absolue ou unicité de l'Église, elle existe – et ce que l'on cherche et qui n'existe pas encore : en ceci, il distingue l'UNION et l'UNITÉ. L'union est, pour lui, le rattachement d'une Église à une autre : il y a une partie absorbante et une partie absorbée.

L'unité = « périchorèse des parties constituantes ». C'est autre chose qu'une simple coexistence, autre chose qu'un *modus vivendi*. C'est assez proche de ce que je crois être le DIALOGUE ŒCUMÉNIQUE s'il a sa pleine dimension. Mais la base de cette « unité » est le fait de prendre les autres pour ce qu'ils sont et d'actualiser entre eux une pénétration mutuelle.

Tout cela me paraît assez improvisé et très vague. Quelle base minima commune exige-t-on ? La théologie orthodoxe, qui ne reconnaît pas, en principe *(de jure*[1]*)* les sacrements des autres Églises, a-t-elle un début au moins de théologie des *vestigia Ecclesiae*[2] ? La pénétration mutuelle ira-t-elle jusqu'à partager l'eucharistie ?

J'ai l'impression qu'il y a là une JUXTAPOSITION, à une ecclésiologie orthodoxe ferme, celle de l'unicité, celle de saint Cyprien[3] et de Firmilien[4], d'une pseudo-formulation théologique du FAIT œcuménique. Je suis assez déçu, intellectuellement. Par contre, l'homme est extrêmement sympathique et séduisant.

Tandis que je rentre, traînant la jambe et même me traînant, je suis abordé par quelqu'un qui me tend la main. Je crois que c'est l'abbé Heitz[5]. Je n'ose le lui demander. Mon compagnon, qui vient

---

Occident, notamment à Rome et Strasbourg, durant laquelle il avait eu ses premiers contacts avec les milieux œcuméniques, il est appelé par le Patriarche Athénagoras comme émissaire et conseiller dans les rapports œcuméniques.

1. De droit.

2. Vestiges de l'Église (l'expression est alors utilisée par les ecclésiologues pour désigner ce qui persiste d'éléments ecclésiaux dans les communautés chrétiennes qui n'appartiennent pas à la seule véritable Église).

3. Cyprien de Carthage, Père de l'Église du IIIe siècle.

4. Firmilien, évêque de Césarée en Cappadoce ; Cyprien demande et obtient son appui contre Rome dans sa position ferme sur la non-validité du baptême administré par les *lapsi*.

5. Alphonse Heitz, après avoir été curé dans le diocèse de Strasbourg, puis

jusqu'au couvent avec moi et semble me connaître très bien, et même m'avoir quitté hier, me dit ceci : Mgr Constantinidis vient de Rome et va faire un tour en Allemagne. Il contactera les cardinaux Frings, Döpfner, König et Mgr Volk. Le fond de son voyage ou de sa mission serait que le Patriarche de Constantinople[1] voudrait, dans une Église se réunissant ou réunie, ne pas perdre sa place, qui est la seconde dans l'Église. Le Secrétariat pour l'unité serait en train de s'entendre avec Visser't Hooft d'un côté, avec les Russes de l'autre. Constantinople voudrait reprendre une initiative de Premier Siège, recevoir une considération de premier siège.

C'est possible. Cela m'intéresse peu. Il s'agit d'autre chose que de cela. Et si Jean XXIII se rapproche de la Russie, c'est pour servir la cause de la Paix du monde ! Je le dis à X (Heitz ?).

Vendredi 15 février 1963. – Visite de Mgr Constantinidis. Au fond, il ne me dit pas grand-chose. L'envoi d'observateurs était impossible, car neuf Églises orthodoxes s'étaient prononcées contre. Je dis qu'il pourrait y avoir des Orthodoxes au titre d'invités personnels du Secrétariat : Mgr Constantinidis l'admet, le trouve bien, mais semble ne pas y avoir pensé auparavant, ce qui me paraît invraisemblable.

Je parle des informations que Constantinople peut avoir sur le concile. Je dis que Mgr Cassien[2] pourra faire un rapport. C'est impossible, car il est allé au concile malgré l'avis contraire du Saint-Synode de Constantinople. De sorte que ce sera encore par les envoyés de Moscou que Constantinople sera le plus renseignée...

Mgr Constantinidis me fait bien allusion aux ultra bons rapports existant entre Visser't Hooft et le Secrétariat, au grand amour qui s'est manifesté lors du comité de continuation du Conseil œcumé-

---

attaché au Centre Istina, est passé à l'orthodoxie, où il a été réordonné sous conditions.

1. Athénagoras ; né en 1886, il a été élu en 1948.

2. Cassien Bezobrazov, recteur de l'Institut de théologie orthodoxe Saint-Serge, qui dépend du Patriarcat de Constantinople, évêque titulaire ; hôte du Secrétariat pour l'unité aux trois premières sessions, il décédera en février 1965.

nique à Paris, en août dernier[1]. Il est très sévère pour le pragmatisme et la confusion qui ont régné à la Conférence de New Delhi[2] : c'était Babel, me dit-il. Mais, en somme, visite très cordiale. Je parle plus que lui. Je dis l'attitude extraordinairement positive de la grande majorité du concile en matière œcuménique, et vœu intense des fidèles.

Samedi 23 février 63. – Téléphone de Mgr Elchinger, qui prend très à cœur les choses du concile et voudrait agir efficacement. Il me dit :

1°) A reçu une lettre du P. de Lubac, retour de Rome : Lubac pessimiste, disant que la Commission théologique n'accepterait et n'envisagerait que de partir du schéma existant et de lui apporter des améliorations.

Cela a enflammé Mgr Weber, qui a de suite écrit une lettre à Mgr Garrone lui disant que, s'il en était ainsi, les évêques démoliraient le texte proposé et l'enverraient à la refonte.

2°) La Commission théologique doit avoir fini *TOUS* ses travaux pour le 10 mars. Et, si je comprends bien, non seulement elle mais les autres aussi.

3°) A reçu une lettre du cardinal Suenens lui disant cela et lui demandant quelque chose sur les problèmes de morale conjugale.

4°) Mgr Elchinger a écrit à Mgr Garrone une lettre sévère s'élevant contre le scandale de l'utilisation quasi nulle des théologiens par les évêques FRANÇAIS.

– Il me dit d'autre part avoir vu le P. Daniélou pendant deux heures, mais sans cesse dérangé par le téléphone. Daniélou, me dit-il, travaille comme un journaliste. Beaucoup se plaignent de lui. De plus, il arrange les textes à sa façon : il y a eu à ce sujet deux plaintes au Secrétariat de l'Épiscopat, dont celle du chanoine Thils*.

De fait, il a arrangé et coupé mes textes ; il en a publié un sous

---

* En marge du dactylogramme 2 : et je crois de Laurentin.

1. Il s'agit de la réunion du COE, qui s'était tenue à Paris du 7 au 16 août 1962.

2. Il s'agit de la troisième Assemblée générale du COE, qui s'était tenue du 19 novembre au 5 décembre 1961.

mon nom (avec Holstein) que je n'ai jamais envoyé[1] ; il a raccourci celui du P. Lécuyer à sa façon. Laurentin était aussi très monté sur ce point.

Vendredi 1er mars 1963. – Ce matin à 8 h 10, je reçois un *Espresso* : une simple carte rapide du P. Daniélou me demandant de venir à Rome. Je trouve cela un peu léger : j'ai des engagements de carême, de conférences. On aurait bien pu me prévenir avant. J'hésite un moment. Cela vaut-il la peine ? J'appréhende de faire, une fois de plus, du travail inutile. Mais cela peut aussi être important. Je me décide donc à partir. En une demi-heure je m'informe des avions : Air-France n'a plus de jonction Strasbourg-Rome *via* Nice : il faut passer par Paris et l'avion est parti. Finalement, l'itinéraire suivant s'organise : Offenburg, Bâle, Zurich et Zurich-Rome en avion.

Je téléphone à la cathédrale ; on fait, avec le P. Maillard, le compte des choses où il faudra me remplacer. Le P. Maillard est merveilleux, il me conduit à Offenburg. J'ai fait ma valise en moins d'un quart d'heure et oublie sûrement des choses.

Toute la Suisse est sous la neige ; les lacs sont gelés, tout est blanc, sauf les bois qui font des taches sombres dans le décor égal. Avion irlandais. À Rome, l'interminable chemin de l'aérodrome à la ville, que je connais bien. Je vais au Séminaire Français. De là on téléphone à l'Angelico : il n'y a pas de cellule libre.

Je trouve là le cardinal Lefebvre, Mgr Garrone, Mgr Martin, Mgr Cazaux, le chanoine Streiff[2]. Mgr Garrone me dit que : sur Écriture-Tradition, on s'est bagarré toute la semaine. CE SOIR l'accord est venu avec une majorité de trente contre quatre ou cinq. Les Romains (Parente) voulaient absolument affirmer la plus large contenance de la Tradition que l'Écriture. Ils voulaient condamner une thèse. Ils sont mis en minorité.

---

1. À partir du 15 janvier 1963, le Secrétariat de l'épiscopat français diffuse, sous la direction de Daniélou, les premiers numéros des *Études et documents* sur les questions débattues au Concile.

2. Jean Streiff, du diocèse de Nancy, secrétaire général de l'Action catholique française ; expert du Concile à partir de la deuxième session ; il deviendra plus tard évêque de Nevers.

Le schéma officiel *De Ecclesia* est écarté. Officiellement, on doit en rédiger un autre. Plusieurs ont été proposés. Il y a celui des Allemands, mais aussi un du Chili, fort intéressant, paraît-il, et un de Mgr Parente... C'est une sous-commission de 7 membres qui est chargée d'établir un nouveau texte. Chaque évêque de cette commission a choisi un *peritus* : le cardinal Browne a pris le P. Gagnebet, Mgr Parente le P. Balić, le cardinal König Rahner, Mgr Schröffer Thils, Mgr Garrone le P. Daniélou, Mgr Charue, Philips. Le cardinal Léger a deux abbés : Naud[1] et Lafortune[2].

Il y a aussi, comme *periti*, Mgr Philips, chanoine Thils, K. Rahner. Pratiquement, le travail se fait au collège belge, autour de Philips et Thils. Il vaudrait donc mieux que je loge à l'Angélique... Mais, au fond, je suis surnuméraire ici et Mgr Garrone me dit : je téléphonerai demain au P. Daniélou pour savoir comment et à quel titre vous introduire.

Étrange, cette omniprésence et omnifaisance du P. Daniélou... En tout cas, on ne sait pas du tout combien de temps durera le travail... Et je me demande ce que je ferai.

J'ai très froid. L'aérodrome, à l'arrivée, était une vraie Sibérie.

Samedi 2 mars. – Les choses s'éclairent un peu. Je vois Mgr Garrone, puis, à 9 h, le P. Daniélou. Mgr Garrone me montre le texte sur lequel l'accord s'est fait, à la Commission mixte, sur Écriture et Tradition, hier soir. Il y a eu, me dit-il, des séances dramatiques, en particulier lundi dernier, où Parente a lu une lettre du cardinal Ottaviani, qui a déclenché un brouhaha général. En réalité : le cardinal Ottaviani était présent, mais, comme il ne voit pas, on a LU son texte. Il y prenait personnellement à partie le cardinal Bea. Cela a amené une discussion telle qu'il y a eu suspension de séance, le cardinal Bea réunissant le secrétariat à sa faveur. Pendant ce temps, c'est-à-dire pendant l'absence du cardinal Bea, le cardinal Ruffini a lu un texte du P. Bea, vieux de vingt ans,

1. André Naud, p.s.s., du diocèse de Montréal, après avoir enseigné la philosophie au Japon de 1954 à 1962, enseignera la théologie à l'Université de Montréal ; il est expert du Concile à partir de la deuxième session.

2. Pierre Lafortune est théologien et canoniste de formation ; expert privé du cardinal Léger, il est nommé expert du Concile au cours de la première session.

mais visant ainsi à mettre le cardinal Bea en difficulté. Cela a été ressenti comme un procédé bas par plusieurs participants, et contribué à créer une atmosphère très tendue.

Finalement, on s'est mis d'accord, avec quelques corrections, sur un texte que je ne trouve pas bon. On a bagarré sur une phrase dans laquelle les gens du Saint-Office voulaient réintroduire l'équivalent de « *latius patet*[1] ». Je m'étonne qu'on se soit tant battu là-dessus : car c'est vrai que la Tradition est plus large que l'Écriture, mais, me dit-on tout le monde était d'accord, mais on s'est élevé contre L'INTENTION, contre LES DESSOUS. Car, dans l'intention des Romains, c'était une condamnation de Geiselmann. Le débat et l'attention se sont focalisés là-dessus. Malheureusement, à mon avis. Car on a évité ainsi de porter l'attention sur d'autres points que j'estime plus graves. En particulier, le n° 5 du projet me paraît mauvais : la tradition y est présentée comme confiée AU MAGISTÈRE, non à l'Église. Et le magistère y est donné comme « *regula fidei proxima*[2] » – le *depositum*[3] étant *regula remota*[4] – sans qu'il soit dit que c'est une *regula regulata*[5]. Cela ne collera sans doute pas non plus avec le schéma *De Ecclesia*...

Ce fait de remplacer l'*ecclesia* par le magistère se retrouve ensuite au n° 6, où les trois éléments indissociables Écriture, Tradition, Église, sont remplacés par : Écriture, Tradition, Magistère !

Il y a aussi d'autres points qui me paraissent peu heureux :

n° 3 : le Christ a remis la Tradition aux Apôtres « *oretenus*[6] » : toujours cette fiction d'une transmission secrète de PAROLES et cette exclusion de ce qui est le principal, concrètement, dans la tradition, à savoir les réalités privées et vécues ;

n° 4 : le *pari pietatis affectu*[7] n'est pas assez bien référé À L'ORIGINE, comme c'est le cas au concile de Trente.

---

1. Cf. plus haut, p. 314.
2. Règle de foi la plus proche.
3. Dépôt.
4. Règle éloignée.
5. Règle réglée.
6. Oralement.
7. Avec un même sentiment de piété (l'expression, provenant du concile de Trente, concerne l'Écriture et la Tradition).

Le P. Daniélou arrive à 9 h. Il a vraiment une présence inouïe. Il est de trois commissions : théologique *(De Ecclesia)* ; laïcs ; enfin de la commission mixte qui prépare le schéma XVII, c'est-à-dire celui dans lequel on va reprendre des restes du *De deposito* et des chapitres de morale, en une sorte d'anthropologie. Cette commission mixte de six évêques est bonne, avec McGrath, Guano, Gromius[1], etc. Mais Mgr Glorieux[2] s'est laissé imposer le P. Lio, bien connu, qui veut ramener tous les textes des schémas officiels. Exactement comme Parente a voulu réimposer un texte préfabriqué à la sous-commission *De Ecclesia.* Les gens du « Saint-Office » auront essayé jusqu'au bout d'imposer leur point de vue. Ils y étaient arrivés à la Commission préparatoire. Ils sont maintenant battus. Chaque fois qu'on demande un vote, ils ont une PETITE minorité. Ainsi le P. Lio est là pour réintroduire l'essentiel de ses idées. Il vient d'être nommé Consulteur (qualificateur) du Saint-Office. C'est normal. Il y aura une bagarre très dure à mener. Le P. Daniélou va la mener. Il voudrait, pour cela, se dégager de la sous-commission *De Ecclesia* et que j'y prenne sa place. C'est possible : le cardinal Léger a deux experts et fait remplacer Naud par Lafortune à partir d'aujourd'hui où, dans le *De Ecclesia*, on passe du ch. I (Du mystère de l'Église : rédigé) au ch. II (collégialité). De fait, Mgr Garrone téléphone au cardinal Browne, qui est vice-président de la Commission théologique, et celui-ci accepte sans difficulté que je remplace le P. Daniélou comme expert de Mgr Garrone à la sous-commission *De Ecclesia.* D'autre part, le cardinal Ottaviani a déclaré à deux reprises que tout expert approuvé par le Saint-Père pouvait venir, soit à la commission mixte Bea-Ottaviani, soit aux séances de la Commission théologique.

Il semble que le travail durera au-delà du 10 mars. D'autre part, il est très important qu'un expert français soit présent et actif. On

---

1. L'*Annuario Pontificio* ne connaît pas le nom de Gromius. Il s'agit en réalité du Néerlandais Joseph Blomjous, évêque de Mwanza (Tanzanie), cardinal en février 1965, qui est membre de la Commission pour l'apostolat des laïcs.

2. Achille Glorieux, du diocèse de Lille, assistant ecclésiastique du COPECIAL (Comité permanent des congrès internationaux pour l'apostolat des laïcs), est secrétaire de la Commission préparatoire, puis de la Commission conciliaire pour l'apostolat des laïcs ; il sera plus tard pro-nonce en Syrie, puis en Égypte.

prévoit donc que je resterais jusqu'au 14 mars et que le P. Daniélou reviendrait à ce moment.

En fin de matinée, visite à Mgr Philips – absent ! – et à l'Angelico, où je revois, en cinq minutes, une foule de frères sympathiques, mais où il n'y a pas de chambre disponible. Je reviens donc au Séminaire français.

Mes jambes fonctionnent assez bien. Mais, au retour, je commence à tirer la patte.

À 15 h 25, visite de Mgr Charue.

À 16 h 5 ou 10 je suis chez le P. Daniélou, qui me passe différents papiers, entre autres le schéma du Chili.

À 16 h 30, à Sainte-Marthe, Vatican, sous-commission des experts. Il y a le P. Gagnebet, Rahner, Balić, moi, Mgr Philips, Thils, abbé Lafortune et un actuaire (Molari[1], avec lequel ai été en rapports jadis). Atmosphère cordiale. Balić passe de la bonhomie amusante à la réclamation, sourcils froncés et coup de poing sur la table, en faveur de l'autorité du pape. Il trouve qu'on en donne trop aux évêques. Je lui dis : on verra au mois de septembre ! Il voudrait surtout qu'on parle en faveur de l'autorité du magistère ordinaire du pape (encycliques), car, selon lui, on le sape. Exemple : le pape avait parlé sur la question des membres de l'Église et maintenant, on fait le silence sur ce qu'il a dit, ce qui est une façon de dire le contraire... Je lui fais remarquer que, par exemple en matière de pouvoir sur le temporel, le pouvoir ordinaire du pape a dit beaucoup de choses, aux XIIIe-XVIe s., sur lesquelles on fait aujourd'hui le silence.

Le travail est mené rondement, même trop vite à mon gré. On admet d'emblée la rédaction d'un nouveau schéma ; d'emblée on part du texte Philips. D'emblée on parle de la collégialité épiscopale. Quel changement depuis le temps de la Commission préparatoire, toute dominée par le P. Tromp.

Le P. Daniélou, qui semble renseigné, m'a dit qu'il y aurait eu des plaintes de gens très haut placés contre le P. Tromp, l'accusant de rendre très difficile le travail de révision. Ce serait le motif réel,

1. Carlo Molari, du diocèse de Forli, enseigne la théologie au Latran et à l'Urbanienne ; il est attaché au Saint-Office qui emploie ses services pour la Commission doctrinale.

et non la fatigue ou la maladie, qu'on allègue, pour lequel il ne paraîtrait pas. Daniélou pense même que certains pousseraient Philips pour prendre sa place comme secrétaire de la Commission théologique.

L'accrochage majeur a lieu sur la collégialité, dont Balić et Gagnebet voudraient qu'on diminue la part.

On me donne les textes Parente, etc. = 1 kg de papier !

La séance finit vers 19 h 25.

Dimanche 3 mars. – Cela a été une journée de détente. Le cardinal Lefebvre, Mgr Martin et Mgr Garrone m'ont proposé de les accompagner en un tour en voiture, jusqu'à Cassino. L'abbaye domine de 540 m : immense bâtiment tout blanc, entièrement reconstruit neuf après la guerre. Des bâtiments, des escaliers, des cours, des cloîtres, des églises ! C'est immense. Il n'y avait que des ruines informes. On ne s'est pas contenté de reconstruire. On a refait toute la décoration de marbre, de stuc et de dorure. Cela a dû coûter des milliards, sinon des dizaines de milliards. Là-dedans, il y a vingt-sept moines de chœur, dont peu de jeunes. Il est vrai qu'il y a aussi le trésor unique des os de saint Benoît et de sainte Scholastique, et celui des murs restant du premier oratoire de saint Benoît, accolés à un immense appareil de pierres païennes et cyclopéennes et à un temple païen. C'est D'ICI qu'est parti le monachisme qui a fait l'Occident. Mais les Pères d'aujourd'hui passent leur temps à bâtir un écrin de grand luxe aux reliques de la pauvreté. Est-ce légitime ? Est-il permis de faire des choses pareilles ???

La calotte rouge du cardinal fait s'ouvrir toutes les portes. Pendant deux heures, un Père nous guide : église, crypte, bibliothèque (36 000 chartes !), grand couloir des cellules (176 mètres sur 6), restes païens et pierres de l'oratoire de saint Benoît (« la fenêtre par laquelle il a vu l'âme de sainte Scholastique s'envoler sous forme d'une colombe »)... Nous déjeunons au réfectoire. Une table, au centre, groupe les petits oblats de l'école monastique. Je m'imagine saint Thomas et je cherche une bonne tête noire et joufflue de petit Napolitain... Ensuite, café dans l'appartement de l'Abbé[1] : anti-

1. Ildefonso Rea, Abbé du Mont-Cassin ; il vient d'être élu évêque et sera ordonné le 12 mars suivant.

chambre à fauteuils dorés, sorte de salle du trône... RIEN de monastique. Un homme charmant, qui nous montre des photos des ruines et surtout tout un album représentant, moment par moment, la reconnaissance des reliques de saint Benoît et de sainte Scholastique : un véritable film des opérations.

Retour par Gaète (Pie IX !!! – Rocher fendu... lors de la Mort de Jésus... !!!...), Velletri, les Marais Pontins, le Lac Nemi. Merveilleuse journée de détente, dans une lumière inouïe de beauté.

Lundi 4 mars. – Le matin, de 10 à 13 h, travail au Collège Belge, avec Mgr Philips, Moeller, Rahner, puis Lafortune, pour préparer les corrections et même souvent la nouvelle rédaction du ch. II du *De Ecclesia*. On fait du bon travail. Mgr Philips est l'homme qui peut faire passer des choses, et à qui on passe des choses. Bien sûr, notre petit groupe est homogène : à ce niveau-là, il n'y a pas de problème. Le président du Collège Belge[1] travaille aussi, il tape les textes. C'EST LÀ où se fait pratiquement le travail. Aussi est-il décidé que je viendrai m'y installer. On m'y réserve une chambre. Ce sera pour demain matin. À déjeuner – car j'y déjeune – avec Mgr De Smedt, j'apprends pas mal de choses :

1°) Moeller me raconte comment on m'a fait venir ici. C'est lui qui, le mardi 26, le jour où l'on abordait le *De Ecclesia*, a dit : c'est honteux que Congar ne soit pas là. Mgr De Smedt a pris illico son téléphone et a parlé à Mgr Garrone. C'est à la suite de cela que Daniélou m'a écrit. (Le cardinal Léger aurait aussi insisté pour qu'on me fasse venir.)

2°) On a surtout, à la Commission mixte sur la Tradition, évité le pire. Il n'est plus question de sources (au sens où « ils » voulaient en parler) ; il n'est plus question d'une distribution de la matière entre Écriture et Tradition, comme en deux tiroirs dont l'un fournirait ce qu'on ne trouve pas dans l'autre. Moi, je trouve le texte actuel mauvais, plat, superficiel. Mais, me dit-on, il faut voir d'où on est parti et ce qu'on a évité !!! Cela a été dur : on y a passé huit jours.

3°) À un moment donné, on a amené à la Commission un texte

1. Albert Prignon, du diocèse de Liège, recteur du Collège belge ; il est expert du Concile à partir de la deuxième session.

du cardinal Cicognani, que tout le monde a pris comme venant du Saint-Père, donc indiscutable. C'était la consternation. C'est alors que, dans un silence lourd et tendu, le cardinal Lefebvre a parlé. On ne peut pas, a-t-il dit, imposer un texte tout fabriqué. Les évêques ont exprimé leur pensée : il faut tenir compte de leurs désirs et de leurs propositions. Cela a relancé et rouvert la question.

Je passe à l'Angelico chercher mon courrier. Je prépare une intervention que je désire faire à la Commission mixte.

Cette Commission est à 16 h 30, dans la Salle des Congrégations. À la table du centre, huit cardinaux et de vingt-cinq à trente évêques. Un grand nombre d'experts le long des murs. Je retrouve là toutes les têtes connues. Je crois que tous ces gens ont assisté et participé à tout, tandis que je me trouve là pour la première fois. Le P. Général est là avec ses experts, Sauras[1] et Ramirez. Et Schauf, Fenton, Garofalo, Dhanis, Kerrigan, etc. Il n'y a que Tromp qui soit absent. On n'aborde plus, on considère comme réglé le n° 5 que je trouve très mauvais et sur lequel j'avais préparé une intervention. On ne voit que les derniers mots de la dernière phrase : où il est fait, bien timidement et comme honteusement, mention du CONSENSUS des laïcs. Le cardinal Ruffini tire à boulets rouges sur ce pauvre spectre : il n'en a que pour le magistère ! J'interviens en faveur d'un certain apport actif des fidèles. Je finis par l'idée de *« conspiratio pastorum et fidelium*[2] » et en citant le principe *« in ore duorum vel trium testium stat omne verbum*[3] ». Mais Ottaviani dit : ce n'est pas *ad rem*, et il se fait confirmer par Garofalo, qui confirme

---

1. Emilio Sauras, o.p., de la province d'Aragon, est professeur de théologie à l'Université de Salamanque et au *studium* de Valence (Espagne) où il est régent des études ; il est expert du Concile.

2. Accord des pasteurs et des fidèles. (Dans ses remarques sur le schéma, Congar précisera : « Ajoutons que les documents les plus officiels du Magistère attribuent un rôle et une valeur au témoignage porté par les fidèles à la tradition : la Bulle *Ineffabilis Deus* de Pie XI et la Constitution *Munificentissimus Deus* de Pie XII, parlent en ce sens de la "conspiratio Pastorum et fidelium", une expression empruntée indirectement à Newman (...). On pourrait reprendre cette formule. » Cf. le schéma « De Revelatione », *Études et documents,* n° 14, 11 juillet 1963, p. 6.)

3. Toute affirmation prend sa force par les déclarations de deux ou trois témoins (Dt 19, 15 ; repris en Mt 18, 16 et 2 Co 13, 1).

en effet : ce n'est pas *ad rem* ; il ne s'agit là que de procédure juridique. Ce qui est faux. Le Nouveau Testament en fait un type d'action à honorer.

Garofalo, qui est à côté de moi, est un médiocre très satisfait. Chaque fois qu'un orateur prononce un mot qui peut être le début d'un verset biblique, il achève le verset en latin. Par ex. : « *Eamus*[1] ». Il dit : *« et nos et moriamur cum illo*[2]. » « Expectamus[3] ». Il poursuit : *« beatam spem*[4]... » etc.

Franić intervient plusieurs fois. Une fois pour critiquer le prologue, qu'il trouve « parénétique et poétique », voire « existentiel ». Une autre ou une troisième fois, pathétiquement, pour s'élever contre les revues ou journaux qui, en Occident, ont parlé des oppositions entre esprits conservateurs et esprits ouverts. Cela lui nuit, dit-il : chez lui, on interprète cela politiquement et on l'accuse d'être conservateur. L'archevêque de Zagreb[5] rit et fait des signes de désaccord. Après la séance, je vois Franić et lui demande s'il me visait. Il dit que oui. Ceci, sur la foi d'une lettre d'une bonne sœur habitant en Belgique... Or 1°) je n'ai pas cité un nom propre ; 2°) j'ai parlé dans les termes les plus généraux et suis resté *TRÈS* en deçà de ce qu'écrivaient les journaux !!! Du reste, Parente, avec qui je parle de ces choses, reconnaît qu'on ne devrait rien croire de ce que racontent les journaux, qui inventent quand ils ne savent pas.

Les présidents des différentes sous-commissions rendent compte du travail de leur sous-commission. C'est très décevant. Le travail est à peine entamé, ou il reste inachevé. On renvoie bien des choses à des sous-commissions de sous-commission et... au mois de mai. CE N'EST PAS MENÉ ! Les évêques n'auront jamais les textes avant le mois d'août !!...

---

1. « Allons » (Jn 11, 16).
2. « Nous aussi, pour mourir avec lui » (Jn 11, 16).
3. « Nous attendons. »
4. « La bienheureuse espérance » (Tt 2, 13).
5. Franjo Šeper est membre élu de la Commission doctrinale ; il sera créé cardinal en février 1965 et deviendra plus tard préfet de la Congrégation pour la doctrine de la foi.

Mardi 5 mars. – À 9 h, je déménage pour le Collège belge. Je crois devoir faire cela. La suite montrera si j'ai eu raison ou tort.

Le matin, à Sainte-Marthe (Vatican), travail des experts sur le ch. II. Schauf remplace Balić. Il a l'esprit logique, exigeant, pointu. Ses questions, souvent, obligent à préciser des détails qui ne sont pas sans intérêt. Atmosphère bonne. Bon travail.

À 15 h 45, ai rendez-vous avec l'abbé Alting von Geusau[1], hollandais, au terminus du 64. Il s'occupe de publier (sous l'anonymat) des documents pour les évêques et la Presse sérieuse, sur les principales questions posées au concile. Il voudrait ma collaboration. Pauvre de moi !!!

À 16 h 30, Vatican, Salle des Congrégations, session de TOUTE la Commission théologique pour début de l'examen du *De Ecclesia.*

Le P. Tromp, *redivivus*[2], propose pour que le travail se fasse sérieusement, ce qui exige de PETITS groupes, que les Pères de la Commission donnent leurs observations par écrit, que celles-ci soient soumises à appréciation des *periti* et des Pères de la sous-commission qui se prononcent sur les propositions faites et donnent les raisons de leur acceptation ou refus. Qu'ensuite tous les membres et *periti* reçoivent les observations des Pères et l'appréciation de la Commission.

De plus, le P. Tromp s'élève contre l'avertissement mis en tête du nouveau schéma proposé, selon lequel la constitution dogmatique ne s'imposerait pas de façon irréformable. Pour lui, cela serait du libéralisme, pour ne pas dire du libertinisme. Une constitution dogmatique doit être irréformable.

Le cardinal Ottaviani estime que le mode de travail proposé est difficile à adopter. Mais il est de l'avis du P. Tromp sur le caractère irréformable d'une constitution.

Le cardinal Browne aussi. Mais Mgr Charue lit un passage du

---

1. Leo Alting von Geusau est le directeur du Centre hollandais de documentation du Concile, appelé DO-C ; ce Centre, créé pour le Concile par divers organismes catholiques néerlandais, par la suite subventionné par l'épiscopat des Pays-Bas, a pour objectif d'organiser à Rome des conférences et de diffuser de la documentation théologique et historique.

2. Revenu à la vie.

schéma officiel, *De Beata Maria Virgine*, p. 100, qui fait la distinction entre dogme de foi et doctrine saine.

Parente : urge sur le fait – très contestable à mes yeux – selon lequel TOUS les textes du magistère extraordinaire reflètent à quelque degré l'infaillibilité. Pour lui, magistère extraordinaire et infaillibilité sont essentiellement liés.

Parlent : Mgr McGrath, Rahner, Gagnebet. Je demande la parole avec insistance, mais on ne me la donne pas.

On vote : énorme majorité, quasi-unanimité pour rejeter la mention touchant la note théologique.

Ottaviani demande les opinions des Pères sur la proposition de Tromp touchant l'ordre du travail. Franić appuie Tromp, ajoutant que cela permettrait de prendre connaissance des remarques envoyées par écrit par les évêques.

Visiblement, « ils » veulent revenir au schéma officiel et ajourner le plus possible l'examen d'un nouveau schéma.

Le cardinal Browne fait un historique de la question – très honnête – de la façon dont a travaillé la sous-commission et comment on est venu à prendre le schéma Philips comme base de travail (il a été préféré par cinq voix contre deux).

Ottaviani : la sous-commission a outrepassé les limites de sa compétence, elle aurait dû en référer à la Commission générale.

Browne : la Commission générale nous a commis la décision.

Mgr Charue (vraiment très courageux) : la Commission générale a commis à la sous-commission de choisir le schéma : tout le monde ici est témoin.

Cardinal Léger : on a donné à la sous-commission mandat de 1°) faire un nouveau schéma ; 2°) prendre pour base Philips ; 3°) voir le bon et l'adopter dans schéma Parente et 4°) les autres ; 5°) qu'elle signale les points de désaccord.

Ottaviani : nous ne pouvons juger si le schéma répond aux requêtes proposées si on n'a pas dans les mains LA TOTALITÉ du schéma.

Browne : mais les deux dernières parties du schéma dépendent des commissions mixtes encore au travail... Or *tempus premit*[1].

Léger : on a été convoqué pour le schéma *De Ecclesia.* Et voilà

1. Le temps presse.

déjà dix jours qu'on est là et qu'on n'a rien du *De Ecclesia.* Il faut passer à l'examen. On a déjà deux chapitres... Alors, il faudrait rester à Rome deux mois... !!!

Charue : Je ne comprends pas : alors qu'on a donné mandat à la sous-commission qu'on repose la question AUJOURD'HUI.

Ottaviani : Mais on nous présente maintenant, non un des schémas parmi lesquels on a choisi, mais UN NOUVEAU SCHÉMA...

Charue : Non, c'est le schéma Philips simplement amélioré.

Ottaviani : *Procedatur ad examen*[1].

Il est battu. Sa tentative d'ajournement a *gescheitert*[2].

Philips expose quel travail a été fait selon le mandat reçu. Il a un latin parfait et une parfaite maîtrise de ce qu'il veut dire.

Tromp : Il faut qu'on ait la totalité du travail. Le cardinal Ottaviani a dit qu'il faudrait que la sous-commission prenne connaissance des observations faites par les évêques. Mais cela demandera beaucoup de temps (un mois au moins) et donnera deux kg de travail...

Philips propose qu'on achève le travail actuel comme texte provisoire auquel on puisse référer les remarques des évêques, en tenant compte au moins des principales. Le cardinal Ottaviani approuve l'idée et propose qu'on DISTRIBUE les vœux des évêques aux *periti*, qui feront chacun leur rapport.

Ces *vota* sont à Sainte-Marthe à la disposition de tous les membres de la Commission.

Garrone souhaite qu'on informe les évêques du monde de la nouvelle distribution des schémas, pour qu'ils ne fassent pas du travail en vain.

König : Beaucoup d'évêques repartent à la fin de la semaine... Qu'on avance le travail autant qu'on peut. Pour le reste, on enverra le texte aux membres CHEZ EUX.

Ottaviani : Qu'on commence l'examen sans aller dans tous les détails. Le style est trop oratoire. Et trop de citations de l'Écriture, qui ne sont pas toutes *ad rem.* Il faudrait qu'un *peritus in Sancta Scriptura*[3] revoie cela.

---

1. Procédons à l'examen.
2. Échoué.
3. Expert en Écriture Sainte.

On vient de recevoir une lettre du cardinal Ruffini (en latin) : Ottaviani la fait lire. Il dit : 1°) ce qu'on a dit sur la note théologique ; 2°) le concile doit être pastoral. La condition de cela est que le texte soit clair et simple, et IL NE L'EST PAS. Ensuite, remarques particulières qui seront lues en leur place.

Grosse discussion sur l'emploi du mot *sacramentum*[1] pour l'Église. Ottaviani veut l'éliminer.

Après interruption, sous présidence cardinal Browne, on met aux voix l'amendement proposé par Parente reprenant diverses propositions : *« signum et instrumentum seu quasi sacramentum*[2] ». La quasi-unanimité l'admet (sauf cardinal des Philippines[3]).

N° 1 et sq. : Parente : on parle du rapport de l'Église aux Trois Personnes comme si elles étaient propres, alors qu'elles sont communes.

Franić est contre l'expression : « *Ecclesiae* MYSTERIUM[4] ». Il veut *« natura*[5] ».

Le P. Sauras abondamment pour insister sur le caractère PERSONNEL du salut et de la sainteté – et pas tant du caractère social.

On annonce que Mgr Parente est remplacé par Mgr Spanedda[6] comme membre de la sous-commission des sept évêques *De Ecclesia* (Parente se retire et ne veut plus en faire partie).

Mercredi 6 mars. – À 9 h, visite au cardinal Léger. Il a maigri. Il a toujours ses grands yeux profonds, son visage ravagé et tragique. De fait, il a une sensibilité telle qu'il a un vrai besoin de sentir une présence sympathique près de lui, d'avoir un contact avec des hommes (en prison, il mourrait !). Sa sensibilité fait qu'il se voit facilement le centre, et le centre d'un drame. Il aime aussi s'épancher. Il me raconte des choses.

Au milieu de novembre, dit-il, j'ai souffert une véritable agonie.

1. Sacrement.
2. « Signe et instrument ou encore quasi-sacrement. »
3. Rufino I. Santos.
4. Mystère de l'Église.
5. Nature.
6. Francesco Spanedda, évêque de Bosa (Sardaigne). Le pape l'avait nommé membre de la Commission doctrinale.

Je me demandais si j'étais encore de l'Église catholique ou si mes idées ne me mettaient pas en dehors. Le 20 novembre, j'ai fait une allocution au Saint-Père pour la réception des évêques canadiens. Cela a impressionné le pape. Il m'a retenu ensuite longuement chez lui. Je lui ai dit : Voulez-vous le concile ou ne le voulez-vous pas ? Et j'ai parlé de la nécessité de créer une commission pour maintenir l'esprit du concile dans les neuf mois séparant les deux sessions. Le pape a sur-le-champ appelé Felici (qui était couché) et Cicognani et parlé de la création de cette commission. Puis, le lendemain, il m'a envoyé une lettre autographe et une croix pectorale.

Il y a eu l'affaire du *Tempo.* J'avais fait une conférence à 1 500 membres de l'AC. Ensuite, on m'a posé des questions, mais des journalistes présents ont totalement défiguré mes réponses en me faisant dire : le travail doit être entièrement refait ; le pape a une maladie incurable, etc. Le *Tempo* a fait un article qui a déclenché de la part de la Curie, des demandes d'explication. Mais le *Tempo* envenime tout : il vient, hier même, de faire un article sur la présence à Rome du gendre de Khrouchtchev[1], prétendant que cela a été manigancé par le Secrétariat : pour disqualifier celui-ci...

Ensuite, me dit le cardinal : j'ai l'habitude, depuis 20 ans, de noter tous les jours ce que je fais. Or, dans mon carnet, entre Noël et le 6 janvier, il y a un vide. Je me suis aperçu que je n'ai pas dit la messe le 6 janvier. J'ai eu une grosse fatigue, avec menace cardiaque. Il faudrait trois mois de repos, mais...

On a eu des jours tragiques. Quand, par exemple, Ottaviani voulait exiger des membres de la Commission qu'ils jurent croire à la Tradition.

Je me suis levé, demandant : est-on dans une commission ou devant un tribunal d'inquisition ?

Quand je suis arrivé au concile, le 9 octobre 62, un cardinal très influent et qui l'est de plus en plus, m'a dit : il existe un complot contre le concile ; « ils » veulent que tout soit voté quasi sans discussion avant le 8 décembre.

Plus on va, plus on s'aperçoit que la lutte est vraiment entre la

1. Alexeï Adjoubeï, directeur des *Izvestia*, gendre de Nikita Khrouchtchev, le premier secrétaire du Comité central du Parti communiste de l'URSS.

Curie, et surtout le « Saint-Office » et l'*Ecclesia.* C'était net aussi hier.

J'apprends aussi que Küng et deux autres (P. Weigel et un liturgiste) ont reçu l'interdiction de parler à l'université de Washington. De qui ? De l'université ? Du délégué apostolique[1], qui est l'homme le plus étroit qui soit ?

À 10 h 30, Vatican, Sainte-Marthe, travail des sept experts : assez longue discussion sur le collège épiscopal. Mais même atmosphère sympathique.

À 16 h 30, Vatican, commission théologique, sous présidence du cardinal Browne. Discussions de détail.

Tromp : à la Commission théologique, on avait seulement voulu dire les choses appelées par le temps. Maintenant, on veut proposer toute une synthèse ecclésiologique. Forcément incomplète, à moins de faire tout un volume. D'où mécontentement de ceux-ci ou de ceux-là.

Je note sur mon exemplaire les nombreuses corrections proposées. Le texte est très discuté. Comment fera-t-on ? Il faudrait une nouvelle rédaction de paragraphes entiers. De nouvelles remarques seront faites, et cela indéfiniment.

Mgr Philips se défend, concède, promet de tenir compte, enfin arrive à relancer la lecture et l'examen, de façon à lire au moins tout le texte du 1er chapitre – mais on renvoie la discussion de la très difficile question des « membres ».

Le soir, Mgr De Smedt nous quitte : il rentre en Belgique, par le chemin des écoliers, qui passe par les Dolomites.

Soirée dans la chambre de Philips, avec Thils et Moeller.

Jeudi 7 mars. *Saint Thomas.* – Le matin, de 8 h 30 à 10 h, travail avec Moeller pour préparer les corrections à faire au *cap.* 1 du *De Ecclesia.* À 10 h 30 à Sainte-Marthe, sous-commission des sept experts. Le P. Tromp est là. On sent chez lui une certaine amertume de l'abandon du schéma officiel, mais, bien qu'à un degré moindre que Gagnebet et Schauf dont j'admire le « fair play », il ne se retire pas sous sa tente. Je trouve que les auteurs du 1er schéma sont bons

1. Egidio Vagnozzi.

joueurs et ont montré un esprit de désintéressement louable. Sauf le cardinal Ottaviani, qui fait bien des obstructions et cherche à reprendre en main ce qui lui a échappé définitivement.

Je déjeune à l'Angelico. Fête de saint Thomas. Présence du cardinal Ruffini, de Mgr Griffiths et Mgr McGrath. Je travaille un peu à la Bibliothèque. Le pape doit venir. On a d'abord dit : à 15 h 30 ; finalement il arrive à 16 h 30 ou 35. Il a le visage d'un homme épuisé. Présence de plusieurs cardinaux et évêques, amphithéâtre archicomble. Je suis à côté du P. Dingemans[1] (?), jeune sociologue belge, qui me paraît très bien : équilibré, intelligent, ayant un sens heureux de la relation humaine.

Discours du P. Général. Discours d'un frère noir, au nom des étudiants (cela émoustille un instant le pape, de voir et d'entendre ce Noir tout près de lui). Discours assez long du pape qui dit n'avoir rien préparé. Je suis très loin de tout comprendre. J'ai l'impression qu'il raconte des histoires, des souvenirs de son enfance. Il parle de la « Sagesse du cœur[2] ». Il finit en évoquant longuement la *Tabula aurea* de son compatriote Pierre de Bergame[3]. L'atmosphère est celle d'une réunion d'étudiants : ceux-ci interrompent sans cesse pour rire et applaudir. Mais le pape, qui semble bien fatigué, n'a pas de relance oratoire.

Le soir, travail avec Moeller et Philips, pour les corrections.

Vendredi 8 mars 63. – Les journaux parlent de l'audience du gendre de Khrouchtchev par le Pape. C'est ce que m'avait fait entendre La Pira en janvier, à cela près qu'il pensait à Khrouchtchev lui-même.

En voiture jusqu'à Sainte-Marthe avec le cardinal Léger, qui a besoin de rire, de se sentir en confiance et de défouler ses nerfs trop tendus.

---

1. Louis Dingemans, o.p., de la province de Belgique-Sud, enseigne la sociologie religieuse à l'Angélique.

2. Cf. Aimé FOREST, « La Sagesse du cœur », in *Saint Bernard homme d'Église*, Desclée de Brouwer, coll. « Cahiers de la Pierre-qui-vire », 1953, p. 202-213.

3. Profès du couvent dominicain de Bologne, au XVe siècle ; théologien ; il composa une table analytique – par mots – des œuvres de saint Thomas d'Aquin : la *Tabula aurea.*

À 13 h, déjeuner à Sainte-Sabine : cinquante ans de profession du P. Delos.

À 16 h 30, Vatican, session de la commission théologique. Longues discussions portant surtout sur des façons de s'exprimer.

À propos de la connaissance de Dieu dans certains peuples primitifs, le P. Général raconte qu'il a visité des pays de l'Amazone où hommes et femmes sont nus. Il fait rire tout le monde en ajoutant qu'il a des photographies...

Je marche et écris mal (main presque sans force).

Après quelques minutes de repos, lecture d'un texte de Mgr Charue sur l'importance des autres images que celle du corps, en particulier celle de *grex*[1]. Discussion.

Mgr Prignon, Recteur du Collège belge raconte comment le *De Beata Maria Virgine* a été disjoint du *De Ecclesia.* C'est à la demande du cardinal Döpfner. Celui-ci craignait, si on le mettait dans le *De Ecclesia*, que les protestants n'aient l'impression qu'on n'avait parlé de l'Église QUE POUR introduire le ch. de la Sainte Vierge.

Samedi 9 mars. – Le matin, travail (lent !) au Collège belge, pour tenir compte des remarques faites et refaire un chapitre *De corpore Christi mystico*[2].

16 h 30 : Vatican. Commission théologique. Discussion relativement facile, bien que lente, de la fin du ch. I. Mais, quand on en arrive au prologue du ch. II, grand conflit sur « *in fundamento Petri et Apostolorum*[3] » : les Romains veulent absolument qu'on distingue expressément entre la façon dont Pierre (le pape) est fondement et la façon dont les autres apôtres le sont. Les Romains 1°) ramènent les Apôtres de Éphés. 2, 20 à la même place que les prophètes : il s'agit seulement de la prédication. Donc pas de la fonction juridique. Donc de peu de chose ; 2°) éliminent Apoc. XXI en disant : c'est métaphorique et cela concerne la Jérusalem céleste, donc pas l'Église visible de la terre. « Ils » ne pensent qu'à *UNE* chose : mettre du pape partout, le mettre au-dessus de tout, ne voir que lui, faire consister en lui toute l'Église !

---

1. Troupeau.
2. Du corps mystique du Christ.
3. « Sur le fondement de Pierre et des Apôtres. »

On se retrouve dans l'atmosphère « Saint-Office » qui a dominé la Commission préparatoire : « *Oportet caute loqui*[1]. »

« *Est res maximi momenti*[2] » = le pape. Rien d'autre. Et finalement on est pris dans le filet.

À Rome, dans les milieux diplomatiques (mais pas ailleurs, où l'on n'en parle pas) on commente l'audience donnée au gendre de Khrouchtchev. Les Démocraties populaires rendraient le cardinal Mindszenty[3] et Mgr Beran[4], dit-on, qui viendraient à Rome. Ainsi libéré de l'hypothèque de l'Église ancienne et de la présence de « martyrs », on repartirait sur une base nouvelle. En somme, quelque chose comme ce que Pie VII avait fait en demandant sa démission à l'ancien épiscopat français. Au fond, le Vatican a agi jusqu'ici comme si les régimes communistes ne devaient pas durer. Ils durent. Il faut trouver une issue.

Dimanche 10 mars. – Je pense à tous mes engagements strasbourgeois, que je ne peux pas tenir...

Le matin, travail. Mgr Philips admet ma rédaction du ch. sur le Corps mystique et sur les images de l'Église.

Visite brève de la Galerie Nationale et de l'Exposition de Joseph Foret[5].

Hier soir, Mgr Prignon a téléphoné à Mgr Cerfaux, Louvain, pour avoir un avis compétent sur la question des Apôtres comme fondement. Il a eu une réponse par téléphone ce matin. Du reste, Mgr Prignon a, tous ces temps-ci, tenu le cardinal Suenens au courant, par téléphone, demeurant parfois vingt minutes à l'appareil.

Au souper et après, je dis à Mgr Philips et Moeller qu'il faut

---

1. « Il importe de parler prudemment. »

2. « C'est une affaire de la plus haute importance. »

3. Jósef Mindszenty, archevêque d'Esztergom et primat de Hongrie, vit à l'ambassade des États-Unis à Budapest depuis qu'il y a demandé asile en 1956 ; il ne la quittera qu'en 1971.

4. Josef Beran, archevêque de Prague depuis 1946, est assigné à résidence dans un monastère en Moravie ; il sera libéré en octobre 1963 et créé cardinal en 1965.

5. Éditeur d'art, il avait notamment conçu et réalisé un énorme livre de 210 kg reprenant le texte biblique de l'Apocalypse de Jean, illustré par de grands peintres et commenté par de grands écrivains.

prévoir une offensive tout à fait dans le sens de ce que Mgr Parente m'a dit le lendemain.

Lundi 11 mars. – Je vais au « Saint-Office » à 9 h, pour voir Mgr Parente. J'attends vingt-cinq minutes, mais le vois ensuite près d'une heure et demie. Deux parties à peu près égales dans la conversation, où il a parlé plus que moi.

1°) Au sujet de ce qu'on discute en ce moment à la Commission théologique. Le pape a une relation de chef tant avec l'ensemble du Corps mystique qu'avec le collège des évêques. Mais il reçoit la plénitude du pouvoir AVANT le collège et indépendamment de lui : de sorte que son pouvoir suprême est *LIÉ* au collège, dont il le constitue chef, mais n'est pas *DÉPENDANT* de cette SITUATION de *caput collegii*[1].

Il y a actuellement des tendances qui prennent toute leur gravité par l'histoire (gallicanisme) : même Bolgeni et Hamer ont exagéré la collégialité. Or ce qu'on dit dans le schéma Philips est vrai, mais se prête à être utilisé par les tendances susdites. Aussi on ne doit parler que très prudemment et ne rien diminuer de l'autorité pontificale.

Parente tient d'ailleurs a) que la collégialité est biblique et traditionnelle ; b) que les évêques reçoivent leur pouvoir de juridiction dans et par la consécration ; non du pape. Le pape ne fait que leur désigner la matière soumise à leur pouvoir. Du reste, il a lu mon étude des *AHDLMA*[2]. – Il estime qu'un grand mal est venu des Juristes qui, au cours de luttes entre pouvoir temporel et sacerdoce, sont venus à concevoir la juridiction sur le type du pouvoir politique. Ce point de vue juridique a dominé après la Réforme, pour s'opposer à Luther. Mais il est malheureux. Parente est CONTRE l'idée qu'un laïc élu pape a *illico et ipso facto*[3] la juridiction universelle. La juridiction a pour sujet propre la consécration sacerdotale.

1. Tête du collège.

2. Yves M.-J. CONGAR, « Aspects ecclésiologiques de la querelle entre mendiants et séculiers dans la seconde moitié du XIIIe siècle et le début du XIVe siècle », dans *Archives d'histoire doctrinale et littéraire du Moyen Âge*, tome XXVIII, 1961, p. 35-151.

3. Immédiatement et par le fait même.

Il faut passer d'une conception juridique de l'Église à une conception sacramentelle que Parente voit dans la ligne du caractère théandrique de l'Église.

En passant, Mgr Parente me dit qu'on a bien vu au concile que les évêques ne sont pas théologiens, mais sont des novices en ces questions : ils sont pris par d'autres besognes et n'ont plus le temps d'étudier la théologie. Alors, ils s'en remettent à des experts...

Je ne suis pas un intégriste, comme on dit en France que je suis. J'ai passé toute ma vie à étudier et à servir la théologie. Toutes ces questions sont difficiles. C'est pourquoi j'estime que le concile est trop hâtif. Je l'ai dit au pape. Il faudrait prendre plus de temps. Nous ne pouvons finir pour mercredi...

2°) J'ai lu ET PERLEGI[1] *La Tradition et les traditions*, en français, et en italien[2]. Grandes louanges de l'érudition et de l'intelligence du P. Congar. Mais le P. Congar infléchit les textes des Pères, des conciles et du Magistère dans son sens. Ce sens, auquel va tout l'ouvrage : la suffisance de l'Écriture. Or cela est faux. Il y a des vérités que l'Église a définies, qu'il est nécessaire de croire, et qui ne se trouvent pas formellement dans l'Écriture, fût-ce implicitement, mais seulement virtuellement, le nombre de sept sacrements, l'Assomption, par exemple, ou l'Immaculée Conception. Elles sont dans la seule Tradition. – J'explique en vain que 1°) ce n'est pas pour moi la question principale, mais celle-ci est beaucoup plus de définir le MODE PROPRE de la Tradition comparée à l'Écriture ; 2°) on ne peut admettre la fiction d'une doctrine non écrite et communiquée VERBALEMENT de bouche à oreille... etc. Mgr Parente est à cran contre toute position Dreher[3] ou Geiselmann, qu'il critique sévèrement : du reste, dans sa Préface au dernier volume des œuvres de Scot[4], Balić a écrasé Geiselmann dont on peut mettre la bonne foi

1. Et examiné.

2. Yves M.-J. CONGAR, *La Tradition et les traditions. Essai historique*, Paris, Fayard, 1960 ; l'ouvrage est traduit en italien dès 1961.

3. Bruno Dreher, théologien enseignant à Wurtzbourg.

4. Balić est responsable de l'édition des œuvres complètes du théologien franciscain Duns Scot. Le tome VI des *Opera omnia* est publié en 1963 ; dans sa Préface, datée du 8 décembre 1962 (p. IX-X), Balić s'appuie sur Duns Scot pour défendre l'idée de vérités transmises oralement et non par l'Écriture.

en doute. À la Commission mixte du concile... etc. (je souligne deux ou même trois fois que je n'ai pas été invité à cette Commission mixte).

Enfin, Mgr Parente me prouve qu'il me parle en ami, d'ami à ami. Du reste, il n'est pas l'intégriste qu'on prétend. Voilà plusieurs années qu'il a déposé un projet qu'il espère voir aboutir, selon lequel, avant de condamner quelqu'un, on l'entendrait, on lui demanderait de s'expliquer librement. Il a parlé pour qu'on ne mette pas Teilhard de Chardin[1] à l'index[2]...

À 10 h 50 ou 55 je vais à Sainte-Marthe : travail des experts sur la (ma) nouvelle rédaction des paragraphes sur le Corps mystique et les images de l'Église. Après une offensive de Schauf (prétendant que la doctrine essentielle de *Mystici Corporis* n'est pas reprise), à laquelle Mgr Philips répond avec véhémence et même indignation que c'est un procès de tendance et qu'il refuse entièrement l'accusation, la discussion va assez bien : on ne change pas grand-chose.

Il faut bien avouer que, si l'affirmation de *Mystici Corporis* est reprise, elle l'est au minimum, dans un tout autre équilibre, où l'idée anthropologico-sotériologique et paulinienne du σῶμα χριστοῦ occupe la première place. J'espère que cela restera. C'est mon apport. Si cela reste, une grande acquisition sera faite pour la théologie des années à venir.

À 13 h, on a à déjeuner, au Collège belge (invitation faite très chiquement, sur ma demande, par Mgr Prignon), le cardinal Léger et ses deux théologiens, Mgr Charue, Mgr McGrath et Mgr Schröffer. Très utile conversation théologique sur tous les problèmes discutés en ce moment. Je raconte le 1° de ce que m'a dit Mgr Parente et, avec Moeller, on fait pour Mgr Philips un petit texte appelé à lui rendre service dans la discussion.

À 16 h 30 Vatican, commission théologique. D'abord, compte rendu de l'état des travaux des autres sous-commissions.

Proposition Spanedda, très appuyé par Ottaviani : s'entendre D'ABORD sur les PRINCIPES qu'on veut affirmer, tant en ce qui concerne

---

1. Pierre Teilhard de Chardin, s.j.

2. Teilhard ne fut jamais mis à l'Index ; le *monitum* du Saint-Office, publié le 30 juin 1962, mettait en garde contre des ambiguïtés et de graves erreurs dont auraient regorgé ses livres.

le collège épiscopal qu'en ce qui touche le rapport du collège avec le pape. ENSUITE, on pourrait juger du texte selon l'accord qu'on aurait obtenu sur les principes. Mais, après intervention du cardinal Browne et exposé Philips, on décide : suivre le texte et discuter les questions fondamentales quand le texte les amènera.

Attaque Browne contre *« ut collegium*[1]*... »*.

Franić : *collegialitas nimis extollitur*[2] et les textes d'Éph. 2, 20 et Apc. 21, 14 sont trop gonflés dans un sens qu'ils n'ont pas.

Mgr Charue lit un papier sur ces textes, qui justifie le titre de fondement pour les Apôtres.

Mgr Parente admet cela, mais évoque le danger caché sous la théorie du collège, qui comprend dans la même *ratio*[3] de collège Pierre et les autres apôtres, le pape et les autres évêques...

Lattanzi, auquel le cardinal Ottaviani fait appel, dit : toutes les difficultés s'évanouissent si on affirme d'abord LA MONARCHIE de Pierre.

Bonne intervention du P. Gagnebet, qui dit ce qu'on a voulu faire et comment on l'a fait ; ce sur quoi on est d'accord. Il note que le mot COLLEGIUM[4] se trouvait dans le schéma de la Commission préparatoire sans que personne ait soulevé de difficultés. Il réfute Lattanzi qui, samedi, a voulu assimiler notre position à celle de Maret[5].

Mgr Florit approuve l'exégèse de Mgr Charue.

L'intervention de Gagnebet a fait un bon effet. On s'en tire en ne faisant qu'UN changement : *« ad instar cujusdam collegii*[6] *»*...

D'Ercole[7] : le collège est comme un *grex*[8] dont Pierre est *LE* Pasteur... (il me dit après qu'Ottaviani lui a demandé de venir).

Tromp : les évêques sont successeurs des Apôtres *ratione jurisdic-*

1. « En tant que collège. »
2. La collégialité est trop exaltée.
3. Rapport.
4. Collège.
5. Henri Maret (1805-1884), doyen de la Faculté de théologie de la Sorbonne ; actif dans la minorité à Vatican I, il se rallia aux décisions de ce concile.
6. « Sur le modèle d'un collège. »
7. Giuseppe D'Ercole, du diocèse de Rome, professeur d'histoire du droit canonique au Latran, expert du Concile.
8. Troupeau.

tionis et magisterii[1], ce qui vaut des seuls évêques résidentiels, du moins de façon CERTAINE.

On avance tout de même sans trop d'encombre.

Au total, une bonne journée. La séance a mal commencé, mais elle a bien tourné. Mgr Philips a été épatant de lucidité, de présence et d'à propos, de facilité à donner explications et apaisements. Les types les plus ennuyeux sont, pour le fond, le cardinal Browne, mais qui reste très humble et très honnête – et, extérieurement, Dhanis et Lattanzi.

Le pauvre P. Tromp n'est pratiquement plus rien. Il a fait une intervention en annonçant qu'il s'agissait de la question la plus fondamentale et la plus importante, mais Mgr Parente ayant dit qu'à ses yeux il n'y a pas de difficulté (il s'agissait des évêques résidentiels et des évêques titulaires) on est passé outre sans autre forme de procès. Quel changement d'avec la commission préparatoire, où il dominait et décidait tout !!! Pourvu que cela dure !

Main et jambe ne vont pas fort. J'ai peine à tenir mon crayon.

Mardi 12 mars. – Le matin, réactions sur un chapitre du schéma XVII concernant la culture : texte très superficiel, sans aucune profondeur humaine, ni cosmologique, ni christologique, ni théologique. Bien intentionné, assez ouvert même, mais sans souffle, ni sève, ni « vision ».

À 8 h 30, visite d'Alberigo, conseiller du cardinal Lercaro. Celui-ci, en effet, n'a pas de Séminaire, pas de professeurs. Il n'y a auprès de lui qu'un Séminaire général, qui relève de la Congrégation, non de lui. Aussi ses conseillers sont les chercheurs du Centre historique[2].

Alberigo me dit que les évêques italiens sont assez désemparés et inquiets. Car ils ont vu, au concile, mettre en question des positions qui étaient pour eux classiques et sacrées. Aussi leur réaction est-elle de DÉFENSE. De plus, ils sont groupés en Conférence sous le cardinal Siri, dont toutes les réactions sont négatives : CONTRE ceci, CONTRE cela. Comme je dis à Alberigo mon sentiment que le renouvelle-

1. Eu égard à la juridiction et au magistère.

2. Centre de documentation de l'Institut pour les sciences religieuses ; cf. plus haut, p. 322, n. 1.

ment viendra par les laïcs, il me dit son pessimisme sur ce sujet : il n'existe ni centres ni organes (revues) de recherche ; il n'existe pas d'activités ou d'organismes (congrès, revues...) dans et par lesquels laïcs et clercs entrent en rapport, causent et collaborent.

Le cardinal Lercaro se sent un peu isolé. Alberigo insiste pour que je m'arrête à Bologne.

À déjeuner, avec Mgr Charue, Mgr Bonet[1], auditeur de la Rote, un Barcelonais sympathique et communicatif, que je voyais souvent aux Congrégations générales de la première session. On parle de la Rote, de son travail, des mariages mixtes. Mais Mgr Bonet tient à insister sur ceci : la commission théologique fait un schéma qui donne les principes dogmatiques généraux. Reste l'application. Il ne sert de rien d'avoir posé le principe de la collégialité si celle-ci ne passe pas dans les faits. Bref, reste toute la question des formes canoniques dans lesquelles la collégialité sera ou ne sera pas appliquée. À la Rote, les auditeurs, surtout les Italiens, disent : laissons-les faire et discuter leur schéma. Après cela, c'est NOUS qui rédigerons les articles du Code ! Bref, Mgr Bonet invite à préparer dès maintenant les projets et applications qui devront se traduire au plan du Droit et des institutions. Et aussi à veiller à ce que l'idée du concile ne soit perdue dans son passage à ce plan-là !...

À 16 h 30, Vatican.

Question des diacres. Le cardinal Ottaviani voudrait qu'on supprimât les lignes qui ouvrent la porte à la possibilité d'un diaconat, même marié ; mais Mgr Šeper (yougoslave) dit : la commission des sacrements avait préparé tout un chapitre sur le sujet, mais il est supprimé dans la liste des schémas aujourd'hui conservés. Il y a donc lieu de garder le texte tel qu'il est. Très belle intervention, donnée avec calme et sérénité.

Schauf parle contre l'insertion de ces lignes.

Franić aussi.

Rahner leur répond. Schröffer dit qu'en partant le cardinal König lui a laissé un papier exprimant son désir que ce texte reste.

On décide : que le texte soit maintenu momentanément avec une note.

---

1. Manuel Bonet y Muixi, du diocèse de Barcelone, expert du Concile.

Nouvelle offensive de Lio contre.

Mais Tromp : les Missions, au témoignage de leurs supérieurs, ne seront sauvées que s'il y a des diacres mariés.

Ottaviani en conclut : *expungenda paragraphus*[1].

Finalement, après intervention de Mgr Charue et McGrath, on propose de renvoyer la décision à la session de mai, le texte restant jusque-là ce qu'il est.

Grande discussion sur le collège et le pape : Browne, Gagnebet, Rahner, Tromp, D'Ercole, Dhanis, etc. Dhanis vraiment odieux. Il lit, pour les désigner comme des erreurs dangereuses et contre lesquelles il faut prendre position nettement, deux textes du P. Dejaifve[2] et un texte d'un secrétariat de conférence épiscopale – que le cardinal Ottaviani dit au cardinal Léger venir de la lettre des évêques hollandais.

Très dure discussion. Les papistes veulent faire tout dépendre du pape. Ce que Browne, Parente *et alii*[3] ne veulent pas, c'est que les évêques aient un exercice de leur pouvoir collégial dont l'initiative vienne d'eux, non du pape ! Selon eux, un tel exercice n'est possible que le pape, non seulement *non renuente*[4], mais le déterminant entièrement quant à son déclenchement, sa matière et son mode.

Pour eux, la CONVOCATION du concile œcuménique et la détermination de son ordre du jour par le pape, ont une valeur DOGMATIQUE et sont une nécessité DOGMATIQUE : car il s'agit de l'exercice de la collégialité « *modo extraordinario*[5] ». Que le pape n'ait pas convoqué les sept premiers conciles œcuméniques et qu'il n'en ait pas fixé l'ordre du jour, ne les trouble pas. Ils disent simplement que c'étaient des conciles particuliers qui sont devenus œcuméniques par la réception du pape. Cela, je l'admettrais, mais cela me paraît impliquer le fait que *SEULE* LA RÉCEPTION ou l'approbation est dogmatiquement nécessaire.

Il semble que les Romains veuillent surtout couper à sa racine

1. Que le paragraphe soit expurgé.
2. Georges Dejaifve, s.j., professeur de théologie fondamentale et d'ecclésiologie à la faculté de théologie jésuite d'Eegenhoven-Louvain.
3. Et d'autres.
4. Ne s'y opposant pas.
5. « De manière extraordinaire. »

toute tentative d'instituer, sous quelque forme que ce soit, un concile permanent auprès du pape. Car ce serait la fin de leur règne et l'échec de ce qu'ils édifient avec tant de patience obstinée depuis quinze siècles.

Le cardinal Ottaviani renvoie la rédaction d'un texte qui satisfasse aux demandes à une réunion, demain 10 h, de ceux qui veulent intervenir dans la question.

Séance que j'ai trouvée pénible, bien que rien n'y ait été perdu. Mais je me sens totalement impuissant devant cette logique purement idéologico-verbale, qui ne tient compte ni des réalités historiques, ni du mouvement par lequel l'Église s'ouvre à l'avenir, ni enfin des requêtes légitimes des Orientaux.

Mercredi 13 mars. – Aucune des deux indications au sujet des textes lus par Dhanis hier n'était tout à fait vraie. Les deux textes lus en français proviennent, me dit Dhanis le 13, d'un article du P. de Bovis dans la revue *Vie Chrétienne*[1] ; l'autre texte, mis en latin par Dhanis, provient d'un SECRÉTARIAT d'épiscopat, et, je crois, du texte français sur la collégialité (15.1.1963) où le P. Daniélou a, bien légèrement, écrit une phrase dont j'avais de suite remarqué la fausseté[2].

À 10 h, à Sainte-Marthe. On appréhendait une séance difficile. Mais, après Philips, puis Gagnebet, puis D'Ercole (qui a fait une nouvelle rédaction, toute juridique, verbeuse et plate, de TOUT le chapitre), Schauf lit un texte auquel je me rallie de suite, et auquel tout le monde se rallie. On en arrange la rédaction sur quelques points de détail, mais l'accord est acquis.

À 11 h 50 à Sainte-Sabine, où le P. Général m'a demandé de venir le voir. C'est pour me dire des choses gentilles : la première

---

1. André de Bovis, s.j., enseignant au scolasticat de Chantilly, écrivait régulièrement dans *Vie chrétienne*, mais ce pourrait être l'article suivant : « Église : monarchie ou collège ? », *Vie chrétienne*, décembre 1961, p. 3-7.

2. Il s'agit du premier numéro de la série *Études et documents*, du 15 janvier 1963, portant sur « La collégialité de l'épiscopat », et dans lequel Congar avait souligné, à la page 5, une phrase de Daniélou qui lui faisait question : « La prérogative du Souverain Pontife est d'être chef du collège apostolique et il n'est donc ce qu'il est que de par l'existence de ce collège. »

fois de ma vie qu'un supérieur me convoque pour une chose pareille. La minuscule affaire de *L'Espresso*[1] est close ; je mérite encouragement : s'il y a quelque difficulté, recourir au P. Général, qui est tout disposé à me défendre (mais je suis encore un type à défendre !!!).

Déjeuner assez ennuyeux à Sainte-Sabine. Après, je vois longuement le P. Delos. Je l'interroge sur les affaires françaises. Il est très critique sur de Gaulle. Il estime qu'on est dans l'arbitraire et que « le Droit » n'est pas respecté. Sur la visite d'Adjoubeï, gendre de Khrouchtchev, il ne me dit que des banalités : on verra la suite... Il m'interroge, lui, sur les évêques français, sur Mgr Marty pour le siège de Paris, sur le cardinal Confalonieri comme possible candidat à la succession de Jean XXIII. On parle de l'Ordre, de la si regrettable absence d'un thomisme vivant, surtout en matière philosophique, de notre responsabilité en cet état de choses (le P. Delos critique vivement le P. Chenu et sa sociologie, qui, dit-il, ne vaut pas cher).

Je vois ensuite près d'une heure et demie le P. Thomas Philippe. Pauvre épave, assez abandonné des hommes. Mélange, malheureusement, de perceptions intellectuelles (philosophiques) spirituelles très vives, dans lesquelles il y a des richesses extraordinaires, et de mauvais embrayages sur la réalité. Il construit toute une interprétation systématisée qui, en beaucoup plus perspicace et valable, rappelle parfois un peu certaines intuitions d'un Joachim[2]. Il a souffert effroyablement. Il souffre encore. Mais quoi faire ? Où le mettre, où serait-il utilisable pour l'Évangile ? Comme aumônier de maison de rééducation de jeunes délinquants ? Ses souvenirs de celle d'Anel[3] (?) sont encore ce qu'il y a de plus émouvant et de plus valable.

Quel gâchis de beaux dons, dans cette vie humainement manquée !

---

1. Voir plus haut, p. 319.

2. Joachim de Flore, moine et théologien au XIIe siècle, avait développé une vision théologique de l'histoire et avait notamment annoncé un nouvel âge, marqué par le règne de l'Esprit.

3. Il avait fréquenté comme aumônier le Hameau École de l'Île-de-France, situé à Longueil-Anel, dans l'Oise, devenu depuis lors l'IRPR (Institut régional de psychothérapie et rééducation).

16 h 30 (un peu en retard : ai attendu le P. Général dans le froid d'un orage), séance Vatican. Notre formule de ce matin ne rencontre de difficultés que de la part de Franić, fruit parfait de la graine la plus ultraromaine.

Les difficultés soulevées par les Romains reviennent toutes et exclusivement à UN point absolument unique (ce sont des obsédés) : donner le moins possible – et même ne rien donner ni aux évêques ni à l'Église !!! qu'il n'y ait que le pape, qu'un principe ou qu'une source : le pape.

Une intervention de Mgr Charue fait rétablir la mention de la *fides Ecclesiae*[1] qui avait été un moment supprimée. On a d'ailleurs tout de même réintroduit ou maintenu un certain nombre d'expressions particulières auxquelles nous attachions de l'importance pour leurs connotations ecclésiologiques ou œcuméniques. Dans des cas encore mal déterminés, Mgr Philips se fait attribuer en confiance le soin de rédiger le texte. Il est évident que Mgr Philips a gagné LA CONFIANCE du cardinal Ottaviani. Et ceci est de grande conséquence.

On finit assez vite le ch. II du *De Ecclesia*. Le cardinal Ottaviani fait une brève conclusion d'action de grâces à Dieu, de merci à tout le monde, aux *periti*, à Mgr Philips. On se sépare, on se fait des adieux, dans un climat de cordialité. Je dis au P. Tromp que lui aussi mérite bien un merci. Il me répond par un geste las, accompagné par quelque chose qui ressemble à un sanglot. De fait, il est comme écarté. Tous ces jours-ci, le cardinal Ottaviani lui-même tenait peu compte de ses interventions. Le sceptre est passé à d'autres mains.

Retour en voiture, comme chaque jour avec le cardinal Léger et ses deux théologiens, Naud et Lafortune. Le cardinal est détendu. Il nous dit que la réception d'Adjoubeï a déclenché une opposition très vive dans les (ou : des ?) milieux de la Curie. On ne voit pas bien ce que la nouvelle conjoncture donnera pour les élections italiennes. Il nous dit aussi avoir vu hier le nouvel ambassadeur français auprès du Quirinal[2], qui vient d'être reçu par le pape.

1. Foi de l'Église.
2. Armand Bérard.

Jean XXIII n'aime beaucoup ni de Gaulle ni Bidault[1], dont il semble avoir gardé un souvenir médiocre. Jean XXIII a dit à l'ambassadeur : « Je veux secouer la poussière impériale qu'il y a, depuis Constantin, sur le trône de Saint-Pierre. » Parole d'une portée immense, et qui éclaire bien des actes du pape.

Le cardinal Léger, qui est l'inquiétude même, s'inquiète maintenant de la prétention du cardinal Ottaviani à faire éplucher et juger par la SEULE Commission théologique, les textes rédigés en sous-commission mixte par cette commission et celles des laïcs, des Religieux, et surtout *LE* Secrétariat *(De Oecumenismo).*

Nous nous séparons de nos amis canadiens. Oui, une vraie amitié s'est formée ces jours-ci entre nous.

Le soir, champagne en l'honneur de la fin heureuse du *De Ecclesia.* Moi aussi, j'ai lié ou approfondi une amitié avec Mgr Philips, Ch. Moeller et Mgr Prignon.

Jeudi 14 mars. – Je n'ai pratiquement pas dormi et, ne pouvant fermer l'œil (pluie, temps mou de Rome, avec ses nuits sans fraîcheur), je me lève à 3 h 30 et fais du courrier, prends des notes, essaye de trouver encore quelque formule sur des points qu'il faut parfaire.

Samedi 16 mars 63. – Conférence à la communauté israélite de Strasbourg sur le concile et les Juifs. Ils sont absolus dans leur réclamation que le concile parle d'eux. Le premier concile qui se tient après Auschwitz ne peut pas ne dire rien sur ces choses. Je leur dis qu'ils doivent, comme communauté juive de Strasbourg, s'adresser au cardinal Bea.

Lundi 18 mars 63. – Conférence à Belfort, aux prêtres et religieuses, au grand public, sur le concile. Très belle atmosphère.

---

1. Georges Bidault, qui fut plusieurs fois ministre des Affaires étrangères entre 1944 et 1954, était en poste lorsque Roncalli arriva comme nonce apostolique à Paris ; il chercha à obtenir la déposition d'un tiers des évêques français.

Mardi 19 mars. – L'abbé Gressot[1] me mène en voiture à Bossey. L'état lamentable des routes à certains endroits et l'abondance des gros transports routiers en Suisse, nous font arriver seulement à 11 h, avec une heure de retard. Mais la session commence juste : entre catholiques et gens de *Faith and Order*[2].

Session jusqu'à samedi 23. Travail excessivement détendu. Discussions pas très intéressantes.

J'apprends ces différentes petites choses :

Mgr Galbiati[3], de Milan, devait venir à cette session. Mais il a fait récemment, à Milan, une conférence sur Écriture et Tradition, dans le sens Geiselmann. Parente a écrit à Mgr Montini et l'autorisation pour Galbiati de venir ici a été retirée.

Plus exact : Galbiati avait fait une conférence où il parlait des oppositions qui se sont manifestées au concile sur la question Écriture-Tradition. Or la Curie ne veut pas que le clergé et les fidèles italiens sachent que ces oppositions ont existé et furent telles. L'Italie doit garder la fiction d'une Église glorieusement une, sans tensions et sans problèmes : il ne faut semer aucun germe de « problèmes »... !!!

Le cardinal Bea est habilité à signer des *tesserae* pour assister aux Congrégations générales du concile.

La nomination de trois cardinaux aux côtés du cardinal Bea pour le secrétariat, est une mesure destinée à préparer le statut qui permettra au Secrétariat de durer au-delà du concile. C'est un aspect positif. Mais le P. Dumont craint que les beaux jours du Secrétariat ne soient passés.

Le P. Dumont me raconte toute l'histoire des observateurs orthodoxes, de ceux de Moscou, de Mgr Cassien. Il y a eu, d'un bout

1. Pierre Gressot, du diocèse de Besançon, dans lequel il est chargé des questions œcuméniques.

2. Il s'agit d'une consultation organisée à l'Institut œcuménique de Bossey (Institut fondé et animé par le COE) du 18 au 23 mars 1963 entre le Département Foi et Constitution (Faith and Order) du COE et la Conférence catholique pour les questions œcuméniques et portant sur les rapports préparés pour la Conférence de Foi et Constitution de juillet 1963 ; Congar y propose ses remarques sur les rapports de la Commission théologique « Tradition and traditions ».

3. Il s'agit probablement d'Enrico Galbiati, exégète, professeur à la faculté de théologie pontificale de Milan.

à l'autre, démarches faites sans entente, retards de télégrammes ou de courrier : bref, un enchaînement de fatalités, de trous, d'occasions manquées. J'engage le P. Dumont à rédiger un petit Livre Blanc précis de tous ces faits.

Visser't Hooft me laisse entendre qu'il pourrait y avoir bientôt un délégué plus ou moins permanent du Saint-Siège auprès du Conseil œcuménique.

Pour les observateurs orthodoxes, je chante à Mgr Willebrands mon antienne des invités personnels, comme je lui chante aussi mon antienne : 1°) En faveur d'un texte sur les Juifs. Il me dit qu'une certaine indiscrétion juive à désigner le Dr Wardi[1], a nui à la cause qu'ils voulaient servir. 2°) En faveur de la rédaction d'une nouvelle formule de Profession de foi, dans l'esprit et le style du concile.

Mais c'est très délicat, me dit-il. Car si l'invité appartient à une Église qui a refusé l'envoi d'observateurs, il sera en porte-à-faux et nous mettra en délicatesse à l'égard de cette Église...

Le Père Bertetti[2] me dit que le P. Ciappi a reçu une autorité de superviser toutes les choses œcuméniques pour l'Italie. Je connais Ciappi : ultra-prudent, ultra-curial, super-papiste. Ce sera effroyable. De fait, Bertetti me raconte ceci : un texte est soumis à Ciappi, texte d'une conférence dans laquelle il était dit que l'orthodoxie protestante avait fait une scolastique. Ciappi a remis vingt pages de remarques sur le tout. Sur le point cité, il notait qu'il y avait là une attaque contre la Scolastique... !!!

Visser't Hooft me dit qu'actuellement le Conseil œcuménique travaille avec l'abbé Chavaz[3], le P. de Riedmatten[4], très apprécié et

---

1. Le 12 juin 1962, le Congrès juif mondial avait pris de court le Vatican et provoqué des réactions hostiles dans les pays arabes en annonçant que Chaïm Wardi, conseiller pour les affaires chrétiennes au ministère israélien des Affaires étrangères, était désigné comme représentant du monde juif au Concile. La Secrétairerie d'État décida alors de retirer le *Decretum de Judaeis* des débats conciliaires.

2. Il doit s'agir d'Alberto Bellini, du diocèse de Bergame, professeur au Séminaire de cette ville, consulteur du Secrétariat pour l'unité.

3. Edmond Chavaz, du diocèse de Fribourg, est curé du Grand-Saconnex ; il est depuis longtemps engagé dans le mouvement œcuménique.

4. Henri de Riedmatten, o.p., de la province de Suisse, patrologue de for-

le P. Bréchet, également très apprécié et par lequel ils ont un contact avec le P. Tucci, de la *Civiltà cattolica.*

Nos quatre jours d'études ne sont pas *TRÈS* intéressants. J'ai déjà connu mieux. Nous n'avons comme dialoguants aucun des responsables directs des rapports que nous étudions et la discussion s'éparpille.

30 mars. – Je vois Mgr Weber et Mgr Elchinger. Celui-ci me dit : 1°) Qu'à la réunion épiscopale de Munich, les Allemands et le cardinal Döpfner étaient sans position bien ferme sur le *De Beata.* Leur seule idée nette était qu'on devait, si l'on en faisait un, s'attacher à indiquer, dans une intention œcuménique, ce que l'Église catholique considère comme essentiel en cette matière, et pourquoi. De toute façon, éviter, tant en paroles qu'en pensée de parler de médiation et de corédemption... 2°) Il me montre une lettre de Mgr Gouet répondant à sa suggestion de voir les PP. Martelet et Liégé nommés experts du concile. Mgr Gouet pense que les évêques français appuyeraient la candidature du premier. Il en est moins sûr pour le second... J'avais déjà remarqué au concile, plusieurs fois, que les évêques français n'attribuaient pas au P. Liégé le crédit qu'il mérite.

13 mai 1963. – Je suis donc décidé ferme à aller à Rome. Je verrai sur place si je suis utile ou non.

Tous ces derniers jours ai reçu échos des schémas qu'on doit discuter et qu'il semble que tout le monde a reçus. Moi je n'ai rien reçu : ni textes, ni invitation à venir. Qu'est-ce que cela veut dire ? A-t-on voulu me tenir à l'écart ? Laurentin a été invité et me demande mon avis sur l'utilité qu'il aille ; d'autres aussi, en Allemagne et en Belgique. Moi, RIEN !

Je pars nuit du 13 au 14 à 0 h 27. Bonne nuit. Cependant, comme toujours après une nuit de voyage avec un somnifère, et parce qu'il fait orageux, je ne peux pas mettre un pied devant l'autre.

---

mation, conseiller ecclésiastique du Centre d'information des OIC (organisations internationales catholiques), à Genève ; expert du Concile à partir de la deuxième session.

Mardi 14 mai 63. – Arrivée Bologne à 11 h 25. Alberigo m'attend. Visite de la Bibliothèque de son Centro di Documentazione. Istituto per le scienze religiose. Belle bibliothèque de sciences religieuses, histoire surtout : ils acquièrent quatre à cinq mille volumes par an. Conversation sur le concile et les textes, qu'ils ont non seulement lus, mais étudiés critiquement. Don Dossetti[1] arrive : un homme spirituel et de belle culture, fondateur d'un groupe cénobitique entièrement inséré dans les structures diocésaines, avec une tendance érémitique.

Déjeuner à un Institut pour étudiants. Pendant le déjeuner et ensuite à 14 h, conversation avec Don Dossetti. Il trouve le nouveau schéma *De Ecclesia* mauvais sur deux points : la question MEMBRES de l'Église (il en exclut les baptisés non catholiques) et la question juridiction universelle des évêques, que le schéma nierait. Or ce sont deux points que le schéma peut ne pas formuler, mais QU'IL NE DOIT PAS FERMER. Or il les fermerait. Dans la rue, allant (en tirant une jambe droite sans mouvement) au palais archi-épiscopal, Don Dossetti continue. D'après lui, la thèse d'une JURIDICTION universelle reçue à la consécration a été la thèse commune, en particulier des curialistes ou des Ultramontains, jusqu'au concile Vatican I INCLUSIVEMENT. C'est la thèse des grands Ultramontains du XVIIIe et début XIXe s. : Ballerini[2], Zaccaria[3], Andreucci[4] (Muzzarelli[5] ???), Grégoire XVI : bref, des grands antigallicans et antijansénistes. C'est la thèse du Concile du Vatican. Le P. Gagnebet a simplement emboîté le pas à Bouix[6] et à Palmieri[7], mais, quand on va voir ses références, on s'aperçoit qu'il a extrait une ou deux phrases en les mettant dans son contexte à lui, qui n'est pas celui des auteurs cités.

Nous convenons avec Don Dossetti qu'on a vécu, depuis Vati-

---

1. Giuseppe Dossetti, dont Congar retrace l'itinéraire à la page suivante, est expert privé du cardinal Lercaro ; il sera brièvement le secrétaire des modérateurs durant la deuxième session, se retirant de lui-même à cause de ses frictions avec Felici ; expert du Concile aux deux dernières sessions.

2. Pietro Ballerini (1698-1769).

3. Francesco A. Zaccaria, s.j. (1714-1795).

4. Andrea G. Andreucci, s.j. (1684-1771).

5. Alfonso Muzzarelli, s.j. (1749-1813).

6. Domenico Bouix (1808-1870).

7. Domenico Palmieri, s.j. (1829-1909).

can I, sous le magistère de traités ultrapapistes et que les études permettant de retrouver une tradition plus vraie et meilleure, n'existent pas encore. Il faut s'attacher à les promouvoir.

À 17 h, visite au cardinal Lercaro. Il est en costume de chœur, se prépare à une cérémonie. Petit homme. Il me redit ce que Dossetti m'a dit plus largement sur les résultats de la Commission de liturgie. Il est convaincu que le concile ne peut être fini pour Noël. Selon lui, l'épiscopat italien n'a guère changé. Il ne reçoit AUCUNE information dans le cadre de la conférence des Évêques. Enfin, il accepte que je lui dédicace le livret prévu sur *L'Église au service des hommes*[1]. Il désire réintroduire son idée d'Église des pauvres à la seconde session, mais attendra l'opportunité. Il semble ne pas trop croire qu'on arrive à grand-chose. Il regrette que le concile n'ait pas expressément à son programme la réforme de l'Église.

De là, à la tombe de saint Dominique où, effondré sur un banc et sans force, je prie cependant comme si j'avais des forces. On célèbre une messe de 18 h : assistance recueillie. Plusieurs pères ou frères passent. Allure du moine qui sort de sa quiétude séparée et protégée, pour faire un tour parmi les hommes fréquentant leur sanctuaire. Anthropologiquement, impression médiocre.

À 19 h 30, on me prend pour aller dîner chez Alberigo, avec sa femme (deux enfants : Anna, Stefano).

CONVERSATION AVEC DON GIUSEPPE DOSSETTI : un homme assez extraordinaire : pendant la guerre, résistance et maquis ; député ; poussé par le cardinal à la candidature maire de Bologne, battu par les communistes. Professeur de Droit. Prêtre. Fondateur du Centre de Documentation religieuse. Puis maintenant fondateur d'un groupe monastique soumis à l'autorité de l'évêque. Un homme supérieur aux différentes situations dans lesquelles il se trouve.

Maladie du Pape : très grave. À la radio, toute la morphologie du cancer. Il ne s'alimente plus par voie buccale que de liquide.

Très critique sur le cardinal Marella.

Me dit que le candidat Ottaviani pour la succession de Jean XXIII est le cardinal Antoniutti[2], ancien nonce à Madrid, négociateur de

---

1. Ce sera *Pour une Église servante et pauvre*, Éd. du Cerf, 1963.
2. Ildebrando Antoniutti ; après le décès du cardinal Valeri en juillet 1963,

concordat et partisan de l'État catholique. Lui, Dossetti, préférerait un évêque d'un petit pays non italien.

En ce moment à Rome, une levée d'opposition contre les auteurs de la nouvelle politique d'ouverture à gauche et de paix avec le communisme : contre Dell'Acqua, Capovilla[1] (secrétaire du Pape), Toniolo Ferrari[2], Pavan : les auteurs de *Pacem in terris*[3]. On goûte mal les élections italiennes, et on attribue le glissement à gauche à l'ouverture de même sens.

Le travail de la Commission liturgique : les principes ont été gardés, mais, pour les applications, on est resté à mi-chemin. Cependant, la porte n'est pas fermée à des applications ultérieures.

Office : Prime est supprimé, Complies gardées. Laudes et Vêpres sont les deux moments principaux. Un office pastoral peut tenir lieu des Petites Heures. Matines : moins de psaumes et des leçons plus développées.

Communion sous les deux espèces admise pour les ordinations et professions religieuses. Donc occasions pour gens d'Église. Pas pour époux à la messe de mariage (vote : 5 pour ; 21 contre). Les laïcs restent parents pauvres : on ne l'admet pour eux qu'en faveur du seul néophyte dans les baptêmes d'adultes.

Concélébration admise le Jeudi-Saint, pour les réunions et conférences d'évêques, le synode diocésain, les réunions évêques et prêtres. ON N'A PAS POSÉ LA QUESTION DES RELIGIEUX ET D'UNE CÉLÉBRATION CONVENTUELLE.

Bréviaire en langue vulgaire : on admet que les évêques puissent dispenser du latin dans certains cas (rares).

Usage de la langue maternelle : pour oraisons communes, lectures ; avec autorisation des conférences épiscopales pour parties de la messe chantées par le peuple ; avec autorisation du Saint-Siège dans quelque autre chose. Il y a un échelonnement de permissions.

---

il lui succédera comme préfet de la Congrégation des religieux et président de la Commission des religieux.

1. Loris Capovilla est le secrétaire particulier de Jean XXIII ; il sera nommé expert du Concile en 1964.

2. Agostino Ferrari Toniolo, du diocèse de Venise, engagé dans les « Semaines sociales » italiennes ; expert du Concile.

3. La récente Encyclique du 11 avril 1963.

Don Dossetti est très critique sur les deux premiers chapitres du *De Ecclesia.*

1°) Manque de souffle, de mouvement. (D'accord !)

2°) Durcissant et fermant sur deux points principaux :

a) Membres de l'Église : avec *reapse et simpliciter*[1], excluant les baptisés non catholiques de la qualité de membres, alors que le Droit Canon (et plus encore, me dit-il, le nouveau Droit canon oriental) est formel et la théologie aussi : on confond deux choses qu'il faut distinguer : être membre est différent d'être dans la communion de l'Église et de participer aux biens de la communion. Mais Dossetti récuse la distinction entre membres et « sujets », produit tardif emprunté aux idéologies absolutistes.

b) Tendance à subordonner la considération de la consécration épiscopale à celle de la collégialité. On ne parle pas de la juridiction universelle que les évêques reçoivent dans leur consécration. Or c'est la thèse traditionnelle. Au Concile de Trente, les curialistes ont dit : la juridiction sur l'Église universelle est *a Deo*[2], mais la juridiction sur TEL territoire vient du pape. C'était aussi la thèse des grands Ultramontains de la fin du XVIIIe s. : non seulement Bolgeni, mais Ballerini, Zaccaria, Andreucci, Cappellari (Grégoire XVI). Selon eux, les évêques titulaires étaient membres du concile œcuménique *jure divino*[3] et telle a été par deux fois la réponse faite à Pie IX par la commission préparatoire de Vatican I.

Selon Dossetti, non seulement il ne faudrait pas exclure cette thèse, comme il accuse le schéma de le faire, mais il faudrait la proposer positivement comme la thèse traditionnelle. Selon lui, le P. Gagnebet n'a pas cité honnêtement les auteurs.

Mercredi 15 mai. – Nuit réparatrice. Pourtant, je mets encore à peine un pied devant l'autre. Messe à l'autel du tombeau de saint Dominique. Train rapide et 1re classe à 10 h 46.

Arrivée à Rome vers 15 h 15. De suite au Collège Belge.

Réunion de la commission théologique au Vatican à 16 h 30. On se salue. On commence à se connaître.

1. Par le fait même et tout simplement.
2. Venant de Dieu.
3. De droit divin.

Discours-introduction du cardinal Ottaviani. Puis relation par le P. Tromp (texte ci-joint). Nous apprenons le détail de ce qui a été fait AVEC LES LAÏCS. C'est un moment sensationnel de la vie de l'Église : des laïcs sont entrés DANS LE TRAVAIL CONCILIAIRE avec les clercs. L'auteur de *Jalons* a le droit de se réjouir.

Après quoi, séance *TRÈS* confuse. Le P. Tromp et le cardinal Ottaviani proposent qu'on choisisse, dans la Commission, des *relatores*[1] qui étudieront 5 chapitres et sont censés avancer ainsi le travail de notre commission. Désignation difficile. Finalement, voici les résultats : pour le *proemium*, *De vocatione supernaturali hominis*[2] : cardinal Browne, Mgr Garrone ; cc. 2 et 5 : *De persona humana in societate*, *De oeconomia*, *et justitia sociali*[3] : Mgr Roy[4], Mgr Wright[5] ; Mariage et famille : sont désignés, pour traiter des mariages mixtes avec les membres du Secrétariat : van Dodewaard[6], Dearden[7], Franić, Fernandez[8], Pelletier[9] ; Culture et progrès : cardinal Léger, Mgr Charue ; Paix, ordre international : König, Schröffer.

Discussion interminable pour savoir si on doit discuter *De laicis* et *De Religiosis*[10] en commission mixte (et alors en déléguant seulement quelques membres) ou en plénière de la seule Commission théologique. Parle en ce sens le fait que ces deux chapitres sont finalement des chapitres du *De Ecclesia*, dont la Commission théologique a la charge et la responsabilité ; parle autrement le fait juridique que ces textes ont été confiés, pour la rédaction définitive

1. Rapporteurs.
2. De la vocation surnaturelle de l'homme.
3. De l'économie et de la justice sociale.
4. Maurice Roy, archevêque de Québec, membre de la Commission doctrinale. Il sera créé cardinal en février 1965.
5. John J. Wright, évêque de Pittsburgh (États-Unis), membre de la Commission doctrinale.
6. Jan van Dodewaard, évêque de Haarlem (Pays-Bas), membre de la Commission doctrinale.
7. John F. Dearden, archevêque de Detroit (États-Unis), membre de la Commission doctrinale.
8. Aniceto Fernandez, o.p.
9. Georges L. Pelletier, évêque de Trois-Rivières (Canada), membre de la Commission doctrinale nommé par le pape.
10. Des religieux.

à des commissions MIXTES. Le droit est en ce sens. Aussi la décision finale est que le cardinal Ottaviani demandera au cardinal Secrétaire d'État[1] d'incliner le droit en faveur de la discussion par la seule commission théologique.

Le soir, avec Mgr Philips et Moeller, on distribue un peu les interventions à faire sur le chapitre des laïcs.

Jeudi 16 mai. – Avant de partir pour le Vatican, je parcours les textes du schéma XVII. Je les trouve mauvais : très scolastiques au mauvais sens du mot, tout abstraits et philosophiques, ne parlant pas « chrétien » et ne parlant pas aux hommes. Mais comment faire ? Nous voilà le 16 mai, à trois mois et demi de l'ouverture du concile. On ne peut pas refaire *ab integro*[2] des chapitres qui, cependant, demanderaient d'être récrits autrement d'un bout à l'autre.

Vatican à 10 h. De nouveau, discussion à démarrage difficile.

Cardinal Léger : éviter la division tripartite : hiérarchie, laïcs, religieux ; s'en tenir à : hiérarchie et fidèles, et faire un chapitre sur les chrétiens. Cela remet en question l'ordonnance même de la matière.

On part dans le doute, le vague, avec un sentiment de lassitude.

Tromp dit que la Commission de coordination n'a rien imposé. Il y a eu seulement un désir du cardinal Döpfner pour qu'on fasse un chapitre sur la sainteté dans l'Église, dans lequel on situerait la voie des vœux. Mais on ne nous a rien imposé.

Discussions sur différents termes du paragraphe 1. On sent une sorte de lassitude à recommencer encore une fois ce qu'on a déjà fait et conclu auparavant.

À 16 h 30, à Sainte-Marthe (donc départ à 15 h 50) : réunion avec les évêques de la commission pour l'apostolat des laïcs ; mais ils ne sont que six, ayant été convoqués seulement pour lundi prochain. Je n'ai rien vu de plus vaseux, de plus décourageant. Tout est encore en interrogation et en chantier. On ne sait pas encore si on fera un chapitre sur ceci ou sur cela. Et le concile s'ouvrira dans trois mois et demi. La réunion dure une demi-heure. Mgr Glorieux, pour l'Apostolat des laïcs, parle en français, ce que je trouve fort

---

1. A. Cicognani.
2. Complètement.

discourtois envers les évêques non français de langue. Finalement, on part : on nous convoquera s'il le faut.

J'ai franchement envie – et ne le cache pas – de rentrer à Strasbourg. J'ai à faire des choses plus utiles ! On rentre à 17 h 45, ayant perdu deux heures en plein milieu de l'après-midi.

Je dis à Daniélou, comme je l'ai dit à Rahner, à Häring, à dix autres, que je trouve les textes préparés pour le schéma XVII franchement mauvais : tout philosophiques, abstraits, peu chrétiens. Mais Daniélou ne veut pas qu'on y touche. Il n'avait alors qu'à les faire meilleurs !

Le P. Gagnebet regrette aussi l'absence de THÉOLOGIE et de positif chrétien dans ces textes. À ce propos, il fait (et moi aussi !) la même critique à l'encyclique *Pacem in terris.* Il a voulu, me dit-il, introduire un paragraphe sur l'apport que *L'ÉGLISE* comme telle fait à la Paix, mais Mgr Pavan l'a rejeté. Mgr Pavan est LE SEUL rédacteur de l'encyclique, me dit-il : toutes les corrections proposées, même par Ferrari, l'ami de Pavan, ont été rejetées. C'est Pavan qui a introduit cette pure considération du droit naturel de la personne humaine.

Vendredi 17 mai. – Mgr Garrone m'a téléphoné : je serai son expert pour le ch. I du Schéma XVII, dont il est chargé. Aussi réunion chez lui (Séminaire français) à 9 h 30 avec Mgr Larraín, le P. Daniélou, Mgr McGrath (qui arrive très en retard). On s'entend sur les améliorations à faire au *Proemium* et au début du ch. I. J'insiste beaucoup sur l'union de l'anthropologie et de la théologie, sur la nécessité de poser, à partir de la Révélation et de la foi, des affirmations de positif biblique et chrétien – pas seulement de droit naturel ! –, enfin sur toute la théologie de l'image et de la ressemblance, appliquée à une nature humaine vue aussi selon ses dimensions sociales et historiques. Je rédige un texte destiné à remplacer le § 1 du *Proemium.*

Déjeuner : Mgr Charue, Mgr De Smedt, Thils, Delhaye.

À 16 h 30 à Sainte-Marthe, réunion de notre petite sous-commission : les mêmes que ce matin, plus le cardinal Browne, Mgr Medina[1] (Chili) et le P. Gagnebet. La présidence du cardinal Browne

1. Jorge A. Medina Estévez, professeur de théologie à la faculté de théologie de Santiago du Chili dont il devient doyen en 1965 ; expert du Concile ; il sera

rend le travail très agréable, car il est calme et objectif, mais on s'entend mal parce que la sous-commission du mariage discute dans la même salle, avec les PP. Lio, Häring, Tromp, Hirschmann...

Samedi 18 mai. – 9 h 30 : travail sous-commission du ch. *De vocatione hominis*[1], au Séminaire français ; à 15 h 40, auprès de Mgr Charrière, avec qui je parle de la question mariages mixtes : il me montre le texte sur lequel ils vont discuter[2]. Ce texte me déçoit un peu. On n'y donne pas aux évêques la faculté de dispenser de la *forma Ecclesiae*[3] ; simplement ce texte serait appelé à REMPLACER la législation actuelle. Or 1°) on ne parle pas de cautions données PAR ÉCRIT ; 2°) on ne dit pas qu'une seconde cérémonie soit exclue ; 3°) le mariage se ferait dans l'église, voire avec Messe (celle « *De sponsis*[4] » étant exclue).

Je peux à peine mouvoir ma jambe droite. Il fait très lourd.

À 16 h 30 à Sainte-Marthe. J'aurais voulu aller à la sous-commission des mariages mixtes, mais mon devoir est à celle du ch. I du schéma XVII. Nous avançons très lentement. Le P. Daniélou a utilisé quelques phrases du texte de Profession de foi que j'avais fait en octobre 62[5].

Dimanche 19 mai. – Aimer Dieu de toutes ses forces. Je dois y être, puisque je n'ai plus de forces. Sauf celles qu'il me prête juste chaque jour.

Dimanche sans joie. Travail assez assommant le matin, l'après-midi et le soir, pour ce ch. I. Le P. Daniélou n'y regarde pas de si près : je le vois rédiger devant moi, *currente calamo*[6], des § de consti-

---

plus tard évêque au Chili, puis cardinal et préfet de la Congrégation pour le culte divin et la discipline des sacrements.

1. De la vocation de l'homme.

2. La question est traitée par une Commission mixte formée de membres de la Commission doctrinale et de la Commission de la discipline des sacrements.

3. Forme de l'Église (il s'agit de la forme prévue par le droit canonique).

4. Des époux.

5. Le 4 novembre, Daniélou avait déjà proposé de reprendre ce *proemium* de Congar pour en faire une Constitution dogmatique sur l'homme à l'image de Dieu (cf. plus haut, p. 181).

6. Au fil de la plume.

tution dogmatique. Il est extraordinaire. Qu'on le mette la tête en bas ou autrement, il retombe toujours sur ses pieds.

Déjeuner assez assommant à l'Angélique. Sentiment de lassitude et de vide. Il paraît que les nouvelles du pape sont très mauvaises : deux ou trois transfusions chaque semaine ; il ne prend que du liquide. Il dépasserait difficilement la fin de juin.

Dès maintenant on dit : ce sera un conclave difficile.

Pour notre travail, je ne suis pas le seul à remarquer que les principales difficultés sont venues toutes du même point : sortir d'une situation dominée par le Saint-Office. Voilà neuf mois qu'on travaille pour cela. C'est plus sensible dans la commission théologique parce qu'elle était davantage sous la coupe du Saint-Office et de ses hommes. On porte le poids de l'erreur initiale qui a consisté à mettre les commissions, quoi qu'on dise, dans le cadre des Congrégations. Je me rappelle avoir alors senti si fortement la chose que j'en ai fait un article dans *TC*, dans lequel j'ai rédigé LES DEMANDES et les réponses, les questions portant plus ma pensée que les réponses. Tout le labeur du concile et de l'intersession revient à lever l'hypothèque première du Saint-Office et des Romains, pour que l'*Ecclesia* s'exprime vraiment. Je sais que dans d'autres groupes (mariage, culture, etc.) il en est de même.

Lundi 20 mai. – Travail à mon pensum que je porte à Sainte-Marthe à 10 h 30 (mais il faut une heure pour y arriver !!!). De nouveau travail à 15 h : finalement notre texte est prêt pour la réunion plénière (17 h). Très vite, on en vient à la lecture intégrale de notre texte : *Proemium* et ch. I du schéma XVII. Après explications par Mgr Garrone, les critiques arrivent : de Parente, Šeper, Castellano[1], Franić, K. Rahner... Finalement, on demande à la sous-commission d'examiner ces critiques et les autres qui lui seront remises par écrit demain matin.

Mardi 21 mai. – À Sainte-Marthe à 9 h 30 pour ce travail de révision. Séance pénible : nage dans un air raréfié. Il nous faut deux

1. Ismaele M. Castellano, o.p., archevêque de Sienne (Italie), membre de la Commission pour l'apostolat des laïcs.

heures et demie rien que pour lire les remarques qui nous sont adressées par écrit.

Brève réunion de la sous-commission avant la réunion plénière de la commission mixte. Celle-ci commence par une déclaration de Mgr[1]... = un appel à l'esprit évangélique dans la discussion et contre le byzantinisme dans des matières qui sont en pleine évolution. Mgr Garrone fait un exposé des critiques qui nous ont été adressées et dit comment on essayera de répondre à ce qu'elles ont de juste : mais demain !

On adopte à une grosse majorité le premier titre proposé pour le schéma XVII et recommandé par la sous-commission. On vote sur le *proemium*, § par §. De nouveau, discussions vides : cela a le don de m'enlever le peu de forces qui me restent. Ah ! Respirer ! Retrouver un travail libre et vrai !!!

Les interventions de Mgr Ménager[2], appuyé par Mgr Charue montrent que le contenu du schéma XVII tel qu'il est projeté, est très insatisfaisant par rapport à ce que le concile attend sous ce chapitre.

À 18 h 20 on passe au ch. II, *De persona humana in societate.* Exposé introductoire de Mgr Pavan. – Mgr Parente critique imprécisions sur la notion même de personne : ce n'est pas étonnant, dit Franić, des laïcs y ont collaboré.

Ch. Moeller m'apprend que le cardinal Ottaviani est revenu sur son veto pour l'envoi de religieux de divers ordres pour le centenaire du Mont Athos[3]. C'est évidemment un point positif dans le jeu complexe qui peut mener à la présence d'observateurs grecs au concile.

Mercredi 22 mai. – Mauvaises nouvelles de la santé du pape. Échos des critiques qui sont adressées à sa politique de gentillesse envers les régimes communistes. On trouve que le pape est naïf de

1. La *Relatio* de Tromp indique qu'il s'agit de Kominek.

2. Jacques E. Ménager, évêque de Meaux, membre de la Commission pour l'apostolat des laïcs.

3. Les fêtes du millénaire du Mont Athos auront lieu en juin ; les bénédictins, les franciscains et les dominicains y seront finalement représentés.

croire qu'il obtiendra quoi que ce soit par cette voie. En attendant, cela a donné un million de voix de plus aux communistes en Italie.

Mais je pense qu'il y a, dans l'intention du pape, d'un côté une vue à plus grande portée sur la nécessité de contribuer à une détente et à une recherche de bienveillance mutuelle, d'un autre côté, le désir de créer les conditions psychologiques nécessaires à un accord entre l'Église et certaines Démocraties populaires. Cela suppose l'acceptation d'un risque. On ne peut changer d'attitude sans perdre quelque chose. On ajoute que le cardinal König, dans ses missions à Budapest, n'aurait pas négocié une venue du cardinal Mindszenty à Rome[1], mais un *modus vivendi* supposant qu'il demeure en Hongrie.

Matin, travail de révision de notre ch. I, à Sainte-Marthe.

Le soir, au Vatican, lecture et très rapide discussion du ch. V sur l'ordre économique. Une fois encore, un résumé de programme (très idéal !) de Semaines sociales. Aucune motivation évangélique !

Cette critique est faite ; je l'articule aussi deux ou trois fois.

Le cardinal Browne, Mgr Garrone, Mgr Barbado[2], sont d'accord au fond pour demander qu'on distingue entre ce qui est principes fonciers, sur quoi le concile s'engagera, et applications, ou déductions de principes engageant quelque raisonnement. Mais il faudrait refaire intégralement le texte. Or on va à toute vitesse : il faut que le schéma XVII soit fini samedi. On bâcle le travail. Ce n'est pas sérieux. Cela ne marchera pas au concile !

Jeudi 23 mai. *Ascension.* – Il n'y a pas de fête pour nous. Travail le matin au Séminaire français pour la révision de notre ch. I.

À 13 h, collège Belge, déjeuner avec le P. de Riedmatten. Son point de vue à lui est très différent de celui du cardinal Browne ou

---

1. Le 10 avril 1963, le cardinal König, envoyé personnel du pape Jean XXIII, rend visite au cardinal Mindszenty à Budapest. Sur la politique du Saint-Siège vis-à-vis de l'Europe de l'Est, cf. G. ALBERIGO (dir.), *Histoire du Concile Vatican II (1959-1965)*. Tome II, *La Formation de la conscience conciliaire. La première session et la première intersession*, Cerf/Peeters, Paris/Louvain, 1998, p. 669-676.

2. Francisco Barbado y Viejo, o.p., évêque de Salamanque, membre de la Commission doctrinale nommé par le pape.

de Mgr Garrone. Il y aura une immense déception dans le monde si, sur la matière du schéma XVII, le concile n'énonce que des principes ou des généralités : il *FAUT* que le concile – puisque, de fait, c'est lui aujourd'hui la voix de l'Église – aborde des solutions concrètes et donne une parole techniquement valable. Pour cela, Riedmatten verrait ceci : que très tôt, au début de la seconde session, le concile se pose les questions et se mette d'accord sur des lignes générales (les textes préparés pourraient jouer leur rôle ici) ; qu'il nomme alors une ou des commissions peu nombreuses, d'hommes vraiment valables, y adjoignant quelques laïcs très compétents, et que cette ou ces commissions élaborent des textes PRATIQUES.

L'argument tiré de la tradition conciliaire ne vaut pas : il n'est pas vrai que les conciles n'aient jamais fait que du doctrinal et de l'éternel. De plus, on pourrait très bien ménager une dualité de plans : des textes de principes et des décisions pratiques.

J'ajoute pour ma part qu'il eût fallu, à la première session, ou qu'il faudrait à la seconde, qu'on distribue aux Pères une documentation très précise, par régions et par grands problèmes, avec des indications chiffrées, donnant une vue RÉELLE des problèmes et de l'état des choses.

À 16 h 30, au Vatican, discussion sur *De Matrimonio et Familia*. Ni Lio, ni Häring, ni Peruzzo ne sont là. C'est Franić, éventuellement appuyé par le cardinal Ottaviani, qui soutient la bonne doctrine (du « Saint-Office ») : surtout sur le *finis primarius*[1] comme fin propre et spécifique du mariage et la mise sur le côté de l'amour, qui n'est pas la fin du mariage. Chaque fois que le mot ou l'idée de personnalité sont émis, les Franić, Castellano ou Parente les combattent.

Il est évident que l'équilibre général du chapitre représente un dépassement du point de vue tout juridique et tout brutal de la multiplication des enfants. Si le texte passe, ce sera une ouverture vers un chapitre rénové de la théologie du mariage.

Belles interventions de Mgr Šeper (Zagreb) et Tomášek (Pologne : les matérialistes font du mariage un pur moyen de procréa-

1. Fin primaire.

tion), et aussi de Mgr Charue au nom de la Sainte Écriture. Force de la Parole de Dieu, trop laissée de côté mais toujours fraîche quand on lui donne l'occasion de s'exprimer. Dieu a toujours donné l'amour et la fidélité conjugaux comme expression du rapport qu'il veut avoir avec son peuple. Mais le cardinal Ottaviani veut absolument que l'amour soit seulement un accompagnement du mariage, en vue de rendre plus facile son exercice.

Au total, cela ne se passe pas trop mal. Très remarquables interventions du cardinal Léger, du P. de Riedmatten (très écouté, très beau latin ; belle précision de pensée).

Après la séance au Vatican, à 19 h 30, notre sous-commission va à la Maison généralice des Jésuites, pour achever le travail de révision : 3e séance de travail en ce jour de repos. On termine à 23 h.

Le P. Medina nous rapporte ce qu'il a entendu à la Secrétairerie d'État : le concile représente une révolte des évêques, qui devront être ramenés à l'obéissance... !

Vendredi 24 mai. – Première demi-journée libre depuis mon arrivée à Rome. Aussi je vais à la Bibliothèque de la Grégorienne, puis à celle de l'Angelico. Je vois aussi l'abbé Ganoczy pour son travail sur le ministère chez Calvin.

À 13 h déjeuner avec Don Dossetti. Malheureusement, il n'a pu venir mercredi, alors qu'on avait réuni des gens pour l'entendre, et, aujourd'hui, Mgr Philips n'est pas là... Conversation extrêmement intéressante. On parle de l'*ordo concilii*[1]. Lui pense qu'il ne faut rien changer À LA STRUCTURE de l'*ordo* actuel : ce serait très dangereux : on risquerait d'aller vers un dirigisme et une limitation de la liberté. Dossetti dit très justement : dans l'assemblée, il faut perdre du temps. Les délais sont nécessaires pour ménager les évolutions, par exemple celle de l'épiscopat italien, encore inchoative.

Don Dossetti se dit absolument certain que la Curie (par exemple cardinal Tardini) a voulu rendre le concile inoffensif en le noyant dans un programme trop large. De même pour le Synode romain : il a plus de canons que le Code lui-même. Aussi est-il inapplicable,

---

1. Règlement du Concile.

rien n'en est passé dans les faits. De même, la Curie a voulu un concile *De omnibus*[1], incapable de dominer son propre programme.

Au Ier concile du Vatican, il y avait au programme un assez petit nombre de questions. On a institué quatre commissions qui étaient des commissions faites chacune POUR UNE QUESTION déterminée. Cette fois-ci, pour répondre à un programme universel, on a distribué les commissions dans le cadre des Congrégations romaines. Cela a été un grand malheur, qui pèse depuis le début sur le concile. C'est vrai. Je me rappelle avoir, à ce moment, écrit un article dans *TC*, dont j'ai rédigé moi-même les questions. C'étaient les questions qui étaient les plus importantes. J'y dénonçais cette sorte de confusion entre les commissions conciliaires et les Congrégations romaines. Surtout pour la Commission théologique, cela a été catastrophique. L'idée des gens de la Curie était – en pleine conscience, d'après Don Dossetti – de faire entériner par le concile des textes préparés dans le sein des Congrégations romaines et reprenant les *effata* du magistère ordinaire des papes. Aussi la façon dont le concile est devenu autre chose, est pour eux un danger et un scandale.

Dossetti nous dit aussi que les évêques ont reçu un certain nombre de *schemata*, avec 1°) une lettre d'envoi du cardinal Cicognani, mais aussi 2°) un billet disant que ces textes ont reçu l'approbation du Saint-Père. Or ils ne l'ont vraiment reçue ni *in forma generica*[2], ni *in forma specifica*[3]. Pie IX, dit Dossetti, avait précisé que les textes proposés l'étaient sans aucune approbation formelle du pape et étaient soumis à la plus pleine discussion.

Nous parlons ensuite de deux points intéressants les deux premiers chapitres du *De Ecclesia* :

1°) *De membris Ecclesiae*[4] : tous les baptisés sont membres de par leur baptême et ils le restent. Mais les dissidents ne jouissent pas des biens de la communion catholique.

2°) La thèse traditionnelle, proposée par le parti papal au concile de Trente et tenue par les antigallicans du XVIIIe s., est : il y a une JURIDICTION universelle donnée aux évêques à leur consécration, et

1. Traitant de tout.
2. En forme générique.
3. En forme spécifique.
4. Des membres de l'Église.

la juridiction particulière sur telle Église, donnée par la mission. Or le texte Philips nierait cela. Philips, qui rentre à 15 h 35, se défend : on reprendra la question demain, en tâchant d'avoir Lécuyer et Hamer.

À 16 h 30 au Vatican, discussion du chapitre sur la culture. Notion de culture trop intellectualiste, « humaniste » et même scolaire. Rien sur la culture par les traditions et les fêtes, par le travail manuel, par l'exercice des responsabilités dans la société, etc.

Le soir, dîner chez et avec Laurentin. J'ai un peu marché ce matin ; ce soir, non seulement je ne peux pas lever le pied, mais c'est à peine si je tiens en équilibre debout.

Samedi 25 mai 1963. – À 9 h 30, Vatican, chapitre sur la Paix. On me dit que Mgr Géraud[1], sulpicien, jouerait à Rome un jeu douteux. Il aurait, pendant la première session, renseigné le Saint-Office sur ce qui se disait à la Procure de Saint-Sulpice, où résidait en particulier le cardinal Liénart. Je note cela, bien sûr, sous toute réserve, comme une chose qui se dit à Rome.

Évidemment discussion assez tendue sur la question de la surpopulation. Le cardinal Léger, Mgr McGrath, d'autres, insistent sur la nécessité de maturité MORALE des jeunes gens qui veulent se marier. Mgr Géraud dit des choses édifiantes et vagues. Le P. Tromp voudrait qu'on ne dise rien d'une limitation de la natalité. Mais alors, qu'on n'impose pas non plus des obligations qui arrivent à des impasses. Le P. de Riedmatten intervient de façon très impressionnante : la question est urgente. Le ton de loyauté a DE SOI une grande valeur. Mais la question reste dans l'indécision. Ensuite discussion sur la mention de la légitimité de la guerre défensive.

À déjeuner Don Dossetti, les PP. Hamer, Lécuyer. Reprise des conversations d'hier.

À 16 h 30, ch. *De laicis.* Temps très orageux (je le sens !). Séance lourde, sans fraîcheur. Mais le chapitre est bon et le tout se passe bien.

---

1. Joseph Géraud, p.s.s., procureur de la Compagnie de Saint-Sulpice à Rome ; expert du Concile.

Dimanche 26 mai. – Matin, travail sur le ch. IV, *De religiosis.* Il est curieux que le P. Tromp a absolument refusé que le chapitre soit examiné en commission mixte, Théologique et Religieux ; il a, par trois fois hier soir, dit qu'il le serait par la SEULE commission théologique. Mais, à mon avis, ce chapitre devra être rédigé à nouveau, au moins en ses deux premiers numéros. Il faudra, alors, revenir à la commission mixte ?

À 11 h 30, visite de Mgr Arrighi. Il me parle de deux choses :

1°) Du chapitre sur la liberté religieuse. Le secrétariat avait élaboré un chapitre qui traitait à la fois de la liberté religieuse et des rapports entre l'Église et le Pouvoir civil pour remplacer les deux chapitres traitant de ces sujets, préparés par la commission théologique et rejetés ou écartés par la Commission centrale. Mais le P. Tromp a fait une opposition résolue à ce que ces schémas (chapitres) fussent présentés aux Pères du concile. Cependant, en juillet 62, le pape a fait savoir qu'il voulait qu'on parlât de la liberté religieuse. Le Secrétariat a alors allégé son texte sur ce qui concernait les relations entre l'Église et l'État, mais le texte n'a toujours pas été présenté. Il a été encore allégé et revu au milieu de mai 63 et Arrighi me le donne tel qu'il est aujourd'hui. Le secrétariat pourrait le présenter lui-même, mais on hésite sur la place à lui donner. À mon avis, il n'y a aucun doute : sa place est dans le schéma XVII. Mais tout est encore indécis. – Du reste, je ne l'ai pas encore lu.

2°) De la question de l'envoi de délégués des grands ordres religieux aux fêtes pour la célébration du millénaire du Mont Athos. Une invitation est venue de Grèce : la Secrétairerie d'État l'a transmise au secrétariat et, par deux fois, explicitement, lui a dit qu'on lui remettait la chose. Le Secrétariat a donc désigné des représentants : pour les OSB, l'abbé Primat Benno Gut, qui est de la Commission théologique ; pour les OP, le P. Bosco[1], *socius* d'Italie. Mais quand Dom Gut a demandé au cardinal Ottaviani de l'excuser pour son absence aux séances de la Commission théologique (car les fêtes devaient être en mai : elles sont reportées en juin, en raison d'une maladie du roi de Grèce), le cardinal lui a dit qu'il s'opposait à

1. Giacinto Bosco, o.p., de la province du Piémont.

cette représentation aux fêtes. Mgr Willebrands a été appelé au « Saint-Office » où on lui a lavé la tête et d'où il est revenu effondré : le « Saint-Office » s'opposait à ce que des représentants notables et venant DE ROME allassent au Mont Athos. Que Chevetogne et Istina, invités, envoient quelqu'un c'était sans conséquence ; mais des représentants des grands ordres venant de Rome, non ! Finalement, le « Saint-Office » a dû s'incliner devant la volonté formelle du Secrétaire d'État, qui avait confié la chose au Secrétariat[1].

Le cardinal Bea travaille pour institutionnaliser le fait que tous ces genres d'autorisation soient attribués de façon définitive au Secrétariat, même après le concile.

C'est encore une défaite du « Saint-Office », qui en a essuyé un certain nombre depuis deux ou trois ans.

Au déjeuner, Arrighi, pendant plus de deux heures, raconte des petites histoires de Rome. Il est intarissable et captivant. Il a des moments de Fernandel. À vrai dire, ce genre de choses m'amuse, comme tout le monde, mais ne m'intéresse pas. Cependant, il en est quelques-unes qui, impliquant des attitudes de fond en matière grave, provoquent en moi un scandale profond et une indignation véhémente. Qu'un imbécile, un demi-homme comme Pizzardo soit à la tête des services des Universités et séminaires, c'est scandaleux et extrêmement grave. Quand on connaît quelques universitaires, quelques doyens, quelques recteurs, quand on voit avec quel sérieux et quelle compétence ils prennent à cœur un secteur en pleine expansion, et que l'on compare ce misérable avorton, cet infra médiocre sans culture, sans horizon, sans humanité, on sent monter en soi une colère et une révolte. Ce Pizzardo qui a des pyjamas et des slips rouges, qui vit avec des sœurs de quatre-vingt-quatre et quatre-vingt-deux ans, qui lésine sur l'achat d'un journal, qui passe ses après-midi à compter les sous pour les séminaires d'Italie qui sont sa préoccupation principale, qui a fait à l'abbé Oraison[2] la

1. Voir plus haut p. 370, n. 3.

2. Marc Oraison, dont un ouvrage sur les questions de morale sexuelle avait été mis à l'Index en 1953, raconte dans ses mémoires ce que le cardinal Pizzardo lui affirma cette année-là : « Pour la pureté : l'épouvante, les spaghettis et les haricots » ; cf. *Ce qu'un homme a cru voir. Mémoires posthumes*, Paris, R. Laffont, 1980, p. 288.

réponse idiote qu'on cite, qui a fait, il y a quelques années, la sinistrement bête réunion des recteurs d'universités catholiques : cet homme-là, à la tête du service de la Curie pour les Études et la recherche ! Quelle effroyable comédie !

À 15 h 30, partons en voiture avec Mgr Prignon, Mgr Philips et Ch. Moeller, pour un tour. C'est le premier moment de détente depuis le début de ce séjour à Rome. Route de Florence, passage à Sutri (très grande allure !), visite de Viterbe : le palais des Papes. Je pense surtout à saint Thomas, à ses séjours à la Curie... Puis La Quercia. Joie de prier dans ce cloître qui a enchanté Lacordaire[1] et ses premiers compagnons d'un âge romantique. Je comprends ce que des LIEUX de tradition monastique, ce qu'un vrai cloître, des peintures du passé, ont pu apporter à leur âme, tant de sève intérieure que de joie et de dilatation à se trouver dans un foyer répondant à leur désir. Dehors, c'est la foire, comices agricoles, boutiques, peuple dense en détente dominicale. Dans l'entrée, des enfants jouent. Mais dans le cloître, c'est le calme et le silence. Je me sens à ce moment très uni au P. Lacordaire.

Ensuite, Tuscania : dans la lumière de fin du jour, la silhouette des deux églises et des tours qui occupent l'emplacement de l'acropole étrusque, a quelque chose, à la fois, de très calme et de poignant. Deux très belles églises romanes avec, dans la plus grande (Saint-Pierre) une crypte dont le soleil couchant dore les piliers. Très belle campagne aussi, genre Argonne. Nous rentrons à 21 h 30.

Lundi 27 mai. – Très mauvaises nouvelles de la santé du Pape : nouvelle hémorragie. Il ne finira pas le mois de juin ! D'après Arrighi, bien des attitudes prises ces temps-ci ont leur raison dans le fait qu'on sait cela. Le fait que plusieurs membres du Saint-Office (Ottaviani, Parente, Lio) n'ont pas participé à nos discussions de ces derniers jours aurait peut-être un lien avec de telles attitudes ?

Ce matin, travail : je tâche de rattraper retard... À 12 h 15 à Sainte-Sabine. Je vois le P. Hamer. Il sort d'une réunion de la Com-

---

1. Henri Lacordaire, restaurateur de l'ordre dominicain en France au XIXe siècle.

mission des Études[1]. Il est extrêmement énervé et démonté. Il me dit qu'il n'y a aucune perspective, aucun mouvement, qu'il ne s'agit que d'administration mesquine. Dans ces conditions, il n'a rien à faire d'intéressant. Il pense demander au P. Général d'être relevé de sa charge et rendu aux études, pour lesquelles il est fait. Je crois en effet que sa fonction est très ingrate et qu'il est peu intéressant de flanquer le P. Général qui n'a pas vraiment de « vision », mais administre seulement les affaires quotidiennes ; le P. Hamer me dit que le Général ne parle que de sécurités et précautions à prendre, et vit sous l'impression de ce qu'on dit au « Saint-Office » : toujours le même cancer qui ronge le cœur évangélique de l'Église !

À déjeuner, à midi, je vois les PP. de Vaux[2] et Duval[3], venus pour la Commission des Études : on leur fait réviser la *ratio*[4], chapitre par chapitre. Il faudrait poser d'abord la question de la conception d'ensemble !

Le P. Général annonce qu'au Saint-Office, ce matin, on disait le Pape mort ; mais cela n'est pas sûr, a-t-il ajouté.

Le P. Général me dit, à Sainte-Marthe, qu'on a dû confondre. D'une part, on a vu porter l'eucharistie au Pape et on a cru que c'était l'Extrême-Onction ou le viatique ; d'autre part, les cardinaux de Rome auraient été avertis que le Pape entrait dans le stade final de sa maladie...

Je vois, après le déjeuner, le P. Bosco, *socius* d'Italie, président de la Commission *De sacro ministerio*[5] dont je suis. Il me paraît assez déçu. Sur douze membres auxquels il a écrit, cinq n'ont jamais rien répondu. Cette Commission a été instituée au chapitre général de Toulouse[6] à la demande d'un seul Père, sans qu'il y ait vraiment

1. Commission instituée dans l'ordre dominicain à la suite du Chapitre général de Bologne en 1961.

2. Roland de Vaux, o.p., de la province de France, exégète et archéologue, directeur de l'École biblique et archéologique française de Jérusalem.

3. André Duval, o.p., de la province de France, recteur des facultés dominicaines du Saulchoir, où il est professeur d'histoire de l'Église.

4. La *ratio studiorum*, c.-à.-d. l'organisation des études.

5. La création de cette Commission « Du Ministère sacré » avait également été demandée au Chapitre général de Bologne.

6. Chapitre général électif qui s'était tenu durant l'été 1962.

une demande de la base. Cela n'intéresse pas « *in vertice*[1] », me dit-il. Sur le P. Général, il me dit ne pas être optimiste : il voit les choses quotidiennes, mais n'a pas de plan d'ensemble ni de programme. Quant à cette Commission, on n'attend de nous que d'éventuels rapports sur LES QUESTIONS SUR LESQUELLES LE P. GÉNÉRAL nous en demanderait. Nous pouvons cependant individuellement faire des suggestions. C'est lui, Bosco, qui m'a fait nommer, avec l'idée qu'il fallait que les questions œcuméniques soient représentées, car elles représentent désormais un aspect du ministère.

Je revois encore un peu le P. Hamer. Je pars à 16 h 05 pour Sainte-Marthe où a lieu la réunion sur le ch. IV, des états de perfection. Cela commence par une déclaration du P. Tromp, lue sur le ton autoritaire qui lui est propre, mais avec moins d'énergie qu'autrefois.

Le P. Tromp, de la part du cardinal Ottaviani, lit d'abord un long rapport orienté CONTRE l'idée de faire un exposé plus général sur la sainteté dans l'Église et même de mettre ce chapitre sur les religieux sous le signe de la vocation à la sainteté, qui va de soi ; il doit être mis sous le signe de l'Église, corps organisé, ayant des *ordines*[2], sous le signe de l'organisation, et aussi sous le signe des services que les religieux rendent à l'Église.

La déclaration du P. Tromp déclenche une discussion confuse. Le cardinal Browne, qui préside, propose d'examiner le chapitre tel qu'il nous est soumis, d'y faire des amendements et de remettre le tout à la commission de coordination.

Il n'y a de présents que onze membres de la commission théologique. La plupart des Pères, qui parlent tour à tour, sont d'avis : 1°) de mettre le contenu du chapitre proposé dans un contexte plus large sur la vocation à la sainteté dans l'Église, où l'on parlerait expressément des prêtres ; 2°) d'instituer tout de suite un examen du texte, qui pourra servir à une amélioration du texte, et de soumettre le tout à la commission de coordination. En tout cela le cardinal Browne a été d'une loyauté parfaite. Sous une présidence Ottaviani, le débat se serait envenimé.

1. Au sommet.
2. Ordres.

Discussion assez tendue, assez confuse, qui révèle avec clarté que le texte rencontrerait une grande opposition au concile.

Mardi 28 mai. – Travail avec Mgr Philips et le chanoine Moeller sur le rapport que le cardinal Suenens doit faire sur le schéma XVII[1].

À 11 h 25, visite du P. de la Brosse. On parle de sa Thèse, et aussi de l'Angélique. Il me dit : 1°) À l'Angélique, la crise, loin d'être apaisée, a repris. La Faculté de théologie a élu, contre le recteur P. Sigmond, un nouveau doyen : non le P. von Gunten[2], candidat des gens ouverts, mais le P. Gillon (ceci à dix voix contre sept). Aussi, voyant qu'on ne veut rien rénover, des Instituts annoncent qu'ils vont retirer leurs élèves : les Oblats l'ont fait (quarante élèves), les Pères du Saint-Sacrement en parlent. – 2°) Plusieurs faits font craindre un raidissement et une étroitesse de la part du gouvernement de l'Ordre : deux Italiens qui devaient aller faire des études au Canada, n'iront pas. Il y a cinq ou six cas de ce genre. Est-ce l'annonce d'une mesure générale ? Ce serait UN ATTENTAT à la vie de la culture dans l'Ordre.

Aussi, devant cette situation, se sentant impuissant, le P. Sigmond, recteur, penserait à se retirer. Avec lui aussi le P. Perreault. Le P. Duval a dit que, si les choses allaient ainsi, il n'enverrait plus personne à l'Angélique. L'Angélique deviendrait une maison espagnole à Rome.

À 12 h 30, le P. Duprey vient. Il me parle d'un problème interne aux PP. Blancs, puis de la conjoncture : des Observateurs orthodoxes (affaire interne à l'Orthodoxie), des spéculations autour de la mort attendue du Saint-Père. Il paraît que l'Administration du Vatican n'a pas retenu des chambres dans les hôtels pour le 8 septembre. On pense donc que le concile serait reculé... ?

Je fais mes valises, mes adieux.

À 16 h 30 à Sainte-Marthe, Mgr Charue commence par une cri-

---

1. Dans la Commission de coordination, c'est lui qui est, rappelons-le, chargé de suivre ce schéma.

2. François von Gunten, o.p., de la province de Suisse, professeur à la faculté de théologie à l'Université Saint-Thomas (l'Angélique), secrétaire de rédaction du périodique *Angelicum*.

tique sévère de notre texte. Le P. Tromp, qui veut répondre, ne reçoit pas la parole du cardinal Browne, sinon plus tard.

La discussion reprend sur le texte. Le P. Rahner monopolise la parole une fois de plus. Il est magnifique, il est courageux, il est perspicace et profond, mais finalement indiscret. On ne peut plus parler, on en perd l'occasion et même le goût.

Pendant ce temps, un sérieux orage dégage un peu le temps effroyablement lourd.

Finalement, le cardinal Browne dit que le texte sera révisé par une petite commission de trois évêques qui pourront choisir chacun un *peritus*, dans le sens des remarques faites. Les trois Pères seront Mgr Charue, Mgr McGrath et le P. Fernandez. On me fait signe pour être éventuellement l'un des *periti*, mais personne ne m'a rien demandé ; je dois partir. De fait, je pars à 18 h 55. Mgr Prignon, merveilleusement amical, me conduit à l'aérodrome où l'on est à 19 h 45. C'est là que j'écris ces dernières lignes.

Tout s'est bien passé. Les textes ont été ou seront notablement améliorés. Le cardinal Browne a été extrêmement accueillant, loyal, pacifiant. C'est en grande partie grâce à lui que les choses ont été si bien. Il nous a d'ailleurs amusés en disant, à deux reprises, qu'Abraham a observé en intention la chasteté plus que beaucoup de vierges, bien qu'il eût six femmes.

Arrivée à Paris avec un peu de retard. Domi m'attend à Orly avec Anne[1].

Mercredi 29 mai* **.** – Anne me sert de chauffeur. Quelle fille merveilleuse, ayant une vie intérieure qui lui donne un calme profond, qui ajoute à son charme.

Au Cerf avec le P. Bro[2], puis le P. Peuchmaurd[3]. Puis je reçois deux demoiselles. Après-midi, enregistrement pour la TV canadienne, où je succède au P. de Lubac. Bref passage à *TC*. Train.

---

* Paris.

1. Dominique et Anne Congar, neveu et nièce du P. Congar.

2. Bernard Bro, o.p., de la province de France, est directeur littéraire des Éditions du Cerf et en devient, en 1964, directeur général.

3. Michel Peuchmaurd, o.p., de la province de France, travaille aux Éditions du Cerf.

Jeudi 30 mai*. – Mgr Marty a la gentillesse de faire l'aller et retour de Reims pour voir Tere[1]. Il dit devant elle et me dit ensuite plus complètement qu'il a vu le Pape il y a un mois, la veille du Prix Balzan[2]. Le Pape lui a dit : les évêques français travaillent très bien ; leurs théologiens aussi, en particulier le P. Congar. Mgr Marty a été fier, dit-il, de préciser alors que je suis de son diocèse.

Mgr Marty était allé à Rome, appelé par le cardinal Ciriaci, pour le projet de constitution d'une commission du ministère et de l'apostolat, pour la période qui suivra le concile. Il a vu aussi Mgr Dell'Acqua, chez qui il a vu une liste de noms pour une commission de la révision du Code : il y figure, et moi aussi !!! Mon Dieu, que ferai-je dans une commission de révision du Code ?

Le Pape, qui a reçu Mgr Marty quarante minutes, lui a dit s'être ennuyé pendant le premier mois du concile : il trouvait qu'on n'avançait pas et que ces discussions sur la liturgie n'avaient pas d'intérêt. Le pape veut qu'on aille de l'avant, qu'on ouvre ! Il faut toujours, a-t-il dit, voir d'abord le bien qu'il y a chez les autres. Il a raconté aussi que Mgr Pavan avait fait, pour *Pacem in terris*, un texte trop abstrait. Dans la nuit du 6 au 7 janvier, après avoir lu ce texte, le Pape a eu l'inspiration de s'adresser à tous les hommes de bonne volonté et pas seulement aux chrétiens ; il a vu aussi les quatre piliers : vérité, justice, amour, liberté. Je note cela pour l'histoire !

10 juillet 63. – Depuis que j'ai noté les dernières choses, il s'est passé de grands événements, mais je n'ai rien écrit ici. Il y a eu l'agonie et la mort de Jean XXIII. L'Église et même le monde ont fait ici une expérience extraordinaire. Car tout à coup s'est révélé l'immense écho qu'a suscité le fait de cet homme humble et bon. Il s'est révélé qu'il a changé profondément la carte religieuse et même humaine du monde : simplement en étant ce qu'il a été. Il n'a pas procédé par grands exposés d'idées, mais par des gestes et

---

* Strasbourg.

1. Surnom donné par son mari, puis par toute la famille à la mère du Père Congar, née Lucie Desoye ; elle est tertiaire dominicaine.

2. Le pape avait reçu le prix de la Fondation Eugenio Balzan pour son activité en faveur de la fraternité et de la paix.

un certain style de sa personne. Il n'a pas parlé au nom du système, de sa légitimité, de son autorité, mais simplement au nom des intuitions et du mouvement d'un cœur qui, d'un côté, obéissait à Dieu et, d'un autre, aimait les hommes, ou plutôt faisait les deux choses du même mouvement. En sorte qu'une fois de plus s'est vérifiée la loi divine : Dieu seul est grand ; la vraie grandeur est d'être docile à le servir en lui-même et en son plan d'amour. Il exalte les humbles. Bienheureux les doux, ils posséderont la terre. Bienheureux les faiseurs de paix, ils seront appelés fils de Dieu. Tout le monde a eu le sentiment, en Jean XXIII, de perdre un père, un ami personnel, quelqu'un qui pensait à lui et l'aimait.

Même l'invraisemblable décorum romain, ces démonstrations qui n'en finissaient pas, n'ont pu effacer l'impression profonde, la peine et l'affection intime des cœurs. Pourtant, quelle contradiction entre ce faste de cour et l'homme tout simple dont les funérailles en étaient l'occasion ! Les ouvriers ont suivi comme une chose de leur famille l'agonie et la mort du père. « Pour une fois qu'on en avait un bon... » Il s'est créé une sorte d'extraordinaire unanimité.

Et nunc, reges, erudimini[1] ! C'est assez clair, pourtant, qu'il y a une voie du succès parce que c'est la voie de la vérité : que l'essentiel, comme dit Lacordaire, n'est pas tant de laisser une œuvre, mais d'avoir une vie. Qu'il ne s'agit pas de prétendre et revendiquer très haut être le vicaire du Christ, mais DE L'ÊTRE vraiment. Que le plus décisif n'est pas les idées, mais le cœur. Pourtant, il faut des idées. Saint Thomas a autant servi les hommes, même s'il leur a été moins aimable. Je réfléchis à mon propre destin. Dieu m'a amené à le servir et à servir les hommes à partir de lui et pour lui, surtout par la voie des idées. J'ai été amené à une vie solitaire, très vouée à la parole et au papier. C'est ma part dans le plan d'amour. Mais je veux m'y engager aussi de cœur et de vie et que ce service d'idées lui-même soit un service DES HOMMES.

Il m'est apparu immédiatement que le cardinal Montini avait seul les chances de réunir les deux tiers des voix. Les cardinaux non italiens qui représentent près des deux tiers du Collège, voteraient en grand nombre pour lui. Il suffirait donc que quelques cardinaux

1. Et maintenant, rois, comprenez (Ps 2, 10).

italiens le fassent aussi pour que ces deux tiers soient obtenus. Aucun cardinal conservateur ne les rallierait jamais.

J'ai entendu dire – mais que valent de tels potins, quelle portée ont-ils sinon celle de la vraisemblance ? – que, dès le premier tour, Montini avait 40 ou 42 voix, Siri une vingtaine. Au énième tour, à savoir le vendredi matin, le cardinal Siri aurait lui-même déclaré qu'il voterait pour Montini et qu'il invitait ceux qui avaient voté pour lui à faire de même... (!)

Le cardinal Montini[1] est un homme supérieurement intelligent et informé. Il fait une profonde impression de sainteté. Il reprendra le programme de Jean XXIII, mais évidemment pas à la manière de Jean XXIII et peut-être pas tout à fait dans son esprit. Il sera beaucoup plus romain, plus du genre Pie XII : il voudra, comme Pie XII, déterminer les choses à partir des idées, et non simplement les laisser devenir elles-mêmes à partir d'ouvertures faites par un mouvement du cœur. Il aimera autant le monde, mais dans une ligne de sollicitude.

Je rentre de passer quelques heures à la Semaine Sociale de Caen[2]. La lettre (du Cardinal Cicognani) à la Semaine[3] m'a un peu atterré. Elle m'a trop rappelé Pie XII. C'est une sorte de petite encyclique, où les idées, bien balancées, se neutralisent l'une l'autre. C'est un exposé complet, bien que très abstrait, disant tout ce qu'il faut penser, prévoir, éviter... Certes, c'est un peu le genre de tels textes. Ce genre est assez imbuvable. Il porte en lui-même un relent de paternalisme. Jean XXIII a fait confiance aux hommes, confiance à l'Église, qu'il a laissée librement s'exprimer. Là a été le secret de l'ouverture qu'il a pratiquée.

À Caen, j'ai déjeuné à côté de Mgr Ferrari-Toniolo. Il n'a pas

---

1. C'est le vendredi 21 juin 1963, deuxième jour du Conclave, que Giovanni Battista Montini est élu pape.

2. Cinquantième Semaine sociale de France du 9 au 14 juillet sur le thème de « La société démocratique ».

3. Il s'agit du message du Pape qui est lu par Cicognani, confirmé par le nouveau pape dans sa charge de Secrétaire d'État : « Lettre du Souverain Pontife à M. Alain Barrère », dans *La Société démocratique – Semaines sociales de France – 50e Session*, Lyon, Chronique sociale de France, 1963, p. 5-9.

parlé qu'avec moi, car, à sa droite, il avait Bouladoux[1] : ils ont beaucoup parlé syndicats et étiquette chrétienne de ceux-ci, Ferrari m'a un peu parlé de Mgr Montini. Quand il était à la Curie, il avait suscité une opposition : celle, si je comprends bien, des opposants à Jean XXIII et au concile. « Ils » ne voulaient pas qu'il fût cardinal. Quand Pie XII a déclaré que ses collaborateurs les plus proches et les plus fidèles, Tardini et Montini, lui avaient demandé de n'être pas élevés à la pourpre, pour demeurer auprès de lui[2], ce n'était qu'à moitié vrai. C'est l'opposition qui avait obtenu cela. Ensuite, quand Montini fut nommé à Milan, Pie XII ne le fit pas cardinal. Cela a été providentiel. Cardinal, Montini eût été élu pape après Pie XII et on n'eût pas eu l'ouverture extraordinaire qu'a réalisée Jean XXIII. À ce moment-là, on ne pouvait élire un non-cardinal. Le cardinal Roncalli l'a dit à Mgr Ferrari : le moment, disait-il, n'est pas encore venu où l'on pourrait élire un non-cardinal.

J'interroge Mgr Ferrari sur les raisons du départ de Montini du Vatican. Il me dit : « ils » ont persuadé Pie XII que Montini était, à la Curie, un facteur de division. Car Montini avait une position de distinction entre le temporel ou le politique et le religieux ; en somme, une position anti-Gedda[3] et pour « *Humanisme intégral*[4] ». Mais, dit Ferrari, l'histoire se répète. C'est à peu près ce qui était arrivé pour Benoît XV. Le clan intégriste l'accusait de sympathie moderniste et l'avait fait éloigner à Bologne. Mais il est revenu. Quand il a été élu il a trouvé trois dossiers d'accusation contre des cardinaux : le premier contre le cardinal de Pise, le second (j'ai oublié) et le troisième contre le cardinal della Chiesa[5]...

---

1. Maurice Bouladoux est président de la Confédération internationale des syndicats chrétiens.

2. Dans son allocution consistoriale du 12 janvier 1953, Pie XII avait annoncé que Mgr Tardini, secrétaire pour les affaires ecclésiastiques extraordinaires, et Mgr Montini qui s'occupait des affaires ecclésiastiques ordinaires, avaient tous deux renoncé à l'honneur de la pourpre cardinalice. Cf. « L'allocution consistoriale du pape Pie XII "Ex quo Sacrum Collegium" », *La Documentation Catholique*, 1953, col. 78.

3. Luigi Gedda était à l'époque président de l'Action catholique italienne.

4. Jacques MARITAIN, *Humanisme intégral*, 1936.

5. Le futur Benoît XV.

Mgr Ferrari pense qu'il y aura au moins une troisième, sinon une quatrième session du concile. Il pense, comme le P. de Riedmatten, qu'il faudra que des Commissions fonctionnent comme commissions du concile et parlent en son nom sans être le concile lui-même. Il m'encourage à venir assez souvent à Rome.

Mais comment savoir qu'il est opportun d'y venir ? À moins de m'y installer...

Début août 1963. – Durant mon séjour aux Voirons[1], aux côtés du P. Féret, nous parlons beaucoup du concile ensemble. Le P. Féret rédige ses remarques sur les schémas. Il a des perceptions aiguës, fortes, liées à sa réflexion et à sa synthèse personnelle ; mais souvent TROP liées à SA construction. C'est à la fois ce qui fait la force de ses remarques et leur caractère peu utilisable. On ne peut pas tout reconstruire. On ne peut pas, s'agissant d'une œuvre D'ÉGLISE où l'on doit coopérer avec un GRAND NOMBRE de théologiens de diverses écoles et œuvrer pour l'épiscopat de tous les pays, introduire sa synthèse personnelle, si fondée et si intéressante qu'elle soit...

Le P. Féret tient de Mgr Flusin qu'on commencera par le *De Revelatione.* Je prévois sur ce point une grande bagarre. D'une part, en effet, l'offensive intégriste (Latran) contre les biblistes n'a pas désarmé.

D'autre part, les tenants des Deux Sources[2] ont travaillé et livrent maintenant leurs arguments. Le livre pour lequel le P. Balić m'avait demandé une contribution est paru[3], j'en lis la conclusion-résumé par le P. Balić lui-même. Ce livre fera, je le crains, une grosse impression sur nombre d'évêques. Il établit bien qu'on a enseigné les deux Sources dans l'Église catholique, d'une manière majoritaire,

1. Congar séjournera plusieurs fois l'été auprès de son ami le P. Féret au Prieuré Notre-Dame des Voirons en Haute-Savoie, là où se fixeront plus tard les Petites Sœurs de Bethléem.

2. Ceux qui considèrent l'Écriture et la Tradition comme deux sources de la Révélation qui doivent être additionnées ; ils s'opposent à la position de Geiselmann selon laquelle toute la Révélation se trouve déjà contenue dans l'Écriture.

3. *De Scriptura et Traditione,* Pontificia Academia Mariana Internationalis, Rome, 1963.

sinon assez générale. À mon avis, ce n'est pas DE CELA qu'il s'agit. La question est précisément aujourd'hui DE SORTIR DE CETTE PROBLÉMATIQUE, déterminée, soit, au Moyen Âge, par une ignorance du problème de LA Tradition, soit, depuis la Réforme, par un traitement de la question dominé par sa mauvaise position du fait des négations protestantes. Il faudrait que j'aie le temps de montrer cela, de proposer un *status quaestionis* valable. Mais je n'ai le temps de rien !

Les quelques semaines qui me séparent du concile, déjà si chargées de travaux à finir, s'obèrent de jour en jour davantage. Deux grosses surcharges nouvelles m'arrivent durant ces jours même :

1°) On me demande de passer un *Ad gradus*[1] et le P. Provincial propose les 13-16 septembre, moment où le P. Général sera à l'Arbresle avec les Provinciaux français. Où trouverai-je les semaines nécessaires pour un minimum de préparation, ou même la possibilité de consacrer trois ou quatre jours à ce voyage ?

2°) Plus important. Je reçois aux Voirons une invitation du cardinal Suenens à travailler, avec une petite équipe, a) à une légère refonte du *De Ecclesia* – b) à un remaniement très sérieux du schéma XVII dans le sens que j'avais moi-même suggéré en mai. VOIR DOSSIER SPÉCIAL SUR CETTE QUESTION. C'est une grosse et importante affaire. Mais le temps !!!

J'ai été très ennuyé ces jours-ci. Assailli de demandes du centre hollandais de Documentation sur le concile[2], j'ai fini par lui envoyer, sans même prendre le temps d'y joindre une lettre, les deux textes critiques que j'ai rédigés sur le *De Revelatione* et le *De Ecclesia*[3]. Or un mot de Mgr Gouet, reçu le 12.8, me fait me souvenir de ce que j'avais totalement oublié (et de très bonne foi), à savoir que le DO-C hollandais est plutôt un service de Presse assez large-

1. L'examen « *ad gradus* » est un préalable nécessaire à une éventuelle nomination comme Maître en Théologie de l'Ordre dominicain ; à cause de la Seconde Guerre mondiale, Congar n'avait pas pu passer cet examen prévu en 1940 ; le dernier Chapitre provincial avait souhaité que Congar puisse passer cet examen et le Maître général avait acquiescé.

2. Cf. plus haut, p. 338, n. 1.

3. Textes préparés pour la série des *Études et documents* publiés par le Secrétariat général de l'épiscopat français ; ils sont tous deux datés de juillet 1963.

ment communiqué et diffusé. Je réalise que j'ai commis une grave erreur et une grave faute. Mon texte, qui vise des documents secrets et ne s'adresse qu'aux évêques, est parvenu aux Journalistes, aux professeurs de séminaire, aux Protestants. La Presse va diffuser tout cela. Je serai la cause d'une énorme indiscrétion, d'une publicité que rien ne peut plus rattraper. Quoi faire ? Tâcher de limiter les dégâts. J'écris immédiatement à Amersfoort en ce sens, et aussi au P. Général et au P. Tromp, pour expliquer la chose (CF. LETTRES ICI). Je m'apprête à subir une sanction méritée, qui pourrait aller jusqu'au retrait de la qualité de *peritus*.

Mais d'un autre côté, je retrouve la paix à un niveau religieux. D'une part, je me dis que cette grosse *culpa*[1] sera peut-être, providentiellement, un bien. Peut-être l'opinion, alertée sur la question de la Tradition, fera-t-elle poids d'une façon heureuse contre la réaction des hommes des deux Sources. On verra. Mais surtout, comme dans cette circonstance très difficile d'il y a trois ans, vers le même moment, je m'en remets à la GRÂCE DE DIEU : oui, à une miséricorde gratuite telle que, punis pour nos péchés, nous ne sommes pas détruits, en raison de la Miséricorde de Dieu. Vivre UNIQUEMENT DE LA GRÂCE, sans aucun appui humain sécurisant, voilà à quel statut je me lie. Dieu ne déçoit pas, bien que sa grâce soit souvent déroutante.

19 août 63. – Achevant de dépouiller le courrier et d'ouvrir les paquets arrivés en mon absence. La lettre de DO-C accompagnant l'envoi d'exemplaires me tranquillise : il semble que mes textes n'aient été envoyés QU'AUX ÉVÊQUES, et avec la mention « confidentiel ». J'écris de suite au P. Général et au P. Tromp pour le leur dire. Cela m'enlève un poids de la conscience !!!

21 août 63. – Je viens de voir Mgr Weber. Pas grand-chose. Il me communique le texte de ses remarques sur les schémas, qu'il a déjà envoyé à Rome. Il me fait connaître aussi un papier imprimé que tous les évêques ont reçu : sept pages en latin, signées *« conciliares quidam Periti qui Romae degunt*[2] » et daté de la Saint-Grégoire VII 1963. C'est une liste de points sur lesquels on signale un

1. Faute.
2. « Un certain nombre d'experts conciliaires qui séjournent à Rome. »

affreux péril pour la foi, du fait que se répandent des thèses inspirées par la « théologie nouvelle ». Pour celle-ci, on se réfère principalement à un ouvrage dont j'ignorais l'existence, d'un confrère allemand*, le Père A. H. Maltha, *Die neue Theologie.* Munich, 1960[1]. Il y a des thèses sur la philosophie (connaissance de Dieu), l'ecclésiologie, la théologie classique (rien sur l'œcuménisme...), mais surtout sur l'interprétation des Écritures, l'historicité des Évangiles. C'est donc l'offensive du Latran qui continue, mais sans doute avec des appuis assez larges dans les milieux romains.

25 août 63. – Je vois assez longuement Mgr Elchinger. Il expose d'abord les réactions de Cullmann, qu'il a vu assez longuement à Chamonix. Au point de vue exégétique, Cullmann est surtout préoccupé de faire pièce à Bultmann[2]. C'est contre Bultmann qu'il prépare un nouveau livre : le salut est une histoire[3].

Sur le *De Oecumenismo*, il conteste que la Réforme ait pour raison essentielle une affirmation de la Transcendance de Dieu exclusive de la médiation de l'Église ; elle a été, au nom de l'Écriture, un refus du « plus » que présente l'Église catholique. Il insiste pour qu'on fasse mention des mariages mixtes.

Il énumère les grands points qui, d'après lui, opposent Réforme et Église catholique : Écriture et Tradition ; autorité d'un magistère prétendant être infaillible ;

Mgr Elchinger a été frappé du fait que Cullmann a, sur bien des points importants, une idée très simpliste des positions catholiques. Il découvre pour la première fois certaines choses très élémentaires.

Cullmann est très touché d'avoir reçu une longue lettre autographe du cardinal Montini, fin janvier dernier, et une de Paul VI en réponse à ses félicitations et vœux.

Mgr Elchinger part demain pour Fulda où il va représenter les évêques français à la réunion de l'épiscopat de langue allemande.

---

* En marge du dactylogramme 2 : hollandais ?

1. Andreas Heinrich MALTHA, o.p., *Die neue Theologie*, Munich, 1960 ; il s'agit ici d'une traduction allemande de *De nieuwe theologie. Informatie en orientatie*, Bruges, 1958.
2. Rudolf Bultmann, célèbre exégète et théologien protestant allemand.
3. Voir plus haut, p. 200, n. 1.

Les Allemands ont confié à un Père conciliaire déterminé de proposer un rapport sur l'un des douze schémas dont ils comptent parler à cette réunion. Chaque membre a reçu d'avance le texte du rapporteur, de sorte qu'on pourra aller assez vite. Nous n'avons rien d'approchant en France. Nos évêques n'ont fait que des réunions locales et partielles. Il n'y a aucune organisation d'ensemble et l'aide cherchée auprès des théologiens reste informe et dispersée.

Je lis en particulier les critiques du *De Beata Maria Virgine, Matre Ecclesiae*[1]. Il y en a une de ? – peut-être Rahner, pas toute négative, mais articulant des critiques précises sur « médiation », etc. ; l'autre de Mgr Volk, très négative. Les évêques allemands voudraient rejeter le schéma actuel *De Beata* et que la matière devienne un chapitre ou épilogue du *De Ecclesia*, sous un angle christologique et ecclésiologique, avec le titre *De Maria Matre* {*Christifidelium* / *fidei*}[2].

Le soir, visite du P. Vanhengel[3] qui voyage pour mettre sur pied la revue *Concilium* : un métier effroyable. L'éditeur Brand[4] qui paye bien, le talonne comme pour une affaire commerciale.

31 août 63. – Je vois Mgr Elchinger qui rentre de la réunion de Fulda, assez déçu. Autant le travail préparatoire lui avait paru bon, autant la réunion elle-même a été vide. On n'a examiné que trois schémas, alors qu'il y en avait onze ou douze d'inscrits :

– *De Revelatione* : les évêques allemands semblent réticents à mon désir qu'on parle de la Tradition vivante : le cardinal Alfrink, qui était présent, voudrait REJETER ce schéma : il ne dit rien, n'apporte rien, c'est un texte inutile.

– *De Ecclesia* : les évêques se contenteront de remarques particulières.

– *De Beata Maria Virgine* : Les évêques s'accordent, *nemine contradicente*[5], à vouloir qu'il soit abrégé et inséré dans le *De Ec-*

1. De la Bienheureuse Vierge Marie, Mère de l'Église.
2. De Marie, Mère des fidèles du Christ/de la foi.
3. Marcel Vanhengel, o.p., de la province de Flandre, sera le premier secrétaire général de la revue *Concilium*.
4. Paul Brand.
5. Personne ne faisant d'objections.

clesia, comme un épilogue. Mais, à mon avis, cela supposerait que le schéma soit RÉCRIT dans une autre perspective et un autre esprit : Mgr Elchinger me permet d'écrire à Laurentin à ce sujet, pour qu'il prépare un texte. Le cardinal Döpfner fait son *mea culpa*, car C'EST LUI qui a empêché, il y a un an, que le *De Beata* soit prévu comme chapitre du *De Ecclesia*. Il dit qu'à la commission de coordination (qui se réunit aujourd'hui même), il agira dans le sens de l'insertion ; Mgr Philips, présent (seul non Père conciliaire avec K. Rahner) dit que le cardinal Suenens ne serait pas fâché qu'on remette ce point en question. Les évêques allemands sont d'avis (à l'unanimité moins 6 voix) qu'on ne doit pas parler de corédemption, et ils veulent que, si l'on parle de médiation, on explique que c'est avec et dans l'Église, à la tête de l'Église, non entre l'Église et le Christ.

Mgr Elchinger me dit (ce doit être dans les journaux) que Paul VI a nommé trois nouveaux présidents. Il y en aura donc treize et on n'aura pas de légat, comme je craignais que cela n'arrive. Ce sont les cardinaux Siri, Wyszyński, Meyer (Chicago). Je me demande si la nomination de Siri n'est pas à lier au fait qu'au conclave il aurait eu pas mal de voix et aurait (?) demandé à ses électeurs, au 3e ou 4e scrutin, de reporter leur vote sur le nom de Montini ?

Le cardinal Döpfner a dit à Mgr Elchinger que Paul VI aurait voulu renvoyer le concile à 1964, avec un règlement modifié. On lui a représenté que ce serait très mal interprété dans le monde.

Les évêques allemands sont d'avis de ne pas commencer par le *De Revelatione*. Ils estiment que ce schéma soulèvera des questions difficiles et qu'il vaut mieux que le concile se soit de nouveau rodé : on commencerait par le *De Ecclesia*. À quoi le cardinal Alfrink répond : il soulèvera autant de questions...

Je saurai la suite à Malines.

Jeudi 5 septembre 1963. – Train pour Genève. Reçu – mieux : accueilli – chez les PP. Jésuites de *Choisir* (P. Nicod[1], puis, quand il rentre de Montréal et USA, P. Bréchet).

Le soir, ma conférence aux Rencontres internationales[2], dans

1. Jean Nicod, s.j., de la rédaction de *Choisir*, revue des jésuites suisses.
2. Congar participa aux XVIIIes Rencontres Internationales de Genève ; voir

Salle de la Réformation : salle triste, auditoire peu important. Mais QUI y a-t-il ? Je ne sais. Il faudrait le savoir pour apprécier l'intérêt de ces manifestations et de ma présence ou participation en celles-ci.

Vendredi 6 septembre. – Le matin, petite conférence avec les PP. Taymans[1] et Nicod, puis avec le Pr. Widmer[2] et Rist[3] (thèse sur la théologie monastique).

Déjeuner chez M. Martin[4], président des Rencontres, avec leur fondateur M. Babel[5] (nom prédestiné !), le secrétaire M. Mueller[6], les Pasteurs Marchal[7] et *[ ]*

À 14 h 30, petite conférence avec un groupe de pasteurs venu pour cela de Lausanne (Bonnard[8], Morel[9], Paquier[10] et deux ou trois autres, plus Bavaud[11] et *[ ]*).

À 16 h 30, préparation de l'échange qui va suivre. Je prends une

---

Dialogue ou Violence ? Textes des conférences et des entretiens organisés par les Rencontres internationales de Genève 1963, Éditions de la Baconnière, Neuchâtel, 1963 ; voir en particulier la conférence de Congar, « Le dialogue, loi du travail œcuménique, structure de l'intelligence humaine », p. 37-54 ; elle est reprise dans Yves M.-J. CONGAR, *Chrétiens en dialogue. Contributions catholiques à l'Œcuménisme*, coll. « Unam Sanctam » 50, Cerf, 1964, p. 1-17.

1. Georges Taymans.

2. Le pasteur Gabriel-Philippe Widmer est professeur de théologie à la faculté de théologie protestante de l'Université de Genève et collabore à la *Revue de théologie et de philosophie.*

3. Gilbert Rist prépare une thèse de licence à la faculté de théologie protestante, sous la direction de Gabriel-Philippe Widmer, et dont le titre sera « Objet et méthode de la théologie d'après saint Anselme, Abélard, saint Bernard, saint Thomas, Calvin et Karl Barth » ; il a consulté Congar à son sujet l'année précédente.

4. Victor Martin, professeur honoraire de l'Université de Genève, est vice-président des Rencontres.

5. Antony Babel, professeur de sociologie à l'Université de Genève.

6. Fernand-Lucien Mueller.

7. Georges Marchal, professeur à la faculté de théologie protestante de Paris.

8. L'exégète Pierre Bonnard.

9. B. Morel.

10. Richard Paquier, fondateur du Mouvement « Église et Liturgie » qui regroupe des pasteurs ouverts à un rapprochement œcuménique avec les catholiques, notamment à travers la recherche liturgique.

11. Le chanoine Georges Bavaud enseigne la dogmatique au Séminaire de

idée des hommes qu'on RENCONTRE ici. Il y a des bavards (G. Gurvitch[1]), mais des gens intéressants. Pour quelques-uns, c'est l'occasion d'exprimer de vraies questions qui les tracassent. Pour d'autres, c'est une tribune simplement : ils prennent l'occasion d'exprimer leurs idées personnelles, parfois sur des questions qui n'ont pas de rapport avec le thème dont il s'agit. Plusieurs interventions sont des contestations partant d'horizons fort éloignés et, par exemple, d'un antidogmatisme de principe.

Tout cela revient à la séance de dialogue (17 h-19 h 20), à laquelle assistent environ cent quarante personnes. Je n'y ai l'occasion que d'une seule mise au point.

Dîner chez les PP. Jésuites avec les PP. Cottier et J. de la Croix Kaelin[2] : deux beaux types de frères prêcheurs, cultivés, ouverts, intelligents.

Le soir, conférence du Bâtonnier Thorp[3].

Samedi 7 septembre 63. – Avion à 5 h 55 : un Boeing, beaucoup plus gros et plus puissant que la caravelle : cinquante-cinq minutes pour arriver à Bruxelles, par-dessus une mer de nuages floconneux qui recouvrent Nancy, Metz et le Luxembourg. On devait m'attendre à l'aérogare. Il n'y a personne : je finis par téléphoner à l'archevêché de Malines. Il y a eu maldonne : on est venu me chercher hier soir et on m'a attendu une partie de la nuit !...

Finalement, il me faut plus de temps pour avoir la voiture de Malines que pour aller de Genève à Bruxelles.

Malines : au Grand Séminaire.

Réunion à l'archevêché à 10 h : peut-être la salle des « Conversations[4] » !

Participent à cette réunion : Mgr Cerfaux, Philips, Prignon,

Fribourg ; il participe au mouvement œcuménique et Congar a déjà eu l'occasion de le rencontrer.

1. Le sociologue Georges Gurvitch enseigne à la Sorbonne.

2. Jean de la Croix Kaelin, o.p., de la province de Suisse, aumônier des étudiants à Genève.

3. L'avocat René-William Thorp est ancien bâtonnier du Barreau de Paris.

4. Cf. plus haut, p. 294, n. 3.

Mgr Ceuppens[1] (vicaire général représentant le cardinal et nous recevant), chanoine Thils, Dondeyne[2], Ph. Delhaye, Moeller, P. Tucci, Rahner, B. Rigaux[3], moi. On est très à l'aise, on peut travailler efficacement.

Sur le concile, j'apprends peu de choses. Qu'il y a trois nouveaux membres de la Commission de coordination : cardinaux Roberti, Lercaro, Agagianian. Le P. Tucci dit au sujet du texte (préparé par le Secrétariat) sur la liberté religieuse, dont je réclame à nouveau l'insertion dans le schéma XVII, que certains cardinaux, en particulier le cardinal Cicognani, Secrétaire d'État, sont opposés à son insertion et même à ce qu'il soit présenté au concile : car, disent-ils, il diviserait le concile. Il semble donc qu'il faudra se contenter de dire un mot en ce sens, sans présenter un texte particulier.

Le matin, de 10 à 13 h, on achève ce qui a été commencé hier : les remarques sur le *De Ecclesia* et sur la constitution du nouveau chapitre *De populo Dei*[4]. Après un repas plus que correct, de 15 à 18 h, on discute sur la rédaction du nouveau chapitre demandé pour le schéma XVII : chacun présente son idée sur ce que devrait contenir ce chapitre. Enfin, Mgr Philips pense résumer l'ensemble des propositions en quatre chapitres : 1) la Mission de l'Église ; 2) le Monde : a) en soi ; b) moderne) ; 3) la présence de l'Église au monde : principes généraux ; 4) la présence de l'Église au monde : applications. Après diverses hypothèses sur la meilleure façon de poursuivre le travail, on conclut que chacun va, d'ici demain 15 h, rédiger en latin des suggestions et propositions sur ce qu'il croit devoir dire dans ces quatre chapitres.

Après un dîner, chacun se retire. Nous essayons de travailler en groupe, le P. Tucci, Ch. Moeller et moi-même, dans ma chambre du Grand Séminaire, mais cela ne va pas. D'abord, on est fatigué.

---

1. René Ceuppens.

2. Albert Dondeyne, prêtre du diocèse de Bruges, enseigne à l'Institut supérieur de philosophie de Louvain et travaille sur les rapports entre la pensée contemporaine et la Foi chrétienne.

3. Beda Rigaux, o.f.m., exégète, enseigne à l'Institut des sciences religieuses de l'Université de Louvain ; il est expert du Concile à partir de la deuxième session.

4. Du peuple de Dieu.

Ensuite, le travail de rédaction à plusieurs ne va pas : chacun compte sur l'autre, on perd du temps, on patine. Finalement, chacun rédige son affaire, on commence, on essaie.

Finalement, le ***dimanche 8 septembre***, à 15 h – ou plutôt à 16 h, car Mgr Philips a été retardé, on apporte le fruit de ses *cogitationes*[1]. Chacun lit ou résume son papier. Je n'ai pas tout à fait fini un projet couvrant l'ensemble. Certains, en particulier le chanoine Dondeyne, ne voient pas assez, à mon avis, qu'il s'agit d'une Constitution dogmatique, et proposent des vues intéressantes sur le monde moderne, mais qui seraient une matière d'article ou de conférence.

Je soutiens que les ch. 3 et 4 prévus par Mgr Philips doivent être fondus en un seul (ce qui semble s'imposer à tous) et qu'il est impossible d'assumer dans un nouveau chapitre, unique, la question de la présence de l'Église au monde *et* la substance de l'ancien ch. I du schéma XVII : celui-ci, à mon avis, un peu allégé, devra être gardé à part comme anthropologie chrétienne.

Finalement, Mgr Philips, ayant reçu les papiers mis au net, tâchera de rédiger un texte en tenant compte de tout, et nous le présentera à une réunion prévue pour le mardi 17 à Malines : le cardinal Suenens y prendra sans doute part.

15 septembre 1963 soir. – Je rentre de l'Arbresle où j'ai passé mon *gradus*[2] hier. Le P. Général sans doute à l'instigation du P. Provincial et du P. Hamer – a voulu me faire une gentillesse. La façon dont les choses se sont passées leur a même donné l'allure d'un témoignage public et solennel. Le Père Général a fait, en français, un discours qui est un éloge sans réticence de mon œuvre et de ma personne. Il n'y a pas dit, il ne m'a même pas dit à moi-même ce qu'il a dit au P. Kopf et qui a pour moi intérêt et valeur : le P. Général a vu récemment le pape Paul VI et celui-ci lui a dit spontanément qu'il avait pour moi une très grande estime, qu'il m'avait lu et me connaissait.

Comme le P. Général, profitant de cette conversation, demandait

1. Réflexions.
2. Cf. p. 388, n. 1.

au pape ce qu'il pense du P. Chenu, Paul VI a répondu : « Je le connais moins bien. »

Ce 18 septembre. – À Strasbourg, je recopie les notes prises hier 17 à Malines.

Nous y avions la réunion destinée à discuter le texte latin préparé par Mgr Philips pour le schéma XVII, sur les indications de notre réunion des 7-8 septembre. Deux voyages de nuit ; j'ai peine à mettre un pied devant l'autre et à tenir une plume.

Étaient présents : Mgr Philips, Prignon, Cerfaux ; Ch. Moeller, Delhaye ; PP. Rigaux, Tucci et Congar.

Le cardinal Suenens nous donne d'abord quelques nouvelles. Il est en clergyman gris foncé, sans le moindre insigne, ni collar rouge, pas même un anneau. On bavarde d'abord un moment. Je lui parle du livre de R. Laurentin, *La question mariale*[1]. Je lui dis mon sentiment : il y a discussion sur tous les points de théologie sur lesquels les *zelanti*[2] de la mariologie voudraient « ajouter de nouveaux fleurons » à la couronne de Marie. Cette théologie majorante est peu saine. IL VAUDRAIT BEAUCOUP MIEUX NE RIEN FAIRE.

Le cardinal nous dit que Jean XXIII avait déjà l'idée d'un petit *Brain Trust* qui dirigerait le concile. Il en cherchait la formule et l'institution, d'abord, d'une commission des Affaires extraordinaires, puis de la commission de Coordination, voulait aller dans ce sens. Cependant, Jean XXIII avait préféré laisser le concile lui-même courir librement sa chance. Jean XXIII avait demandé au cardinal Suenens un plan pour l'*ordo tractandorum*[3] du concile, et d'abord un plan *NÉGATIF* : ce qui serait à exclure. Il s'était déclaré entièrement d'accord avec les propositions du cardinal Suenens se résumant ainsi : faire un examen de conscience sur la Parole du Seigneur : *Euntes*[4] (la mission de l'Église au monde), etc., terme à terme... Le pape avait lui-même repris ces idées dans un discours. Jean XXIII avait désigné au cardinal Suenens quelques cardinaux avec lesquels il désirait qu'il entrât en rapports, dont le cardinal Montini. C'est

---

1. René LAURENTIN, *La Question mariale*, Paris, Seuil, 1963.
2. Ceux qui font de l'excès de zèle.
3. Ordre des questions à traiter.
4. Allez (Mt 28, 19).

ainsi que Suenens et Montini étaient intervenus sur la fin de la première session, après s'être mis d'accord et avoir soumis leur texte au pape. Celui-ci avait approuvé les deux interventions et ajouté, dans celle du cardinal Suenens, un passage d'éloge de Pie XII.

Maintenant, le cardinal Suenens est nommé, avec les cardinaux Döpfner, Lercaro et Agagianian, membre d'un groupe de quatre cardinaux qui, à l'intérieur de la Présidence, devront diriger le travail du concile quant à son contenu et son ordre INTERNES. Le cardinal n'a pas encore le texte de la lettre du Pape les instituant, mais il nous lit celle du cardinal Cicognani l'annonçant : cette lettre emploie le mot *moderatores*[1] qui, en latin, a un sens fort et tout positif. Il y est parlé, sans autre précision, de « diriger LES ASSEMBLÉES du concile, avec mandat exécutif ». C'est donc un quasi-pouvoir de légat, mais sans qu'il y ait légat, c'est-à-dire main du Pape partout, et engagement de son autorité. C'est beaucoup plus souple, PLUS CONCILIAIRE.

Le cardinal nous dit qu'on commencera par le *De Ecclesia.* Le texte du schéma XVII que nous préparons est un premier projet qui sera envoyé à la commission mixte (théologie et laïcs).

Il nous demande de lui remettre, avant ou pendant la session, toutes les observations, corrections ou suggestions que nous voudrons. Il nous dit que Paul VI lui a dit son propos de faire venir, non seulement des laïcs, mais des femmes au concile. J'insiste beaucoup sur la grande importance de ce fait.

Quant à notre travail, que nous achevons à 19 h, il est assez bon. Mgr Philips a un art inouï pour tout intégrer dans un texte. Ce texte est très dense : souvent, une idée importante est insérée seulement par l'adjonction d'*UN MOT* : par exemple, l'idée de Seigneurie du Christ par l'adjonction du mot *Dominus*[2]. Cela donne malheureusement aussi un texte assez pâle, où les idées maîtresses et vraiment décisives sont un peu noyées et couvertes de grisaille. Mais nul autre que Mgr Philips n'aurait pu ni ne pourrait faire le travail...

Le soir, nous dînons à cinq ou six avec le cardinal. Nous parlons en particulier du chapitre sur la liberté religieuse, du pour et du

1. Modérateurs.
2. Seigneur.

contre de son insertion soit dans le *De oecumenismo*, soit dans le schéma XVII.

Schéma XVII, pour : ce serait sa place normale : présence des chrétiens dans un monde divisé. Contre : cela n'aurait pas toute l'autorité du concile, puisque ce serait l'acte de commissions du concile seulement. Ce fait, d'ailleurs, aurait peut-être l'avantage d'apaiser les discussions très vives que ne manquera pas de susciter ce texte.

De oecumenismo : Pour : cela serait un texte conciliaire ; le secrétariat pourrait sans doute le présenter sans le soumettre auparavant à la Commission théologique (??). Contre : cela lierait cette question plus générale à la cause particulière de l'œcuménisme, ce qui n'est pas le présenter sous une lumière adéquate ; cela risquerait de mettre les autres religions (Bouddhisme, Islam, Judaïsme) sur le même plan que les Communions chrétiennes : ce contre quoi Bishop Newbigin[1] mettait le chanoine Moeller en garde à Montréal.

Je suis nettement partisan de l'insertion dans le schéma XVII.

En attendant, on souligne l'utilité qu'il y a à énoncer brièvement partout où la chose vient convenablement, le principe de la liberté religieuse. Comme cela, s'il n'y a pas de chapitre spécial, ou s'il est rejeté ou trop affaibli, on aura toujours l'essentiel.

Le cardinal Suenens est très ouvert aux suggestions qu'on lui fait. C'est un homme positif, bien organisé, présent à ses interlocuteurs. Il nous redit un mot des femmes au concile et des religieuses, qu'il faut LIBÉRER. Il cite un cas de sa ville épiscopale : une communauté où, quand un homme entre dans la clôture, le plombier par exemple, on le fait précéder par une sœur sonnant une clochette, comme on faisait pour les lépreux au Moyen Âge !

Ma jambe et ma main vont très mal ; j'ai mis plus d'une heure à écrire, très difficilement, ces deux pages et demie. Quoi faire ? On n'a pas de diagnostic et je n'ai aucun remède spécifique.

J'envoie remarques supplémentaires à Mgr Philips.

---

1. Leslie Newbigin, théologien, missiologue et œcuméniste d'origine britannique, est évêque de l'Église unie de l'Inde du Sud, après avoir participé à sa création, et travaille au sein du COE depuis sa fondation.

Rome, 29 septembre 1963, 18 h. – Vais-je avoir la force de faire ce journal ? Je suis mort, je peux à peine remuer ma jambe et (lentement) conduire ma main.

Départ de Strasbourg jeudi 26.9 à 16 h 20 : conduit avec ma cantine par le P. Courbaud[1]. On couche chez sa mère, à Vitrey (Jura), où l'on arrive à 21 h 15. Le lendemain, arrivée à Dijon, couvent, à 7 h 50 : problème de caser les pesants bagages de quatre théologiens dans l'Opel prêtée au P. Féret.

Départ à 8 h 15. Dans l'Ain et ces régions, sommes déviés plusieurs fois par la police : le Général de Gaulle visite ces pays et va passer par ces routes. Cela nous fait perdre plus d'une heure et passer par Aix-les-Bains.

Mont-Cenis, après déjeuner à Montmélian. Grande difficulté de nous repérer dans Turin et de quitter cette grande ville par des routes encombrées de poids lourds : ceux-ci obligent à baisser beaucoup notre moyenne-horaire.

Coucher à Asti. Toute la nuit, les poids lourds passant dans la rue voisine. Tout au long de la route et aux repas, nous parlons avec le P. Féret et les PP. Le Guillou et Dupuy du concile, des schémas...

Samedi 28 septembre. – Départ à 6 h 50, par une route encore encombrée et surtout avec un brouillard si dense qu'on ne voit pas à plus de trente mètres et qu'on hésite à doubler les camions, les bagages alourdissant beaucoup notre voiture. Après Plaisance, non seulement le brouillard a disparu, mais nous trouvons l'autostrade du Soleil. C'est un extraordinaire travail. Entre Bologne et Florence, on traverse les Apennins, mais il n'y a pour ainsi dire plus ni montagnes ni vallées ; on passe d'un bord à l'autre des vallées par des viaducs, d'un versant à l'autre des collines par des tunnels, au milieu d'un paysage respecté.

Déjeuner en l'un des nombreux restaurants installés le long de la route, peu avant Florence.

Après, autostrade Florence-Mer, puis Livourne. Route souvent très sinueuse, également très encombrée de poids lourds.

---

1. François Courbaud, o.p., de la province de France.

Arrivée à Rome par la via Aurelia vers 8 h 30 ; nous perdons trois bons quarts d'heure à trouver la via Ulisse Seni, où logent les PP. Le Guillou et Dupuy, puis de nouveau trois grands quarts d'heure à trouver la via Romania, où doit loger le P. Féret. Je renonce à me faire conduire à l'Angélique : je coucherai à l'Institut Saint-Thomas de Villeneuve, où le P. Féret descend avec NNSS Flusin, Boillon, Schmitt et Elchinger. C'est un coup de 23 h. Le P. Féret qui conduit depuis le matin et tournicote dans Rome depuis deux heures, n'en peut plus.

Dimanche 29 septembre 63. – Messe à 6 heures. On part vers 8 h ou peu avant pour Saint-Pierre. On y est à 8 h 15. Je retrouve la basilique disposée comme l'an dernier, merveilleusement adaptée à son rôle d'*aula*[1] conciliaire. Je retrouve bien des visages, mais aussi quelques nouveaux, par exemple, le P. Courtney*[2].

Longue attente très épuisante de près de deux heures, sous des projecteurs qui nous brûlent les yeux. Les évêques sont entrés individuellement, en chape et mitre, et prennent place. Seulement vers 10 h on entend, d'abord au loin, puis se rapprochant, les chants de la Sixtine. Le pape va faire son entrée. C'est, avant lui, celle de sa cour : Suisses et hallebardes, cardinaux en ornements sacerdotaux (ou diaconaux), coiffés d'une très haute mitre, prélats en violet et en rouge, camériers en habits du XVIe s., les porte-insignes (la tiare et la mitre du pape), enfin le pape, encadré d'un diacre et d'un sous-diacre, avec des porte-*flabella*[3]. Le pape porte la mitre précieuse ; il entre à pied ; à mesure qu'il avance dans la nef, les travées entre lesquelles il passe applaudissent, ce qui me scandalise fort. Applaudissements assez maigres des travées des jeunes évêques, beaucoup plus fournis des travées des archevêques.

Je ne peux pas ne pas interpréter ecclésiologiquement la structure

1. Salle de réunion.

*2. En marge du dact. 2 : Murray. John Courtney Murray, s.j., professeur de théologie à Woodstock College (Maryland) et rédacteur en chef des *Theological Studies* ; il avait été réduit au silence par Rome en 1955 à la suite de ses prises de position en faveur de la liberté religieuse ; expert privé du cardinal Spellman, il est nommé expert du Concile en 1963.

3. Grands éventails portés autour du pape dans ses déplacements solennels.

même de la cérémonie : entre deux haies d'évêques muets et spectateurs, la cour pontificale passe, costumée comme au XVIe s., précédant un pape qui apparaît ainsi, à la fois comme souverain de type temporel et comme hiérarque AU-DESSUS, seulement au-dessus.

La Sixtine roucoule ; les Pères reprennent une ou deux strophes de l'*Ave Maris Stella.* L'Église gardera-t-elle CE visage ? CETTE visibilité-là ? Continuera-t-elle longtemps à donner CE signe-LÀ ? Il me semble évident, à ce moment, que l'Évangile EST en elle, mais captif.

Paul VI entonne le *Veni Creator.* L'Église retrouve sa voix, une voix des grandes eaux, pour implorer. Quand, ensuite, le pape alterne les versets avec le chœur des évêques, c'est Pierre qui prie avec les Douze. Ce n'est plus le prince temporel du XVIe siècle.

Les évêques ont demandé de chanter l'ordinaire de la Messe. La Sixtine roucoule un *Kyrie* et roucoulera un *Agnus Dei,* non sans mettre en valeur d'admirables voix ; mais les évêques chantent le *Gloria*, le *Credo*, le *Sanctus.* On chante avec eux de tout son cœur, pour autant du moins qu'on en a la force. Ainsi alternent, dans les chants comme dans toute la cérémonie, la vérité de l'*Ecclesia* et des manières de la Renaissance.

Le cardinal Tisserant célèbre : mal et sans onction.

Après la Messe, le pape émet sa profession de foi : le *Credo* et la Profession de foi du Concile de Trente. De nouveau c'est Pierre qui apparaît et qui confesse le Christ. Après lui, chaque ordre, par un de ses représentants ; puis Mgr Felici lit lentement les mêmes textes pour ceux qui n'auraient pas encore fait leur profession de foi.

Alors le pape, assis sur son trône entre un diacre (cardinal Ottaviani) et un sous-diacre, mitre en tête, lit son discours[1]. Les évêques ont aussi la mitre en tête. Discours très long, très structuré, lu, par moments, avec une émotion vive et éloquente. Le pape, nettement, souligne le rôle des évêques, qu'il appelle « *fratres in episcopatu*[2] » et dont il dit qu'ils sont les héritiers du collège apostolique. Il dit vouloir prier, étudier, discuter AVEC EUX, pendant le concile. Il ne

1. Cf. *AS* II/I, 183-200 ; traduction française : *La Documentation Catholique,* 1963, col. 1345-1361.

2. Frères dans l'épiscopat.

donnera une encyclique que plus tard : son présent discours indique son programme.

Il se réfère au discours de Jean XXIII le 8 octobre dernier. Pendant tout un temps, il s'adresse directement à Jean XXIII, le rendant ainsi présent. Il souligne l'utilité des conciles, dont certains ont pu naguère douter, comme si le pouvoir papal suffisait ! Il souligne aussi le caractère PASTORAL du concile actuel. Il ne s'agit pas de GARDER seulement...

Quelle voie prendre ? De quoi partir ? Où aller ?

À ces questions essentielles, il y a une seule réponse : Jésus-Christ. C'est lui qui est notre principe, notre voie et notre fin. Le pape l'affirme et le développe avec une force et une intensité d'émotion très grandes. Le Christ principe de tout. Le pape rappelle la mosaïque de saint Paul-hors-les-murs où Honorius III s'est fait représenter tout petit, humblement prosterné devant le Christ...

Le Christ-fin. Cela doit éclairer la fin du concile, qui est :

1°) De préciser la notion de l'Église : que dit-elle d'elle-même ?

Le pape, qui développe assez longuement et avec beaucoup de force chacun des quatre points, insiste ici sur corps mystique et société.

2°) La rénovation de l'Église, dont Paul VI prend la nécessité du rapport que l'Église a avec le Christ : réalité historique et humaine, elle n'est jamais parfaitement ce que le Christ requiert qu'elle soit.

3°) La réintégration de tous les chrétiens dans l'unité. Paul VI parle ici à la fois avec force, avec précision, avec émotion. Ses expressions sont choisies. À plusieurs reprises revient l'expression : « les vénérables communautés chrétiennes » pour les Autres... Il admet que les Autres ont parfois heureusement développé ce qu'ils ont reçu du christianisme. S'il y a de notre part quelque faute, il en demande pardon ; nous-même pardonnons.

4°) Dialogue avec le monde. Paul VI évoque le Message au Monde, où il voit un témoignage du prophétisme de l'Église...

Il met le rapport de l'Église avec le monde, avec ceux qui sont près et avec ceux qui sont loin, sous le signe de l'amour UNIVERSEL *DU CHRIST*.

C'est dans ce paragraphe qu'il place un mot sur les martyrs des pays où sévit la persécution.

Discours très vigoureux, très structuré, qui donne des directives précises pour le travail du concile.

Cela finit à 13 h.

Déjeuner à Saint-Thomas-de-Villeneuve, avec les quatre évêques français qui y sont (il y a aussi les évêques yougoslaves : Mgr Franić et des évêques USA).

J'apprends qu'hier, à la réunion des évêques français, on a décidé :

1°) Qui pourrait prendre part à la réunion de chaque mercredi : PAS les théologiens, sauf s'ils sont invités comme conférenciers.

2°) De constituer une commission qui organiserait et modérerait le travail des évêques[1]. Elle est composée de NNSS. Marty, Gouyon[2], Ancel, Guyot, Maziers, de Provenchères, Elchinger, Le Cordier.

3°) De désigner un évêque pour les relations avec chacun des autres épiscopats.

4°) Il y a eu, avant le concile, à Florence, une réunion entre quelques évêques français (cardinal Lefebvre, Mgr Garrone, Marty[3]...) et cinq évêques italiens (en fait quatre seulement[4]) MANDATÉS PAR LA CONFÉRENCE DES ÉVÊQUES ITALIENS. Ils ont été tous d'accord pour demander que le *De Revelatione* soit intégré dans le *De Ecclesia*. Ils ont adressé un papier en ce sens à la Présidence du concile. – D'autre part, m'a dit l'abbé Haubtmann[5], les évêques français sont

1. Il s'agit du Comité des Réunions des Évêques Français (CREF), dont Marty est élu président.

2. Paul Gouyon, coadjuteur de Rennes, puis archevêque de Rennes en septembre 1964.

3. Ainsi qu'Ancel et Veuillot.

4. Florit, Baldassari, archevêque de Ravenne, Calabria et Carli.

5. Pierre Haubtmann, du diocèse de Grenoble ; spécialiste des questions sociales et ancien aumônier national de l'ACO (Action Catholique Ouvrière), il enseigne à l'Institut d'Études Sociales de l'Institut Catholique de Paris et il est directeur national du Secrétariat pour l'opinion publique ainsi que directeur adjoint du Secrétariat général de l'épiscopat français ; lors de la deuxième session, il est appelé par les évêques de France à assurer chaque jour une conférence de presse en français sur les travaux de l'assemblée conciliaire ; nommé expert du Concile à partir de cette deuxième session, il va devenir une des chevilles ouvrières de la Constitution *Gaudium et Spes* ; il deviendra recteur de l'Institut Catholique de Paris en 1966.

très largement d'accord pour que le *De beata Virgine Maria* soit aussi intégré au *De Ecclesia*, ainsi que le *De Revelatione.*

C'est seulement à 16 h 30 que le P. Féret me conduit à l'Angélique, avec mon bagage. Je peux à peine tenir debout.

Le P. Gagnebet me dit que, de décision du Pape, le *De Revelatione* ne sera pas pour cette session-ci. Le programme a été fixé : on examinera cinq schémas : *De Ecclesia*, *De Beata Virgine Maria*, *De oecumenismo*, *De Apostolatu laicorum*, *De regimine Dioecesium.*

Lundi 30 septembre 1963 (écrit à Saint-Pierre). – Après difficultés de bus (archicombles !), arrive bien fatigué à Saint-Pierre. Je retrouve tout de suite l'atmosphère des congrégations générales et rencontre bien des connaissances. Je vais saluer les observateurs, sans en omettre un seul. Ils sont beaucoup plus nombreux qu'à la première session : le plus grand nombre en pantalons, avec, me semble-t-il, une proportion plus grande que dans l'*aula* conciliaire, d'hommes d'Asie et de l'Amérique anglo-saxonne. J'ai, comme l'an dernier, les larmes aux yeux. Quel événement ! Que Dieu a agi dans le monde !

On ne commence qu'à 9 h 20, car les places des évêques ont été changées en raison des décès et des nominations et les évêques doivent reconnaître leur place.

Messe en rite ambrosien par Mgr Colombo[1], nouvel archevêque de Milan. On a eu beau demander aux Pères de répondre lentement, en mettant des intervalles entre les phrases : le célébrant entraîne tout le monde à son rythme. C'est encore pire avec le cardinal Tisserant quand il récite l'*Adsumus* à toute vitesse : c'est pitoyable.

Mgr Felici[2] explique d'abord les changements intervenus dans le règlement.

Ces changements favorisent la DISCUSSION proprement dite, l'affrontement et l'expression des opinions. Certains sont importants : on verra à l'usage. Il y a quelque contradiction à favoriser la dis-

1. Giovanni Colombo, précédemment évêque auxiliaire de Milan. Il est membre de la Commission des séminaires, des études et de l'éducation catholique. Il sera créé cardinal en février 1965.

2. *AS* II/I, 205-209.

cussion d'un côté et à exiger qu'on remette le texte ou un résumé précis trois jours avant de le prononcer !!!

On ne nommera plus d'experts conciliaires[1].

On répète différents avertissements en différentes langues. Pendant ce temps, je vais au bar ; je vois Mgr Prignon qui me raconte :

1°) Certains, dont le cardinal Antoniutti, critiquent le ch. 4 *De religiosis* et proposent qu'on n'y garde que ce qui concerne les religieux et qu'on renvoie au ch. II *De Populo Dei* ce qui concerne l'appel de tous à la sainteté.

2°) Le cardinal Browne, comme *relator*, présentera le schéma tel qu'il est, mais il garde son idée sur la collégialité : qui dit COLLÈGE dit membres égaux (cf. Petit Larousse). Ce n'est pas possible.

Il tient la thèse de la Curie selon laquelle toute autorité des évêques s'étendant au-delà des limites de leur diocèse n'est qu'une participation au pouvoir universel du pape, SEUL UNIVERSEL.

S'il s'agit du discours du Saint-Père sur la réforme de la Curie, le cardinal Browne tient que des évêques ne peuvent être appelés à participer au gouvernement de l'Église universelle, que par une pure FAVEUR du pape, de droit ecclésiastique.

Introduction à la discussion du schéma par le cardinal Ottaviani[2] et le cardinal Browne[3] (texte imprimé).

Parlent ensuite :

Cardinal Frings[4] : au nom de 66 Pères d'Allemagne et Pays scandinaves. Le schéma plaît en général, dit pourquoi.

On pourrait insister sur l'Église *Ursakrament*[5], mieux marquer le lien avec le peuple de l'AT, mieux marquer la mission de l'Église comme procédant de la nature même de l'Église.

On pourrait énoncer quelque chose sur les fautes (au point de vue œcuménique).

---

1. Ce ne sera pas le cas.
2. *AS* II/I, 337.
3. *AS* II/I, 339-342.
4. *AS* II/I, 343-345.
5. Sacrement primordial (O. Semmelroth avait mis en valeur cette expression pour décrire l'Église).

On pourrait penser que le texte ne précise pas QUI est membre du Corps mystique, mais on ne peut tirer des textes de saint Paul une doctrine nette à ce sujet, car Paul parle des membres sous l'angle de la diversité des vocations.

Sur le *munus docendi*[1], on parle plus de celui du pape que de celui des évêques.

Insérer le ch. *De Beata* : l'Église céleste est du CM.

Le schéma est un bon point de départ : à perfectionner.

Cardinal Siri[2] : *idem* (= le schéma est un bon point de départ).

Cependant, il faut amender et compléter ; il faut préciser des points ambigus.

Aliqua desunt : progressus non esset si aliqua dicerentur minus praecise quam ante[3].

On peut passer à la discussion des chapitres particuliers.

Patriarche des Arméniens[4] :

1°) On dit bien : suivant la doctrine des conciles antérieurs.

2°) On pourrait être plus précis sur le Corps mystique (cf. Pie XII).

3°) On donne un bon exposé de l'ecclésiologie catholique où les dissidents pourront la connaître.

4°) *Clarior expectatur*[5] sur le lien entre non-catholiques et Église.

5°) On ne parle pas assez de l'INÉGALITÉ DES MEMBRES, par exemple sur l'obligation à l'apostolat.

6°) Reprendre le concile de Trente sur le sacerdoce hiérarchique.

7°) Ce qui est dit de l'apostolat des laïcs peut induire ceux-ci à mépriser leurs pasteurs.

8°) Insister sur la nécessité d'une vie spirituelle intérieure.

---

1. Charge d'enseigner.

2. *AS* II/I, 347.

3. Certaines choses manquent : ce ne serait pas un progrès si d'autres choses étaient dites avec moins de précision qu'antérieurement.

4. Ignace Pierre XVI Batanian, patriarche arménien de Cilicie (Liban), *AS* II/I, 348-349.

5. On attend plus de clarté.

Voilà un chef d'Église uniate !!! où vit-il ? Il ne dit pas mot surtout de la Tradition orientale !

Morcillo[1] (Saragosse) : est à compléter.

Est obscur pour les non-chrétiens.

Demande un tas de choses dont plusieurs sont dans d'autres textes !

On ne dit rien des Patriarches... (BONNES CHOSES).

[?] Leone[2] (italien, archevêque titulaire) :

Je peux à peine écrire !

Si Marie est vraiment *Mater Ecclesiae*[3], pourquoi ne pas en parler dans le schéma *De Ecclesia*.

Qu'on unisse les deux *schemata* ! (c'est à l'examen, dit le président, cardinal Agagianian).

L'orateur développe tous les endroits où l'on n'a pas parlé de Marie et où on pourrait et devrait le faire... PARTOUT !

Florit[4] (Florence) : loue le schéma en général.

Note que c'est la première fois qu'un document du Magistère extraordinaire énonce un certain nombre de points : laïcs, etc.

Il y a pourtant des défauts :

Le titre : *De Ecclesia* CHRISTI[5] – sous l'aspect psychologique, est-il bon de commencer par l'idée d'Église MYSTÈRE ? Il faudrait ajouter aux images celle de Règne de Dieu.

Déclaration de la sacramentalité de l'épiscopat : manque la note théologique.

Sur la collégialité, il y a plus d'assertions que de preuves et de fondements. Et il faudrait d'abord parler du concile œcuménique, qui est la forme la plus haute de la collégialité. Il faudrait reprendre même *ad verbum*[6] la doctrine de Vatican I. Est pour l'incorporation du chapitre de la Révélation dans le *De Ecclesia*.

---

1. *AS* II/I, 350-352.
2. Carlo A. Ferrero di Cavallerleone, *AS* II/I, 353-354.
3. Mère de l'Église.
4. *AS* II/I, 354-357.
5. De l'Église du Christ.
6. À la lettre.

Mgr Thuc[1] (Viêtnam) : le frère du Président ?
Sur l'Église depuis le premier homme.
Se fait rappeler à l'ordre : on verra cela quand on parlera de chaque chapitre...
Alors dit : je salue les observateurs chrétiens non catholiques mais où sont les observateurs des autres religions non chrétiennes ?
J'ai réclamé à la commission de coordination, mais en vain.

Mgr Gargitter[2] (Brixen) :
1°) Qu'on rédige de façon plus organique, à la lumière de L'IDÉE DE PEUPLE DE DIEU ; la hiérarchie elle-même doit sa première dignité au fait qu'elle lui appartient.
2°) Que l'Église soit mieux décrite comme Église de la croix : elle sort du côté du Christ ; par le baptême...
3°) Quand on parle des évêques... (?)
4°) Mieux fonder dogmatiquement l'apostolat des laïcs (le principe lointain est la solidarité de tous les hommes reprise et rendue plus urgente dans le Corps mystique, où tous sont rendus responsables du salut de tous).

Le soir, à 17 h 15, visite du P. Dournes[3] avec Mgr Seitz et Mgr Jacq, du Viêtnam. Ils sont très isolés (avec des évêques de leur pays qui, me disent-ils, ne vivent pas le concile... Ils cherchent quoi faire pour le vivre, pour y être utiles... Au milieu de notre entretien, arrive Laurentin, qui a fait un projet de texte *De beata*, me l'apporte et me demande mon avis.

Vers 19 h 30. J'emmène mes trois amis du Viêtnam à Saint-Thomas de Villeneuve, pour 1°) voir le P. Féret, faire connaissance et recevoir de lui un texte de ses remarques ; 2°) voir Mgr Elchinger, qui, comme membre de la commission organisant le travail des évêques français, pourra nous orienter.

---

1. Pierre M. Ngô-dình-Thuc, archevêque de Hué, membre de la Commission des missions, nommé lors de la première session, *AS* II/I, 358-359.

2. *AS* II/I, 359-361.

3. Jacques Dournes, des Missions étrangères de Paris, est missionnaire au Viêtnam ; il est le secrétaire et l'expert privé de Mgr Seitz, évêque de Kontum, au Concile.

De fait, notre visite est très fructueuse. On voit non seulement Féret et Mgr Elchinger, mais le P. Liégé. Nous tombons en plein travail. En effet, ce petit groupe cogite un *De Ecclesia* rassemblant tout selon la marche même de l'économie ou de l'histoire du salut. D'accord sur les idées, je suis moins sûr qu'il s'agisse vraiment de cela, ou même que cela soit concrètement possible. Par contre, je suis très d'accord avec Mgr Elchinger qui veut intervenir demain et nous lit le texte d'un projet d'intervention, pour souligner les difficultés qu'il y a à ce qu'on vote tout de suite sur l'ensemble du schéma, pour commencer immédiatement la discussion du *Proemium* et du ch. I. En effet, d'un côté, trop de questions sont encore en suspens touchant le contenu du *De Ecclesia.* Plusieurs parlent d'y insérer le *De Revelatione,* ou le *De Beata,* ou un chapitre sur l'Église eschatologique, ou un *De Missione*[1]... Cela pose une question de conception d'ensemble et de plan, sur laquelle on n'est pas au clair.

Le schéma reflète ses origines. Il n'a jamais été conçu comme un *De Ecclesia* ; il n'a même pas été « conçu » du tout en tant qu'ensemble. De sorte qu'on propose d'y ajouter un chapitre ou un autre comme on ajoute des wagons à un embryon de train. Cela demanderait à être « conçu » COMME ENSEMBLE et selon un certain ordre qui aurait, en lui-même, valeur de doctrine.

Sinon, on fera des ajouts, cela ne fera pas vraiment un tout !

Mardi 1er octobre 1963. – Je pars à 7 h 30 pour passer au Séminaire français et voir les évêques, en particulier le cardinal Lefebvre et Mgr Garrone.

J'y trouve aussi le P. Gy, arrivé hier, qui, me dit-il, fait du porte à porte... À Saint-Pierre, je vois Rahner, Küng, Liégé, Daniélou, Mgr Philips, Balić, et aussi de nombreux évêques : Charue, Huyghe, et surtout Mgr Veuillot, avec qui je parle de la question d'un texte sur Israël. On en reparlera.

Aussi Mgr Colombo et Colson. On échange les adresses.

1. De la mission.

Le cardinal Silva[1], Chili, au nom de quarante-quatre évêques de son pays :
Bonne base. Approuve l'idée d'un chapitre sur le peuple de Dieu : qu'on y parle du peuple prophétique, royal et sacerdotal.
Il manque l'aspect de l'Église comme communion d'Églises particulières *(koinônia*[2]*)* : renvoie au texte des Chiliens.
Qu'on ait un chapitre sur l'Église parfaite dans les saints : en Amérique du Sud, on a souvent un culte de la Vierge séparé du mystère du Christ : il est important qu'on parle de la Vierge dans L'ENSEMBLE du mystère chrétien.
Ne pas séparer l'exposé de la référence trinitaire de l'Église de l'exposé des images. Il remet un texte au secrétariat.
(Les évêques du Chili avaient montré le rapport des images de l'Église avec les Trois Personnes trinitaires.)

Cardinal Rugambwa[3] (cardinal noir) : *placet* pour l'amplitude de vision du dessein de Dieu. – Cependant, trois remarques :
1°) La mission n'est pas assez mise en lumière : ÉVANGÉLISATION.
Les formules sont trop statiques : l'Église, ici-bas, est en *fieri*[4].
2°) Montrer cette fonction missionnaire coextensive à *TOUTE* l'Église.
3°) La nature et la vocation du PEUPLE DE DIEU n'est pas assez mise en lumière : le mystère de l'alliance.

Mgr Hermaniuk[5] : *placet propter indolem scripturisticam*[6] et recours aux Pères orientaux ; pour l'insistance sur le caractère collégial de l'épiscopat catholique.
Cependant défauts : 1) silence sur le *regimen*[7] collégial des évêques sur l'Église universelle à exercer sous deux formes :

1. *AS* II/I, 366-367.
2. Communion.
3. *AS* II/I, 368-370.
4. Devenir.
5. *AS* II/I, 370-372.
6. J'approuve en raison du caractère scripturaire.
7. Gouvernement.

le pape comme *caput*[1] ;
le collège comme tel.
Ce pouvoir doit s'exercer sous les deux formes dans TOUTE la vie de l'Église et pas seulement en temps de concile.
Pour un *synodos endèmousa*[2].
2) formules trop abstraites ;
3) expressions telles que *« collegium episcoporum simul cum Papa*[3] *»*, comme si c'étaient deux choses ;
4) trop de *« Romanus Pontifex*[4] *»* : c'est trop « romain ».

Mgr Garrone[5] : à parfaire (au nom de plusieurs évêques français).
1°) Qu'on insère la Vierge dans le *De Ecclesia*.
2°) Que pour définir l'Église, on mette en tête l'idée de Règne de Dieu, ce qui rendrait une dimension eschatologique, laquelle entraîne une vue dynamique missionnaire d'évangélisation (l'Église : instrument du Règne).
3°) Qu'il y ait une déclaration sur la Tradition : cela rendrait plus facile d'aborder bien la question de la Révélation.
4°) Qu'on parle plus de la collégialité.

Mgr Gasbarri[6] (?), auxiliaire *Veliternus* (Italie) : le schéma est plus organique et plus pastoral que le précédent. Il reprend la doctrine de celui-ci.
Attention à ce que cela ne soit pas obscur !
Les rapports entre Église et État sont supprimés. Il FAUDRAIT en parler ici ou dans un autre schéma.

Mgr Elchinger[7] : on a fait des remarques sur l'ordre des matières.
L'unité organique est importante du point de vue pastoral.
Il faudrait parfaire l'unité ORGANIQUE : 1°) Un *proemium* parlant de la Parole de Dieu fondant et convoquant l'Église.
2°) En connexion avec le chapitre du peuple de Dieu, qu'on

1. Tête.
2. Cf. plus haut, p. 116, n. 3.
3. « Le collège épiscopal ensemble avec le pape. »
4. Pontife Romain.
5. *AS* II/I, 374-375.
6. Primo Gasbarri, évêque auxiliaire de Velletri, *AS* II/I, 376-378.
7. *AS* II/I, 378-380.

insère quelque chose sur la tradition vivante. Car l'Église a un rôle actif à l'égard de la Parole de Dieu qui la régit. 3°) Après le chapitre *De vocatione ad sanctitatem*[1], montrer la montée eschatologique de l'Église et ce qu'elle apporte de positif à l'espérance du monde. 4°) Le chapitre *De Beata* : qu'on n'en parle pas dans un chapitre séparé.

Le vote qu'on va demander de nous est-il mûrement éclairé ? (Mais a-t-on bien compris cette conclusion ? Je ne crois pas.)

Mgr Fares[2] (Italie)

Gros rush vers le bar.

Archevêque d'Indonésie[3] au nom des trente et un évêques d'Indonésie : (on me parle et je perds le fil) – Vante l'idée de peuple de Dieu.

Critique : que l'Église parle d'elle-même comme obligée et liée humblement par la Révélation.

L'aspect eschatologique n'est pas assez affirmé.

Le but de glorification du Père n'est pas assez affirmé.

La fonction missionnaire de l'Église n'est pas assez affirmée.

Mgr Felici[4], secrétaire général, rappelle les Pères à leur siège car on votera dans un quart d'heure.

Mgr Joseph[5] ?, évêque titulaire d'Asie ? (prononciation française) Parle des travailleurs qui gèrent maintenant leurs affaires. Se fait rappeler à l'ordre et s'arrête.

Grotti[6] : il y a des répétitions ; on ne voit pas la connexion et l'ordre des parties... ??

Sergio Méndez Arceo[7] (Cuernavaca) : adhère à la demande du cardinal Frings et du cardinal Silva : qu'on y parle de la Vierge et des saints, pour donner fondement et aussi LIMITES

1. De la vocation à la sainteté.
2. *AS* II/I, 380-381.
3. Adrian Djajasepoetra, archevêque de Djakarta, *AS* II/I, 381-383.
4. *AS* II/I, 383.
5. Le Belge Joseph Guffens, s.j., *AS* II/I, 383-384.
6. Giocondo M. Grotti, prélat *nullius* d'Acre et Purús (Brésil), *AS* II/I, 384-385.
7. *AS* II/I, 385.

à la dévotion : dans sa région, il y a un tel culte des Saints que l'unicité de la médiation du Christ...

Cardinal Browne[1], *relator* : la commission considérera tout cela autant que possible.

Felici[2] : on vote : *An schema generatim sumptum placeat*[3], de façon qu'on puisse passer à l'examen des différentes parties. Ce vote porte sur l'approbation des quatre chapitres, étant réservée la possibilité d'y insérer de nouveaux paragraphes.

Longue interruption. Je vois de nombreux évêques au bar ; Mgr Rastouil[4] me tient longtemps avec son idée des caractères sacramentels (un laïc CONFIRMÉ en état de péché mortel peut faire de l'AC comme un prêtre peut consacrer !!!) et du sacerdoce.

Je vois Skydsgaard et Schlink.

Résultats du vote :

Présents : 2 301

Suffrages pour : 2 231

Suffrages contre : 43

Suffrages pas bien exprimés : 24 et 3 *juxta modum*, c'est-à-dire nuls.

À 11 h 50 on commence la discussion du prologue et du ch. I, mais je ne peux tout prendre : je retrouverai tout cela à la commission théologique.

Cardinal Ruffini[5] : attaque l'idée que tous les Apôtres sont fondement.

Attaque l'expression *sacramentum*[6] pour l'Église (utilisée par Tyrrell[7] !)

Critique plusieurs usages de textes bibliques, plusieurs façons de parler.

---

1. *AS* II/I, 387.
2. *AS* II/I, 387-388.
3. Est-ce que le schéma pris dans son ensemble est approuvé.
4. Louis Rastouil, évêque de Limoges.
5. *AS* II/I, 391-394.
6. Sacrement.
7. George Tyrrell (1861-1909), jésuite anglais qui fut exclu de la Compagnie de Jésus et destitué de son enseignement au moment de la crise moderniste.

Critique la distinction relative mise entre Église et Corps Mystique : au nom de *Mystici Corporis* et *Humani Generis.* (Tout cela d'un ton nerveux et quelque peu acrimonieux.)

Mgr Aramburu[1] (Argentine) : sur le nº 5, il faudrait exprimer la vie de communion sociale des chrétiens, sur la base de l'Eucharistie dont l'unité du Corps Mystique est la *res*[2].

15 h 15 : Je reçois un coup de téléphone d'un Père Blanc[3], pour le Secrétariat des évêques africains : pour un texte sur la Mission, à introduire dans le *De Ecclesia.* Je lui donne rendez-vous vers 19 h au Columbus, car je dois y assister à la réunion des observateurs.

À 15 h 30 téléphone du P. Greco[4], secrétaire de l'Épiscopat africain francophone pour une conférence à cet épiscopat sur le *De Ecclesia.* Mais je ne sais pas ce que la Commission théologique me prendra !!

À 16 h 30, réunion des Observateurs au Columbus. On demande aux Observateurs leurs remarques sur le discours du Saint-Père : celui-ci en aura connaissance.

Exposé Thils sur le *De Ecclesia* : assez matériel mais « *sachlich*[5] » et pédagogique. J'admire l'attention des observateurs, qui TRAVAILLENT vraiment.

Cullmann trouve heureuse la division avec introduction du nouveau ch. II, le peuple de Dieu (aspect de l'histoire du salut,
{ du passé
{ eschatologique : temps intermédiaire (déjà et pas encore) ;
cette notion du peuple de Dieu complète l'idée de corps du Christ en exprimant l'idée de vis-à-vis.

1. *AS* II/I, 394-395.
2. L'effet qu'elle produit.
3. On apprend plus bas qu'il s'agit de Xavier Seumois, p.b. ; d'origine belge, il travaille au secrétariat de la Conférence épiscopale du Rwanda et du Burundi et dans la formation catéchétique en Afrique et au Centre « Lumen Vitae » de Bruxelles ; expert du Concile à partir de la deuxième session.
4. Joseph Greco, s.j. ; il sera expert du Concile à partir de la troisième session.
5. Factuel.

Schmemann[1] : le n° 4 sur le Saint-Esprit, qui est le contenu de la vie de l'Église, se prêterait à assumer ce que dit Cullmann sur l'aspect eschatologique. On pourrait développer ce paragraphe dans le sens de la nouvelle création. Car on parle trop du point de vue individuel (dons du Saint-Esprit dans chacun).

Le Professeur Outler[2] : manque la dimension prophétique de l'Église.

Manque l'Église en jugement.

Manque l'Église en processus de se reformer (la relation entre l'être immaculé de l'Église et son être maculé).

Nissiotis[3] : l'Eucharistie comme base de la structure de l'Église locale : la participation réelle au corps du Christ recrée sans cesse l'Église.

Professeur Berkouwer[4] : tout dépendra de ce qu'on mettra dans le chapitre sur le Peuple de Dieu. Le changement prévu est-il purement formel et technique ou bien est-ce une nouvelle ouverture (dans le sens de l'économie), un approfondissement des n°s 8, 9 et 10 ?

Le Dr Horton[5] : à la fin du n° 3 où l'on parle de l'Église comme sacrement : il aime beaucoup cette idée de l'Église-sacrement, qui exprime l'idée de l'action de Dieu dans l'humanité.

Pasteur Roux : que l'idée d'Église comme peuple de Dieu ne soit

---

1. Alexander Schmemann, né en Estonie, formé à la Sorbonne et à l'Institut de théologie orthodoxe Saint-Serge de Paris, est doyen au Saint-Vladimir's Theological Seminary (New York) où il enseigne l'histoire de l'Église et la théologie de la liturgie ; collaborateur du COE depuis sa fondation, il est hôte du Secrétariat pour l'unité.

2. Albert Outler, professeur de théologie à la Southern Methodist University, à Dallas ; Observateur délégué du Conseil mondial des méthodistes.

3. Le théologien laïc Nikos A. Nissiotis, de l'Église orthodoxe grecque, est directeur adjoint, puis directeur de l'Institut œcuménique du COE à Bossey (Suisse) ; il est Observateur délégué du COE à partir de la deuxième session.

4. Gerrit C. Berkouwer, professeur à l'Université protestante libre d'Amsterdam, hôte du Secrétariat pour l'unité.

5. Douglas Horton, ancien modérateur du Conseil international des congrégationalistes, qu'il représente comme Observateur.

pas séparée de sa notion comme corps : cette idée appartient tout autant au MYSTÈRE de l'Église.

Oberman[1] : ce schéma *De Ecclesia* sera encore plus important pour le futur de nos rapports que le schéma *De Oecumenismo.*

Remarques sur p. 13, l. 13 sq.

Remarques sur p. 8, l. 34

(La citation de l'Écriture est prise à l'inverse de ce qu'il dit.)

Il y a une certaine ambiguïté sur ce qu'on attribue aux chrétiens qui ne font pas partie de l'Église romaine.

Nissiotis : manque quelque chose sur rapports entre Église universelle et les Églises locales.

Prof. Lindbeck[2] :

1°) On ne parle pas du pardon des péchés (par exemple là où on parle de l'Église comme facteur d'union).

On ne prend pas assez au sérieux le péché dans l'Église.

2°) On ne parle pas assez du ministère de la parole quand on parle de l'évêque.

3°) Manque d'accent eschatologique (thème : Église de la croix, l'Église est toujours normalement persécutée).

4°) Enfin demande en quel sens on parle de l'Église comme sacrement.

Schlink : croit que les nos 7-9 augmenteront les difficultés pour le dialogue œcuménique.

N°9 : on parle des chrétiens non catholiques mais les *ÉGLISES* non catholiques comme telles ne sont pas prises au sérieux. La théologie catholique va aujourd'hui plus loin.

Demande quelle est la note théologique d'une constitution.

Page 11, n° 7 : il semble qu'il y ait là une définition dogmatique à partir de la ligne 13 sq.

Schmemann : sur n° 9 : comprend bien la question de Schlink.

---

1. Heiko A. Oberman, professeur d'histoire ecclésiastique à la Divinity School de l'Université Harvard ; Observateur délégué du Conseil international des congrégationalistes.

2. George Lindbeck, professeur d'histoire de la théologie à l'Université Yale, New Haven ; Observateur délégué de la Fédération luthérienne mondiale.

Les réalités historiques des Églises séparées devraient être considérées.

Il y a une action DE DIEU dans L'HISTOIRE.

De même n° 10 : l'Église n'est pas envoyée seulement aux hommes, mais au monde.

Dr Van Holk[1], Église libre, Hollande :

Ne pourrait-on faire place à l'idée d'Église invisible ?

La notion de peuple de Dieu devrait être interprétée de façon plus générale. Il y a des groupes qui ne sont explicitement ni catholiques, ni protestants...

Accentuer l'aspect mystérieux et ineffable du plan de Dieu.

Canon Pawley : page 12, ligne 35 : sens du mot *etiam.*

C'est non *even*[2] mais *also*[3].

Au total, cette réunion a été d'une qualité exceptionnelle. C'est fantastique : on discute les textes dogmatiques avec les Autres, et de telle façon qu'ils considèrent que ces textes les concernent, et que nous considérons qu'ils ont quelque chose à nous communiquer !

Je vois un moment le P. Schmemann, non rencontré depuis son départ de Paris en 1951. Il est EXTRÊMEMENT sévère sur le compte des Grecs : de quoi ont-ils peur ? Ils gâchent une occasion historique unique. À Montréal ils ont été également complexés et négatifs.

Je vois Mgr Willebrands. Il m'annonce d'abord que le cardinal Bea vient d'être nommé du « Saint-Office ». Je lui parle de la question d'Israël. Il me dit qu'un texte d'une page, préparé par le Secrétariat, est à l'impression et sortira la semaine prochaine. Il ajoute que Paul VI a demandé que la question d'Israël reste de la compétence du Secrétariat pour l'Unité chrétienne et ne passe pas à celle du Secrétariat pour les religions non chrétiennes. J'insiste pour que, dans le Secrétariat Bea, Israël forme, nominalement, une section particulière.

À la sortie, à 19 h, je vois le P. Seumois, des PP. Blancs, frère du

1. L.J. Van Holk, professeur à l'Université de Leyde ; Observateur délégué de l'Association internationale du christianisme libéral.

2. Même.

3. Aussi.

missiologue. Il me communique les questions et *desiderata* de la conférence des évêques d'Afrique ; il faudra que je donne mon avis sur quelques points.

Je peux à peine traîner ma jambe droite, qui est sans mouvement et ne peut se lever pour une marche. Pourtant, je suis attendu, à mon retour, par M. de Ridder, protestant hollandais. Nous prenons rendez-vous pour le lendemain 15 h 30.

Le soir le P. Gagnebet me raconte des choses de Pie XII pendant la guerre. À la suite de l'exécution particulièrement cruelle de trois cents Italiens aux Fosses ardéatines, Pie XII s'est interrogé avec angoisse. Il eût dû faire un discours public de véhémente protestation. Mais tous les couvents, toutes les maisons religieuses de Rome étaient pleines de réfugiés : communistes, juifs, démocrates et antifascistes, anciens généraux, etc. Pie XII avait LEVÉ LA CLÔTURE. Si Pie XII avait protesté publiquement et solennellement, il y eût eu une perquisition dans ces maisons et c'eût été catastrophique. Pie XII s'est contenté d'une protestation par la voie diplomatique...

Mais Pie XII croyait beaucoup à la diplomatie. Avec Pie XI, cela se serait passé autrement.

Hitler avait donné l'ordre d'arrêter Pie XII. Kesselring[1] avait refusé d'exécuter cet ordre. Peut-être a-t-il alerté le pape sur ce qui se tramait. Toujours est-il que Pie XII a été averti. Il a fait parvenir au cardinal Lavitrano[2], archevêque de Palerme (occupé par les alliés) que, s'il venait à quitter le Vatican, ce serait par force, il ne serait plus pape : l'archevêque de Palerme recevait les pouvoirs à sa place. S'agissait-il de la désignation d'un successeur ? L'histoire a connu de tels faits.

Pie XII avait convoqué l'ambassadeur d'Allemagne et lui avait dit : on pourra emmener Mgr Pacelli, mais non le pape !

Il paraît que ces choses, que le P. Gagnebet a connues sur le moment même, sont aujourd'hui du domaine public.

Mercredi 2 octobre 1963. – Car des évêques de Saint-Sulpice et de Saint-Louis des Français. On voit de nouveaux évêques.

À Saint-Pierre, je vois Mgr Griffiths (qui veut qu'on parle des

---

1. Albert Kesselring, maréchal allemand.
2. Luigi Lavitrano, archevêque de Palerme.

MEMBRES car il n'y a pas de corps sans membres), Mgr le Nonce[1], Mgr de Provenchères et Mgr Veuillot. Je le mets au courant de ce que m'a dit Willebrands sur le chapitre concernant Israël. Il pense, très justement, qu'il serait malgré tout IMPORTANT qu'en quelques lignes la cause soit introduite dans le schéma DOGMATIQUE *De Ecclesia.* Vois Mgr Ancel.

Je vois pendant la messe, Mgr Onclin, sur la question des membres. Nous sommes d'accord. Il fera faire une intervention par un évêque américain.

Le cardinal Câmara[2], Brésil, au nom de *[ ]* évêques :

Que le concile ne veut rien définir comme dogme de foi, et propose qu'on le dise nettement.

Qu'on mette un mot pour les pauvres.

On participe non seulement de la vie du Christ ressuscité (page 9) mais aussi du Christ crucifié.

Page 10, ligne 9, on doit citer, parmi les images, le *Regnum*[3].

Sur les membres de l'Église, qu'on ne dise pas *reapse*[4] et *simpliciter loquendo*[5], et le mot *votum*[6].

Page 12...

Page 13, ligne 20 : au lieu de *locupletantur*[7], qu'on dise : *pro dolor*[8]... !

(Je ne recopie pas tout : on retrouvera cela par écrit à la commission. Je ne noterai que les choses générales.)

Cardinal Gracias[9] : l'Introduction ne plaît pas ; première phrase trop générale... Il vaudrait mieux une introduction d'histoire du salut et une affirmation du Christ rédempteur de tous les hommes. Qu'on montre le vrai visage de l'Église ; qu'elle n'apparaisse pas comme voulant dominer. Or dans le ch. I,

---

1. Paolo Bertoli.
2. *AS* II/I, 422-423.
3. Règne.
4. Réellement.
5. En parlant simplement.
6. Désir.
7. Ils sont enrichis.
8. Malheureusement.
9. *AS* II/I, 425-427.

l'Église apparaît comme le TERME de la Rédemption* et non ouverte à tous les hommes et pur moyen et service. L'Église existe en elle-même, mais pas pour elle-même : elle est une minorité au service de la majorité (cite Newman, cite Paul VI). La nature missionnaire de l'Église doit être affirmée, non pour que l'Église augmente son pouvoir mais pour que l'Église serve le monde : propose que soit complété en ce sens le n° 6.

Cardinal Alfrink[1] : attire l'attention sur l'expression *« Petrus et apostoli*[2] », qui est inusitée. Mieux dire : *Petrus coeterique apostoli*[3]. Répond au cardinal Ruffini sur les apôtres comme fondements. Il redit ce qu'on a dit (Mgr Charue) à la commission théologique, au mois de mars. Il y ajoute une évocation de la liturgie d'une consécration d'église.

Mgr Abasolo[4] (Indes) : prononciation espagnole.
Critique les premiers mots qui semblent restreindre la mission aux GENTES[5] seulement. Mieux vaudrait reprendre les expressions de Jean...

Van Dodewaard[6], de Haarlem, au nom de la conférence des évêques hollandais : n° 7, l'élément visible et l'élément invisible ne sont pas assez bien situés.
N° 8-10 devraient n'avoir qu'un seul titre.
Propose des changements...

De Provenchères[7] : Pour beaucoup l'Église est plus un obstacle qu'une aide ; ils ne voient pas en elle le mystère. On pourrait aller plus loin dans l'expression du mystère : la grâce → sainteté.
Parle pour l'ontologie de grâce, au-delà de l'aspect de l'Église comme instrument de salut.

---

* Le manuscrit porte Réd. Le dactylogramme porte Révélation.

1. *AS* II/I, 428-430.
2. Pierre et les Apôtres.
3. Pierre et les autres Apôtres.
4. D'origine espagnole, John A. Abasolo y Lecue, o.c.d., est évêque de Vijayapuram (Inde), *AS* II/I, 430-433.
5. Peuples ; il s'agit ici des peuples non encore évangélisés.
6. *AS* II/I, 433-435.
7. *AS* II/I, 435-436.

Mgr Granados[1], auxiliaire de Tolède.

Mgr Compagnone[2] (Anagni) : très dans le sens Ruffini.

Mgr Franić[3]. Assez contre les IMAGES : cela va pour les régions où l'Église vit en pleine liberté. Pour les autres, cela fait un peu glorieux, il faudrait parler d'une autre façon. Insister essentiellement sur Corps du Christ et Royaume de Dieu : ce sera plus encourageant pour ceux qui vivent dans les difficultés.

Parler de l'Église militante ; ne pas parler seulement de paix et d'amour, mais d'un esprit de résistance envers le monde mauvais et l'athéisme. Propose qu'on institue à la Curie une commission de l'athéisme moderne.

Je manque les interventions de NNSS Romero[4], Carli[5] et Brasseur[6] : elles ont été, me dit-on, dans le sens Ruffini ; Mgr Carli a fait impression. Il a voulu montrer que l'application aux autres Apôtres de l'idée de fondement, valable pour Pierre, serait ambiguë. Du reste, l'idée a été discutée à Vatican I et rejetée. La chose est donc jugée.

Je vois au Bar plusieurs évêques, dont Mgr de Provenchères.

Mgr Ancel[7] : pour l'introduction du *ROYAUME DE DIEU* ; rappelle plusieurs passages du NT.

Mgr Guano[8], Livourne : mieux manifester le lien entre l'Église et le Verbe fait chair.

Expliquer l'expression (heureuse) de l'Église-sacrement.

Mettre l'aspect de l'Église s'offrant en hostie.

Retrace tout un plan du *De Ecclesia* !

---

1. Anastasio Granados García, qui deviendra membre de la Commission doctrinale en 1964, *AS* II/I, 436-438.
2. *AS* II/I, 438-441.
3. *AS* II/I, 442-444.
4. F. Romero Menjibar, *AS* II/I, 445-446.
5. *AS* II/I, 447-449.
6. Le Belge William Brasseur, vicaire apostolique de Montagnosa (Philippines), *AS* II/I, 449-451.
7. *AS* II/I, 452-454.
8. *AS* II/I, 455-457.

Mgr Enciso[1] (Espagne) : sur le n° 5, Corps Mystique : cela manque d'ordre : il propose un ordre. Et le contenu est imparfait : on ne parle pas de la charité et trop peu de l'Eucharistie.

On mise trop sur l'image du corps, pas assez sur celle d'Épouse qui en est complémentaire.

Mgr Primeau[2], évêque de Manchester aux USA : chante l'antienne de Mgr Onclin : manque de distinction entre société et communauté – qui eût permis de mettre en place p. 7, *congregatio justorum*[3].

P. 12 sur membres de l'Église : propose texte.

On désire un exposé sur les rapports entre Église et État.

Butler[4], abbé de Downside, propose additions sur chrétiens non catholiques au n° 9 pour exprimer qu'ils sont unis dans des communions, des groupements non purement naturels mais religieux.

Dit quelques mots sur Église et Royaume de Dieu d'après le NT : il y a une certaine distinction entre Règne DE DIEU et Règne *DU CHRIST* (TRÈS intéressant).

Mgr Felici[5] de la part de la Présidence : que les Pères restent le plus possible à leur place ! Certains Pères et experts déambulent en parlant trop fort !

Dans le car de retour, bloqué pendant des quarts d'heure par le service d'ordre pour le Président des Somalis, on cause avec les évêques : NNSS Ménager, Renard, Blanchet, Weber. On parle surtout du sens de Éph. 2, 20 et Apoc. 21, 14. Les évêques ont été impressionnés par Mgr Carli. Aussi, au lieu de sieste, je réunis de la documentation sur ces points.

J'ai parlé au cardinal Liénart et à Mgr Villot de l'admission du P. Féret comme expert conciliaire. Il n'y a rien à faire. Pendant la

1. Jesus Enciso Viana, évêque de Majorque, *AS* II/I, 458-459.

2. Ernest J. Primeau ; il sera élu membre du Secrétariat pour l'unité lors de la deuxième session du concile, *AS* II/I, 459-461.

3. Assemblée des justes.

4. *AS* II/I, 462.

5. *AS* II/I, 463.

première session et après, trop d'évêques sont intervenus en faveur de leur secrétaire particulier. Malgré Mgr Villot, ils sont arrivés à les faire nommer. Il y a eu ainsi une centaine de mesures de faveur. Mais maintenant, les experts sont trop nombreux. Les demandes ne cessent d'affluer, de sorte qu'on a estimé devoir tout refuser. C'est dommage parce qu'on a fait passer des nullités et que des hommes de premier plan comme Féret, Liégé et Martelet restent dehors.

Le cardinal Liénart me redit que le pape a fait mon éloge comme théologien.

À 17 heures au Vatican, dans la salle étouffante des Congrégations, réunion de la Commission théologique. Je suis un peu en retard. D'une part, ai été occupé jusqu'à 16 h 30 par M. de Pitter, protestant hollandais qui veut faire une thèse sur les courants actuels de la théologie catholique (il est lent et sourd !) ; d'autre part, j'ai eu des difficultés de transport.

Le cardinal Ottaviani propose de confier à cinq Pères le soin d'étudier et classer les changements suggérés ou proposés.

Le cardinal Browne propose une sous-commission de trois membres. Mgr Garrone, appuyé par Mgr Florit, propose PLUSIEURS sous-commissions, car le travail sera énorme. C'est plutôt un travail de *periti*, dit Mgr van Dodewaard.

On prendra les membres qui ont été les plus actifs dans la rédaction. Le cardinal Ottaviani suggère comme membres : cardinal Browne, Mgr Garrone, Parente, Florit et Franić. Après discussions diverses (Tromp soulève des difficultés PRATIQUES), Mgr Charue reprend l'idée de van Dodewaard : c'est une affaire de *periti*. Et il demande que tous aient le texte complet au moins des principales interventions : par miméographe.

Le cardinal Ottaviani admet l'idée d'un travail de classification par des *periti*, sous la direction de trois évêques. – *Placet.*

Il propose : Browne avec Garrone et Parente. Ce dernier dit qu'il a tous les jours le travail des Congrégations. Browne propose Spanedda. Le P. Tromp voudrait que la Commission théologique en sa totalité ne connaisse que des *majora*[1]... Le cardinal Browne de-

1. Choses majeures.

mande que *TOUTES* les observations lui soient soumises... Les trois sont étendus à cinq : Browne, Garrone, Florit, Spanedda, Charue.

McGrath insiste pour que les membres aient TOUS les documents dans leur intégrité. C'est une question de conscience, dit-il.

Mgr Griffiths demande qu'on commence PENDANT la session, tandis que toute la commission est à Rome.

Une question de Mgr Garrone (veut-on communication seulement des interventions faites dans l'*aula* ou aussi de ce que les évêques ont écrit avant... ?) déclenche une discussion. Tromp et Ottaviani ne prendraient en considération que ce qui a été prononcé ou communiqué par écrit DANS LE CONCILE...

On passe à la question de la nouvelle division du schéma proposée ou demandée par la Commission de coordination.

Tous les membres, et même les *periti*, devraient D'ABORD donner leurs observations PAR ÉCRIT, dit le P. Tromp.

Mais, dit Ottaviani, le moment arrive vite où la commission devra déclarer sa position devant le concile... Il semble que le P. Tromp et même le cardinal Ottaviani veulent prendre un long temps et peut-être noyer le projet.

Le cardinal Léger lit un papier favorable au nouveau chapitre sur le peuple de Dieu. Mais il soulève une difficulté : on retirerait ainsi au chapitre des laïcs une grande part de sa substance surnaturelle... Il conclut à une division en trois chapitres seulement :

1) Mystère de l'Église ;
2) Le peuple de Dieu ;
3) La hiérarchie.

Mgr Philips, invité à dire sa pensée, explique ce qu'il a fait. Cela fait un défilé tel qu'il est impossible de juger de la chose. D'autant que, dans cette salle sans air, on étouffe et sue terriblement.

Comment va-t-on faire ? On en discute, mais Parente soulève la question préliminaire : avons-nous le droit de discuter de la nouvelle ordination ou nous est-elle légitimement imposée par la commission de coordination ? Sommes-nous obligés ?

Là-dessus Mgr Griffiths soulève la question de la constitution *De Beata Maria Virgine*, dont beaucoup demandent qu'elle soit insérée dans le *De Ecclesia.* On laisse cela pour revenir à la question de la division en quatre ou cinq chapitres.

On demandera au pape si nous sommes obligés de suivre l'avis de la commission de coordination, dit Ottaviani... Mais si la majorité de notre commission théologique est POUR la division en cinq chapitres, la question de principe juridique a peu d'importance. Qu'on vote donc, disent Mgr Charue et Mgr Schröffer.

Le P. Fernandez s'élève contre l'idée d'un chapitre spécial *De populo Dei* : ce qui doit être dit doit l'être dans le ch. I (cause matérielle de l'Église ; membres) ; on risquerait de verser dans un démocratisme exagéré... (!)

Discussion confuse et lasse. Mais, dit Tromp, on a beaucoup demandé que soit introduite l'idée de Royaume de Dieu. Il faudra aussi lui faire sa place !!! De nouveau, confusion.

Conclusion : qu'on remette au secrétaire de la Commission ses avis pour ou contre par écrit.

Jeudi 3 octobre. – Dans le car, je vois Mgr Weber. On parle d'une intervention qu'il propose sur la collégialité des Douze.

À Saint-Pierre, je vois le cardinal Léger. Il est mécontent de ce qu'il juge être, de la part du cardinal Suenens, une tentative de diriger le concile et de lui imposer sa pensée (nouveau ch. II du *De Ecclesia* ; schéma XVII). Il est assez sombre et pessimiste. Il me présente au cardinal Gracias. Je vois aussi le cardinal Marella qui me dit qu'à la demande du chanoine Boulard il prendra Liégé comme expert dans la Commission du gouvernement des diocèses.

Je vois encore le cardinal Richaud. Il me couvre de fleurs. Il me répète que l'Ambassadeur a vu le pape pendant une heure et demie et que Paul VI lui a vanté les théologiens français, en me citant le premier avec le P. de Lubac. Le cardinal Richaud joint ses compliments à ceux-là. Je crois le moment favorable de parler du P. Féret. Il prend un air profond et me dit : je mets beaucoup de bémols sur le P. Féret... C'est foutu !

Parlent :

Cardinal Lercaro[1] : 1) Qu'on regarde de près l'usage des mots *Ecclesia*, *Corpus Christi*[2], etc. a) l'Église et le Corps Mystique sont la même chose, mais selon deux aspects différents

1. *AS* II/II, 9-13.
2. Corps du Christ.

au plan concret et historique ; adhère à ce qu'on a dit au nom de la Conférence des évêques de Hollande ; b) sur le n° 8 (*reapse*[1]...) mettre : « *plene et perfecte*[2] », car par le baptême les hérétiques sont membres (thèse Dossetti !), l'hérésie... ne fait que DIMINUER LES DROITS des membres... ; c) dire quelque chose du rapport entre Église et Eucharistie, celle-ci étant prise comme action, et action COMMUNAUTAIRE ; c'est ainsi que l'Église devient Corps du Christ.

2) Les images bibliques : Ajouter Famille de Dieu et Règne de Dieu. Leur importance : leur valeur dynamique. Insiste sur *novum genus, nova creatio*[3]. C'est le lien entre le règne de Dieu et l'histoire humaine. Il y a une réelle transfiguration, une nouvelle naissance, par la Croix et la kénose. L'Église est le germe de la parturition de la nouvelle création. Présence de l'Église par le témoignage, le martyre, le service, la *diakonia*[4] surtout des pauvres, la mission.

Tout cela fait partie de la doctrine sur l'Église.

3) La Commission théologique *ad altiora vocatur*[5] : Elle devra revoir tout le chapitre. Pour cela, qu'elle appelle à collaborer les Pères qui ont, ces derniers jours, si bien parlé sur l'Église. C'est prévu dans le nouveau Règlement : en particulier Silva, Rugambwa, Gracias, Ancel, Guano, etc.

Cardinal Arriba y Castro[6] (Tarragone) sur la Vierge Marie : Au nom de plus de 60 Pères.

Faut-il faire un schéma marial ? Oui. Si on l'introduit dans le *De Ecclesia*, où le mettre ?

Marie est MÈRE de l'Église ; donc le mettre après le ch. I et comme un chapitre propre, ayant l'amplitude et la profondeur nécessaires.

---

1. Réellement.
2. « Pleinement et parfaitement. »
3. Nouveau peuple, nouvelle création.
4. Service.
5. Est appelée à prendre de la hauteur.
6. *AS* II/II, 14-16.

Cardinal Confalonieri[1] : Ne pas oublier l'envoi du Saint-Esprit (pas mal de grandiloquence).

Cardinal Richaud[2] (prononciation soignée mais fort médiocre).
1°) qu'on cite Éphés. 1 ;
2°) on ne voit pas assez l'Église comme *orans*[3].

Cardinal Ritter[4] (Saint-Louis) : Sur l'Église comme sacrement de l'union avec Dieu ; et aussi comme communauté des hommes unis à Dieu. On n'explique pas assez le premier point de vue.
Dans le n° 7 on devrait introduire la Parole de Dieu, l'idée d'une Église qui propose la Parole de Dieu : un chapitre trop laissé dans l'ombre par notre théologie !
Cite le texte préparé par le secrétariat. On devrait parler de la Parole de Dieu AU DÉBUT du schéma : *Verbo et opere, Verbum et opus*[5] !

Cardinal Bea[6] : Les chapitres qu'on examine répondent-ils au propos de rénover la vie chrétienne à partir de l'Écriture et de la Tradition. Les textes sont-ils employés de façon rigoureuse ? Pas toujours. Donne exemple.

Mgr Šeper[7] (Zagreb) : Sur les images de l'Église : ce qui manque à cet exposé.

Je sors un moment et suis arrêté intempestivement par plusieurs. Je rentre quand parle Mgr del Campo[8] (Espagne), qui demande plus de précision dans les concepts Église, Corps Mystique...

Mgr Hoa[9] (Viêtnam) : Parle pour l'idée de FAMILLE (*PÈRE* et *FRÈRES*), la relation FRÈRES ; non-« membres ».

---

1. *AS* II/II, 16-17.
2. *AS* II/II, 17-18.
3. En prière.
4. *AS* II/II, 18-19.
5. La Parole et l'action.
6. *AS* II/II, 20-22.
7. *AS* II/II, 32-34.
8. Abilio del Campo y de la Bárcena, évêque de Calahorra et La Calzada, *AS* II/II, 39-41.
9. S. Hoa Nguyen-van Hien, *AS* II/II, 42-44.

Ce doit être du P. Dournes. Mais l'attention est lasse. Pourtant, développe bien son affaire.

Mgr Argaya[1], inscrit, ne parle pas !

Mgr Volk[2] (Mayence) au nom des évêques de langue allemande et d'autres. Que dans le ch. I on parle de la Parole de Dieu et de l'Eucharistie (en la célébration de laquelle est proposée la Parole de Dieu) ; propose un texte à insérer.

Là où on parle de l'Église pérégrinante, qu'on introduise quelque chose sur les rapports entre Église visible et Royaume de Dieu : les deux ne peuvent être identifiés, mais ont des rapports étroits.

Mgr Ant. Pildáin[3] (Canaries) : On ne parle pas du retour à l'Église de ceux qui, ayant été nôtres, vivent séparés de l'Église : Propose une addition empruntée aux évêques d'Afrique.

Jelmini[4], administrateur de Lugano, au nom des évêques de Suisse : N° 5 pages 9 et 10. Il faut parler de la présence du Christ dans l'Église surtout dans l'Eucharistie, et aussi dans son vicaire...

Mgr Heenan[5] (Westminster) au nom des évêques d'Angleterre et de Galles : N° 9, il est question de la réconciliation des chrétiens non catholiques avec l'Église ; n° 10, de la conversion des non-chrétiens.

D'où obligation d'apostolat pour tout chrétien : MÊME À L'ÉGARD DES CHRÉTIENS NON CATHOLIQUES. Propose une correction à n° 9.

Parle en termes de retour à la maison maternelle.

Mgr Scalais[6] (Léopoldville) au nom de tous les évêques du Congo ex-belge : Sur les images, qui se prêtent à exprimer les aspects historique et eschatologique, surtout : Peuple de Dieu,

---

1. J. Argaya Goicoechea.
2. *AS* II/II, 45-46.
3. Antonio Pildáin y Zapiáin, évêque des îles Canaries, *AS* II/II, 47-49.
4. Angelo G. Jelmini, évêque titulaire, administrateur apostolique de Lugano, *AS* II/II, 50-51.
5. *AS* II/II, 52-53.
6. Le Belge Félix Scalais, archevêque de Léopoldville (Congo), *AS* II/II, 53-54.

Corps Mystique, Royaume de Dieu (mais Peuple et Royaume ne sont pas des figures !!!). Propose :
n° 5 : *De Ecclesia ut populo Dei*[1] ;
n° 6 : *De Ecclesia ut Mystico corpore Christi*[2] ;
n° 7 : *De Ecclesia ut progrediente ad Regnum Dei*[3].

Mgr van Velsen[4] (Afrique du Sud) : Il y a des choses non en harmonie avec la réalité concrète.
N° 9 : *reapse*[5]... il y a des controverses sur le sens exact de ces mots.
Exprimer la réalité sous l'aspect pastoral.
Page 12, l. 15-17 : supprimer *voto*[6] au sujet des catéchumènes.
Page 12, l. 18-22 : fin n° 8 confond chrétiens et païens (?).
N° 9 est incomplet : a) s'il s'agit des protestants, on ne peut taire la Bible et la Parole de Dieu ; – b) s'il s'agit des Orientaux, on ne peut taire leur sacerdoce et épiscopat, éléments constitutifs de l'Église locale.
N° 10 : qu'on exprime en termes BIBLIQUES la situation de ceux qui ont la grâce (cf. Rom. 2).

Van der Burgt[7] (Indonésie) au nom des trente et un évêques d'Indonésie :
1°) *Populus Dei*[8] est le premier nom de l'Église, et que soit manifesté son rapport au Corps Mystique. Propose une addition en accord avec le schéma *De Liturgia.*
2°) N°s 5 et 7 : Église et Royaume de Dieu : mieux marquer l'aspect eschatologique, avec ce qu'il implique sur nos faiblesses.
3°) N° 6 sur images

---

1. De l'Église comme peuple de Dieu.
2. De l'Église comme corps mystique du Christ.
3. De l'Église en tant que marchant vers le Royaume de Dieu.
4. Gerard M. F. van Velsen, o.p., est évêque de Kroonstad, *AS* II/II, 57-58.
5. Réellement.
6. De désir.
7. Herculanus J. Van der Burgt, o.f.m. cap., archevêque de Pontianak, *AS* II/II, 59-61.
8. Peuple de Dieu.

4°) Page 11, n° 8 : mieux exprimer la nécessité de l'Église qui est *necessitas medii*[1].

5°) Page 12, n° 8 : corrections à faire (pauvre P. Tromp !!!) propose : *PLEINE* INCORPORATION pour les catholiques.

6°) Page 13, n° 10 : qu'on dise plus expressément que la mission est une fonction essentielle de l'Église.

Mgr Martin[2] (archevêque de Rouen) : Il y a certaines différences dans la façon dont on parle de l'Église dans le schéma sur la Liturgie et le *De Ecclesia* : à propos du rapport trinitaire de l'Église : le schéma *De Liturgia* parle de convocation de l'Église par le Christ dans le Saint-Esprit pour rendre CULTE..., surtout dans la célébration de l'Eucharistie.

À 14 h 35, au Séminaire français : rendez-vous avec le P. Greco, secrétaire de l'épiscopat africain. Il me demande les principaux éléments d'une intervention que le cardinal Rugambwa veut faire sur la collégialité épiscopale.

À 15 h, réunion avec Mgr Ancel, Garrone, Maziers, puis Elchinger, et avec Daniélou, Denis, Lécuyer, Martimort, Colson, Labourdette et moi, pour prévoir un peu les points d'intervention des évêques et le travail à faire pour cela par eux avec les *periti*. Cette année les évêques ont organisé eux-mêmes leur travail. Au lieu d'être un peu menés par les experts, ils s'organisent eux-mêmes en petites équipes et appellent les experts pour les seconder. Ils semblent être plus à leur affaire et plus actifs que l'an dernier. Ils vivent le concile sérieusement.

On parcourt avec Mgr Ancel la liste des sujets sur lesquels des évêques travaillent et interviendront. À cette occasion, on apporte des suggestions, des informations, des remarques. Réunion intéressante. Plusieurs fois, le P. Gy entrebâille la porte et fait un signe mystérieux à M. Martimort.

On pense que, pour éclairer les évêques italiens, auxquels l'idée de collégialité demeure étrangère, et pour désamorcer des pétards malignes[3] ou des objections, il serait bon qu'un évêque fasse un exposé des catégories élémentaires de la question.

1. Nécessité de moyen.
2. Joseph-M. Martin, *AS* II/II, 61-62.
3. *Sic.* [NdE]

À 16 h 35-40, je vais à Saint-Louis des Français voir Mgr Veuillot pour préciser la question d'une intervention sur Israël. Il me demande de la préparer. Je me traîne lamentablement pour rentrer.

Vendredi 4 octobre. *Saint-François.* – Il y a eu hier réunion de la commission de l'apostolat des laïcs. Les « auditeurs » laïcs y assistaient et l'on a convenu qu'on pourrait inviter d'autres laïcs.

Cardinal Gerlier[1] (prononciation EFFROYABLEMENT française) :
Aujourd'hui le mystère du Christ dans l'Église est surtout dans les pauvres ; on n'en parle pas assez. Propose addition en fin de l'introduction.

Mgr *[ ]*[2] (Burundi, au nom de quarante-cinq évêques) : qu'on parle de la catholicité de l'Église : d'après le papier des évêques africains que j'ai. Et au n° 10, qu'on parle de la fonction missionnaire de l'Église.

Baudoux[3] (Canada) : 1°) dans le § sur les dissidents on ne parle pas des communions chrétiennes comme telles ; 2°) dans le nouveau ch. II, *De populo Dei*, énoncer les fautes dans (ou de) ce peuple.

Jenny[4] (texte très bien donné – très prédication pastorale) :
Il y a bien des éléments un peu disparates dans le schéma.
Signale trois points :
1°) la personne du Christ ;
2°) le mystère pascal ;
3°) le peuple de Dieu comme *HUMANITÉ* rénovée dans le Christ.
Et ainsi l'Église n'apparaîtra pas comme étrangère aux hommes.

Marling[5] (USA) : sur n° 9 : est insuffisant et pas bien ordonné.
Propose un texte très fort au point de vue œcuménique, mais un peu diffus.

---

1. *AS* II/II, 68.
2. Antoine Grauls, archevêque de Kitega (Burundi), *AS* II/II, 69-70.
3. Maurice Baudoux, archevêque de Saint-Boniface, *AS* II/II, 70-71.
4. *AS* II/II, 72-74.
5. Joseph Marling, évêque de Jefferson City, *AS* II/II, 75.

Baldassari[1] (Ravenne) : sur le même sujet : dire plus nettement que par le baptême on entre dans l'Église. Propose différentes additions : vénération pour l'Écriture et pour la Tradition des Saints-Pères.

D'Avack[2] (Camerino) : le schéma n'a rien sur le fondement de... ? LE CHRIST-CHEF, prêtre (sacrifice). C'est une régression sur *Mystici Corporis.*

Son texte, lu à l'italienne, avec de grandes accentuations, ramène toutes les catégories, toutes les distinctions scolaires, et fait une impression d'irréalisme après les quatre interventions précédentes. Et cela ne fait pas sérieux.

Himmer[3], Tournai, sur Église et pauvres.

L'Église doit se présenter comme au service des pauvres. Elle aussi sera jugée sur cela (Mt. 25). Qu'on exprime la mission qu'a l'Église d'évangéliser et aider les pauvres. Qu'on exprime le mystère du Christ identifié aux pauvres.

Le cardinal Browne[4] conclut la discussion sur le ch. I. Puis dit un mot sur l'usage du mot *sacramentum*[5] appliqué à l'Église.

Discussion du ch. II :

Cardinal Spellman[6] : Sur n° 15 page 25 : diaconat. Ce n'est pas la place dans une constitution dogmatique. Il est contre un diaconat permanent. Il ne comprend rien. Pour lui, ce serait archéologisme condamné par Pie XII.

Cardinal Ruffini[7] (une mitrailleuse !) : discute certains mots, l'usage de certains textes (et de nouveau Éph. 2, 20), l'expression « collège des évêques ». Il nie que le Christ ait institué un collège des Apôtres auquel aurait succédé un collège des évêques.

Refuse (p. 26) que les épiscopats puissent décider si les diacres pourraient être ou non célibataires.

---

1. Salvatore Baldassari, archevêque de Ravenne, *AS* II/II, 76.
2. *AS* II/II, 77-79.
3. *AS* II/II, 79-80.
4. *AS* II/II, 81.
5. Sacrement.
6. *AS* II/II, 82-83.
7. *AS* II/II, 84-87.

N° 19 pages 29-35 : réclame la distinction entre magistère ordinaire et extraordinaire.

Page 30, l. 12-23.

Cardinal Bacci[1] sur page 26 : les diacres. Ce qu'on dit là est très dangereux ! L'antiquité n'est pas nécessairement meilleure.

Guerry[2], au nom des évêques de France sur la déclaration de l'épiscopat comme sacrement. Il faudrait qu'apparaissent mieux l'importance et les conséquences de ce point.

1°) Pour la formation du clergé et la théologie du sacerdoce.

2°) Par la consécration, le nouvel élu est incorporé à l'ordre des évêques chargé comme tel de la mission universelle. Une communion des évêques sur une base sacramentelle et non purement juridique.

Votum : *ut clare et expressius Patres vellent declarare doctrinam de sacramentalitate episcopatus*[3].

De Castro[4] (Grenade) : sur épiscopat supérieur au presbytérat au point de vue du sacrement : on a tenu (unanimement, dit-il) le contraire au Moyen Âge. La question est encore controversée. Et il y a les concessions du droit d'ordonner aux prêtres. Souhaite qu'on supprime n° 14... (je ne peux suivre).

(On verra son texte.)

Veuillot[5] (donne son texte lentement mais froidement. Cela ne saisit pas l'attention).

Page 24 : succession apostolique des évêques. On n'a pas cité les textes bibliques qui le prouvent.

Sur le fondement de la collégialité épiscopale : affirmer plus fortement qu'il est la succession apostolique elle-même.

Mgr Vuccino[6] au nom de sept Pères : rappelle que le cardinal

1. *AS* II/II, 87-89.
2. *AS* II/II, 89-90.
3. Proposition : que les Pères veuillent bien déclarer clairement et expressément la doctrine de la sacramentalité de l'épiscopat.
4. Rafael García y García de Castro, archevêque de Grenade, *AS* II/II, 91-92.
5. *AS* II/II, 92-94.
6. *AS* II/II, 95-96.

Montini avait dit au cours de la première session qu'il valait mieux ne pas traiter de la Révélation.

García[1] (Espagne) sur L'OBJET de l'infaillibilité.

Saboia[2] (Palmas) n° 9. Dans tous les conciles on a anathématisé les hérétiques. Pourquoi faire autrement ici ?

N° 19 : propose une explication de l'*ex sese.*

Propose à toute vitesse un tas de choses qui semblent assez confuses.

(= un OFM)

Pocci[3], évêque titulaire de Gerico, au nom du cardinal Micara, vicaire. Il y a des erreurs qui serpentent... sur péché originel, sur Corps Mystique et nécessité d'appartenir à l'Église.

Ce schéma ne les condamne pas : il semblera laisser le champ libre aux erreurs.

Après Saint-Pierre, je dois déjeuner avec Mgr Elchinger chez Laurentin. Mais on a du mal à trouver un taxi et Laurentin – qui, je crois, fait du journalisme pour le *Figaro*[4] – nous fait attendre près de trois quarts d'heure. On n'avance guère la question du *De Beata.* Le texte actuellement préparé par Laurentin ne me satisfait pas et ne correspond pas à ce qu'il faut.

Mgr Elchinger me dit que les Allemands sont très réticents sur l'introduction du *De Revelatione* ou même d'un chapitre *De Traditione*[5] dans le *De Ecclesia.* Ils disent qu'ils voudraient voir d'abord une proposition de texte. Sur cette base seulement ils pourraient juger de l'intérêt de l'opération.

Il m'apprend aussi que le secrétariat a refusé la parole à Mgr Blanchet : celui-ci voulait intervenir sur la qualification théologique de nos constitutions ; or la question est (a été) soumise au pape et,

1. F. García Martinez, *AS* II/II, 101-103.

2. C. E. Saboia Bandeira de Méllo, *AS* II/II, 114-116.

3. Clemente Micara, né en 1879, est vicaire général du pape pour le diocèse de Rome. Filippo Pocci est auxiliaire du cardinal, *AS* II/II, 123-124.

4. Durant la première session, le correspondant du *Figaro* n'écoutait que les sphères de la Curie ; on demanda donc à Laurentin de prendre la suite, ce qu'il fit à partir de juin 1963.

5. De la Tradition.

quand une question est soumise au pape, personne ne doit plus en traiter. Le même refus avait été opposé, et pour la même raison, à Mgr Volk, mais celui-ci a maintenu sa demande d'intervention, ayant aussi autre chose à dire. Enfin, on a refusé également la parole au Patriarche Maximos[1], parce qu'il voulait parler en français : le latin est de rigueur. Cela a dû lui être extrêmement pénible.

La question [[de l'insertion]] du *De Beata* dans le *De Ecclesia* a été posée au pape. Celui-ci est personnellement favorable, mais IL NE VEUT PAS INTERVENIR dans le concile : c'est au concile à dégager lui-même sa position par une discussion et un vote. Il y aura vote sur cette question : les Modérateurs y sont décidés. Mais je dis à Mgr Elchinger, qui se fera l'écho de cela auprès des Allemands et du cardinal Döpfner, qu'à mon avis on ne pourrait demander un vote au concile que si on l'éclaire sur la portée [[exacte]] de sa décision. Pour cela, il faudrait que les 2-3-4 possibilités touchant le *De Beata* soient succinctement proposées aux Pères ; qu'on leur donne d'abord une idée de ce que serait le chapitre dans chacune des hypothèses. Ce serait difficile à réaliser, mais cela me paraît nécessaire à l'honnêteté du vote.

Au sujet du *De Beata*, le P. Tillard[2] (OP canadien), qui vient d'arriver, demandé par Mgr Roy, me dit que les évêques canadiens, à de très rares exceptions près, sont marianistes à fond. Pour eux, les positions majorantes sont évidentes et ils n'ont pas le moindre soupçon qu'on puisse poser des questions à ce sujet. Le P. Tillard est effaré de ce qu'il constate sur ce sujet.

Conférence sur le schéma *De Ecclesia* aux évêques francophones d'Afrique, via Traspontina, à 16 h 30. Il y a relativement peu d'évêques noirs. Je vois le P. Chenu.

À 18 h, conférence aux Informateurs religieux. J'arrive, un tout petit peu en retard, dans une salle comble, où se sont entassées trois cents personnes, beaucoup debout, certains écoutant du dehors, à travers les soupiraux. Je parle aussi sur le *De Ecclesia*, mais d'une

1. Maximos IV Saigh.

2. Jean-Marie R. Tillard, o.p., de la province du Canada, professeur de théologie à la faculté de théologie du Collège dominicain d'Ottawa ; expert du Concile aux deux dernières sessions ; très engagé dans les dialogues œcuméniques, il sera plus tard vice-président du département Foi et Constitution du COE.

tout autre manière. Je croyais que j'aurais affaire seulement à des laïcs ; il y a la moitié de prêtres, et même quelques évêques.

La question de l'Information au concile est entièrement renouvelée par rapport à la première session. Chaque groupe linguistique s'arrange sous la responsabilité d'un évêque. Les Français ont, grâce à l'abbé Haubtmann, une information dont tous les journalistes se déclarent enchantés et qui attire un grand nombre d'informateurs d'autres pays. À cet égard, la réussite semble totale.

Je m'en rends compte puisqu'après ma conférence à la salle des Augustins (suivie de nombreuses questions dont plusieurs très remarquables), je vais à une réception organisée à l'Ambassade pour les journalistes. J'y vois un grand nombre de gens, en particulier le pasteur Rilliet et le pasteur Molard[1]. L'ambassadeur, M. de la Tournelle[2], me prend à part et me dit avoir vu Paul VI mardi dernier. Le pape lui a fait l'éloge des théologiens français, et de moi en premier lieu, disant que ce que j'écrivais était net, bien fondé, équilibré, etc.

Retour à 21 h 30.

Samedi 5 octobre. – Enfin une matinée calme et pas épuisante comme les autres le sont. Visite d'un évêque polonais, qui veut mon opinion sur la question du diaconat. En Pologne, l'épiscopat serait favorable en principe, mais avec une grande crainte que de tels diacres soient utilisés par les communistes, qui les dresseraient contre les prêtres comme ils dressent les prêtres contre les évêques. Plus je vais, plus je vois que la question du diaconat se pose différemment d'un pays à un autre.

Je rédige une note pour les évêques français (demandée avec insistance par Mgr Gouet et le P. Daniélou) sur les chapitres *De Populo Dei* et *De laicis*.

Dimanche 6 octobre. – Téléphone de Mgr Garrone : le travail de collation des amendements est bien parti. Il me demande de préparer un ou deux paragraphes sur la Tradition, à insérer dans le *De Ecclesia*. Il a bon espoir que cette insertion sera prise en consi-

---

1. Richard-Molard (cf. plus haut, p. 195, n. 1).
2. Guy Le Roy de la Tournelle, ambassadeur de France près le Saint-Siège.

dération. Mais je suis bien peu en forme pour faire un travail quelconque. Mes deux livres sur la Tradition ont beaucoup impressionné Mgr Garrone et il pense qu'il est impossible d'omettre cet aspect de la réalité qu'est la Tradition vivante, dans le *De Ecclesia.*

Après-midi, promenade avec Féret et Liégé, Cullmann et H. Roux, à Rocca di Papa. Au dernier moment Mgr Philips, qui passait par là, se joint à nous. Dans une conversation avec les observateurs, on atteint tout de suite un niveau de problèmes au-delà du système, tandis qu'entre nous on reste facilement au plan d'améliorations dans le système. Au fond, il n'y a pas de ressourcement total sans dialogue œcuménique.

Lundi 7 octobre. – Cardinal Siri[1] : sur la collégialité épiscopale. En admet l'existence. Mais 1°) le concept de collège est un concept juridique : il implique une solidarité ; 2°) le fondement de la collégialité se trouve dans le schéma : Pierre est principe d'unité, et ainsi les évêques n'ont d'autorité qu'avec et sous le pontife romain. Le collège est tel parce qu'il est *cum Petro*[2] : Pierre ne reçoit pas du collège mais le collège reçoit de Pierre (doctrine de Vatican I). Le point crucial est dans la relation entre le collège et le successeur de Pierre. On ne peut tirer de la collégialité rien qui diminue le primat.

Cardinal Léger[3]. Importance du ch. II. Souhaite qu'on précise comment on est agrégé au collège épiscopal ; qu'on exprime mieux le *munus* des évêques à l'égard de l'Église universelle *(ex officio)*[4] dans le sens de *Fidei donum*[5].

Qu'on retrouve dans le chapitre des évêques les richesses du ch. I : le Christ présent et agissant par les évêques dans l'Église.

Que l'idée du service, bien exprimée, le soit dans le titre même ; qu'on révise les titres, insignes, etc., en ce sens : ce sont des empêchements à l'Évangile.

1. *AS* II/II, 222-223.
2. Avec Pierre.
3. *AS* II/II, 223-225.
4. De par leur fonction.
5. Encyclique sur les Missions donnée par Pie XII le 12 avril 1957.

Cardinal König[1] : le schéma ne dit rien du mode selon lequel la collégialité s'exerce en dehors du concile œcuménique. Le schéma ne dit rien de nouveau, rien que de traditionnel.
La formule : Église sur le fondement de Pierre et des Apôtres n'offre aucun danger.

Cardinal Döpfner[2]. Sur la question du diaconat. Que le texte reste tel qu'il est. Il est plutôt en retrait sur le concile de Trente... Le texte n'impose rien ; il garde seulement ouverte une possibilité qui peut être importante dans certaines régions, où l'on manque de prêtres.
Le texte met-il le célibat en péril ? Il faudra évidemment veiller à ce qu'il ne soit pas une solution pour des hommes appelés au ministère sacerdotal mais impuissants à garder le célibat, mais soit donné à des hommes ayant une vocation pour les activités diaconales.

Cardinal Meyer[3] (Chicago) : sur la collégialité des Apôtres. Il faudrait seulement mieux montrer que sa fonction doit durer jusqu'à la fin du monde (Mt. 28).

Cardinal Alfrink[4] : sur Éph. 2, 20 : Ruffini a en partie raison, il vaudrait mieux ne pas invoquer ce texte.

Cardinal Lefebvre[5] : certains semblent ne pas voir comment la collégialité s'accorde avec le primat et l'infaillibilité du pape. Ils ont PEUR, ce qui est une mauvaise condition pour aborder la question. Explique que cette collégialité ne diminue en rien Vatican I. Pas plus que Mt. 18 ne retire Mt. 16, ni Mt. 28... Intervention psychologique pour libérer quelques esprits et mieux fonder l'unanimité en cette question.

Cardinal Rugambwa[6] : il faudrait ajouter quelque chose sur la sollicitude de toutes les Églises comme donnée par la consécration même des évêques : cite rite avant le XIIe siècle.
L'idée missionnaire n'est pas assez présente dans TOUT le

1. *AS* II/II, 225-227.
2. *AS* II/II, 227-230.
3. *AS* II/II, 230-232.
4. *AS* II/II, 232-233.
5. *AS* II/II, 233-235.
6. *AS* II/II, 235-238.

texte ; propose des corrections ou additions précises en ce sens, assez nombreuses.

Maximos IV[1] (il n'est pas vrai qu'on lui ait imposé de parler en latin ; le cardinal Tisserant lui a seulement demandé de faire suivre son intervention française d'une traduction en latin). Compléter Vatican I. Il faudra améliorer encore plusieurs passages.

Le seul chef de l'Église est le Christ ; le pontife romain est le chef du collège épiscopal comme Pierre l'était du collège apostolique.

Ne pas transférer au plan universel et au plan doctrinal ce qui a été un fait de l'histoire de l'Occident : la nomination des évêques par le pape.

Je manque un moment (deux évêques).

Mgr Florit[2] : sur la sacramentalité de l'épiscopat.

Sur la collégialité, insuffisamment montrée dans son rapport au primat.

De Smedt[3] : une plus claire conscience de la collégialité, un exercice plus grand de la collégialité sont exigés par l'action pastorale, pour que Pierre puisse plus efficacement confirmer ses frères, pour que l'union suprême dans le sacerdoce du Christ puisse être mieux réalisée. Cela correspond à la situation actuelle qui, pour la première fois depuis la Pentecôte, permet d'actualiser l'unité de l'organe apostolique.

Si une plus grande collégialité appelle une certaine internationalisation de la Curie, ce n'est nullement par sentiment antiromain et anti-italien : couplet de ferveur romaine.

Zazinović[4] (Yougoslavie) appelle à l'antiquité chrétienne : Chalcédoine. L'épître à Flavien[5] n'a pas empêché les Pères du concile de l'examiner à la lumière des normes de la foi...

---

1. Intervention donnée en français, *AS* II/II, 238-240. Elle est suivie, dans les *Acta*, de sa traduction en latin, *AS* II/II, 240-242.
2. *AS* II/II, 259-261.
3. *AS* II/II, 263-265.
4. *AS* II/II, 266-268.
5. Le *Tome à Flavien* du pape Léon Ier.

Qu'on introduise dans notre texte quelque chose dans le sens de ces faits.

Propose un concile régulièrement tenu et ayant autorité sur la Curie.

Beck[1] : il n'y a pas d'exposé sur le sacerdoce du NT pour les prêtres. C'est une lacune. Propose une nouvelle introduction du n° 15, avec ces idées :

unicus sacerdos[2] : Jésus-Christ (Hb).

Le fondement de son sacerdoce est l'union hypostatique. Aucun autre sacerdoce, aucun autre sacrifice. Cependant, le Christ a laissé un sacrement de son sacrifice et de son sacerdoce (concile de Trente).

Le Christ a voulu que ce sacrifice et ce sacerdoce restent parmi les hommes.

Van Dodewaard[3] (Haarlem) au nom de la conférence des évêques hollandais : sur la collégialité. Montre qu'elle est DE DROIT DIVIN et que son pouvoir n'est pas DÉLÉGUÉ par le pape (en s'appuyant sur le canon 227).

Propose en conséquence quelques corrections.

Il restait près de vingt inscrits !!!

Dans le car de retour, Mgr Renard : il parlera du sacerdoce. Il est convenu que je lui communiquerai un texte sur la question.

On met plus de temps pour aller de Saint-Pierre à l'Angélique que pour aller en avion de Rome à Zurich !

Visite de Mgr Garrone à 15 h pour la question d'un paragraphe sur la Tradition à introduire dans le *De Ecclesia.*

Visite du P. Colombier[4] (JAC internationale).

Enregistrement pour la Radio irlandaise. Je rédige textes sur les

---

1. George A. Beck, évêque de Salford (Angleterre), membre de la Commission conciliaire des religieux ; il deviendra archevêque de Liverpool en 1964, *AS* II/II, 268-270.

2. Un unique prêtre.

3. *AS* II/II, 270-272.

4. Pierre Colombier, o.p., de la province de France, aumônier général du MIJARC (Mouvement international de la jeunesse agricole et rurale catholique).

Églises particulières ; sur le sacerdoce (pour Mgr Renard) ; sur la question du *ex sese.*

Mardi 8 octobre. – Messe syriaque : Tappouni. Plutôt pénible et trop longue.

Rapport sur le ch. II de la liturgie et votes. Dans l'intervalle on continue les interventions sur le ch. II.

Cardinal espagnol[1] ; cardinal Gracias[2] (beaucoup de choses ; on me parle... Le cardinal demande en particulier qu'on exprime la nature essentiellement missionnaire de l'Église).

Mgr Philips me dit qu'hier soir il y a eu réunion de la sous-commission pour la classification des amendements. Cela a été pénible : on se trouve devant la même mentalité et la même obstruction de ceux d'en face : Tromp domine et il est arrivé en parlant des inepties entendues dans l'*Aula.* Ce sera mon siège de Saragosse : ligne par ligne et mot par mot !

Le cardinal du Pérou[3] au nom de la Conférence des évêques du Pérou et des autres évêques d'Amérique du Sud. POUR le diaconat. Dit les raisons POUR ; répond aux objections. Quant au célibat, laisser le texte tel qu'il est ; préciser que la décision revienne aux conférences épiscopales.

Cardinal Suenens[4] : pour le diaconat permanent. Invoque le NT, la tradition ancienne et la liturgie. L'ÉGLISE A UNE STRUCTURE SACRAMENTELLE. Réfute l'objection tirée du fait qu'on pourrait confier à des laïcs les actes prévus pour les diacres. L'application sera à adapter aux différentes régions et circonstances. Dit dans quels cas le diaconat est indiqué.
Texte très fort, mais trop long. Propose qu'on remette la chose aux conférences épiscopales.

1. B. de Arriba y Castro, *AS* II/II, 308-309.
2. *AS* II/II, 310-313.
3. Landázuri Ricketts, *AS* II/II, 314-316.
4. *AS* II/II, 317-319.

Je manque l'intervention de Staffa[1] : il n'y a qu'un chef dans l'Église ; la collégialité serait contre le primat.

Mgr Gori[2], « patriarche » latin de Jérusalem, avait, peu avant, parlé dans le même sens.

Mgr Rupp[3] : on ne précise pas qui sont les membres du collège. TOUS les évêques, même titulaires. Apporte grosse argumentation positive.

Mgr Heuschen[4], auxiliaire de Liège : la tradition patristique sur les Apôtres comme fondement, comme FONDATEURS. Idée des sièges apostoliques.
(grande attention de l'auditoire).

On vote l'*emendatio 5ª* du schéma *De Liturgia, cap. II.* Il donne les chiffres des votes déjà acquis. Je ne les prends pas.

Mgr Klostermann[5] me dit qu'il y a eu hier réunion de la commission *De regimine Diocesium*[6]. Il n'en est pas content. Mgr Carli, adversaire de la collégialité, a été élu rapporteur de cette commission. Il sera donc difficile d'harmoniser le texte avec celui du *De Ecclesia*, ch. II.

Mgr Charue[7] : les arguments scripturaires sur la volonté du Christ d'instituer un collège apostolique, et cela comme fondement de l'Église.
Texte donné avec beaucoup de force et de clarté, et très écouté malgré l'heure déjà avancée. Cite en finale paroles de Paul VI.

---

1. D. Staffa, *AS* II/II, 323-324.

2. Alberto Gori, o.f.m. italien, patriarche latin de Jérusalem, membre de la Commission des Églises orientales nommé par le pape, *AS* II/II, 320-322.

3. *AS* II/II, 329-331.

4. Joseph Heuschen, élu membre de la Commission doctrinale à la fin de la deuxième session, *AS* II/II, 331-333.

5. Ferdinand Klostermann, du diocèse de Linz, est professeur de théologie pastorale à la faculté de théologie catholique de l'Université de Vienne.

6. Du gouvernement des diocèses ; il s'agit plus précisément de la Commission des évêques et du gouvernement des diocèses.

7. *AS* II/II, 335-338.

Mgr Guyot m'a demandé un moment. Il voudrait que les prêtres fassent l'objet d'un chapitre après le *De Episcopis.* Il me demande d'y penser.

Mgr Martin serait disposé à faire l'intervention que je souhaite sur le *ex sese*, mais il craint qu'il soit trop tard pour s'inscrire. Je poursuis cette question importante.

On me dit que les Allemands voudraient qu'on enlève le mot *potestas*[1] du ch. II et qu'on dise : *munus.*

À 16 h 30 au secrétariat (pour l'unité). Exposé de Mgr Philips sur le ch. II du *De Ecclesia.*

Lukas Vischer : sur nº 14. Dans l'antiquité, le lien entre épiscopat et la célébration de l'eucharistie était très étroit. Il semble qu'aujourd'hui les simples prêtres soient plus proches des évêques du début que les évêques.
Une plus grande insistance sur l'eucharistie permettrait aussi une meilleure théologie de l'Église particulière. On ne parle pas assez non plus de l'action du Saint-Esprit dans les ministres.

Canon Pawley : il y a dans l'Église catholique une certaine hésitation concernant l'épiscopat. Le pape peut intervenir dans les diocèses, les cardinaux qui longtemps n'ont pas été évêques, les prélatures ; l'épiscopat donné simplement pour relever la dignité d'un homme ; les prélatures *nullius* ; le système presbytérien qu'on trouve dans les Ordres religieux.

Schmemann : il y a un certain pluralisme dans la structure de l'Église, dont on ne trouve rien ici : il y a d'autres primaties... et sur le *ex sese.*
Le document semble sans cesse traiter l'épiscopat comme une concession et toute l'affirmation absolue est encore POUR le pape. On réfère chaque énoncé sur l'épiscopat au pape et à son pouvoir.

Cullmann a eu une réaction analogue à Schmemann.
Certaines questions préalables qui ne sont pas résolues pour les protestants sont ici considérées comme résolues.

---

1. Pouvoir.

De quel ORDRE est la primauté de Pierre dans le NT ? la primauté de Pierre parmi les autres apôtres du vivant de Jésus ? après la résurrection du Christ ? après qu'il a quitté Jérusalem ?

La succession : les évêques succèdent aux Apôtres, mais dans un ordre tout à fait différent. Un Apôtre est un témoin oculaire de la Résurrection.

Nissiotis attaque l'analogie ; je ne vois pas bien comment il applique sa critique au problème en cause. C'est à propos de la succession de Pierre et l'image de la pierre, du roc.

Mgr Philips répond à chaque question ou groupe de questions.

Mgr Borovoj : le concile est un concile local de l'Église romaine. Il est très délicat pour nous observateurs de dire ce que nous approuvons ou désapprouvons : on croirait qu'il n'y a pas autre chose.

Généralités : avons à faire comprendre à notre Église le point de vue catholique romain et vice versa. Approuve l'insertion d'un chapitre *De populo Dei* et après celui de la hiérarchie. Pour celle-ci il eût fallu suivre un ordre historique et un ordre de la base au sommet.

S'agissant de la collégialité, son Église lui demandera : où sont les patriarches là-dedans... Or il n'en est pas question. Les évêques d'Antioche, Alexandrie et Jérusalem sont successeurs des Apôtres et même de Pierre : ils sont tout proches de l'évêque de Rome...

Parle longuement avec éloquence et gestes.

Un représentant de l'Église de Mar Thoma[1] voit une contradiction entre un pape qui peut faire seul tout, et la collégialité.

Pour rentrer, on met trente-cinq minutes à traverser la place de Venise !

Temps odieux, pluvieux et orageux. Je ne vais pas fort et finis chaque demi-journée « *exhausted*[2] ».

---

1. C. P. Mathew, professeur à l'Union Christian College, Alwaye, Kerala (Inde du Sud).
2. Épuisé.

Mercredi 9 octobre 63 (44e congrégation générale). – Je remets à Mgr Martin un texte sur le *ex sese.* Il s'est inscrit pour cette question.

Cardinal Liénart[1] au nom de plus de soixante évêques français : on a senti comme une antinomie entre primauté et collège épiscopal. Il faut chercher simplement ce que Jésus a voulu faire et ce que les Actes nous montrent de l'Église ancienne. Pierre a primat mais est toujours DANS le collège. « *Nec collegium apostolicum a potestate coregendi cum Petro destitutum est*[2]. » Les Onze ont exercé leur pouvoir collégialement avec Pierre. Si on considérait les autorités d'un point de vue juridique, il y aurait concurrence, mais non si ce sont des services et des responsabilités.

Cardinal Richaud[3] : *De diaconatu*[4] : adhère à cardinal Suenens. Il croit que la restitution du diaconat favoriserait plutôt les vocations sacerdotales (dit un tas d'évidences et de banalités, mais c'est peut-être utile).

Mgr Felici[5] dit que certains Pères ont posé une question sur leur vote éventuel touchant l'art. 42 du *De S. Liturgia* (communion sous les deux espèces). Ils auraient voulu discerner ou dissocier un premier vote sur le principe même de la restauration de cette communion. Mais la présidence répond.

Mgr Añoveros[6] au nom de plusieurs Pères sur n° 15 où il est question des prêtres. Il faudra en parler davantage. On demande des arguments scripturaires et traditionnels. Que le sacerdoce soit référé au sacerdoce du Christ et pas seulement à la plénitude de l'évêque.

Mgr Blanchet[7] : pose la question de la valeur des textes et de la

1. *AS* II/II, 342-344.

2. Le collège apostolique n'est pas privé du pouvoir de gouverner en union avec Pierre.

3. *AS* II/II, 346-347.

4. Sur le diaconat.

5. *AS* II/II, 347-348.

6. Antonio Añoveros Ataún, évêque coadjuteur de Cadix et Ceuta (Espagne), *AS* II/II, 348-350.

7. *AS* II/II, 352-353.

note théologique (il eût pu dire cela – qu'il a très bien dit – en trois minutes !).

Mgr Conway[1] (Armagh) : *cap. II in genere mihi placet*[2]. Mais il y a une grave omission sur la question des prêtres et du presbytérat. Son discours fait assez grosse impression. Mais pourquoi les orateurs croient-ils devoir remplir leurs 10 minutes lorsque deux ou trois suffiraient ?

Mgr Martínez[3] (Zamora, Espagne) : ne pas prêter à des erreurs déjà condamnées. Garder la pleine vérité de la hiérarchie (long exposé).

Šeper[4] : la commission des sacrements avait préparé un schéma où l'on parlait du DIACONAT. Il y a eu tant de pétitions !

Mgr Weber[5] sur le collège apostolique dans le NT (on n'écoute pas beaucoup, car on a déjà entendu cela).

Mgr Hurley[6] : l'évêque ayant le *leadership* pastoral. Qu'on en parle. Malheureusement, les renouveaux ne sont pas tellement venus des évêques...

Mgr Sigaud[7] (Brésil) propose une théologie de l'évêque et de la collégialité. Distingue entre actes collégiaux (conciles) et actes collectifs (conférences épiscopales). Contre une sorte de synode permanent d'évêques désignés par les autres et qui dirigerait collégialement l'Église avec le pape. Également contre un concile national permanent ; propose corrections p. 24 et 25.

D'Agostino[8] (Italie) : il eût fallu mettre plus en évidence l'origine de la hiérarchie. Propose différentes corrections, y compris la suppression de la citation d'Éph. 2, 20. Sur le diaconat,

1. William Conway, nouvel archevêque d'Armagh (Irlande), président de la Conférence des évêques irlandais ; il sera élu membre de la Commission de la discipline du clergé et du peuple chrétien à fin de la deuxième session, et créé cardinal le 22 février 1965, *AS* II/II, 354-355.

2. J'approuve le chapitre II dans son ensemble.

3. E. Martínez Gonzáles, *AS* II/II, 355-358.

4. *AS* II/II, 358-360.

5. *AS* II/II, 361-363.

6. *AS* II/II, 364-366.

7. *AS* II/II, 366-369.

8. *AS* II/II, 370-372.

se rattache à Bacci et réclame l'obligation du célibat. On ne parle pas du devoir d'obéissance des prêtres à l'égard de l'évêque. Pour le primat de Pierre ; pas de collège sans tête.

Mich. Browne[1] (Irlande) : on ne parle pas des DIOCÈSES.

Mgr Doumith[2] : par la consécration, l'évêque reçoit le pouvoir pastoral englobant les pouvoirs de gouverner, enseigner et célébrer. Cela ressort de la tradition et de la liturgie : cite textes. La consécration comporte la mission. La consécration se fait *ad Ecclesiam*[3] et autrefois toujours à une église déterminée. La mission canonique est *tantum ad moderamen potestatis, sed potestatem ipsam non confert nec aufert*[4].

Mgr Franić[5] : sur le diaconat : seize sur vingt et un des évêques de rite latin de Yougoslavie le trouvent inopportun : comment les gardera-t-on dans la discipline ? qu'on supprime le texte proposé. Dit qu'à la commission théologique, il n'y a pas eu vote là-dessus et qu'on a mis le texte sans vote.

Sur les rapports entre épiscopat et le primat : le schéma a une bonne *via media*, mais il y a quelques formules qui obscurcissent les droits du primat.

On n'a pas distingué le fondement de l'Église *ratione doctrinae*[6] et le fondement de l'Église *ratione jurisdictionis*[7].

Le texte de Éph. 2, 20 est douteux et on doit supprimer la mention des Apôtres comme fondement (très écouté malgré l'heure tardive).

---

1. Michael Browne, évêque de Galway et Kilmacduagh (Irlande), *AS* II/II, 373-374.
2. *AS* II/II, 376-377.
3. Pour l'Église.
4. Seulement pour régler le pouvoir, mais ne confère ni ne retire ce pouvoir lui-même.
5. *AS* II/II, 378-380.
6. Vu sous l'angle de la doctrine.
7. Vu sous l'angle de la juridiction.

Vote sur la correction	9e	à la liturgie :	*non placet*	67
– – – –	10e		– –	46
– – – –	11e		– –	96
	(= la communion sous les deux espèces)			
– – – –	12e		– –	14

Après la congrégation à Saint-Pierre, je vais déjeuner à Saint-Thomas de Villeneuve. J'ai un mal de tête effroyable. Le repas m'est assez pénible. Après, au café, Mgr Gračanin[1], non revu depuis les Carmes, 1924 !

Après conversation avec Féret et Liégé, on part. Je voulais avoir deux heures de travail à l'Angélique pour achever des remarques sur le *De Populo Dei* ; mais on passe plus d'une heure à faire du sur place ; il est impossible d'atteindre la place de Venise par le Corso. On rebrousse chemin et on va voir le P. Chenu. Malheureusement trop peu de temps. Il est assez en forme, ayant un travail de journalisme à faire. Féret me conduit alors au Vatican pour la commission théologique à 17 h 30. On se retrouve. Peu d'experts et (presque) uniquement des amis.

Le cardinal Ottaviani dit : on a posé la question de savoir si la commission de coordination avait pouvoir d'imposer un ordre nouveau du schéma*. Ils ont dit : les évêques sont LIBRES d'accepter ou non.

Mgr Parente donne des raisons de rejeter. Insiste surtout sur le fait qu'il y a là un parallélisme entre l'Église et le peuple juif, ce qui comporte quelque chose de particulariste et de nationaliste : donc de peu œcuménique.

Mgr Schröffer défend le projet de chapitre particulier *De populo Dei*.

Mgr Florit proposerait comme titre : *De membrorum in Ecclesia Christi aequalitate et inaequalitate*[2] ; après cela, le chapitre *De S. Hierarchia*[3], puis le chapitre *De statibus perfectionis*[4] (avec le texte

* Il s'agit de l'introduction d'un chapitre *De populo Dei*.

1. Duro (Georges) Gračanin, ancien du Séminaire des Carmes (Séminaire de l'Institut Catholique de Paris), est professeur à la faculté de théologie de Zagreb.

2. De l'égalité et de l'inégalité des membres de l'Église du Christ.

3. De la hiérarchie sacrée.

4. Des états de perfection.

naguère préparé par la commission mixte des religieux et de théologie) ; enfin le chapitre *De laicis* comme *cap.* 5.

Mgr Charue : l'expression *populus Dei* est dans *Ia Petri II, 10.* Qu'on demande à Mgr Philips de s'expliquer.

Ce qu'il fait. Il insiste sur l'utilité de grouper tout ce qui se réfère à l'état intermédiaire et pérégrinal de l'Église. Explique aussi le sens de rédaction du chapitre sur la vocation à la sainteté, pour éviter qu'on parle des religieux séparément. Il justifie le plan en cinq chapitres tel qu'il l'a conçu.

Je demande la parole mais on ne me la donne pas ; on la donne au P. Tromp qui voudrait une division en *clerici, continentes, matrimonio juncti*[1]. – Le cardinal Ottaviani presse les choses et veut un vote sur cette formule : *Utrum standum sit primitivae divisioni*[2] ?

Franić serait d'accord sur un chapitre *De populo Dei*[3], mais sous le titre *De Christifidelibus*[4].

On vote sur :

1°) faut-il un nouveau chapitre ?

Résultat : oui = 20, non = 4 ;

2°) quel titre donner ? *Populus Dei*[5], *Christifideles.*

Schauf parle pour « *Christifideles* ».

Je parle pour « *populus Dei* ».

Mgr Charue aussi.

Le cardinal Ottaviani préférerait « *De Christifidelibus* ».

Häring : *De populo Dei*, terme social, non individuel.

On vote :

De populo Dei : 15.

De Christifidelibus : 7.

De aequalitate et inaequalitate membrorum Christifid.[6] = 1*.

C'est acquis.

On a demandé, dit le cardinal Ottaviani, s'il faut garder le *De*

---

* = Franić.

1. Les clercs, ceux qui vivent dans la continence, les gens mariés.
2. Faut-il maintenir cette division primitive.
3. Du peuple de Dieu.
4. Des fidèles du Christ.
5. Les fidèles du Christ.
6. De l'égalité et de l'inégalité des membres fidèles du Christ.

Beata autonome ou s'il faut l'insérer dans le *De Ecclesia*. Le cardinal Ottaviani a répondu que la commission de coordination avait demandé un schéma séparé et que Marie mérite bien un schéma à part. Mais il a ajouté qu'il proposerait la question à la commission théologique.

Qu'on entende deux Pères et deux *periti*, dit le cardinal.

Franić SE PRÉCIPITE pour demander la parole en faveur du schéma à part.

Ottaviani ajoute : on a distribué déjà le schéma !!!

Mgr McGrath parle en faveur de l'insertion dans le schéma *De Ecclesia*. Plusieurs évêques l'ont demandé ; la commission théologique DU CONCILE n'a jamais discuté ni approuvé le schéma, qui vient de la commission préparatoire.

Spanedda : que le schéma reste à part. La mariologie appartient plutôt à la christologie qu'à l'ecclésiologie. De plus dans le schéma *De Ecclesia* on parle surtout de l'Église pérégrinante et militante.

Le P. Tromp : beaucoup d'évêques veulent un lien entre le schéma *De BVM* et le *De Ecclesia*, mais ils diffèrent sur la conception et la place.

Le P. Balić, qui est arrivé depuis peu de temps est invité à parler, mais Mgr Doumith demande SUR LE DÉSIR DE QUI on a fait un schéma *De BVM* ; si le schéma ne dit rien que d'admis, pourquoi un schéma ? Qui l'a voulu ?

C'est une vraie question, dit Mgr Garrone.

Ottaviani demande à Doumith : les Orientaux ne se réjouiraient-ils pas d'un texte sur la Sainte Vierge ?

Non, répond Mgr Doumith. Ils ont une grande dévotion envers la Sainte Vierge, mais ils se contentent de vénérer la *Theotokos* et verraient mal des textes dogmatiques : on n'est pas encore sorti des difficultés causées par l'Assomption !!!

Le P. Gagnebet dit : on a fait un texte parce qu'un grand nombre d'évêques l'ont demandé !!!

Le P. Balić, invité à parler, *LIT* un texte : un BONIMENT habile, mais un boniment. Les frères séparés et surtout les protestants désirent une déclaration claire et doctrinale.

À la fin il improvise avec éloquence et un peu de ridicule. Il parle et parle, sans qu'on lui coupe la parole.

Mgr Philips apporte une parole sage et pacifique ; il conclut dans le sens de notre conversation de dimanche : après les cinq chapitres du *De Ecclesia*, un sixième chapitre, avec pour titre : *De loco et munere Deiparae in Ecclesia*[1] (fondement christologique *(Deiparae*[2]*)* et pour montrer ce que les fidèles doivent à la Vierge, Mère de Dieu et la présence de celle-ci dans l'Église).

Mgr Garrone, avec une parole calme : dans le concile, l'Église est LE CENTRE d'intérêt. Par amour envers la Vierge, il serait bon qu'elle soit montrée en connexion avec l'Église, centre de nos travaux.

On aurait le même résultat, dit le cardinal Browne, en mettant le *De Beata* aussitôt après le *De Ecclesia*, en exprimant le lien entre les deux. Si le mouvement œcuménique veut arriver à son résultat : il faut mettre notre confiance en la Vierge Marie.

Le cardinal Ottaviani : ce serait revenir en arrière sur le chemin parcouru. Cela étonnerait.

Mgr Griffiths adhère à proposition Philips. Rappelle qu'on a, dans l'*aula*, demandé qu'on éclaire la piété des fidèles envers Marie et les saints.

McGrath : nous ne sommes que des délégués des Pères du concile ; or ils n'ont pas exprimé leur pensée.

Ottaviani le contredit vigoureusement. La voie normale est que la Commission propose un texte et que les Pères fassent leurs remarques. Qu'on vote sur ceci :

1°) *Schema de BVM maneat ut est*

2°) *Schema de BVM fiat caput finale « De Ecclesia »* (Philips)

3°) *Quae dicuntur in schemate inserantur in Schemate de Ecclesia, in tramite hujus schematis*[3].

Ou qu'on réduise à deux questions, dit Mgr Pelletier :

---

1. De la place et de la fonction de la Mère de Dieu dans l'Église.
2. Mère de Dieu.
3. Que le schéma *de BVM* reste comme il est.

Que le schéma *de BVM* devienne le chapitre final du *De Ecclesia* (Philips).

Que ce qui est dit dans le schéma soit inséré dans le schéma *De Ecclesia*, dans le cours de ce schéma.

ut schema fiat intra schema de Ecclesia
– – – *extra* – – –[1]

Schröffer : peut-on voter sans avoir vu les *vota* des Pères sur la question ? Il faut d'abord les voir.

Ottaviani : les 4 modérateurs ont demandé l'avis de la commission théologique. On votera donc (après discussion) en deux fois :

1°) *tractetur extra schema de Ecclesia* : 9
– *intra* – – –[2] : 12
et 2 abstentions

2°) si *intra*, où ?

À main levée, on dit : comme chapitre final, de façon à peu près unanime.

Il y a unanimité pour un chapitre SPÉCIAL.

Dans l'ascenseur, le cardinal Ottaviani dit : Si le P. Général (Fernandez) était resté jusqu'au bout et avait voté, on aurait eu une voix de plus pour le « *extra schema* ». Je dis : *est-ce la Providence, est-ce le diable ?

Grande et importante séance au point de vue de l'orientation future des choses. Ce qui s'est joué ce soir, pour une part, c'est l'ouverture vers les hommes *(De populo Dei)* et la santé d'une mariologie guérie du chancre maximaliste.

Je rentre à 20 h, exactement douze heures après avoir quitté ma cellule, absolument à bout de forces.

Jeudi 10 octobre 63. – Avant l'ouverture de la congrégation, je vois Mgr Huyghe sur le chapitre des religieux. Il me raconte comment cela a été mené à la commission des religieux et comment il est arrivé à grouper onze membres qui s'opposent au courant et espèrent empêcher certaines choses peu souhaitables.

Je vois également le cardinal Liénart et lui dis en particulier comment la façon rapide dont le cardinal Tisserant entonne l'*Adsumus*,

---

* Son départ.

1. Que le schéma soit placé à l'intérieur du schéma *De Ecclesia*.
Que le schéma reste distinct du schéma *De Ecclesia*.

2. Qu'il en soit traité à l'extérieur du schéma *De Ecclesia*.
Qu'il en soit traité à l'intérieur du schéma *De Ecclesia*.

est catastrophique. Il a dû le lui répéter, car aujourd'hui le cardinal Tisserant essaie de ralentir : ce qui accentue la cacophonie.

Cardinal Câmara[1] (Brésil) au nom de cent trente évêques du Brésil :
Il y a trop de répétitions de la primauté du pape. Pour la collégialité de droit divin sur la base de la consécration.
Cardinal Cento[2], sur le diaconat. Désirable dans certains pays. Mais que soit sauve toujours la loi sacrée du célibat.
Mgr Slipyj[3] (on applaudit avant qu'il ne parle) : il ne parle pas, ce sera demain.
Galea, de Malte[4] : il faut compléter : distinction entre hiérarchie de juridiction et hiérarchie d'ordre.
Il faut mieux ordonner : changer la place des n°s 14 et 15.
Précisions sur le n° 13 : pouvoir des Apôtres et des évêques.
Mgr Schick[5] (Allemagne) au nom des Pères conciliaires de langue allemande et scandinave :
Qu'on exprime mieux la notion de presbytérat, la notion des Églises locales : la paroisse au sens non administratif, mais théologique = sens fréquent de ἐκκλησία. Vraie représentation de l'Église universelle.
Mgr Jaeger[6] (Paderborn) : quelques remarques sur la collégialité.
1. Prérogatives des Apôtres différentes de celles des évêques comme successeurs.
2. Les fondements bibliques de la collégialité : *Joh. ut maneat vobiscum in aeternum*[7].

---

1. *AS* II/II, 388-389.

2. Cardinal Fernando Cento, grand pénitencier, président de la Commission conciliaire pour l'apostolat des laïcs, *AS* II/II, 393.

3. Josyf Slipyj, archevêque-métropolite ukrainien de Lvov (URSS), membre de la Commission conciliaire des Églises orientales, *AS* II/II, 393. De son arrestation en 1945 jusqu'à sa libération en janvier 1963, il n'avait connu que la prison et les travaux forcés en Sibérie. Il sera créé cardinal en janvier 1965.

4. Emanuele Galea, évêque auxiliaire à Malte, *AS* II/II, 394-395.

5. Eduard Schick, évêque auxiliaire de Fulda (Allemagne), membre de la Commission des évêques et du gouvernement des diocèses, *AS* II/II, 396-397.

6. *AS* II/II, 399-400.

7. Qui restera avec vous pour toujours (Jn 14, 16).

3. Sur rapports entre pouvoir suprême du pape et du collège. C'est une forme originale de pouvoir qui n'a pas d'analogue dans les sociétés humaines.

Mgr Descuffi[1] (Smyrne) : au n° 19, doctrine de l'office d'enseignement dans son rapport avec le pouvoir du Pape. Très important au point de vue œcuménique : propose qu'un paragraphe parle exhaustivement du Mystère de l'Église et qu'on explique le *ex sese* dont la formule prête à mauvaise interprétation.

Le pape a l'infaillibilité DE L'ÉGLISE ; donc *sensus Ecclesiae cognosci debet*[2].

Le mot CONSENSUS est ambigu ; il vaudrait mieux dire : ASSENSUS[3]. Il *FAUT* le *consensus.* Propose un texte.

Mgr Yago (Abidjan)[4] sur le diaconat permanent, au point de vue pastoral.

Je vais au Bar. Je vois un évêque polonais[5] de la commission des laïcs, et Mgr Ménager, qui me dit comment le P. Gagnebet évolue sur la question de l'épiscopat...

Maurer, évêque de Bolivie[6], en faveur du diaconat et pour une bonne formation théologique des laïcs dans les facultés de théologie.

Shehan (Baltimore)[7] : 1°) sur le *ex sese* (p. 30), source de difficultés : à mieux expliquer. Cite texte du discours de Paul VI sur meilleure déclaration du dogme de l'Église ; renvoie à la

---

1. *AS* II/II, 402-404.

2. Le sens de l'Église doit être connu.

3. Assentiment.

4. Bernard Yago, archevêque d'Abidjan, membre de la Commission des missions nommé lors de la première session. *AS* II/II, 405-407.

5. Il s'agit probablement de Mgr Herbert Bednorz, évêque coadjuteur de Katowice. L'autre évêque polonais de cette Commission, Mgr Boleslaw Kominek, n'est pas présent à la deuxième session du Concile, car comme vingt-quatre autres évêques, il n'a pas obtenu de passeport du gouvernement polonais.

6. José C. Maurer, rédemptoriste allemand, archevêque de Sucre (Bolivie), membre de la Commission des séminaires, des études et de l'éducation catholique, *AS* II/II, 410-412.

7. Lawrence J. Shehan, archevêque de Baltimore (États-Unis), créé cardinal en février 1965, *AS* II/II, 414-416.

note 52 et au texte de Gasser[1] dont il faudrait insérer l'affirmation dans le texte. Propose une addition.
2°) de même p. 30, l. 32 sq., propose qu'on remplace VEL[2] par ET (ligne 14).

Mgr Ghattas[3], de Thèbes : le concile doit exposer ce qui peut unir les chrétiens ; faire une Église plus « catholique » dans ses instances de gouvernement ; mieux déclarer la collégialité épiscopale. En conséquence parle a) des patriarcats ; b) de la création d'une sorte de συνοδος ενδημουσα (allusion au discours de Paul VI).
Cette ecclésiologie est toute latine !
Texte *TRÈS* fort. Réclame qu'on prenne au sérieux les Églises orientales.

Mgr Renard[4], sur les prêtres : notion de sacerdoce
idée du *presbyterium* (S. Ignace, etc.) ; lien à l'évêque qui est père et aussi *perfector*[5]. Cela doit être dit.

Mgr Morcillo[6] (Saragosse) : on n'a apporté pour la collégialité épiscopale que des arguments probables, non péremptoires. Mais il ne fait guère que redire, en catégories conceptuelles, ce qui a déjà été dit. Attire l'attention sur la distinction entre l'ensemble des évêques collectivement pris, et le collège proprement dit. Selon lui, on n'a pas prouvé l'existence du collège au sens strict.

P. Fernandez[7], O.P. : 1°) Il y a deux sujets de l'infaillibilité, deux sujets du pouvoir suprême.
2°) Le second sujet (corps des évêques) est soumis au premier. Il n'est pas nécessaire que le collège agisse sans cesse

---

1. Vincenz Gasser, évêque de Brixen ; théologien, il joua un grand rôle au Concile Vatican I, notamment par les précisions que donnait sa *Relatio* du chapitre IV de la Constitution *Pastor aeternus* ; la note 52 ici mentionnée, ainsi que les notes voisines, sont tirées de cette *Relatio*.

2. Ou.

3. *AS* II/II, 416-418.

4. *AS* II/II, 418-420.

5. Celui qui perfectionne. (Renard se réfère pour cette expression à Denys l'Aréopagite et à saint Thomas d'Aquin).

6. *AS* II/II, 420-422.

7. *AS* II/II, 422-424.

comme tel, mais seulement au concile œcuménique et en certaines circonstances.

3°) On ne peut dire que les évêques ont, de par leur seule consécration, une juridiction, même empêchée, au-delà de leur diocèse.

4°) Si on peut instituer une sorte de commission centrale représentant les évêques, elle ne peut faire que ce que le pape lui demandera et lui donnera de faire.

Sur le diaconat.

Mgr Urtasun[1] (Avignon) en faveur de la sacramentalité épiscopale : répond aux critiques faites (bon texte, bien donné).

Mgr Yü Pin[2] : Du diaconat permanent : raisons POUR. Et éventuellement marié.

Van den Hurk[3] au nom de trente évêques d'Indonésie :

n° 13 : évêques successeurs des Apôtres. Mais peut-on dire que les Apôtres eux-mêmes ont consacré des évêques comme leurs successeurs : critique de la référence à Clément, Cor.

n° 14 : sacramentalité de l'épiscopat. Bien, mais qu'on dise que par lui on devient membre du collège.

Qu'on mette le § sur les prêtres à la fin.

D'accord sur diaconat. Il n'y a pas unanimité des évêques d'Indonésie sur le célibat.

N° 19 : sur magistère des évêques : c'est une doctrine certaine. Quelques-uns disent que le pape communiquerait au concile le pouvoir de juger infailliblement. Mais

1°) le pape ne COMMUNIQUE pas son infaillibilité qui est personnelle ;

2°) un pouvoir humainement communiqué ne saurait être infaillible.

Sur l'assentiment dû au magistère : pas d'accord, car

a) on ne parle que du pape, non des évêques ;

---

1. Joseph Urtasun, archevêque d'Avignon, membre de la Commission des religieux, *AS* II/II, 429-430.

2. Paul Yü Pin, *AS* II/II, 430-432.

3. Le Néerlandais Antoine H. van den Hurk, o.f.m. cap., archevêque de Medan, *AS* II/II, 432-434.

b) on assimile trop le magistère faillible au magistère infaillible.

Quelques remarques de détail, entre autres sur *potestas* = mieux dire : *auctoritas*[1], *munus.*

On parle trop du pape (plus de trente fois !)

À la fin de la Congrégation générale, on indique le résultat des votes sur les amendements 13 à 19 du *De S. Liturgia*[2], chap. II. Il y a 315 *Non placet* sur la concélébration des Messes conventuelles !!! J'ai noté sur mon exemplaire les résultats indiqués.

À 17 h chez S. Béatitude Maximos IV et les évêques Melchites. Le Patriarche me prend à part un moment pour me dire qu'il ne faut absolument pas parler d'Israël, comme je voulais le faire, dans le *De Populo Dei.* Cela déclencherait, dit-il, le massacre des chrétiens dans les pays arabes voisins de l'État d'Israël. J'objecte que, tout de même, il y a d'autres considérations de très grande force. Le patriarche répète par trois fois ce qu'il m'a dit. – Mgr Hakim, peu après, me dit : il y aura un chapitre sur les juifs dans le schéma *De oecumenismo* ; on peut donc omettre l'intervention que je voulais faire dans le *De Populo Dei...*

Je leur fais un exposé sur la collégialité. J'accroche différentes questions, entre autres celle de la formule finale de proclamation des décrets : *« N..., sacro approbante concilio*[3] »... Je retrouve la même atmosphère que l'année dernière. Ils me posent des questions très aiguës, mais procédant moins de catégories et d'une technique d'écoles que d'un sens réel des réalités : le sens même de la Tradition !

On discute la question de l'insertion possible d'une mention des Patriarches dans le Schéma *De Ecclesia.*

Dans l'itinéraire d'aller, le prêtre qui est venu me chercher me dit qu'un fait considérable va s'accomplir lundi prochain : les 6 patriarches prendront place sur une estrade en face des cardinaux. C'est le résultat d'une démarche faite par les Melchites auprès du cardinal Bea et du cardinal Suenens, et, par eux, jusqu'auprès du pape. Dans leur rapport, ils ont argué du précédent du concile de

---

1. Autorité.
2. De la liturgie sacrée.
3. Avec l'approbation du saint Concile.

Florence, où les cardinaux avaient été mis à gauche quand on entre dans l'église (place d'honneur dans l'Église latine) et les patriarches en face d'eux à droite (place d'honneur dans l'Église orientale).

Le secrétariat, invité à chercher une solution à la question, avait proposé de tendre de rouge, au lieu du vert, les sièges actuels des patriarches ; mais les Melchites ont répondu que ce ne serait nullement là une réponse positive à leur requête, et que le vert plaisait autant que le rouge.

Lundi, donc, ils seront en face des cardinaux, près de la statue de saint Pierre.

Après mon retour, de 7 h 30 à 9 h 30 moins le souper, travail avec les PP. Féret et Liégé en vue de la rédaction d'un § *De traditione in vita Ecclesiae*[1] à insérer dans le *De Ecclesia*. Le P. Féret vient d'une réunion d'évêques français au sujet du chapitre sur les religieux : il a trouvé le P. Daniélou extrêmement brouillon et disant un peu n'importe quoi, fût-ce des énormités telles que : « Dans l'Évangile il n'y a pas de conseils. »

Vendredi 11 octobre. – Aujourd'hui, à la messe qui ouvre la 46e congrégation générale, COMMUNION des laïcs « *auditores*[2] ». Ainsi il y a COMMUNION à cette messe. Il faudra qu'on arrive à ce qu'on lise un passage d'Évangile après son intronisation !

Les Modérateurs disent qu'ils ne veulent pas interrompre la discussion sur le ch. II, mais qu'on peut s'inscrire pour le ch. III.

Cardinal Quiroga[3] (Compostelle) : Sur les expressions : *episcoporum coetus*[4], *collegium*, etc.

Mgr Slipyj[5] (applaudi avant de parler) : évoque la représentation de l'Église ukrainienne dans les conciles œcuméniques. Après une longue partie évocatrice de ses sentiments, fait un cours très latin sur pape et évêques. Il y a la même infaillibilité dans le pape et les évêques.

1. De la tradition dans la vie de l'Église.
2. Auditeurs.
3. Fernando Quiroga y Palacios, *AS* II/II, 441-442.
4. Rassemblement des évêques.
5. *AS* II/II, 442-446.

Il parle du diaconat ; il n'en finit pas, il lasse tout le monde.
Il demande qu'on élève Kiev au rang de patriarcat.

Mgr Costantini[1] (Italie). Sur diaconat : qu'on promeuve d'abord des frères laïcs des ordres religieux et des membres des Instituts séculiers.
Sur collégialité.
Infaillibilité : celle des conciles ne dérive pas de celle du pape.

Mgr Talamás[2] (Mexico) : pour le diaconat.

Mgr Wittler[3] (Osnabrück) : le schéma n'exprime pas assez le lien entre pouvoir de sanctification et pouvoir de juridiction.
La consécration épiscopale confère LE pouvoir épiscopal qui est une unité comportant plusieurs facultés (dans le sens de Mgr Doumith).
La moitié des Pères de Trente ont pensé que la juridiction est conférée avec la consécration.
Propose un texte de remplacement en ce sens pour le n° 14.

Mgr Cirarda[4] sur le même n° 14 (au nom de seize évêques espagnols) : arguments pour la sacramentalité de l'épiscopat, mais il y aurait trois corrections à faire :
Ne pas citer *I Petr.* en ce sens.
Adhère à ce qu'a dit Wittler sur unité des pouvoirs.
Ne pas parler du CARACTÈRE à propos de l'épiscopat.

Mgr Nicodemo[5] (Bari) : tout est-il assez certain pour qu'on adopte la constitution *De Ecclesia* ? La collégialité telle qu'on la présente ? On mélange des notions théologiques et juridiques. Elle a plus d'une forme : le concile œcuménique, etc.
Le mot recouvre plusieurs choses.

Mgr Gouyon[6] : sur la tradition des IIe et IIIe s. Relativement à

1. *AS* II/II, 447-449.
2. Manuel Talamás Camandari, évêque de Ciudad Juárez, *AS* II/II, 450-452.
3. Helmut H. Wittler, évêque d'Osnabrück (Allemagne), *AS* II/II, 453-455.
4. José M. Cirarda Lachiondo, évêque auxiliaire de Séville, *AS* II/II, 457-458.
5. *AS* II/II, 459-461.
6. *AS* II/II, 461-463.

n° ... (= Colson[1]) (prononciation très étudiée mais très peu naturelle) Les rapports entre évêques et Églises (lettres) qui indiquent la conscience d'une responsabilité à l'égard des autres Églises.

Les conciles locaux.

Le caractère collégial des consécrations épiscopales.

Mgr Flores[2] (Barbastro) : on n'écoute plus guère !

De Vito[3] : distinction entre diaconat office permanent dans l'Église, ce qui exige un tas de conditions de dignité ecclésiastique, et des offices diaconaux qu'on pourrait concéder par exception à quelques-uns.

Il propose un tas de considérations d'un point de vue étroit et tout clérical.

Mgr Lefebvre[4], supérieur des PP. du Saint-Esprit : les dangers de la collégialité (conférences épiscopales), y compris pour l'autorité des évêques, chacun dans leur diocèse.

Le chanoine Moeller vient bavarder avec moi. Il me demande en particulier mon avis sur la désignation par le pape d'un nouveau membre de la commission théologique, en remplacement de Mgr Peruzzo, enfant d'Agrigente. Le cardinal Suenens lui a demandé des noms. Je dis qu'il FAUT, ou un oriental (et je cite alors, en cet ordre : 1) Edelby ; 2) Zoghby ; 3) Hermaniuk), ou un Noir d'Afrique : mais lequel a une suffisante formation ou structure théologique ?

Je demande à Moeller de dire au cardinal Suenens qu'il faut penser à la forme de la conclusion, pour remplacer le mauvais : *« N., sacro approbante concilio... »*

---

1. C'est un spécialiste de l'ecclésiologie des premiers siècles et Congar vient de préfacer et publier un de ses ouvrages dans la collection « Unam Sanctam » : *L'Épiscopat catholique. Collégialité et primauté dans les trois premiers siècles de l'Église*, coll. « Unam Sanctam » 43, Cerf, 1963.

2. Jaime Flores Martin, évêque de Barbastro (Espagne), *AS* II/II, 464-466.

3. *AS* II/II, 469-471.

4. *AS* II/II, 471-472.

Mgr Boillon[1] sur le sacerdoce de l'évêque, à rattacher à celui DU CHRIST.

Mgr Paul Rusch[2] pour les évêques d'Allemagne et d'Autriche sur la collégialité : c'est traditionnel.

Cela comporte un élément moral et un élément juridique.

Mgr Pont y Gol[3] : 1°) Sur le mot et l'idée de *potestas* dans ce chapitre. Il a fait une statistique de l'usage : il y a beaucoup trop de *potestas* aux dépens de l'idée de service et de responsabilité.

2°) Ne pas oublier, même dans ce ch. II, l'intérêt œcuménique. Ne pas oublier les évêques vrais des Églises séparées, surtout orthodoxes. Il faut expliquer la part qu'ils ont au pouvoir du Christ.

Auxiliaire de Bologne[4] (Bettazzi) : qu'on dise mieux que la consécration confère tous les pouvoirs et qu'elle introduit dans le corps épiscopal (idées Dossetti).

Licet junior in episcopatu et italicus[5]... il veut apporter quelques témoignages : apporte témoignage de Turrecremata[6] et ceux du concile de Trente (les défenseurs même de la Papauté !) en particulier futur Innocent IX.

Trente a admis qu'à sa consécration l'évêque reçoit les pouvoirs épiscopaux.

Tout le dossier Dossetti-Alberigo[7], donné à toute vitesse et avec feu.

Je déjeune au Collège éthiopien à 13 h, invité par mon ami de Cambridge, Kidane Mariam[8]. C'est, dans le site enchanteur des

---

1. *AS* II/II, 476-477.

2. *AS* II/II, 477-478.

3. *AS* II/II, 479-481.

4. Luigi Bettazzi, *AS* II/II, 484-487.

5. Bien que jeune dans l'épiscopat et italien.

6. Il s'agit du cardinal Juan de Torquemada (*circa* 1388-1468) o.p, théologien et canoniste, et non de son frère Tomas qui fut inquisiteur général d'Espagne.

7. Une note avait effectivement été préparée par Dossetti et Alberigo, initialement en vue d'une intervention orale du cardinal Lercaro ; cf. Marie-Dominique CHENU, *Notes quotidiennes au Concile*, Cerf, 1995, p. 142, n. 1.

8. Kidane Mariam Ghebray, prêtre diocésain de l'Éparchie d'Adigrat en

jardins du Vatican, et sur la hauteur, un îlot de paix et de silence. Après le déjeuner, conférence en latin aux étudiants et aux trois évêques, sur l'œcuménisme : celui-ci est absolument inexistant en Abyssinie. Je tâche de lui donner un départ dans le cœur de la jeune génération.

À 15 h 30, chez les Rédemptoristes (31 via Merulana), réunion hebdomadaire de coordination des interventions, ou de « stratégie conciliaire » comme dit Mgr Elchinger qui anime ces réunions. Présents Mgr Volk et son auxiliaire[1], Mgr Musty, Mgr Guano, Mgr Garrone, Dom Butler, Philips, PP. Rahner, Féret, Liégé, Grillmeier, Martelet, Smulders, Martimort, Laurentin, Ratzinger, Häring, Semmelroth, Daniélou et deux ou trois encore. On parle de

1°) La coordination des interventions sur les ch. II et III. On fait le bilan des difficultés qui demeurent et qui arrêtent certains, à savoir la notion de collège et surtout celle des rapports entre primauté papale et collège des évêques.

2°) La question du vote global sur le ch. II du *De S. Liturgia.* Sur le conseil formel et pressant de Martimort, confirmé par Philips, on décide qu'il faut avant tout faire passer le chapitre tout de suite et ne pas disperser les voix sur les *« juxta modum »*, lesquels doivent être justifiés par une proposition concrète de changement et n'ont chance d'obtenir un changement du texte (dont il n'est pas sûr qu'il serait un mieux) que, s'ils sont nombreux dans le même sens et au risque de renvoyer le vote du texte aux calendes grecques.

3°) La question du *De Beata.* Les Anglais ont fait un texte que D. Butler distribue et qui a été déjà largement répandu. Il semble qu'il faille le faire signer le plus possible. Cependant, il y a aussi un texte chilien. On désigne une petite équipe pour voir cela.

Je m'aperçois pendant la réunion que j'ai oublié mes lunettes : sans doute à Saint-Pierre. J'y retourne. Mais des rues sont barrées parce que le Pape doit venir à Sainte-Marie-Majeure : d'où un de ces encombrements romains où l'on gagne 20 cm par 20 cm ! À Saint-Pierre, on m'envoie de l'un à l'autre ; il faut faire des kilomètres. Je n'en peux plus. Finalement, accompagné par un gen-

---

Éthiopie, que Congar a connu chez les dominicains à Cambridge. Il est alors à Rome comme secrétaire de son évêque à la deuxième session du Concile.

1. Joseph Reuss.

darme vraiment serviable et complaisant, je retrouve mes lunettes au bureau de la Gendarmerie, cour St-Damase. Je rentre dans un état de prostration inouïe pour recevoir la visite du P. Cottier, d'un prêtre brésilien (il me dit que les évêques du Brésil ne veulent entendre parler ni de corédemption ni de médiation mariales) et d'un évêque polonais (vicaire capitulaire de Cracovie[1]) : celui-ci me soumet des textes qu'il a rédigés et qui sont assez confus, pleins d'imprécisions, voire d'erreurs ou de malfaçons. Mais je suis content d'entrer en contact avec l'épiscopat de Pologne. Les évêques polonais, qui sont actuellement 24 au concile (sur 45 qui devaient venir) n'ont reçu les textes qu'en septembre. Ils n'ont pu amener aucun théologien et sont assez démunis, peu ou mal au courant. C'est pourquoi on n'en a encore entendu aucun au concile.

Samedi 12 octobre 1963. – Je lis la proposition anglaise pour le *De Beata.* C'est un beau texte ! Puisse-t-il passer, et SANS DISCUSSIONS !

Je rédige et tape deux petites notes sur Collégialité et sur Primat et pouvoir des évêques (communiquées à Philips, Rahner, Garrone).

Visite de Jimenez-Urresti avec un autre théologien espagnol. Nous faisons le tour des questions. Ils me disent qu'une partie des théologiens espagnols admettent un collège des Apôtres, mais non un collège des évêques. Alors, où est la permanence et *eadem forma*[2], nécessaire à l'apostolicité ?

Je porte ma note au collège belge : mais c'est trop pour moi et je reviens sans aucun mouvement de ma jambe droite, que je pousse de la main pour qu'elle se porte un peu en avant. Je vois Rahner, qui tape ce qu'ils ont rédigé ce matin pour le tirer à 2 000 exemplaires avant dimanche soir[3]. Il me dit que les Modérateurs feront voter séparément sur : collégialité épiscopale ;
sacramentalité de la consécration épiscopale ;
diaconat.

1. Karol Wojtyła.
2. La même forme.
3. Il s'agit d'un texte préparé avec Martelet et Ratzinger : *De primatu et collegio Episcoporum in regimine totius Ecclesiae.*

Mgr Prignon me redit que c'est sur l'indication du Pape qu'on m'a conféré la Maîtrise ; qu'à partir du 4 novembre il y aura traduction simultanée en cinq langues : d'abord pour huit cents Pères. Enfin, sans entrer dans le détail, qu'il ne connaît peut-être pas lui-même, il me donne un écho de l'audience que les quatre modérateurs ont eue du Pape jeudi. Le pape est extraordinairement informé de tout et ouvert à tout. Il ne veut pas intervenir dans le concile et veut que tout vienne du concile lui-même. Il a un plan. Il prépare des mesures sensationnelles, telles, dirait le cardinal Suenens, que les journaux titreront en lettres de cinq centimètres ; les autres cardinaux parlaient de « journée historique ». Ils étaient tous très optimistes.

Je parle encore à Mgr Prignon de la formule finale de proclamation : il faudrait que celle-ci soit un acte du collège avec le pape à sa tête.

Après-midi, un moment de travail avec Féret et Liégé en vue de la rédaction d'un § sur le sacerdoce.

Soir, dîner avec Küng et Feiner. Küng, plein d'intelligence, de santé, de jeunesse et d'exigence. Il est extrêmement critique.

1°) Sur le *De S. Liturgia* et sur l'action qu'a menée Martimort. Il eût fallu commencer par le Canon À PROCLAMER à haute voix : « *Mortem Domini annuntiabitis*[1] »... Mais Martimort a fait de la tactique d'efficacité en vue de résultats pratiques secondaires, en ne visant pas l'essentiel, qui eût entraîné tout le reste.

2°) Surtout sur le *De Ecclesia* et Philips. Selon Küng, c'est plein de naïvetés et de banalités qui ne font absolument pas le poids avec ce qu'exige l'honnêteté intellectuelle devant les faits et les textes, et le nécessaire dialogue ou simplement le fatal contact avec les Autres, « Que vais-je pouvoir dire à mes confrères protestants de Tubingue ?

Küng fonce, il va comme une flèche devant lui. Il est juste le contraire de Martimort. Celui-ci est livré au « possible », à la tactique : c'est un réformiste, un possibiliste ; Küng est un exigeant du type révolutionnaire. Je suis, je crois, entre les deux. Je suis sensible à ce qui s'est fait DÉJÀ, et qui est fantastique. Il faut voir

1. « Vous annoncerez la mort du Seigneur » (cf. 1 Co 11, 26).

D'OÙ nous venons, le chemin parcouru. En un an, on a substitué Philips à Tromp, Häring et Hirschmann à Lio, Butler à Balić, etc. etc. Partout l'*Ecclesia* est en train de reléguer la Curie à sa place. Il faut voir aussi ce qui a été possible et ce qui est possible. L'Église catholique est faite AUSSI d'Ottaviani et de Parente, de Tromp et de l'archevêque de Bénévent[1]. Küng ne tient compte de rien d'autre que de l'exigence des faits, des textes, de ce qu'ils imposent comme questions et comme conclusions. Il dit : Ottaviani n'est nullement un théologien, il ne connaît rien des problèmes que posent les textes et les études actuelles, il doit être remplacé. Soit, mais, en fait, il était là ! Et remplacé PAR QUI ? Küng me dit que cette question du remplacement d'Ottaviani comme président de la Commission de Théologie a été posée au Pape en même temps qu'était proposé le nouveau règlement. Pour Küng on devrait aussi éliminer un tas d'« experts » étrangers à la science ou plutôt aux disciplines théologiques actuelles. Soit. Mais, en attendant, ils étaient là et ils sont encore là.

Devant Küng, je prends une nouvelle fois conscience du degré assez effroyable auquel j'ai été trop timide, surtout dans la période préparatoire mais même depuis. Je me contente d'exprimer ma pensée, mais je ne la défends pas, je ne m'accroche pas. Il y a, de ma part, une question de santé : je n'ai plus la force. L'ai-je jamais eue ? Malgré les apparences j'ai toujours été au bout de forces TRÈS limitées. Il y a une question de mystique. Je crois à fond à : « Chacun a ce qui lui a été donné. Le serviteur est assez content d'être là, dans le vestibule, et d'entendre les chants de la noce ». Il y a une question de destin : j'ai, DEPUIS 1938, été SANS CESSE suspecté, poursuivi, sanctionné, limité, écrasé. Il y a enfin une question du sentiment extrêmement vif que j'ai des délais nécessaires et de la force d'une patience active. Küng est un peu un impatient. Il en faut. C'est une position dangereuse. Il m'inquiète un peu : d'autant qu'il est si sensible aux réactions protestantes, qu'il réussit et est entouré du prestige du succès, qu'enfin il n'a pas le soutien d'un cadre religieux et régulier. Moi, je crois profondément aux délais, aux étapes nécessaires. J'ai *VU* que ma conviction était VRAIE. J'ai vu aussi

1. R. Calabria. Cf. ci-dessus le 22 novembre 1962 et le 3 décembre 1963 précédents.

tant de chemin fait en trente ans ! J'ai tellement le sentiment qu'un grand corps comme est l'Église exige un mouvement d'un rythme mesuré...

Certes, je suis aussi sensible À CE QUI MANQUE dans le schéma et dans le travail conciliaire. Depuis des années, je vois qu'à aucun moment on ne se met, d'une façon neuve et fraîche, devant la Parole de Dieu. Il n'y a pas eu VRAIMENT ressourcement. Il y a eu de bons éléments d'Écriture et de Tradition, tenant aux hommes présents plus qu'à une volonté et à une méthode : mais ces éléments n'ont fait qu'améliorer sur quelques points et dans le détail, des exposés faits, pour le fond, à partir du système classique seulement. Les exégètes n'ont joué presque aucun rôle dans le travail ; on a écarté ceux de Jérusalem et de l'Institut Biblique. Rien ne rachètera cette faute, sinon peut-être l'avenir. Pour moi, depuis longtemps, tout le renouveau m'apparaît lié à un haut enseignement théologique qui soit vraiment animé et traversé par LA RECHERCHE. À Rome, il n'y a pas de recherche, sauf en quelques secteurs périphériques, limités et purement techniques : la sigillographie byzantine et *alia hujus-modi*[1]. C'est par la réforme de l'enseignement clérical que commencera, dans le fond, la réforme de l'Église. Cela acquis, tout sera gagné en une ou deux générations. Mais il reste qu'on ne pourra jamais donner à notre théologie le statut que les protestants lui donnent : elle ne pourra jamais être PURE recherche, sans préalable, ni recherche purement personnelle, sans communion ni norme...

Dimanche 13 octobre. – Après-midi, promenade jusqu'au Lido d'Ostie avec les quatre frères de Taizé, Chenu, Féret et Liégé. Le frère Roger Schutz me raconte ses audiences avec les trois derniers papes. Impression pénible de Pie XII qui, sur la fin seulement, a semblé un peu ouvert. Le frère Schutz me paraît n'avoir pas encore compris toute l'ouverture de Paul VI. Sa préférence va de loin à Jean XXIII : un homme de Dieu, simplement. Pourtant, au point de vue œcuménique, Jean XXIII semble avoir été sans idées très structurées. Il était parti de l'idée que Taizé était un petit Mouvement d'Oxford. À la dernière audience des frères de Taizé, en février

1. D'autres choses de ce genre.

63 je crois, il a dit qu'il comprenait qu'il n'était pas question pour Taizé de conversion, et il comprenait cette voie, qui est celle de l'œcuménisme. Il était sévère pour les gens du Saint-Office et disait du cardinal Ottaviani : « C'est un enfant. »

Les gens du Saint-Office ont paru aux frères de Taizé n'avoir encore RIEN compris aujourd'hui. Ottaviani leur a dit, il y a quelques jours : Voyez la splendeur de l'Église catholique !!!!

Les frères de Taizé sont assez sévères pour l'immobilisme orthodoxe, qui n'entre pas du tout dans le coup de façon positive.

Lundi 14 octobre 63 (47e Congrégation générale). – Je vois Mgr Maury (Dakar), Duval (Alger), nos cardinaux français ; j'offre au cardinal Lercaro le 1er exemplaire reçu de mon *Église servante et pauvre*[1]. Je salue les patriarches à leur nouvelle place devant la statue de saint Pierre ; je vois Roux et Nissiotis. Ils sont très déçus par le *De Ecclesia.* Je leur explique qu'on peut aussi bien prendre les choses du point de vue critique ou du point de vue positif. On peut voir tout ce qui manque : il n'y a pas de réinterrogation radicale. On peut voir l'immense progrès, qui fera éclater les thèses fermées tenues jusqu'ici.

Il y aura vote sur le ch. II du *De Liturgia* :

Cela a donné :

Votants : 2 242
Placet : 1 417
Non Placet : 36
Placet juxta modum : 781

La majorité requise n'est pas atteinte.

De Ecclesia, c. 2 :

Cardinal Frings[2] : désarme des objections. Le cas de la collégialité est semblable à celui de la primauté. La collégialité comme fonction de conservation de l'unité et de la vérité. Exposé historique sur le régime de communion ancien. Je trouve qu'il n'a pas éclairé grand-chose.

1. Yves M.-J. CONGAR, *Pour une Église servante et pauvre*, Cerf, 1963.
2. *AS* II/II, 493-494.

Cardinal Ritter[1] : on n'aborde les questions ici que du point de vue dogmatique.

Mgr Parente[2] apporte quelques éclaircissements : Pierre *rupes*[3] ; sacramentalité épiscopale et lien entre juridiction et pouvoir d'ordre : il y a un unique pouvoir, un par l'origine (le Christ) et la fin, il ne faut donc pas séparer les deux comme on l'a fait. Les deux sont donnés par le Christ directement *jure divino, sed non extra Petrum*[4]. Le pape ne crée pas la juridiction des évêques, mais ne fait que préciser la matière sur laquelle elle s'applique. – Collégialité : dit à quelles conditions elle s'harmonise avec la primauté. – Le pouvoir de l'évêque et celui du pape.

Le schéma est correct sur tous ces points.

Mgr Alvim[5] au nom de trente-huit évêques portugais sur le diaconat. Qu'on préserve le célibat.

Mgr Jacono[6] : on écoute peu, on est las.

La collégialité est traditionnelle.

Se garder d'atteindre la primauté. Il y a eu des paroles exagérées à cet égard.

Répète des choses dites vingt fois !

Coutinho[7] (Indes) : il n'y a pas de collège épiscopal sans le pape.

Cite Zinelli[8].

Mgr Vion[9] (Poitiers) : qu'on dise *potestas pascendi*[10] au lieu de *regendi*[11].

1. *AS* II/II, 495-496.
2. *AS* II/II, 496-499.
3. Roc.
4. De droit divin, mais pas sans Pierre.
5. *AS* II/II, 500-501.
6. *AS* II/II, 502-503.
7. Fortunato Da Veiga Coutinho, évêque coadjuteur de Belgaum (Inde), *AS* II/II, 504-506.
8. Federico Zinelli (1805-1879), évêque de Trévise qui joua un rôle important à Vatican I par les précisions qu'il donna, au nom de la Députation de la foi, sur la primauté pontificale.
9. Henri Vion, *AS* II/II, 506-508.
10. Pouvoir pastoral.
11. De gouvernement.

Je manque quelques interventions. Mgr Philips me dit que le cardinal Ottaviani est intervenu auprès du pape pour qu'on n'ait pas la séquence *De populo Dei – De hierarchia*[1], mais l'inverse. C'est toute une option ecclésiologique ! Les quatre Modérateurs sont d'avis opposé. Je me demande s'il ne faudra pas que le conflit aille jusqu'au bout, jusqu'au moment où le cardinal Ottaviani sera amené à démissionner de la présidence de la Commission théologique.

Mgr García[2], italien : 1°) dit adhérer à ce qu'ont dit Staffa et Parente. Mais ces deux ne sont nullement d'accord, de sorte qu'au fond il adhère seulement à la Curie comme telle ; 2°) revient sur la primauté, il n'y a que cela !

Un évêque yougoslave[3] dont Franić lit le texte : charge à fond contre le diaconat et surtout le diaconat marié.
Raconte un tas d'affaires d'où résulte qu'il y a tant d'inconvénient à être marié... (les veuves qui demandent une pension, etc.). On rit par moments.

Un évêque italien[4] sur les prêtres : critique le *De suae paternae plenitudinis*[5].
[[Caractère]] PASTORAL du sacerdoce hiérarchique : on est chrétien pour soi et prêtre pour les autres.

Höffner[6], Münster. On parle parfois de *triplex potestas*[7]. Il faudrait revoir cela. Il n'y a que deux pouvoirs proprement dits, mais trois *munera*. Corriger ainsi :
Page 24, ligne 2
" 23, l. 9-10

1. De la hiérarchie.

2. Il s'agit en réalité d'un Espagnol, Segundo García de Sierra y Méndez, évêque coadjuteur d'Oviedo (Espagne), originaire du même diocèse, et qui sera nommé archevêque de Burgos en février 1964, *AS* II/II, 514-517.

3. Petar Čule, évêque de Mostar, *AS* II/II, 517-519.

4. Il s'agit en réalité de l'intervention de Marijan Oblak, évêque auxiliaire de Zadar (Yougoslavie), *AS* II/II, 520-521.

5. De [l'abondance de] sa plénitude paternelle.

6. Joseph Höffner, évêque de Münster, futur cardinal-archevêque de Cologne (Allemagne), *AS* II/II, 522-523.

7. Triple pouvoir.

" 25, l. 39 : *constat « ratione ordinis*[1] »
La clause touchant l'exercice de la collégialité hors du concile, ne pas mentionner le pape comme DU DEHORS : ceci page 27, l. 35-40.

Carraro[2] (Vérone) sur le diaconat. *POUR* le célibat (cite témoignages de Tradition).
Discours qui fera impression.
Pourtant tout ce qu'il dit est pris d'abstractions ; il n'a AUCUNE référence à la vie et aux besoins actuels de l'Église.

Fares[3] (Italie) sur diaconat : prudence, prudence !!!
Collégialité : qu'on fasse très attention à l'exactitude des termes : le mot *collegium* est pris au sens général, commun, non au sens juridique du Droit romain.
Primat, primat, primat !!!

Mgr Kémérer[4], Argentine, au nom de vingt évêques : pour le diaconat éventuellement marié. Le célibat est un charisme, et suppose des conditions psychologiques et biologiques que tout le monde n'a pas.
Et notre pénurie de prêtres : 1 pour 6 000 habitants !! et parfois *UN SEUL* curé pour 20 et 30 000 habitants.

Mgr Zoungrana[5] (Haute-Volta) : diaconat nécessaire. Mais la liberté de permettre le mariage serait nuisible. Cela créerait des divisions de catégories. Et témoignage de chasteté.

Carli[6] : contre l'expression *collegium*[7] et pour *corpus*[8] ou *communio*[9]. Enlever *« statuente Domino*[10] *»*.
Tente de renverser l'effet du discours de l'auxiliaire de Bo-

---

1. C'est admis « en raison de l'ordre ».
2. *AS* II/II, 524-527.
3. *AS* II/II, 530-533.
4. Jorge Kémérer, évêque de Posadas, *AS* II/II, 534-535.
5. Paul Zoungrana, archevêque de Ouagadougou, créé cardinal en février 1965, *AS* II/II, 537-538.
6. *AS* II/II, 539-541.
7. Collège.
8. Corps.
9. Communion.
10. « Le Seigneur les établissant. »

> logne[1]. Ne veut de collège que *ad nutum Romani Pontificis*[2] (THÈSE CURIE).
> Il ne suffit pas de dire... il faut tout remettre à l'arbitraire du pape.
> On n'exprime pas assez bien l'infaillibilité du pape comme Vatican I l'a fait, à savoir venant de la primauté de juridiction.

Il y a vraiment une coupure dans l'Église entre les curialistes et le reste ! Tout le poids de Vatican I pèse encore sur nous !!!

À la sortie de Saint-Pierre, dans la mesure où je tiens debout et où parler même ne me fatigue pas trop, je dis à plusieurs *periti* et évêques : on ne peut pas voter sur la collégialité si le rédacteur du texte n'en explique pas le sens et la portée exacts avant le vote. (J'ai remis un papier en ce sens à Mgr Prignon, qui touchera pour cela le cardinal Suenens.)

Je peux à peine tenir sur mes jambes et tenir un crayon ou une fourchette.

À 16 h, conférence à Saint-Louis des Français sur le sacerdoce. Deux cent quinze présents dénombrés. Après la conférence on noue l'existence, déjà commencée avec les PP. Le Guillou et Dupuy, d'un atelier de travail sur la question du sacerdoce, visant à proposer un texte à la Commission théologique. Sont là Mgr Fauvel, Renard, Guyot, Desmazières et *[ ]* ; on décide d'appeler aussi les évêques qui sont intervenus au concile sur les prêtres et le P. Lécuyer.

Le Père Gauthier me dit que Paul VI a été saisi du dossier sur l'Église des Pauvres et a chargé le cardinal Lercaro de suivre, d'organiser cela et de le faire aboutir. Je prends rendez-vous pour demain avec le P. Gauthier pour qu'on voie comment distribuer ce travail : aspect doctrinal, institutionnel, pastoral.

Mardi 15 octobre. – Je travaille jusqu'à 9 h 30 (quel bonheur) et arrive à Saint-Pierre plus tard (retard = léger accident de bus). J'arrive quand on achève la lecture du rapport sur le ch. III de la liturgie.

---

1. Luigi Bettazzi. Cf. la Congrégation générale du 11 octobre 1963, p. 462.
2. À la discrétion du Pontife Romain.

Cardinal Siri[1]. Réserves sur collégialité.

Cardinal Wyszyński[2] : refait le début du schéma et donne toute une théologie du peuple de Dieu – corps du Christ – société : dans les pays comme le sien, il ne reste guère à l'Église que ses temples et sa nature profonde de corps du Christ, uni à la Trinité.

La relation à la Hiérarchie se réduit à celle de pères spirituels. Ne pas urger sur la comparaison entre (la notion de) Église SOCIÉTÉ parfaite et société civile, et Église militante. Insister sur l'Église sanctifiante et vivifiante.

S.B. Meouchi[3] (Maronite) au nom des évêques maronites, propose une théologie d'ensemble du collège des évêques et du pouvoir du pape, assez heureuse (en 14 points) :

« Collegium tum in concilio tum extra concilium supremam habet potestatem et magisterium infallibile. »

« Summus Pontifex exercet suam potestatem in collegio et pro collegio[4]. »

Avec une brève explication du *ex sese.*

Jubany (auxiliaire de Barcelone) au nom de douze évêques d'Espagne. Sur diaconat : demande plus de théologie et plus de précisions. Sur collégialité : on en a la nausée !

Mgr Cooray (Ceylan)[5] refait son § sur la collégialité, l'infaillibilité.

Je manque plusieurs interventions, circulant, malgré mes jambes, et voyant pas mal de monde. À 11 h 45 le cardinal Suenens[6] demande un vote par levé et assis sur l'opportunité d'arrêter la discussion du ch. II, étant entendu que les orateurs qui n'ont pu se faire entendre remettront leur texte écrit. Cependant, ceux qui de-

1. *AS* II/II, 572-573.
2. *AS* II/II, 574-576.
3. Paul P. Meouchi, patriarche maronite d'Antioche, membre de la Commission des Églises orientales, créé cardinal en février 1965, *AS* II/II, 577-579.
4. « Le collège, tant dans le concile que hors du concile, détient le pouvoir suprême et le magistère infaillible. » « Le Souverain Pontife exerce son pouvoir dans le collège et pour le collège. »
5. *AS* II/II, 586-588.
6. Il est le modérateur qui préside cette Congrégation générale.

manderont à parler au nom de plus de cinq Pères pourront encore le faire. L'Assemblée se lève comme un seul homme. Après cela, on entend seulement le cardinal Browne[1] qui dédouane le texte sur la collégialité en expliquant que le texte ne porte aucune atteinte aux prérogatives du pape qu'il réaffirme de tout cœur, conformément à SON ecclésiologie.

On annonce qu'il y aura demain plusieurs votes sur le ch. II, on donne le résultat de plusieurs votes sur le ch. III *De S. Liturgia.*

Je vais déjeuner à La Retraite du Sacré-Cœur avec Mgr Mercier et les PP. Le Guillou et Dupuy. Il y a là le Père Gauthier, Mgr Duval (Alger), Perrin (Carthage), Lallier[2], Fauvel, etc. Nous avons, avant le repas (13 h 15), trente-cinq minutes de travail, et de nouveau deux heures après le repas : très bon travail sur les aspects THÉOLOGIQUES de la grande question de la pauvreté. Mgr Mercier parle, parle... mais on arrive tout de même à déblayer le terrain. Je prends notes à part. Je promets de réfléchir et de coopérer à la rédaction et l'introduction d'un texte.

À 16 h 30 au Vatican, Commission théologique. Présence de très nombreux experts.

Le P. Tromp rend compte du travail fait et à faire pour classer les amendements.

Le cardinal Ottaviani rend compte de sa démarche auprès du cardinal Agagianian et des Modérateurs, lui faisant connaître les résultats de notre dernière discussion : *utrum caput de Populo Dei sit inserendum in Constitutione* ? – *Responsum : Largissimum*[3] ! – Titre du chapitre : même réponse. – Enfin sur le *De Beata.*

On nous lit la réponse (en italien) du cardinal Agagianian. Il trouve le vote sur l'existence propre d'un chapitre *De populo Dei*, et sur le titre, assez appuyé par la bonne majorité de la commission théologique, mais pour les autres points, la majorité étant faible : il faudra un vote de l'assemblée. Pour le *De BMV*, il faudra que les

1. *AS* II/II, 600-601.

2. Marc A. Lallier, archevêque de Marseille, membre de la Commission de la discipline des sacrements.

3. « Est-ce que le chapitre sur le peuple de Dieu doit être inséré dans la Constitution ? – Réponse : Très largement. »

deux thèses soient exposées *in aula* : c'est ce que j'avais dit à Mgr Philips.

Les Modérateurs demandent aussi que la commission théologique leur propose une formule sur la question de la note théologique des textes. Aussi le cardinal Ottaviani dit qu'il faut :

1°) choisir deux membres pour le schéma *De Beata* :
– séparé (cardinal Santos, Philippines),
– inséré (cardinal König) ;

2°) désigner trois membres qui choisiront chacun son expert, pour proposer une formule sur la note théologique. Sont nommés Parente, Schröffer et le P. Fernandez.

Le cardinal Ottaviani a référé au pape des votes de notre dernière réunion. Le pape a dit la même chose que les quatre Modérateurs. Il a approuvé le *De Populo Dei*, mais a ajouté qu'il préférerait qu'on mette d'ABORD le *De Hierarchia* et ensuite le *De populo Dei*...

J'interviens pour attirer l'attention sur l'aspect technique du contenu du *De populo Dei*, qui parle de ce qui est commun à la Hiérarchie et aux simples fidèles. Grande discussion sur la question soulevée.

Après l'intervention de Mgr Philips, Ottaviani propose que Mgr Philips rédige un exposé des motifs de l'ordre proposé par lui, qu'Ottaviani transmettra au pape.

On commence la lecture et la discussion du nouveau *De Populo Dei*. Je vois s'évanouir la possibilité et l'espoir d'un exposé du Peuple de Dieu au point de vue de l'histoire du salut. Cela ne se pose pas, serait-ce comme hypothèse, un seul instant. Je ne peux tout le temps intervenir.

Discussion sur le rôle de l'Église dans la rémission des péchés, ou plutôt dans le sacrement de pénitence.

Mercredi 16 octobre. – Messe copte : une heure complète.

Pendant la messe, le cardinal Cicognani, Secrétaire d'État, vient trouver le cardinal Agagianian et l'entraîne à l'écart pour lui parler. Bientôt les autres modérateurs se joignent à la conversation. Ils semblent très préoccupés. Le manège recommence PAR TROIS FOIS, le cardinal Secrétaire d'État s'en allant, puis revenant un certain temps après. Ceux qui ont vu cela de près et me l'ont rapporté pensent que c'est relatif au conflit survenu sur la question des trois (quatre) votes que les Modérateurs voulaient soumettre au concile :

1°) sacramentalité de l'épiscopat ;
2°) collégialité ;
3°) diaconat : { le rétablir sans rien préciser sur le célibat, éventuellement marié.

Sur cet incident, cf. *infra*, page 482.

Vont encore parler ce matin sur le ch. II des évêques qui parlent au nom de plusieurs évêques :

Joachim Amman[1] (Allemagne) attaque l'existence d'une représentation diplomatique du Saint-Siège, qui assimile l'Église aux États temporels. Met en question leur caractère épiscopal. Met en question la plus grande confiance qu'on fait à leurs rapports qu'aux évêques.

Mgr Jelmini renonce.

Carretto[2] (Thaïlande) pour le diaconat NÉCESSAIRE ; éventuellement ordonner des hommes mariés et économiquement indépendants.

Henríquez Jimenez[3] (Venezuela) au nom de la conférence épiscopale du Venezuela : qu'on déclare plus formellement que les évêques tiennent leur pouvoir du Christ par le sacrement (structure sacramentelle, non juridique, de l'Église).

Se réfère à la correction des évêques français de l'Ouest.

Sur la collégialité, on a soulevé des difficultés parce qu'on partait surtout d'un point de vue JURIDIQUE et d'une conception administrative de l'épiscopat.

Très bonne position sur presbytérat et diaconat.

Mgr Zoghby[4], RAU. On n'a pas assez entendu la voix de l'Orient. Pour un paragraphe sur les Églises particulières (donne un texte au Secrétariat).

La doctrine de la primauté a tellement évolué dans un sens unilatéral que les Orientaux ne reconnaissent pas ce qu'ils

1. Joachim Amman, ancien évêque missionnaire, *AS* II/II, 606-607.
2. Peter Carretto, vicaire apostolique de Rajaburi, *AS* II/II, 608-609.
3. *AS* II/II, 610-613.
4. *AS* II/II, 615-617.

ont connu et admis jadis. Dans le schéma, la primauté est exprimée d'une manière encore unilatérale, inacceptable pour les orthodoxes. On parle trop du pape et on donne ainsi l'impression que son pouvoir LIMITE le pouvoir des évêques.

On ne pose pas assez le Christ-prêtre.

On n'a pas dit que l'autorité du pape n'est pas absolue, mais toujours liée au collège. S'étonne qu'on puisse mettre en question la collégialité, qui est traditionnelle et est vivante dans le régime patriarcal (synodal).

On mélange aux discours la proposition de corrections au *De S. Liturgia.*

Mgr Jacquier[1] au nom des évêques d'Afrique du Nord : la collégialité a un aspect extérieur et un aspect intérieur (communion de foi et d'amour).

Théologie et mystique de la communion (je reconnais la main des PP. Le Guillou et Dupuy).

Aspect pastoral : entraide mutuelle.

Tout cela est très juste et vrai, mais voilà dix jours qu'on entend cela et peu de présents écoutent ; beaucoup quittent leur place.

Mgr Holland[2] (Angleterre) au nom des évêques d'Angleterre et Pays de Galles : il faut rendre concrète la collégialité et la faire apparaître en faisant coopérer les évêques au gouvernement de l'Église universelle, par la création d'un organe, dans lequel se continue l'esprit du concile, et même en quelque sorte sa réalité.

Echeverria[3] (Équateur) : éloge de la collégialité du point de vue pastoral et pratique (péréquation des prêtres...).

Un autre évêque de l'Équateur[4] : pour le diaconat.

1. Gaston Jacquier, évêque auxiliaire d'Alger, *AS* II/II, 619-620.
2. *AS* II/II, 621-622.
3. *AS* II/II, 622-623.
4. C. A. Mosquera Corral, *AS* II/II, 623-624.

Un évêque polonais[1] au nom des évêques polonais sur le diaconat : certains aspects positifs et d'autres critiques (dans la situation polonaise). Préféreraient des instituts séculiers... Qu'on conditionne par le consentement du pape.

On commence la discussion du ch. III du *De Ecclesia* :

Cardinal Ruffini[2] propose des corrections à faire :

Le mot *mitti*, *missi*[3] et tout ce qui semble mettre sur le même pied les laïcs et la hiérarchie.

C'est de l'obsession ! Il parle 20 minutes (22 minutes), au moins, ou plutôt il crie.

Cardinal Cento[4], président de la Commission des laïcs : content de cette base théologique ; parle avec emphase pour ne pas dire grand-chose.

Cardinal Bueno y Monreal[5] (Espagne) : les laïcs d'Église : une vraie épiphanie ! loue les travaux faits pour sortir d'une idée de l'Église toute cléricale.

Cependant, quelques remarques : mot « peuple de Dieu », nouveau ; mieux vaut parler de Corps mystique. Il est pris en plusieurs sens...

Cardinal Bacci[6] sur le sacerdoce des chrétiens, qu'on appelle universel ; critique cette expression et quelques autres, et même celle de SACERDOCE pour les laïcs, sauf au sens générique et inverse.

On donne les résultats de 8 *emendationes De S. Liturgia.* Je ne prends pas ces chiffres.

À 18 h au collège espagnol, via Apollinari, réunion souhaitée par les Espagnols. Prennent part : Mgr Morcillo (Saragosse), Mgr Guerry, PP. Rahner, Dupuy, Salaverri, Féret, moi, Dournes,

1. Josef Drzazga, évêque auxiliaire de Gniezno, *AS* II/II, 624-626.
2. *AS* II/II, 627-632.
3. Formes du verbe latin *mitto* (envoyer, déléguer).
4. *AS* II/II, 633.
5. *AS* II/II, 634-636.
6. *AS* II/II, 637-638.

Urresti et six autres espagnols parmi lesquels un López Gallego[1], qui parle beaucoup, est sourd et est enfermé dans des définitions toutes conceptuelles comme dans une armure Henri II. Après un moment d'hésitation, on parle *De populo Dei* ; le sourd veut tout voir dans le cadre d'une définition de sociologie rationnelle ; de même pour la notion de sacerdoce royal. Rahner, comme toujours, accapare le dialogue. Il est merveilleux, mais ne se rend pas compte que, là où il est, il n'y a plus place pour autre chose. On arrive à souhaiter qu'il y ait un développement d'Histoire du salut. Il faudrait rédiger un texte. Comme le P. Dournes vient de m'en passer un qu'il a fait, je propose – sans l'avoir regardé ! – qu'on le multiplie, qu'on nous le distribue et qu'il serve de première base à nos échanges. Les Espagnols auraient désiré que nous rédigions un texte qui eût été signé par plusieurs épiscopats : ils veulent sortir de l'isolement, jeter des ponts, et c'est pourquoi, malgré une incroyable surcharge, j'ai voulu répondre à leur appel. Mais Rahner fait remarquer très justement que nous sommes déjà engagés dans du travail pour nos évêques respectifs et qu'il ne faut pas créer une nouvelle personne morale. Nous nous ferons, dans nos groupes respectifs, l'écho de ces réunions, sans qu'elles donnent lieu à une activité propre devant le concile.

Jeudi 17 octobre. – Je vois le cardinal Lefebvre, Mgr Garrone. Ils m'apprennent qu'il existe un atelier d'évêques français sur la question laïcat-peuple de Dieu. Je suis en dehors de toutes ces questions d'atelier*. Aussi je vois de suite Mgr Maziers et lui dis, comme aux deux précédents :

1°) qu'il FAUT profiter de l'occasion pour présenter une vue synthétique de l'Église DANS L'HISTOIRE DU SALUT. – 2°) qu'à ce point de vue il faut inviter à cet atelier les PP. Féret, Dournes et moi-même.

---

* En marge, ajout manuscrit : J'habitais à l'Angélique, loin de tout groupe d'évêques.

1. Le chanoine Ramiro López Gallego, responsable de la section dogmatique de l'Institut « Francisco Suárez » à Madrid.

Mgr Rastouil[1] sur le n° 24 : dépendance à l'égard du sacerdoce du Christ ; sur le caractère : une marotte !! Avec l'habitude des évêques français de donner toute leur synthèse, comme les novices dans leur premier sermon. Église tout entière sacerdotale (il est finalement interrompu).

Lokuang[2] (Chine) au nom de quinze évêques de Chine : il ne serait pas nécessaire de faire un chapitre spécial *De laicis* puisqu'il y a un décret *De apostolatu laicorum* !!! et qu'on sépare, dans le chapitre IV, ce qui concerne les religieux et ce qui concerne tout le monde, à mettre dans le *De populo Dei*.

Sacerdoce universel : facilement compris en Chine car dans la tradition confucienne, il n'y a que cela.

Hengsbach[3] (Essen) sur n° 25 : contre la division de l'apostolat en trois domaines : division trop abstraite et qui prépare mal ce qui est dit dans le *De apostolatu laicorum* théologiquement. Enfin, style non conciliaire et pas clair.

Qu'on distingue simplement domaine spirituel et domaine temporel. La relation des laïcs avec la hiérarchie n'est pas la même dans les deux domaines.

On lit et vote les émendations sur le ch. III de la liturgie.

Mgr J. Wright[4] (Pittsburgh) : approbation. On attendait un tel texte ! Magnifie le moment historique de cette déclaration solennelle.

Fiordelli[5] (Prato) : *caput laude dignum*[6].

p. 7, 1. 30 sq. sur les époux mais on ne parle pas des FAMILLES. Propose texte.

Dubois[7], avec quelque emphase et recherche : texte et diction très étudiés. Idée que le peuple de Dieu englobe tous les chrétiens et même tous les hommes.

1. *AS* II/III, 10-13.
2. *AS* II/III, 15-17.
3. *AS* II/III, 17-19.
4. *AS* II/III, 19-20.
5. *AS* II/III, 21-23.
6. Le chapitre est digne de louange.
7. *AS* II/III, 24-26.

Bonnes choses, mais encore une synthèse !! Celle qu'il m'a exposée à Besançon il y a deux ou trois ans. Encore une marotte.

Padin[1] (Brésil) : approuve l'idée d'un *De populo Dei* AVANT le *De Hierarchia* et critique de ce point de vue une formule portant sur Hiérarchie ≠ peuple.

Propose quelques corrections intéressantes inspirées par une vraie conscience de ce que sont les laïcs. J'assiste, comblé, à la maturation d'une théologie du laïcat dans l'Église... Et vraiment d'une THÉOLOGIE et pas seulement d'une tactique ou d'un pragmatisme.

Parle du dialogue nécessaire entre hiérarchie et laïcs : condition pour que les évêques soient vraiment pasteurs !

Mgr Gopu[2] (Hyderabad, Indes) ; prononciation anglaise.

Mieux exprimer le rôle des laïcs dans les régions de mission, où souvent les laïcs n'aident guère les évêques.

Qu'on affirme que l'Église est toujours en état de mission.

Elchinger[3] : n°s 24-25 qui ressentent trop l'individualisme. À son habitude, pose des questions ; les pose bien. Déplore le manque de conscience d'appartenir à un corps et d'y vivre solidairement. L'homme actuel est l'homme déraciné. Les communautés chrétiennes sont trop grandes et on ne peut y faire UNE EXPÉRIENCE vraie et personnelle de communauté : ce que permettent par contre les Sectes.

Condamner l'individualisme comme hérésie pastorale.

Hannan[4] (USA) suggère ajouts à n° 25.

Civardi[5], sur n° 25 : que les motifs théologiques et moraux de l'apostolat des laïcs soient encore mieux explicités : baptême et surtout confirmation, foi et charité.

Castellano[6] (Sienne) : approuve la constitution d'un chapitre II

---

1. Candido Padin, évêque auxiliaire de Rio de Janeiro, *AS* II/III, 27-29.
2. Joseph M. Gopu, archevêque de Hyderabad, *AS* II/III, 29-30.
3. *AS* II/III, 30-33.
4. Philip M. Hannan, évêque auxiliaire de Washington ; il deviendra évêque de La Nouvelle-Orléans en septembre 1965 ; *AS* II/III, 33-34.
5. *AS* II/III, 35-36.
6. *AS* II/III, 36-38.

mais indique quelques insuffisances et souhaite une définition plus POSITIVE, plus BIBLIQUE, des laïcs.

Louis Mathias[1] (Indes) : parle des laïcs comme catéchistes et souhaite la création d'un office romain qui pourrait s'appeler : *Officium S. Pauli Apostoli ad gentes*[2].

Je descends de la tribune. Conversations avec Moeller, Daniélou, Laurentin. Ils me disent ceci : les quatre Modérateurs avaient annoncé pour hier la proposition d'un vote sur quatre points. Or rien n'a été proposé, ni hier ni aujourd'hui. Hier, les quatre modérateurs n'ont cessé de discuter pendant la Messe. C'est que le cardinal Ottaviani se serait élevé contre l'initiative du vote prévu, disant que c'était contre le règlement et que les Modérateurs outrepassaient leur pouvoir. Ce serait la raison pour laquelle rien n'a été proposé à l'assemblée.

Les Modérateurs doivent voir Paul VI ce soir : le débat serait dirimé. (Le pape doit aussi recevoir les observateurs, qui doivent être aussi reçus demain par le cardinal Bea.)

Daniélou ajoute que, de divers côtés, on pense qu'Ottaviani ne peut plus présider la commission théologique ; que celle-ci devrait ÉLIRE son président, et même que le concile devrait *ÉLIRE* de nouvelles commissions conciliaires. En effet, d'une part, les hommes valables se sont révélés et dégagés, d'autre part le concile s'est dévoilé à lui-même son esprit ; les mentalités ont changé : c'est seulement maintenant que le concile pourrait se donner les organes conformes au sens de son travail.

Je vois, pendant cette conversation, le P. Balić qui, tous ces jours-ci, fait du porte à porte mariologique dans les bas-côtés. Il a fait imprimer un rapport dont il me donne le texte.

Je vais déjeuner avec le P. Schmemann et Nissiotis. Ils m'invitent à un restaurant sur la place N.-D.-du-Transtévère. Tous deux ressentent intensément le charme et l'âme de Rome comme ville qui a gardé tout son passé. Nous causons de façon intéressante : sur l'ecclésiologie. Je leur dis ma façon de voir l'ecclésiologie des Pères

1. Louis Mathias est archevêque de Madras et Mylapore et membre de la Commission des évêques et du gouvernement des diocèses, *AS* II/III, 38-40.

2. Office de saint Paul Apôtre pour les nations.

et de la liturgie, comme englobant l'anthropologie, et nous convenons que la meilleure ecclésiologie serait, dans le *De populo Dei*, un développement sur l'homme chrétien. Nous parlons du *De oecumenismo*. Ils me disent : ces textes SUR l'œcuménisme n'ont pas grande importance : une anthropologie et une pneumatologie dans le *De Ecclesia* serait la démarche ŒCUMÉNIQUE la plus positive... Nous parlons aussi du *De Beata*. Selon eux, un *De Beata* est une démarche assez douteuse. En Orient, Marie est UNE DIMENSION de tout : de la christologie, de l'histoire du salut (continuité avec Israël), de l'ecclésiologie, de la prière. C'est pourquoi les Orthodoxes la mêlent à tout sans jamais développer un traité *De Beata*.

Ils me parlent aussi de la situation aux USA : Schmemann me dit qu'il faut absolument y aller. En un mois, je ferais avancer les choses d'un bond gigantesque. Küng a eu un très grand succès, mais mes deux interlocuteurs orthodoxes sont assez critiques sur Küng et sur Baum, qu'ils trouvent surfaits. Ils m'interrogent sur Rahner dont ils tendraient à se méfier. Je ne vois pas bien pourquoi.

Enfin, sur les frères de Taizé, ils trouvent qu'« ils exagèrent » : d'un côté par un aspect excessivement clérical (leur coule à Saint-Pierre), d'un autre une politique systématique de contacter le plus d'évêques possible. Ils voient là un brin d'indiscrétion ou de professionnalisme. Mais je souligne que, dans ses limites très humaines, Taizé reste un vrai miracle, une œuvre de Dieu : cela n'a pas de commune mesure !

Le soir, à l'Hôtel Botticelli, où habitent les évêques vietnamiens, quelques évêques melkites, quelques évêques maronites (Mgr Doumith).

Après le dîner, conférence sur *De laicis* et *De populo Dei*. Puis questions et dialogue. Je me rends compte que ces évêques (trente à trente-cinq) sont assez mal à l'aise dans les textes et les discussions *De Ecclesia*. Ils me le disent même d'une manière assez forte. Ils ne s'y retrouvent pas. Ils ont une tradition de pensée, des catégories, des lignes d'intérêt qui ne sont pas celles-là.

C'est assez dramatique.

Je réalise une fois de plus combien l'Église catholique est latine, combien elle se trompe, de bonne foi, en se croyant « catholique ». Elle ne l'est pas. Le romanisme, l'italianisme, le latinisme, la scolastique, l'esprit analytique, ont tout envahi et se sont presque érigés en dogme. Quel travail !!

Vendredi 18 octobre 63. – Tellement en retard pour des travaux urgents, je ne vais pas à Saint-Pierre. J'ai commencé à faire le travail de dépouillement et de mise sur fiches des amendements proposés. C'est un travail écrasant. En une demi-heure, ai fait deux fiches et il y en aura DES centaines à faire !!

À Saint-Pierre, paraît-il, on a discuté sur la définition du laïc... !

À 15 h 30, Collège Belge, commission d'animation des études et démarches touchant l'Église au service des pauvres. Sont là : cardinal Gerlier, Mgr Himmer, Ancel, Moralejo[1] (très bien !), Mercier, Coderre, Hakim, un évêque du Viêtnam, un ou deux autres, Dossetti, abbé Denis. Mgr Helder Câmara[2] fait un exposé prophétique et magnifique, un peu théâtral et pathétique. Il aime le spectaculaire. Il suggère qu'à la réunion de clôture, le pape invite des ouvriers et des pauvres comme invités d'honneur. Contrairement à la majorité de l'assemblée, je trouve cette proposition très ambiguë et finalement mauvaise. Il y aurait là un geste très artificiel de condescendance, au total assez paternaliste, par lequel on se donnerait bonne conscience trop facilement.

Bien plus intéressante est l'intervention de Mgr Moralejo, se faisant l'écho du rapport (que je connais déjà) des Auditeurs laïcs sur le *De Ecclesia.* Les auditeurs laïcs voudraient que, pour être entendu des hommes d'aujourd'hui, le concile propose la réalité de l'Église, non d'emblée comme « mystère » et en partant de la Trinité, mais en partant de l'humain, du visible, et en arrivant au mystère du Christ et de la Sainte Trinité. J'appuie l'idée d'une sorte de formule de catéchèse (*Catechismus ad Parochos*[3] du Concile de Trente) qui suivrait, non un ordre analytique, mais un ordre synthétique et concret.

C'est à suivre.

À 16 h 30, travail par commissions jusqu'à 18 h. Commission

1. R. González Moralejo.
2. H. Pessôa Câmara.
3. Catéchisme pour les curés (la première édition en 1566).

théologique*. Exposé biblique du P. Mollat[1] et exposé théologique de moi, dans le sens et dans la suite de notre travail de mercredi dernier[2].

À 19 h 30 au Collège Polonais, Piazza Remuria : magnifique maison ; dîner ; exposé sur l'œcuménisme (en latin) : quinze évêques et des étudiants. J'ai l'impression que les Polonais sont restés assez en dehors des courants d'idées, et pourtant y seraient ouverts. Je parle avec l'abbé Lipinski[3], de l'Institut Polonais, sur la question mariologique : je le mettrai en relations avec Laurentin.

Dans le vestibule du Collège Polonais, une (très mauvaise : toute la partie « artistique » est médiocre) statue de David avec, à ses pieds, la tête de Goliath. Je pense à l'URSS-Goliath !!!

Samedi 19 octobre. – Je vais à 11 heures à la réunion du conseil de la revue *Concilium*, à l'hôtel Olympic. Sont là, avec l'éditeur Brand, les PP. Vanhengel, Schillebeeckx, Rahner, Lyonnet, abbés Küng et Jimenez-Urresti, et le secrétaire de DO-C[4]. On parle d'abord prix de revient et prix de vente. Je dis qu'un abonnement de 120 à 130 NF donnera en France de dix à vingt abonnés. Rahner veut qu'on manifeste dès le départ qu'on n'est inféodé à aucun parti : le critère est d'apporter quelque chose de CONSTRUCTIF. J'apprends que le P. Daniélou est résolument et activement CONTRE *Concilium*. Pour ma part j'exprime deux points :

1°) Ne pas faire quelque chose du genre « *Scientia*[5] » : cela n'a aucun intérêt. Ont de l'intérêt les choses qui, sans TOUT dire d'une matière, partent d'une base concrète, d'une tradition où on puise une sève : ce qui ne veut pas dire d'une « école » au sens étroit du mot.

2°) Dépasser le latinisme ; travailler à ce que la pensée catholique n'ait pas, de fait, pour NORME, la Scolastique latine.

---

* En marge : de ce même groupe de l'Église des pauvres.

1. Donatien Mollat, s.j., exégète, professeur à la Grégorienne.

2. L'exposé de Congar sera publié dans Yves CONGAR, *Jésus-Christ, notre Médiateur et notre Seigneur*, Cerf, 1965, p. 68-90.

3. Edward Lipinski, exégète, spécialiste de l'Ancien Testament.

4. D'après le compte rendu de cette réunion (Archives Congar), il s'agit en réalité d'Alting von Geusau, directeur du DO-C.

5. Science.

À 12 h 40 à Sainte-Sabine : déjeuner offert par le P. Général aux experts OP. Occasion de voir beaucoup de frères, mais en quelques secondes et superficiellement.

Le P. Féret me dit après : Balić fait une propagande effrénée : à Saint-Pierre, il passe son temps à faire les tribunes et les couloirs. Il vient de faire une conférence aux évêques yougoslaves où il a dit : « le P. Congar, qui est le plus influent au concile, est un minimiste ; il a écrit que la Vierge Marie pèche comme nous ». Féret fait protester et demander sa référence à Balić, par les évêques français de S. Tommaso da Villanueva et par le P. Hamer.

Je lis le discours du Saint-Père aux Observateurs, de jeudi dernier[1]. C'est un admirable document. Jamais, même Jean XXIII, n'avait été aussi loin.

Dimanche 20 octobre. – Le matin, travail à la rédaction d'un § *De Presbyteris*[2]. J'écris à Mgr Garrone et, par lui, à Mgr Ancel et au cardinal Lefebvre. Je voudrais, d'une part, profiter du discours de Paul VI aux observateurs, pour relancer, pendant qu'il en est encore temps, l'idée d'un chapitre « Histoire du Salut » *De populo Dei*, d'autre part voir la suite à donner à un *De Ecclesia* de type catéchétique et concret tel que le réclament les laïcs.

J'envoie au P. Balić le mot suivant :

Carissime Pater,

Si causa tua bona est, nullatenus eges me implicandi in re sicut nuper fecisti adloquendo ad Episcopos Croatos. Eo magis quod relata de mente mea circa sanctitatem Matris Dei erronea sint, si tamen de tuis dictis me recte certiorem fecerunt.

Tuus in servitio Evangelii addictissimus[3].

1. *La Documentation Catholique*, 1963, col. 1421-1423.
2. Des prêtres.
3. Très cher Père,
Si votre cause est bonne, néanmoins il vous manque un motif réel de m'attaquer comme vous l'avez fait récemment devant les évêques croates. D'autant plus que les informations qui vous ont été communiquées au sujet de mes sentiments sur la sainteté de la Mère de Dieu sont faux, si du moins on m'a rapporté correctement vos propos.
Je vous suis très dévoué pour le service de l'Évangile.

Promenade avec Féret, Chenu, Camelot, Hamer, Gunnes[1] : départ 10 h 15 pour Tarquinia. Le monde étrusque : les hommes qui, il y a 2 800 ans, ont peint ces tombeaux. Les réalités permanentes de la vie, de la sexualité, du corps, de la lutte...

J'apprends par le P. Hamer qu'en recevant le P. Général au mois d'août, Paul VI lui a fait une critique très vive des *ICI*, qu'il accusait d'être un ennemi secret et caché de l'Église. Pour un article sur la Pologne[2]. Étrange chose.

Le soir, chez les évêques brésiliens, à Domus Mariae ; mais il y a aussi là des évêques d'Ouganda Ruandi, de Hongrie (cinq), d'Équateur, etc. Conférence sur l'œcuménisme. Parmi les questions qu'on me pose, celle du *De Beata.* Je crois sentir beaucoup d'hésitation, mais, tout de même, un penchant à en faire un schéma séparé. De toute façon, Marie est *« Mater Ecclesiae »* : ce vocable nouveau, lancé par Balić a déjà fait son effet !!

Je dis que, tant au point de vue catholique interne qu'au point de vue œcuménique, il faut mettre le *De BMV* en fin du *De Ecclesia* : c'est la santé !! Du reste, la commission théologique est en majorité de cet avis.

On me dit que le cardinal Ruffini habite là et qu'il a dit : Maintenant, on fait entrer les protestants ; NOUS devrons un jour sortir ?

Lundi 21 octobre. – Je pars plus tôt pour passer au Séminaire français et tâcher d'y avoir Mgr Garrone, Ancel et le cardinal Lefebvre, pour le *De populo Dei* – histoire du salut.

À Saint-Pierre, démarches souvent vaines pour joindre tel ou tel. Je téléphone au P. Féret pour la rédaction d'un *votum* à donner au cardinal Lefebvre sur *Populus Dei.*

Je vois aussi Laurentin qui me soumet le texte que doit lire le cardinal König en faveur de l'insertion du *De BMV* dans le *De*

---

1. Erik-Dom Gunnes, o.p., de la province de France.

2. Les évêques polonais n'avaient pas apprécié certains articles des *ICI* concernant la Pologne et suspects de sympathie pour le mouvement Pax animé par des chrétiens collaborant avec le pouvoir communiste ; en juin 1963, la Secrétairerie d'État avait transmis aux évêques et supérieurs majeurs français une note du cardinal Wyszyński sur le mouvement Pax qui mettait en cause les *ICI* (cf. *La Documentation Catholique*, 5 juillet 1964, col. 843-853).

Ecclesia, et un papier rédigé par Laurentin, Moeller, Martelet... donnant neuf raisons dans le même sens et répondant aux objections. Je propose quelques considérations nouvelles.

Messe byzantino-roumaine, qui dure une bonne heure. Puis lecture du rapport sur le ch. IV du *De Liturgia*. C'est très long ! On commence le travail à 11 heures, déjà épuisé... !!!

Cardinal Meyer[1], Chicago : sur nous pécheurs, nos faiblesses. *Dimitte nobis debita nostra*[2]. Et il y a le diable *quaerens quem devoret*[3]. Il y a toujours au sujet de l'Église, dans le NT, deux aspects, céleste et terrestre ; et aussi dans la liturgie et le témoignage des saints.

Propose une émendation concrète.

Cardinal Ottaviani[4] : proteste contre le fait que trois *periti* ont distribué des feuilles incitant les épiscopats à voter pour un diaconat marié. On pourrait conférer l'acolytat à quelques laïcs mariés (emploie à ce sujet le mot de « concession »).

Mgr Tchidimbo[5] (Guinée) : loue le schéma qui rappelle beaucoup de bonnes choses. Parle d'une colonisation qui n'a pas cessé complètement au point de vue apostolat.

En faveur d'un laïcat indigène.

Cooray[6] (Ceylan) sur le n° 24 (sacerdoce des laïcs). Propose qu'on parle de sacerdoce sacramentel (hiérarchie) et de sacerdoce spirituel.

Je lui envoie des remarques critiques.

Mgr C. Wojtyła, vicaire capitulaire de Cracovie[7] : en faveur d'un *De populo Dei* en ch. II avant le *De s. Hierarchia* (donne raisons) ; cela demande une nouvelle réélaboration du ch. I. (en partie ce qu'il m'avait soumis, mais corrigé).

1. *AS* II/III, 146-148.
2. Pardonne-nous nos offenses.
3. Cherchant qui dévorer (1 P 5, 8).
4. *AS* II/III, 148-149.
5. Le spiritain Raymond-Marie Tchidimbo, archevêque de Conakry, *AS* II/III, 150-152.
6. *AS* II/III, 152-154.
7. *AS* II/III, 154-156.

Hurley[1] : on ne considère pas assez la vie temporelle des laïcs, à sanctifier.

Une des séances les plus effroyablement vides et ennuyeuses.

Mgr Willebrands me demande de parler des laïcs aux observateurs demain, mais je suis déjà pris, lui n'a jamais été pressé de m'inviter !

À 17 h 30 travail à Saint-Louis des Français avec le groupe des évêques (plus Dupuy, Le Guillou) sur un *De presbyteris*.

Je remets à Mgr Ancel, pour le cardinal Lefebvre, un très bon papier de Féret sur le *De populo Dei* ; je remets un exemplaire aussi au cardinal Liénart, et même je vais le lui expliquer en quelques mots à la Procure Saint-Sulpice : car le cardinal Lefebvre hésite : c'est un champ d'idées qui ne lui est pas familier. Le cardinal Liénart accueille bien ma démarche mais me dit qu'il préfère PEU parler *in aula*[2].

Mardi 22 octobre. – Je reste, non pas même pour travailler, mais pour liquider un tout petit peu de l'énorme arriéré de lettres et de papiers accumulés.

On me dit qu'il y a eu quelques interventions intéressantes :

Cardinal Suenens[3] sur les charismes (que Ruffini avait déclaré arrêtés à l'époque apostolique).

Mgr Ménager[4] *[ ]*

Un Maronite[5] parlant pour une pneumatologie et disant : Le vrai lieu de l'Église, c'est Jérusalem ; elle est en exil à Rome, qui est Babylone, et où elle attend seulement la Jérusalem nouvelle.

---

1. *AS* II/III, 157-159.
2. Dans le cadre des Congrégations générales du Concile.
3. *AS* II/III, 175-177.
4. *AS* II/III, 208-210
5. Ignace Ziadé, archevêque maronite de Beyrouth, membre de la Commission des Églises orientales, *AS* II/III, 211-213.

Je suis très las des séances de Saint-Pierre. Il n'y a pas DISCUSSION d'une QUESTION, il n'y a même pas question posée : il y a une succession de discours, autour d'une réalité assez large. Chacun y va de son idée, de sa synthèse, de sa marotte, réclamant l'insertion de telle idée qui lui est chère. Un trop grand nombre d'experts poussent à la chose, rédigeant des papiers, fabriquant de la constitution dogmatique sans s'inquiéter de ce qui a été déjà discuté ni des raisons de telle formule ou de telle omission. Les débats – ce ne sont pas même des débats, mais une succession de discours – ne sont nullement organisés. Le rapporteur ni n'explique AVANT ce qu'on a voulu dire et pourquoi on l'a dit ainsi, ni n'intervient pour répondre, pour préciser, pour renvoyer à un autre texte.

Il y a aussi une sorte de gigantisme de l'entreprise, qui risque de la faire s'écrouler, ou du moins s'épuiser, sous le poids de sa propre masse.

Enfin, aucune liaison organique efficace entre les observateurs et le concile, en sorte que tant de choses intéressantes et importantes qu'ils disent ne débouchent pas dans le travail conciliaire, ou n'y débouchent qu'indirectement, au compte-gouttes et très partiellement.

Mercredi 23 octobre. – De nouveau je reste pour travailler. Il faut beaucoup de temps pour la moindre chose et je dois, POUR CE SOIR, mettre au point :

– texte sur le sacerdoce ;

– texte sur le fondement dogmatique de la haute valeur de la pauvreté.

Dans le tram par lequel je me rends au Vatican pour la Commission théologique, je me trouve avec Medina (puis Mgr Garrone). Medina me dit (le tenant de McGrath) que la congrégation des religieux aurait communiqué aux Supérieurs généraux une liste des experts dangereux... (à ce sujet les trois experts épinglés l'autre jour par le cardinal Ottaviani seraient Rahner, Ratzinger, Martelet : il s'agit du papier qu'ils ont fait sur la collégialité, en fin duquel il y a trois lignes sur le diaconat, SANS ALLUSION AU CÉLIBAT. Donc, la protestation du cardinal Ottaviani est sans objet et fausse).

Medina me dit que la Curie essaie d'affaiblir les Modérateurs et d'empêcher de leur part une action. Ce serait le fond de la crise intervenue au sujet des quatre questions à proposer au vote. Il y aurait aujourd'hui même une réunion des Modérateurs et de la Présidence.

Medina me dit que son cardinal Silva, homme merveilleux et courageux, est combattu à la Curie. Ainsi on ne lui a pas encore donné l'auxiliaire qu'il demande depuis plusieurs années. D'autre part, il y a trois semaines, le Pape lui avait dit : demandez-moi une audience, je vous la donnerai dès le lendemain... Il l'a demandé aussitôt mais il l'attend toujours...

Arrivé à la salle des congrégations, je vois Mgr Griffiths. Il me dit qu'aujourd'hui le cardinal Spellman porte au Pape une pétition signée par deux cent quarante évêques et demandant qu'on propose au concile un texte sur la liberté religieuse. Il préférerait qu'on le joigne au *De oecumenismo* parce que ainsi 1°) Cela viendra à CETTE session tandis que si on le renvoie au schéma XVII, son lieu normal, ce sera en 1965... !!

2°) Le secrétariat le présenterait ; autrement il faudrait que la commission théologique le discute. Il en sortirait en quel état, et quand ?

À la commission, ce soir, absence de tous les Italiens... (?).

Mgr Volk a été nommé membre de la Commission en remplacement du vieux Peruzzo[1] : c'est lui qui avait le plus de voix dans les élections conciliaires.

Cardinal König : les Pères du concile s'inquiètent de la lenteur des travaux : il serait bon que le président de la commission dise *in aula* comment procèdent les travaux.

Le P. Tromp, au nom du cardinal Ottaviani : l'excuse d'être absent (s'est trompé de jour).

On a parlé de quatre questions qui finalement n'ont pas été proposées au concile. Cela tient à ce qu'une affaire de cette importance doit être discutée dans une commission mixte faite des quatre Modérateurs et des cardinaux de la Commission de coordination.

On fera plusieurs sous-commissions pour le travail des

1. Décédé en juillet 1963.

émendations... il y aura une commission centrale et diverses sous-commissions.

Il y a aussi un grand nombre de questions de matières à insérer dans le schéma, à la demande des Pères. Cela reviendra à la sous-commission centrale.

Mgr Philips rend compte du travail : voir feuilles polycopiées en date du 22/X/63.

Cardinal König : il faudrait que la commission donne quelques critères pour l'appréciation des *emendationes* proposées. Idée reprise plus tard par McGrath.

Tromp : un seul Père (Micara)[1] a demandé que soient condamnées les erreurs modernes. Mais le cardinal Cicognani a communiqué que le Saint-Père avait souligné et approuvé ce point de sa main.

(À la sortie, Mgr Prignon me dit ce qu'il en est : le cardinal Micara avait envoyé son papier au Saint-Père. Celui-ci a écrit simplement : *Attente considerandum*[2]. Le cardinal Suenens ayant demandé au Pape le sens et la portée de son annotation, Paul VI a répondu (en substance) : un signe poli que j'ai vu la chose.)

Garrone et Charue : tenir compte de la *mens concilii*[3].

Mgr Philips reprend chacun des points de son rapport, et l'on en discute.

Pour Église des pauvres, Mgr Garrone suggère très heureusement qu'on entende quelque évêque, ou le cardinal Lercaro, qui ont insisté sur ce point. Je demande qu'on désigne pour cela une sous-commission spéciale.

Après un débat un peu passionné sur ce qui a été ou n'a pas été admis par un vote de la commission au sujet du diaconat, j'interviens pour insister sur l'importance d'un *De presbyteris* ; je demande qu'un des évêques qui sont intervenus sur ce point soit entendu par la sous-commission.

1. Le cardinal C. Micara.
2. Ce doit être pris attentivement en considération.
3. Intention du Concile.

Sur l'introduction de la question de la Tradition, McGrath demande si on sait quel sera le sort du schéma *De Revelatione.* Personne ne répond. Mgr Garrone explique sa pensée sur l'utilité d'introduire un § sur la Tradition dans le *De Ecclesia.*

Discussion sur la composition des douze sous-commissions prévues et sur la façon de procéder. Mais finalement, on ne désigne pas les membres des sous-commissions. Il est vrai que tous les Italiens manquent.

À 19 h 35, via Ulisse Seni, groupe travaillant l'Église et les pauvres. Le P. Chenu est là, raccroché par Mgr Mercier. Les échanges piétinent.

Le P. Le Guillou me dit que la Commission des missions a rejeté le schéma *De missionibus* et qu'il faudra récrire un *De Missione*[1] : il va le faire. Il refait ou fait à peu près tout, mais beaucoup plus sérieusement que ne faisait le P. Daniélou l'année dernière.

Jeudi 24 octobre. – Il paraît que la réunion des Modérateurs avec la Commission de coordination et la présidence n'a pas abouti à une bonne entente. On s'est disputé sur la rédaction des quatre votes. Le diaconat aurait eu neuf voix pour et sept contre. Donc, une majorité peu nette... (cela vient de Mgr Marty).

Vote sur l'ensemble du ch. IV *De Liturgia* et lecture du rapport sur le ch. V de la même constitution.

Cardinal Siri[2] : qu'on mette dans la définition du laïc la soumission à la hiérarchie.
Contre un chapitre SPÉCIAL *De populo Dei.*
Sur le sacerdoce universel : d'accord avec Ruffini. On a trop voulu dire ce qui plairait aux laïcs.
Sur les charismes : être très prudent ! Et même s'il s'agit du Saint-Esprit, tout doit être soumis *regimini*[3] de la hiérarchie.
De sensu fidei[4] (auquel le concile de Trente fait allusion onze fois) tout dépend de l'Église enseignante.

---

1. De la Mission.
2. *AS* II/III, 278-279.
3. À la conduite.
4. Du sens de la foi.

Lui aussi est un obstiné et un obsédé de la hiérarchie ! Quelles misérables perspectives : juste celles que Möhler[1] a pulvérisées *(« Gott schuf die Hierarchie[2]... »).*

P. Fernandez OP[3] : fait UNE DISSERTATION sur l'abus des biens temporels. Il donne toujours des dissertations ; chaque fois qu'il parle, on m'en fait des condoléances.

Je quitte la tribune : tout est trop ennuyeux : tout le monde en a plein le dos. Je vois Dom Rousseau et Mgr Nabaa. Celui-ci a participé comme sous-secrétaire à la réunion d'hier soir. Il dit qu'il y a eu un véritable sabotage : les Italiens (onze !) avec des hommes comme Spellman et même Tisserant. Les Italiens sont sans rémission CONTRE la collégialité et le MOT même a été supprimé dans la 2e question. Seul le cardinal Liénart a été courageux.

On a reculé de quinze jours. Alors que la bataille était virtuellement gagnée il y a dix ou douze jours, la prolongation de débats ennuyeux a profité à la réaction. Arrighi, que je vois aussi, me dit : c'est exprès, on a procédé à un ensablement.

Mgr Nabaa pense qu'on ne pourra même pas aboutir à un accord suffisant pour pouvoir promulguer une constitution dogmatique. Il croit que le *De Ecclesia* sera renvoyé à plus tard. Il me semble surestimer la force de la Réaction : il l'estime à près de la moitié de l'assemblée.

J'apprends que le cardinal Suenens a demandé à Dhanis un texte de *BMV*, texte déjà rédigé, mais il en a demandé aussi à d'autres.

Je vois Guitton : il me demande mon sentiment. Il doit voir

---

1. Johann Adam Möhler (1796-1838) avait renouvelé l'ecclésiologie au XIXe siècle en lui redonnant un caractère théologique et surnaturel et non plus simplement juridique ; Congar fut fortement marqué par sa pensée, et son ouvrage le plus célèbre figure parmi les tout premiers titres de la collection « Unam Sanctam » : J. A. MOELLER, *L'Unité dans l'Église ou le principe du catholicisme d'après l'esprit des Pères des trois premiers siècles de l'Église*, coll. « Unam Sanctam » 2, Cerf, 1938.

2. Dieu a créé la hiérarchie. (Début d'une phrase de Moeller dans *Theologische Quartalschrift*, 1823, p. 497 : « Dieu a créé la hiérarchie, et ainsi il a pourvu plus que suffisamment à tout jusqu'à la fin des temps. »)

3. *AS* II/III, 280-282.

Paul VI bientôt et pourrait peut-être se faire l'écho de ce sentiment. Je lui dis qu'il faudrait que la commission intéressée intervienne dans le débat avec les Modérateurs et aide à l'organiser et à le mieux centrer.

À 11 h 22 on met fin à la discussion sur le chapitre *De laicis.* Applaudissements.

Le cardinal Browne[1] ajoute quelques mots de conclusion sur le chapitre et parle de la sainteté du laïc juste, uni au Christ *per fidem et caritatem, non autem per caracterem sacerdotalem*[2] (s. Tho. IIIa[3]) ; puis sur le caractère laïc de la société terrestre humaine.

Döpfner[4] : on a proposé que le *De BMV* soit inséré dans le *De Ecclesia.*

Aussi deux orateurs vont exposer les deux thèses : cardinal Santos et cardinal König dont le texte sera distribué demain. On votera la semaine prochaine sur cette question.

Santos[5] lit son texte (TRÈS long)

Maria stat inter Christum et Ecclesiam[6].

La rédemption de Marie ne diffère pas seulement de *gradus*[7] de la rédemption des autres hommes (alors, *essentia*[8] ?).

König[9] : applaudissements plus fournis que pour Santos, surtout sur les bancs des jeunes évêques.

À 15 h 30, visite du P. Gauthier avec Marie-Thérèse[10] et deux autres. Toujours impressionnants, ils risquent pourtant de tourner un peu en rond, voulant absolument que le pauvre *qua talis*[11], de

---

1. *AS* II/III, 297-298.
2. Par la foi et la charité, non cependant par le caractère sacerdotal.
3. Cf. THOMAS D'AQUIN, *Summa Theologiae* IIIa q. 82, a. 1 ad 2.
4. Il préside cette Congrégation générale.
5. *AS* II/III, 338-342.
6. Marie se tient entre le Christ et l'Église.
7. Degré.
8. Essence.
9. *AS* II/III, 342-345.
10. Marie-Thérèse Lacaze, des Compagnes de Jésus Charpentier (cf. plus haut, p. 280, n. 3).
11. Comme tel.

par sa situation d'écrasé, soit un membre du Peuple de Dieu. Ils sont prisonniers de l'aspect de situation et de masse et ne voient pas assez qu'il faut, pour être ou n'être pas du peuple de Dieu, que chaque personne ait révélé où est son cœur.

Un peu, très peu de travail avec PP. Dupuy et Le Guillou. Ensuite, à 18 h chez les Espagnols. Sont présents les mêmes que la dernière fois, moins Salaverri et Mgr Guerry ; plus Mgr l'évêque de Münster[1] et un autre et les PP. Sauras et Iamera*[2] (orthographe ?). Rahner, une fois de plus, accapare la parole. À un moment, duel scolastique Iamera-Urresti, puis Iamera-Rahner. Ce Iamera est un pur scolastique : il pourrait distinguer, contre-distinguer, réfuter et prouver pendant trente jours et trente nuits d'affilée. C'est du sport : quelque chose comme les 6 jours cyclistes ou les 24 heures du Mans.

(Sans rien dire de mes impressions, ai demandé le lendemain à un Père espagnol QUI est ce P. Iamera. Il m'a répondu : un activiste extrémiste de la Mariologie... Cela ne m'étonne pas : la mariologie majorante ne vit que de déductions et de raisonnements faits à perte de vue à partir de mots ou de concepts.)

Sauf, au début, une amorce intéressante sur la notion de sainteté, cela n'a aucun intérêt ; Féret et moi finissons par partir... J'aurais tout de même voulu rester un moment, car Mgr Morcillo pose la question de l'insertion du *De BMV* dans le *De Ecclesia*, mais le P. Féret est déjà sorti et je sors à mon tour.

Je l'ai regretté car ce point est très important. J'ai parlé avec un grand nombre d'évêques de différents pays (polonais, melchites, français, etc.). ILS HÉSITENT. Ils ne voient pas de raison décisive *POUR* l'insertion. Ils ne seraient pas contre, mais ne sont pas décidés par une raison vraiment motrice. Au fond, il n'y en a qu'une : c'est LE moyen d'éviter les majorations. C'est le moyen d'éliminer le schéma actuel. C'est l'occasion unique de faire un texte œcuménique. Mais qui SENT ces choses ? On les sent ou on ne les sent pas. C'est une question de sensibilité. L'issue du vote annoncé me paraît très douteuse. Je crois qu'il y aura une majorité pour l'insertion, mais le

1. Joseph Höffner.

*2. En marge : Iamera. Marceliano Iamera, o.p., de la province d'Aragon, professeur au *studium* dominicain de Valence.

caractère massif ou maigre de cette majorité dépendra des occasions et conversations des trois jours qui nous séparent du vote.

Vendredi 25 octobre. – Moeller me donne l'état des questions discutées mercredi, jeudi après-midi, tel qu'il était hier soir (cela pourrait changer !). Voici les quatre questions qui seront soumises au vote :

1) caractère sacramentel de la consécration épiscopale ;
2) on entre dans le *corpus*[1] des évêques par cette consécration ;
3) le *collegium* ou *corpus* a) *suprema pollet potestate in Ecclesia,*
b) *hoc jure divino*[2] ;
4) le PRINCIPE d'un diaconat permanent, sans poser aucune question de célibat.

Moeller ajoute que 1°) le cardinal Suenens a offert au cardinal Siri, si ces textes ne lui agréaient pas, d'en proposer d'autres. Hier soir, il n'avait rien envoyé, de sorte qu'on va livrer ceux de jeudi soir à l'impression ; 2°) le cardinal Tisserant a été bon : il a EXCLU la question de droit sur le droit qu'auraient ou non les modérateurs de poser de telles questions ; 3°) Liénart a fait réintroduire le mot *collegium* dans la 3e question.

56e Congrégation générale.

On lit le texte sur le schéma *De BMV Matre Ecclesiae* (Felici insiste sur ce titre répété trois ou quatre fois)[3].

On fait encore parler des évêques sur le chapitre *De laicis* et *De populo Dei* (ceux qui parlent au nom d'au moins cinq).

Mgr Boillon[4] sur les pauvres, dans le sens du P. Gauthier (avec un effort très artificiel de prononciation).
(Plusieurs évêques de différents pays, y inclus Ancel et Himmer, m'ont dit que ce discours a plutôt irrité et indisposé ; ils l'estiment malencontreux.)

1. Corps.
2. Jouit du pouvoir suprême dans l'Église.
Cela de droit divin.
3. *AS* II/III, 349-351.
4. *AS* II/III, 350-351.

Mgr Méndez[1], Mexique, au nom de plus de soixante évêques d'Amérique centrale. Sur le n° 25, lignes 7 sq. de la page 18. C'est très insuffisant pour une question si importante. Les hommes demandent une réponse à cette question : Comment harmoniser la prétention d'autorité de l'Église et la liberté de la personne humaine.

On parle de la « séparation » de façon trop simpliste et univoque.

On attend le texte *De libertate religiosa*[2] préparé par le Secrétariat.

Mgr Baraniak[3], Poznań, Pologne, au nom de tous les évêques de Pologne : sur n°s 25 et 27. Cela ne peut parler aux fidèles qui travaillent dans les conditions difficiles d'un pays comme le sien. Il faut ajouter quelque chose pour eux et dire que leur martyre est un apostolat.

Applaudissements.

Tomášek[4] (Tchécoslovaquie, au nom des évêques tchécoslovaques présents) : propose un changement en faveur du devoir des parents d'inculquer la foi à leurs enfants, et pour un institut catéchétique pour laïcs.

On lit dans l'intervalle les *emendationes De Liturgia.*

Darmancier[5] (Océanie : Mariste – au nom de six évêques d'Océanie) : il n'y a que trois lignes sur la fonction royale des chrétiens. Dieu a donné à l'homme le *dominium*[6] du monde et de soi-même ; c'est le fondement de l'action des hommes dans et sur le monde, qui doit se consommer en *consecratio mundi*[7]... passe de là à la tolérance (la royauté spirituelle n'a aucun sens dominateur).

Raffaele Calabria[8], mon ami l'archevêque de Bénévent. Sur n°s 22

1. *AS* II/III, 352-354.
2. De la liberté religieuse.
3. Antoni Baraniak, archevêque de Poznań, membre de la Commission des Églises orientales, *AS* II/III, 354-356.
4. *AS* II/III, 357-358.
5. *AS* II/III, 358-359.
6. Souveraineté.
7. Consécration du monde.
8. *AS* II/III, 362-364.

et 23 du point de vue surtout rédactionnel. N° 24 sur le *sensus fidei*[1] : la prédication externe est l'élément principal et formel... ; distingue différents aspects ou moments sur les charismes, adhère à Ruffini et Florit (sont limités aux origines).

Mgr Coutinho[2] (Indes) pour élargir l'attribution de fonctions sacrées dans l'Église.

Evangelisti[3] (Indes) au nom de plusieurs évêques d'Indes, Pakistan, Indonésie, Chine, sur le titre de « *populus Dei* » que les chrétiens entendent au sens biblique, mais que les non-chrétiens entendent dans un sens exclusif, qui les en exclut et fait d'eux le peuple du diable. Et dans les pays païens, on a connu trop de « chrétiens » d'Occident qui n'avaient rien d'un *genus electum, regale sacerdotium*[4], etc. (Ce serait facile de lever l'ambiguïté.)

Qu'on parle simplement *de populo christiano*[5].

On commence la discussion du ch. IV : *De vocatione ad sanctitatem.*

Malheureusement, on n'a pas suivi mon conseil, dix fois répété, de faire précéder la discussion d'une explication sur le sens, la composition, du chapitre. Faute de quoi je crains que la discussion divague plus d'une fois.

Cardinal Richaud[6] sur la sainteté, sur l'aspect d'expiation, sur la souffrance des malades, sur la consécration, base de toute vie religieuse.

Cardinal Silva[7] au nom de cinquante évêques d'Amérique latine. *Placet* (raisons). Cependant, manques.

---

1. Sens de la foi.
2. *AS* II/III, 365-366.
3. Joseph B. Evangelisti, o.f.m. cap., archevêque de Meerut (Indes), *AS* II/III, 366-367.
4. Une race choisie, un sacerdoce royal (1 P 2, 9).
5. Du peuple chrétien.
6. *AS* II/III, 368-369.
7. R. Silva Henríquez, *AS* II/III, 369-371.

Schoemaker[1] (Indonésie) au nom de la conférence des évêques d'Indonésie, plus de trente évêques.
La sainteté trop prise au sens ascétique, au plan des activités, alors que bibliquement, c'est d'abord le don de Dieu à son peuple, fait de pécheurs.
Aussi le n° 28 et le début du n° 29 sont à récrire. Critiques sur l'état religieux (notion d'obéissance), sur l'abnégation : souligner aspect pascal.

Gonzalez[2] (Astorga) : on ne parle plus des évêques... *Redolet ascetismum*[3]. Pour qu'on marque le rapport à l'évêque.

Mgr Charue[4] : le chapitre doit être gardé dans sa structure et son sens.

Mgr Urtasun[5] (voix haute, fluette, un peu chantante et « épiscopale ») : contre le renvoi des § sur vocation à la sainteté au *De populo Dei*, ce qui ne laisserait dans le présent chapitre que les Religieux.

Mgr Arrighi me dit que le *De libertate religiosa* du Secrétariat a été communiqué à la commission de Théologie. Il alerte quelques évêques efficaces à ce sujet : McGrath, Charue...

Un évêque yougoslave[6] démontre longuement que les prêtres diocésains sont aussi dans l'état de perfection...

Déjeuner au collège grec. Mgr Edelby est aussi invité. Au café, il explique comment, à la commission pour les Églises orientales, il y a une obstruction totale tendant à ce qui vient de la congrégation orientale. Ces gens se montrent bienveillants quand il s'agit de généralités, mais, dès qu'il s'agit de textes, de mesures, traduisant

1. *AS* II/III, 372-374.

2. Marcello Gonzalez Martin, évêque d'Astorga (Espagne), *AS* II/III, 377-379.

3. Cela sent l'ascétisme.

4. *AS* II/III, 382-384.

5. *AS* II/III, 384-386.

6. Stjepan Bäuerlein, évêque de Djakovo et Srijem (Bosnie), administrateur apostolique du diocèse de Pécs (Hongrie) pour les paroisses situées sur le territoire de la Yougoslavie, *AS* II/III, 387-389.

PRATIQUEMENT quelque chose de valable, c'est l'obstruction, l'ajournement, la force d'inertie, le vote négatif. Le P. Dumont et le P. Lanne disent qu'il en est EXACTEMENT de même à la sous-commission orientale du Secrétariat pour l'Unité. Sans compter qu'à la commission du concile, en mai dernier, on n'a même pas convoqué les évêques orientaux !

Il faudra évidemment que cela change avant qu'on ne puisse se présenter valablement à un dialogue avec les orthodoxes.

À ce sujet le P. Dumont me dit que le Secrétariat lui a demandé un rapport à soumettre au Pape, sur les voies d'une approche des Orthodoxes. Le P. Dumont pense – comme moi – qu'il faudrait actualiser au maximum, DE FAIT, la communauté profonde des Églises et que l'union se fera dans la vie avant de se déclarer.

À 15 h 50 au Collège Belge pour le Comité animateur de l'Église servante et pauvre. Je présente ma rédaction. On me demande de tâcher de contracter l'essentiel en un *BREF* §.

À 17 h 15 chez un médecin, professeur de neurologie : Bruno Callieri. Il m'examine une heure, très sérieusement. Cas difficile, dit-il : plusieurs choses sont possibles. Il prend l'hypothèse : myélasthénie et me donne une médication vigoureuse*.

Samedi 26 octobre 63. – Sauf quelques visites (un prêtre espagnol, le P. Féret, deux étudiants allemands, un jésuite canadien, le P. Leon[1] OP espagnol...), toute la journée fiches pour la Commission. Le P. Hamer m'avait demandé d'aller à Sainte-Sabine à une réunion d'experts sur le chapitre des Religieux autour du P. Général, mais j'ai pensé que le P. Féret est beaucoup plus compétent que moi.

Ce travail de fiches est long, mais fait voir les choses de près et apprend quelque chose.

Le P. Lumbreras[2] m'interroge, de la part de la S. Pénitencerie

* Ajout manuscrit : Qui n'a rien produit !

1. Juan José de León Lastra, o.p., de la province d'Espagne.

2. Pedro Lumbreras, o.p., de la province des Philippines est *sigillatore* à la Sacrée Pénitencerie.

(cardinal Confalonieri[1]) sur la personne de Jean Goss qui y a déposé une supplique pour condamner la bombe atomique, en se réclamant de moi.

Dimanche 27 octobre. – Travail : fiches pour la commission ; rédaction brève sur Église des pauvres.

Déjeuner : cardinal Liénart, Mgr Philippe, Guerry, Renard, Marty, Huyghe. J'ai, pendant le repas, les critiques du Père de Vos[2]. Il me raconte comment l'Angélique dégringole, à son avis d'une façon irrémédiable. On ne veut pas s'ouvrir aux nécessités ou requêtes actuelles. Il me raconte qu'en novembre 1952 il avait fait le projet d'un Institut pour « l'étude historique et critique de saint Thomas ». Le P. Gillon, recteur, était d'accord. Tout a échoué. Il se demande si le P. Garrigou n'est pas intervenu contre. Ce serait bien possible. Pour lui, comme pour le P. Browne[3], « historique et critique » était l'équivalent de : relativisme dogmatique et négation des principes de la métaphysique !

Je relance le cardinal Liénart pour un *De populo Dei* de type historique : il faudrait que la commission théologique soit poussée par un texte d'évêque...

Mgr Guerry me raconte que Siri et les évêques italiens vont publier une lettre sur le marxisme. Ils pensent à l'ouverture à gauche et aux élections italiennes. Tout, chez eux, est dominé par les préoccupations d'influence politique. Quand, au concile, ils réclament qu'on insiste sur la soumission des laïcs à la hiérarchie et même qu'on introduise cette idée dans la définition du laïc, leur vraie visée est celle-là : les démêlés des évêques avec la *Democrazia cristiana*. Depuis des années déjà j'ai compris que beaucoup de choses s'expliquent, dans l'Église, par la situation italienne, et que la situation italienne est vue elle-même sous l'angle politique.

Mgr Guerry parle du cardinal Siri, de sa lettre (publiée par

1. Il est difficile d'établir un lien entre le cardinal Confalonieri et la Sacrée Pénitencerie. Il doit plutôt s'agir du cardinal Cento, grand pénitencier.

2. Athanase de Vos, o.p., de la province de Flandre, professeur à la faculté de philosophie de l'Angélique.

3. Il s'agit du cardinal Michaël Browne.

Verbe[1]), dans laquelle certains passages visent formellement l'épiscopat français : au point que celui-ci, par le cardinal Liénart, a protesté auprès du Pape. Celui-ci s'est contenté de lever et de laisser tomber les bras, comme pour dire : c'est décourageant, mais qu'y puis-je ?

Après-midi, très longue conversation avec le chanoine Delaruelle[2]. Il me confirme que Mgr de Solages[3] est à l'agonie : un homme qui n'aura pas eu la chance de s'affirmer complètement par une œuvre marquante[4].

Lundi 28 octobre. – Ce matin, il y a seulement à Saint-Pierre une cérémonie commémorant l'élection de Jean XXIII : le pape doit célébrer à L'AUTEL DU CONCILE et le cardinal Suenens lire une adresse. Je n'y vais pas. Je fais du courrier et encore du courrier, et toujours du courrier en retard !! C'est la croix de ma vie.

Je réponds aussi à une demande de la Sacrée-Pénitencerie (cardinal Confalonieri) au sujet de Jean Goss-Mayr, qui s'y est présenté en se réclamant de moi. Je donne un bon témoignage et ajoute ma pensée sur la Bombe.

À 16 h 30, commission théologique. Je rencontre, dans la cour Saint-Damase, le cardinal Léger et Mgr Garrone : catastrophés. On leur a communiqué des questions où ils voient une manœuvre pour miner les questions des Modérateurs.

Le cardinal Ottaviani ouvre la séance :

Mgr Parente a eu une audience du Pape le 26 octobre. Le Pape a remis, même par écrit, un mandat portant sur ces points :

– accélérer la discussion du *De libertate religiosa* ;

– accélérer le travail de la commission théologique.

Il faut qu'avant la fin de la session on ait traité au concile le *De*

1. La revue *Verbe*, organe de la Cité Catholique (cf. p. 198, n. 1), avait publié deux textes du cardinal Siri en novembre 62 (n° 135).

2. Étienne Delaruelle, spécialiste de l'histoire religieuse médiévale, professeur d'histoire ecclésiastique à l'Institut Catholique de Toulouse.

3. Bruno de Solages, théologien et exégète, est recteur de l'Institut Catholique de Toulouse depuis 1931. Il démissionnera du rectorat en 1964, mais retrouvera la santé et décédera en 1983.

4. Sa retraite lui permettra cependant d'achever et de publier plusieurs ouvrages sur les Évangiles et leur rédaction.

libertate religiosa. Il faut que la commission rende son travail *intensior et celerior*[1] même si elle doit se réunir tous les jours.

Il faudrait, dit Parente, rendant compte de la pensée du Pape, *« seligere puncta et rogare Patres ut de his suffragium faciant », « haec enim sessio non claudetur nisi postquam aliquid magni momenti deliberatum fuerit*[2] ». Aussi on a reçu ce matin le schéma *De libertate religiosa* et on dira *si aliquid contra habeamus*[3].

Faudra-t-il avoir session tous les jours ? Même le samedi ? Mais alors comment travailleront les sous-commissions pour préparer les amendements ?

Ottaviani fait lire une lettre de Mgr Felici par laquelle il demande, de la part du Saint-Père, l'avis de la commission sur deux points posés en question par une très haute personnalité : 1) sur usage du mariage ; 2) sur la frontière entre le superflu et le dû (cf. feuilles). Ottaviani propose d'instituer une sous-commission pour cela.

Mgr Garrone et Mgr van Dodewaard font remarquer que cela regarde le schéma XVII.

Mgr Charue : les Modérateurs ont annoncé qu'ils poseraient au concile des questions précises.

Ottaviani : mais les questions que nous proposons ici sont précises ! Les Modérateurs ne peuvent se substituer à la commission théologique. Et d'ailleurs, il met en doute qu'on ait annoncé des questions... Nous ne pouvons pas interrompre nos travaux quand le Pape lui-même demande de les activer ! Si les questions des modérateurs s'accordent, il n'y aura pas de difficulté ; si cela ne s'accorde pas, on verra comment concilier. C'est *NOUS* que le concile a désignés pour traiter les questions de doctrine ; les modérateurs ont seulement à modérer le cours des travaux.

Charue : mais si le Pape a approuvé LE TEXTE même de leurs questions ?

1. Plus intense et plus rapide.

2. « Choisir des questions et prier les Pères de se prononcer sur elles par un vote. »

« Que cette session ne s'achève pas sans que l'on ait débattu de quelque question de grande importance. »

3. Si l'on a quelque objection.

Ottaviani : alors, il faut suspendre nos travaux... Voulez-vous suspendre nos travaux ?

Plusieurs : qu'on désigne les membres des onze sous-commissions.

Ottaviani : « *subcommissiones de quanam re*[1] ? »

Mgr Parente sauve la situation en rappelant que le 15 octobre on a donné mandat pour répondre à la question de la note théologique de nos textes. La sous-commission (Parente, Schröffer, Fernandez) a composé un texte qu'on se met à discuter (TRÈS long exposé du P. Salaverri), très long exposé de Colombo, dans le sens du but pastoral du concile, très longue discussion qu'on arrête à 18 h 05 en renvoyant à la sous-commission qui entendra tous ceux qui ont quelque chose à proposer.

On passe alors à la désignation des membres des sous-commissions de la commission théologique. (Mgr Philips dit que pour les deux premiers chapitres, il y a mille cinq cents fiches, sans compter tout ce que l'on n'a pas mis sur fiches, à savoir les remarques transmises par écrit avant l'ouverture du concile). On peut commencer tout de suite ou très bientôt. Les membres de la Commission mettent sur une feuille leurs désirs : ce sera dépouillé et on distribuera les Pères. On annoncera demain les résultats, et on complétera.

À 18 h 30, la sous-commission centrale se réunit pour dépouiller ces feuilles et établir les sous-commissions ; pendant ce temps, un certain nombre d'experts*, avec Mgr Parente, discutent de la formule de qualification théologique. On améliore celle que la sous-commission avait proposée.

Étrange séance !! Les gens du Saint-Office avaient monté une manœuvre pour torpiller, et même éliminer, les votes préparés par les Modérateurs et, à travers ces votes, l'autorité de ces mêmes Modérateurs. Tout était monté, mais, à la première réaction, tout s'est écroulé ; on n'a plus parlé des questions préparées (*dixit* Ottaviani) par Parente. Mgr Garrone me dit : c'est l'escargot. Il pointe hardiment ses cornes, mais il suffit de les toucher du petit doigt pour qu'il les rentre...

Je dîne au Séminaire français. À la fin du repas, le cardinal Le-

---

* En marge : dont moi (dact. 1), j'en étais (dact. 2).

1. Sous-commissions de quoi ?

febvre dit que des théologiens espagnols ont apporté un paquet contenant des papiers en faveur d'un vote *Non Placet* en matière d'insertion du *De BMV* dans le *De Ecclesia.* Il y a de simples feuillets résumés (j'en prends un) et un long factum explicatif ronéoté (je laisse les évêques prendre et il n'en reste plus). Le cardinal Lefebvre souligne, avec le sourire, l'indiscrétion du procédé : on n'est pas à un parlement, livré aux propagandes... !

À 21 h conférence au Scolasticat des PP. Jésuites, au Gesù, sur l'œcuménisme.

Mardi 29 octobre. – À Saint-Pierre... à la porte, on distribue une feuille signée d'évêques orientaux et qui est une escroquerie : ils arguent de la dévotion des orientaux, unis ou non unis, envers la Mère de Dieu, pour réclamer un schéma séparé. Les Marianistes de tout poil font une offensive énorme. On me parle aussi d'un papier de Roschini[1], à l'égard duquel Balić est un modéré. Que donnera le vote ? Beaucoup d'évêques hésitent... Je donne 52 à 55 % en faveur de l'insertion... (j'avais écrit d'abord 51 %...)

Je rencontre le cardinal Döpfner qui me demande comment les choses se sont passées hier soir à la Commission théologique. Je lui demande à mon tour si les 4 questions vont être données. Il me dit : elles doivent être imprimées, mais on ne peut savoir ni si on les aura aujourd'hui, ni ce qui arrivera, car sans cesse le cardinal Cicognani ou Mgr Felici ou Ottaviani interviennent...

En regagnant ma place je me heurte à Mgr Parente et Mgr Florit en grande conversation, l'air très préoccupé...

Messe ukrainienne. J'aime bien les Orientaux, mais on exagère en nous mettant tout le temps des Messes qui durent plus d'une heure alors que le travail presse. Le temps utile du travail est réduit à très peu de chose. Et c'est très fatigant. Beaucoup sont levés depuis 5 heures du matin et ont dit leur messe, puis servi une autre... C'est absurde. Mais, à Rome, on ne sait pas ce que c'est que le travail.

Si je marchais mieux et étais moins dépendant des moyens de transport, je viendrais seulement vers 10 h 30.

---

1. Gabriele Roschini, o.s.m., procureur général des Servites de Marie, président de la faculté théologique pontificale Marianum qu'il a fondée et où il enseigne la théologie ; expert du Concile.

On commence la séance à 10 h 15 !!!

Felici[1] annonce le vote sur le *De BMV* et sur les amendements au chapitre V *De Sacra Liturgia.*

De mandato Moderatorum[2] (il le répète plusieurs fois et insiste) on distribuera le texte des votes sur les points qui sont devenus cinq (donc, tout de même, c'est sorti de l'imprimerie !).

Felici lit le texte. Grande attention ; silence intense.

Lecture du rapport liturgique[3].

Les Modérateurs mettent bien au point le sens du vote *De BMV* :

1°) Il ne s'agit pas d'un vote sur un CONTENU minimiste, mais simplement du LIEU où mettre le texte.

2°) En toute hypothèse, il reviendra à la commission théologique de présenter le texte.

Interventions sur le chapitre *De vocatione ad sanctitatem* :

Cardinal Ccrcjcira (Lisbonnc)[4] *[ ]*

Cardinal de Barros Câmara[5] au nom de cent vingt et un évêques du Brésil *[ ]*

Cardinal Gilroy[6], loue le chapitre, approuve l'*emendatio* présentée par les Allemands sur l'effort des évêques vers la sainteté. (Je ne vois pas du tout l'utilité de ces discours.)

Ruffini[7] : (s'efforçant visiblement à être calme, ou étant essoufflé) = même remarque : mieux vaudrait remettre un texte écrit.

Quiroga[8] : même remarque (tout cela est TRÈS ennuyeux).

Döpfner[9], au nom de quatre-vingt-un évêques de langue allemande et Pays scandinaves : loue que la sainteté soit présentée et proposée à tous (contre fausse idée M. Weber[10] et

1. *AS* II/III, 573-583.
2. Sur le mandat des modérateurs.
3. *AS* II/III, 583-590.
4. M. Gonçalves Cerejeira, *AS* II/III, 590-592.
5. *AS* II/III, 592-593.
6. *AS* II/III, 595-596.
7. *AS* II/III, 596-599.
8. Fernando Quiroga y Palacios, *AS* II/III, 600-602.
9. *AS* II/III, 603-605.
10. Max Weber.

Troeltsch[1]) ; que les conseils ne sont pas montrés seulement sous l'aspect ascétique, mais aussi ontologique et eschatologique.

Propose quelques principes pour la correction du chapitre (on voit que les évêques allemands écoutent et suivent les théologiens et que ceux-ci sont vraiment dans le courant de ressourcement et d'élargissement des idées... Nos évêques, à nous, panachent leurs options et, à l'exception d'un ou deux, restent syncrétistes, dans un climat d'édification pieuse.

Mgr Vuccino[2] : en faveur d'un traitement plus biblique ! La vie du juste découlant de la FOI ! !

Quelle voie Dieu a suivie pour nous révéler la sainteté : surtout l'Histoire Sainte... (mais si intéressant et valable que cela soit, on ne suit plus ! Il est midi ; les gens s'en vont). JE DEVINE QUE C'EST LUI QUI A ÉTÉ CHARGÉ DE DONNER LA LEÇON SUR LA PAUVRETÉ... FOI-HUMILITÉ-PAUVRETÉ... IL RAMÈNE TOUT EN VRAC : D'ADMIRABLES THÈMES, MAIS *EXTRA OPPORTUNITATEM*[3].

Mgr Felici[4] donne le résultat des votes :

Sur le ch. V de la liturgie :	présents	2 193
	placet	2 154
	non placet	21
sur la question posée au sujet *De Beata MV* :		
	présents	2 193
	placet	1 114
	non placet	1 074
	juxta modum	2 (= nul)
	nuls	3

C'est une bien petite majorité : il restera un malaise... Mais c'est décidé.

Puis les différentes *emendationes* liturgiques (que je ne suis pas).

À 15 h départ pour être enregistré pour deux émissions de la TV suisse.

1. Ernst Troeltsch.
2. *AS* II/III, 617-619.
3. Hors de propos.
4. *AS* II/III, 627-628.

À 16 h 30, Vatican, commission théologique.

D'abord approbation de la formule de qualification théologique : le vote donne : 17 POUR, sur 24.

Mgr Philips propose la distribution des sous-commissions et propose des règles générales pour le travail des sous-commissions.

Le P. Tromp insiste sur le premier devoir des *periti* : rapporter exactement les raisons *pro* et *contra.*

Philips propose que le jour où les sous-commissions se réuniront pour travailler, il n'y ait pas de réunion générale de la Commission. C'est l'avis du cardinal Browne. Philips joue vraiment, DE FAIT, le rôle de secrétaire de la commission. Il sait où il va et il a l'art de faire passer... Il ne lâche pas son idée tant qu'elle n'a pas abouti.

Philips reprend ensuite l'idée de mettre les Pères au courant du travail de la commission théologique et de ses sous-commissions.

Rahner pose la question de ce qu'on fera des indications que donneront les votes sur les cinq points proposés ce matin.

Dans le trajet de retour (à l'heure de pointe !!) dans la voiture du cardinal Léger, celui-ci me dit que plusieurs ressentent très durement ce qu'ils considèrent comme leur défaite de ce matin au sujet du *De Beata.* L'Épiscopat italien avait reçu des consignes dont même la TV a fait état... Aussi il se préparerait des démarches auprès du Saint-Père pour qu'il intervienne et 1°) dise : ce vote manifestant une division en moitiés sensiblement égales, on ne parlera pas *De Beata*, on n'en discutera pas ; 2°) fasse lui-même, sur la fin de la session, une *laudatio Beatae Virginis*[1].

La façon dont le cardinal en parle me fait soupçonner que ce pourrait bien être le fait de plusieurs évêques canadiens...

Pour ma part, je le dis, je trouverais cela assez bon. D'une part, en effet, il serait très difficile d'établir un texte. D'autre part, la discussion *in aula* risquerait d'être assez pénible. La Vierge Marie, qui devrait nous unir, deviendrait un sujet de division. Or, rien n'oblige à en parler. Au contraire, on achèverait d'éliminer un dernier vestige du travail de la commission préparatoire, ce qui rentre dans le mouvement général du concile.

De toute façon, le vote de ce matin marque un premier « *parting*

1. Panégyrique de la Bienheureuse Vierge.

of the ways » des Pères ; les votes de demain en seront un autre, encore plus décisif.

Au retour, ce soir, travail à la rédaction d'un texte bref sur la mission de l'Église, pour y situer l'action des laïcs, que m'a demandé Mgr Ménager. Mais je peux à peine tenir mon crayon !!

Mercredi 30 octobre (58e Congrégation générale). – En causant avec plusieurs évêques, y compris des Français, je suis étonné de voir combien ils sont peu fixés sur ce dont il s'agit dans les cinq votes qui vont leur être demandés aujourd'hui. Ils n'ont que des notions vagues, assez pragmatiques. Ils ne perçoivent pas nettement l'enjeu doctrinal, les fondements... Étrange affaire... !

Était-ce comme cela à Nicée ou à Chalcédoine ?

Ce matin, vote sur les cinq points proposés hier.

Cardinal Léger[1] sur sainteté des laïcs : contre primauté monopolisante d'un type de sainteté MONASTIQUE.
Sur théologie de la vie consacrée dans un sens très évangélique.

Cardinal Urbani[2] : pour qu'on parle de l'Église glorieuse et de la communion des saints.

Cardinal Cento[3] : (cite Daniel-Rops[4], mais parle pour ne rien dire). Louange des associations pieuses. Cite aussi Fulton Sheen[5].

Cardinal Bea[6] : bien mais pas assez réaliste. Attention à l'usage des mots *perfectio*[7], etc. pour l'Église pérégrinante. Rien sur usage des textes bibliques dans la question de la sainteté.

---

1. *AS* II/III, 632-634.
2. *AS* II/III, 635-636.
3. *AS* II/III, 636-638.
4. Henri Petiot, dit Daniel-Rops, écrivain et historien français, auteur d'ouvrages d'histoire religieuse ; il décède en juillet 1965.
5. Fulton J. Sheen, évêque auxiliaire de New York, élu membre de la Commission des missions lors de la première session, est un conférencier et un prédicateur célèbre aux États-Unis.
6. *AS* II/III, 638-641.
7. Perfection.

Je note que le cardinal Bea n'est intervenu jusqu'ici au concile que COMME BIBLISTE. Je sais qu'il est entendu que personne ne doit parler au nom du Secrétariat, et je constate que les membres du Secrétariat les plus en vue (Mgr De Smedt) parlent peu. Tout se passe comme si le Secrétariat voulait demeurer très discret à cette session, ou s'il se réservait pour le moment où lui-même présentera ses textes sur l'œcuménisme et sur la liberté religieuse.

Mgr Huyghe[1] (Arras) sur n°s 31 et 32 : les remarques et thèses Féret. (C'est curieux : beaucoup reprochent au texte de limiter les conseils aux vœux de religion, alors que l'intention formelle de la sous-commission, j'en suis témoin, a voulu le contraire. Mais le mal ou l'ambiguïté vient du fait que, reprenant des termes du texte précédent, on a parlé des conseils (qu'on voulait proposer à tous) EN DES TERMES qui sont propres à leur application À LA VIE RELIGIEUSE.

Mgr Fourrey[2], évêque de Belley (ton oratoire) pour qu'on apporte quelque chose à la requête des laïcs.

Mgr Prignon, rencontré au bar, me dit qu'hier soir encore le cardinal Ottaviani a fait une démarche pour que le vote sur les cinq points soit renvoyé à plus tard (après les vacances de la Toussaint) ; en vain. Ainsi, jusqu'au bout, « ils » ont essayé d'éviter ce qui annonce effectivement la fin de leur règne...

Russell[3] (USA) au nom de plusieurs évêques : comment l'Église est-elle sainte alors que ses membres sont pécheurs ?

Angelo Fernandes, évêque auxiliaire de Delhi[4] (bonne prononciation anglaise) : un certain déséquilibre dans le chapitre entre les deux parties (appel général à la sainteté et Religieux). [[Au fond, les évêques se sont plus intéressés à la notion de sainteté qu'à la théologie de la vie religieuse.]]

1. *AS* II/III, 646-648.
2. René Fourrey, *AS* II/III, 649-651.
3. John J. Russell, évêque de Richmond, *AS* II/III, 653-656.
4. Plus exactement coadjuteur de Delhi, *AS* II/III, 656-658.

Parler de la sainteté PROPRE à la hiérarchie et aux prêtres, en dépendance des MOYENS PROPRES de la vie PASTORALE.

Franić[1] sur la sainteté des évêques (*perfectores*[2] même des religieux). Sur la sainteté des prêtres diocésains.

Qu'on fasse un chapitre SPÉCIAL des religieux.

Qu'on fasse un paragraphe sur la pauvreté comme base de toute sainteté – avec engagement pour les ordres majeurs, de sorte que les prêtres diocésains seront constitués en état de perfection à acquérir.

Sébastien Soares[3] (Mozambique) *[ ]*

Mgr Hoàng-văn-Doàn[4] (Viêtnam) : grande introduction solennelle.

Danger de parler de l'identité de vocation à la sainteté pour tous.

Dom Reetz[5] (abbé de Beuron) : *TRÈS* écouté : donne bien un texte précis. Qu'on ne parle plus *« de statibus perfectionis » salva reverentia erga Aquinatem dicetur simpliciter « status religiosus*[6] *»* : terme technique depuis le IVe siècle et que saint Thomas justifie. Sur l'exemption : sans elle les ordres religieux n'auraient jamais donné tant de fruits. Dans le concile même, un tiers des évêques est religieux ; les missions et les sciences théologiques comptent un TRÈS grand nombre de religieux. Comparaison entre les évêques et les religieux avec les colonnes (= apôtres) de Saint-Pierre, dans l'interstice desquelles nichent les statues des fondateurs d'ordres.

Le cardinal Lercaro[7], modérateur, pose la question de l'interruption de la discussion sur le chapitre IV, selon le règlement nº 57, § 6. GROSSE majorité à se lever...

---

1. *AS* II/III, 658-660.
2. Ceux qui perfectionnent (cf. plus haut p. 456).
3. Sebastião Soares de Resende, évêque de Beira, *AS* II/III, 661-663.
4. D. Hoàng-văn-Doàn, o.p., évêque de Quinhon, *AS* II/III, 664-665.
5. Benedict Reetz, Supérieur général de la Congrégation des Bénédictins de Beuron (Allemagne), membre de la Commission des religieux, *AS* II/III, 666-669.
6. « Des états de perfection » sauf le respect dû à l'Aquinate qu'on dise simplement « état religieux ».
7. *AS* II/III, 669-670.

Après le schéma *De Ecclesia*, on discutera le schéma *De Episcopis* et *De dioecesium regimine*[1]. Que les évêques s'inscrivent pour parler sur le schéma en général.

Felici donne le résultat des votes de ce matin : sur les cinq points (les cinq propositions !!) :

Sur n° 1 :	présents	2 157	Sur n° 2 :	présents	2 154
	oui	2 123		oui	2 049
	non	34		non	104
Sur n° 3 :	présents :	2 148	Sur n° 4 :	présents	2 138
	oui	1 808		oui	1 717
	non	335		non	408
				nuls	12
Sur n° 5 :	présents	2 120			
	oui	1 588			
	non	525			

C'est donc la question du diaconat qui a rencontré la plus grande opposition.

Ensuite les votes sur les *emendationes* liturgiques.

J'apprends par Mgr Person, évêque en Éthiopie[2], qu'hier l'internonce est venu au collège éthiopien dire aux évêques, de la part d'une « autorité supérieure » qu'il fallait voter oui à la première question et non aux quatre autres. L'évêque a répondu qu'il ferait ce qu'il jugerait bon.

Vois l'abbé Naud, pour lui parler du thème *De populo Dei* (histoire du salut) et du sacerdoce des prêtres.

À Sainte-Marthe, Vatican, 16 h 30, sous-commission *De populo Dei* : sont présents, avec les évêques de la sous-commission, les experts : Sauras, Witte, Congar, puis le P. Reuter[3] (oblat) et Naud. Maccarrone passe à une autre sous-commission ; Schmaus est absent jusqu'au 25. XI. Par contre on nous adjoindra Kerrigan ; peut-être Lubac, qui vient d'arriver. Mgr Philips passe une heure avec nous, pour mettre en train le travail. C'est lui le véritable animateur.

---

1. Des évêques et du gouvernement des diocèses.
2. Le Français Urbain M. Person, o.f.m. cap., est vicaire apostolique de Harar et administrateur apostolique de la province de Hosanna et Neghelli.
3. Armand Reuter, o.m.i., directeur général des études dans sa Congrégation, expert du Concile.

Le P. Tromp, qui est dans un bureau à côté, fait seulement une apparition, comme une ombre. Il ne joue plus aucun rôle. Du reste, il n'est pas particulièrement doué pour les fonctions organisatrices d'un secrétaire.

Le P. Reuter, expert de la Commission des missions, nous dit ce qui s'est passé à cette commission. J'ai l'impression que c'est un peu un panier de crabes et qu'il n'y a pas entente entre le président, les membres et les *periti.* Ils ont actuellement trois textes sur le fondement théologique des missions, mais il nous reviendra à nous, d'entente avec eux (si c'est possible) d'introduire un texte sur ce sujet, dans notre n° 10 (ancienne computation). Le cardinal Santos, qui est censé présider, dit : « *procedamus in pace*[1] »... on bavarde, on perd du temps, comme des enfants qui ne savent à quoi jouer...

On distribue l'ancien n° 8 à Witte et Reuter : le n° 9 à Sauras et qui il voudra ; le n° 10 à Congar et Naud.

Nous restons pour travailler après la fin de cette réunion décevante.

Je vois Mgr Colombo, qui se réjouit du vote de ce matin et me dit : C'est important surtout pour le pape, à qui cela donne une base.

En effet, je sais que Paul VI veut introduire des évêques résidentiels dans le travail des Congrégations. S'il se base pour cela sur la collégialité, ce sera une base théologique très forte.

À 19 h 45 dîner au Germanicum et conférence sur l'œcuménisme.

Jeudi 31 octobre 63. – Je ne vais pas à Saint-Pierre : j'ai trop de travail urgent : fiches pour la commission et préparation de notre travail sur l'ancien n° 10.

Le P. Gagnebet me transmet l'assurance du cardinal Antoniutti (par l'intermédiaire du cardinal Browne) qu'il n'y a rien de vrai dans ce que dit *Le Monde* d'hier (H. Fesquet) que la congrégation des Religieux aurait indiqué aux Supérieurs religieux une liste d'experts dont il faudrait se défier, et sur laquelle mon nom aurait

1. Avançons en paix.

figuré[1]. J'avais entendu parler de cela. Le P. Gagnebet ajoute que ce qui a peut-être donné prétexte au canard serait ceci : il y a huit ou dix jours, trois experts (Rahner, Thils, Moeller) auraient voulu refaire un chapitre *De Religiosis* à la congrégation des Religieux ; le cardinal Antoniutti a déclaré qu'il ne voulait pas de cela.

À 15 h 30 chez un nouveau médecin (rendez-vous ménagé de son côté par le cher et si bon Père Mongillo) : Pr. Lamberto Longhi. Il m'examine assez succinctement. Il croit, lui, qu'il y a certainement quelque chose de circulatoire. Il m'indique une médication mais, quand je lui demande si c'est compatible avec ce que je prends déjà (sans nommer le Pr. Callieri), il me dit que la médication qu'il indique est totale. Je suis donc fort perplexe. Je me trouve devant trois médications : celle du Dr Thiébaut[2], celle de Callieri (qui est neurologique et compatible avec la précédente) et celle de Longhi. Je ne peux tout suivre à la fois. Je décide donc de poursuivre D'ABORD la médication Callieri avec celle, très douce, de Thiébaut.

1er novembre 63. *Toussaint.* – Effectivement, temps de Toussaint : pluie.

Profession de Lucie Scherrer à la Chartreuse de Voiron[3].

Je rédige ma chronique pour les *ICI.* Abondante cette fois !

De 16 h à 18 h 15, réunion avec les Goss-Mayer, les PP. Häring, Rahner et un Père espagnol de la Grégorienne[4], pour mettre au point un texte sur l'objection de conscience à proposer aux rédacteurs du schéma XVII, et commencer à préparer un texte sur les exigences évangéliques en matière de Paix. Le P. Häring est vraiment épatant.

Il me raconte qu'hier Paul VI est allé au Latran pour l'inauguration de l'Année Académique. Il a fini son discours en disant que le Latran se devait de faire du travail POSITIF, non négativement critique, et que le négatif critique devrait être exclu à jamais. Les

---

1. *Le Monde* donne les noms de douze experts du Concile, parmi lesquels Congar, Rahner, Küng et Ratzinger.

2. François Thiébaut, neurologue à Strasbourg.

3. Il s'agit de la Chartreuse de Beauregard, à Coublevie par Voiron (Isère).

4. José M. Diez-Alegria, s.j., qui enseigne la doctrine sociale de l'Église et la théorie du droit à la Grégorienne.

étudiants ont accueilli ces paroles par un tonnerre d'applaudissements. On a compris que cela signifiait un désaveu de l'esprit de Mgr Piolanti et la fin des attaques contre le Biblicum.

Du reste, j'achète le *Quotidiano* pour avoir la lettre des évêques italiens sur le communisme athée : le petit discours du pape y est aussi reproduit : le passage entouré de rouge est celui qui a été ainsi applaudi[1].

J'y vois aussi que le P. Dhanis a été nommé consulteur au « Saint-Office » : j'avais prévu cela dès 1960, à le voir dans la commission théologique préparatoire.

Le texte des évêques italiens se veut pastoral ; il professe ne pas juger les personnes, mais condamner le caractère athée du communisme.

Dans le même numéro, nouvel article de Mgr Staffa : il en avait fait un, il y a huit jours, dans le sens de la monarchie papale et contre la collégialité. Cette fois, voyant la collégialité sur le point d'être admise, il l'accepte, mais la ramène à la monarchie papale. Lui aussi est un obsédé.

Toussaint très dans la méditation des Béatitudes comme charte de l'ontologie chrétienne ou de l'homme chrétien. C'est CELA qui manque encore trop à nos schémas !

Samedi 2 novembre. – Le temps a changé. De relativement frais il est devenu humide et tiède : il pleut. Je le sens dès le réveil. Je n'ai AUCUNE force.

Indépendamment de cela, je me sens débordé et même écrasé par tout. Le monde est trop vaste, il y a trop de nouveau, il faudrait faire et maîtriser trop de choses. Je me sens vieilli, vidé ; j'ai mal à la tête ; mon corps est lourd et mes ressources d'esprit trop incertaines.

Humainement parlant, je suis, sinon vaincu, du moins trahi par la vie. Humainement parlant, mieux vaudrait disparaître maintenant ; je disparaîtrais en relative beauté. Mais je sais trop bien qu'on

---

1. C'est le passage suivant : *« della sincera riconoscenza, della fraterna collaborazione, della leale emulazione, della mutua reveranza e dell'amica concordia, non mai d'una gelosa concorrenza o d'una fastidiosa polemica ; non mai ! »* (Article inséré dans le Journal).

ne choisit pas et que ces sentiments sont stupides. Ils ne sont pas blasphématoires parce qu'ils restent à la surface d'une âme donnée et qui ne se reprend pas. *Sed tu, Domine, usquequo*[1] ?

Le matin, je tape ma chronique *ICI* ; le soir, pénible parturition du début de l'exposé que je dois donner à la Semaine des Intellectuels Catholiques le 11 novembre.

Dimanche 3 novembre 63. – Où vais-je ? J'ai le cerveau comme engourdi, physiquement en demi-sommeil. Je reste parfois longtemps devant ma feuille de papier, les yeux ouverts mais sans regard, sans créativité, dans une espèce d'hébétude éveillée ou demi-éveillée car elle glisse au sommeil facilement. Est-ce un début d'irrémédiable sénilité ? Je comprends David ayant besoin d'Abisag : non pour la présence charnelle, mais pour la présence tout court. Je suis ici isolé, je ne vois personne ; la vie de l'Angélique est aussi fastidieuse que la cuisine. J'ai hâte de retrouver des hommes et des femmes, des amis. Le plus terrible de la vieillesse, ce doit être l'isolement.

Lundi 4 novembre. – Fête nationale en Italie[2]. À 10 h, réunion de travail du groupe « Pour une Église servante et pauvre », à l'église espagnole de Montserrat. Malheureusement, c'est fête nationale ; il doit y avoir grande revue. Tout le quartier compris entre le Quirinal-Musée National et la place de Venise (et au-delà) est interdit aux bus et aux voitures. Je suis obligé d'aller à pied ; même les abords de la place de Venise sont interdits aux piétons en sorte qu'il faut faire des détours jusqu'à la Grégorienne, cela va. Après, c'est de pire en pire : je fais les cinq cents derniers mètres par quinze centimètres et n'en pouvant absolument plus. Du reste, ces jours-ci rien ne va plus ; j'ai mal au ventre, aux reins, au dos. Je suis à bout.

Réunion sans AUCUN intérêt, absolument inutile. Pour la sixième fois le P. Gauthier revient aux mêmes affaires ; on relit les textes ; chacun dit « il faudrait ». Rien n'en sort. C'est un rond... On perd son temps.

Visite d'un prêtre de Bologne (pour *Il Regno*), de Vogel *(ICI)*,

---

1. Mais toi, Seigneur, jusques à quand ? (Ps 6, 4).
2. Anniversaire de l'armistice de la Grande Guerre.

du Recteur du Collège San Pietro[1] (cent quarante prêtres DE PARTOUT pour les « missions »).

Mardi 5 novembre 63. – Le travail de Congrégation générale recommence. On est à quatre semaines de la fin.

Santé : *TRÈS* mal. Incapable à la Messe, de faire tous les gestes ; incapable de marcher. AUCUNE force.

Je vais à Saint-Pierre surtout parce que j'ai rendez-vous avec Mgr Moralejo[2]. Il a refait les textes sur PAUVRES à insérer.

Lecture des rapports sur le *De episcopis*[3]...

Cardinal Liénart[4] : préciser les services que le pape peut recevoir des évêques (s'appuie sur discours du pape[5] du 29.IX).

Cardinal McIntyre[6] { je suis absent
Cardinal Gracias[7]

Cardinal Richaud[8] (voix de vieillard et toux) souligne manque d'accord avec le vœu du concile sur la collégialité ; et précisions sur la compétence des conférences épiscopales, qu'on fasse place à des évêques qui ne sont ni coadjuteurs ni auxiliaires. Et critique le plan, l'ordre des chapitres. Donne toute une critique constructive.

Mgr Gargitter[9] : il faudra des corrections SUBSTANTIELLES.
Qu'on élimine les questions plus détaillées et qu'on en reste aux principes.

Rupp[10] : amuse tout le monde. On retire bientôt ce qu'on avait concédé et on passe vite vite sur les points importants.

Jubany[11], auxiliaire de Barcelone. *[ ]*

1. Matthias Schneider, s.v.d.
2. R. González Moralejo.
3. Des évêques.
4. *AS* II/IV, 445-446.
5. Discours d'ouverture de la deuxième session.
6. *AS* II/IV, 446-447.
7. *AS* II/IV, 447-449.
8. *AS* II/IV, 450-452.
9. *AS* II/IV, 453-455.
10. *AS* II/IV, 455-456.
11. *AS* II/IV, 456-458.

De Bazelaire[1] : schéma plus juridique que pastoral.

Correa[2] (Cucuta, Colombie) au nom de cinquante ou soixante évêques. Que les pouvoirs ne soient pas présentés comme des concessions, mais comme des droits.

Garrone[3] : *de ordine*[4] à revoir à la lumière du schéma *De Ecclesia* et de la collégialité ; intégrer dans le texte l'Appendice II qui ne doit pas seulement exhorter, mais déterminer.

Le schéma est trop général et théorique. Il ne tient pas assez compte de la situation ACTUELLE du monde (socialisation). Très écouté bien qu'il soit presque midi.

Marty[5] (ton précieux, lent, pas prenant) : qu'on introduise l'aspect collégialité ; indique des règles pour rapport entre assemblées collégiales d'évêques et Pape.

Baudoux[6] : même sens.

On peut donc dire que la critique essentielle a été faite. Il y aura demain un vote sur l'ensemble du schéma. On pourrait rejeter celui-ci. Cependant il serait bon que ses différents chapitres soient discutés : ce serait l'occasion de dire un certain nombre de choses. Aussi beaucoup d'évêques pensent, comme moi, que mieux vaudrait voter « *placet juxta modum* » et procéder à la discussion.

Ce 5 novembre est *LE* plus mauvais jour que j'ai eu depuis trois ans que je suis malade. Je ne peux plus marcher et n'ai plus aucune force. Je me traîne à un rythme d'infirme. Si je ne m'améliore pas substantiellement d'ici là, je ne pourrai revenir à la troisième session. Le sirocco y est pour quelque chose évidemment.

Pourtant je vais à la commission théologique. On doit y traiter du *De libertate religiosa*.

Je n'ai pas emmené ce cahier à Saint-Pierre : il pèse trop lourd

1. Louis M.F. de Bazelaire de Ruppierre, *AS* II/IV, 460-462.

2. Pablo Correa León, évêque de Cucuta, membre de la Commission des évêques et du gouvernement des diocèses, *AS* II/IV, 462-464.

3. *AS* II/IV, 465-466.

4. De l'ordre.

5. *AS* II/IV, 467-468.

6. *AS* II/IV, 469-471.

dans ma serviette au bout de mon bras ! J'ai pris des notes sur un papier et je les retranscris telles quelles.

On nous distribue le *De libertate religiosa* (que les évêques de la commission ont déjà reçu).

Cardinal Ottaviani : qu'on désigne une sous-commission qui fera un rapport à la commission.

Charue : Qu'est-ce qu'on demande au juste de nous ?

Ottaviani : nos observations : *utrum conveniat necne*[1] ? Ensuite nous aurons une réunion mixte avec le Secrétariat.

Charue : est-ce un *nihil obstat* ou un conseil positif ?

Schröffer : Doit-on améliorer le texte ou simplement dire : *transeat*[2]. Les *periti* ont-ils eu le texte ? C'est important, s'agissant d'une chose importante.

Ottaviani : revient à son idée d'une sous-commission qui appellerait les *periti* qu'elle voudrait.

Philips suggère qu'on prenne les membres des sous-commissions 6 et 7 qui n'ont pas de travail cette semaine.

C'est accepté. Ce seraient donc Wright, Spanedda, McGrath, Šeper, Gut, Fernandez avec le cardinal Léger et les *periti* qu'ils prendront.

Ottaviani : retient les noms soulignés ici.

Philips explique son rapport sur le travail de la commission, à remettre aux Pères du concile. On est d'accord (mais sans vote ni conclusion nette).

Ottaviani : il y a

a) La question du *De BMV* : la base sera le schéma proposé. Le vote a porté seulement sur l'insertion, non sur le texte comme tel ; il s'agit seulement de savoir si on en fera un ch. VI du *De Ecclesia* ou un appendice : il est favorable à l'appendice (qui laisserait le texte tel quel).

b) Les cinq points votés : TOUT est déjà assez exprimé dans le schéma. Quelle suite donner au vote ? Est-il opportun de

1. Est-ce que cela convient ou non ?
2. Qu'il poursuive son cours.

mettre la restauration du diaconat dans une constitution dogmatique ?

Cardinal König : que la commission choisisse des membres et que ceux-ci consultent les conférences épiscopales pour avoir un texte qui évite une longue discussion *in aula.*

Ottaviani : ce ne pourrait se faire vite ni facilement.

Parente : que d'abord NOUS nous entendions sur un texte ; ensuite, contacter les conférences épiscopales.

Spontanément, deux fois déjà, Ottaviani donne la parole à Franić, qui ne l'a pas demandée puisqu'il n'est pas là. Mais sans cesse il invoque ou pousse ses hommes : Franić, Spanedda, Fernandez.

Charue (vraiment accrochant et courageux : un vrai fantassin, qui est accroché au terrain !) : il y a, dans la question *De Beata* une grande part de sensibilité. Que la question soit soumise à quelques Pères, au besoin non pris dans notre commission. Il suggère une sous-commission faite de deux cardinaux, Santos et König, un évêque oriental et Mgr Théas.

Garrone : retenir quelque chose de la proposition König ; que ces quatre demandent aux conférences épiscopales de proposer leur texte si elles en ont un.

Barbado : les évêques ont étudié la question ; qu'ils soient entendus. Si on obtient ainsi un large accord, on évitera la discussion *in aula.*

Je demande désespérément la parole : je voudrais rappeler que tel texte (Butler) a obtenu plus de 50 signatures et ainsi, d'après le règlement, doit être pris en considération. Mais, après avoir dit qu'on va demander leur avis aux *periti,* Ottaviani ne me donne pas la parole ; on s'arrête à l'idée de la sous-commission des quatre (Santos, König, Doumith, Théas) qui proposera quelque chose.

Ottaviani passe aux cinq points : la sacramentalité a été assez exprimée.

Intervention de Schauf, pour démolir les cinq propositions en montrant qu'elles sont très imprécises, voire irrecevables, et qu'elles dirimeraient des points très controversés.

Cardinal Browne : ce sont des intentions qui nous sont proposées, mais nous restons libres de juger.

Gagnebet : si les Modérateurs veulent poser des questions, qu'ils consultent la commission compétente. Consultés, nous eussions donné un texte qui eût recueilli l'unanimité.

Charue : si le pape a approuvé la démarche des modérateurs, ils peuvent créer une autre façon de procéder...

Ottaviani distingue : si c'est *motu proprio* que le pape indique quelque chose, alors cela a force, mais si simplement il accède à la suggestion d'autres...

Scherer[1] : si nous disons autre chose que ce que le concile a voté, cela sera refusé !...

La séance se termine à 18 h 05. On n'a pas avancé. On perd du temps. Toujours des sous-commissions qui devront faire rapport, après quoi on verra... Ottaviani 1°) veut sans cesse gagner du temps, allonger les délais et que rien n'aboutisse ; 2°) remet sans cesse en question l'acquis qui lui déplaît. Tout le monde a l'impression de déloyauté, et, à la sortie, cela commente dur en ce sens.

Je dois parler ce soir au Collegio Bellarmino : cent vingt jésuites de tous les pays qui font des doctorats et seront professeurs.

Comme le programme a été changé *in extremis* et qu'au lieu de la sous-commission à Sainte-Marthe, il y a eu commission au Vatican, j'ai téléphoné au collège Bellarmin qu'on me prenne à la cour Saint-Damase. Le portier a drôlement compris et il a envoyé me prendre à Saint-Laurent in Damaso. De sorte que, malgré quatre nouveaux coups de téléphone, j'attends jusqu'à 20 h 10. Moi qui étais déjà si épuisé...

Je fais cependant ma conférence à l'heure voulue.

Mercredi 6 novembre. – Je ne vais pas à Saint-Pierre : je suis trop épuisé.

D'après ce qu'on me dit, j'ai manqué une séance intéressante.

Ruffini[2] d'un côté, exprimant la thèse curialiste, de l'autre Al-

---

1. Alfredo V. Scherer, archevêque de Porto Alegre (Brésil), membre de la Commission doctrinale.

2. *AS* II/IV, 476-478.

frink[1] (primauté des PASTEURS responsables sur l'Administration), Bea[2] et Maximos IV[3] : celui-ci a fortement critiqué la prépotence des cardinaux, qui sont du clergé romain et ne représentent que l'Église romaine, alors que les évêques, et surtout les patriarches, représentent l'Église universelle.

On assiste à l'affrontement de deux ecclésiologies. Les séquelles du pontificat de Pie XII sont mises en question. Et, au-delà d'elles, le régime qui a prévalu à partir de la Réforme grégorienne, sur la base de l'identification entre Église romaine et Église catholique universelle. Les Églises vivent, elles sont là, représentées et rassemblées au concile, elles demandent une ecclésiologie de l'Église et des Églises, et pas seulement de la Monarchie papale avec le système juridique qu'elle s'est donné pour la servir.

Après-midi, visite du P. Féret, puis de Cullmann (pour une question de conférence). À Sainte-Marthe, sous-commission *De populo Dei* : on n'avance pas vite. À ce rythme-là, on n'aura pas vu le chapitre avant la fin de la session !!

Le soir, conférence au Collège Saint-Pierre, pour prêtres des Églises dites de mission. Dîner avec le cardinal Rugambwa, qui me déçoit un peu. Son anglais n'est pas très facile à comprendre et je ne puis pas dire qu'on se rencontre.

Très belle assistance de cent quarante prêtres noirs, jaunes, blancs (Australie) : les futurs cadres de ces chrétientés...

Jeudi 7 novembre 1963. – Je ne vais pas à Saint-Pierre. À 11 h 45 le frère Clément de Bourmont vient me prendre pour la place Saint-Pierre puis, après la sortie des évêques (ils disent tous que la matinée a été assommante : réaction pro-curialiste. Il y a eu en particulier Mgr Batanian[4], patriarche des Arméniens, qui est plus italien que les Italiens, plus romain que les Romains. Chaque fois que Maximos s'exprime un peu fortement (c'était hier), un autre

1. *AS* II/IV, 479-481.
2. *AS* II/IV, 481-484.
3. Intervention donnée en français, *AS* II/IV, 516-519 ; traduction latine : *AS* II/IV, 519-521.
4. *AS* II/IV, 558-559.

« oriental » italianisé le contredit...) pour l'abbaye cistercienne des Trois-Fontaines. Déjeuner quadragésimal.

Partout, lassitude, sinon même dégoût. Plusieurs évêques me disent, ou qu'ils vont repartir, ou qu'ils n'iront plus *in aula*, ou qu'ils n'écoutent plus. Ils trouvent aussi tout trop long, et la messe quotidienne trop longue. Ils trouvent qu'on perd du temps et se demandent si on aboutira à quelque chose.

À 15 h, au Séminaire français, atelier sur le *De oecumenismo*, avec Mgr Gouyon, Lebrun[1], Martin, Ferrand[2], Rougé, Desmazières, Elchinger, et les PP. Le Guillou et Dupuy, puis, vers la fin, le P. Villain, qui a fait demander s'il pouvait venir et s'est présenté ensuite comme tombant là par hasard. Excellente critique du schéma par le P. Dupuy. On envisage les choses à dire. Certaines pourront passer dans le rapport d'introduction de Mgr Martin. Le P. Le Guillou nous quitte à 16 h : il a une autre réunion. Il s'est introduit partout et fait tout. Il a certainement un assez gros crédit auprès des évêques. Fin de la réunion à 17 h 05. Vois Mgr Ancel pour relancer l'idée d'un texte de type catéchétique-kérygmatique.

À 18 h à la réunion espagnole. J'y retrouve le P. Le Guillou qui s'y est fait aussi inviter. On parle du *De oecumenismo*. Cette fois, c'est assez intéressant. Plusieurs Espagnols voudraient que le schéma commence par un exposé dogmatique assez complet sur l'unité et l'unicité de l'Église. Ce qui est dit ne les satisfait pas. Mais il y a toujours chez eux des positions très variées. En face d'un Alonso, qui formule ces requêtes, il y a un P. Bredi, qui parle de façon opposée, en particulier en faveur des Orientaux.

On accroche (avec Mgr Morcillo) la question d'une certaine diffusion à donner aux remarques des Observateurs.

Küng, qui est là, nous emmène ensuite dîner à son hôtel, avec Moeller et le P. Dournes. Celui-ci, qui va rejoindre le Viêtnam avec quelques évêques – en raison des menaces que comporte une situation politique sans doute transitoire. On le fait beaucoup parler de ce pays. Küng est moins pessimiste qu'il y a quinze jours.

---

1. Lucien Lebrun, évêque d'Autun.
2. Louis Ferrand, archevêque de Tours.

Vendredi 8 novembre 63. – À ne pas aller à Saint-Pierre, il arrive qu'on manque un grand moment. Et aussi des heures ennuyeuses. Ce matin, quelques interventions notables qu'on me raconte :

Cardinal Frings[1] sur la Curie. Entre autres, a eu un passage sur le Saint-Office, où il a réclamé que les auteurs jugés soient entendus. C'est scandaleux qu'ils ne le soient pas.

Les cardinaux Lercaro[2] et Rugambwa[3] ont dit qu'il fallait qu'une commission étudie calmement la nécessaire réforme. Autrefois, il y avait presque quotidiennement un consistoire, c'est-à-dire un conseil du Pape : il faut rénover quelque chose de ce genre.

Le cardinal Ottaviani[4], qui était inscrit, a fait une grande colère. *Ego altissime protestor*[5] contre le cardinal Frings. On n'a pu dire ce qu'on a dit que par une « *nescientia*[6] », pour ne pas qualifier cela d'un autre nom... Le Saint-Office, c'est le Pape lui-même, a-t-il dit...

Le cardinal Ottaviani a été applaudi assez fort, me dit-on, mais par une minorité ; dans l'esprit du plus grand nombre, sa colère l'a fait juger comme un homme dont les idées sont arrêtées, et qui n'écoute pas même une critique sereine. Il est assez déconsidéré dans l'esprit de beaucoup.

On me dit ce samedi 9/XI qu'Ottaviani a attaqué les modérateurs, tout en protestant les respecter. Il a dit que les questions qu'ils ont proposées au vote étaient illégitimes et *nullius valoris*[7]. Que n'ont-ils, auparavant, consulté la Commission théologique ? Ils auraient évité plusieurs équivoques qu'on trouve dans ces questions.

1. *AS* II/IV, 616-617.
2. *AS* II/IV, 618-621.
3. *AS* II/IV, 621-623.
4. *AS* II/IV, 624-625.
5. Moi je proteste de la manière la plus forte.
6. « Ignorance. »
7. De valeur nulle.

– On s'attend à ce que les Modérateurs mettent cela au point lundi, puisqu'ils sont AUSSI une représentation du Pape (ils l'avaient vu par *TROIS* fois avant de proposer les cinq questions).

Le cardinal Browne[1] a, paraît-il, redit *in aula* ce qu'il a dit à la Commission : le vote sur les cinq points ne lie pas la Commission.

Mgr Lefebvre[2], ex-Dakar, ex-Tulle, Supérieur de la Congrégation du Saint-Esprit, a dit qu'on assistait à une mise en accusation de la Papauté. C'est comme si le Pape s'était attribué des pouvoirs des autres et qu'on les lui retire en lui disant : *Redde quod debes*[3] !

Or CELA EST VRAI. J'ai étudié et je connais cette histoire : c'est celle des entreprises, poursuivies par tous les moyens à longueur de siècles, par lesquelles la Papauté A USURPÉ la place de l'*Ecclesia* et des évêques.

Passant au schéma *De Beata*, Mgr Lefebvre s'est fait rappeler à l'ordre et interrompre par le cardinal Agagianian, Modérateur.

Samedi 9 j'achète le *Tempo* pour voir ce que dit la Presse italienne de l'incident Frings-Ottaviani. Il n'en parle même pas ; il ne cite pas le nom du cardinal Frings ! Par contre, il donne des extraits du discours du cardinal Lercaro et, en cela, il a raison. Ce discours est considéré comme très important. Non seulement il a dû être donné d'accord avec Paul VI, mais il propose des choses POSSIBLES et qui, cependant, vont loin.

À 16 h 30, à Sainte-Marthe, sous-commission. Le Père Naud et le P. de Lubac me racontent un peu le travail sur le *De libertate religiosa* qui a eu lieu hier jeudi chez le cardinal Léger. Le P. Fernandez a critiqué le texte proposé au nom de textes du *Syllabus*, de Pie IX et de Léon XIII : sera-t-on toujours lié au passé, et à un passé qui « date » autant que celui-là ? Mgr Spanedda n'a pas articulé de critique PRÉCISE, mais a formulé un désaccord global, au nom du danger d'indifférentisme.

Les trois autres membres de la sous-commission sont d'accord

1. *AS* II/IV, 626-627.
2. *AS* II/IV, 643-644.
3. Rends ce que tu dois.

avec le texte du Secrétariat, tout en y relevant des imprécisions. Comme experts il y avait Ramirez (qui a *PEU* parlé, mais de façon désagréable, me dit le P. de Lubac), Lubac, Naud et Lafortune, Medina.

À 19 h 15, dîner chez Mgr Emanuele Clarizio, Nonce à Saint-Domingue, avec Küng (par qui l'invitation est venue), Lubac et Moeller. Il y a aussi un Monseigneur de la Nonciature en Italie et Mgr Lambruschini[1], naguère au « Saint-Office », aujourd'hui professeur [[de morale]] au Latran : un homme original, intéressant. Ces hommes de Curie sont et se veulent ouverts. Mgr Clarizio a été à Paris sous le cardinal Marella, puis en Australie et au Pakistan[2]. Il nous explique et justifie un peu le rôle des nonces, l'incroyable difficulté de leur tâche (tenir compte des pressions les plus diverses et contradictoires), la procédure pour le choix des évêques... Mais on parle surtout du « Saint-Office », des dénonciations, etc. Je ne retiens pas grand chose de tout cela, qui m'intéresse peu. Lubac et moi sommes pour ces hommes des espèces de petits cas Galilée. On ne touche pas le niveau des problèmes, qui est le seul niveau important.

On parle aussi un peu de Jean XXIII et de Paul VI.

Samedi 9 novembre. – Longue et intéressante visite du P. de Riedmatten. Avec lui, on ne parle pas pour ne rien dire. Je ne note que quelques-uns des points touchés.

La CURIE : aura-t-on les hommes, aura-t-on des hommes PRÉPARÉS pour une internationalisation ? Actuellement, la Curie est assez bloquée : l'absence des évêques de leur diocèse et de leur pays se traduit pour elle par une certaine paralysie, y compris au plan financier : les rentrées ne se font plus...

La QUESTION LIBERTÉ RELIGIEUSE : Ne pas tout fonder sur le droit individuel de la personne. On y est amené parce que l'attention est focalisée sur le cas de l'Espagne, de la Colombie et un peu de l'Italie. Or la Colombie est un cas particulier, tout dominé par la politique. L'Espagne et l'Italie s'ouvrent et évoluent assez vite : en sorte qu'en

1. Ferdinando Lambruschini, du diocèse de Rome, expert du Concile.

2. Après plusieurs années en Océanie, il a été conseiller à la nonciature de Paris de 1954 à 1958, puis inter-nonce au Pakistan (1958-1961).

mettant tout l'accent sur la personne individuelle, on risque de lier la question de la liberté religieuse à une position du problème virtuellement dépassée. Riedmatten l'aborde, lui, par un autre biais : celui de l'originalité de la Religion comme telle. Les religions représentent une réalité originale, dont le christianisme catholique est la forme vraie et parfaite ; mais dans la mesure où une religion est vraiment une religion, elle a une spécificité. Celle-ci la situe en indépendance par rapport à l'État et au pouvoir politique, et veut la liberté.

Nous parlons aussi du schéma XVII. Il faudrait qu'il soit « conçu » et que soit fait d'abord un INVENTAIRE des chapitres qui DOIVENT le composer.

Au sujet de la limitation des naissances, Riedmatten me dit que si on a pu faire un progrès, on le doit à Ottaviani et Parente et que ceux-ci ont été informés par des rapports sérieux.

(Voyage à Paris (groupe Évangélique ; CCIF) et à Sedan.)

Mardi 12 novembre 63. – Samedi soir 9 novembre, sous-commission à Sainte-Marthe. Je pars de là à 19 h ; dans la voiture du P. Féret, pour l'aérodrome.

À Orly à 22 h 30. Mes neveux Dominique, Jean et Françoise[1] m'attendent. On bavarde un peu, bien qu'il soit si tard et que je sois si fatigué. Je vois ce soir-là et verrai durant tout mon court passage en France que les affaires du concile sont suivies avec attention et précision. On est très au courant des faits, gestes et dits du cardinal Ottaviani, qui personnalise la Réaction, l'immobilisme, les mauvais procédés.

Dimanche 10, groupe évangélique[2] : conférence biblique ; homélie, conférence sur le concile de 14 à 16 h.

Quelques moments avec mon neveu Dominique.

Train à 16 h 48 pour Sedan, d'où je repars le lundi 11 à 15 h 47. Chaque fois je me dis que j'embrasse peut-être Tere[3] pour la dernière fois.

1. Dominique Congar, Jean et Françoise Agar (Françoise est la sœur de Dominique).

2. Cf. plus haut, p. 68, n. 4.

3. Voir note 1, p. 383.

Lundi 11, conférence à la Semaine des Intellectuels catholiques[1] : salle pleine (1 900 personnes). Là encore, grande sensibilité dans le sens de l'ouverture.

Mardi : Orly 8 h 55. Dans l'avion, je trouve le P. Martelet. Je suis à l'Angélique à 12 h 15. Mais je ne peux pas mettre un pied devant l'autre. Je n'ai plus la moindre force. Je commence à me demander si, dans un an, je serai encore en vie : car la vie me quitte.

Pourtant, après trois quarts d'heure de sieste, je reprends le train : à 15 h au séminaire français pour l'atelier sur l'œcuménisme. Les PP. Dupuy et Le Guillou ont beaucoup travaillé. Ils sont sans cesse directement en contact avec les évêques et sont extrêmement agréés. Me trompai-je ? Je crois sentir que les évêques se tiennent révérencieusement à distance de moi, soit que mon état d'épuisement, assez visible, les retienne de s'adresser à moi, soit que mes suspicions et ennuis passés me fassent encore porter une marque qui incite à la circonspection (Féret, qui éprouve un sentiment analogue au mien, croit que cela joue un rôle...) ; soit enfin que j'en impose... Toujours est-il que les évêques se tournent beaucoup plus vers Martelet, Le Guillou, Dupuy, que vers Féret ou moi. Ces demi-jeunes, aussi, ne doutent de rien, ni d'eux-mêmes. Ils ont une assurance assez extraordinaire. Cette année, ils prennent assez nettement la relève des plus anciens.

D'un autre côté, j'ai été très impressionné par le sérieux et l'authenticité d'exigence et d'engagement œcuméniques des quelques évêques présents à cette réunion. C'était très pur et très beau.

À 16 h 30, à Sainte-Marthe, sous-commission.

En interrogeant les uns et les autres, j'apprends un peu ce qu'a été la réunion de la commission théologique d'hier soir, consacrée à l'examen du texte du secrétariat sur la Liberté religieuse. Je regrette beaucoup de l'avoir manquée. TOUT LE MONDE, cette fois, a parlé, excepté Mgr Šeper et Mgr Florit ; parmi les experts ont parlé Gagnebet, K. Rahner, Häring, Murray, Lio. Mais celui-ci, parlant le dernier, n'a pas pu dire grand-chose, bien qu'il avait préparé une grosse intervention. Le cardinal Browne, Ottaviani et, au début, Parente, ont attaqué très violemment le texte. Mais finalement,

1. Cf. Yves M.-J. CONGAR, « L'Avenir de l'Église », dans *L'Avenir. Semaine des intellectuels catholiques (6 au 12 novembre 1963)*, Paris, Fayard, 1964.

quand Mgr Garrone a demandé qu'on vote pour savoir si la Commission approuvait le rapport de sa sous-commission (joint, dans mes dossiers, au texte *De libertate religiosa* polycopié), ce vote a donné une majorité favorable de 18 contre 5 et une abstention.

Le cardinal Léger croit que le bulletin blanc pourrait bien venir du cardinal Ottaviani lui-même qui, n'y voyant pas bien, aurait écrit « *Non Placet* » À CÔTÉ de la feuille, sur le buvard...

Le cardinal Browne a argué de la grande difficulté de la question ; il aurait voulu distinguer plusieurs votes, mais on est passé outre à son désir.

C'est un fait : chaque fois que l'on vote, le vote est favorable !

Mercredi 13 novembre. – À Saint-Pierre. Messe slave : plus d'une heure !

Queue d'interventions sur le ch. II.

Angelus Fernandes[1] (Indes) : accent anglais, au nom de plusieurs évêques d'Asie, sur la démission des évêques, contre les titres et dignités sans fonction, « des hochets pour adultes » ; et deux autres.

Puis discussion du ch. III : les conférences épiscopales.

Spellman[2] *[ ]*

Frings[3] : remarques en faveur de la liberté des évêques (applaudi).

Olaechea[4] (Valence) *[ ]*

McDevitt[5] (auxiliaire de Philadelphie) : place des évêques titulaires.

Les votes du 30 octobre exigent plus que ce que prévoit le texte.

Applaudi par les jeunes évêques.

---

1. Angelo Fernandes, *AS* II/V, 58-60.
2. *AS* II/V, 65-66.
3. *AS* II/V, 66-67.
4. Marcelino Olaechea Loizaga, *AS* II/V, 69-70.
5. Gerald V. McDevitt, membre de la Commission des missions, *AS* II/V, 70-72.

Carli[1] au nom de trente évêques de divers pays. Les conférences épiscopales ne doivent pas être fondées sur le principe de la collégialité de droit divin. Le vote du 30 octobre ne peut être invoqué ; il est très discutable au plan du droit. Et même si cette doctrine était proclamée, il manque aux conférences épiscopales trois éléments pour être du cas de collégialité :
– participation de la tête ;
– participation de TOUS les évêques ;
– question d'intérêt pour TOUTE l'Église.
Les conférences épiscopales ont un fondement de solidarité morale, de communion, non de droit fondé dans la collégialité.

Ancel[2] (au début ton pieux) : *nexus*[3] entre responsabilité ou mission et juridiction. La collégialité des apôtres vise d'abord la MISSION et la responsabilité, non la juridiction (il s'agit vraiment toujours de savoir si l'Église a une structure d'abord juridique, ou si le droit est second par rapport à la mission).

Je vois assez longuement Mgr Baudoux, Canada. Un homme merveilleux. Mais même une conversation de ce genre me fatigue. Je suis entièrement vidé de forces. Je me tue ici. Quoi faire ?

Mgr Muñoyerro[4] (? – Espagne) : contre les conférences épiscopales ; seulement des réunions occasionnelles, sur un programme approuvé et contrôlé par le pape.

Riobé[5] (Orléans) : nécessité des conférences épiscopales pour la nécessaire coopération entre les régions et les pays. Exemple du Conseil œcuménique des Églises.
Une fois de plus, généralités. Nos évêques proposent des synthèses...

Bianchi[6] (Chine) au nom de plusieurs évêques : contre une au-

1. *AS* II/V, 72-75.
2. *AS* II/V, 75-77.
3. Lien.
4. Luis Alonso Muñoyerro, évêque aux armées (Espagne), *AS* II/V, 87-90.
5. Guy-M. Riobé, évêque d'Orléans depuis mai 1963, est membre de la Commission des missions dès la première session du concile, *AS* II/V, 90-92.
6. Lorenzo Bianchi, Italien, évêque de Hong Kong, *AS* II/V, 92-93.

torité des conférences qui limiterait la liberté des évêques. Qu'il n'y ait rien entre chaque évêque et le pape, vicaire du Christ !

Pour la structure monarchique de l'Église.

À 16 h 30 à Sainte-Marthe, sous-commission « centrale » : un organisme absolument inutile, et qui nous fait perdre une demi-journée pour rien. En effet, on lui soumet, avant de les soumettre à la Commission en congrégation générale, les quelques textes des différentes sous-commissions qui ont été élaborés : c'est inutile, puisque ce sera fait en congrégation générale. De plus, on risque, à chaque fois, de voir se rallumer les débats engagés déjà dix fois : c'est ainsi qu'on recommence à discuter sur *« super Petrum rupem et super fundamenta Duodecim Apostolorum*[1] »...

Après, je passe une heure avec le P. Dournes, qui va regagner le Viêtnam demain : car la situation est confuse et les communistes en profitent pour s'infiltrer, précisément dans la région où le P. Dournes a son poste. Homme doué, homme charismatique, tempérament spirituel d'ermite missionnaire, voué à demeurer seul... Dans mon état d'épuisement, cela me fait tout de même du bien de l'entendre dire, en me quittant : Merci d'avoir accueilli ma pensée ; sans vous je serais demeuré seul...

Jeudi 14 novembre. – Je ne vais pas à Saint-Pierre, car ai du travail pour la sous-commission et suis un peu grippé depuis dimanche dernier. Le matin, visite au P. Duncker[2] et différents coups de téléphone, pour la question de la conférence Cullmann. Je veux noter ici ce qui concerne cette affaire, pour garder un souvenir du crétinisme d'un état de choses qui n'est pas encore éliminé.

Cullmann est venu me voir le ? (il y a huit ou dix jours). Il doit faire une conférence sur l'Histoire du Salut dans les Évangiles à la lumière du dialogue œcuménique. Comme la salle des Vaudois est petite (cent places) et que peu de catholiques se croiraient libres d'y

1. « Sur le roc qu'est Pierre et sur le fondement des Douze Apôtres. »

2. Pieter Geert Duncker, o.p., de la province des Pays-Bas, professeur d'exégèse de l'Ancien Testament à l'Angélique et consulteur de la Commission biblique pontificale.

aller (Cullmann me dit que Peterson[1] lui-même ne venait jamais à SES CONFÉRENCES chez les Vaudois. Il venait l'y voir *APRÈS* ses conférences ! !...), Cullmann désirait faire sa conférence dans une salle catholique plus grande. Le recteur de l'Institut Biblique, P. Mackenzie[2], l'a invité, puis a dit que, la salle du Biblicum étant elle-même trop petite, mieux vaudrait aller à la Grégorienne. C'était convenu ainsi quand la Grégorienne a dit devoir y renoncer, quant à elle, parce qu'il n'y avait comme grande salle que la cour intérieure couverte et qu'on ne pouvait fermer et isoler cette salle... Peu après, on a dit à Cullmann que CELA n'était pas la vraie raison. La vraie raison était que la Grégorienne ne voulait pas se compromettre avec l'Institut Biblique. Dans ces conditions, le directeur de l'Institut Biblique voulait demander au P. Sigmond la grande salle de l'Angélique, pour une conférence donnée par Cullmann à l'invitation et sous le patronage du Biblicum. Cullmann venait me demander d'appuyer cette demande auprès du Recteur de l'Angélique.

Dès le lendemain, j'ai vu le P. Sigmond. Il m'a dit n'avoir reçu aucune demande du Biblique et tout ignorer de cela (Cullmann m'a dit, quand je lui ai rapporté la chose : le Directeur du Biblique a téléphoné deux fois à l'Angélique, mais n'avait effectivement pu joindre le P. Sigmond). Le P. Sigmond ajoutait : DE MA PART, il n'y aurait pas d'objection, mais je devrais avoir l'autorisation du P. Général et lui-même devrait se couvrir du côté du « Saint-Office », sans quoi celui-ci ferait immédiatement des remontrances qu'on aime mieux ne pas encourir.

J'ai laissé les choses se faire. En rentrant de Paris mardi, je me suis enquis auprès du P. Sigmond du point où elles en étaient. J'ai vu le P. Hamer à Saint-Pierre hier. Voici : le Biblique a bien fait la démarche, mais LUI-MÊME N'INVITE PLUS CULLMANN. Le cardinal Bea est intervenu auprès du Biblique, disant : je suis en train d'arranger les difficultés entre le Biblicum et la Curie, il ne faut pas, en ce moment, donner prise à la moindre critique nouvelle. D'autre part, le cardinal Bea et Mgr Willebrands ne veulent pas inviter Cullmann, ni aucun autre observateur, au nom du secrétariat, à parler.

---

1. Erik Peterson, patrologue et historien des religions, venu du protestantisme à l'Église catholique, enseignant à Rome depuis 1937, était décédé en 1960.

2. Le Canadien Roderick Mackenzie, s.j., est recteur depuis 1963.

Tout au plus, si Cullmann est invité par quelqu'un d'autre, Willebrands accepterait-il de le présenter.

Mais merci ! alors on n'aurait plus besoin de lui !

C'est le « Saint-Office » que tout le monde craint et qui empêche ici, à Rome, de prendre la moindre initiative. Le P. Hamer me dit même qu'un coup de téléphone du « Saint-Office » aurait, l'année dernière, demandé à l'Angélique qu'on ne me laisse pas parler aux étudiants. En fait, ils avaient demandé que je leur parle, et on le leur avait refusé : CELA m'avait été dit l'an dernier.

Ce jeudi matin, je vais voir le P. Duncker pour voir si l'Angélique ne pourrait pas être partie invitante, puisqu'il n'y en a plus présentement. Il me dit avoir parlé de la chose au P. Sigmond, recteur. Celui-ci, ayant rencontré hier Mgr Romeo à je ne sais quelle réunion, Romeo lui a dit : ce serait très bien si Cullmann parlait, c'est le seul qui s'oppose à Bultmann !!! Ainsi le feu vert viendrait du côté intégriste, de l'adversaire même du Biblique, et il déclencherait peut-être l'autre feu vert, celui du « Saint-Office ».

J'ai aussitôt téléphoné à Mgr Elchinger, qui m'avait parlé de la chose hier, pour lui dire de dire simplement à Cullmann (rien de plus) que tout n'est pas conclu négativement du côté de l'Angélique. Mgr Elchinger me dit avoir, hier soir, arrangé avec l'Ambassadeur et le P. Darsy[1] que, si rien d'autre n'était possible, Cullmann soit invité à faire sa conférence à Saint-Louis des Français.

J'ai aussitôt après téléphoné au P. Hamer. Celui-ci était déjà au courant de l'*effatum* de Romeo. D'autre part, il avait tenu Cullmann très loyalement au courant des choses. Il compte en parler au P. Général pour le disposer favorablement quand le P. Sigmond viendra lui-même lui en parler. Je donne au P. Hamer quelques éléments supplémentaires dans le sens le plus favorable. Ainsi, dans cette effroyable et misérable Rome de la Curie, une conférence par un des hommes les plus compétents et les plus honnêtes qui soient, dépend d'un *dictum* de hasard d'un médiocre Monseigneur, et fi-

---

1. Félix Darsy, o.p., de la province de France, est attaché ecclésiastique et culturel à l'ambassade de France près le Saint-Siège et directeur du Centre d'études Saint-Louis des Français qui dépend de l'Ambassade.

nalement d'un coup de téléphone du « *Nec nominetur in vobis*[1] », qui ne paraît nulle part et qui conditionne tout...

Pouah !!!

L'après-midi, visite et coups de téléphone.

À 16 h 30 à Sainte Marthe, sous-commission *De Populo Dei.*

Bruits (de Mgr Philips et Ch. Moeller) :

1°) L'idée de réélire des commissions gagne du terrain. Le but est d'avoir des commissions et SURTOUT UNE COMMISSION THÉOLOGIQUE qui répondent mieux à l'esprit ET AUX BESOINS du concile : on connaît mieux maintenant les évêques et on pourrait en élire en meilleure connaissance que lors de la première semaine. C'est maintenant une idée courante que la commission théologique ne fera rien avec le président et le secrétaire qu'elle a.

2°) On parle de créer (élire ???) une commission chargée de faire des propositions au pape pour une réorganisation de la Curie et la création d'une commission centrale auprès du pape, dans le sens du discours du cardinal Lercaro.

3°) Mgr Piolanti répandrait le bruit que le concile serait ajourné *sine die.* Ou il prend ses désirs pour la réalité, dit Moeller, ou il essaie de faire croire à quelque chose de fondé en semant le bruit à différents échos. Cela ne me paraît pas sérieux.

Il faut reconnaître que, depuis le début, à travers toute la période préparatoire et depuis l'ouverture du concile, se poursuit une lutte entre l'*Ecclesia* et la Curie. Plus je vais, plus la structure purement italienne des organismes romains et de l'idéologie romaine m'apparaissent comme la tumeur qu'il faut éliminer. Vraiment, l'ultramontanisme, comme idéologie, cela existe. Et c'est bien proche d'être une hérésie !

Les gens de la Curie (Ottaviani, Browne, Staffa, Carli...) font *TOUT* pour empêcher que l'épiscopat ne reprenne des droits qui lui ont été dérobés.

Vendredi 15 novembre. – Je ne vais à Saint-Pierre qu'assez tard, ayant corrigé et tapé un texte *De Missione Ecclesiae*[2]. Je tiens à peine debout. Pourtant je vois différentes personnes.

---

1. « Que leurs noms ne soient même pas prononcés parmi vous » (Ep 5, 3).
2. De la mission de l'Église.

Déjeuner avec *Bishof* Silén[1], observateur pour la Fédération luthérienne mondiale. On parle, en allemand, de beaucoup de choses. La question vient fatalement : pour vous, je suis simplement un laïc ?

À peine rentré (14 h 30), coup de téléphone du P. Gauthier ; visite de deux journalistes polonais, puis de M. Romeu[2], de Salamanque (voudrait une collaboration à un recueil et des conférences sur l'œcuménisme). Je vois la grande utilité et l'immense intérêt de cette *RÉELLE* ouverture espagnole à l'œcuménisme. Mais qui me donnera les forces et le temps ? Je n'en peux plus et je vois déjà la table que je trouverai en rentrant à Strasbourg...

Sous-commission à Sainte-Marthe à 16 h 30.

Il y a dans deux journaux romains des démentis sur ce que Fesquet dit, dans *Le Monde*, d'une audience invraisemblable Frings-Ottaviani-Siri chez le pape[3]. Ces indiscrétions et fantaisies du *Monde* indisposent.

Il paraît qu'il y a CE SOIR une audience des Modérateurs chez le pape.

Je vois Mgr Glorieux. Il me dit que le nouveau texte du schéma XVII* (ch. I) n'a été que tout récemment communiqué à la Commission de coordination, qui avait demandé au cardinal Suenens d'en proposer un projet. Le cardinal Suenens avait envoyé le texte à différents cardinaux, mais NON à la commission de coordination, *ut sic*, qui le lui avait demandé.

Ce texte serait sans doute vu en commission mixte le 26 novembre.

Je demande ce soir des nouvelles de la conférence Cullmann. Réponse : on va poser la question au secrétariat du pape. Comme

---

* En marge : celui préparé à Malines.

1. Sven Silén, évêque de Västerås (Suède).

2. Luis V. Romeu est secrétaire du Centre œcuménique de l'Université de Salamanque ; le texte que Congar lui enverra paraîtra dans : Luis V. ROMEU (dir.), *Dialogos de la cristiandad*, Salamanque, 1964.

3. Selon *Le Monde* du 14 novembre, il y aurait eu le vendredi 8 novembre au soir une audience du cardinal Frings chez le pape, puis une audience des cardinaux Ottaviani, Siri et Antoniutti, au cours de laquelle le pape aurait reproché à Ottaviani d'avoir attaqué Frings.

cela, si la réponse est favorable... On ne pouvait pas tirer un parapluie plus haut placé !!!

Samedi 16 novembre 63. – Déjeuner à Saint-Jérôme, avec Mgr Suhr, Dom Butler, Mgr P. Glorieux. C'est, avec Saint-Louis des Français, l'endroit de Rome où j'avais été ACCUEILLI au moment de mes ennuis au *Nec nominetur.*

Dom J. Leclercq, toujours étonnamment vif, intelligent et amical, me dit que le cardinal Lercaro a remis au Pape un mémoire tendant à de nouvelles élections et une nouvelle composition des Commissions. Il me dit, le tenant d'Alberigo, que Paul VI fait l'objet de sollicitations et de pressions incessantes ; c'est, autour de lui et auprès de lui, une lutte serrée d'influence. On essaie, du côté conservateur, de lui faire peur : ce qui avait réussi auprès de Pie XII. On lui montre les dangers possibles ou menaçants et, par exemple, pour la collégialité, le spectre du synode de Pistoie[1].

Dominus custodiat eum et vivificet eum[2]...

À 17 h on vient me chercher pour conférence (sur l'œcuménisme) aux Cisterciens de l'abbaye de Trois-Fontaines. De là, dîner au collège canadien et conférence aux étudiants prêtres (le mouvement ecclésiologique actuel). Le cardinal Léger ne dit pas grand-chose et est toujours assez sombre. Il veut intervenir le moins possible, tout comme le cardinal Liénart. On avait demandé à ce dernier de parler sur l'œcuménisme : il ne le fera, m'a dit Mgr P. Glorieux, que SI l'œcuménisme est attaqué. Il y a, je crois, chez plusieurs cardinaux, un retrait du fait que le rôle d'autorité qu'ils exerçaient plus ou moins l'année dernière est passé aux quatre modérateurs, qui sont quasiment des légats...

Dimanche 17 novembre 63. – Je rédige une chronique des *ICI*, commencée hier.

Après-midi, visite.

---

1. Réuni par l'évêque de Pistoie en 1786, ce synode voulut mettre en œuvre le programme ecclésiologique des jansénistes, qui, bien éloigné de l'ultramontanisme, revalorisait la conception traditionnelle des Églises locales et de l'épiscopat.

2. Que le Seigneur le garde et le maintienne en vie (cf. Ps 40, 3).

1°) P. Chenu.

2°) Boudouresques[1], avec deux jeunes laïcs de la Recherche Scientifique (*[ ]*) pour leur intervention contre la bombe atomique. Je leur passe le chapitre du schéma XVII sur la paix.

Lundi 18 novembre 63 *(fête de la dédicace de la basilique Saint-Pierre !).* – Jour historique. On va commencer le *De oecumenismo*. Je sens très fortement le moment de grâce, mais, comme toujours, de grâce vécue dans l'Église MILITANTE.

Avant la Messe, je salue, dans un esprit d'intense communion, les évêques qui, à mes yeux, sont plus spécialement engagés : cardinal Liénart (qui me parle d'un § sur l'Islam à ajouter au chapitre *De Judaeis*[2]), Mgr Martin, le cardinal Bea, S. B. Maximos IV ; je vais assister à la Messe avec les Observateurs, pour être en communion de prière avec eux. Ils le sentent bien. Nous nous serrons fortement les mains, et aussi avec Mgr Willebrands, Arrighi, Davis, les PP. Duprey, Weigel, Bévenot[3], Dumont, Lanne, et même le P. Boyer, etc. C'est un très grand moment pour moi. Nous sommes là au-dessus de la tombe de saint Pierre et je prie tous les saints d'aider à ce que Dieu amène, de la façon qui doit l'être, ceux qui n'y sont pas à trouver leur assise sur l'apostolicité de Pierre.

Lercaro[4] lit la *relatio* sur ce qu'a fait la commission liturgique pour répondre aux *modi*[5] demandés.

Un évêque de rite malabar[6] revient, au nom de ses collègues, sur

1. Bernard Boudouresques, prêtre de la Mission de France, polytechnicien, ingénieur-chercheur au CEA (Commissariat à l'Énergie Atomique) ; il vient demander une condamnation par le concile de la fabrication et de l'usage de l'arme atomique.

2. Sur les juifs.

3. Maurice Bévenot, s.j., enseigne l'ecclésiologie à Heythrop College, centre de formation des jésuites anglais, situé alors près d'Oxford ; il est consulteur du Secrétariat pour l'unité.

4. *AS* II/V, 406-409.

5. Modifications.

6. Sebastian Valloppilly, évêque de Tellicherry, membre de la Commission pour l'apostolat des laïcs, parle au nom des évêques syro-malabars et syro-malankars, *AS* II/V, 409-411.

la question des juridictions personnelles, selon le rite : pastoralement nécessaire en Indes.

Lecture de la relation sur le schéma *De oecumenismo* – 1re partie par le cardinal Cicognani[1] lui-même. C'est un texte assez médiocre, dans le style des encycliques, c'est-à-dire prétendant que l'Église a toujours fait ce qu'il fallait : ce qui est faux. Il n'y a pas d'âme œcuménique dans ce texte. Par contre, le fait que le Secrétaire d'État lui-même lise ce texte, peut désarmer un certain nombre d'opposants, ou les apaiser.

Ce texte n'a pas été soumis au Secrétariat.

(Le P. Hamer me dit que la conférence de Cullmann aura lieu à l'Angélique le 30 novembre.)

Mgr Martin[2] lit ensuite avec cœur et un certain ton d'intériorité, la *relatio*[3] générale. Le ton du texte est tout différent, il y a un pathos chrétien !

(accent français très fort : accent sur la dernière syllabe des mots).

La *relatio* est assez largement applaudie. Certainement, beaucoup ont été émus.

Après un intermède de vote sur les corrections liturgiques, on commence, à 11 h 12, la discussion sur l'œcuménisme.

Cardinal Tappouni[4] (prononce US non OUS) : On aurait dû traiter à part des Orientaux. Contre l'introduction du chapitre sur les Juifs et sur la liberté religieuse.

Parler des Juifs est absolument inopportun et dangereux (pays arabes).

Son ton un peu larmoyant et sa prononciation en US est drôle.

Ruffini[5] : Après un mot aimable, passe aux critiques :

1. *AS* II/V, 468-472.
2. *AS* II/V, 472-479.
3. Rapport.
4. *AS* II/V, 527-528.
5. *AS* II/V, 528-530.

1°) Le nom « œcuménisme » : le concile est œcuménique, mais ce dont il s'agit est particulier. Et les protestants qui ont introduit le mot l'entendent dans un sens qui ne peut être le nôtre.

(on écoute ; on entendrait voler une mouche bien que 3 000 personnes soient ici assemblées).

2°) Propose la thèse du retour, exalte les Orientaux et a des mots durs (avec intonations dures) sur les protestants et leurs divisions.

On entendrait toujours voler une mouche.

3°) Le ch. II pourrait être joint au ch. I, qu'on pourrait alléger de ce qui est dit dans le *De Ecclesia.*

4°) Si on parle des Juifs, pourquoi pas des fidèles des autres religions qui souvent ne sont pas plus loin de nous que les Juifs.

5°) Et les catholiques qui sont passés au communisme !

6°) On désire des normes sur ce qui est à garder pour que le dialogue soit prudent et efficace.

Cardinal de Arriba y Castro[1] : sur le dialogue (contraire à la loi de l'index) et la prière en commun.

Il serait dangereux que LE CONCILE dise cela, surtout pour les fidèles peu formés. De fait, le prosélytisme augmente. Qu'on introduise un § demandant à nos frères séparés de s'en abstenir.

Qu'on fasse un catéchisme des différences.

Qu'on promeuve la culture sérieuse.

Qu'on n'oublie pas le Magistère.

Que la prière et la charité envers nos frères séparés augmentent chez nous !

Non placet. Melius esset illud omittere[2] ?

Cardinal Bueno y Monreal[3] : *Placet juxta modum.*

Propose des corrections.

Sur le mot « œcuménisme » (dans le même sens que Ruffini)

Qu'on traite dans le même schéma pastoral des chrétiens et

1. *AS* II/V, 530-531.
2. Je n'approuve pas. Ne serait-il pas meilleur de le laisser tomber ?
3. *AS* II/V, 532-534.

des non-chrétiens, c'est-à-dire de tous ceux qui sont en dehors de l'Église.

Quant à l'ordre interne du schéma : que les premiers § soient mis dans le *De Ecclesia*, dont on retirerait les § sur les non-catholiques pour les mettre ici ou dans le schéma des missions. Les séparés n'ont les dons de Dieu que *per accidens*[1], *non per se*[2]...

Cardinal Ritter[3] au nom de quelques évêques USA :

Le schéma *placet in genere* : répond à but d'*aggiornamento.*

Il y a des lacunes. Heureusement celle de la liberté religieuse va être comblée. C'est un préréquisitoire nécessaire. Mettre ce chapitre AVANT celui sur la pratique de l'œcuménisme.

Manque quelque chose dans l'explication des principes de l'œcuménisme : sur l'eucharistie et le Mouvement liturgique.

Si possible, que tout terme offensant pour les frères séparés soit écarté. Qu'on ne refuse pas le titre d'ÉGLISE.

Qu'on donne un directoire.

Toujours la même attention et le même silence.

Cardinal Quintero[4] (Venezuela) : Importance de ce schéma.

Confesser sans pharisaïsme nos responsabilités dans les séparations (allusion à discours du 29 septembre).

Suggère que soit ajoutée une déclaration où le concile fasse cela et demande pardon dans les mêmes termes que le Pape.

Cardinal Doi[5] (Japon) au nom des évêques du Japon (manque de souffle) : *in genere placet.* Remarques :

Qu'on considère le problème œcuménique aussi sous l'angle missionnaire.

En conséquence, qu'on divise le schéma en deux sections :

1°) l'œcuménisme proprement dit,

2°) le rapport avec les Juifs et les non-chrétiens.

---

1. Par accident.
2. Par eux-mêmes.
3. *AS* II/V, 536-537.
4. José Humberto Quintero, archevêque de Caracas, *AS* II/V, 538-539.
5. *AS* II/V, 539-540.

S. B. Étienne Ier Sidarouss, patriarche d'Alexandrie[1].

Attention au faux irénisme ! Le texte manque de précision et est insuffisant. La notion d'unité catholique...

Ne pas parler des Juifs. Cela ferait de grandes difficultés dans certains pays.

Le P. Hamer me dit que ce discours est inspiré par Ottaviani dont le patriarche est « l'homme lige ».

Maximos IV[2] : C'est le premier schéma soumis aux Pères conciliaires qui unisse l'exactitude doctrinale et le sens pastoral.

Nous sommes enfin sortis des polémiques !

C'est le signe que nous nous sommes décidés à quitter les impasses du prosélytisme pour entrer dans la voie de l'émulation spirituelle.

Surtout joie en voyant enfin la première entrée d'une vraie théologie de l'Église comme mystère de communion.

Pourtant certaines déficiences :

Un peu trop descriptif ; manque de saine critique.

Un peu trop dépendant des causes de division D'AUTREFOIS.

Il n'y a pas que les brisures qui touchent les structures, il y a les péchés qui tuent la charité.

Enfin pour l'élimination du chapitre sur les Juifs. Si on veut le conserver, le mettre ailleurs : *De Ecclesia* (Histoire du Salut), Présence de l'Église au Monde.

Si on le maintient, parler aussi des Musulmans.

Il suffisait de condamner l'antisémitisme et le racisme.

Qu'on fasse une place de choix aux orthodoxes.

Adhère au vœu de la conférence de Rhodes[3] : dialogue permanent et à égalité avec les orthodoxes.

---

1. Stephanos Ier Sidarouss, patriarche copte d'Alexandrie, membre de la Commission des Églises orientales, créé cardinal en 1965, *AS* II/V, 541-542.

2. *AS* II/V, 542-544.

3. La deuxième conférence panorthodoxe de Rhodes s'était tenue en septembre.

Déjeuner avec Mme M. Auclair[1] et une Mlle Jeanne[2]. Elles veulent préparer une enquête dans *Marie-Claire*[3], sur : ce que les femmes diraient au concile si elles avaient la parole. Je leur donne quelques adresses.

Réunion de la Commission théologique à 16 h 30 au Vatican. Le cardinal Browne préside et commence en lisant une lettre du cardinal Ottaviani : il rapporte qu'il a été reçu par le pape et que celui-ci lui a dit désirer que le ch. I au moins du *De Ecclesia* et le ch. *De Beata* soient finis pour la fin de la session.

Justement j'avais demandé, dans la voiture, à Mgr Philips, où en était la chose. Il m'a dit qu'ils ont eu ce matin travail de la sous-commission *De Beata.* Après l'avoir entendu et avoir entendu le P. Balić, on leur a demandé de s'entendre sur un texte que Philips rédigera. Philips a l'impression qu'au fond de lui-même Balić a renoncé à son texte. Il le défend encore comme étant en possession, mais plutôt pour se donner et se faire donner le témoignage d'avoir défendu le texte. Philips pense que si LUI veut empêcher telle ou telle expression, il le ferait. Mais, ajoute-t-il, il devra tenir compte de la droite pour arriver à un accord...

Après relation de Mgr Charue sur le travail de la sous-commission 1, le P. Rigaux propose le texte sur le *Regnum Dei*[4]. On le discute. Intervention Volk aussi compliquée que longue et peu claire : il insiste sur l'obéissance du Christ. Puis § sur les images de l'Église, très amélioré.

La pauvreté. Assez grande discussion : le texte qu'on nous a proposé n'est pas (très) bon ; il est trop glorieux, affirmant que l'Église ne cherche que la pauvreté. C'est un mensonge disent Mgr Scherer, Florit, Šeper... Il ne faudrait parler en termes de VOCATION à... D'autres (Schauf, Gagnebet) veulent qu'on s'en tienne à l'idée de pauvreté EN ESPRIT. Cela ne suffirait pas... J'interviens. Il ne sort rien de net.

---

1. Marcelle Auclair, femme de lettres et journaliste, est éditorialiste à *Marie-Claire.*

2. Jeanne Dodeman, collaboratrice de Marcelle Auclair.

3. Cf. les n°s 119, 121, 122, 123 et 127 de *Marie-Claire*, en 1964 et 1965.

4. Règne de Dieu.

Finalement, on renvoie à la sous-commission. McGrath insiste pour qu'on entende quelque évêque qui a parlé [[de cela]] *in aula*.

À la sortie, Mgr Prignon me donne un écho de la réunion des Modérateurs, Conseil de présidence et, je crois, commission de coordination, qui a eu lieu vendredi soir. Peu de chose. Il me dit qu'on n'y a pas abordé la question du renouvellement des commissions, mais que le pape serait peu favorable à cette mesure. On a parlé de l'avenir : encore une ou deux sessions ? La plupart penchent pour UNE, mais deux seraient peut-être nécessaires pour qu'on puisse faire dégager des indications intéressantes et impératives en matière d'étude et de formation des clercs, par une critique sévère des schémas très faibles qui sont consacrés à ces sujets. La prochaine session serait du 8 septembre au 22 novembre.

Je rassemble mes impressions sur la séance de ce matin. Il est clair que deux mentalités se sont manifestées, ou mieux deux mondes : quel abîme entre l'évangélisme de la *Relatio* de Mgr Martin et ceux qui, comme Ruffini et les deux cardinaux espagnols, sont purement attachés à un passé... dépassé !!!

Mardi 19 novembre 1963. – Je fais bien des bricoles et un petit texte pour le cardinal Liénart (sur Islam) et pour Mgr Jacq (sur la nouveauté du vocable « œcuménisme »).

Dans le car, conversation avec deux évêques arméniens. Ils joignent une étroitesse de scolastique latine au particularisme fréquent chez les Orientaux. Ils ne voient rien à la lumière de principes généraux critiquement appréciés, mais dans une sorte de particularisme concret. Par exemple, ils me disent, d'un côté, que les Musulmans sont beaucoup plus chrétiens que les Juifs. Les Musulmans, croient-ils, admettent la divinité du Christ, puisqu'ils l'appellent « Esprit de Dieu » (!!!). Mais, d'un autre côté, ils dénient à l'Islam toute valeur mystique : il n'a, disent-ils que la mystique de la sensualité.

Ils disent que, dans *La Documentation catholique* (*sic* = les *ICI*), moi P. Congar, je ne tiens pas compte du dogme ; j'arrange le dogme et je le diminue pour plaire aux non-catholiques !!!

De qui tiennent-ils cela ? Du patriarche Batanian ?

C'est pénible de voir des hommes si peu ouverts, si peu informés, si peu ce qu'il faut pour affronter le monde moderne réel !

Les PP. Gagnebet et Labourdette me parlent du P. Hermand[1], dont *Candide* publie une interview. C'est très pénible, mais c'était fatal. Il va être UTILISÉ par tout ce qu'il y a de « charnel » ; il va être attiré à un contexte impur. Il va fatalement verser dans un monde médiocre et ce qu'il a voulu dire deviendra fatalement une ATTAQUE du célibat, voire de la chasteté. Au lieu de servir une amélioration de la chose, il donnera sa voix à une œuvre de trouble et de destruction.

Peut-être n'ai-je pas été assez ferme en lui écrivant.

Dieu nous soit en aide !!!

Ils m'en reparlent encore dans le car du retour. Ils me disent, ce que j'ignorais, que le P. Hermand est lui-même lié à une femme. Ils étaient, paraît-il, deux Pères sur la même et, au procès de divorce, le mari a sorti des lettres des deux Pères.

C'est effroyablement triste.

On lit les relations sur les ch. III et sq. *De oecumenismo*. L'introduction au chapitre sur les Juifs est lue par le cardinal Bea[2]. Elle est trop longue, avec des répétitions, mais elle est très forte et très belle. Et il est bon que ces choses soient dites devant l'épiscopat du monde entier. C'est aussi un grand moment, décisif, dans la vie de l'Église.

Mgr De Smedt[3] lit son long rapport sur la liberté religieuse. Il le fait avec force et avec feu, de façon, tout de même, un peu théâtrale, la manière de quelqu'un qui sait son succès assuré et fait tout pour qu'il le soit. C'EST UN GRAND TEXTE, bien qu'il ait des faiblesses. C'est aussi un moment DÉCISIF dans la vie de l'Église ET DU MONDE.

Quelle contribution au centenaire du *Syllabus*[4] – qui est d'ailleurs cité et mis dans son contexte historique...

---

1. Pierre Hermand, o.p., de la province de Toulouse ; Congar est en contact épistolaire avec lui à propos du livre qu'il prépare et qui paraît durant la deuxième session : *Condition du prêtre, mariage ou célibat ?*, Paris, Calmann-Lévy, 1963 ; Hermand quittera l'ordre dominicain l'année suivante.

2. *AS* II/V, 481-485.

3. *AS* II/V, 485-495.

4. Cf. p. 137, n. 3.

Les interventions sur l'œcuménisme en général ne commencent qu'à 11 h 07 !

Cardinal Léger[1] rappelle Jean XXIII et le moment prophétique que le concile connaît par rapport à la cause de l'unité. Le schéma est bon et nécessaire.
Exprime pourtant deux critiques : manque d'homogénéité ; les ch. IV et V ne devraient pas y prendre place. Il vaudrait mieux les laisser comme schémas indépendants.
Sur la 2e partie du ch. III : on ne devrait pas proposer une description des autres communautés chrétiennes dans un décret conciliaire. C'est trop compliqué et trop délicat. Qu'on renvoie cela à un appendice, en évitant la discussion *in aula*.

Cardinal König[2] : tout ce qu'il y a de plus opportun, de mieux répondant au but du concile. L'union doit être précédée et préparée par un processus de réavoisinement.
Quelques remarques :
sur le mot ŒCUMÉNISME, qui a eu et a des sens différents.
Il faudrait souligner qu'on expose l'œcuménisme CATHOLIQUE, en dépendance de l'ecclésiologie catholique – et en même temps que cet œcuménisme n'est pas clos ni imperfectible. Le dialogue nous fait comprendre plus profondément les choses et l'œcuménisme lui-même.
La doctrine catholique demande bien une distinction entre les « Églises » orientales et les « communautés » protestantes ; mais ce mot de « communautés » est insuffisant pour exprimer les éléments ecclésiaux qu'elles contiennent. Qu'on dise « communautés ecclésiales ».

Cardinal Rugambwa[3]. *Nobis placet*[4]. Mais
1°) parler humblement des dons reçus de Dieu ; il y en a chez tous les hommes. Ne pas imposer aux autres des traditions humaines ;

1. *AS* II/V, 550-552.
2. *AS* II/V, 552-554.
3. *AS* II/V, 555-557.
4. Nous approuvons.

2°) sur l'action œcuménique si nécessaire au point de vue missionnaire. Chercher le plus de coopération possible dans les pays de mission.

S. B. Gori[1] (Jérusalem) : *Satis mihi placet quoad tria prima capita*[2]. Mais ne pas oublier la distinction à faire entre Orthodoxes et Réforme, la sollicitude envers toutes les religions (en omettant d'en mentionner une en particulier).

S. B. Batanian[3] : Opportunité de l'œcuménisme et donc du schéma.

Mais « *veritatem facientes in caritate*[4] ». Ici ou là, la doctrine catholique n'est pas assez nettement exprimée (dans le sens romain).

Ne pas cacher que le but est l'union dans l'Église catholique. Que la matière du ch. 4 soit traitée AILLEURS.

Mgr Garrone[5] : deux remarques : 1°) *De locis oecumenicis*[6]. L'œcuménisme se fonde dans la foi et l'espérance : il est tout autre chose qu'une volonté de ne pas blesser ou qu'un sentimentalisme bienveillant. Il y a dans la Révélation une telle affirmation d'unité = création, incarnation, rédemption, royaume eschatologique : tout est mystère d'unité et de réconciliation.

2°) La charité œcuménique qui purifie et éclaire la foi, qui dissout les malformations adhérant à notre foi, restes des temps de polémiques, par quoi nous diminuons notre propre trésor.

Elle nous purifie de tout esprit possessif dans la foi.

Caractère providentiel de l'œcuménisme.

Très beau texte, donné de façon très intérieure et religieuse, mais d'un ton un peu pleurard.

1. *AS* II/V, 557.
2. Je suis satisfait par les trois premiers chapitres.
3. *AS* II/V, 558-560.
4. Confessant la vérité dans l'amour (Ep 4, 15).
5. *AS* II/V, 561-562.
6. Des lieux œcuméniques.

Elchinger[1] : Ce texte est une grâce de Dieu à notre temps, le couronnement des efforts difficiles des précurseurs.

La condition de réussite de l'œcuménisme est une profonde réforme de NOS attitudes à l'égard de la vérité révélée.

Conditions auxquelles un œcuménisme est possible :

1°) Refus de confesser nos fautes historiques et la vérité historique, fût-elle dure.

Les réformateurs ont VOULU, non détruire l'unité, mais réaffirmer d'authentiques vérités.

Les initiateurs de l'œcuménisme sont venus de chez les protestants alors que, chez nous, ils rencontraient surtout des difficultés (Mercier). Les exégètes ont rencontré plus d'accueil chez eux que chez nous (P. Lagrange).

2°) On a souvent, à l'époque de la polémique, rejeté TOUT de leurs doctrines, alors qu'il y avait de belles vérités partielles.

3°) Il est temps de quitter une attitude passive et de prendre une attitude de RECHERCHE.

4°) On a jusqu'ici confondu unité et uniformité. Le temps est venu de sortir de là. Nous avons fait l'expérience bénéfique de la diversité dans l'unité. Les frères séparés ont droit à ce qu'on loue et admette leurs différences légitimes.

McQuaid[2] (Irlande : Dublin) : *Schema in genere placet*[3]. Cependant, *teste experientia*[4], on confond parfois doctrine et expressions un peu vagues.

De Provenchères[5] : *In genere valde placet*[6] : pour son ecclésiologie de communion, pour la façon POSITIVE dont il propose le problème (reconnaître le positif et partir de lui) ; pour la distinction entre les Orientaux et les protestants.

Propose ensuite différents niveaux de l'œcuménisme, de la

---

1. *AS* II/V, 562-565.
2. *AS* II/V, 566-567.
3. J'approuve le schéma dans son ensemble.
4. L'expérience en témoigne.
5. *AS* II/V, 567-569.
6. J'approuve tout à fait le schéma dans son ensemble.

simple gentillesse à la conversion profonde, assez dans le sens de ce que j'ai écrit ou dit.

Un Mgr anglais (irlandais) dont je ne me rappelle plus le nom, me dit avec inquiétude que, paraît-il, le pape commencerait à être impressionné par les assauts dont il a été l'objet de la part des conservateurs, qui seraient arrivés à l'alarmer.

Je ne sais ce qu'il en est.

Après-midi : sous-commission à Sainte-Marthe. J'ai à peine le temps, dans l'intervalle, de LIRE une PARTIE du courrier, et pas du tout celui de répondre.

Mgr Garrone me dit que le P. G. de Broglie[1] a rédigé, pour les évêques d'Afrique du Nord, une critique terrible du chapitre sur la liberté religieuse. Les droits de la conscience erronée, dit-il, n'y sont limités que par le Bien commun. Mais que met-on sous « Bien commun » ? Ou il s'agit du VRAI Bien commun, et alors on revient au *Syllabus*, ou il s'agit d'un Bien commun défini par la seule raison humaine, et alors on va au libéralisme, ou bien au totalitarisme étatique, car l'État dira souverainement ce qu'exige le Bien commun.

Le P. Witte, avec qui je reviens dans le bus, parle du P. Tromp. Il évoque le P. Tromp de la période préparatoire : sa dictature absolue. Il parle d'une séance, à Domus Mariae, où le P. Tromp, sans avoir rien dit avant pour qu'on ne puisse ni se préparer à répondre, ni se concerter, a sorti un texte de Pie XII dans la lettre aux Chinois, et a dit : il est absolument interdit de dire que les non-catholiques soient membres de l'Église. Il criait de sa voix impérative et tapait sur la table. Cette époque est loin. Le P. Tromp est pratiquement remplacé par Mgr Philips. Cet homme a été providentiel. Il est vrai qu'il n'a pas TOUS les dons : ses textes sont un peu pâles et manquent de nerf. Mais il faut voir D'OÙ on vient. Il y a un an, le schéma de la commission préparatoire était en possession. Sans crise et de façon insensible, Philips a tout assumé. LUI SEUL POUVAIT FAIRE CELA... Quant au P. Tromp, il est fatigué, un peu désabusé, mais il n'a pas

1. Guy de Broglie-Revel, s.j., qui enseigne la théologie fondamentale à la Grégorienne, a longtemps enseigné cette matière à l'Institut Catholique de Paris.

renoncé à la lutte. Il lutte surtout par le moyen de son affidé, Schauf. Il veut au moins, ainsi éviter le pire, dit-il.

Mercredi 20 novembre 63 (71e Congrégation générale). – Ce matin grève des autobus. On attend une demi-heure dans le bruit de klaxons et la puanteur de l'essence. Je tiens à peine debout et ai le cerveau dans une espèce de vide nullement douloureux mais inquiétant. Je me dis que, sauf changement TRÈS notable dans ma santé je ne pourrai revenir à la 3e session.

Encore des explications de *modi* et des votes sur le ch. II de la liturgie. On en a plein le dos ! S'ils gardent une procédure semblable de *modi* et de votes, on n'en finira *JAMAIS* quand il s'agira du *De Ecclesia* et une minorité de quatre cents Pères pourra faire échec au texte. Cela nous ménagerait une troisième session imbuvable.

Cardinal Meyer[1] : *in genere placet tamquam basis ulterioris disceptationis*[2] et qu'on y maintienne les ch. 4 et 5 et dans le schéma *De oecumenismo.*

Cardinal Bacci[3] : deux remarques :

1°) le titre *De oecumenismo* ne plaît pas :

a) le mot est pris au sens de l'œcuménisme non catholique et se prête à être entendu au sens d'interconfessionnalisme ;

b) les ch. 4 et 5 n'ont rien à faire ici. Ou alors il faudrait changer le titre : en propose un, élargi à toutes les religions.

2°) *Verbosum*[4], et parfois ambigu : par exemple, p. 7 « Petrum[5] »... p. 23 « *officium Romanae Sedis*[6]... ».

(ils ne pensent vraiment qu'à la JURIDICTION !...)

Dit qu'il avait demandé la parole AVANT le vote des cinq articles le 30 octobre, et qu'on la lui a refusée. Il en a appelé au Pape.

Un murmure suit cette révélation, dans l'assemblée.

---

1. *AS* II/V, 597.
2. J'approuve dans l'ensemble comme base de débat ultérieur.
3. *AS* II/V, 598-599.
4. Verbeux.
5. Pierre.
6. La fonction du Siège Romain.

Jelmini[1] (administrateur apostolique de Lugano) au nom des évêques de Suisse :

Le Christ A et Ω de l'esprit œcuménique.

Rendre manifeste ce qui est déjà de l'Église partout.

Il faut un profond *aggiornamento* de la vie de l'Église.

On fait bien de distinguer entre Églises orientales et protestants. Il y a aussi les vieux catholiques.

Ne pas parler seulement des Juifs mais des mahométans et de tous ceux qui croient en Dieu.

Ne pas parler seulement de la liberté de la personne humaine mais de celle des communautés et religions. Cela relève de l'œcuménisme comme de sa condition *sine qua non.*

La question des Juifs revient aussi à l'œcuménisme : le premier schisme a été celui avec la synagogue.

Sapelak[2], évêque visiteur des Ukrainiens en Argentine :

1°) Faire deux chapitres différents pour Orientaux et protestants.

2°) Manque de clarté.

3°) Semble ignorer des siècles d'efforts d'union à l'égard de l'Orient ; on ne parle pas des uniates qui ont souvent payé leur fidélité catholique de leur sang. Importance des uniates dont le statut est améliorable (il donne l'idée de celui qui serait le statut des orthodoxes après leur réunion).

Il ne pense qu'en termes de réunion.

Qu'on réintroduise en grande partie l'ancien schéma sur les Églises orientales. Si on doit garder le ch. 5 *De libertate*[3], que le concile élève d'abord solennellement la voix contre les persécutions des pays communistes.

Morcillo[4] : assez complexe ; je suis mal car le P. Hamer me parle.

Il est l'écho des réunions poursuivies chez les Espagnols.

---

1. *AS* II/V, 600-602.

2. Andrea Sapelak est membre de la Commission conciliaire des Églises orientales, *AS* II/V, 602-605.

3. De la liberté.

4. *AS* II/V, 606-608.

Le P. Hamer me dit que la question de la conférence Cullmann, qui, hier, était dans une mauvaise situation, se présente de nouveau bien aujourd'hui. La secrétairerie d'État a été favorable, mais il faut un avis favorable du Saint-Office. PARENTE EST D'ACCORD, mais il dit : s'il ne s'agissait que d'une salle catholique dans la ville, il n'y aurait aucun problème, mais il s'agit d'une salle d'une université pontificale : cela fera un précédent. Aussi il faut un vote de la congrégation des cardinaux du Saint-Office : la réunion aura lieu ce soir. On ne sera fixé que ce soir à 22 heures. Hamer ajoute que le P. Sigmond a été épatant et actif dans toute cette affaire.

Baudoux[1] : souligne les aspects profonds et surnaturels de l'œcuménisme.
Souligne ce qui nous unit déjà :
« nous devons marcher ensemble » (Jean XXIII aux frères de Taizé).
Le Christ notre principe, notre voie → rénovation de l'Église.

Heenan[2], au nom de toute la hiérarchie d'Angleterre et pays de Galles.
Accueille avec joie le schéma parce qu'il donne une direction authentique (venant de haut) à notre action.
On a dit que la hiérarchie anglaise était CONTRE l'immixtion des catholiques d'autres pays dans les questions anglicanes. Il faut que le dialogue se fasse dans les conditions propres de chaque pays et sous le contrôle de la hiérarchie de ce pays.
Je trouve cette déclaration SENSATIONNELLE. C'est une déclaration officielle de conversion à l'œcuménisme et au dialogue, de la part de la hiérarchie anglaise.
Je n'osais attendre cela.
Il relève dans le schéma une lacune : la nature de l'action œcuménique n'est pas claire et son but non plus. Affirmer, avec le dialogue, la nécessité de proposer toute la vérité.
(Mais on ne peut exprimer en une clarté de type dialectique,

1. *AS* II/V, 608-610.
2. *AS* II/V, 610-612.

quelque chose qui relève du mouvement de l'histoire, d'un processus qui se crée à mesure.)

Au nom de toute la hiérarchie anglaise et galloise, se déclare absolument prêt au dialogue.

Weber[1], Strasbourg : désire qu'on reprenne ici ce qui était dit dans le ch. XI du schéma *De Ecclesia*, l'an dernier, sur la *communicatio in sacris.*

Que les catholiques puissent recevoir les sacrements des orthodoxes et vice versa.

Mgr Méndez[2] (Cuernavaca) : commence en citant le texte de S. Paul : *Benedictus Deus*[3]... qui vous a bénis...

L'œcuménisme, bénédiction de Dieu dont nous avons fait l'expérience au concile.

Parler d'Églises ou de communautés ecclésiales ; on devrait considérer aussi les Pentecôtistes.

Mentionner l'immense importance œcuménique des mouvements liturgiques et bibliques (cite à ce sujet Dom Beauduin).

On ne parle pas, au sujet des Juifs, de l'élection qui est encore sur eux. Il ne faut pas les exclure de ce schéma. Suggère qu'on PARTE DE LA liberté religieuse, puis qu'on aille progressivement des non-chrétiens aux chrétiens, en passant par les Musulmans et les Juifs. Il y aurait donc à rédiger de nouveaux chapitres (même les F∴ M∴).

Mgr Chopard-Lallier[4] : du point de vue missionnaire, deux choses à noter :

1°) Les principes dogmatiques seraient mieux dans le *De Ecclesia.*

On ne parle pas assez du Saint-Esprit.

2°) Manque : l'unité à promouvoir dans certaines circonstances de vie familiale. On pourrait ensemble dire d'autres prières que celles approuvées par l'Église.

---

1. *AS* II/V, 613-615.
2. *AS* II/V, 615-618.
3. Béni soit Dieu (Ep 1, 3).
4. Robert Chopard-Lallier, préfet apostolique de Parakou (Dahomey), *AS* II/V, 618-620.

Il préconise que dans certaines circonstances on manifeste devant les païens L'UNITÉ DU PEUPLE CHRÉTIEN ; répond à l'objection du danger d'indifférence.
Il faut aussi reconnaître les cas où existe déjà une unanimité dans l'évangélisation (cite frères de Taizé à Abidjan).

À 11 h 45 on demande un vote sur le ch. II et sur intégrité du *De S. Liturgia.* Cela donne : présents : 2 152
oui : 2 112
non : 40
nuls : [ ]

Le cardinal Agagianian[1], au nom des Modérateurs, explique l'incident auquel le cardinal Bacci a fait allusion : il voulait relever une faute de latin et dire *jus primatus*[2] au lieu de *jus primatiale*[3]. Donc, les Modérateurs ont jugé qu'il n'y avait pas lieu d'insister davantage. – Applaudissements.

Mgr Jacq[4] (lit très médiocrement son texte en tête duquel il a mis mon papier).
Montre l'importance de l'œcuménisme dans un sens très authentique.
Montre l'opportunité de l'œcuménisme.
Ferreira[5] (évêque de Porto) : pour mettre de la scolastique dans le schéma (et dans tous) : distingue l'essence de l'Église et ses situations concrètes ou conditions historiques (il se fait rappeler à la question).
De Uriarte[6] (capucin du Pérou, que le P. Tascón me dit y avoir connu : il a 85 ans). Il fait rire tout le monde, – c'est dommage de rire d'un vieillard – parce que, avec fougue et volubilité, il développe l'idée que tout est œcuménique :

1. *AS* II/V, 622.
2. Droit du primat.
3. Droit primatial.
4. *AS* II/V, 622-625.
5. António Ferreira Gomes (Portugal), *AS* II/V, 625-627.
6. Bonaventura León de Uriarte Bengoa, o.f.m., né en 1891, vicaire apostolique de San Ramón, *AS* II/V, 629-631.

Dieu est œcuménique
La Sainte Vierge, saint Joseph sont œcuméniques
Les évêques, les curés sont œcuméniques...

Le président le rappelle à l'ordre : qu'il parle de l'œcuménisme DONT parle le schéma. Mais, imperturbable, il continue. On finit par l'applaudir par mode de détente.

À la sortie, le supérieur de la Congrégation de la Sainte Croix[1] me dit qu'on a fait circuler et signer ce matin, dans la tribune des généraux d'Ordres, un papier de deux pages non signé. Ce papier demande (au pape) que la question de la collégialité soit renvoyée à la prochaine session. En effet, elle n'est pas mûre, elle est ambiguë, elle est pleine de périls... Il paraît que soixante-dix sur quatre-vingts supérieurs à peu près ont donné leur signature, à commencer par le P. Fernandez.

Mgr Charue, à qui je parle tout aussitôt de cela, me dit en avoir eu vent depuis deux jours et attribue ce papier aux Espagnols.

Après-midi, visite au Dr Callieri. Il me remet un papier pour Garcin[2] et Thiébaut donnant son sentiment sur mon cas.

Callieri ne conclut pas. Cela peut être ou une dégénérescence lente. Cela finirait par une paralysie – ou une compression de la moelle à la charnière de l'occiput et de la première cervicale : cela pourrait s'améliorer par une intervention de chirurgie neurologique – ou une inflammation de la moelle.

Callieri me remet une lettre pour Garcin et Thiébaut.

Sous-commission à Sainte-Marthe. Le soir, conférence chez les Pères Blancs sur la collégialité.

Jeudi 21 novembre (72e congrégation générale). – Avant la Messe, je vois le cardinal Silva, le Nonce apostolique, Mgr Bertoli, que j'ai essayé plusieurs fois de voir, en vain, enfin Mgr Heenan. Je tenais à dire à celui-ci ma profonde gratitude pour sa déclaration d'hier, si belle, si émouvante, si importante : un acte HISTORIQUE.

Mgr Marty me dit qu'on va aujourd'hui proposer l'élection de six nouveaux membres pour les commissions : quatre élus et deux

---

1. Germain Lalande.
2. Raymond Garcin, neurologue, est chef de service à la Salpêtrière à Paris.

choisis par le Pape. But de l'opération : modifier les commissions dans le sens de l'esprit du concile. Mais cela les alourdira aussi !!!

Messe en croate : c'est la messe romaine, mais en langue slave. Pendant cette messe, chants à l'unisson, par des voix viriles, accompagnés d'orgue. Ces chants ont quelque chose de grave et de nostalgique. Ils tiennent du choral allemand et il me semble que la synthèse entre slavisme et romanisme s'est doublée d'une synthèse entre cela même et le sens germanique du chant choral. C'est bien à la fois très balkanique et très Europe centrale. Que l'homme est profond et intéressant partout !! Comme il est un et divers. Il veut être lui-même, tout simplement, être tel qu'il se conçoit lui-même.

Felici[1] annonce que, pour accélérer le travail des commissions, le Pape, répondant à des vœux nombreux, porte le nombre des membres des commissions à 30. Il faudra donc 5 nouveaux membres, sauf pour la Congrégation orientale qui n'aura que 3 nouveaux membres et le secrétariat 12.

Le concile élira 4 membres et le pape en nommera 1, sauf pour la commission liturgique, qui a fini son travail.

Les présidents des conférences épiscopales devront réunir leur conférence et indiquer 3 noms pour chaque commission (6 pour le secrétariat), qui puissent être élus en congrégation générale. À remettre au secrétariat avant lundi. On remettra ces listes aux Pères mercredi et l'élection aura lieu le jeudi.

Le Pape, après ces élections, concède aux commissions le droit d'ÉLIRE un nouveau vice-président et un nouveau secrétaire en surcroît des actuels.

On lit une liste de 31 noms de ceux qui ont encore demandé de parler de l'œcuménisme en général. On ne pourra jamais entendre tout cela !!!

Puis encore une *relatio* sur les *modi* demandés en liturgie. Quelle barbe ! Pourtant il s'agit de choses importantes : la langue maternelle dans les sacrements et le culte. Je ne me suis pas assez intéressé à la question liturgique au concile, mais on ne peut pas tout faire : je n'ai même pas le temps de LIRE tout le courrier de chaque jour, et encore moins le temps d'y répondre.

1. *AS* II/V, 635-637.

Laurentin me passe à lire un rapport qu'il a fait (pour qui ?) sur le travail de la commission qui traite de la question mariale. Ce qu'il y dit est affligeant et même assez effroyable. Les gens de Balić, en fait DEUX évêques siciliens, ont noyauté et mené le travail et le poussent dans un sens majorant, parfois par des procédés très douteux d'entourloupettes. Cela ne m'étonne pas : la mariologie ne vit que de cela depuis longtemps. DU MOINS CELLE QUI VEUT TOUJOURS AJOUTER. C'est un vrai cancer dans le tissu de l'Église.

La discussion sur l'œcuménisme reprend.

Flores[1] (Barbastro) parle d'une façon très positive. Pour le dialogue (sans qu'il voie tout ce qu'il implique).

TRÈS long discours : il eût pu dire cela en trois minutes, mais les Espagnols refont toujours toute la question. Ils font des encycliques.

Florit[2] propose des remarques aptes à parfaire le schéma.

Encore celle sur Éphés. II, 20 qu'on a eue tant de fois à la commission théologique ; p. 8 sur les éléments d'Église présents chez les séparés.

P. 16 sur les prières communes ; Florit dit qu'elles ne sont communes qu'extérieurement mais qu'en chacun il y a une intention différente.

C'est qu'il n'a pas atteint personnellement au niveau d'une vraie prière pour l'unité.

Etc.

Je manque Mgr Aramburu[3], de Tucumán (Argentine) : je vois au bar Laurentin ; qui ajoute à son papier, qu'il a entendu dire qu'hier soir Balić aurait jeté du lest. À voir.

Mgr Höffner[4] : il n'y a pas que les frères séparés qui sont CHRÉTIENS dans une autre communion, il y a les frères séparés laïcisés, ceux qui sont loin de l'Église

Hervás[5], Dora, Espagne : propose une autre distribution de la

1. J. Flores Martin, *AS* II/V, 661-663.
2. *AS* II/V, 665-667.
3. *AS* II/V, 668-670.
4. *AS* II/V, 670-671.
5. J. Hervás y Benet, *AS* II/V, 671-674.

matière, en excluant du schéma les chap. 4 et 5. La question de la liberté religieuse n'est pas à sa place mais dans le chapitre du schéma XVII qui parle des droits de la personne. Mis dans le schéma de l'œcuménisme, le chapitre sur la liberté, tel qu'il est, favoriserait une idée rousseauiste (seules normes subjectives) et le prosélytisme. L'encyclique *Pacem in terris* en parle dans sa 1re partie, consacrée aux droits de la personne.

JE TROUVE CELA JUSTE.

Ziadé[1] (Maronite) : approbation générale très chaude des principes donnés dans le schéma : en 3e lieu le respect de la liberté et des diversités (exemple du 1er concile de Jérusalem).

Quelques remarques et *desiderata.*

Le temps est venu de vivre d'une plénitude catholique assumant tout ce qui s'est développé partout et chez tous.

Hamvas[2] (Hongrie). La Hongrie a toujours favorisé la paix entre Orient et Occident : Saint-Étienne... Fait un historique du destin des Calvinistes en Hongrie. Dépasse de beaucoup son temps, mais on le laisse (parce que Hongrois) ; le cardinal Lercaro l'interrompt, mais il continue.

Le cardinal Lercaro[3], au nom des Modérateurs, demande aux Pères de se prononcer sur la fin de la discussion sur le schéma *in genere.* Il est 11 h 15.

On se prononce par levés et assis.

La conclusion est acquise ; pourront encore parler ceux qui le feraient au nom d'au moins cinq Pères.

Les Modérateurs posent la question d'un *placet* général pour les trois premiers chapitres, après quoi on posera la même question séparément pour les ch. 4 et 5. On propose au vote : *An placeat tria*

1. I. Ziadé, *AS* II/V, 675-676.
2. *AS* II/V, 677-679.
3. *AS* II/V, 681-682.

prima capita globatim sumpta ita approbari ut assumentur sicut fundamentum basis ulterioris disceptationis[1] ?

Cela donne : votants : 2 052
oui : 1 967
non : 87

Mgr Martin[2], *relator* des trois premiers chapitres, a la parole : le secrétariat a déjà examiné les remarques envoyées par écrit ; si on approuve en principe les trois premiers chapitres, il tiendra grandement compte de tout.

On commence la discussion du ch. I (il est 11 h 25).

Mgr Nicodemo[3] (Bari, Italie) : importance de ce ch. I.

On ne donne pas toute la doctrine catholique sur l'unité (de nouveau Éphés. II, 20).

On ne dit pas que le Christ a édifié l'Église sur Pierre (vraiment, l'ultramontanisme, cela existe !!!).

N° 2, lignes 17 sq. : on attribue aux hérétiques une certaine communion avec nous alors qu'il y a des liens mais pas la moindre communion.

Qu'on décrive au moins CE QU'EST l'œcuménisme et quels sont ses principes théologiques. Il faut en tout cela la plus grande clarté sans ambiguïté.

Mgr Volk[4] : le mot ŒCUMÉNISME a deux sens :

– universel : concile œcuménique ;
– les activités touchant l'unité chrétienne.

L'œcuménisme doit s'appliquer aussi dans l'Église en visant l'universalité ou la catholicité. Le caractère historique de l'Église fait que tout ce qui est POSSIBLE pour l'Église ne soit pas d'un coup RÉEL.

On ne peut prendre conscience de n'être que PARTIEL, que si on connaît le tout et si on se connaît dans le tout. L'Église

1. Si l'on admet que les trois chapitres pris globalement soient approuvés, en sorte qu'ils soient pris comme base d'une discussion ultérieure.
2. Joseph-M. Martin, *AS* II/V, 682-683.
3. *AS* II/V, 683-686.
4. *AS* II/V, 687-689.

catholique doit donc développer et montrer sa pleine catholicité (se fait rappeler qu'il a dépassé le temps).

Talamás[1] (Mexique) : propose de changer le texte du schéma *De oecumenismo* page 10, lignes 29... dans le sens de n'aborder le dialogue que si bien formé.

Carli[2] : préciser le titre : *De oecumenismo catholico*[3], car pas même sens ! Qu'on fasse un *proemium* où on déplore la division, affirme la maternelle sollicitude de l'Église à l'égard des séparés, définisse bien l'unicité de l'Église, son unité et ce que doit être l'union.

Et qu'on exprime dans le ch. I les principes qu'il expose dans le sens le plus raidement dogmatique. Et ramène Éph. II, 20 et le collège !! Déclenche des murmures : les autres apôtres, dit-il, ont été donnés à Pierre comme COOPÉRATEURS !!!

Il faut affirmer Pierre comme fondement de toute l'Église et chef et fondement des apôtres.

JE VOIS QU'IL EXISTE UNE PROFONDE AMBIGUÏTÉ SOUS LE MÊME MOT D'ŒCUMÉNISME, ENTRE CEUX QUI NE VOIENT QUE LA RÉ-UNION À L'ÉGLISE (FAVORISÉE PAR LA CHARITÉ) ET CEUX QUI VOIENT QUELQUE CHOSE DE NEUF EN AVANT DE NOUS TOUS, EXIGEANT UNE PROFONDE RÉFORME.

Mgr Elchinger vient me dire qu'Hamer lui a téléphoné hier soir à 22 h 30, pour dire que la salle de l'Angélique ne peut être donnée à la conférence Cullmann, par ordre de l'autorité supérieure. Il croit que cette autorité est Staffa. Je lui dis : elle est plus suprême. Il veut faire savoir au Pape ce qui arrive.

La conférence de Cullmann aura donc lieu à Saint-Louis des Français sous la présidence de l'ambassadeur de France auprès du Saint-Siège.

Et cela arrive au moment où l'on discute *in aula* de l'œcuménisme.

1. M. Talamás Camandari, *AS* II/V, 681-690.
2. *AS* II/V, 691-694.
3. De l'œcuménisme catholique.

Mgr A. Abed[1] (Maronite, Tripoli) : prononce le latin en US (non OUS).

Il y a des choses plus utiles à faire entendre à nos frères séparés que la primauté de Pierre : la foi chrétienne et l'espoir de la résurrection.

Ils sont des frères chrétiens qui ne sont pas à CONVERTIR mais à embrasser.

Propose des corrections dans cet esprit.

On donne les résultats des votes sur le ch. III de la liturgie :

votants :	2 143
oui :	2 107
non :	35
nul :	1

Dans le car de retour, les évêques parlent des élections à faire pour les commissions.

À Sainte-Marthe, 16 h 30, sous-commission.

Mgr Philips me confirme que le P. Balić LUI A DIT formellement faire un rideau de fumée pour couvrir son désistement dans la question mariale. Mais le P. Balić est plein de curieuses, successives et parfois contradictoires réactions. Il peut successivement filer doux, taper du poing avec passion, circonvenir et entourloupeter... Cela avec une faculté de rebondissement incroyable.

Vendredi 22 novembre. – Conversation avec différents évêques (Schmitt, Boillon, de Provenchères) sur le *De libertate religiosa*. Puis avec Liégé et Mgr Méndez sur le célibat sacerdotal.

Encore des *relationes* sur les *modi* de la liturgie !! Quelle barbe ! Après cela, rush sur le bar...

Queue de la discussion sur l'œcuménisme en général.

Mgr Da Veiga Coutinho[2] : revient sur le ch. 4 qu'il veut voir exclure.

---

1. Antoine Abed, archevêque maronite de Tripoli (Liban), *AS* II/V, 694-696.
2. *AS* II/V, 744-745.

Mgr Pont y Gol[1] : que le ch. 4 soit renvoyé au secrétariat pour les religions non chrétiennes.

Sur le ch. 5 il y a divers avis ; il pense qu'il faudrait ménager du temps pour l'étude de la question.

Parle pour une expression du pardon mutuel demandé et donné.

Makarakiza[2] (Burundi) : sur la rénovation dans l'Église par une notion moins conceptualiste et plus totale-existentielle de la Foi.

Être possédé par le Christ. Exemple de Jean XXIII.

(Personne n'écoute ; cela ne passe pas la rampe.)

On revient à la discussion du ch. I.

Mgr Mazur[3] (Lublin) au nom des évêques de Pologne :

Ce chapitre manque d'ordre ; en propose un, sans grand intérêt et sans vrai sens œcuménique.

Huyghe[4] : note qu'on a parlé d'*aditus*[5] des séparés, non de *reditus*[6].

Aujourd'hui on voit tout ce qu'il y a à faire de notre côté. Conversion de TOUS les chrétiens. Action COMMUNE... tant dans la prière que dans la collecte (idée Cullmann[7]), que dans une réflexion théologique sur des matières comme la pauvreté, enfin dans une certaine action pastorale commune.

Romero[8] (ton lamentablement ennuyeux) : sur la nécessité d'appartenir à l'Église.

Jaeger[9] (Paderborn) : avec appel à son expérience.

Flusin[10] : propose des corrections et additions au 1er chapitre où je reconnais le P. Féret avec ses références bibliques.

1. *AS* II/V, 746-747.
2. Andreas Makarakiza, évêque de Ngozi, *AS* II/V, 749-751.
3. Jan Mazur, évêque auxiliaire de Lublin, *AS* II/V, 751-753.
4. *AS* II/V, 753-755.
5. Approche.
6. Retour.
7. Cf. Oscar CULLMANN, *Catholiques et Protestants. Un projet de solidarité chrétienne*, Neuchâtel-Paris, Delachaux & Niestlé, 1958.
8. F. Romero Menjibar, *AS* II/V, 757-759.
9. *AS* II/V, 759-761.
10. *AS* II/V, 762-764.

Mgr Chang[1] (?) : terrible diction germanique : de quoi faire éclater les micros.

Pour l'œcuménisme de Confucius ; pour l'œcuménisme – *simpliciter dictus... fuit homo missus a Deo*[2] (Jean XXIII).

L'homme est illuminé pour son salut.

Séance assez morne qui finit par la proclamation des résultats du vote sur le schéma *De S. Liturgia* en sa totalité.

présents : 2 178
oui : 2 158
non : 19

Je vois, à la sortie de Saint-Pierre, Mgr Oesterreicher. Il me paraît passionné et passablement suffisant. Il est évidemment question du ch. IV sur les Juifs.

Déjeuner avec Skydsgaard et son assistant[3].

À 15 h, au séminaire français, atelier sur le chapitre *De libertate religiosa*. J'ai fait inviter le P. de Riedmatten, qui est de beaucoup le plus intéressant des experts qu'on ait entendu à cette séance. Mais les évêques semblent avoir spécialement invité à parler les PP. Daniélou, Martelet et Cottier. Sont là aussi Dupuy et Le Guillou. Il ressort de ce colloque qu'il faudrait :

1°) Marquer qu'on ne traite pas de TOUT le problème de la liberté religieuse.

2°) Marquer qu'on se concentre sur la *libertas a coactione physica et morali*[4].

3°) Ne pas rattacher cette liberté à la seule dignité de la personne, mais formuler des fondements OBJECTIFS dans la transcendance de la foi par rapport aux structures temporelles et dans la NATURE du fait religieux et de la Religion.

À 17 h, à l'Angélique, conférence de l'abbé Houtart. Après, à l'Angélique, réunion du groupe « Église pauvre et servante ». Réunion pénible. Le P. Gauthier, qui n'a *QUE* cette idée, qui ne voit *RIEN* d'autre, tourne en rond. C'est extrêmement décevant. Autant

1. V. Chang Tso-Huan, *AS* II/V, 765-767.
2. Simplement dit... il y eut un homme, envoyé de Dieu (cf. Jn 1, 6).
3. Le pasteur luthérien danois Gerhard Pedersen.
4. Liberté à l'égard de toute contrainte physique et morale.

l'homme est valable au plan charismatique, autant le groupe qu'il est censé animer reste dans le vague, la logomachie, le manque d'initiative. ON N'EST PAS PLUS AVANCÉ QU'IL Y A UN AN. Mgr Himmer n'ajoute pas une once de structure, de précision ou d'efficacité. Mgr Mercier lit un texte (trop long) d'adresse au pape, dont l'élément le plus positif est la demande instante que la prochaine session COMMENCE par le schéma XVII. J'ajoute mon idée qu'elle commence par un bilan réaliste du monde, accompagné de quelques témoignages directs.

Après cela, allons avec Chenu à une autre réunion avec les PP. Cottier, Labourdette et Voillaume[1]. Il s'agit du même objet, mais on voudrait aboutir à faire, pour cette question de la pauvreté, un livre qui joue un rôle analogue à celui qu'a joué *L'Épiscopat et l'Église universelle* pour la question de l'épiscopat (ce livre a été décisif).

On commence à tracer les grandes lignes. Cela s'achève dans un petit restaurant. Je connais là un P. Voillaume assez différent de celui que je connaissais par ses livres ou ses *Lettres aux Fraternités*[2] : un homme beaucoup plus réaliste, au contact du monde réel, moderne, progressif.

Nous apprenons là, à peine une heure après l'événement, l'assassinat du président Kennedy. Tout le monde en est profondément affecté. On sent qu'une chance de paix a été enlevée au monde en la personne d'un homme courageux et loyal, qui aimait et servait les hommes.

Samedi 23 novembre 63. – Bien médiocre journée. Coups de téléphone. Travail interrompu par visite : le matin, un prêtre polonais, l'après-midi Mlle Thouzellier[3].

À 11 h, la Télévision : un enregistrement pour l'émission catholique du dimanche et un pour « Cinq colonnes à la Une ». Mais le

1. René Voillaume, dans le sillage de Charles de Foucauld, a fondé les Petits Frères de Jésus, dont il est alors le prieur général, ainsi que les Petits Frères et Petites Sœurs de l'Évangile.

2. René VOILLAUME, *Lettres aux Fraternités*, tomes I et II, Cerf, 1960.

3. Christine Thouzellier, spécialiste des sectes et hérésies de l'Occident médiéval, est chargée de recherches au CNRS.

speaker de cette émission arrive très en retard, fait changer les dispositifs ; la Radio italienne a amené des bobines qui ne durent que deux minutes et demie : il faut en changer souvent. Bref, deux heures et demie de plein soleil pour peu de chose. De plus, le même *speaker* ne me dit absolument pas (et ne veut pas dire) sur quoi il m'interrogera, en sorte qu'il me prend au dépourvu avec des questions sur la collégialité et sur le Saint-Office ou le courant conservateur. Comment parler de cela à vingt millions de spectateurs qui n'en ont aucune idée ?

À 16 h 30 sous-commission à Sainte-Marthe. Mgr Garrone me dit que le cardinal Suenens a dit hier que le pape viendra *in aula* les 3 et 4 décembre ; qu'il consultera les Pères sur la date de la prochaine session ; enfin – ceci est à mes yeux très important et répond à une question, sur laquelle plusieurs fois, j'ai attiré l'attention –, il cherche une formule de proclamation du décret sur la liturgie, QUI ASSOCIE LES ÉVÊQUES au pape. Autre chose que « *Paulus, sacro approbante concilio*[1] »... !

Mgr Garrone me dit aussi qu'il y aurait divergence au sein du Secrétariat pour l'unité. Un bon nombre voudrait disjoindre les ch. 4 (Juifs) et 5 (Liberté) du schéma sur l'œcuménisme ; le cardinal Bea serait entêté à défendre l'unité des 5 chapitres.

Dimanche 24 novembre. – Travail pour la sous-commission, pour autant que je puis. Le matin, visite-interview pour le journal *La Rocca*[2] (Assise) ; à 12 h 20 le P. Féret vient me chercher avec le P. Liégé et Mgr Schmitt pour un tour sympathique : via Appia, déjeuner en face de la catacombe Saint-Sébastien ; ensuite, plus loin sur la via Appia. Rome a tout gardé. Au milieu de faubourgs d'un style cosmopolite il y a, intacte, cette route étroite, bordée de murs moussus et de jardins, de tombeaux et de ruines, de cyprès et de pins parasols. Tout est ici comme il y a deux millénaires. Une poésie sans tristesse émane de ces restes d'une antiquité grandiose et malgré tout très humaine. Tout parle ici, rien n'est article de série ; le passé est présent. Nous foulons les pavés mêmes sur lesquels saint Paul

1. « Paul, avec l'approbation du saint Concile. »
2. « Incontri all'ora del Concilio. Yves Congar », *La Rocca*, 15 février 1964, p. 22-28.

a marché... Au retour, arrêt à Saint-Jean de la Porte latine, que je ne connaissais pas : délicieuse petite basilique, dépouillée, humble et paisible.

Le soir, visite de l'abbé J. Ign. Tellechea Idígoras[1], qui m'apporte un livre sur l'évêque idéal au siècle de la Réforme[2]. Homme intelligent, ouvert, gagné à la vérité et à la méthode historiques : un de ceux qui formeront un catholicisme espagnol synchrone avec le monde d'aujourd'hui et de demain.

Le P. Liégé et le P. Féret me disent que 1°) lors de la réception par le pape des évêques français lundi dernier, ceux-ci ont été assez déçus : je le savais. Je ne savais pas que le pape leur a rappelé qu'ils devaient veiller sur tout ce qui se publie. Cela visait surtout les *ICI.* Le pape a été très scandalisé par un article sur la Pologne[3] et a dit que les gens des *ICI* étaient des ennemis de l'Église déguisés ; 2°) le P. Général, en suite de ce que le pape lui avait dit à ce sujet, a écrit aux Provinciaux français pour leur demander qu'aucun OP ne se mêle de ce journal et de sa direction, mais disant aussi qu'il serait bon que des théologiens sûrs y écrivent pour y donner un bon exposé des choses. J'ignorais tout de cette lettre que le P. Kopf, paraît-il, n'a pas encore communiquée pour ne pas nuire aux *ICI.*

Lundi 25 novembre. – Dans le car, quelques nouvelles des élections de membres supplémentaires pour les commissions. Il paraît qu'une liste a été faite, signée par cinquante-six conférences épiscopales. Si c'est vrai, c'est le signe que les épiscopats se sont organisés depuis un an.

Il y a eu aussi une réunion des épiscopats de l'Europe des Six. On raconte également (Haubtmann, Moeller) que le pape fait l'objet de pressions très puissantes pour que soient écartés les ch. 4 et 5 sur lesquels il n'y aurait même pas les votes annoncés. Les Espagnols et les Italiens en particulier sont contre le ch. 5, *De libertate.* Les Italiens font valoir que cela favorisera l'ouverture à gauche, qui entraînera une fuite des capitaux. Ou bien on renverrait le ch. *De*

---

1. Jose Ignacio Tellechea Idígoras, professeur d'histoire de l'Église.
2. *El obispo ideal en el siglo de la Reforma,* Rome, 1963.
3. Cf. plus haut, p. 487, n. 2.

libertate au schéma XVII. Ceci a toujours été ma position, et c'est ce que j'ai dit tous ces jours-ci, ajoutant cependant qu'il faudrait que le texte soit discuté dès cette session pour donner des indications à ceux qui le corrigeront et l'amélioreront. Dans la confiance de l'amitié je dis à Moeller comment, travaillant ces deux derniers jours sur le ch. *De populo Dei*, j'ai eu dans les mains les corrections proposées par Mgr Philips. Celui-ci est sans le moindre doute un homme providentiel : lui seul pouvait faire ce qu'il a fait, c'est-à-dire substituer au texte officiel un nouveau texte, sans lutte ni crise. Il a un don d'accueil étonnant, ce don de désarmer pacifiquement tout adversaire. C'est merveilleux et l'on ne dira jamais trop ce qu'il a fait. Mais que sa pensée est molle, que ses textes sont plats ! Tout y est, mais sans nerf, noyé dans une facilité sans profondeur.

À l'entrée de la basilique, on distribue ce matin un papier signé d'un assez grand nombre de signatures, demandant la suppression du schéma sur les moyens de communication, jugé puéril et insuffisant. Ce n'est pas le seul papier en ce sens. Mgr Schmitt, évêque de Metz, à l'instigation du P. Féret, a fait une opération analogue. C'est lui qui a dit : c'est un texte pour Cœurs Vaillants[1].

On distribue aussi un livret de M. Guarducci[2] sur les fouilles de Saint-Pierre et la tradition de saint Pierre au Vatican[3].

De mandato S. Pontificis[4], mercredi 4 décembre, à 9 h, on célébrera la session publique du concile où seront examinés et votés les décrets déjà approuvés. Le 3 décembre, également à 9 h, le pape viendra *in aula* et il y aura commémoraison du 4e centenaire du concile de Trente, avec discours du cardinal Urbani.

---

1. Les « Cœurs Vaillants » sont un mouvement d'Action Catholique pour les enfants.

2. Margherita Guarducci, professeur d'épigraphie à l'Université de Rome.

3. Le 18 novembre, Felici avait annoncé la distribution prochaine de ce livre (*La Tradizione di Pietro in Vaticano alla luce della storia e dell'archeologia*, Rome, 1963) offert dans sa traduction en plusieurs langues ; la traduction française est intitulée : *La Tradition de Pierre au Vatican, à la lumière de l'histoire et de l'archéologie*.

4. Sur mandat du Souverain Pontife.

Discussion du ch. I *De oecumenismo* :

Cardinal Léger[1] : pour une plus précise présentation de la note d'unité, qui apparaît trop monolithique et uniforme ; pour que le schéma dise mieux comment surmonter les difficultés DOGMATIQUES.

Veritas non tantum in caritate, sed etiam in humilitate[2] (humilité intellectuelle). Ce qui, au nom de la transcendance des [[esprits]] dogmatiques, combat l'immobilisme intellectuel.

Cardinal Ritter[3] : pour une meilleure expression des fondements doctrinaux de l'œcuménisme (fondement christologique).

Cardinal Bea[4] : sur le titre. On a proposé : *De christianorum unitate fovenda*[5]. Le Secrétariat examinera. On a parlé des périls possibles. C'est aux ordinaires locaux à modérer l'action œcuménique. Que les conférences épiscopales créent un secrétariat local. Que les dialogues doctrinaux soient menés seulement par des théologiens préparés et sûrs : ce que les ordinaires locaux peuvent mieux apprécier que les Dicastères romains.

On a dit que le schéma exalte le bien qui se trouve chez les non-catholiques et n'exprime pas assez la doctrine catholique. Mais il s'adresse AUX CATHOLIQUES.

On a parlé contre l'opportunité de prières ensemble en disant que chacun y met sa conception de l'unité.

Le cardinal Tisserant[6] : on a distribué à l'entrée une feuille invitant les Pères à voter contre le schéma sur les communications. La Présidence et les Modérateurs déplorent ce procédé, indigne du concile.

(Pourquoi n'a-t-on pas protesté quand on a distribué des feuilles sur le *De Beata* ?)

---

1. *AS* II/VI, 10-12.
2. La vérité n'est pas seulement dans la charité mais aussi dans l'humilité.
3. *AS* II/VI, 12-14.
4. *AS* II/VI, 14-17.
5. Pour promouvoir l'unité des chrétiens.
6. *AS* II/VI, 17.

Mgr Stourm[1] lit la *relatio* sur les *modi* introduits dans le schéma en question. Je sors un instant pendant ce temps ; je vois Jedin. Je lui parle de la question de forme dans laquelle le pape promulguerait le Décret sur la liturgie. Ils ont eu une réunion à laquelle prenaient part Mgr Colombo et Dossetti. Ils ont proposé : Le pape, recueillant l'accord du concile, *assentitur*[2] et promulgue le décret voté par le concile. On ne sait ce que le pape fera de cette proposition, mais la question est posée et cette proposition lui a été portée.

Mgr Guano[3] distingue trois moments progressifs de l'approche œcuménique :

a) la collaboration dans l'action sociale chrétienne ;

b) le dialogue ;

c) une communion plus profonde, à base de prière et qui prépare la communion eucharistique.

Mgr Tawil[4] (Syrie) : Titre : *De catholicis principiis oecumenismi*[5]. Dans le schéma, il y a pas de théologie de la division, alors que la Sainte Écriture en contient une. Il la développe admirablement. Il parle des différentes traditions et explique leur existence en Orient, non sans dire un mot de la latinisation. Les uniates n'ont de sens œcuménique que par rapport à l'orthodoxie qu'ils représentent dans l'Église catholique.

P. Fernandez[6] OP (beaucoup de départs pour le bar) :

Titre : *principia catholica de oecumenismo*[7], ou titre proposé par le cardinal Bea.

Le résultat le plus important du concile sera l'ouverture aux autres et au monde. Cependant quelques remarques :

---

1. René Louis M. Stourm, archevêque de Sens, membre de la Commission pour l'apostolat des laïcs nommé par le pape lors de la première session, *AS* II/VI, 19-20.
2. Donne son assentiment.
3. *AS* II/VI, 20-23.
4. *AS* II/VI, 23-25.
5. Des principes catholiques de l'œcuménisme.
6. *AS* II/VI, 26-28.
7. Principes catholiques de l'œcuménisme.

1) Les conversions individuelles, auxquelles l'œcuménisme ne nuit pas.
Sur la prédication doctrinale de la foi : le « témoignage » ne suffit pas.

Mgr Gahamanyi[1], au nom de la conférence épiscopale Rwanda et Burundi : ton et contenu très ennuyeux ; plutôt des mises en garde.

Mgr Pangrazio[2] (Indes) : pour une présentation plus dynamique, plus historique, de l'Église.

Canestri[3], auxiliaire du cardinal vicaire de Rome : remarques de détail pour une formulation plus précise.
P. 8, l. 20 ; l. 27, etc.
Pour des « *clarae distinctiones*[4] »
« *unum Christi ovile sub uno pastore Petro*[5] ».

Felici[6] : résultats des votes sur les *modi* du schéma sur les moyens de communication :
votants : 2 032
oui : 1 788
non : 331

Ce soir, à 17 h, au Latran, cérémonie funèbre pour le président Kennedy.

Mgr Granados[7], sur le n° 1 : l'unité de l'Église est décrite de façon vague.
La hiérarchie principe d'unité.

Les Modérateurs proposent de conclure la discussion du ch. I *De oecumenismo*, à voter par levés et assis. C'est acquis. Il est toujours possible d'en reparler conformément au règlement.

---

1. Jean Gahamanyi, évêque de Butare (Rwanda), *AS* II/VI, 30-32.
2. En réalité, Andrea Pangrazio est archevêque de Gorizia et Gradisca (Italie), *AS* II/VI, 32-34.
3. Giovanni Canestri, évêque auxiliaire du cardinal C. Micara, vicaire général du pape pour le diocèse de Rome, *AS* II/VI, 35-36.
4. « Distinctions claires. »
5. « Un seul troupeau du Christ sous un seul pasteur qui est Pierre. »
6. *AS* II/VI, 36-37.
7. *AS* II/VI, 37-39.

On commence de suite, sous la modération du cardinal Döpfner, le ch. II sur l'exercice de l'œcuménisme.

Cardinal Bueno y Monreal[1] :

Remarques de détail dont quelques-unes portent sur des points notables. Bonnes choses sur le tort que les divisions apportent à la cause de l'Évangile.

Contre le prosélytisme, en termes mesurés et assez justes.

Mgr Darmancier[2] sur le n° 7 sur la prière pour l'unité. Préciser son esprit et son objet si on veut qu'elle puisse être commune. Seule la prière du Christ est adéquate au mystère. Il s'agit de nous y associer ou plutôt d'y faire s'associer en nous le Saint-Esprit.

L'unité que le Christ veut par les moyens qu'il veut.

Margiotta[3] (Italie : Brindisi) : que nonobstant la permanence de l'Index on supprime l'excommunication pour ceux qui détiennent ou lisent des livres des frères séparés.

Mgr Desmazières[4] : sur la finalité œcuménique, le moment œcuménique de toute action pastorale.

Évocation émue de Jean XXIII.

Ton pieux et sentimental, exhortatoire et un peu oratoire, bien que viril. Il dit de bonnes choses.

P. Martin[5] (Nouvelle-Calédonie) : pour un dialogue vrai, dans lequel on pose vraiment la question de sa propre réforme.

On donne le résultat du vote sur les moyens de communication :

votants :	2 212
oui :	1 598
non :	503
nuls :	11

Le schéma est donc adopté. Sans gloire. Il n'apporte pas non plus de gloire au concile. D'après ce que je vois, beaucoup font confiance

1. *AS* II/VI, 40-42.
2. *AS* II/VI, 42-43.
3. Nicola Margiotta, archevêque de Brindisi, *AS* II/VI, 43-44.
4. *AS* II/VI, 44-46.
5. *AS* II/VI, 46-48.

à ceux qui ont rédigé un texte. Ils disent : ce sont des gens compétents...

Au Vatican 16 h 30. Auparavant, visite de Mlle Frassati, sœur de Pier Giorgio Frassati[1]. Elle me parle de son frère. C'est très intéressant. Frassati était une âme profonde, très humble et cachée. Dans sa famille, on n'a jamais eu la moindre idée de sa sainteté. C'était une famille mondaine (son père était ambassadeur à Berlin) et on ne parlait jamais de questions spirituelles. Sa sœur elle-même n'avait pas idée que son frère fût saint. Ce n'est qu'après sa mort qu'on s'est rendu compte. On a eu alors des centaines de témoignages de sa charité. Sa sœur elle-même, quand elle a entrepris d'étudier sa vie, n'y croyait pas trop. Mais on a vu alors ce garçon très fort (il est mort de polio) avait une vie d'union à Dieu constante ; il aimait et visitait les pauvres ; il économisait pour eux, au prix de sa fatigue. Il faisait une école d'ingénieurs, section minéralogie, pour travailler avec les mineurs. Son père, mort seulement il y a un ou deux ans, n'a jamais rien compris à son fils, il l'a plutôt considéré comme un minus (à cause de son humilité) ; il n'a jamais voulu s'intéresser à cette affaire. Tout cela m'intéresse profondément.

Dans le trajet jusqu'au Vatican, Mgr Philips raconte ce qui touche le *De Beata*. Balić a fait deux textes nouveaux. Au fond, maintenant, soutenu par Ciappi, Llamera, Garcia Garcés, Bélanger[2], etc., il voudrait faire patronner par Philips, comme « rédacteur », un texte plus marial encore que le schéma officiel. Il semble avoir le sentiment que, quant au contenu, un texte majorant sera soutenu par les deux tiers des Pères s'il a le patronage de Mgr Philips à qui on laisserait la rédaction. Ils ont eu ce matin une longue réunion à Sainte-Marthe pendant la congrégation générale : chaque expert a dit sa façon de voir. Finalement, on n'a pas avancé d'un pas depuis quinze jours, sauf que la tendance est à en rajouter...

---

1. La sœur de Pier Giorgio Frassati (1901-1925) avait rassemblé des témoignages sur son frère : cf. Luciana FRASSATI, *Mio fratello Pier Giorgio. Vita e imagini*, Genève, 1959 ; il sera plus tard béatifié par le pape Jean-Paul II qui en fera un patron de la jeunesse.

2. Marcel Bélanger, o.m.i., de la faculté de théologie de l'Université d'Ottawa, est expert du Concile.

À la commission, je suis à côté du P. de Lubac. Il est très pessimiste. Il pense que, sans que rien se sente encore *in aula* et dans l'opinion du concile, les conservateurs sont en train de marquer des points en réalité et qu'ils manœuvrent pour faire échouer ce qu'il y a d'intéressant. Le P. de Lubac croit que les Espagnols et les Italiens ONT OBTENU du pape le renvoi du ch. 5 *De libertate religiosa* au schéma XVII, c'est-à-dire, selon lui, au cimetière. Il voit partout des manœuvres. Je n'en vois peut-être pas assez. Il dit : ce sont des gangsters.

Grande discussion sur « *ab Abel justo*[1] » ; un vote donne quinze voix pour le texte proposé par la sous-commission, qui dit « *inde ab Adam*[2] », « *ab Abel justo...* ». Ensuite, on progresse, d'accrochage en accrochage, de phrase en phrase.

Mardi 26 novembre 63. – Je tiens ce petit journal comme un témoignage. Je n'y mêle pas l'expression de mes sentiments intimes. C'est pourquoi je consigne simplement ici mon départ pour Sedan ce midi. Hier soir, j'ai téléphoné à Sedan à 20 h 20. Ma mère vivait encore mais ne passerait sans doute pas la nuit. À 22 h 40, j'ai reçu un coup de téléphone de Sedan : « Elle est chez le Bon Dieu. » S'il s'agissait de l'histoire mystique du concile, ma mère y tiendrait une grande place. Depuis des années de souffrance, elle n'a cessé de prier pour le concile, pour mon propre travail. Le concile a été porté par beaucoup de prières et de souffrances offertes. Mais qui connaît, qui pourrait écrire cette histoire ?

Dom Rousseau a été opéré d'une opération très grave juste le jour où commençait la discussion du schéma sur l'œcuménisme... Mes propres ennuis de santé, l'épuisement total qui m'a accompagné pendant ces deux mois, n'est-ce pas aussi quelque chose dans l'histoire invisible et mystique du concile ? Je crois tellement au « qui perd gagne » de l'Évangile. Je crois tellement au « *Cum infirmor, tunc potens sum*[3] »...

---

1. « Depuis Abel le juste. »
2. « En partant d'Adam. »
3. « Lorsque je suis faible, c'est alors que je suis fort » (2 Co 12, 10).

Samedi 30 novembre 1963. – Rentré de Sedan hier soir : à l'Angélique à 22 h 15. De nouveau, je laisse hors de ce journal ce qui touche ma famille et ma mère. Je ne note ici que ce qui touche le concile. J'ai peu d'échos des derniers jours. Le P. Féret, me ramenant de l'aérodrome, me dit : élections aux commissions : peu d'évêques français élus : Mgr Ancel à la théologie ; Mgr de Provenchères à l'Orientale.

Les évêques ont reçu le texte d'un message aux prêtres, à voter lundi. D'après le P. Féret, le document n'est pas entièrement satisfaisant ; il a quelque chose de paternaliste. De qui vient l'initiative ? et la rédaction ?

Le P. Labourdette me donne un écho de la commission mixte d'hier soir sur le schéma XVII. La séance s'est passée presque tout entière dans une discussion très confuse sur l'origine et la valeur du nouveau chapitre premier, sur le mandat qu'avait eu le cardinal Suenens. À quel titre a-t-il fait rédiger un texte hors des voies normales du concile ?

Mgr Prignon est intervenu pour dire qu'au sortir de la séance de la Commission de coordination, le cardinal Suenens se considérait comme investi de cette mission. Le cardinal König a conclu très justement qu'il faudrait entendre le cardinal Suenens...

C'est un fait que le cardinal Suenens dirige un peu le concile et que le petit groupe belge mène pratiquement les choses...

Finalement, on a nommé une sous-commission mixte pour coordonner le travail du schéma XVII :

Pour la théologie : Ancel, Schröffer, McGrath.

Pour les laïcs : Hengsbach, Guano, Ménager.

On a admis le principe de deux registres : un texte conciliaire, discuté *in aula*, et des décrets conciliaires élaborés par des sous-commissions qu'on a aussi désignées ou confirmées.

Le P. de Riedmatten complète ces indications. Il me dit que beaucoup étaient très excités : McGrath, Daniélou en particulier, mais aussi Hirschmann. Ils disaient : qu'est-ce que ce texte nouveau ? En vertu de quoi a-t-on supprimé le ch. I discuté à la commission au mois de mai ? qu'a trafiqué le cardinal Suenens ?

Le P. de Riedmatten les a fait venir à la réunion du Collège belge, jeudi (où je devais aller !) ; cela les a calmés et attirés vers une collaboration plutôt qu'une opposition. Cependant, si eux, finalement, sont rentrés dans la collaboration, le P. Tromp a, hier soir, à la commission mixte, attaqué très fortement. Un malaise réel existait et il n'est pas entièrement dissipé, sur le rôle que s'attribue le cardinal Suenens. Il faut que les choses soient faites *conciliariter*[1], et elles ne l'ont pas été...

À déjeuner, le cardinal Wyszyński. Je parle avec lui un bon moment. Il me parle de l'article de J. de Broucker[2], dans les *ICI*[3]. Cet article a été ressenti en Pologne comme un coup de poignard dans le dos. Le cardinal pense que de Broucker est un pur intellectuel, qui s'est laissé illusionner en croyant qu'on pouvait composer avec le communisme, qui, ne trouvant pas cette attitude chez les évêques polonais, les a accusés de négativisme et de manque d'ouverture. Il n'a eu aucun sens de la réalité humble de l'Église, des formes simples d'une fidélité populaire très large. Cependant, le cardinal fait le plus grand cas de la formation intellectuelle.

Dans cette conversation et dans le long toast du déjeuner (une vraie conférence d'information), il s'est montré optimiste sur la fidélité religieuse des Polonais. Il paraît (de Riedmatten) qu'il y a actuellement une grave crise et que le cardinal Wyszyński la sent très bien...

J'ai retrouvé aussi chez lui le fond nationaliste polonais le plus farouche et le plus monolithique : être entre Polonais... Ce qui est polonais est merveilleux...

À 17 h 30 à Saint-Louis, conférence de Cullmann[4] : celle qu'il n'a pu faire à l'Angélique. Quatre cardinaux, l'ambassadeur, beaucoup d'évêques, un gros public, surtout de clercs (mais pas uniquement). TRÈS BELLE conférence, qui appelle la réflexion.

Malheureusement, obligé de quitter avant la fin (qui doit esquisser une application à la conjoncture actuelle et à l'œcuménisme) car il y a audience des experts par Paul VI. On attend une heure. Je me protège comme je peux d'un voisin, prêtre coréen, qui tient à me souffler sa grippe dans les yeux et s'acharne à me parler. Finalement, je suis *TRÈS* déçu de cette audience : une adresse de

1. De manière conciliaire.
2. José de Broucker est rédacteur en chef des *ICI*.
3. Cf. plus haut, p. 487, n. 2.
4. « L'Histoire du salut dans le Nouveau Testament ».

Mgr Colombo, en latin, au nom des experts ; le pape lit un texte en latin, préparé par un scribe. Ni dans l'un ni dans l'autre discours il n'y a l'ombre d'une idée. Je n'attendais ni révélations ni confidences. J'attendais un mot sur la théologie, sur sa place dans la conjoncture présente. Mais rien. Deux heures perdues. Effroyable chose que Rome, qui réduit tout à des cérémonies.

Medina me dit qu'à la sous-commission sur le diaconat, cela va très bien : on est même allé plus loin que le texte du schéma (diacres mariés). Par contre, à la sous-commission de la collégialité, il y a opposition de deux thèses et ils aboutiront à deux rapports différents, sur lesquels la commission devra se prononcer.

Après, Delhaye et les Canadiens (Naud et Lafortune) m'emmènent dîner au Columbus. J'ai de nouveau des témoignages des sentiments des Canadiens à l'égard de « Malines » ; le cardinal Suenens, le nouveau schéma XVII et même Mgr Philips, avec la monotonie de ses exposés sans nerf, ont évidemment lassé les Canadiens. Ils me disent qu'il n'y aurait pas de vote sur les ch. IV et V du *De oecumenismo*, mais que les Modérateurs déclareraient que ces textes seront repris plus tard...

Dimanche 1er décembre 63. – J'achève de préparer ma conférence de ce soir. Et aussi je liquide du courrier. Corvées.

Mais je reviens par la pensée sur cette semaine. Il y a 8 jours, Tere vivait encore. Maintenant, c'est fini. On ne dira plus jamais ce qu'on ne s'est pas dit. On ne se fera plus jamais les gentillesses qu'on ne s'est pas faites. Je ressens aujourd'hui très douloureusement ce vide. J'ai été aimé par quelqu'un et j'ai aimé. Je me dis que si des prêtres attendent, en quelque sorte, la mort de leur mère pour quitter le sacerdoce et parfois l'Église, ce n'est pas seulement parce qu'ils ont jusque-là été retenus par une fidélité, ni parce qu'ils ont voulu éviter cette peine à leur mère. C'est aussi parce que, soudain, ils ne se sentent plus aimés et eux-mêmes n'ont plus à qui donner cette affection... J'ai mieux éprouvé et compris, à Sedan, ce que c'est qu'un foyer : un lieu où on s'aime mutuellement, où existent, de façon stable, des liens d'affection. Je ressens très fort la douceur de tels liens, qui se nouent non seulement au niveau d'une génération, mais d'une génération à une autre. On vit de ce trésor inouï de confiance mutuelle, de don et de dévouement mutuels, du contact communicatif de cœurs qui ont leur engagement ; bref, il y a une force et une vérité des liens affectifs.

Que deviendrai-je ? Je n'ai plus de forces. Je considère que j'ai à demi raté ma vie. Je l'ai réussie à demi. Vais-je avoir le courage d'avoir toujours devant les yeux le terme irrévocable pour remplir les jours qui peuvent encore m'être donnés de ce que je serai content d'avoir fait le jour sans lendemain où il sera trop tard pour faire ce que je n'aurais pas fait ? Aimer, donner, être utile, ne laisser chez les hommes que le souvenir d'avoir été aimé...

Vais-je consentir à achever ma vie, dont le déclin s'annonce dans un épuisement indicible, en aimant et en donnant ?

Le soir à 17 h, conférence au Biblicum sur Écriture et Tradition. Il y a trop de monde, on passe au grand amphithéâtre de la Grégorienne (huit cents places). Les étudiants manifestent en applaudissant ma personne, certaines idées ou ce qu'ils prennent pour des critiques, l'évocation du P. Teilhard... Pourtant, je me sens médiocre. Je me traîne pour rentrer et ai un fort mal de tête. Je suis un type fichu ! Mgr Fulton Sheen vient me voir avant et après ma conférence : il me dit avoir lu tous mes livres, certains deux ou trois fois... Fleurs jetées sur une ombre qui s'en va ! Je ne tiens plus debout.

Mgr Baudoux (un des évêques canadiens qui ont déjeuné à midi) racontait qu'une concélébration de vingt évêques avec le Pape était prévue pour mercredi : première application de la constitution sur la liturgie qu'on va promulguer ce même jour. Un rituel avait été élaboré. Mais tout est tombé. Pour quelles causes ou à la suite de quelles interventions ?

Lundi 2 décembre (79e congrégation générale). – Depuis hier soir, je saigne du nez. Cela me gêne beaucoup.

Mgr Felici[1] dit un mot des facultés que le Pape concède aux évêques *(Munus Pastorale*[2]*)* et du travail des commissions dans l'intersession.

Les Pères pourront transmettre leurs observations jusqu'au 31 janvier 1964 sur les schémas discutés ou non discutés.

---

1. *AS* II/VI, 337-339.
2. Il s'agit du motu proprio *Pastorale Munus* qui sera lu le lendemain *in aula.*

Parle du message aux prêtres, distribué vendredi dernier. Comme il y a eu de nombreuses observations et émendations (plus de soixante), les Modérateurs remettent à plus tard ce message (quelques applaudissements du côté des jeunes évêques).

Sur le ch. III du *De oecumenismo* :

Cardinal Ruffini[1] veut rappeler quelques points :

Église infaillible fondée sur Pierre (Pape).

On ne peut imputer aucune faute à l'Église romaine comme telle (ils vivent dans la fiction) – mais seulement à quelques fils de l'Église romaine ; et il y a les fautes de ceux qui *« Ecclesiam Romanam misere dereliquerunt*[2] *»*.

L'Église romaine attend de grand cœur les errants. Prière pour cela par l'intercession de la Vierge (quelques maigres applaudissements).

Mgr Green[3] (Afrique du Sud) : sur la question des ordinations anglicanes. Nécessité d'un dialogue entre l'Église catholique comme telle et l'Église anglicane comme telle. Le cas des pasteurs anglicans.

Mgr Muldoon[4] (Australie) : attire l'attention sur la gravité du § où l'on analyse le sens de la Réforme du XVIe siècle. Cela ne vaut pas pour l'anglicanisme. Parle de son expérience avec les protestants qui ne cherchent que tout ce qu'ils peuvent tourner contre l'Église. Ils trouveront là un nouveau motif de grief. Si on veut la paix, qu'on supprime ce §.

Contre ceux qui préconisent qu'on fasse une grande demande de pardon : qu'ils aillent trouver leur confesseur mais ne nous cassent pas les pieds (à ma tribune, quelques gloussements d'aise chez quelques supérieurs religieux) ; quelques applaudissements, qui montrent que certaines déclarations émues indisposent...

---

1. *AS* II/VI, 339-340.
2. « Ont abandonné misérablement l'Église Romaine. »
3. Ernest A. Green, évêque de Port Elizabeth, *AS* II/VI, 341-342.
4. *AS* II/VI, 343-344.

Thangalathil[1] (Indes) contre l'idée que les orthodoxes auraient gardé tout le patrimoine : ils ne l'auront que dans l'unité avec le siège apostolique.
(Ce qu'il faudra encore travailler ! !)

Costantini[2] (Italie) : sur le n° 12, l. 7-10. Ne pas parler comme si les fautes étaient du côté de l'Église catholique (très ennuyeux).

Hermaniuk[3] : grand éloge du ch. III.
Le concile exhorte bien à l'œcuménisme, mais il aurait dû lui-même donner l'exemple et FAIRE quelque chose : déclarer que l'Église ne voulait rien imposer de plus que le nécessaire.

Je manque Tomášek[4] (Tchécoslovaquie) et n'entends que la fin de Mgr Srebnić[5] qui dit : les choses vont et mûrissent vite aujourd'hui ! Ce qu'on a pas fait en plusieurs siècles, se fait en quelques années. Vienne le moment où l'on tiendra un concile commun avec les Orthodoxes !

Layek[6] (Alep, Arméniens) souligne des manques dans le schéma ; déplore le nouveau droit canon sur les mariages mixtes et les lois sur la *communicatio in sacris*.
(Il y a la moitié de sièges vides dans l'*aula* ; les évêques causent dans les bas-côtés.)

Dom Butler[7] sur pages 23 et 25 : sur l'anglicanisme et sa réclamation de garder la continuité avec l'antiquité ; dire, pour lui, non « *exortus*[8] » au XVIe siècle, mais « séparé ».
Répond à Muldoon sur son refus de confesser publiquement nos péchés : alors que ce point est le premier article de l'ému-

---

1. Gregorios B. Varghese Thangalathil, archevêque de Trivandrum des syromalankars, membre de la Commission des Églises orientales, *AS* II/VI, 344-346.
2. *AS* II/VI, 347-350.
3. *AS* II/VI, 350-353.
4. *AS* II/VI, 354-355.
5. En réalité, ces propos sont de F. Tomášek, *AS* II/VI, 355. Congar doit confondre celui-ci avec l'évêque yougoslave de Maribor, Maksimilijan Držečnik qui, d'après les *Acta*, a été annoncé après Mgr Tomášek, mais qui n'est pas intervenu.
6. Georges Layek, archevêque arménien d'Alep (Syrie), *AS* II/VI, 356-358.
7. *AS* II/VI, 358-360.
8. « Sorti. »

lation spirituelle. Peut-être le bruit n'en est-il pas arrivé en Australie, mais les historiens ont montré les fautes que nous avons commises. Le concile doit s'associer au Pape pour cette confession. Propose un texte pour la page 25.

Ziadé[1], archevêque au Liban : loue la première section du ch. III ; propose trois corrections pour le perfectionner.
Il n'y a pas que les Byzantins ! Pluralité dans l'unité (pas seulement la dualité Orient-Occident). Parle, remarquablement bien, de l'Église syriaque (= les orientaux ont vraiment un sens INTÉRIEUR des choses).

Mgr D'Mello[2] (Indes) : propose une conclusion pratique : que les Pères récitent la prière sacerdotale et la prière du Seigneur *AVEC* les Observateurs et les Auditeurs ici, à Saint-Pierre.
(Normalement, il aurait dû y avoir applaudissements généraux, mais la moitié des Pères bavardent dans les bas-côtés. Cela tombe.)

Roborecki[3] (ukrainien) : la principale difficulté n'est pas le primat lui-même, mais son mode d'exercice, la centralisation... et aussi la peur de la latinisation (trop de faits réels alimentent cette crainte).

Il est 11 h 25 : il n'y a plus d'orateur inscrit sur le ch. III *De oecumenismo*. Le cardinal Bea[4] fait une conclusion. Merci pour les remarques, on examinera tout. Restent deux chapitres qu'on n'a pas traités faute de temps et pour aucune autre raison (répète ces deux mots deux fois). On aurait pu avoir un vote sur ces chapitres comme BASE de discussion, mais c'eût été précipité. Qu'on médite tranquillement et qu'on se prépare à une discussion fructueuse à la troisième session. Qu'on envoie au Secrétariat général du Concile des remarques avant le 31 janvier, soit sur le contenu, soit sur la place la meilleure à donner.

---

1. *AS* II/VI, 360-361.
2. Leo D'Mello, évêque d'Ajmer et Jaipur, *AS* II/VI, 362-363.
3. Andrew Roborecki, évêque ukrainien de Saskatoon (Canada), *AS* II/VI, 363-364.
4. *AS* II/VI, 364-367.

Mgr Hengsbach[1] va faire une brève relation du schéma *De apostolatu laicorum* : genèse du schéma, contenu...
Qu'on envoie JUSQU'AU 15 JANVIER les observations par le Secrétariat général.
Mgr Felici[2], secrétaire général : question de costume à porter demain et après-demain.

Déjeuner avec Küng et le P. Daniel J. O'Hanlon[3] s.j. (revue *America*) pour mettre sur pied la publication des quarante meilleurs discours prononcés. Nous voyons les possibilités ; beaucoup de travail a déjà été fait par Küng et O'Hanlon, qui ont pris une secrétaire. Mais on me charge de recueillir l'acceptation et les textes (en 7 exemplaires) d'une dizaine d'évêques. C'est pourquoi, n'ayant retouché l'Angélique que pour voir trois minutes un prêtre américain (thèse sur la paroisse), je vois cet après-midi même le cardinal Léger, Mgr Doumith, Mgr Jacq, Mgr Henríquez Jimenez et Mgr Charue.

Küng et O'Hanlon me racontent qu'ils tiennent de Mgr Helder Câmara que, dans les derniers jours de vie de Jean XXIII, le cardinal Ottaviani vint le trouver et lui montra qu'il avait fait beaucoup de bon, mais que certains pourraient, après sa mort, mal interpréter et utiliser certaines de ses paroles et gestes. Aussi lui demandait-il de signer un papier qu'il lui présentait. Le Pape fit un geste de dénégation. Peu après, il fit dire qu'il aimait TOUS les cardinaux et les remerciait de leur bonne collaboration.

Küng et O'Hanlon pensent que le pape Paul VI est très bon tant qu'il hésite, ce qui est son premier mouvement ; mais ensuite, à la fin, il décide dans un sens conservateur. Il est actuellement l'objet de grosses pressions qui ont toujours un certain caractère POLITIQUE se référant à la situation italienne. On lui fait valoir en ce moment que les ouvertures (œcuménisme, collégialité, liberté religieuse) favoriseraient le glissement à gauche et même, avec l'évasion des ca-

---

1. *AS* II/VI, 367-370.
2. *AS* II/VI, 370-371.
3. Daniel J. O'Hanlon, s.j., spécialiste des questions œcuméniques, est professeur de théologie au Collège des jésuites de Los Gatos en Californie ; il est l'expert privé d'un évêque de Jamaïque.

pitaux, une crise économique en Italie. D'où, chez le pape, des attitudes qui décevraient les espérances soulevées par son début.

Je note cela comme on me l'a dit...

En sortant du restaurant, Küng me présente à Paul Blanshard[1], qui déjeune à côté de nous. Je lui dis que j'ai lu ses livres (« et malgré cela vous restez dans l'Église catholique ? ») et que je suis un fils, non de l'*American Freedom*, mais de la *Christian Freedom*[2]...

Je pars au Vatican avec mes amis belges. Mgr Prignon dit que, mercredi, le pape annoncera quelque chose de sensationnel le concernant lui-même. Quoi ? ? Mgr Philips me dit que Balić est plus déchaîné que jamais et qu'en huit jours il a envoyé trois textes différents *De Beata*. Le pape s'inquiète du travail et l'a dit à Mgr Théas et à Mgr Charue samedi dernier.

Peut-on voter pour élire un vice-président, alors que le Pape n'a pas encore fait connaître le membre qu'il veut nommer. Discussion.

Mgr Philips rend compte du travail des sous-commissions, cf. feuille *hic* (de façon remarquable).

Cela aboutit à la conclusion pratique d'une réunion de la commission théologique aussitôt après Pâques. Grande discussion sur la possibilité d'avoir une date qui concorde avec celle de la commission *De apostolatu laicorum*.

Après interruption pour pouvoir se consulter, on demande si l'on peut procéder à l'élection d'un vice-président et d'un second secrétaire. Personne ne s'opposant, on procède.

Est élu vice-président, après deux tours de scrutin, Mgr Charue (12 voix sur 21). Est élu second secrétaire du premier coup Mgr Philips (6 voix au P. Gagnebet). Donc deux Belges.

La séance finit à 18 h. Après, je vais chercher leurs textes pour le volume projeté chez Mgr Henríquez Jimenez, Mgr Huyghe et Mgr Gouyon. C'est un gros travail que de réunir ces textes, de les avoir en sept exemplaires (souvent l'évêque n'en a qu'UN SEUL exemplaire) : il faut que tout soit fini pour demain soir, car, aussitôt après, c'est la dispersion...

---

1. Ce fonctionnaire américain avait critiqué, dans ses publications, le fonctionnement autoritaire de l'Église catholique, le comparant au système soviétique.

2. Allusion au titre d'un ouvrage de Paul BLANSHARD : *American Freedom and Catholic Power*, Boston, 1950.

Mardi 3 décembre 63. – Je ne vais pas à Saint-Pierre : ce sera de la pure cérémonie. Je travaille au rassemblement des textes, puis pour la sous-commission *De populo Dei.*

Visite attendue du P. Dumont.

Après-midi, visite du Doyen de la Faculté théologique de l'Université Notre-Dame[1], qui m'invite à donner cours ou conférences. Je refuse toute offre de l'Amérique...

Je porte textes à Küng et O'Hanlon, qui sont en plein travail, voulant finir pour demain matin.

Sous-commission *De populo Dei.* Nous voyons cruellement, en faisant le travail de près, combien le *De Ecclesia* et ce ch. *De populo Dei* en particulier, souffrent de n'avoir jamais été CONÇUS. On a pris des morceaux ici et là ; un ami de Philips, ayant l'oreille du cardinal Suenens, a introduit ici ou là l'idée qui lui chantait (ainsi le n° : *De populo uno et universali*[2], introduit par Thils, et dont on ne voit ni la raison d'être, ni pourquoi il a été mis là) : cela ne fait pas *UN TEXTE* ! Philips a satisfait aux demandes *currente calamo*[3], avec une facilité déconcertante, ajoutant « quelque chose » sur l'eucharistie ici, « quelque chose » sur la mission là, « quelque chose » sur la diversité des cultures ailleurs. J'ai ses fiches, écrites directement et presque sans rature. Mais c'est sans nerf, sans unité de pensée. Il n'y a pas UNE idée qui domine et distribue l'exposé.

Après, rendez-vous avec Alberigo et souper avec lui et Dossetti chez trois vieilles ou demi-âgées filles vouées à la Démocratie chrétienne et aux œuvres sociales, dans maison bâtie par saint Philippe Néri près de l'église qui porte son nom.

Dossetti et Alberigo sont assez pessimistes sur la situation présente quant au concile et au Pape. Dossetti a été, pendant tout le mois d'octobre, le secrétaire des Modérateurs, mais il a été exclu après le 30 octobre sous l'influence de Felici. Je ne me doutais pas que le 30 octobre avait marqué un tel tournant. Cela a été un *« parting of the ways »* décisif. Le Pape a lui-même commencé de changer, en partie sous l'influence des assauts qui lui sont livrés, en

---

1. Il s'agit de Robert S. Pelton, c.s.c., président du département de théologie de Notre-Dame University.
2. Du peuple un et universel.
3. Au fil de la plume.

partie *motu proprio.* Il a été très impressionné par un discours où Carli a évoqué le spectre du Synode de Pistoie. Felici est un de ceux, ou même celui, qui mène la lutte contre le vote du 30 octobre. Malheureusement, il est actif et influent. Je demande où en est la question de la forme dans laquelle, demain, le pape va proclamer la constitution liturgique et le Décret sur les Communications. Dossetti et Alberigo ont participé, avec Jedin et Mörsdorf[1] (pas de Français dans tous ces actes clés !!) à la rédaction d'une proposition où le pape 1°) exprimait son propre VOTE *(assentimur*[2]*)* ; 2°) proclamait. Le Pape a, il y a cinq semaines, demandé lui-même qu'on lui fasse des suggestions sur cette question. Mais aujourd'hui, la formule proposée par Jedin-Dossetti est abandonnée. Le Pape a remis la chose à Felici, qui veut une formule « *Paulus... approbante concilio*[3] ». Mgr Colombo essaie de discuter avec Felici, mais autant discuter avec un mur. De sorte qu'Alberigo et Dossetti estiment que, bien qu'elle soit mauvaise, mieux vaudrait encore prendre la formule prévue par le règlement, qui a l'avantage d'avoir été rédigée il y a deux ans, avant toute discussion sur la collégialité, et donc de ne rien préjuger.

C'EST TRÈS GRAVE.

Paul VI, paraît-il, après s'être informé et avoir été d'une idée à une autre, a tendance à laisser la décision finale aux bureaux. C'est-à-dire à la Curie...

Dossetti et Alberigo me disent qu'ils ont conclu la même chose quand je leur dis : le plus important, le plus décisif, c'est le travail fait à la base. Les choses ont bien marché là où un tel travail existait : liturgie par exemple. Il faudra donc travailler. Sur cette question de l'épiscopat, on manque de travaux. Aussi je fais une ouverture à Alberigo pour la publication de son livre[4], en italien ou en français, dans *Unam Sanctam.*

---

1. Klaus Mörsdorf, prêtre du diocèse de Munich, est un éminent spécialiste du droit canonique qu'il enseigne à l'Université de Munich ; il est expert du Concile.

2. Nous donnons notre assentiment.

3. « Paul... avec l'approbation du Saint Concile. »

4. Giuseppe ALBERIGO, *Lo sviluppo della dottrina sui poteri nella Chiesa universale,* Herder, Rome-Fribourg-Bâle-Barcelone-Vienne, 1964.

Le 30 octobre a été décisif. Il paraît (Dossetti a vu cela de très près et continue à le voir de près, avec les cardinaux Lercaro et Suenens) qu'au mois d'octobre le cardinal Agagianian était bien collaborateur avec les autres modérateurs. Après le 30 octobre, il a rompu cette bonne collaboration avec les trois autres, ce qui les a d'ailleurs rapprochés et unis.

Alberigo et Dossetti sont très sévères pour la demi-mesure prise par le pape, en réponse à de TRÈS instantes et nombreuses demandes (par exemple de l'épiscopat d'Afrique) pour de nouvelles commissions, répondant à l'esprit du concile.

On porte aussi dans ce concile le poids de ce péché originel commis par Jean XXIII, d'avoir conçu les commissions du concile en correspondance avec les congrégations romaines. Non seulement il a donné les présidents de ces congrégations comme présidents des commissions (préparatoires, puis conciliaires), mais il a conçu les commissions du concile à la manière des Congrégations, comme des bureaux permanents s'occupant d'une section de choses. Or on ne voit pas pourquoi la commission théologique 1°) est compétente pour TOUTE la doctrine, de quoi qu'il s'agisse, aussi bien du mariage que de la collégialité épiscopale ou du péché originel ; 2°) doit demeurer en place d'un bout à l'autre. À Trente, on formait une commission pour chaque [[grande]] question, selon la matière : par exemple, *De Justificatione*[1]. Comme on était peu nombreux, on s'entendait directement entre présidence et assemblée, pour composer cette commission d'hommes compétents.

J'avais vu juste quand, au lendemain de la constitution des commissions préparatoires par Jean XXIII, je m'étais adressé des questions auxquelles j'ai répondu dans *TC*, la chose importante n'étant pas la réponse, mais la question. Ce péché originel continue de peser. Le pape n'y a pas porté remède. Il n'a pas résolu la vraie question posée par la présidence d'un Marella (qui a procédé sans réunir sa commission), d'un Pizzardo (imbécile), d'un Ottaviani (partisan et trop roué sans être pour autant habile).

Je note tout cela dès ce soir, bien qu'il soit tard, pour que ce soit tout frais.

---

1. Sur la justification.

Alberigo me disait (potin ?) qu'il vient de paraître un libelle contre les cardinaux et les théologiens allemands, signé « *catholicus*[1] ».

Ce matin, il y a eu non seulement un discours du cardinal Urbani, mais un de Guitton (en français) et un de Veronese[2]. J'ai recueilli un très grand nombre d'appréciations élogieuses sur le discours de Guitton. Mais un Père (américain) de la Sainte-Croix me dit : c'était son but depuis longtemps de parler au concile. Alberigo et Dossetti me disent : il a parlé comme un Père du concile, non comme un laïc.

Au demeurant, je trouve son discours assez beau, bien que trop académique, trop optimiste et même trop béat sur l'œcuménisme. Ce n'est pas très réel. Mais je suis heureux qu'un laïc ait parlé au concile, et qu'il ait parlé de l'œcuménisme. C'est tout de même la première fois et bien significatif.

Mais je suis de plus en plus frappé de voir que tout cela est très entre nous. Et cela a peu ou pas de contact avec le monde réel. Ce sont des querelles de clercs, comme au XVe siècle. Il faudrait un contact avec des hommes et des femmes réels, avec un monde réel ! On fait du papier, des discours, et puis après ?

Enfin on a lu ce matin la liste des facultés que le pape concède aux évêques : « *concedimus*[3] », « *impertimur*[4] ». Alors qu'en réalité, il ne fait que restituer – et bien mal ! – une partie de ce qu'il leur a dérobé à longueur de siècles !!!

Ah ! Comme on a besoin de la visite du Saint-Esprit et du secours de tous les saints ! Tere, qui a tant prié pour le concile !!

Mercredi 4 décembre 63. – Je n'ai pas dormi. J'ai trop de choses à penser et à faire avant mon départ. Et cette situation du concile me préoccupe trop.

À Saint-Pierre à 8 h 30 ; beaucoup d'adieux très amicaux, surtout

---

1. Catholique.
2. Vittorino Veronese, ancien président de l'Action catholique italienne et ancien directeur de l'UNESCO, est directeur de banque (Banco di Roma) ; il est auditeur laïc au Concile, puis consulteur du Secrétariat pour les non-croyants.
3. « Nous concédons. »
4. « Nous accordons. »

Maximos IV. Combien d'évêques me disent qu'ils prient pour Tere, ont dit ou vont dire leur messe pour elle...

À 9 h 20 on entend le début des chants. Même procession que pour l'ouverture : toute la cour pontificale en costumes de la Renaissance ou dans la pompe des royautés de l'époque du Congrès de Vienne. Après la longue cohorte des cardinaux ployant sous leur haute mitre et leur chasuble (précédés des patriarches ; mais Maximos n'y est pas. Cet homme admirable et loyal tient sa position : il n'est pas du clergé romain), le pape, en forme d'idole, assis sur un trône porté sur la *sedia* ; il est entouré des *flabella*, comme Darius. Je proteste à ma tribune contre les applaudissements. Je ressens une gêne profonde. CELA doit cesser un jour !

Le dialogue de la messe (avec le cardinal Tisserant) est cacophonique, comme il n'a hélas cessé de l'être, avec cependant un effort pour discipliner la masse.

À 10 h 30 commence la lecture de la Constitution *De sacra Liturgia* (seulement les têtes de chapitre). On la fait précéder par :

Paulus episcopus servus servorum Dei, una cum Patribus Sancti Concilii ad perpetuam rei memoriam[1].

Ouf ! la formule est correcte... Mais attendons la promulgation... On ne lit que le début de chaque chapitre. Les Pères sont invités à voter par *placet* ou *non placet.*

On occupe le temps avec *Ave Maria*, *Magnificat*, *Salve Regina* = des sucettes pour tenir tranquille.

À 11 h 05, on donne le résultat du vote sur la Liturgie :

oui : 2 147

non : 4

Applaudissements. Le Pape alors promulgue en ces termes :

« *In nomine Sanctissimae et Individuae Trinitatis, Patris et Filii et Spiritus Sancti. Decreta quae in hac sacrosancta et universali synodo Vaticana Secunda legitime congregata modo lecta sunt, placuerunt Patribus.*

Et Nos Apostolica a Christo Nobis tradita potestate, illa, una cum venerabilibus Patribus, in Spiritu Sancto approbamus, decernimus ac

1. Paul, évêque, serviteur des serviteurs de Dieu, avec les Pères du Concile, pour la perpétuelle mémoire de la chose.

statuimus, et quae ita synodaliter stabilita sunt ad Dei gloriam promulgari jubemus[1]. »

Je respire. La formule est bonne. [[(Je l'ai prise comme j'ai pu...)]] Sera applicable à partir du 17 février 64.

Il y a une cohérence objective et doctrinale profonde entre « au nom des Trois » (qui concélèbrent dans l'unité) et « *una cum venerabilibus Patribus*[2] » : le concile est à l'image des Trois dans l'unité !

Schéma sur les moyens de communication : oui : 1 960
non : 174

Le pape commence son discours à 11 h 40. Dans l'entre-deux je suis descendu ; j'ai vu Mgr Boillon. Celui-ci, qui connaît le secrétaire du Pape[3] depuis 15 ans, l'a vu ces jours-ci. Il lui a dit l'impression générale que le Pape a reculé par rapport au début de la session. Le secrétaire nie totalement cela. C'est cependant l'impression de beaucoup. Le discours que le Pape lit pendant que j'écris est loin de celui du 29 septembre. Il est comme académique et fatigué. Pourquoi parler ainsi du schéma sur la Révélation, du schéma *De Beata Maria « Matre Ecclesiae »* ? Discours très long. Comment peuvent-ils faire des cérémonies de quatre heures ?

Il est 12 h 16. Au discours imprimé, il ajoute quelque chose qui ne l'est pas. IL A DÉCIDÉ DE SE FAIRE PÈLERIN EN TERRE SAINTE (réponse à l'invitation du P. Gauthier ?), de revenir au lieu d'où Pierre est parti, d'où l'Église est sortie. Là il implorera pour l'unité des chrétiens, pour la paix. Il demande l'appui des prières de tous.

Forts applaudissements.

La Terre Sainte. Ce sera le centrement sur la Parole de Dieu et sur le Christ ; ce sera la source ; ce sera la grâce de Dieu dans la pauvreté de l'homme. Bien sûr, le Pape aura beaucoup de mal à aller en pèlerin. Il sera guetté par les arcs de triomphe, les discours

---

1. Au nom de la Très Sainte et indivisible Trinité, Père, Fils et Saint-Esprit. Les décrets qui viennent d'être lus en ce IIe Concile œcuménique du Vatican, légitimement réuni, ont été acceptés par les Pères.

Et Nous, en vertu du pouvoir apostolique que Nous tenons du Christ, avec les vénérables Pères, Nous les approuvons, arrêtons et décrétons dans le Saint-Esprit, et Nous ordonnons que, pour la gloire de Dieu, ce qui a été ainsi établi conciliairement soit promulgué.

2. En accord avec les vénérables Pères.

3. Pasquale Macchi, prêtre du diocèse de Milan.

et les banquets. Mais il rencontrera Abraham, David, Jean-Baptiste, Marie, Jésus... L'Église, en son chef, va se ressourcer ! Il faudra que le Pape laisse là-bas sa *sedia* et ses *flabella* !

À la sortie, Mgr Mercier me dit qu'il a porté au cardinal Gracias ma suggestion que le Congrès eucharistique de Bombay soit en priorité un congrès de la charité chrétienne au milieu d'un peuple pauvre, et qu'on y évite tout triomphalisme religieux ; il lui a donné mon texte des *ICI* suggérant que la 3e session COMMENCE par le schéma XVII et par un bilan du monde. Le cardinal a agréé ces idées, et les a introduites dans son intervention du *[ ]* ; peut-être est-ce allé jusqu'au Pape.

Après-midi, malle (éreintant) ; le soir, au Séminaire français, dialogue avec les séminaristes et les prêtres. Chez les évêques qui habitent là, atmosphère de départ en vacances, avec les bagages, assez hétéroclites, entassés dans l'entrée. Moi, je ressens une certaine nostalgie. On avait tout de même formé une certaine fraternité. Une fois de plus, il faudrait se séparer et repartir seul, chacun sur sa route et à ses affaires. Je ressens avec tristesse les séparations et les départs...

Jeudi 5 décembre 63. – J'achève ma chronique des *ICI* : la dernière.

Radio-TV belge (sur la liberté religieuse).

À 15 h 15 visite de cinq prêtres argentins, dont trois font une thèse sur le laïcat.

Ensuite, correction d'épreuves de *Chrétiens en dialogue*[1], commencée à Sedan, près du corps de Tere.

Visite d'un prêtre américain qui, comme l'un des Argentins reçu tout à l'heure, veut faire une thèse sur la *consecratio mundi*[2].

Vendredi 6 décembre. – Le P. Prieur[3] me fait conduire directement à Fiumicino. Je suis confondu de voir à quel point on a été et on est gentil pour moi.

---

1. Yves M.-J. CONGAR, *Chrétiens en dialogue. Contributions catholiques à l'Œcuménisme*, coll. « Unam Sanctam » 50, Cerf, 1964, p. 1-17.
2. Consécration du monde.
3. Sigmond.

À l'aérodrome je retrouve un évêque écossais[1] (Scanlan) qui me reconnaît, puis Rahner (avec une romancière allemande[2]) et l'abbé de Beuron[3] à côté duquel je fais la route. Celle de Rome à Fiumicino avait, sous une lumière extrêmement belle, pâle et dorée, d'admirable teintes d'automne. C'était léger et si délicat !

Ciel bleu, puis au-dessus des nuages. Au loin, les Alpes toutes blanches. Arrêt à Zurich : dans le brouillard, avec température d'un degré.

Puis Genève.

De Genève à Grenoble en voiture, par Annecy et Aix. Visite à la Chartreuse de Beauregard (Lucis Scherrer). Le soir, à Grenoble, conférence[4] devant une salle plus que bondée en ses moindres recoins. Dîner chez les PP. Jésuites (le P. Chaillet[5] supérieur), qui ont invité les O.P.

Samedi 7 décembre *[[Paris]].* – L'après-midi, examen oto chez le Pr. Aubry[6] (65, avenue Georges-Mandel) et neurologique chez le Pr. Garcin (19, rue de Bourgogne). Il croit à une affection diffuse du système nerveux, dont les premiers symptômes seraient apparus en décembre 1935, dans l'espèce de lapsus que j'ai eu alors. D'après lui, à mon âge, cela ne comporte pas d'évolution très notable ; je ne deviendrai pas paralysé...

Coucher au Saulchoir.

Dimanche 8 décembre 63. – On me fête au Saulchoir. Programme : 10 h Messe, à laquelle je prêche (profession du fr. de Monléon[7]) ; 11 h 30, le P. Chenu s'adresse à moi et interprète ce

1. James D. Scanlan, évêque de Motherwell.

2. Il s'agit probablement de Luise Rinser.

3. B. Reetz.

4. Sur le thème « les laïcs dans le Peuple de Dieu ».

5. Durant la Seconde Guerre mondiale, Pierre Chaillet avait participé à la Résistance et à la fondation, en 1941, des *Cahiers du Témoignage chrétien* ; il avait par la suite travaillé aux *Études* jusqu'en 1963.

6. Maurice Aubry, oto-rhino-laryngologiste des hôpitaux de Paris et professeur à la faculté de médecine de Paris.

7. Il s'agit de la profession solennelle d'Albert-M. de Monléon, o.p., de la province de France ; il sera plus tard évêque de Pamiers, puis de Meaux.

que je n'ose tout de même pas appeler mon œuvre. C'est trop ridicule. Pourtant, je dois avouer que tout ce qu'il dit est vrai...

Déjeuner. À 15 h, conférence de moi sur le moment ecclésiologique présent. Le soir, conférence à la salle Pleyel, dans le cadre de « Connaissance de l'Église[1] ».

Les frères ont été merveilleux. Ceux du Saulchoir avaient mis sur pied une sorte d'exposition-biographie de moi. Je me demande où ils se sont procuré toutes ces photos. Il y en avait que je ne connaissais pas. C'était fait avec beaucoup de goût, de précision et d'affection. Là encore, si ridicule que soit la chose, tout était vrai.

Il me semble que cette journée a eu une grande homogénéité ou unité. Ce qui a été si beau c'est que les plus jeunes frères ont pu faire une expérience concrète de la tradition authentique du Saulchoir, par l'évocation de notre travail, où j'ai seulement regretté que le P. Féret n'ait pas plus de place. Chenu a bien montré ce qu'a été et peut être une théologie engagée dans le service de l'Église selon les requêtes du temps, sur la base d'une mise à l'école de Saint-Thomas. Les objets ont rayonné à travers des personnes vivantes, dans un climat de fraternité. Ce n'est pas si mal au point de vue « frère prêcheur ».

Comment ai-je REÇU tout cela ?

Lundi 9 décembre 63. – Ma table ! 40 cm de lettres, d'imprimés et de paquets, sur plus d'un mètre carré. Plus de 200 lettres : beaucoup au sujet de Tere, qui ne demanderont pas réponse, mais beaucoup d'autres aussi, et des épreuves à corriger !!

---

1. Conférence sur le concile.

TABLE

Avant-propos par Dominique Congar I
Préface par Bernard Dupuy, o.p. III
Introduction par Éric Mahieu .. XXV
Note sur l'édition LXV
Sigles LXVIII

Liminaire 1
Juillet 1960 3
6 septembre 1960 21
17-18 septembre 1960 23
26 octobre 1960 23
29 octobre-2 novembre 1960 ... 24
13-17 novembre 1960 25
14 novembre 1960 28
15 novembre 1960 33
16 novembre 1960 40
17 novembre 1960 42
2 janvier 1961 44
23 janvier 1961 44
26 janvier 1961 46
21 février 1961 46
3-4 mars 1961 47
12 mars 1961 50
12 juillet 1961 55
24 août 1961 56
17 septembre 1961 60
18 septembre 1961 60
19 septembre 1961 61
20 septembre 1961 63
21 septembre 1961 63
22 septembre 1961 66
23 septembre 1961 67
24 septembre 1961 69
25 septembre 1961 72
26 septembre 1961 75
27 septembre 1961 75
28 septembre 1961 77
29 septembre 1961 79
Novembre 1961 80
20 novembre 1961 80
21 novembre 1961 81
22 novembre 1961 81
23 novembre 1961 83
28 février 1962 86
4 mars 1962 86
5 mars 1962 87
6 mars 1962 91
7 mars 1962 92
8 mars 1962 93
9 mars 1962 95
10 mars 1962 96
Août-septembre 1962 98
1er octobre 1962 102
2 octobre 1962 102
3 octobre 1962 102
9 octobre 1962 104
10 octobre 1962 104
11 octobre 1962 105
12 octobre 1962 110
13 octobre 1962 113
14 octobre 1962 114
15 octobre 1962 116
16 octobre 1962 118
17 octobre 1962 119
18 octobre 1962 119

19 octobre 1962 ... 121
20 octobre 1962 ... 124
21 octobre 1962 ... 133
22 octobre 1962 ... 137
23 octobre 1962 ... 142
24 octobre 1962 ... 145
25 octobre 1962 ... 152
26 octobre 1962 ... 152
27 octobre 1962 ... 153
28 octobre 1962 ... 154
29 octobre 1962 ... 157
30 octobre 1962 ... 163
31 octobre 1962 ... 170
1er novembre 1962 ... 177
2 novembre 1962 ... 178
3 novembre 1962 ... 178
4 novembre 1962 ... 181
5 novembre 1962 ... 182
6 novembre 1962 ... 187
7 novembre 1962 ... 189
8 novembre 1962 ... 194
9 novembre 1962 ... 196
10 novembre 1962 ... 199
11 novembre 1962 ... 202
12 novembre 1962 ... 204
13 novembre 1962 ... 205
14 novembre 1962 ... 207
15 novembre 1962 ... 217
16 novembre 1962 ... 219
17 novembre 1962 ... 224
18 novembre 1962 ... 234
19 novembre 1962 ... 236
20 novembre 1962 ... 241
21 novembre 1962 ... 247
22 novembre 1962 ... 253
23 novembre 1962 ... 255
24 novembre 1962 ... 256
25 novembre 1962 ... 257
26 novembre 1962 ... 259
27 novembre 1962 ... 262
28 novembre 1962 ... 268
29 novembre 1962 ... 275
30 novembre 1962 ... 276
1er décembre 1962 ... 281
2 décembre 1962 ... 287
3 décembre 1962 ... 288
4 décembre 1962 ... 292
5 décembre 1962 ... 299
6 décembre 1962 ... 303
7 décembre 1962 ... 308
9 décembre 1962 ... 311
11 décembre 1962 ... 314
12 décembre 1962 ... 315
Janvier 1963 ... 315
24 janvier 1963 ... 319
25 janvier 1963 ... 319
26 janvier 1963 ... 320
6-7 février 1963 ... 322
9 février 1963 ... 323
14 février 1963 ... 325
15 février 1963 ... 327
23 février 1963 ... 328
1er mars 1963 ... 329
2 mars 1963 ... 330
3 mars 1963 ... 334
4 mars 1963 ... 335
5 mars 1963 ... 338
6 mars 1963 ... 341
7 mars 1963 ... 343
8 mars 1963 ... 344
9 mars 1963 ... 345
10 mars 1963 ... 346
11 mars 1963 ... 347
12 mars 1963 ... 351
13 mars 1963 ... 354
14 mars 1963 ... 357
16 mars 1963 ... 357
18 mars 1963 ... 357
19 mars 1963 ... 358
30 mars 1963 ... 360
13 mai 1963 ... 360
14 mai 1963 ... 361
15 mai 1963 ... 364
16 mai 1963 ... 366
17 mai 1963 ... 367
18 mai 1963 ... 368
19 mai 1963 ... 368
20 mai 1963 ... 369
21 mai 1963 ... 369
22 mai 1963 ... 370
23 mai 1963 ... 371
24 mai 1963 ... 373
25 mai 1963 ... 375
26 mai 1963 ... 376
27 mai 1963 ... 378
28 mai 1963 ... 381

29 mai 1963 ... 382
30 mai 1963 ... 383
10 juillet 1963 ... 383
Début août 1963 ... 387
19 août 1963 ... 389
21 août 1963 ... 389
25 août 1963 ... 390
31 août 1963 ... 391
5 septembre 1963 ... 392
6 septembre 1963 ... 393
7 septembre 1963 ... 394
8 septembre 1963 ... 396
15 septembre 1963 ... 396
18 septembre 1963 ... 397
29 septembre 1963 ... 400
30 septembre 1963 ... 405
1er octobre 1963 ... 410
2 octobre 1963 ... 419
3 octobre 1963 ... 426
4 octobre 1963 ... 432
5 octobre 1963 ... 437
6 octobre 1963 ... 437
7 octobre 1963 ... 438
8 octobre 1963 ... 442
9 octobre 1963 ... 446
10 octobre 1963 ... 453
11 octobre 1963 ... 459
12 octobre 1963 ... 464
13 octobre 1963 ... 467
14 octobre 1963 ... 468
15 octobre 1963 ... 472
16 octobre 1963 ... 475
17 octobre 1963 ... 479
18 octobre 1963 ... 484
19 octobre 1963 ... 485
20 octobre 1963 ... 486
21 octobre 1963 ... 487
22 octobre 1963 ... 489
23 octobre 1963 ... 490
24 octobre 1963 ... 493
25 octobre 1963 ... 497
26 octobre 1963 ... 501
27 octobre 1963 ... 502
28 octobre 1963 ... 503
29 octobre 1963 ... 506
30 octobre 1963 ... 510
31 octobre 1963 ... 514
1er novembre 1963 ... 515
2 novembre 1963 ... 516
3 novembre 1963 ... 517
4 novembre 1963 ... 517
5 novembre 1963 ... 518
6 novembre 1963 ... 522
7 novembre 1963 ... 523
8 novembre 1963 ... 525
9 novembre 1963 ... 527
12 novembre 1963 ... 528
13 novembre 1963 ... 530
14 novembre 1963 ... 532
15 novembre 1963 ... 535
16 novembre 1963 ... 537
17 novembre 1963 ... 537
18 novembre 1963 ... 538
19 novembre 1963 ... 544
20 novembre 1963 ... 550
21 novembre 1963 ... 555
22 novembre 1963 ... 561
23 novembre 1963 ... 564
24 novembre 1963 ... 565
25 novembre 1963 ... 566
26 novembre 1963 ... 573
30 novembre 1963 ... 574
1er décembre 1963 ... 576
2 décembre 1963 ... 577
3 décembre 1963 ... 583
4 décembre 1963 ... 586
5 décembre 1963 ... 589
6 décembre 1963 ... 589
7 décembre 1963 ... 590
8 décembre 1963 ... 590
9 décembre 1963 ... 591

Achevé d'imprimer par Corlet, Imprimeur, S.A.
14110 Condé-sur-Noireau (France)
N° d'Éditeur : 11375 - N° d'Imprimeur : 54507 - Dépôt légal : août 2002
Imprimé en U.E.

